PRINCÍPIOS DE DIREITO ADMINISTRATIVO

Ruy Cirne Lima

PRINCÍPIOS DE DIREITO ADMINISTRATIVO

7ª edição,
revista e reelaborada por

PAULO ALBERTO PASQUALINI

PRINCÍPIOS DE DIREITO ADMINISTRATIVO
© Carlos Roberto Velho Cirne Lima

ISBN 978-85-7420-758-2

Direitos reservados desta edição por
MALHEIROS EDITORES LTDA.
Rua Paes de Araújo, 29, conjunto 171
CEP 04531-940 — São Paulo — SP
Tel.: (0xx11) 3078-7205 Fax: (0xx11) 3168-5495
URL: www.malheiroseditores.com.br
e-mail: malheiroseditores@terra.com.br

Composição
PC Editorial Ltda.

Capa:
Criação: Vânia Lúcia Amato
Arte: PC Editorial Ltda.

Impresso no Brasil
Printed in Brazil
01-2007

NOTA PRÉVIA À 6ª EDIÇÃO

Quando RUY CIRNE LIMA iniciou sua contribuição para a ciência do direito, já havia significativo acervo de exposições críticas valiosas, de autores brasileiros que, já no período monárquico, começaram a descrever o nosso direito administrativo. Neste livro, o autor timbra em valorizar a nossa literatura juspublicística. Esta, porém, padecia de insuficiências, traduzida nos escritos à época existentes, provocando reflexo na jurisprudência, que se foi desenvolvendo de modo assistemático, caracterizada por indisfarçável falta de coerência e organicidade.

Aplicação de técnicas privatísticas, alheiamento ao espírito do direito público, transposição acrítica e apressada de institutos, problemas e soluções do direito alienígena (especialmente francês e italiano) comprometiam a funcionalidade, a eficácia e a harmonia do sistema, que crescia materialmente, em velocidade assustadora, sem direção.

Este livro traduz as notáveis qualidades do autor, celebrado sobretudo por sua formidável erudição, posta a serviço de aguda inteligência crítica, dedicada a plasmar um verdadeiro sistema científico. Este haveria de servir de poderoso conjunto de critérios, para melhor elaboração legislativa, com reflexos na jurisprudência, fixando rumos definidos e sólidos para os estudiosos, carentes de uma visão global e orgânica, compadecente com os quadros do direito constitucional. Em linguagem às vezes hermética, mas sempre sintética, RUY CIRNE LIMA fixa, em definitivas pinceladas, os alicerces de uma construção de incomparável solidez e notável consistência. Estes seus "princípios" marcam uma nova fase, de maturidade, no nosso direito administrativo, com significativas repercussões na doutrina do direito público brasileiro, em geral.

Seu pensamento – luminosamente sintetizado nesta obra – se caracteriza por duas principais marcas típicas, que não haviam sido devidamente valorizadas por nossos autores: o culto às nossas raízes culturais, às nossas origens ibéricas e o fiel apego às diretrizes do direito constitucional positivo, com adequada valorização da Carta Magna. Aí as duas balizas da linha de preocupação que dá à sua genial construção a singeleza e a coerência que – ao lado de outras qualidades – conferem à sua obra o cunho excepcional que a peculiariza. Repelindo visão superficial e preocupação expositiva, centra seus esforços na fixação das diretrizes fundamentais de um pensamento fecundo, plasmado em estilo compacto e monolítico, que fixa definitivamente, com redação invejável, os princípios básicos que dão sentido ao direito positivo e significado a seus institutos. Embora dedique o livro a seus alunos, sua genial pena elabora um "sistema" construtivo, em lugar de um longo e minucioso sistema expositivo, fazendo com que o livro transcenda de muito o círculo de seus alunos, para atingir beneficamente todos seus discípulos: os estudiosos do direito público.

Detêve-se longamente no expor a "relação de administração", seus critérios informadores, seu conteúdo, sua teleologia. Nesse instituto universal, põe a chave de abóbada do seu sistema, pedra de toque de sua proposta de explicação radical do direito administrativo. E o faz de modo vigoroso, denso e eficaz. E, dos postulados que fixa, vai extraindo conseqüências firmes, robustas, pródigas, que iluminam a compreensão de todos os institutos, que fecundam as virtualidades dos preceitos particulares e explicam os princípios e as normas do direito administrativo.

Poucos estudiosos souberam, como CELSO ANTÔNIO BANDEIRA DE MELLO, valorizar tanto o instrumental científico e o aparato crítico contidos nas concepções de RUY CIRNE LIMA. A ele se dê a palavra, para sintetizar o fulcro do pensamento do velho jusfilósofo e juspublicista:

"É sempre oportuno lembrar a magistral lição de CIRNE LIMA a propósito da relação de administração. Explica o ilustrado mestre que esta é 'a relação jurídica que se estrutura ao influxo de uma finalidade cogente'. Nela não há, apenas, um poder em relação a um objeto, mas, sobretudo, um dever, cingindo o administrador ao cumprimento da finalidade, que lhe serve de parâmetro.

"Na administração o dever e a finalidade são predominantes, no domínio, a vontade. Administração é a 'atividade do que não é senhor absoluto'. O mestre gaúcho pondera acertadamente que 'a relação de administração somente se nos depara, no plano das relações jurídicas, quando a finalidade, que a atividade de administração se propõe, nos aparece defendida e protegida, pela ordem jurídica, contra o próprio agente e contra terceiros'.

"Em suma, o necessário – parece-nos – é encarecer que na administração os bens e os interesses não se acham entregues à livre disposição da vontade do administrador. Antes, para este, coloca-se a obrigação, o dever de curá-los nos termos da finalidade a que estão adstritos. É a ordem legal que dispõe sobre ela" (*Natureza e Regime Jurídico das Autarquias*, São Paulo, Ed. RT, 1967, p. 296).

Apreendidas as categorias do mestre, CELSO ANTÔNIO constrói toda a teoria das autarquias, define-as, explica-as, identifica seu regime jurídico, expõe sua natureza. E, subseqüentemente, erige notável obra – que se expande por todos os domínios do direito administrativo – guardando admirável unidade, precisamente em razão da constante referibilidade a um magno critério básico: a relação de administração, tal como exposta por RUY CIRNE LIMA.

Pela "relação de administração" se explica todo o direito administrativo; se compreende seus institutos, entende-se seus princípios, desvenda-se o sentido de suas regras. Como critério explicador, a relação de administração informa o direito positivo e fixa as pautas para interpretação de toda norma, de cada ato administrativo. Nela se vai encontrar o "sentido" – objeto de tanto cuidado de Recaséns Siches – do sistema do direito administrativo e de cada um de seus institutos.

A contribuição de RUY CIRNE LIMA – ensinando-nos a conhecer e manipular as categorias por que a relação da administração se expressa – surge, assim, na evolução da nossa ciência, como momento decisivo. Daí se começa a marcar a maturidade do direito administrativo brasileiro. Ganhamos, assim, o instrumental que permite a afirmação de uma ciência com personalidade própria e fisionomia peculiar.

Este livro é uma preciosidade, não só pelo conteúdo material, rigor dos conceitos, perfeição das definições, primor das colocações e cunho científico da construção que propõe, mas também e principalmente pela riqueza inesgotável do método de exame e exposição crítica do direito positivo. Quem o apreende, detém instrumento definido de análise, do mais largo alcance. A adequada valorização das raízes históricas do nosso direito permite-nos desvendar a linha jurídica e sociológica, segundo a qual veio evoluindo a legislação. E CIRNE LIMA mostra, com argúcia e exímio senso de equilíbrio, como tal consideração é útil na investigação e estudo dos institutos expostos. Por outro lado, a correta estimação do nosso direito constitucional dá a exata medida das relações entre o direito administrativo e seus fundamentos básicos, contidas na Carta Magna.

Estes "princípios" constituem a primeira exposição sistemática da matéria, elaborada a partir de esquemas plasmados em função do Texto Constitucional. A própria visão categorial do mestre sul-rio-grandense tem, como ponto de partida, as propostas constitucionais. A pedra de toque de cada meditação setorial – desdobrada nos capítulos e parágrafos do livro – é sempre um princípio (ou preceito que o encerra) constitucional.

Até o surgimento de sua obra, nossos escritores expunham o direito administrativo brasileiro com abstração das implicações do princípio federal e da autonomia municipal. À semelhança de seus paradigmas franceses, italianos ou espanhóis, nossos autores expunham um direito uno, linear, simples e simplista.

O insigne jurista gaúcho timbra em sublinhar que o direito administrativo "é um direito de aplicação exclusiva" e que, pois, exclui o direito civil, o comercial, o trabalhista etc. e que a aplicabilidade do direito administrativo municipal exclui o estadual e federal; o estadual exclui o municipal e o federal e assim por diante. Seu estudo das pessoas administrativas é sintético, claro, didático e magistral. Suas colocações são clássicas, porque firmadas no texto constitucional e iluminadas pelos mais sólidos postulados da teoria geral do direito.

Nesse sentido, fixa diretrizes exegéticas insuperáveis, que não podem ser ignoradas. Destarte – com o vigor de sua pena enxuta e incisiva – lança contribuições definitivas, também para os estudiosos de direito constitucional. Aliás, em nenhum instante, CIRNE LIMA deixa de considerar a refração das exigências do nosso direito constitucional sobre o direito administrativo. Consciente da supremacia da Constituição, tem seus princípios e regras aplicáveis presentes a todo momento, a cada instante, com raro sentido de oportunidade. Por isso, esta obra transcende a modesta proposta didática que lhe serve de pretexto, para aparecer como uma das mais formidáveis criações da nossa literatura jurídica.

O portentoso talento desse professor é reconhecido no Brasil e além de suas fronteiras. Suas lições são celebradas por publicistas e privatistas, dada a sua universalidade. Não obstante sua familiaridade com a bibliografia alemã e européia, de modo geral, bem como a americana (do Norte ou qualquer outra) fez questão esse jusfilósofo e jurista de prestigiar a "prata da casa", nestes "princípios", valorizando ao máximo nossos autores.

Nisso, também, nos dita lição superior e exemplo vigoroso, exatamente pelo sentido brasileiro do seu pensamento de cidadão-jurista.

* * *

Este livro precisa ser divulgado, pela insuperável afirmação do espírito nacional que nele se encerra. A restante obra desse grande pensador é eloqüente atestado de sua impressionante erudição e cultura, que se não circunscrevem ao direito ou à filosofia, mas vão a quase todas as províncias das ciências sociais, revelando um cérebro que mais pareceria europeu que brasileiro. Renunciando – no redigir estes princípios – a apoiar-se ou mesmo citar os autores alienígenas, CIRNE LIMA dá-nos exemplo de modéstia e de acendrada brasilidade.

Tal característica se nos apresenta como deliberada proposta de valorização cultural de nossa tradição.

* * *

Gozando de sua nobre intimidade, posso testemunhar o apreço que tem RUY CIRNE LIMA pela tradição do nosso direito constitucional, expressado nas reiteradas homenagens intelectuais que rende a RUY BARBOSA e a PONTES DE MIRANDA. A admiração afetuosa por SEABRA FAGUNDES. O entusiasmo por BALEEIRO e sua dinâmica personalidade.

De sua casa – (que é nossa, por sua carinhosa e paternal generosidade) ninho, fortaleza, templo, quartel e academia – mantinha estreitas relações epistolares com os mais expressivos vultos das letras jurídicas européias, americanas e brasileiras. Acostumei-me a vê-lo recebendo cartas "do DR. JELLINEK", de BOBBIO, de SANTI ROMANO, de HAURIOU, de PONTES DE MIRANDA, de BALEEIRO, de SEABRA FAGUNDES etc. Em sua mesa de trabalho, manuseados e gastos, estão o *Corpus Iuris Civilis*, as *Pandectas*, o *Digesto*, bem como, à mão, nas prateleiras mais acessíveis à escrivaninha, os glosadores lusos, que ele citava de memória e que só folheava para edificar o interlocutor.

RUY CIRNE LIMA foi dotado da mais prodigiosa memória de que tenho notícia. Falava correntemente meia dúzia de línguas vivas; conhecia o grego e o latim, como expressões de culturas com que tinha familiaridade. E, a despeito de seu intelecto de *scholar* europeu – pela vastidão da erudição e vigor da cultura – tinha o espírito mais autenticamente gaúcho que pude encontrar. Daí seu acendrado brasileirismo, transparente em toda sua obra jurídica.

A reedição desta obra, a nós encomendada pelo mestre, é – temos consciência disso – um serviço que prestamos à cultura jurídica brasileira. Este livro, muito mais que informador, é eminentemente formador. Mais do que ensinar ciência, ensina a fazer ciência. CIRNE LIMA não se contentava em dar-nos peixes; ele nos ensinava a pescar.

* * *

(O querido Professor RUY CIRNE LIMA – o "DR. RUY", como foi chamado no Rio Grande, com respeitoso afeto e admiração – esse estadista que se tornou (como o disse, em discurso, SEABRA FAGUNDES) uma instituição gaúcha, faleceu em 1984).

GERALDO ATALIBA

PREFÁCIO

Ruy Cirne Lima seguramente foi e sempre será um dos maiores administrativistas brasileiros de todos os tempos. Seus *Princípios de Direito Administrativo*, constituem-se em obra monumental, de valor inestimável, cuja leitura é absolutamente indispensável a quem pretenda estudar o direito administrativo no Brasil. O leitor logo perceberá um atributo estranho neste pequeno grande livro. A cada nova leitura aprende-se mais, como se esta obra extraordinária revelasse seus tesouros pouco a pouco, reservando-lhes a totalidade para os que entretenham uma relação de freqüência e intimidade com o livro.

Dotado de um poder de síntese notável, visivelmente incomum, o Prof. Cirne Lima consegue em poucas linhas alcançar a essência dos vários tópicos sobre que se debruça com profundidade excepcional, conquanto pareça estar apenas transitando muito ao de leve sobre o assunto. Esta sua maneira elegante, que causa a impressão de uma discreta e apressada passagem pela matéria enfocada, ilude o leitor de uma primeira leitura, pois não exibe, de imediato, que naquelas linhas áticas, lançadas com uma concisão invulgar, estão condensadas meditações de grandíssima ciência, de uma sabedoria admirável, que só se atinge depois de amealhar, decantar e reelaborar vastíssimos conhecimentos que poucos conseguem reunir ao longo de uma vida.

Algumas de suas frases lapidares concentram em sua simplicidade toda a essência da atividade administrativa e, pois, do direito que dela se ocupa e ilustram o que se vem de dizer: "Opõe-se a noção de administração a de propriedade, nisto que, sob administração, o bem não se entende vinculado à vontade ou personalidade do administrador, porém a finalidade impessoal a que essa vontade deve servir", ou "Na administração, o dever e a finalidade são predominantes; no domínio, a vontade". E ainda: "A relação de administração somente se nos depara, no plano das relações jurídicas, quando a finalidade que a atividade de administração se propõe, nos aparece defendida e protegida, pela ordem jurídica, contra o próprio agente e contra terceiros". Estas são, dentre tantas lições excepcionais encontradiças nos *Princípios*, demonstrações de que o ilustrado Professor ministrou ensinanças que atravessam os tempos e que servem como um fanal orientador de quem quer pretenda saber alguma coisa de realmente importante sobre o direito administrativo.

Como obviamente também há, no livro, referências circunstanciadas à época em que o redigiu, ele aparece agora atualizado e da maneira mais indicada e compatível com sua índole. Com efeito, o responsável pela atualização é o eminente Professor PAULO PASQUALINI, o maior conhecedor da obra de CIRNE LIMA. Como seu assistente e amigo por longuíssimos anos, profundo estudioso do direito e perfeitamente informado das fontes culturais do agrado de CIRNE LIMA, pôde este jurista de escol produzir uma atualização compatível com a grandeza da obra. Os estudiosos de direito administrativo estão de parabéns por esta edição que a MALHEIROS EDITORES vem de brindá-los.

CELSO ANTÔNIO BANDEIRA DE MELLO

NOTA ELUCIDATIVA

Na atualização deste livro procuramos ter presente, de modo constante, o pensamento original do Professor RUY CIRNE LIMA.

De acordo com sua concepção, temos "necessidade de libertar-nos do preconceito, segundo o qual, no limiar do Direito Público, cessam, como por ablação, as categorias jurídicas, comuns a todas as partições e subdivisões do direito positivo" (*Sistema de Direito Administrativo Brasileiro*, t. I, Porto Alegre, 1953, p. 8).

Seguindo essa concepção, tanto neste livro, que agora é atualizado, quanto naquele acima aludido, RUY CIRNE LIMA adere à idéia de romanistas ilustres, como W. W. BUCKLAND e H. F. JOLOWICZ, que não davam relevo ao conceito de isolamento entre o direito público e o privado, adotando a concepção de JUSTINIANO, nas *Institutas*, quando afirmava que "Omne jus quo utimur vel ad personas pertinent, vel ad res, vel ad actiones" (Inst. 1, 2, 12).

Recorrendo em larga medida aos conceitos já solidificados no direito privado, sobretudo pelo Direito Romano, o autor realizou uma partição dos temas deste livro iniciando, após uma Introdução, por uma Parte Geral, assim como fizeram BERNHARD WINDSCHEID, no seu *Diritto Delle Pandette*, trad. italiana de FADDA e BENSA (vol. I, Torino, 1925) e OTTO GIERKE, no livro *Deutsches Privatrecht*, Erster Band – *Allgemeiner Teil und Personenrecht* (München und Leipzig, 1936), em que tratam de uma Parte Geral do Direito Civil, dividida em Pessoas, Bens, Atos Jurídicos e Prescrição.

Nos *Princípios de Direito Administrativo*, ora atualizado (e reescrito em parte), aparece essa mesma divisão, em que desponta um conceito nuclear, fundamental no desenvolvimento de todo o livro. Esse conceito é o de Relação de Administração. A Relação de Administração consta do § 6 do livro e foi escrupulosamente preservada, somente sofrendo alteração no que concerne à legislação, sobretudo em função da publicação do Código Civil de 2002.

As partes fundamentais do livro são subdivididas em Introdução, Parte Geral e Parte Especial. Nesse particular, a subdivisão segue a estrutura do livro do Prof. WALTER JELLINEK, que se subdivide em "Einleitung" (Introdução), "Allgemeiner Teil" (Parte Geral) e "Besonderer Teil" (Parte Especial) (*Verwaltungsrecht*, 1929, Berlin, índice geral, p. X a XV).

Ao redigir o livro, destinado a servir de compêndio para os estudantes da Faculdade de Direito, o Prof. CIRNE LIMA deliberou circunscrever as citações ao Corpus Juris Civilis, no que concerne ao Direito Romano, e aos jurisconsultos reinícolas mais expressivos, como JORGE DE CABEDO, DOMINGOS ANTUNES PORTUGAL, PASCOAL JOSÉ DE MELLO FREIRE, com algumas referências às diferentes Ordenações do Reino de Portugal.

No que concerne ao direito brasileiro, há as referências obrigatórias aos grandes do século XIX, como JOSÉ ANTÔNIO PIMENTA BUENO, PAULINO SOARES DE SOUZA (Visconde do Uruguai), PEREIRA DO RÊGO e os do início do século XX, como ALCIDES CRUZ, VIVEIROS DE CASTRO, OLIVEIRA SANTOS, CARLOS PORTO CARREIRO e RUY BARBOSA, bem como aos contemporâneos do autor, como TEMÍSTOCLES BRANDÃO CAVALCANTI, MARIO MASAGÃO, JOSÉ CRETELLA JÚNIOR, TITO PRATES DA FONSECA, FERNANDO MENDES DE ALMEIDA e outros. Citação especial era feita à obra do ilustre SEABRA FAGUNDES, que embora sem feição sistemática de exposição, transcendia aos limites de uma simples monografia, intitulada *O Controle dos Atos Administrativos pelo Poder Judiciário*.

Dizia o autor, no prefácio à 1ª edição, que "WALTER JELLINEK, MAURICE HAURIOU, SANTI ROMANO seriam nomes encontradiços em cada página, se outro houvesse sido o critério adotado". Como já ficou dito em nosso prefácio a esta edição, deliberamos alterar esse critério, agora, que o Prof. CIRNE LIMA não mais se encontra entre nós, principalmente para tornar pública a inspiração principal deste livro, fundado, em larga medida, nos ensinamentos de WALTER JELLINEK, OTTO MAYER, PAUL LABAND, SANTI ROMANO e MAURICE HAURIOU.

Como decorrência desse propósito, foi necessário estender muitos dos capítulos, denominados de parágrafo pelo autor e subdivididos em algarismos arábicos. Deliberamos fazer os acréscimos, via de regra, por meio da aposição ao número do item, de uma letra, na seqüência do alfabeto, às partes por nós elaboradas, assinalando com um sinal gráfico (•) os textos acrescidos. Além disso, em alguns casos, foi necessário alterar a redação em algumas das subdivisões originais pela mudança ocorrida na legislação. Assim, no § 16, que trata da Competência, no item 2, "a", o Prof. CIRNE LIMA sustentava que não havia direito subjetivo dos administrados à competência das pessoas administrativas, mas simplesmente reflexo de direito. Fomos compelidos a rever essa posição em função da Lei n. 4.717, de 29.6.1965, que regulou entre nós a Ação Popular, como direito subjetivo público de todo o cidadão brasileiro, a qual estabelece como primeiro motivo para a propositura da ação a violação da regra de competência, constituindo-se, por essa forma, a incompetência motivo fundamental para a propositura da referida ação (Lei n. 4.717/1965, art. 2º, "a", e parágrafo único, "a"). Esse constitui apenas um entre outros tantos exemplos em que foi necessário operar uma retificação no texto original para adequá-lo a novas disposições legais.

Desde o ano de 1964, em que foi editada a última edição sob a supervisão do autor, a legislação brasileira sofreu transformações consideráveis, inclusive com o advento de uma nova Constituição Federal, de 5 de outubro de 1988, que estabeleceu, pela primeira vez, entre nós, um Estado de Direito.

Essa Constituição já foi alterada e maltratada por alguns Presidentes da República, que fazem uso da competência que a própria Constituição lhes outorgou, de propor Emendas Constitucionais (art. 60, inciso II). Essa competência, como tivemos a oportunidade de dizer no texto do livro, é desconhecida dos regimes presidenciais puros e nos foi legada pelo regime militar, que os nossos políticos tanto combateram, mas conservaram algumas das competências provenientes dos Atos Institucionais. Por esse motivo, foi necessário fazer uma revisão profunda da legislação constitucional e da ordinária, para adaptar o livro à moderna realidade brasileira. Nesse mister, não poupamos críticas aos maus Presidentes e aos maus legisladores, que deformaram o texto constitucional e que produzem continuamente uma legislação ordinária espúria, incompatível com os postulados do Estado de Direito e com os Direitos Fundamentais imodificáveis, que constituem núcleo básico da Constituição.

Embora o trabalho tenha implicado, não raro, mudanças profundas no texto original, por força da nova legislação, procuramos manter inalterada a feição original do livro, preservando a sua divisão fundamental, todos os títulos de seus 26 parágrafos (ou capítulos) e o espírito que presidiu à elaboração desta obra.

Feita esta introdução, podemos passar à leitura do livro, considerando que se algum equívoco houver, esse não deve ser atribuído ao Prof. CIRNE LIMA, mas ao autor desta atualização.

PAULO ALBERTO PASQUALINI

SUMÁRIO

Nota Prévia à 6ª Edição – Geraldo Ataliba 5
Prefácio – Celso Antônio Bandeira de Mello 11
Nota Elucidativa – Paulo Alberto Pasqualini 13

Introdução
O DIREITO ADMINISTRATIVO

§ 1. Posição 23
§ 2. Conceito 35
§ 3. História do Direito Administrativo Brasileiro 57
§ 4. Fontes 71
§ 5. Literatura 86

Parte Geral
A RELAÇÃO JURÍDICA NO DIREITO ADMINISTRATIVO

§ 6. A Relação de Administração 105
§ 7. A Relação de Direito Subjetivo
  I – O Direito Subjetivo Público 110
  II – A Posição Jurídica e o Reflexo de Direito 119

OS ELEMENTOS DA RELAÇÃO JURÍDICA ADMINISTRATIVA ... 124

§ 8. As Pessoas Administrativas 124
§ 9. Os Bens em Relação à Administração Pública 178
§ 10. Os Serviços Públicos 201
§ 11. Os Atos Administrativos 216
§ 12. A Prescrição 280

A LIMITAÇÃO DOS DIREITOS

§ 13. Os Direitos Individuais 293
§ 14. A Polícia 301
§ 15. Os Direitos do Estado 339

Parte Especial
A ORGANIZAÇÃO ADMINISTRATIVA

§ 16. A Competência 385
§ 17. A Descentralização 395
§ 18. Individualismo, sindicalismo e unipartidismo 409
§ 19. A Hierarquia 415

AS FORÇAS DA AÇÃO ADMINISTRATIVA

§ 20. O Trabalho Público 427
§ 21. As Empresas e Obras Públicas 496

OS BENS NA ECONOMIA ADMINISTRATIVA

§ 22. O Uso Público 514
§ 23. As Servidões Administrativas 520
§ 24. A Responsabilidade da Administração 532
§ 25. A Justiça Administrativa 549
§ 26. As Sanções Administrativas 583

A João Amorim de Albuquerque
Ao amigo
Ao mestre

Introdução
O DIREITO ADMINISTRATIVO

§ 1. POSIÇÃO

Corrida a primeira metade do século XIX, já se não discute, a sério, no Brasil a existência do Direito Administrativo (P. G. T. Veiga Cabral, *Direito Administrativo Brasileiro*, Rio de Janeiro, 1859, p. V). Esse Direito Administrativo, gira ao redor das atribuições contenciosas das autoridades administrativas. Além desse círculo acaba-se o Direito Administrativo, tudo são operações mecânicas (Ribas, *Direito Administrativo Brasileiro*, Rio de Janeiro, 1866, pp. 126 e ss.) ou negócios de direito privado (v. § 3, n. 7, *infra*).

• O Conselheiro Ribas afirmava a propósito do tema: "Como instrumento de operações puramente materiais, a Administração constrói e repara edifícios e obras públicas, guarda, conserva, adquire, aliena por concessão gratuita ou onerosa os bens públicos; defende-os em juízo como autora, ou como ré; percebe rendas, paga despesas, liquida as dívidas ativas e passivas. Assim, ela fabrica, compra, conserta e guarda nos arsenais as armas, munições e mais material do exército e armada; as máquinas, instrumentos, matérias-primas e mobília das oficinas do Estado; põe em atividade e administra estas oficinas". A descrição continua, e é longa, demonstrando o vulto das atividades desenvolvidas pela Administração Pública, que desde aquela época era considerável e permanece até nossos dias como relevante. Desde essa época, por conseguinte, se reconhece a existência do Direito Administrativo como *disciplina jurídica autônoma*.

E desde essa época reconhece-se, igualmente, ao Direito Administrativo, o caráter de *direito especial*. Como dizia apositamente Francesco Ferrara "O direito pode ter uma esfera de aplicação geral a todas as relações ou limitada a um campo circunscrito dessas. O primeiro é *direito geral*, o outro *direito especial*. Ao lado do direito geral se desenvolve para relações particulares da vida ou para certa classe de pessoas ou coisas um *ius proprium*, um direito mais adaptado às peculiares exigências de determinadas relações, que assume uma particular fisionomia e um espírito independente, em confronto com o direito geral do qual se destacou. O direito especial não é uma exceção, mas uma especificação, um desenvolvimento, um complemento do direito geral, como um ramo que se destaca do tronco. O direito especial é um sistema autônomo de princípios, elaborados para um particular comportamento de determinadas relações" (*Trattato di Diritto Civile Italiano*, Roma, 1921, v. I, p. 83).

Assim é o Direito Administrativo, um direito especial, que se formou levando em consideração uma certa classe de pessoas, que são as pessoas administrativas, e para as relações particulares em que o Poder Público ingressa como titular da competência para administrar a coisa pública. •

1. Demonstra, com efeito, o mais superficial exame das normas do Direito Administrativo a presença de materiais alheios, tirados a ramos do Direito de âmbito mais geral, dispostos, porém de forma nova – acumulados na direção especial, que lhes imprime um princípio fundamental também novo. Não é difícil, de resto, determinar qual é esse princípio fundamental, que faz do Direito Administrativo direito especial e, ao mesmo tempo, disciplina jurídica autônoma: – é o *princípio de utilidade pública*.

A utilidade pública dá-nos, por assim dizer, o traço essencial do Direito Administrativo. A utilidade pública é a finalidade própria da Administração Pública, enquanto "provê à segurança do Estado, à manutenção da ordem pública e à satisfação de todas as necessidades da sociedade" (Pereira do Rêgo, *Elementos de Direito Administrativo Brasileiro*, 1860, § 4, p. 2).

Não tem, todavia, o princípio de utilidade pública conteúdo jurídico. Certo, a sua realização poderá, algumas vezes, supor ou reclamar a realização concomitante de princípios jurídicos.

Assim, se diz, no Alvará de 18 de Outubro de 1752, que a utilidade pública consiste na *pronta execução das sentenças*, e, no Alvará de 10 de Abril de 1776, que se estabelece na *boa observância das leis* (Fernandes Thomaz, *Repertório Geral das Leis Extravagantes*, t. II, Coimbra, 1819, verbete "Utilidade Pública", ns. 67 e 70, p. 400).

Isso não lhe confere, porém, conteúdo jurídico; bem ao contrário; às ciências não-jurídicas que, como a Sociologia e a Política e a Ciência da Administração, prestam subsídio à obra da lei e do governo, cabe a determinação do largo e variável conteúdo deste princípio fundamental do Direito Administrativo.

2. Molda-se o conceito de utilidade pública sobre o de utilidade social. Domina esta o mundo das realidades concretas: os sedentos das grandes secas do Norte ouviriam com enorme aflição e decerto não suportariam a leitura de versos; os famintos não tolerariam a música; entre os selvagens, pouco nos ajudariam, como meio de adaptação, os nossos princípios morais e até os nossos mais arraigados hábitos jurídicos (Pontes de Miranda, *Sistema de Ciência Positiva do Direito*, t. I, Rio de Janeiro, 1922, p. 259).

Mas a utilidade pública é mais do que a utilidade social.

Vai referida, de feito, a utilidade pública, não só ao indivíduo e ao agregado, como também, à própria sociedade organizada que, realizando o bem individual e o bem social, se mostra um bem em si mesma (Tristão de Ataíde, *Política*, Rio de Janeiro, 1932, p. 19). Assim, se diz no Alvará de 24 de Outubro de 1764, acerca do acatamento e respeito devidos aos magistrados e oficiais de justiça, que – "o necessário cumprimento destas indispensáveis obrigações envolve – com a utilidade pública dos Povos o bem particular e a própria conservação de cada um deles" (Delgado da Silva, *Coleção da Legislação Portuguesa, 1763-1774*, Lisboa, 1829, p. 128).

• **2-A.** Que é a utilidade pública? Tal como a concebemos, é a expressão orgânica do bem comum, a definição deste, quanto aos meios e processos, capazes de realizá-lo.

O bem comum é mais do que a simples multiplicação aritmética, pelo número dos indivíduos na coletividade do bem de cada qual. "Bonum commune civium – adverte Santo Tomás – et bonum singulare unius personae non differunt solum secundum multum et parvum, sed secundum formalem differentiam" (*Summa Theologica*, IIa, IIae, q. XXVI, art. 6).

Quanto ao bem comum não se atende somente aos indivíduos e às relações destes entre si, esquecendo a sociedade. Não seria correto, de outra parte, referir-se à sociedade mesma a noção do bem comum. A sociedade e os fins desta são meramente meios para que o homem realize o próprio fim. A unidade social é, apenas, a unidade da ordem, e não a dos organismos naturais.

Sujeito, por conseguinte, a que o bem comum se proponha, somente pode ser o homem – o indivíduo, na sociedade, enquanto componente dela, ou seja, enquanto parte no todo, interessado na conservação deste.

O bem comum vai referido ao indivíduo enquanto parte do todo, cuja conservação é um bem em si mesma. O bem comum é o bem da soma dos indivíduos que compõem a sociedade, enquanto participam desta mesma sociedade.

2-B. Entre o bem e o útil, de outro lado, entre o bem comum e a utilidade pública, a mesma distinção existe, que entre o *frui* e o *uti* da técnica jurídica: aquele um gozo, a satisfação de uma inclinação; este, uma utilização, o meio pelo qual o *frui* pode ser alcançado.

A sociedade, se não é capaz de um gozo (o que suporia sensibilidade), é, sem dúvida, capaz de um *uti*, que quer dizer de utilizar os múltiplos recursos ao seu alcance, riquezas morais e riquezas materiais, de sorte a assegurar a cada qual, com os meios de persecução do bem privado que lhe toca como indivíduo, as condições essenciais ao bem comum, que lhe interessa como membro da coletividade.

A *utilidade pública* representa o conjunto dessas condições, indispensáveis ao bem comum.

Certo, a *utilidade pública*, assim entendida, inspira todo o Direito. De outro lado, várias são as ordens de atividades que a promovem dentro da sociedade.

Dentre todas, fácil é, porém, distinguir as que especialmente se destinam a promovê-la: promover a utilidade pública incumbe especialmente ao Poder Público, "hoc est Reipublicae officium" (Warnkoenig, *Institutiones Juris Romani Privati*, Bonae, 1834, § 33, p. 10).

Ora, segundo a diversidade das atividades do Poder Público, na promoção da utilidade pública, fácil é, também, discriminar as regras jurídicas que particularmente lhe são aplicáveis. Já dizia Santo Tomás que "A lei humana pode ser dividida segundo a diversidade daqueles que especialmente atuam para o bem comum" ("lex humana dividi potest secundum diversitatem eorum qui specialiter dant operam ad bonum commune" – *Summa Theologica*, Ia, Iae., q. XCV, art. IV).

Não é, pois, de surpreender que à Administração Pública, enquanto forma específica de atividade do Poder Público, destinada à promoção da utilidade pública, corresponda um direito especial – o Direito Administrativo –, o qual representa, apenas, a discriminação, segundo aquele princípio, de um grupo de regras jurídicas preexistentes (Ruy Cirne Lima, *Sistema do Direito Administrativo Brasileiro*, t. I, Porto Alegre, 1953, pp. 43-46). •

3. De modo geral, o Direito Civil e o Direito Processual asseguram o bem do indivíduo e o da coletividade dos indivíduos; o Direito Constitucional e o Direito Penal definem e fixam a organização fundamental da sociedade. Tais dados jurídicos são pressupostos na sistemática do Direito Administrativo.

De outra parte – certo, aqueles ramos do direito objetivo pressupõem a noção de utilidade pública como noção limite, ainda mesmo o Direito Constitucional que, aliás, se transformaria em simples instrumento nas mãos do tirano, da minoria audaciosa, ou da maioria desvairada (Sto. Agostinho, *De Libero Arbitrio*, L. I, cap. VI: "(...) si paulatim idem populus depravatus habeat venale suffragium, et regimen flagitiosis sceleratisque committat; recte adimitur tali populo potestas dandi honores, et ad paucorum bonorum redit arbitrium").

• *3-A.* No que concerne ao tirano, Sêneca nos adverte: "Quid ergo! Non reges quoque occidere solent? Sed quoties id fieri utilitas publica persuadet" (*De Clementia*, Liv. I, cap. XII – "Os reis não costumam também matar? Mas todas as vezes que o fazem invocam a utilidade pública"). Por sua vez, Aristóteles nos diz que todas as Constituições que têm por finalidade o interesse comum são, de fato, formas corretas de organizar o Estado, de acordo com os estritos princípios da Justiça; aquelas, ao contrário, que somente têm em vista o interesse pessoal dos dirigentes são defeituosas e constituem desvios da normalidade, pois têm um caráter despótico, enquanto que o Estado outra coisa não é que uma comunidade de homens livres (*La Politique*, Paris, par J. Tricot, L.Vrin, 1970, L. III, n. 6, 20, p. 197).

A palavra dos filósofos condena igualmente a tirania, a demagogia e a oligarquia.

3-B. No Direito Administrativo, o princípio de utilidade pública deve ser visto dentro da perspectiva de um Estado de Direito. •

Sob este aspecto, ele não possui, apenas, essa significação negativa. Bem ao contrário, imprime rumo, dá direção positiva ao sistema de regras de Direito, que, ao seu redor, se forma.

4. Produz o princípio de utilidade pública a formação do Direito Administrativo, como qualquer acidente do terreno pode causar a formação de um cômoro nas praias do mar. É suficiente que uma saliência mínima enrugue o chão liso. Sobre ela, batidas pelo vento, logo as areias se acumulam e já o acúmulo das primeiras suplanta a saliência primitiva para fazer-lhe as vezes e deter e acumular as novas areias que o vento tange.

Tal é, com efeito, o processo de formação de todo direito especial. Forma-se o Direito Comercial do acúmulo de regras de direito privado sobre a saliência da idéia de lucro. Logo é suplantada, contudo, a saliência primitiva pelas primeiras disposições acumuladas, relativas à mediação econômica, no desempenho da qual a idéia do lucro, de início mais freqüentemente vinha a concretizar-se (J. X. Carvalho de Mendonça, *Tratado de Direito Comercial Brasileiro*, Rio de Janeiro, 1930, t. I, n. 291, pp. 470 e ss.). Forma-se o Direito Administrativo do acúmulo de regras de Direito sobre o princípio de utilidade pública. Logo, porém, é suplantado o princípio básico pelas normas jurídicas que já sobre ele se amontoam, relativas ao Estado, em cuja atividade encontra a utilidade pública, por excelência, o veículo de sua realização.

• Por isso, Fritz Fleiner nos adverte que "não trataremos neste livro da administração das pessoas privadas; somente nos ocupará a administração do Estado. Tudo quanto o Estado realiza para se desincumbir das tarefas que por ele foram assumidas, constitui administração em sentido largo, por oposição à Constituição. Se a Constituição representa o elemento fixo, permanente, na vida do Estado, na administração é o Estado ativo que se manifesta diante de nós" (*Les Principes Généraux du Droit Administratif Allemand*, Paris, 1933, § 1, p. 9). •

5. Deixa ver o modo de formação do direito especial que a especialidade não lhe tira a autonomia.

• 5-A. O direito regular é o que se constitui conformemente à razão jurídica: é, nesta acepção, a mesma reta razão em forma de preceito – "recta ratio in jubendo et vetando" (Cicero, *De Legibus*, Liv. I, cap. XII); singular é, pelo contrário, o direito que se estabelece "contra tenorem rationis propter aliquam utilitatem auctoritate constituentium introductum est", na definição de Paulo (*Digesto*, Liv. I, Tit. III, fr. 16).

Direito especial, diversamente, é o que se forma em harmonia com a razão jurídica, não, entretanto, por dedução lógica, apenas; mas por indução e dedução, sucessivamente: por indução, no que tange a determinar o caráter particular das relações que lhe devem ficar submetidas; por dedução, no que concerne a especificar, de sorte a torná-las especialmente adequadas a tais relações, as regras jurídicas, de caráter geral, que, aliás, lhes seriam, extensiva ou analogicamente, aplicáveis (Otto Gierke,

§ 1. POSIÇÃO   29

Deutsches Privatrecht, t. I, p. 136, Leipzig, 1895). Já o direito geral é o que se endereça a regular as relações jurídicas inespecíficas, comuns à generalidade dos indivíduos (Cirne Lima, *Sistema de Direito Administrativo Brasileiro*, 1953, p. 58). •

É o direito especial, à semelhança do direito comum, um sistema orgânico. Carlos Maximiliano afirma que "De fato, o direito especial abrange relações que, pela sua índole e escopo, precisam ser subtraídas ao Direto Comum. Entretanto, apesar desta reserva, constitui também, por sua vez, um sistema orgânico e, sob certo aspecto, geral" (*Hermenêutica e Aplicação do Direito*, Rio de Janeiro, 1957, n. 274, pp. 284-285). Apenas os distingue entre si a compreensão dos respectivos princípios fundamentais: é o direito comum – comum a todos os ramos em que este porventura se divida; o do direito especial, ao contrário, é-lhe especial.

Mostra, à sua vez, a autonomia do direito especial que não é impossível a concorrência de troncos diversos do direito objetivo para formação, em contribuições sucessivas, do mesmo direito especial. Se não é o direito especial simplesmente a dependência do direito geral de que originariamente se destacou; se forma um sistema orgânico e, conseqüentemente, uma disciplina jurídica autônoma, bem é de ver-se que todos os departamentos do Direito, com que vizinha, poderão fornecer-lhe achegas e subsídios. Assim é que, formado, originariamente, pela reunião de disposições, destacadas do Direito Político ou Constitucional, ao redor do princípio de utilidade pública, pôde receber, também, o Direito Administrativo materiais esparsos de outras grandes divisões do direito objetivo, cuja existência é, igualmente, um dos pressupostos substanciais de sua existência – o Direito Civil, o Direito Penal e o Direito Processual.

• O Direito Civil confere-lhe o atributo, por excelência, das atividades que regula: a liberdade. Assimilada, entretanto, pelo Direito Administrativo, a liberdade do Direito Civil transforma-se. Dela, faz o Direito Administrativo, quanto aos agentes do Poder Público, dever irrenunciável: surge, assim, a figura da discrição administrativa. A discrição ou liberdade do agente administrativo como a do juiz no processo (James Goldschmidt, *Der Prozess als Rechtslage*, Berlin, 1925, p. 303) resulta de normas cogentes e não dispositivas.

O Direito Penal empresta à Administração Pública a *sanção*, que lhe constitui a essência. O Direito muitas vezes diz respeito com o julgamento das ações humanas de acordo com princípios e normas legais. No Direito Penal, a prova da culpabilidade é considerada como pré-requisito essencial para a punição da maioria dos crimes (Edgar Bodenheimer, *Jurisprudence, The Philosophy and Method of the Law*, Harvard, 1978, p.

292). Não é sem fundamento que discutem os juristas acerca da distinção entre sanções penais e administrativas, tantas são, realmente, as afinidades e semelhanças que decorrem daquele empréstimo originário (Guido Zanobini, *Le Sanzioni Amministrative*, Torino, 1924, *passim*).

O Direito Processual faz dom à Administração Pública do atributo da executoriedade, característico da atividade processual. Costuma exprimir, em matéria tributária, o caráter executório dos atos administrativos, pelo brocardo "solve et repete". Este brocardo, oposto ao que se originou do conceito de Pomponio, em prol da compensação judiciária: "melius est non solvere quam solutum repetere" –, revela-nos o princípio da executoriedade processual em todo o seu rigor. A frase completa é a seguinte: "Ideo compensatio necessaria est, quia interest nostra potius non solvere, quam solutum repetere" (*Digesto*, Liv. XVI, tit. II, fr. 3).

A executoriedade do processo se expressava na regra antiqüíssima da unidade da demanda. Rudolf von Ihering afirmava que para que o princípio "uma ação, uma demanda" atingisse seu fim, deveria ele se impor às duas partes. Rejeitava-se, assim, *in limine*, a apreciação, no mesmo processo, de outra qualquer relação jurídica, além da demandada (*L'Esprit du Droit Romain*, t. IV, Paris, 1888, Liv. II, n. 3, p. 46).

Com todo o seu rigor, esta regra não é senão o corolário processual do princípio de direito material, segundo o qual a todo devedor incumbe o fiel e completo cumprimento da obrigação contraída, independente da consideração de qualquer outro direito, que acaso lhe assista, contra o próprio credor. Von Ihering dizia a respeito, o seguinte: "Com efeito, a demanda e a pretensão contrária se encontram aqui na mais estreita correlação, em uma dependência recíproca; o retardamento que o réu ocasiona não ultrapassa o avanço que o demandante tomou sobre ele" (ob. cit., t. IV, p. 50).

Von Ihering condenava a posição que o Direito Romano novo adotou, de permitir fazer valer uma posição contrária por "via de exceção". No seu entender, constituía "coisa reprovável seguramente, arrebatar às partes a possibilidade de dar à sua relação a forma rigorosamente unilateral" (ob. cit., t. IV, p. 50).

A opinião de von Ihering traduz a expressão perfeita e mais correta, posto que dura e implacável, da *executoriedade processual*, que se transmite, assim, à Administração Pública. •

Tão extensas e profundas foram as contribuições desses outros ramos do direito positivo que cada um deles pode reputar-se – e, realmente, é reputado – direito comum relativamente ao Direito Administrativo.

§ 1. POSIÇÃO

Ao dispor sobre os contratos administrativos, • a Lei n. 8.666, de 21 de junho de 1993, manda aplicar-lhes, supletivamente, os princípios da teoria geral dos contratos e as disposições de direito privado (art. 54, *caput*), que é considerado como • direito comum. Definindo as penas administrativas, chama Ribas, ao Direito Penal, direito comum • ao afirmar que "conquanto a aplicação do Direito Penal comum seja da exclusiva competência do poder judicial, não se deve privar a administração da atribuição de reprimir e prevenir pela punição aqueles atos que opõem tropeços ao desenvolvimento regular da ação administrativa e prejudicam a causa pública" • (*Direito Administrativo Brasileiro*, I, Rio de Janeiro, 1866, pp. 156-157). Fixando os caracteres do processo administrativo, chama Alcides Cruz, ao Direito Processual, Direito Processual comum (*Direito Administrativo Brasileiro*, Rio de Janeiro, 1914, p. 262).

Atenta a variedade das contribuições formativas, não poderíamos conceber, portanto, o Direito Administrativo, como direito especial, se lhe faltasse autonomia. É a recíproca da afirmação de que partimos.

6. Invadido por correntes provindas de todos os setores do direito objetivo é, não obstante, o Direito Administrativo um ramo do direito público.

• No dizer de Norbert Achterberg, o Direito Administrativo é como o Direito Internacional, o Direito Constitucional, o Direito Canônico uma parte do Direito Público. Pode ser definido "como direito especial da organização estatal, em particular da administração" ("als Sonderrecht der staatlichen Organisation, insbesondere der Verwaltung" – *Allgemeines Verwaltungsrecht, Ein Grundriss*, Heidelberg, 1985, Cap. I, A, n. 1, p. 1).

6-A. Direito Administrativo, no sentido literal da palavra, quer dizer Direito relativo à Administração. O Direito supõe relações que devam ser reguladas e pessoas que se encontram umas diante das outras, sendo necessário estabelecer uma linha de separação entre o que elas podem fazer. As relações de que se cogita no Direito Administrativo são aquelas indicadas pela noção de administração.

E a Administração será sempre a atividade desenvolvida pelo Estado (Otto Mayer, *Le Droit Administratif Allemand*, Paris, 1903, t. I, § 2, p. 15). Pode-se dizer que não se penetra no Direito Administrativo senão através do Direito Público. Pública é a atividade de Administração. Públicas são as pessoas que a exercem. Pública é a mesma disciplina jurídica que as regula. Diante do Estado administrador se encontram os destinatários de sua atividade, os habitantes de um território, cidadãos ou não, que fatalmente terão de se relacionar com o Poder Público. Como diz Otto Mayer, das duas pessoas entre as quais o Direito Administrativo deve traçar suas linhas, uma é dada de antemão: é o Estado (ob. cit., t. I, § 2, p. 15).

6-B. Supõe o Direito Administrativo a divisão do Direito em dois ramos distintos: o público e o privado. A regra jurídica de direito público pressupõe a existência do Estado como pessoa jurídica (Ruy Cirne Lima, *Preparação à Dogmática Jurídica*, 2ª ed., Porto Alegre, 1958, p. 27, n. 1). No relacionamento entre Estado e Direito, o postulado fundamental é o de que o Direito preexiste ao Estado, chamando-o à existência, como pessoa jurídica. O Estado não poderia existir como pessoa se não se subordinasse ao Direito. Daí a noção de Estado de Direito, em que todas as formas do agir estatal estão permeadas pela ordem jurídica. Aparentemente, o Estado cria o Direito, mas na verdade, é o Direito que o reconhece como pessoa jurídica e se lhe impõe, contrapondo-se ao arbítrio. Só o Direito pode chamar o Estado à existência e, como normação, é capaz de resistir-lhe ao alvedrio, enquanto pessoa.

6-C. O Estado, entretanto, põe o direito positivo (*positum, positivum*). Isso significa que o Estado enuncia, aplica e executa o Direito. Mas o Estado de Direito mantém o Poder Público, no cumprimento dessa missão, subordinado ao Direito. Assim, o Poder Legislativo, o Poder Executivo e o Poder Judiciário têm competências definidas no Estado de Direito, limitadas e ordenadas juridicamente, de tal sorte que os direitos dos indivíduos são devidamente protegidos e suas obrigações estritamente mensuráveis (Peter Badura, *Staatsrecht*, München, 1986, D, n. 46, p. 203).

6-D. Como parte do direito público, distingue-se nitidamente o Direito Administrativo dos diferentes ramos do direito privado. Divergem os juristas na explicação da separação entre direito público e privado. Norbert Achterberg, ao fazer a distinção, estabelece quatro teorias distintas ("Für die Abgrenzung stehen vier Theorien zur Verfügung" – *Allgemeines Verwaltungsrecht, Ein Grundriss*, 1985, p. 3). As teorias seriam as seguintes: 1ª) *die Sachwaltertheorie* (Teoria do mandatário); 2ª) *die Subjektionstheorie* (Teoria da sujeição); 3ª) *die Interessentheorie* (Teoria do interesse); 4ª) *die Subjektstheorie* (Teoria do sujeito).

6-E. De acordo com a teoria do mandatário, ou do mandato, o direito público é a soma das normas jurídicas que determinam as relações jurídicas que se legitimam como um mandato, que tem por objeto a proteção do bem comum. É a concepção defendida por Norbert Achterberg.

§ 1. POSIÇÃO 33

6-F. A teoria da sujeição considera como de direito público uma relação jurídica que se modela de acordo com regras jurídicas que se estabelecem como uma estrutura definida entre superior e inferior. Uma tal relação de sujeição ou de subordinação ocorre quando uma relação jurídica se estabelece com um sujeito titular de poder soberano, representante de um poder administrativo do Estado. Essa é a opinião de Ernst Forsthoff (*Lehrbuch des Verwaltungsrechts*, v. 1, 10ª ed., 1973, § 6, 2).

6-G. A teoria do interesse nos foi legada pelo Direito Romano. Sua afirmação remonta à célebre distinção, formulada por Ulpiano, de acordo com a qual "Publicum jus est quod ad statum rei romanae spectat. Privatum, quod ad singulorum utilitatem" (*Digesto*, Liv. I, Tit. I, *De Justitia et de Jure*, Fr. 2). As normas de interesse geral pertenceriam ao direito público, enquanto que as que se destinam à proteção de interesses individuais ou de grupos de indivíduos pertenceriam ao direito privado.

6-H. A quarta e última teoria, nesta exposição, é a do sujeito titular dos direitos. Segundo esta concepção, é pública a norma jurídica que atribui direitos e obrigações sobretudo a pessoas de direito público. Segundo Hans Julius Wolff e Otto Bachof, o conjunto daquelas regras jurídicas que atribuem direitos e obrigações em favor de um sujeito titular de poder soberano é direito público. A distinção entre direito público e privado consiste numa separação feita pela ordem jurídica, ao formular determinadas regras jurídicas e nunca numa separação dos suportes fáticos dessas regras (*Verwaltungsrecht*, t. I, München, 1974, § 22, II, c, p. 99).

6-I. Cada uma dessas teorias contém uma parte da verdade. Com efeito, a norma de direito público é específica e diz respeito, de modo imediato e simultâneo, à essência do Direito e à essência do Estado (Ruy Cirne Lima, *Preparação à Dogmática Jurídica*, 1958, p. 28). Pertencem, inequivocamente, ao direito público, em primeiro lugar, as normas estruturais da ordem jurídica, quando simultaneamente dizem respeito à essência do Estado. Em segundo lugar, ao direito público também se vinculam as normas jurídicas enquanto expressão próxima da essência do Direito. A essência do Direito e a essência do Estado estão presentes sempre no direito público.

Como o Estado tem por finalidade, por meio da atividade administrativa, realizar a utilidade pública, está presente no direito público o interesse público. No exercício desta atividade, o Estado atua como ente soberano, que se relaciona nesta condição com os administrados. De outra parte, o Estado, na procura do bem comum, atua como mandatário da sociedade e é titular de direitos e de obrigações de natureza especial, que estão definidos pelo direito público. A normação jurídica que concerne, de modo imediato, à essência do Direito e à essência do Estado, e que tem como finalidade a proteção do bem comum, inequivocamente é direito público. Quando esse Direito se concretiza numa atividade do Estado para a realização imediata de seus fins, estamos diante do Direito Administrativo. •

Destinado a assegurar o bem individual e o bem coletivo e ainda a própria sociedade organizada como um bem em si mesma, reclama o Direito Administrativo uma intensidade de comando e uma eficiência de realização – "Handlungseffizienz" no dizer de Norbert Achterberg (*Allgemeines Verwaltungsrecht. Ein Lehrbuch*, Heidelberg, 1982, § 5, 15, 17, pp. 77-78), que, recusadas às relações dos indivíduos entre si ou com o agregado, seria impossível fossem encontradas alhures.

Dando expressão ao mesmo pensamento, diziam as antigas leis que a utilidade pública prefere sempre à particular (Fernandes Thomaz, ob. cit., t. II, verbete "Utilidade Pública", n. 67, p. 400).

§ 2. CONCEITO

> *"Administração he o governo, a gestão dos negócios de alguem, como de hum menor, de hum furioso, de hum prodigo, a quem se fez a interdição dos bens"* (Pereira e Souza, Dicionário Jurídico, t. I, Lisboa, 1825, verbete "Administração").

Rege o Direito Administrativo, na ordem interna a Administração Pública.

Administração Pública, para os efeitos da definição, se entende:

a) a pessoa de direito público ou o órgão político, normalmente competente para exercitar atividade administrativa, dentro do Estado;

b) a atividade administrativa em si mesma.

Tal dualidade de conceitos da Administração tem, entre nós, a seu abono, a tradição constitucional. Na Constituição Imperial, de 1824, o art. 15, n. 15, fala em "(...) regular a administração dos bens nacionais (...)"; o art. 179, n. 27, diz que '(...) A administração do correio fica rigorosamente responsável por qualquer infração (...)". Na Constituição Federal de 1891, o art. 5º fala em "(...) prover, a expensas próprias, às necessidades de seu governo e administração (...)"; o art. 49 menciona os "(...) ministérios em que se dividir a administração federal (...)". A Constituição Federal de 1934, no art. 101, § 1º, refere a "(...) qualquer ato de administração pública (...)"; o art. 124 dispõe que "(...) provada a valorização do imóvel por motivo de obras públicas, a administração que as tiver efetuado (...)". A Constituição Federal de 1937, no art. 29 dispõe: "(...) administração de serviços públicos comuns (...)"; no art. 44, fala em "(...) celebrar contratos com a administração pública federal, estadual ou municipal (...)".

• Em todos esses dispositivos, chama-se Administração Pública, ora ao respectivo sujeito ativo, ora à atividade mesma como tal. Na Constituição Federal de 1946, o uso ambivalente da expressão interrompe-se, mas, na legislação, a dualidade de conceitos subsiste, sem mudança. Novamente, com o advento da Constituição Federal de 1988, o uso ambivalente da expressão retorna. Assim, no art. 18, dispõe a Constituição Federal que "A organização político-administrativa da República Federativa do Brasil compreende a União, os Estados, o Distrito Federal e os Municípios, todos autônomos, nos termos desta Constituição". Ao dispor sobre a competência do Presidente da República, o art. 84 da Constituição Federal determina que "Compete privativamente ao Presidente da República: VI – dispor, mediante decreto, sobre: a) organização e funcionamento da administração federal (...)".

Retornou, por conseguinte, a dualidade de conceitos com a promulgação da Constituição Federal de 1988, em consonância com antiga tradição de nosso direito. •

1. Reduzem-se, a rigor, os dois conceitos a um só. Entende-se por Administração Pública nos termos da letra "a", supra, aquele poder político ou aquela pessoa de direito público a que normalmente compete exercitar atividade administrativa.

• Otto Mayer, ao falar sobre a personalidade de direito público, afirmava que "Sob a Administração com capacidade jurídica devemos compreender uma parte da Administração Pública, que está dotada de personalidade jurídica própria" (*Deutsches Verwaltungsrecht*, 2ª ed., Berlin, 1924, § 55, p. 322). •

Em tais condições, é visto claramente que depende a caracterização da Administração Pública como sujeito, de sua caracterização prévia como atividade.

Repousa, pois, o apontado dualismo sobre uma transparente figura de linguagem.

Devem, porém, os dois conceitos de Administração Pública ser mantidos em doutrina, como o são ainda no direito positivo, já que o reconhecimento dos órgãos e pessoas administrativas é tão necessário como a definição da própria atividade administrativa.

Não deve a doutrina ignorar a prática, sobretudo quando tão extensos e profundos se revelam os efeitos desta, penetrando e invadindo o próprio Direito Constitucional.

2. Nosso primeiro dever é, desta sorte, entretanto, determinar os caracteres da Administração Pública como atividade.

§ 2. CONCEITO

A palavra *administração*, nos quadros do direito privado, designa geralmente a atividade do que não é proprietário – do que não é senhor absoluto. *Administração* se diz a atividade do pai ou da mãe relativamente aos bens dos filhos (Código Civil, art. 1.689, II); a dos tutores relativamente ao patrimônio dos tutelados (Código Civil, art. 1.741).

Administração chama-se também à atividade dos órgãos executivos das sociedades civis.

• O Código Civil de 1916, ao tratar dessas sociedades, em seu art. 1.382, falava do "sócio preposto à administração" da sociedade e dos que legalmente eram denominados de "administradores" (art. 1.385 do Código Civil de 1916). Órgãos de uma sociedade são os administradores; entretanto, como indivíduos, meros instrumentos temporários da vontade social, sucedem-se, passam, e a sociedade fica.

Não lhes atribui a lei, de resto, senão poderes restritos, com extensão análoga aos do mandatário em termos gerais, respondendo perante os demais sócios e perante a sociedade pelos atos que praticarem (Código Civil, arts. 1.016 e 1.020). •

Exprime-se, nestes passos, pela palavra *administração* conceito antagônico ao de propriedade. Propriedade *lato sensu* pode dizer-se o direito que vincula à nossa vontade ou à nossa personalidade um bem determinado em todas as suas relações. Opõe-se a noção de administração à de propriedade nisto que, sob administração, o bem se não entende vinculado à vontade ou personalidade do administrador, porém, à finalidade impessoal a que essa vontade deve servir.

Tal finalidade é, algumas vezes, fixada na lei ou no contrato; doutras vezes, fica, porém, ao próprio administrador determiná-la a seu prudente critério, de conformidade com as circunstâncias. Assim, a finalidade da administração, na sociedade civil, é determinada pela convenção e consiste na realização do objeto social, ao passo que, na tutoria, pode ter a administração por fim as mais diversas empresas, ficando ao esclarecido arbítrio do tutor, sob a inspeção do juiz, a escolha da mais conveniente e mais proveitosa para o patrimônio do menor, ou para a utilidade particular deste.

Em direito público, designa, também, a palavra *administração* a atividade do que não é senhor absoluto.

No Estado absoluto, com efeito, não se conhece a Administração Pública como atividade distinta.

• O regime do Estado de Polícia preenche o período de transição entre o antigo direito e o Estado atual. Era uma escola severa para nos preparar para o advento do Estado moderno (Otto Mayer, *Le Droit Administratif Allemand*, t. I, Paris, 1903, § 5, p. 64). Com o Estado de Direito, "o que há de novo é que, agora, o poder soberano universal recebe uma organização especial, pela qual ele se reveste das formas e das marcas características do direito" (Otto Mayer, ob. cit., t. I, p. 65).

O Estado de Direito traz consigo a divisão dos poderes, que representa segundo Carl Schmitt a expressão do princípio de organização (*Organisationsprinzip*) que significa que o poder estatal será repartido em um sistema de competências delimitadas (*Verfassungslehre*, 3ª ed., 1928/1957, § 12, n. 3, p. 126).

A divisão dos poderes, que é a expressão do princípio de organização antes referido, faz com que a Administração Pública apareça com a feição da legalidade, perante o direito público, • pelos limites que lhe põe o Poder Legislativo e pela proteção ou reação que lhe oferece o Poder Judiciário, porque, no Estado moderno, a administração é, em princípio, tarefa do Poder Executivo.

• Com efeito, a atividade do Estado não se limita à proclamação da lei e à decisão da sentença. A lei deverá ser aplicada, a sentença executada. Isso deverá ser obra de uma outra função estatal particular, que é a execução (*Vollziehung*). Execução e governo são os dois aspectos de uma terceira função estatal, da Administração em sentido estrito (Fritz Fleiner, *Institutionen des Deutschen Verwaltungsrechts*, 2ª impressão da 8ª ed., Tübingen, 1928, 1963, § 1º, p. 4). •

Como acontece ao administrador privado, não possui também o Poder Executivo, acerca dos negócios públicos, atribuições irrestritas, porém, essencialmente atribuições de administração. Estão os negócios públicos vinculados, por essa forma, não ao arbítrio do Executivo – mas, à finalidade impessoal no caso, pública, que este deve procurar realizar. Incumbe ao próprio Poder Executivo, as mais das vezes, a determinação desta finalidade mesma, tendo em vista, aquele, a utilidade pública, como o tutor a utilidade particular do menor. Feita a determinação, contudo, toda a atividade dele lhe fica vinculada. Preside, destarte, ao desenvolvimento da atividade administrativa do Poder Executivo – não o arbítrio que se funda na força –, mas a necessidade que decorre da racional persecução de um fim.

Não tem o Poder Executivo a representação do Estado, respeito aos negócios públicos, senão restritamente para o efeito de administração. Ele representa a nação; somente a representa, contudo, enquanto persegue a realização das finalidades que a Constituição e as leis fixam, ou fica a seu prudente arbítrio determinar, como mais proveitosas e mais convenientes para a utilidade pública.

Exprime, pois, em direito público, a palavra *administração* noção semelhante à que lhe é conteúdo em direito privado.

Traço característico da atividade assim designada é estar vinculada – não a uma vontade livremente determinada –, porém a um fim alheio à pessoa e aos interesses particulares do agente ou órgão que a exercita.

• Dentro dessa mesma concepção, Sir Carleton Kemp Allen, no direito inglês, nos legou esta frase imorredoura: "Quando existe um sistema definido de direito administrativo, determinados princípios de probidade, de integridade e de equidade se desenvolvem como parte necessária dele. Os franceses possuem uma máxima no seu *droit administratif*, afirmando que 'O Estado é uma pessoa honesta. Transcende a dignidade do governo manifestar condescendência com embustes surrados e levar avante contra o cidadão normas meramente técnicas, obstaculizando direitos *à outrance*'" (*Bureaucracy Triumphant*, 1931, reimpressão de 1977, London and Darmstadt, p. 9). •

3. Uma atividade e um fim supõe uma norma que lhes estabeleça, entre ambos, o nexo necessário. Entre uma causa e o fenômeno que lhe é efeito, a lei natural estabelece esse nexo. Entre uma atividade e um fim, somente uma lei prática, no caso, jurídica, o poderá estabelecer.

À Administração Pública, realmente, a lei reconhece fins próprios e eficazmente lhos protege. Assim, na hipótese de abuso de poder. Eivada de abuso de poder, a atividade administrativa pode, não obstante, mostrar-se conforme à lei. Mas, porque tende à realização de fim diverso do normalmente perseguido, podem gerar os atos que a traduzem, a responsabilidade civil (CF, art. 37, § 6º) e penal dos respectivos agentes.

Em responsabilidade semelhante incorrem, no direito privado, os administradores em geral. A razão é a mesma, num e noutro caso. "Porque, em verdade, – como se diz no Código de Justiniano, – moderador e árbitro cada qual de suas próprias cousas, faz por sua própria inspiração – não todos os negócios, porém a maior parte. Mas os negócios alheios se desempenham, cumprido o encargo recebido" (L. 21, Tit. XXXV, *Mandati*, Cod. lib. IV: "Nam suae quidem quisque rei moderator atque arbiter non omnia negotia, sed pleraque ex proprio animo facit. Aliena vero negotia exacto officio geruntur").

O fim, e não a vontade, domina todas as formas de administração.

4. Supõe, destarte, a atividade administrativa a preexistência de uma regra jurídica, reconhecendo-lhe uma finalidade própria. Jaz, conseqüentemente, a Administração Pública debaixo da legislação, que deve enunciar e determinar a regra de direito.

À sua vez, o fim, ou os fins, que a atividade administrativa se propõe, embora reconhecidos pelo Direito, independem geralmente, para realizar-se, da concomitante realização do Direito mesmo. A atividade administrativa desenvolve-se, decerto dentro do Direito e através do Direito, não, porém necessariamente do Direito.

A Administração Pública, que atua dentro do Direito, e a jurisdição, que realiza o Direito, são inconfundíveis entre si.

• Ao discorrer sobre a separação entre Justiça e Administração o professor Ernst Forsthoff afirma que "A Justiça é caracterizada por três particularidades. Primeiramente, por aquilo que chamamos de elemento *ad hoc*. O julgamento concerne a um caso concreto; por conseguinte, ele é *ad hoc*, refere-se apenas a este caso e tem validade para o referido caso. Neste caso preciso, o juiz não tem iniciativa, não tem o poder de decidir se deseja ou não agir. A sua competência decorre da propositura de uma ação, da interposição de um recurso ou da denúncia na ação penal. A segunda particularidade pode ser denominada de elemento *status quo*. O julgamento depende dos fatos. Para o juiz, somente conta aquilo que é válido *hic et nunc*. Ele não está a serviço nem do passado, tampouco do futuro, mas permanece ligado ao presente. O julgamento deve ser justo no presente. A Justiça representa a solução de um litígio por um terceiro que aplica a lei. Este elemento decorre dos outros dois: o juiz não seria mais neutro se ele tivesse a iniciativa no que concerne aos fatos sobre os quais ele deverá tomar uma decisão. O processo tornar-se-ía um assunto próprio e particular do juiz se ele devesse, para decidi-lo, ter outras preocupações que não a de resolver o litígio, como por exemplo, a preocupação de dirigir a vida social" (*Traité de Droit Administratif Allemand*, trad. francesa de Michel de Fromont, Bruxelles, 1969, pp.41-42). As palavras do Professor Forsthoff foram sábias e apresentam, de forma lúcida e objetiva, a rejeição de uma atividade judicial, que, não raro, tem proliferado entre nós, voltada para a defesa dos interesses do Estado, quando as pessoas de direito público litigam com os cidadãos e os destinatários da atividade administrativa em geral.

Diferentemente da justiça, a Administração Pública atua dentro do Direito, não se confundindo jamais com a atividade jurisdicional. A Administração trata dos seus negócios por sua própria iniciativa e unicamente por sua inspiração. Como afirmava ainda Forsthoff, "Contrariamente à

§ 2. CONCEITO

Justiça, a Administração não se limita aos casos isolados e afastados da vida social. A Administração tem por objeto a ordem social no seu conjunto, enquanto que o juiz toma decisões sobre um caso determinado; enfim, deve, ele, aceitar a vida em sociedade como uma situação dada, e em princípio, não deve manifestar a vocação de alterá-la" (ob. cit., p. 42). •

Dentro dos quadros do Direito e, ainda, dentro do grupo das funções do Estado, ocupa a Administração, portanto, como forma de atividade, o seu lugar à parte. Definidos caracteres próprios lho asseguram.

5. Dentre os poderes do Estado, cabe, em princípio, ao Poder Executivo o desempenho da Administração Pública.

Administração, segundo o nosso modo de ver, é a atividade do que não é proprietário – do que não tem a disposição da cousa ou do negócio administrado.

Salvo no sentido em que se diz que o *dominus negotii* administra, não poderia administrar, portanto, o Poder Legislativo, que, residente no povo, é por este delegado a seus representantes, quer para a elaboração das leis ordinárias como para a das constitucionais (Locke, *Two Treatises of Government*, caps. X-XII).

Administração, por outro lado é atividade; é *iniciativa*. Mostra-se, pois, sob este aspecto, normalmente incompatível com a peculiar natureza do Poder Judiciário, função política "en quelque façon nulle" (Montesquieu, *De l'Esprit des Lois*, Liv. VI, cap. XI).

Normalmente competente ao Poder Executivo, a Administração Pública não se lhe conumera, porém, entre as atribuições privativas. Deixam os textos constitucionais suposta a pertinência desta atividade ao círculo das funções daquele Poder do Estado. Assim, o art. 85, inciso V, da Constituição Federal de 1988, inclui entre os crimes de responsabilidade os atos do Presidente da República que atentarem contra a probidade da Administração. Não a declaram, entretanto, privativa do Poder Executivo, porque, na realidade, não o é. Embora impropriamente, com efeito, pode dizer-se que o Poder Legislativo e o Poder Judiciário administram também, quer por forma peculiar, quer pela forma corrente; quer no desempenho da função própria, quer encarregadas aos respectivos órgãos funções em princípio cabíveis ao Poder Executivo.

• A Constituição Federal de 1988 reconhece ao Poder Legislativo, tanto à Câmara dos Deputados (art. 51, IV) quanto ao Senado Federal (art. 52, XIII), competência para dispor sobre sua organização, funcionamento, polícia, criação, transformação ou extinção dos cargos, empregos e funções de seus serviços, e a iniciativa de lei para a fixação da respectiva remuneração, observados os parâmetros estabelecidos na lei de diretrizes orçamentárias.

Competência análoga é atribuída ao Poder Judiciário, que tem "assegurada autonomia administrativa e financeira" (CF, art. 99, *caput*). Também é assegurada aos tribunais do país, competência para "organizar suas secretarias e serviços auxiliares e os dos juízos que lhes forem vinculados, velando pelo exercício da atividade correicional respectiva" (CF, art. 96, I, "b"). No mesmo art. 96, em seu inciso II, "b", é estabelecida competência do Supremo Tribunal Federal, dos Tribunais Superiores e dos Tribunais de Justiça, para propor ao Poder Legislativo respectivo "a criação e a extinção de cargos e a remuneração dos seus serviços auxiliares e dos juízos que lhes forem vinculados, bem como a fixação do subsídio de seus membros e dos juízes, inclusive dos tribunais inferiores, onde houver". Ainda no art. 96, prevê a Constituição Federal a competência dos tribunais para "prover, na forma prevista nesta Constituição, os cargos de juiz de carreira da respectiva jurisdição" (art. 96, I, "c"), bem como "prover os cargos necessários à administração da Justiça" (letra "e"), podendo também "conceder licença, férias e outros afastamentos a seus membros e aos juízes e servidores que lhes forem imediatamente vinculados" (letra "f"). Em todos esses casos, o Poder Judiciário pratica atos de administração, de forma corrente, assim como o Poder Executivo dispõe sobre a Administração que lhe está subordinada. •

Processa-se a Administração Pública, segundo o nosso modo de ver, embora no âmbito do direito positivo, sobre matéria estranha ou indiferente ao Direito. Poderia conceber-se, entretanto, uma forma de Administração Pública, que se desenvolvesse no âmbito do direito natural, ou dos princípios gerais do direito, tendo como objeto as normas do direito positivo. Traduzir-se-ia essa modalidade de Administração Pública por atos legislativos de caráter singular, em que se desviasse ou modificasse, de caso para caso, o conteúdo ou aplicação da norma positiva. Seriam os *privilegia* e as dispensas legislativas os instrumentos dessa forma peculiar de Administração Pública. Poderia conceber-se, igualmente, uma administração da liberdade individual que, dentro da órbita do Direito, seria desempenhada pelo Poder Judiciário, no exercício de sua competência penal. Assim, deixadas ao exclusivo arbítrio do juiz e condicionadas pelo duplo fim da proteção individual e coletiva, a fixação e a própria aplicação da pena, mudar-se-ia a função de julgar, em matéria penal, numa verdadeira administração da liberdade.

Possuem, contudo, como dissemos, o Poder Legislativo e o Judiciário atribuições administrativas, suscetíveis de enquadrar-se dentro do conceito corrente de Administração Pública; a lei do Congresso Nacional autoriza os empréstimos públicos (CF de 1988, art. 48, II); no antigo Código Civil de 1916, a sentença do Poder Judiciário supria a aprovação da autoridade administrativa aos estatutos das fundações. Aos órgãos legislativos e aos tribunais judiciários, por melhor assegurar-lhes a independência, como acima já ficou assinalado, conferem-se também, de outro lado, funções normalmente competentes ao Poder Executivo, como a de nomear os funcionários de suas secretarias, cabendo aos Tribunais, organizar além das secretarias, os cartórios e demais serviços auxiliares, propondo ao Poder Legislativo a criação e a supressão de cargos (CF de 1988, art. 96, II, "b").

• **5-A. *Estado de Direito*.** A atual Constituição Federal de 1988 estabeleceu, pela primeira vez, entre nós, um Estado de Direito. O que significa um Estado de Direito?

Seu sentido e finalidade não se resumem na afirmação da soberania e do poder do Estado, mas na proteção da liberdade e dos direitos individuais de todos os seres humanos contra os abusos do poder público. Kant afirma que esse Estado tem como fundamento os princípios de liberdade dos membros da sociedade, como seres humanos ("A única constituição que resulta da idéia do pacto social, sobre o qual deve se fundamentar uma boa legislação do povo, é a constituição republicana. Ela só é estabelecida sobre princípios compatíveis, 1º com a liberdade que convém a todos os membros de uma sociedade, na sua condição de homens (...)" – "Articles Définitifs pour la Paix Perpétuelle", I, in *Principes Métaphysiques du Droit*, Paris, Librairie Lagrange, 1837, pp. 288-289). Da idéia de liberdade, duas conseqüências decorrem.

A primeira é a de que a esfera da liberdade individual é um dado anterior ao Estado, sendo a liberdade individual ilimitada em princípio, enquanto que é limitado o poder do Estado de nela interferir (Carl Schmitt, *Verfassungslehre*, Berlin, 1957, § 12, n. 3, p. 126).

A segunda é a de que o poder do Estado deve encerrar-se e ser dividido em um sistema de competências bem definidas, de acordo com um princípio de organização (*Organisationsprinzip* – Carl Schmitt, ob. cit., p. 126).

O Estado de Direito se resume, inicialmente, em dois pontos fundamentais. De um lado, os direitos fundamentais ou de liberdade, anteriores à existência do próprio Estado; de outro, a divisão dos Poderes, em

Executivo, Legislativo e Judiciário, que existe para dar proteção àqueles direitos. Essa divisão de Poderes se estabelece por um sistema de freios e contrapesos (*checks and balances*), estabelecido pela primeira vez pela Constituição Americana, cujos autores (*The Founding Fathers*) se basearem em Montesquieu para assegurar a preservação das liberdades individuais (James T. Young, *The new American Government and its Work*, New York, 1947, Macmillan, p. 15).

5-B. O Estado moderno é um Estado constitucional. Walter Jellinek já observava que o Estado não deve agir ilegalmente, de forma contrária ao Direito. A ilicitude provém de uma ação, que está desvinculada de qualquer medida de julgamento. Isso conduz à conclusão, que um Estado de Direito, no sentido integral da palavra, somente é possível num Estado Constitucional, somente num Estado em que a Legislação e a Administração não estejam unidas em uma única pessoa ("Der Staat soll nicht Unrecht tun. Unrecht kann aber eine Handlung nur sein gemessen an einem von der Handlung unabhängigen Beurteilungsmassstab. Dies führt zu der Folgerung, dass ein Rechtsstaat im vollen Wortsinne nur im Verfassungsstaat möglich ist, nur in einem Staate, wo Gesetzgebung und Verwaltung sich nicht in einer einziger Person vereinigen" – *Verwaltungsrecht*, 1929, Berlin, § 5, III, n. 1, p. 83).

5-C. Nosso Estado constitucional, depois de convocada apositamente uma Assembléia Constituinte, tornou-se Estado de Direito. O Estado de Direito significa que os Poderes Executivo, Legislativo e Judiciário têm competências perfeitamente definidas, ordenadas e limitadas pela Constituição. Os direitos individuais são protegidos, as garantias constitucionais asseguradas e as obrigações dos indivíduos legalmente definidas. Com isso, assegura-se permanentemente um regime de liberdade, pelo menos em tese, já que é possível a existência de leis inconstitucionais, que até a declaração de inconstitucionalidade pelo Supremo Tribunal Federal, violentam as liberdades dos indivíduos. Na Constituição Federal estão enumeradas as competências dos poderes, para que não haja abusos contra os direitos e invasões indevidas de um poder na esfera constitucional do outro.

5-D. São diversos os princípios fundamentais que devem ser observados no Estado de Direito. Norbert Achterberg fala de um Estado de Direito em sentido material e em sentido formal ("Die Rechtsstaatlichkeit enthält eine materielle und eine formelle Komponente" – *Allgemeines Verwaltungsrecht, Ein Lehrbuch*, Heidelberg, 1982, § 5, I, n. 2, p. 73).

§ 2. CONCEITO

Em sentido material denomina-se Estado de Direito um Estado que busca desenvolver a Justiça, a Segurança Jurídica e a Paz Jurídica inclusive. O conceito de Estado – cuja clarificação é dada pela Teoria do Estado, – e o Princípio da Segurança Jurídica se acomodam e dependem, com isso, um do outro ("Im materiellen Sinne wird Rechtsstaat ein Staat genannt, der Gerechtigkeit und Rechtssicherheit einschliesslich Rechtsfrieden zu verwirkliche sucht. Der Begriff Staat – dessen Klärung der Staatstheorie aufgegeben ist – und das Prinzip Rechtssicherheit mögen dabei hier auf sich beruhen" – Norbert Achterberg – *Allgemeines Verwaltungsrecht. Ein Lehrbuch*, 1982, § 5, I, n. 3, p. 73).

Como diz apositamente Achterberg, "A Justiça transcende o Direito, ela pertence a uma realidade metapositiva, diz-se, mesmo, a um domínio metajurídico, e ordena o Direito para além da lei e do costume ("Gerechtigkeit transzendiert das Recht, sie gehört einem metapositiven, sogar einem metajuristischen Bereich an, ist gesetztem und (gewohnheitsrechtlich) gewordenem Recht vorgeordnet" – ob. cit., § 5, n. 4, p. 74).

Não raro a Justiça domina a Segurança Jurídica, ou, em sentido inverso, predomina a Segurança Jurídica. Assim, podemos encontrar movimentos contrários entre esses dois conceitos, que Norbert Achterberg denomina de "innere Antinomie der Rechtsstaatlichkeit" – antinomias internas do Estado de Direito. Surge então a questão de saber a qual dos dois princípios a ordem jurídica atribuirá maior valor. Essa valoração pode ser diversa segundo o caso concreto ("Diese Bewertung kann im Einzelfall unterschiedlich sein" – ob. cit., § 5, n. 5, p. 74).

O certo é que a ordem jurídica não pode prescindir de conceitos metapositivos, aos quais obrigatoriamente deverá se referir. A Justiça é, sem dúvida, o principal conceito de natureza metapositiva. Já a Segurança Jurídica pode ser identificada dentro da própria ordem jurídica na sua relação com os fatos da vida. Embora Hans Kelsen negue a possibilidade de afirmar a existência da Justiça, reconhece entretanto, que "Libertar o conceito de direito da idéia de Justiça é difícil porque ambos são constantemente confundidos num pensamento político não-científico, assim como na linguagem geral, e devido a esta confusão surge uma tendência ideológica de fazer a lei positiva aparecer como justa" (*General Theory of Law and State*, 1945, Harvard, University Press, p. 5).

5-E. Em sentido formal são diversos os caracteres que indicam a existência do Estado de Direito. Traço característico do Estado de Direito é:

a) em primeiro lugar, o sistema dos Direitos Fundamentais;

b) em segundo lugar, a divisão das funções (*Funktionenordnung*), com a divisão de poderes no Estado;

c) em terceiro lugar, o Estado de Direito supõe uma precisa formação das normas jurídicas (*präzise Normgestaltung*);

d) em quarto lugar, a chamada reserva da lei (*Vorbehalt des Gesetzes*), que tem lugar sempre que o Estado tiver que invadir a esfera da propriedade ou da liberdade individuais;

e) em quinto lugar, a devida proporcionalidade que deve orientar toda a ação administrativa (*Verhältnismässigkeit des Verwaltungshandelns*);

f) em sexto lugar, o preceito da proteção da confiança dos destinatários da ação da Administração Pública (*das Gebot des Vertrauensschutzes*);

g) em sétimo lugar, finalmente, a necessidade de controles internos e externos para assegurar a manutenção do Estado de Direito (*Verwaltungskontrollen auf dem Rechtstaatprinzip*) (Norbert Achterberg, ob. cit., § 5, I, ns. 7, 8, 9, 10, 11, 12 e 13, pp. 75, 76 e 77).

Poderíamos sintetizar esses princípios, reduzindo-os a quatro fundamentais:

1º) **Legalidade da Administração** (*Gesetzmässigkeit der Verwaltung*) – Walter Jellinek afirma que o primeiro princípio do Estado de Direito é o da legalidade da Administração. Pretende-se significar com isso, em primeira linha, que nenhum ato administrativo pode violar a lei e que nenhum ato administrativo que imponha encargos pode ser praticado sem fundamento legal. Segundo Walter Jellinek, esse princípio já havia sido definido com indubitável clareza por Montesquieu, quando disse que ninguém pode ser obrigado a fazer alguma coisa que a lei não o obriga (*Verwaltungsrecht*, 1929, Berlin, § 5, III, n. 2, p. 83).

2º) **Preeminência da lei** (*Vorrang des Gesetzes*) – Segundo Otto Mayer, a forma da lei é a mais elevada modalidade de manifestação da vontade estatal ("Das Gesetz ist zugleich die rechtlich stärkste Art von Staatswillen" – *Deutsches Verwaltungsrecht*, v. I, Berlin, 1969, § 6, n. 2, p. 68).

A lei somente poderá ser suprimida por outra lei, não tendo validade alguma a norma que entra em contradição com a lei.

Conclui Otto Mayer afirmando: "Isso é o que significa a preeminência da lei" ("Das ist es, was wir den Vorrang des Gesetzes nennen" – ob. cit., p. 68).

3º) **Reserva da lei** (*Vorbehalt des Gesetzes*) – A forma clássica da apresentação dos assim chamados direitos fundamentais ou direitos de liberdade, atrás da qual os cidadãos têm protegida sua liberdade pessoal, inviolabilidade da propriedade, com expressa ou implícita reserva por meio da lei ou tendo como fundamento expresso uma lei, também nessas coisas sujeitas à intervenção do poder, é a da reserva da lei (Otto Mayer, *Deutsches Verwaltungsrecht*, vol. I, p. 70).

4º) **Supremacia da Constituição** (*Vorrang der Verfassung*) – O princípio da preeminência ou supremacia da Constituição vincula não apenas o Poder Executivo, mas abrange inclusive o Poder Legislativo, também na sua competência de reformar a Constituição, ao impedir que a Constituição Federal seja violada em seu núcleo fundamental, também denominado de cláusulas pétreas, por Emenda Constitucional ou pela legislação ordinária. Também estabelece a preeminência do direito federal sobre o estadual e o distrital e a invalidade das legislações estaduais e distritais que contrariarem a Constituição Federal. O princípio da supremacia da Constituição, no âmbito do Direito Administrativo foi posto em relevo por Norbert Achterberg (*Allgemeines Verwaltungsrecht. Ein Lehrbuch*, 1982, § 15, I, n. 4, p. 214).

5-F. Ernst Forsthoff sustenta que cada ordem constitucional tem necessidade de um poder neutro ("un pouvoir neutre"). Atribui à Justiça, sob a lei Fundamental de Bonn, a função de exercer esse poder neutro (*Traité de Droit Administratif Allemand*, trad. francesa, Bruxelles, ed. 1969, cap. I, p. 44). No Estado de Direito, de acordo com Forsthoff, o papel desempenhado pela Justiça a coloca em posição privilegiada para servir como árbitro em meio às confrontações que surgem no seio da sociedade. Entre nós, a guarda da Constituição foi entregue ao Supremo Tribunal Federal (CF de 1988, art. 102, *caput*), que exerce o poder de declarar a constitucionalidade ou inconstitucionalidade das leis, em ação própria.

5-G. O Estado de Direito, instituído pela Constituição Federal de 1988, tem por objetivo fundamental "constituir uma sociedade livre, justa e solidária" (CF, art. 3º, I). A *liberdade* a que alude a Constituição está consagrada na declaração dos direitos e garantias fundamentais, que ela assegura e reconhece aos brasileiros e aos estrangeiros residentes no país (CF, art. 5º, *caput*).

A *Justiça* é conceito que transcende o direito positivo, conforme já vimos pela palavra de Norbert Achterberg (ob. cit., § 5, I, n. 4, p. 74). Pertence a Justiça ao domínio do pensamento filosófico, que desde a

Antigüidade, com Aristóteles, até a atualidade, com inúmeros pensadores como Gustav Radbruch, constitui sempre o objeto principal da Filosofia do Direito. Mas serve, a Justiça, como referência permanente, como ponto distante para o qual a ordem jurídica tende, sem nunca alcançá-lo. A Lei Fundamental da República Federal da Alemanha fala da vinculação do Poder Legislativo à ordem constitucional e da obediência que os poderes executivo e judiciário devem à lei e ao Direito (GG, art. 20 [3]). A palavra direito tem, nesse dispositivo, um sentido transcendente, de um Direito que sobrepaira à ordem jurídica e que deve estar acima das paixões, das mesquinharias e das conveniências dos governantes, ou da razão de Estado (*Staatsräson*), para situar-se no plano mais elevado da realização concreta do valor Justiça, presente em toda ordem jurídica que procura realizar o bem comum. É nesse sentido que Aristóteles fala da "Justiça como a mais perfeita das virtudes, a qual nem a estrela da tarde, nem a da manhã são tão admiráveis em seu brilho" (*Éthique à Nicomaque*, Paris, J. Vrin, 1972, n. 1.129b, 25-30, p. 219). A Justiça é valor e é virtude. Valor se a considerarmos em termos axiológicos, como diretriz fundamental do agir humano; virtude, sob o ângulo da ação individual, que impele o homem, por um imperativo categórico, a praticar o bem em face do semelhante. A idéia de Justiça vem a se concretizar na vida quotidiana do ser humano pela virtude da Justiça. Tão relevante é a concepção de um Direito que transcende a ordem jurídica positiva, que um positivista convicto, Léon Duguit, fundamenta a força obrigatória da norma jurídica no sentimento de Justiça, assim como a coletividade das consciências dentro do grupo social compreende o que seja justo (*Traité de Droit Constitutionnel*, Paris, 1927, t. I, pp. 120 e 144). Quer consideremos a Justiça como idéia racional, quer como virtude, assim como a considerava o grande Ulpiano, quer como sentimento, ela sempre estará presente na fundamentação da ordem jurídica.

A *solidariedade* também está incluída na afirmação constitucional. A solidariedade é um fato permanente e um elemento constitutivo irredutível de todo agrupamento social. Os homens têm necessidades comuns, que só podem ser satisfeitas pela vida em comum. Essa vida em comum gera a solidariedade social, a vinculação permanente entre os indivíduos que compõem a sociedade, gerando uma interdependência, que está em perpétua evolução, tendendo sempre mais a se aproximar de uma sociedade ideal para a qual as ações humanas convergem. Essa solidariedade foi posta em relevo por Léon Duguit (ob. cit., t. I, p. 86) e decorre do fato de ser o homem um ser consciente e sociável, que sempre viveu em sociedade com os seus semelhantes.

§ 2. CONCEITO

5-H. Estado Social. Além de Estado de Direito, nosso Estado, definido pela Constituição de 1988, é um Estado Social, em que as ações do poder público devem estar voltadas para a solidariedade social, destinando-se a garantir o desenvolvimento nacional, a erradicar a pobreza e a marginalização, reduzir as desigualdades sociais e regionais e promover o bem de todos, sem preconceitos ou discriminações (CF, art. 3º, I, II, III, e IV).

5-I. O Estado Social se manifesta tanto em sentido formal quanto material. "Assim como o Estado de Direito, assim também se manifesta a existência do Estado Social, com uma face material e uma formal" ("Wie die Rechtsstaatlichkeit, so besteht auch die Sozialstaatlichkeit aus einer materiellen und einer formellen Seite" – Norbert Achterberg, *Allgemeines Verwaltungsrecht. Ein Lehrbuch*, § 5, II, n. 14, p. 77).

Em sentido material, o Estado Social se volta para dois objetivos. De um lado, *a realização da justiça social*. Compete ao Estado, como pessoa administrativa, realizar a conformação da ordem social ("Gestaltung der Sozialordnung im Sinne sozialer Gerechtigkeit", Hans Julius Wolff – Otto Bachof, *Verwaltungsrecht*, vol. III, 4ª ed., München, 1978, § 138, I, 2, "a").

A justiça social é uma situação de direito, na qual todos os participantes da comunidade podem desfrutar de uma existência digna, com a satisfação de suas necessidades econômicas e culturais, de acordo com um nível apropriado e razoável. A Constituição Federal de 1988, em seu art. 3º, inciso I, define como objetivo fundamental do Estado a construção de uma sociedade justa.

O segundo objetivo do Estado Social é o da *eficiência da ação* (*Handlungseffizienz*), que significa a eficácia das medidas a serem tomadas para a realização do primeiro objetivo, no que concerne ao tempo, à sua abrangência e ao seu conteúdo. A Administração Pública deve ser eficiente no campo das prestações devidas pelo serviço público.

No âmbito das prestações administrativas, esse princípio significa *eficiência dos serviços prestados*.

No que concerne às prestações sociais, como a previdência social, as ações estatais, no dizer de Norbert Achterberg, devem se dirigir no sentido de aportar o ótimo para os destinatários ("Die staatlichen Leistungen – beispielsweise solche Sozialhilfe – müssen in jeder der zuvor genannten Weisen optimal erbracht werden" – ob. cit., § 5, n. 17, p. 78).

O princípio da eficiência foi introduzido na Constituição Federal de 1988, pela Emenda Constitucional 19, de 4.6.1998, que deu nova redação ao *caput* do art. 37 da Constituição.

5-J. Em sentido formal, o Estado Social apresenta algumas características que o singularizam:

a) Em primeiro lugar, deve-se considerar as assim chamadas prestações existenciais, que constituem o que Ernst Forsthoff denomina de *Daseinsvorsorge*, que poderia ser traduzido literalmente pela expressão "proteção existencial". Essa *Daseinsvorsorge* é atendida pelo chamado Estado-providência, que presta inúmeros serviços à coletividade. Afirma Forsthoff que o homem moderno tem tamanha necessidade de algumas prestações, como a água, o gás, a eletricidade e os transportes coletivos, que não lhe resta escolha possível entre aceitá-las ou recusá-las, enquanto que depende exclusivamente de sua vontade ir ou não assistir a um espetáculo no teatro municipal. Duas conseqüências decorrem da existência dessas prestações. A primeira, a de que todas as atividades administrativas que têm por finalidade oferecer essas prestações ao público, ou a determinadas categorias de pessoas, constituem funções do chamado Estado-providência. A segunda, a de que todas as atividades do Estado-providência constituem ações administrativas, qualquer que seja a forma pela qual são exercidas (*Traité de Droit Administratif Allemand*, 1969, pp. 533, 535 e 536). A nossa Constituição Federal atribuiu aos Municípios, por exemplo, a competência para "organizar e prestar, diretamente ou sob regime de concessão ou permissão, os serviços públicos de interesse local, incluído o de transporte coletivo, que tem caráter essencial" (CF, art. 30, V). Da mesma forma, atribuiu aos Municípios competência para prestar, com cooperação técnica e financeira da União e do Estado, serviços de atendimento à saúde da população (CF, art. 30, VII). Aos Estados-membros, a Constituição atribuiu a exploração direta, ou mediante concessão, dos serviços locais de gás canalizado (CF, art. 25, § 2º). À União foi atribuída competência para manter o serviço postal e o correio aéreo nacional (CF, art. 21, X), para explorar diretamente ou mediante autorização, concessão ou permissão, os serviços de telecomunicações (CF, art. 21, XI), bem como os serviços de radiodifusão sonora e de sons e imagens (CF, art. 21, XII, "a"), os serviços e instalações de energia elétrica (CF, art. 21, XII, "b"), a navegação aérea, aeroespacial e a infra-estrutura aeroportuária (art. 21, XII, "c"), os serviços de transporte ferroviário e aquaviário (CF, art. 21, XII, "d"), os serviços de transporte rodoviário interestadual e internacional de passageiros (CF, art. 21, XII, "e") e os portos marítimos, fluviais e lacustres (CF, art. 21, XII, "f").

Todos esses serviços públicos mencionados pela Constituição representam atividades administrativas, por meio das quais determinadas prestações são oferecidas ao público.

§ 2. CONCEITO

De outra parte, o poder público pode exercitá-las diretamente, mediante gestão direta geral ou autárquica, ou ainda por meio de empresas públicas ou de sociedades de economia mista, bem como pela via da concessão de serviço público, sob a supervisão das assim chamadas agências reguladoras, todas elas entidades autárquicas constituídas como estabelecimentos públicos (*öffentlichen Anstalten*). As empresas concessionárias, supervisionadas pelas agências reguladoras, são sociedades de que o Estado não participa, que recebem, mediante concessão, permissão ou autorização, o poder de executar serviços públicos. Em todos esses casos, quer se trate de atividade praticada diretamente pelo Estado, segundo uma disciplina publicística, quer se trate do método privado de execução, a atividade correspondente jamais perderá a condição de serviço público, que deverá, no mínimo, ser fiscalizado pelo Estado.

b) Em segundo lugar, integra o Estado Social o sistema geral de Seguridade Social, compreendendo as ações no domínio da saúde pública, da previdência e da assistência social (CF, arts. 194, 196, 197, 201 e 203).

c) Em terceiro lugar, a satisfação de necessidades individuais no âmbito cultural é realizada por meio da manutenção de escolas públicas, como as universidades federais, que "gozam de autonomia didático-científica, administrativa e de gestão financeira e patrimonial, obedecendo ao princípio de indissociabilidade entre ensino, pesquisa e extensão (CF, art. 207). O dever do Estado com a educação será efetivado, entre outras providências: I – por ensino fundamental obrigatório e gratuito, assegurada, inclusive, sua oferta gratuita para todos os que a ele não tiveram acesso na idade própria (CF, art. 208, I); II – pela progressiva universalização do ensino médio gratuito (CF, art. 208, II).

Deve-se salientar que a Constituição Federal determina que "O acesso ao ensino obrigatório e gratuito é direito público subjetivo" (CF, art. 208, § 1º), gerando para o Estado a obrigação inequívoca de oferecer os meios necessários à sua efetivação e, para o indivíduo, direito subjetivo público, exercitável pela via judiciária, de exigir do Estado o integral cumprimento de sua obrigação constitucional.

d) Em quarto lugar, ainda no que concerne à cultura, o Estado garantirá a todos pleno exercício dos direitos culturais e acesso às fontes de cultura (CF, art. 215), mantendo, para isso, museus, bibliotecas, como a Biblioteca Nacional, teatros, como o nosso Theatro São Pedro, em Porto Alegre, e espaços culturais.

e) Em quinto lugar, é missão do Estado Social a defesa do meio ambiente, a que "todos têm direito, (...) impondo-se ao Poder Público e à coletividade o dever de defendê-lo e preservá-lo para as presentes e futuras gerações" (CF, art. 225, *caput*).

f) Em sexto lugar, do Estado Social decorrem inúmeras intercorrências entre Estado e Economia. A Constituição Federal consagra a livre iniciativa (art. 170, *caput*), mas admite as intervenções estatais na economia, pela "exploração direta de atividade econômica pelo Estado", a qual somente será admitida "quando necessária aos imperativos da segurança nacional ou a relevante interesse coletivo, conforme definidos em lei" (CF, art. 173, *caput*).

g) Em sétimo lugar, conumera-se entre as atividades do Estado Social o planejamento "determinante para o setor público e indicativo para o setor privado" (CF, art. 174, *caput*). As diretrizes e bases do planejamento do desenvolvimento nacional serão estabelecidas por lei (CF, art. 174, § 1º). A disposição constitucional indica que o desenvolvimento da atividade econômica não pode ser deixado ao *laissez faire, laissez passer*, que ressurgiu no mundo ocidental com a queda do comunismo, com resultados pouco animadores. Ao contrário, a atividade econômica deve ser acompanhada pelo Estado, que é agente normativo e regulador da mesma.

h) Em oitavo lugar, dentro dessa concepção de Estado Social, aparece a "função social da propriedade" (CF, art. 170, III); a "defesa do consumidor" (CF, art. 170, V), a redução das desigualdades regionais e sociais (CF, art. 170, VII); a "busca do pleno emprego" (CF, art. 170, VII); finalmente, o "tratamento favorecido para as empresas de pequeno porte constituídas sob as leis brasileiras e que tenham sua sede e administração no país" (CF, art. 170, IX).

i) Em nono lugar, o monopólio da União quanto à pesquisa e a lavra das jazidas de petróleo e gás natural e outros hidrocarbonetos fluidos (CF, art. 177, I), bem como da refinação do petróleo nacional ou estrangeiro (CF, art. 177, II), e o transporte marítimo do petróleo bruto de origem nacional ou derivados básicos de petróleo produzido no país, bem assim o transporte, por meio de conduto, de petróleo bruto, seus derivados e gás natural de qualquer origem (CF, art. 177, IV), constituem exemplos típicos de atividade econômica monopolizada por força dos imperativos da segurança nacional e de relevante interesse coletivo (CF, art. 173, *caput*). Da mesma forma, o monopólio da energia nuclear a que se refere o art. 177, inciso V, e seus parágrafos, da Constituição Federal, diz respeito aos imperativos da segurança nacional.

5-K. A Administração Pública, no Estado Social de Direito, está vinculada à ordem constitucional e à lei, devendo respeitar os princípios

§ 2. CONCEITO

básicos do direito, que informam toda a ordem jurídica de um País civilizado. No Direito Administrativo, há alguns princípios que devem ser imperiosamente obedecidos pela Administração. Não deve o poder público ultrapassar determinados limites no seu relacionamento com os súditos. Há, destarte, uma proibição de excessos, que leva a Administração a se conformar aos princípios da conveniência, da necessidade e da proporcionalidade dos meios no exercício de suas funções.

a) O *princípio da conveniência* impede a utilização, na atividade de Administração Pública, de meios que são inaptos para atingir determinados fins. Não poderia a União, por exemplo, conceder qualquer serviço público independentemente de licitação. A Lei 8.987, de 13.2.1995, "Dispõe sobre o regime de concessão e permissão da prestação de serviços públicos, previsto no art. 175 da Constituição Federal". No seu art. 14, dispõe expressamente: "Toda concessão de serviço público, precedida ou não da execução de obra pública, será objeto de prévia licitação, nos termos da legislação própria e com observância dos princípios da legalidade, moralidade, publicidade, igualdade do julgamento por critérios objetivos e da vinculação ao instrumento convocatório". Somente empregando os meios adequados, definidos por lei, é que se pode chegar à concessão de um serviço público.

b) O *princípio da necessidade* estabelece que, entre diferentes meios apropriados para alcançar um fim, cuja utilização atinja determinadas pessoas, com contribuições para a comunidade, seja escolhido aquele que menores conseqüências desfavoráveis apresente. Se a necessidade do serviço público pode ser perfeitamente satisfeita com a imposição de uma servidão administrativa, não há nenhum motivo para recorrer ao ato administrativo de desapropriação, sem dúvida mais desfavorável ao titular do direito de propriedade.

c) O *princípio da proporcionalidade* impede que as medidas da Administração Pública projetem conseqüências para além da relação estabelecida. Se para a realização de um fim público, vêm em consideração diversos meios, deverá ser considerado aquele que menores prejuízos trará aos direitos individuais. A proteção da liberdade individual é colocada em primeiro lugar, devendo a intervenção estatal ser a menos onerosa à liberdade. Esse princípio é denominado pelos administrativistas alemães de *"Verhältnissmässigkeit"* (Hans Julius Wolff – Otto Bachof, *Verwaltungsrecht*, III, 4ª ed., 1978, München, § 138, n. 27, "c", V, "a", p. 202).

d) De extrema importância dentro do Estado de Direito é o princípio da proteção da confiança (*Vertrauensschutzes*). De acordo com essa concepção, exige-se a observância das salvaguardas indispensáveis à preservação da confiança das pessoas que se relacionam com o poder público e a estabilidade e a legalidade dos atos administrativos que outorgam direitos. Protege-se, por essa forma, a boa-fé (*Treu und Glauben*) bem como a segurança jurídica, indispensáveis à preservação do Estado de Direito e às suas relações com os súditos.

De importância prática no que concerne à proteção da confiança é a revogação de atos administrativos que concedem ou reconhecem direitos aos particulares. De acordo com a Lei 9.784, de 29.1.1999, a Administração pode revogar atos administrativos "por motivo de conveniência ou de oportunidade, respeitados os direitos adquiridos" (art. 53). De outra parte, a Lei aludida estipula o prazo de decadência de cinco anos para "anular os atos administrativos de que decorram efeitos favoráveis para os destinatários" (art. 54). Limite intransponível ao livre poder de revogação de seus atos pela Administração Pública, está configurado pelo direito subjetivo público decorrente do ato administrativo.

Nesse sentido é a opinião sempre judiciosa de Walter Jellinek. Afirma Jellinek que "encontra-se como limite da liberdade de revogação o direito subjetivo público criado por meio de um ato administrativo" ("so findet man als Schranke des freien Widerrufs das durch den Verwaltungsakt geschaffene subjektive öffentliche Recht" – *Verwaltungsrecht*, 1929, Berlin, § 11, IV, n. 2, p. 270). Mais recentemente, Ernst Forsthoff manifesta idêntica opinião, ao afirmar que a revogação deverá respeitar os direitos do interessado ("La révocation doit cependant respecter *les droits de l'intéressé*" – *Traité de Droit Administratif Allemand*, trad. francesa, Bruxelles, 1969, cap. XIII, seção II, p. 406).

e) Além dos princípios da legalidade e da eficiência, já mencionados, a Constituição Federal de 1988 alude aos princípios da moralidade, da impessoalidade e da publicidade. A *impessoalidade* é decorrência do princípio de utilidade pública, inicialmente já referido como fundamento do Direito Administrativo. A *moralidade* decorre do dispositivo constitucional que propugna por uma sociedade "livre, justa e solidária" (CF, art. 3º, I). Todos esses princípios estão referidos no art. 37 da Constituição Federal. Com efeito, não se poderia pensar numa sociedade justa em que os postulados éticos não fossem considerados pela Administração Pública. A referência à virtude da Justiça, eminentemente axiológica, exclui *ipso facto* a ausência de moralidade nas ações da Administração. No que concerne à *publicidade*, trata-se de decorrência evidente da ação administrativa, que se voltando para a utilidade pública, como expressão prática do bem comum, exige que os atos do poder público sejam praticados com ampla publicidade. •

6. De resto, não só a União, os Estados, o Distrito Federal e os Municípios exercitam atividade administrativa. Exercem-na, por igual, paralelamente à União, aos Estados, ao Distrito Federal aos Municípios, outras pessoas de direito público. Tais pessoas de direito público, das quais nos ocuparemos no lugar competente, formam com a União, os Estados, o Distrito Federal e os Municípios, outras tantas Administrações Públicas, segundo o conceito que deixamos enunciado na letra "a" supra. A lei lhes dá, a todas genericamente, a denominação de *pessoas administrativas* (a denominação provém da legislação falimentar, na qual era tradicional: Lei 2.024, de 17.12.1908, art. 180; Decreto Legislativo 5.746, de 9.12.1929, art. 180).

Extensa é já, em realidade a enumeração das pessoas administrativas em nosso direito. Não é este, porém, o momento para estudá-las.

São tais pessoas, como deixamos dito, objeto também, das prescrições do Direito Administrativo.

7. Reconduziu-nos, pois, a digressão que fizemos ao ponto de partida.

Agora, porém, que temos percorrido, ainda que rapidamente, as linhas de contorno do Direito Administrativo, devemos voltar os olhos para a particular feição das normas deste ramo do direito positivo, no que concerne à sua aplicabilidade.

O Direito Administrativo é todo composto de normas de aplicação privativa, quer dizer, normas excludentes de outra qualquer regulamentação jurídica para as mesmas relações de fato. Como diz Jean Rivero, a autoridade do direito privado não se estende à Administração (*Droit Administratif*, Jean Rivero e Jean Waline, 17ª ed., Paris, Dalloz, 1998, p. 19, n. 13). Porém, é lícito, em alguns casos, às pessoas administrativas submeter as suas operações negociais ao regime do direito privado, quando não sejam elas objeto de disposições especiais do Direito Administrativo, adquirindo ou alugando bens, *e.g.*, segundo as normas do Direito Civil.

De outro lado, a jurisprudência e a técnica legislativa incluem, não raro, formalmente, ao menos na esfera do Direito Civil, matérias caracterizadamente administrativas. Está nesse caso o Decreto 19.924, de 27.4.1931, que estendeu à alienação de terras devolutas por concessão administrativa as disposições do Código Civil relativas à transcrição.

• **7-A.** Constavam do Código Civil de 1916 disposições respeitantes à prescrição do direito de ação no em que se aplicavam ao Direito Administrativo. Dispunha, com efeito, o art. 178, § 10, inciso VI, daquele Código, que "Prescreve (...) em cinco anos (...) as dívidas passivas da União, dos Estados e dos Municípios, e bem assim toda e qualquer ação contra a Fazenda Federal, Estadual ou Municipal; devendo o prazo da prescrição correr da data do ato ou fato do qual se originar a mesma ação". O Código Civil/2002 silencia sobre a prescrição no âmbito do Direito Administrativo, considerando, como é certo, as inúmeras leis que já disciplinaram a questão, de que constituem exemplo conspícuo o Decreto 20.910, de 6.1.1932, que "Regula a prescrição qüinqüenal", o Decreto-lei 4.597, de 19.8.1942, que "Dispõe sobre a prescrição das ações contra a Fazenda Pública e dá outras providências", a Lei 9.784, de 29.1.1999, que estabelece o prazo de decadência de cinco anos para o direito da Administração Pública de anular os atos administrativos de que decorram efeitos favoráveis para os destinatários (art. 54) e o Código Tributário Nacional, quanto à decadência do direito da Fazenda Pública de constituir o crédito tributário (art. 173), no prazo de cinco anos e, em prazo idêntico, da prescrição do direito de ação para a cobrança do crédito tributário (art. 174). •

8. A esta altura, para logo nos capacitamos de que a definição da nossa disciplina, apenas esboçada no início deste capítulo, está a reclamar maior precisão.

Rege o Direito Administrativo – dissemos – tanto a atividade, como as pessoas administrativas. Vem a ser, portanto, o Direito Administrativo – podemos agora dizê-lo – o ramo do direito positivo que específica e privativamente, rege a Administração Pública como forma de atividade; define as pessoas administrativas e a organização e os agentes do Poder Executivo das politicamente constituídas e lhes regula, enfim, os seus direitos e obrigações, em suas relações umas com as outras e com os particulares, por ocasião do desempenho daquela atividade.

• **8-A.** Numa definição sucinta, poderíamos dizer com Otto Mayer, que o Direito Administrativo, no sentido literal da palavra, quer dizer direito relativo à Administração Pública (*Le Droit Administratif Allemand*, t. I, *Partie Générale*, 1903, Paris, § 2, p. 15), ou, modernamente, com Jean Rivero e Jean Waline, que o Direito Administrativo é o conjunto das regras jurídicas, distintas daquelas do direito privado, que regem a atividade administrativa das pessoas jurídicas públicas (ob. cit., 1998, Sec. I, n. 16, p. 20). •

§ 3. HISTÓRIA DO DIREITO ADMINISTRATIVO BRASILEIRO

A doutrina do direito não distingue e aparta, nos regimes absolutos, as atividades do Estado, segundo o critério da diversidade dos objetos, matérias ou finalidades.

Pesquisam-lhes os jurisconsultos, ao inverso, as causas de que procedem, os títulos em que se fundam, os direitos de que representam o exercício ou, por outro lado, a conseqüência.

Tal é o que acontece no velho Portugal, ao tempo da colonização do Brasil.

1. Veículo da opinião corrente, Jorge de Cabedo, insigne jurisconsulto que floresceu nos séculos XVI e XVII, divide os atos régios segundo os direitos de que entende provirem. Procedem alguns – declara o jurista – do supremo senhorio majestático: criar capitães em terra e mar e juízes e tabeliães, permitir duelo, bater moeda. Procedem outros do universal domínio do soberano e lhe competem em razão de tal domínio, como os que respeitam aos rios, vias públicas, tributos. Aqui novamente alguns lhe competem como Senhor da Régia Coroa e entendem com os Bens da Coroa, que o monarca administra, tais como os prados, as matas, os maninhos, as coutadas, as granjas, os armazéns e casas foreiras; outros, porém, procedem de direitos que ao rei pertencem como particular.[1]

---

1. Cabedo, *Decisisones*, Antuérpia, 1734, p. II, dec. XLII, n. 4, p. 67: "Cum autem omnes actus Regales ad unam causam seu speciem non respiciant, sed origine, causa et specie separentur, imo a diverso fonte procedunt; alii a suprema Principis potestate procedunt et Regi competunt aut ratione potestatis et jurisdictionis quam habet, ut est creare Capitaneos, terra et mari, magistratus ad jus dicendum, aut aliter ministrandum, ut sunt tabelliones in d. tit. 26, § 1, permittere duellum, cudere monetam et alia de quibus statim dicemus. Alii procedunt ab universali dominio Regis et

Daquele supremo senhorio majestático dimanam, porém, igualmente, a competência legislativa do monarca – que "he lei animada sobre a terra" (Ord., liv. III, tit. 60, § 1) – e a jurisdição, que nele tem a sua fonte – "est jurisdictio in rege tamquam in fonte" (Cabedo, ob. cit., p. II, dec. IX, n. 8, p. 11). Fazem lei, portanto, as sentenças judiciárias que o soberano subscreve (Cabedo, cit., p. II, dec. CCXII, n. 3, p. 189), e força de lei obtêm os contratos que celebra, a ponto de entender-se ab-rogada a lei a que eles intencionalmente contravenham.[2]

2. Transmite-se esta confusão de funções, da monarquia absoluta aos capitães governadores, constituídos, de começo, para colonização e governo das terras do Brasil. Traziam estes da metrópole doação, de juro e herdade, das terras que lhe formavam as capitanias. "Tendo-se pouca atenção no princípio a pouoar – refere Francisco d'Andrada – se daua a homens particulares quanta cantidade cada hum pidia nella, com nome de capitães e grandes poderes de jurisdicção de civel e crime" (Francisco d'Andrada, *Chronica do Muyto Alto e Muyto Poderoso Rey destes Reynos de Portugal Dom João, o III dêste Nome*, Coimbra, 1796, t. IV, p. 130).

São os capitães donatários, nas suas capitanias, pequenos senhores absolutos. Eles é que fixam, por forais, as liberdades das vilas fundadas em suas terras (J. F. Lisboa, *Obras*, 1901, t. II, pp. 133 e ss.). Eles é que dispensam a justiça, com alçada tão subida que o recurso para o rei se torna uma fórmula teórica; não lhes entra nas capitanias, além disso, corregedor ou justiça real (idem, ibidem).

Retêm nas mãos, destarte, o inteiro domínio das forças políticas e sociais da colônia. Dominam o indivíduo, não obstante as leis do Reino, pela sentença inapelável. Subjugam as coletividades urbanas pela lei do foral.

Pequenos soberanos, legislam, julgam e governam, sem a censura de outro poder ou autoridade (J. Capistrano de Abreu, *O Descobrimento do Brasil*, Ed. da Sociedade Capistrano de Abreu, 1929, p.117).

---

ei competunt ratione talis dominii, ut sunt flumina, viae publicae, vectigalia, et alia. Quorum rursus alii competunt ei, ut Domino Regiae Coronae, sunt enim Coronae, cujuscumque ejus administratoris, ad sustentandum Reginae Coronae statum, ut sunt prata pascuorum, *que são as defesas*, saltus, matas, agri deserti, *os maninhos*, ferarum viaria, *as coutadas*, praedia rustica, *que são as* granias proedia urbana, *os armazens e casas a elles foreiras*, et alia similia; alii vero quos habet Rex ut privatus".

2. *Portugal de Donationibus Jurium et Bonorum Regiae Coronae*, Lugduni, 1726, lib. II, cap. XI, n. 17: "(...) Deinde contractus Principis vicem legis obtinent (...). Quod adeo verum est, ut si Princeps contrahat contra leges, censeatur illas abrogare, dummodo scienter hoc faciat".

§ 3. HISTÓRIA DO DIREITO ADMINISTRATIVO BRASILEIRO 59

3. O malogro das capitanias hereditárias cedo levou a metrópole a modificar a nossa organização colonial. "O modo que então pareceu a El Rey milhor e mais a proposito – escreve o cronista real – para hum governo do Brasil foy reuogar os poderes aos capitães que la estauão e dallos todos ao capitão da Bahia de Todos os Santos que mandou que fosse gouernador geral de todas as capitanias" (Francisco d'Andrada, ob. cit., t. IV, p. 131).

Compunha-se o aparelho do governo geral de três autoridades principais: o governador geral, lugar-tenente do rei; o provedor-mor, representante da Fazenda Real; o ouvidor geral, distribuidor da justiça. Colaboravam com essas três autoridades no governo da colônia o capitão-mor da costa, defensor do litoral, e o alcaide-mor, mais tarde nomeado comandante das armas na sede do governo.

Trazia do reino o governador-geral Tomé de Souza, como de resto, também o provedor-mor e o ouvidor geral, um regimento minucioso que lhe discriminava as atribuições. Nos casos omissos, porém, devia consultar os principais empregados e as pessoas mais idôneas, prevalecendo, em caso de divergência, a sua opinião, mas lavrando-se de tudo um termo ou ata, para ser enviado à Corte. "Tal foi a origem – observa Varnhagen – das juntas gerais que tanta importância vieram a ter no regime colonial, o qual veio a governar-se mais constitucionalmente do que a própria metrópole" (Varnhagen, *História Geral do Brasil*, 4ª ed., t. I, p. 292).

Seria engano, porém, supor-se que o discrime de atribuições assim estabelecido, entre o governador e o ouvidor-geral, e a instituição concomitante das juntas de governo tivessem tido o efeito de extremar-lhes definitiva e inviolavelmente funções e atividades.

Dependência da monarquia absoluta, havia de padecer a organização colonial, fatalmente, das vicissitudes, defeitos e qualidades daquela.

O governador Mem de Sá, que foi, no dizer de frei Vicente do Salvador, "espelho dos governadores do Brasil", dispõe e legisla soberanamente para as gentes da colônia; algumas vezes o faz, de resto, associando à autoridade do cargo a sugestão do gesto, à imitação dos antigos patriarcas-legisladores.

Conta frei Vicente do Salvador que, quando se fundou a cidade de São Sebastião do Rio de Janeiro, "porque haviam ido na armada mercadores, que entre outras mercadorias levavam algumas pipas de vinho, mandou-lhes o governador que o vendessem atavernado e, pedindo êles que lhes pusesse a canada por um preço excessivo, tirou êle o capacete da cabeça com cólera e disse que sim, mas que aquêle havia de ser o quartilho".

"E – ajunta o cronista – assim foi e é ainda hoje por onde se afilam as medidas, donde vem serem tão grandes que a maior peroleira não leva mais de cinco quartilhos" (Frei Vicente do Salvador, *História do Brasil*, 3ª ed., rev. por Capistrano de Abreu e Rodolfo Garcia, pp. 192 e 193).

O mesmo Mem de Sá, durante algum tempo, preside como soberano à distribuição da justiça na colônia.

"O tempo que lhe vagava da guerra – escreve frei Vicente – gastava o bom governador na administração da justiça, porque, além de ser o em que consiste a honra dos que regem e governam, como diz Davi: 'Honor regis judicium diligit', a trazia êle particularmente a cargo por uma provisão del-rei, em que mandava que nem uma ação nova se tomasse sem sua licença. O que mandou el-rei por ser informado das muitas usuras, que já em aquele tempo cometiam os mercadores no que vendiam fiado" (ob. cit., p. 167).

4. Sobre o nosso território, o organismo do governo geral se reproduz e multiplica como por cissiparidade.

Sem aludir à transitória dualidade de governo, entre a Bahia e o Rio de Janeiro, de 1572 a 1577 e de 1608 a 1613, basta que consideremos como se formam, ao Norte, o Estado do Maranhão e Grão-Pará (1621), e o governo de Pernambuco (1657) e como surge, mais tarde, separando-se do Estado do Maranhão, o governo geral do Pará (1760), compreendendo o Pará e o Amazonas.

Mantém-se-lhe, porém, a estrutura fundamental. É ao mesmo governador-geral, que foram Tomé de Souza e Mem de Sá, que em 1640 se confere o título de Vice-Rei.

Governadores gerais, conforme vimos, ou Vice-Reis, enfeixam nas mãos, os delegados do soberano no Brasil, poderes formidáveis: alguns chegaram a recusar o "cumpra-se" a ordens da Corte, taxando-as de ilegais (M. Fleiuss, *História Administrativa do Brasil*, Rio de Janeiro, 1923, p. 64).

Ainda mais poderosos se tornam, entretanto, de 1763 em diante, a partir do Vice-Rei Conde da Cunha, sediado já o governo no Rio de Janeiro. Por carta patente foi-lhe, então, outorgado "poder e alçada" em matéria cível e crime, até a pena de morte natural, sobre todas as autoridades, fidalgos e súbditos da colônia – "sem excetuar pessoa alguma em que o dito poder e alçada se não entenda".

Em compensação, aumentam os órgãos com os quais compartilham o exercício do poder. Ao lado das juntas gerais, que os assistem no trato

§ 3. HISTÓRIA DO DIREITO ADMINISTRATIVO BRASILEIRO

dos negócios de governo, formam-se as juntas de fazenda, que fiscalizam a arrecadação e aplicação das rendas, as juntas de justiça, que julgam os recursos eclesiásticos, as juntas militares, que resolvem sobre a milícia e a defesa da terra. Dois Tribunais de Relação, o da Bahia e o do Rio de Janeiro, fazem as vezes do patriarcal ouvidor geral.

Este é o regime de governação do Brasil até a vinda da Corte portuguesa para o Rio de Janeiro.

5. Em toda esta quadra de nossa história, guiam a iniciativa e as realizações da metrópole os objetivos fiscais: melhor arrecadação fiscal, melhor polícia fiscal, melhor defesa fiscal (Oliveira Viana, *Evolução do Povo Brasileiro*, São Paulo, 1933, p. 232).

"O espírito que domina toda a política colonial do tempo – escreve Oliveira Viana – é o do fiscalismo" (idem, ibidem).

Era de outro lado, a monarquia absoluta, o regime político da metrópole. Ora, no Estado absoluto, segundo deixamos dito, não se conhece a Administração Pública como atividade distinta. A divisão dos Poderes é que a faz aparecer com tal feição perante o direito público, pelos limites que lhe põe o Poder Legislativo e pela proteção ou reação que lhe oferece o Poder Judiciário, porque, no Estado moderno, a Administração Pública é, em princípio, tarefa do Poder Executivo.

Possível que fosse, porém, discriminar-se a atividade administrativa dessa época, como atividade distinta, dever-se-ia caracterizá-la por esse traço peculiaríssimo: o fiscalismo, quer dizer, a subordinação da autoridade pública aos interesses fiscais ou privados do Estado.

6. A trasladação da Corte para o Rio de Janeiro (1808) transporta, com o monarca, para as terras do Brasil, a lei viva e a fonte de toda a jurisdição.

Passamos, assim, de colônia sujeita a monarquia absoluta, como depois se declara pela Carta de Lei de 18 de dezembro de 1815.

É a transição – a preparação providencial – para a independência e para a monarquia constitucionalizada.

7. Realizada a independência, dissolvida a Assembléia Constituinte e outorgada por decreto imperial a primeira Constituição Brasileira, vemos reunidas pelos laços de uma só soberania as províncias, em que se haviam transmutado as capitanias coloniais, antes subordinadas a um ou mais governos gerais.

Vencêramos o perigo da desagregação territorial, inerente a todos os abalos dessa natureza.

Quatro Poderes repartem entre si a governação do Império: o Poder Legislativo, o Poder Executivo, o Poder Judicial e, sobranceiro a todos, o Poder Moderador. Reunindo o exercício do Poder Executivo e do Poder Moderador, o Imperador, segundo a fórmula depois consagrada, reina, governa e administra.

Mostram-se os nossos estadistas, entretanto, depois do governo de Pedro I, violento e indomável, e talvez por isso mesmo, preocupados intensamente com o problema da realização das liberdades públicas. Buscam-lhe a solução, primeiro, no municipalismo à inglesa com o Código do Processo Criminal de 1832; depois, no provincialismo, imitado ao federalismo norte-americano, com o Ato Adicional de 1834.

Procura-se, desse modo, solver o problema pela fórmula do "self-government", da maior participação dos indivíduos na obra do governo. Multiplicam-se as funções eletivas no município com o Código do Processo Criminal. Criam-se as Assembléias Provinciais com o Ato Adicional.

Mas, o "self-government" municipal, tentado pelo Código do Processo, trouxe apenas como conseqüência o enfraquecimento da Administração Pública.

"Não podiam os membros do Governo – escreve Armitage – obter nem as aparências do respeito; e, nas províncias, os presidentes ainda menos consideração conseguiam" (J. Armitage, *História do Brasil*, ed. bras. de Eugênio Egas, São Paulo, 1914, p. 285).

Produziu resultados semelhantes o provincialismo implantado pelo Ato Adicional. Segundo tradição corrente, Bernardo de Vasconcelos, ao entregar à Câmara o projeto do Ato Adicional, de que fora relator, em uma frase lhe teria resumido as conseqüências: "Entrego-lhes (haveria dito) o Código da Anarquia".

Nessa linha de menor resistência – o enfraquecimento da Administração Pública – posta a descoberto pelas duas experiências malogradas, revela-se, contudo, uma solução empírica para o problema. Diminuído o Poder, enfraquecida a Administração, avultam e se fortalecem as liberdades públicas (Ribas, *Direito Administrativo Brasileiro*, Rio de Janeiro, 1866, p. 75).

Para fundamento dessa solução de acaso, procura-se, logo, o apoio de uma fórmula de liberdade democrática. Essa fórmula é o princípio da igualdade perante a lei.

§ 3. HISTÓRIA DO DIREITO ADMINISTRATIVO BRASILEIRO

Enérgica, mas baldadamente lhe impugnam o cabimento.

"A igualdade – clama Rêgo Barros – não é decepar tudo o que se ergue mais alto, como o romano que cortava a cabeça das papoulas; isto não é igualdade, é fúria de abater" (H. do Rêgo Barros, *Apontamentos sôbre o Contencioso Administrativo*, Rio de Janeiro, 1874, p. XXIX).

A fórmula, porém, subsiste e por ela é que se caracteriza a Administração Pública do Império: – equipara-se o Poder ao cidadão, ao simples particular – "a pretexto de que podem dar abusos" (idem, ibidem).

Tal o pensamento dominante em todas as secções do Conselho de Estado o qual, a partir de 1842, era de seu restabelecimento, preside do alto a vida administrativa do país.

Assim é que, embora tenhamos no Império uma Administração Pública normalmente exercida por autoridades permanentes e organizadas, não possuímos, contudo, igualmente desenvolvido, um Direito Administrativo.

Rege-se a Administração Pública pelo direito privado, excetuado o Contencioso Administrativo que meramente o aplica. Fora do direito privado, tudo se obscurece e confunde: – é o caos. Pode dizer-se, de resto, que essa é a expressão consagrada para caracterizar esse período de nossa Administração: "administração no caos", chama-lhe o Visconde do Uruguai (Visconde do Uruguai, *Ensaio sôbre o Direito Administrativo*, Rio de Janeiro, 1862, t. I, nota 1, p. 24); "caos administrativo", uma voz lhe chama, dentro do próprio Conselho de Estado (*Imperiais Resoluções tomadas sobre Consultas da Secção de Justiça do Conselho de Estado*, t. I, Rio de Janeiro, 1884, p. 781).

Traço de nossa Administração Pública sob o Império é, pois, o que poderíamos denominar o privatismo, quer dizer, a subordinação da autoridade pública aos princípios e regras do direito privado.

8. A República, proclamada a 15 de novembro de 1889, e plasmada juridicamente na Constituição de 24 de fevereiro de 1891, transforma as antigas províncias em Estados; institui apenas três poderes – Legislativo, Executivo e Judiciário; suprime a jurisdição administrativa do Conselho de Estado. Um presidente, eleito pelo povo, passa a exercer o Poder Executivo.

Duas câmaras, de formação e duração diferentes, fazem as leis.

Duas jurisdições, a federal e a estadual, distribuem a Justiça.

Larga e fecunda é a obra dos administradores republicanos. Eles empreendem e realizam a reconstrução do país. Adquire, por isso mesmo, a Administração brasileira um sentido novo: flexibiliza-se, expande-se, move-se, vive. Não mais a contém, agora, os quadros rígidos do direito privado.

Mostram-se, entretanto, os nossos doutores tardos em classificar-lhe os progressos sob a rubrica do Direito Administrativo. Escassa ou nenhuma é a atenção concedida a esse ramo do direito, como disciplina autônoma e sistematicamente organizada.

Reside a causa dessa indiferença pelo Direito Administrativo na própria base, sobre que se fez assentar o nosso direito público. Foram as instituições dos Estados Unidos da América e os princípios da *common law* tomados para fundamento do nosso regime jurídico incipiente (Dec. 848, de 11.10.1890, art. 387).

Estava, porém, o fundamento em contradição com o regime. Neste se estabelecia constitucionalmente a partição do direito objetivo em direito civil, comercial, criminal e processual (art. 34, n. 23, da Constituição de 1891). Ora, a *common law*, oposta aos *statutes*, abrange, no conceito norte-americano, os princípios que regem assim de uma parte a justiça repressiva, como, de outra, a direção dos negócios públicos e, de outra ainda, a conservação do interesse privado, a regulamentação das instituições domésticas, e a aquisição, fiscalização e transferência da propriedade (Cândido de Oliveira Filho, *Direito Teórico e Direito Prático*, Rio de Janeiro, 1936, n. 10, pp. 27 e 28); toca destarte todos os ramos da Ciência do Direito (idem, pp. 24 e ss.).

O resultado dessa contradição é a incerteza das categorias jurídicas no nosso Direito Administrativo; é o desconhecimento de pessoas administrativas, fora da União, dos Estados e dos Municípios; é o desconhecimento dos limites do domínio público, além dos que lhe assinala a propriedade da União, dos Estados ou dos Municípios; é o desconhecimento da doutrina dos atos administrativos, acima das prescrições do direito privado.

Traço característico desse momento histórico é, destarte, o exotismo, mais político do que jurídico, do qual decorre, paradoxalmente, em contraste com o largo desenvolvimento material do Direito Administrativo, o desconhecimento formal deste.

9. Na Constituição de 16 de julho de 1934 empreende-se a atualização do aparelho governamental do país, de acordo com os dados da tradição republicana. São mantidos os três poderes fundamentais – Poder Legislativo, Poder Executivo e Poder Judiciário. Perdura a dualidade das

§ 3. HISTÓRIA DO DIREITO ADMINISTRATIVO BRASILEIRO 65

jurisdições, federal e estadual. Dá-se a expressão constitucional à parte, porém, às funções de coordenação e de cooperação, ínsitas já na antiga organização governativa. Faz-se do Senado o órgão de coordenação dos poderes constitucionais; definem-se Ministério Público, situado entre o Executivo e o Judiciário, o Tribunal de Contas, entre o Legislativo e o Executivo, e os Conselhos Técnicos, entre a Administração e o povo, como órgãos de cooperação nas atividades governamentais.

Diversamente da Constituição de 1891, possui, entretanto, a Constituição de 1934 um largo conteúdo social – moral, religioso, econômico, cultural. Por essa direta comunicação com os elementos da vida social, desde logo se alcança a importância que adquire, no segundo estatuto republicano, o Direito Administrativo.

São numerosas as soluções de Direito Administrativo enunciadas no texto supremo. Um Tribunal de Direito Administrativo é instituído na organização federal.

A paciente investigação dos sabedores e a jurisprudência dos arestos haviam determinado já as feições inconfundíveis do Direito Administrativo Brasileiro. Na Constituição de 1934, designadamente, se lhe conferiu lugar à parte nos quadros do nosso direito positivo (art. 79, parágrafo único, n. 1).

10. A 10 de novembro de 1937, foi promulgada, como expressão de um golpe de Estado, a terceira Constituição republicana do país.

A organização política criada pela Carta de 1937, não chegou, porém, a concretizar-se.

Não se constituíram os órgãos colegiados, previstos no texto promulgado. Em conseqüência, atribuído transitoriamente ao Presidente da República o Poder Legislativo (art. 180, da Constituição de 1937), a par do Executivo, o regime de 1937 veio a funcionar em moldes análogos ao dos governos provisórios de 1889 a 1891 e de 1930 a 1934.

Como os governos provisórios de 1889 a 1891 e de 1930 a 1934, o regime de 1937 sinalou-se por obra legislativa a muitos respeitos notável, particularmente no que concerne à codificação de nosso direito positivo. São os regimes dessa natureza propícios às codificações, as quais, à sua vez, se assemelham às revoluções e aos golpes de Estado, pela reordenação inovadora que impõem ao direito positivo.

11. A 18 de setembro de 1946, recebeu o país a sua quarta Constituição republicana. Na Constituição de 1946, combinam-se elementos da

Constituição de 1934 com elementos da Constituição de 1891, utilizados, estes, como simplificação daqueles. A fisionomia do regime, salvo no que concerne à ordem econômica e social, aproxima-se, e inequivocamente, da de 1891.

12. Emenda Constitucional, de 2 de setembro de 1961, instituiu, entre nós, o sistema parlamentar de governo. Teve duração efêmera o sistema de governo, dito parlamentar, que, assim, se implantou no país, • como solução para uma crise institucional deflagrada com a renúncia do Presidente da República, eleito em 1960, por força da recusa das forças armadas em admitir a posse do Vice-Presidente eleito naquela mesma eleição. Superada a crise com o advento do parlamentarismo, o sistema teve vida efêmera – restabelecido o presidencialismo, depois da realização de um plebiscito, por Emenda Constitucional, de 23 de janeiro de 1963. •

13. Reatou-se, com a repristinação da Constituição de 1946, a tradição republicana, na qual, apesar dos defeitos inerentes ao sistema presidencial de governo, a Administração Pública e o Direito Administrativo ocuparam sempre lugar preeminente! Aquela, pela iniciativa indispensável ao progresso; este, pela disciplina orgânica, essencial às realizações permanentes.

• *14.* A ordem constitucional de 1946 foi rompida pelo movimento revolucionário de 31 de março de 1964, em que as Forças Armadas, juntamente com parte das forças políticas, destituíram o presidente da República e retiraram a legitimidade democrática da Constituição, que foi mantida por um Ato Institucional. A esse primeiro Ato seguiram-se outros, com recesso temporário do Congresso, extinção dos partidos políticos, cassações de mandatos e suspensão temporária de direitos políticos, tudo dentro do quadro da "guerra fria" e do antagonismo entre o mundo capitalista e o mundo socialista, com as suas repercussões em nosso país.

14-A. Depois de um período de mutações institucionais e de transformações políticas impostas pela força das armas, novo Ato Institucional atribuiu ao Congresso Nacional poderes constituintes para votar uma nova Constituição, cujo projeto foi enviado pelo Presidente da República.

Depois de muitos confrontos dentro da própria facção governamental, pois o anteprojeto da Constituição apresentado reduzia os direitos fundamentais aos limites da lei ordinária, que lhes regularia o exercício de forma ditatorial, foi promulgada a Constituição Federal de 24 de janeiro de 1967, destinada a entrar em vigor em 15 de março daquele ano.

14-B. Comentando a aludida Constituição, advertia com percuciência o insigne Pontes de Miranda que "Nada mais perigoso do que fazer-se Constituição sem o propósito de cumpri-la" (*Comentários à Constituição de 1967*, t. I, São Paulo, Ed. RT, 1967, p. 15). As palavras do notável jurista foram proféticas, pois a recém-aprovada Constituição teve vida efêmera. Ao Presidente que a inspirou, sucedeu novo Presidente militar, que foi compelido a editar, em 13 de dezembro de 1968, o Ato Institucional n. 5, providência legislativa de extrema virulência, que pôs fim à frágil democracia reatada com a promulgação da Constituição de 1967.

14-C. Depois disso, o impedimento do Presidente da República de continuar a exercer o cargo por motivo de saúde teve como conseqüência o afastamento da linha sucessória do Vice-Presidente eleito e a assunção da Presidência da República por uma junta militar, composta pelos Ministros da Marinha, do Exército e da Aeronáutica. Os Ministros militares, no exercício da Presidência da República, promulgaram, pela via revolucionária de um Ato Institucional, a Emenda Constitucional n. 1, de 17 de outubro de 1969, que passou a ser a Constituição do Brasil e vigorou durante dezenove longos anos, até que uma Assembléia Nacional Constituinte, apositamente convocada, viesse a promulgar a nova Constituição da República Federativa do Brasil, em 5 de outubro de 1988.

14-D. A nova Constituição Federal de 1988 trouxe novidades para a vida republicana. Pela primeira vez a Constituição fala de um "Estado Democrático de Direito" (art. 1º), que significa, em primeiro lugar, um Estado que se opõe ao Estado autoritário ("Rechtstaat bedeutet den Gegensatz zum Machtstaat" – Carl Schmitt, *Verfassungslehre*, Berlin, 1957, § 12, II, n. 2, p. 130). Depois de definir os Princípios Fundamentais da nova República (Título I), a Constituição, no Título II, inicia pela declaração dos Direitos e Garantias Fundamentais. Seguindo os passos da Lei Fundamental de Bonn, em seu art. 5º, § 1º, estabeleceu que "As normas definidoras dos direitos e garantias fundamentais têm aplicação imediata". A Lei Fundamental de Bonn diz, de forma análoga, que "Os Direitos fundamentais a seguir discriminados constituem direito diretamente aplicável para os Poderes Legislativo, Executivo e Judiciário (art. 1º, n. 3). Foi abolida a censura (art. 5º, inciso IX), à semelhança da Lei Fundamental alemã (art. 5º, n. 1). O art. 5º, inciso VIII, estabeleceu, pela primeira vez, a proteção às crenças religiosas, políticas ou filosóficas, reconhecendo o imperativo de consciência, como motivo para se eximir do serviço militar obrigatório, que será substituído por serviço alternativo (art. 143, § 1º). Disposição semelhante consta da Lei Fundamental de Bonn, em seu art. 12-A, n. 2, ao determinar que "Quem, por razões de consciência, recusar o serviço militar com armas, poderá ser obrigado a prestar serviço de substituição". Finalmente, para não alongar as comparações, há uma disposição fundamental, semelhante à da Lei Fundamental de Bonn, que atribui a guarda da Constituição ao Supremo Tribunal Federal (art. 102, I, "a", da CF de 1988); a Lei Fundamental de Bonn atribui a garantia e a guarda da Constituição ao *Bundesverfassungsgericht*. O Tribunal Constitucional Federal se constitui na mais importante garantia do respeito do Direito Constitucional pelos demais órgãos do Estado (*Handbuch des Verfassungsrechts der Bundesrepublik Deutschland*, editado por Ernst Benda, Werner Maihofer, Hans-Jochen Vogel, Berlin–New York, Walter de Gruyter, 1983, IV Parte, Verfassungsgerichtsbarkeit – Helmut Simon, p. 1.253).

O princípio do Estado de Direito foi elevado à categoria de princípio constitucional. Em decorrência disso, o Legislativo, o Executivo e o Judiciário receberam competências próprias e distintas ordenadas e limitadas pelo Direito, de tal sorte que os direitos dos indivíduos estão protegidos e as suas obrigações estritamente mensuradas na forma da lei (Peter Badura, *Staatsrecht*, München, 1986, Das Rechtsstaatsprinzip, item 46, "a", p. 203).

Apesar dos propósitos elevados que a inspiraram, a Constituição de 1988, trouxe em seu seio o vírus do autoritarismo e do despotismo, ao manter em seu texto a competência do Presidente da República para propor emendas à Constituição (art. 60, inciso II), providência absolutista, criada pela Constituição de 1937 (art. 174, § 1º) – que havia sido outorgada pelo Presidente da República, criando o assim chamado "Estado Novo", que chegou ao fim em 1945 com a deposição do Presidente, havendo a República retomado o caminho da democracia constitucional com o advento da Constituição Federal de 1946. O movimento revolucionário de 1964 reavivou esta competência espúria e a introduziu na Constituição Federal de 1967 (art. 50, II), mantida pela Emenda Constitucional n. 1, de 1969 (art. 47, II). Essa competência do Presidente da República, inadmissível nos regimes presidencialistas, tem servido para que, a cada novo governo que se instala no poder, o Presidente passe a considerar, como condição indispensável à realização de suas metas governamentais, a efetivação de reformas constitucionais, não raro adotadas mediante o artifício de verdadeiras fraudes constitucionais (Georges Burdeau, *Traité de Science Politique*, t. IV, *Le Statut du Pouvoir dans l'État*, 1969, n. 116,

p. 266). Apesar de o poder de revisão ter sido limitado pelo art. 60, § 4º, incisos I, II, III e IV, da Constituição Federal de 1988, não raro, empregando expedientes políticos de duvidosa moralidade e de oportunismo, a Constituição tem sido objeto de reformas muitas vezes inconstitucionais, devido aos caprichos do chefe do Poder Executivo.

É preciso considerar que o poder de revisão deve estar condicionado e definido pelo caráter do regime estabelecido. Deve existir uma solidariedade entre o fundamento político da Constituição e as revisões eventualmente propostas.

Lamentavelmente, isso não tem ocorrido, havendo muitas das reformas aprovadas violado sobretudo o inciso IV do art. 60, que diz não poder ser objeto de deliberação a proposta de emenda tendente a abolir "os direitos e garantias individuais".

O Direito Constitucional moderno, adotado pelos países civilizados, é hostil a esse tipo de emenda constitucional, que, no fundo, viola o núcleo fundamental da Constituição.

O professor Otto Bachof sustenta que "Uma lei de alteração da Constituição (...) pode infringir, formal ou materialmente, disposições da Constituição formal. Dá-se o primeiro caso, quando não são observadas as disposições processuais prescritas para a alteração da Constituição; ocorre o último, quando uma lei se propõe alterar disposições da Constituição contrariamente à declaração de *imodificabilidade* destas inserta no documento constitucional". Mais adiante, conclui de forma peremptória: "Não é necessário mostrar mais pormenorizadamente que a lei de alteração, embora sendo ela própria uma norma constitucional formal, seria, num como no outro caso, 'inconstitucional'" (*Normas Constitucionais Inconstitucionais?*, 1994, trad. portuguesa, Almedina, 1977, p. 52, letra "b"). Em sentido idêntico são as opiniões de dois grandes constitucionalistas portugueses (Jorge Miranda, *Manual de Direito Constitucional*, t. II, *Constituição e Inconstitucionalidades*, 3ª ed., 1996, Coimbra, n. 50, II e III, p. 213; e J. J. Gomes Canotilho, *Direito Constitucional e Teoria da Constituição*, 3ª ed., Coimbra, p. 997).

14-E. O tempo, que não se detém jamais em sua voragem, é que dirá às gerações futuras se essa nova ordem constitucional alcançará permanência duradoura. De qualquer forma, os interesses de grupos e as pressões da comunidade internacional certamente terão influência relevante na preservação ou na modificação ou destruição do nosso incipiente Estado de Direito. Nessa matéria também se aplica a máxima do *Ecclesiastes*: "Nihil sub sole novum" (1, 10).

14-F. Ainda antes da publicação desta nova edição, as palavras escritas no item anterior demonstraram sua razão de ser e ameaçam se tornar realidade. Agora, diante de uma crise política, cujo fundamento está na corrupção, na imoralidade, na absoluta falta de consciência moral e na demagogia de políticos que integram o partido do atual Presidente da República, e de outros partidos que compõem sua base de apoio no Congresso, sugere-se como uma das possíveis soluções para a crise, uma reforma constitucional, ou uma nova Assembléia Nacional Constituinte, tendo como objetivos principais a reforma política e eleitoral, a reforma tributária e a reforma das reformas da previdência social. Por trás dessas supostas reformas, defendidas por alguns políticos irresponsáveis, por outros tantos levianos ou ignorantes e por certos empresários filoneístas, está o objetivo de destruir o Estado de Direito e os Direitos Fundamentais, assegurados pela Constituição de 1988.

Dois constitucionalistas eméritos já levantaram sua voz sábia contra esse verdadeiro golpe que se planeja contra as instituições.

O Prof. Paulo Bonavides, em declarações feitas à imprensa, afirma que "O projeto de emenda aprovado pela CCJ é um ato de terrorismo contra a Carta Magna, terrorismo constitucional". Afirma que já houve um tipo de golpe contra a atual Constituição, que denomina de golpe institucional, "cujo exemplo foi o governo Fernando Henrique, que, silenciosamente, minou as instituições sem que o povo percebesse. (...) Essa constituinte que agora se propõe configuraria um terceiro tipo: o golpe congressual. Como constitucionalista, não posso admitir que isso ocorra. O respeito à Constituição é fundamental para o bom caminhar de uma nação e para consolidar as instituições republicanas e federativas do país" (*Folha de S. Paulo*, 15.8.2005).

Afirmação semelhante é a de outro constitucionalista, o Prof. José Afonso da Silva, que manifesta opinião idêntica à de Paulo Bonavides: "Será um poder de desconstituição e não de constituição. Exercerá, sim, o triste papel de desconstitucionalizar as conquistas populares que as diversas emendas constitucionais não puderam desfazer totalmente, porque esbarraram no núcleo intangível, limitação que uma Constituinte não terá" (Artigo, *Folha de S. Paulo*, 13.8.2005).

Constitui verdadeiro escárnio ao cidadão brasileiro falar em nova reforma da Previdência Social, depois de terem sido promulgadas duas Emendas Constitucionais radicais, a de n. 20, de 15.12.1998 e a de n. 41, de 19.12.2003. Depois da série de direitos que foram eliminados por essas emendas, ainda é possível que alguém deseje suprimir mais direitos? •

§ 4. FONTES

Três divisões fundamentais distribuem, por um tríplice plano, as fontes do Direito Administrativo Brasileiro.

1. O Império já no-las transmitiu em gerais e provinciais (Ribas, *Direito Administrativo Brasileiro*, Rio de Janeiro, 1866, p. 36).

Acrescentou-lhes, a República inicialmente mais uma partição: além da federal (geral) e da estadual (provincial), surgiu a legislação administrativa municipal.

• Com a Constituição Federal de 1988, no mesmo plano da legislação estadual, existe ainda a legislação administrativa distrital, eis que o Distrito Federal é pessoa administrativa de natureza política e existência necessária, à qual são atribuídas as competências legislativas reservadas aos Estados e Municípios (CF, art. 32, § 1º). •

As nossas leis municipais não se confundem com as normas jurídicas, editadas pelas corporações administrativas, que eram os municípios sob o Império (Lei de 1º de outubro de 1828, art. 24).

• Entretanto, Pimenta Bueno já observava que "A instituição municipal tem duas partes distintas: a primeira é a que delibera, que vota e examina as contas, é o conselho e como que o poder legislativo local" (*Direito Público Brasileiro e Análise da Constituição do Império*, Brasília, 1978, n. 450, § 4º, p. 317). De modo que não era uniforme a opinião, ao tempo do Império, segundo a qual os municípios fossem simplesmente corporações de direito público, destituídas de natureza política. A opinião do grande José Antônio Pimenta Bueno era contrária. •

Não se confundem, de outro lado, as leis municipais com as disposições autonômicas, editadas pelas entidades autárquicas em geral.

Dimana a norma autonômica da competência específica para a sua elaboração, reconhecida, pela legislação da pessoa administrativa matriz, à entidade autárquica, daquela gerada (T. B. Cavalcanti, *Tratado de Direito Administrativo*, t. II, 1956, p. 129).

• Walter Jellinek fala das *Autonome Satzungen*, que uma pessoa jurídica de direito público em seu nome próprio pode editar (*Verwaltungsrecht*, 2ª ed., Berlin, 1929, § 7, IV, n. 2, p. 123). •

Reflete, pelo contrário, a lei municipal, a natureza política, reconhecida pela Constituição Federal ao município, a qual revela, como origem do poder municipal, a mesma fonte, donde o recebem as leis federais, estaduais e distritais (Pontes de Miranda, *Comentários à Constituição de 1946*, t. II, 3ª ed., pp. 152-153).

São presentemente, no Brasil, portanto, as leis municipais verdadeiras leis (Paulo Lacerda, *Manual do Código Civil Brasileiro*, t. I, Rio de Janeiro, 1929, n. 101, p. 129).

2. Entre aquelas três divisões fundamentais, contudo, desdobramentos gradativos atenuam as linhas de separação. Na mesma Constituição Federal, trazem algumas disposições endereço explícito aos Estados, aos Municípios e ao Distrito Federal (arts. 25 a 32). À sua vez, a competência legislativa da União, embora privativa, nem sempre exclui a competência comum da União, • dos Estados, do Distrito Federal e dos Municípios (CF, art. 23). Há, ainda, a competência concorrente da União, dos Estados e do Distrito Federal (CF, art. 24). No âmbito da legislação concorrente, a competência da União limitar-se-á a estabelecer normas gerais (CF, art. 24, § 1º). Não exclui, porém, essa competência, a dos Estados, de natureza suplementar (CF, art. 24, § 2º). Entretanto, a superveniência de lei federal sobre normas gerais suspende a eficácia da lei estadual, no que lhe for contrário (CF, art. 24, § 4º). Essa norma constitucional nada mais é do que a tradução da regra contida no art. 31 da Lei Fundamental alemã, segundo a qual "Bundesrecht bricht Landesrecht" ("O direito federal corta o direito estadual"). Esta norma constitucional significa que uma prescrição constante de lei estadual, que tenha por objeto a mesma disposição de lei federal, procurando dela se afastar ou ultrapassá-la, na verdade é ineficaz (*unwirksam ist*) (Peter Badura, ob. cit., "F", 29, p. 374). •

Por todas as quatro divisões, de resto, circulam as mesmas idéias, passam os mesmos conceitos substanciais.

Dentro da federação, todas as cartas políticas hão de subordinar-se aos princípios estabelecidos pela carta política federal; todas as leis ordinárias, à sua vez, hão de subordinar-se aos princípios fixados pela carta política, da qual o órgão que as elabora tira o poder de fazê-lo.

Assim é que, se, pela multiplicidade dos órgãos de enunciação do direito público, se transige com as condições geográficas do país e as respectivas variações regionais – simultaneamente, pela uniformidade dos processos de elaboração do direito positivo e pela unidade substancial do conteúdo deste, mercê da subordinação constitucional –, preserva-se, ao lado da integridade nacional, a integridade do direito público brasileiro.

3. Dividem-se as fontes do Direito Administrativo brasileiro, *ad instar* das do Direito Comercial (J. X. Carvalho de Mendonça, *Tratado de Direito Comercial Brasileiro*, t. I, Rio de Janeiro, 1930, n. 57, p. 131), em primárias e derivadas. • No mesmo sentido, Walter Jellinek fala das fontes do Direito Administrativo, dividindo-as em dois grupos: originárias (*ursprüngliche*) e derivadas (*abgeleitete*) (*Verwaltungsrecht*, Berlin, 1929, § 7, III, p. 111). Fontes derivadas são as que a outras devem a sua eficácia. No dizer de Jellinek, "as fontes derivadas são sem dúvida (*ohne Bedenken*) caracterizadas como aquelas que têm a sua validade devida às fontes primárias" ("die einer ursprünglichen Rechtsquelle ihre Gültigkeit verdanken" – ob. cit., p. 112). As fontes primárias ou originárias, por oposição àquelas, são as que se bastam a si próprias. •

3-A. Fontes primárias ou originárias. Estão neste caso:

• *3-A.1 A Constituição.* É a fonte mais importante do Direito Administrativo. É suficiente considerar o Capítulo VII, do Título III, da Constituição Federal de 1988 para constatar a preocupação do legislador constituinte com as disposições gerais que devem reger a Administração Pública, bem como as normas fundamentais que deverão regular as relações entre os servidores públicos e a União, os Estados, o Distrito Federal e os Municípios. •

Durante o Império, acerca da inclusão da Constituição entre as fontes do Direito Administrativo, repartem-se os jurisconsultos entre duas concepções antagônicas. Alguns a justificam por motivos de *ordem estrutural*: "porque constitui" – alegam – "a nossa organização constitucional e política, da qual parte a organização administrativa; porque contém algumas bases especiais dessa organização administrativa". Essa era a opinião do Visconde do Uruguai, no seu *Ensaio sobre o Direito Administrativo* (Rio de Janeiro, 1862, t. I, p. 41). Outros, porém, como o Conselheiro Ribas, opinam que a inclusão da Constituição entre as fontes do Direito Administrativo é, mais do que justificável, indispensável, porque, além de encerrar os títulos de legitimidade de todos os poderes políticos, a Constituição é "a matriz e o padrão de todas as leis, a origem primitiva de todos os direitos e obrigações na sociedade política" (Antônio Joaquim Ribas, *Direito Administrativo Brasileiro*, Rio de Janeiro, 1866, p. 36, n. I).

Duas concepções opostas da Constituição inspiram, evidentemente, os jurisconsultos, que divergem nesse passo. Alguma verdade existe em cada uma dessas concepções; nenhuma delas, contudo, a possui toda. A Constituição certamente interessa ao Direito Administrativo pelas linhas de estrutura que traça aos órgãos políticos e a algumas organizações administrativas. Mas não é tudo; outras prescrições constitucionais interessam, também, ao Direito Administrativo, como as que respeitam aos direitos individuais. Reciprocamente, a Constituição é, sem dúvida, o padrão de algumas leis e a origem de alguns direitos; mas não o é de todas as leis, nem de todos os direitos. A Constituição, assim entendida, identificar-se-ia com o direito natural, fundamento do direito positivo; seria, talvez, Constituição em sentido lógico-jurídico. Mas, em realidade, a Constituição não é a só estruturação política, nem é, também, toda a ordem jurídica. O seu lugar entre as fontes do Direito Administrativo cabe-lhe, porém – não por qualquer desses característicos isoladamente – e sim, porque, embora seja a mais poderosa e eficaz de todas as leis, dentre quantas concernem ao Direito Administrativo, é, não obstante, uma lei.

• Sobre o significado da palavra *constituição* dividem-se as opiniões de filósofos e de juristas.

a) Aristóteles considerava que *Constituição* é, nos Estados, uma ordem das magistraturas, fixando seu modo de distribuição e determinando qual é o poder supremo do Estado, bem como qual é o fim de cada sociedade. Nesse sentido, a Constituição é vista em termos absolutos. Mas o próprio Aristóteles reconhece a existência de leis simples, distintas das disposições constitucionais, admitindo um conceito relativo de Constituição, no sentido de lei constitucional (*La Politique*, Paris, Vrin, 1970, cap. IV, 1, n. 1.289a, 15, p. 261). Acepção análoga à de Aristóteles, ao definir a Constituição em sentido absoluto, é a de Isócrates, que define um conceito ideal de Constituição, denominando-a de "a alma da polis" (*Areopagítico*, 14). Afastando-se do conceito absoluto, Aristóteles ainda admite, no caso concreto, a existência de Constituições corretas, em três espécies distintas, que são a monárquica, a aristocrática e a republicana, com os seus respectivos desvirtuamentos, caracterizados pela tirania, pela oligarquia e a democracia (ob. cit., 1.289, 2, 25, p. 262). Hodiernamente, entendemos que a corruptela da forma republicana e democrática é constituída pela *demagogia*.

b) Hans Kelsen, nos tempos modernos, também fala de Constituição em sentido absoluto, ao afirmar que "pressupondo a norma fundamental, a Constituição representa o nível mais alto do direito nacional" (*General Theory of Law and State*, Harvard, 1943, p. 124, B, "a", I). Segundo Kelsen, a Constituição, assim entendida, é considerada num sentido material, em oposição ao sentido formal, representado por um determinado documento solene, um conjunto de normas legais, que somente podem ser alteradas se obedecidas prescrições especiais, cujo propósito é tornar a alteração dessas normas mais difícil.

c) Carl Schmitt também se preocupa com a formulação de um conceito absoluto de Constituição, ao afirmar que "em realidade, uma Constituição é válida quando emana de um poder (isto é, força ou autoridade) constituinte e por meio de sua vontade se torna lei" ("In Wahrheit gilt eine Verfassung, weil sie von einer verfassungsgebenden Gewalt (d. h. Macht oder Autorität) ausgeht und durch deren Willen gesetzt ist" (*Verfassungslehre*, 3ª ed., Berlin, 1957, § 1, n. 2, p. 9).

d) A Constituição, em sentido relativo, significa uma lei constitucional em particular. É a opinião de Carl Schmitt (ob. cit., § 2, n. I, p. 11). A lei constitucional, do ponto de vista formal, torna os seus preceitos igualmente fundamentais, embora em seu texto nem todas as prescrições sejam fundamentais do ponto de vista material. As Constituições escritas têm a sua modificação sujeita a pressupostos e procedimentos de maior dificuldade, a fim de tornar mais difícil sua reforma. Hodiernamente, a questão mais controvertida diz respeito ao problema dos limites materiais do poder de reforma constitucional. O poder de reforma poderia atingir qualquer dispositivo constitucional, ou estaria limitado, não lhe sendo permitido tocar em determinados dispositivos?

De acordo com Raul Machado Horta "o poder de reforma ou de emenda é poder limitado na sua atividade constituinte de segundo grau. A emenda é incompatível com a ruptura da Constituição" (*Direito Constitucional*, 3ª ed., 2002, cap. 5, n. 8, p. 113).

Na sua correta opinião "do centro comum de imputação, que limita a atividade do órgão de revisão constitucional, dimanam, inicialmente, as matérias incluídas na cláusula de irreformabilidade do art. 60, § 4º, I, II, III, IV, da Constituição. São imponíveis no Congresso Nacional, em sessão apartada de cada Casa, os temas irreformáveis, que não podem ser objeto de emenda à Constituição: a forma federativa de Estado, o voto direto, secreto, universal e periódico, a separação dos Poderes, os Direitos e Garantias Individuais. Poder de emenda é poder instituído e derivado, instrumento de mudança constitucional de segundo grau, submetido ao 'centro comum de imputação', que assegura a permanência das decisões políticas fundamentais reveladas pelo poder constituinte originário" (ob. cit., cap. 5, n. 8, p. 113).

e) A Constituição Federal de 1988 encerra em seu texto uma competência que termina por ferir, não raro, o núcleo fundamental da Constituição. Essa competência é aquela reconhecida ao Presidente da República de propor emendas à Constituição (CF, art. 60, II), a qual foi criada pelo art. 174 da Constituição de 1937, que estabeleceu o Estado Novo e foi outorgada pelo Presidente da República, tendo sido suprimida pelo art. 217 da Constituição democrática de 1946. Na verdade, essa competência representa um retrocesso, pois significa a adoção de um poder de propor reformas à Constituição, totalmente incompatível com o Estado de Direito e com os regimes presidenciais democráticos. A Constituição dos Estados Unidos da América, por exemplo, que foi a primeira Constituição democrática escrita a estabelecer o regime presidencial, não confere ao Presidente da República esse poder. No artigo V, em que se define a "Provision for Amendments", a atribuição de emendar a Constituição é competência privativa do Congresso, com a exigência de que a proposição seja feita por dois terços dos seus membros. Entre nós, essa competência do Presidente da República, incompatível com o sistema presidencial de governo, tem levado ao resultado de que cada presidente eleito venha a propor reformas à Constituição, que a estão tornando, aos poucos, irreconhecível na sua versão originária. A Constituição não poderia jamais significar um plano de governo, mutável ao sabor das circunstâncias, mas a estrutura permanente do Estado, no sentido absoluto que Aristóteles atribui à palavra.

3-A.2 Leis Complementares. As leis complementares foram introduzidas em nosso Direito Constitucional pelo Ato Adicional, de 1961, que instituiu entre nós o regime parlamentarista, lamentavelmente de curta duração, posteriormente revogado por um plebiscito de janeiro de 1963. No dizer de Pontes de Miranda, são "leis intercalares, leis entre as emendas à Constituição e às leis ordinárias" (*Comentários à Constituição de 1946*, t. VIII, Rio de Janeiro, Borsoi, 1962, p. 180).

Posteriormente, foram reintroduzidas pela Constituição Federal de 1967 (arts. 49, II, e 53). Na afirmação de Pontes de Miranda "Uma vez que a lei complementar não emenda, apenas complementa, de modo nenhum pode alterar a Constituição e há de ter o conteúdo que a própria Constituição lhe prevê" (*Comentários à Constituição de 1967*, t. III, São Paulo, Ed. RT, 1967, p. 150, n. 2). •

§ 4. FONTES

3-A.3 A *Lei*. Traço distintivo da lei é a generalidade. Deve ser geral o seu conteúdo dispositivo. Assim o querem a Ciência do Direito e a técnica de sua elaboração positiva. Deve ser geral, também, a sua aplicação. Assim o querem os princípios da organização democrática e do Estado de Direito (CF, art. 5º, I). Por linhas paralelas, avançam, destarte, nesse terreno, o progresso jurídico e o progresso político.

Reúne, demais, a lei a tais atributos o da *necessidade*, naqueles casos, em que unicamente a manifestação legislativa é competente para dispor – por exemplo, a proibição de "exigir ou aumentar tributo sem lei que o estabeleça" (CF, art. 150, I) – e o da *imodificabilidade* relativamente às fontes derivadas de elaboração do direito, que não a poderão modificar ou revogar. Ainda estas duas características, surgidas da evolução política, encontram correspondência no conteúdo jurídico da disposição legislativa: os princípios universais de *Justiça*, vértice de toda a ordem jurídica, são, semelhantemente, necessários e imutáveis.

Diz-se que há *necessidade da lei*, naqueles casos em que a Constituição a exige, geralmente como complemento ou garantia de um direito individual. • Trata-se de punir qualquer discriminação atentatória dos direitos e liberdades individuais? Apenas a lei poderá fazê-lo (CF, art. 5º, XLI). Cuida-se de instituir um monopólio, como o da "pesquisa e lavra das jazidas de petróleo e gás natural e outros hidrocarbonetos", que retira à iniciativa privada comum um seus campos de atividade? Só a Constituição, ou a lei poderá instituí-lo (CF, art. 177, incisos I, II, III e IV). •

Diz-se que a *lei é imodificável* por isso que os regulamentos e as disposições autonômicas não a podem derrogar ou ab-rogar.

A lei sobrepõe-se ao regulamento, como o essencial ao acidental, o duradouro ao transitório. Pereira do Rêgo observou a propósito: "à lei pertencem todas as providências permanentes e duráveis (...) e ao regulamento, as disposições acidentais e passageiras" (*Elementos de Direito Administrativo Brasileiro*, Recife, 1860, § 15, p. 10).

• Segundo Walter Jellinek o conceito de necessidade da lei corresponde exatamente ao de reserva da lei. Apositamente, Jellinek refere que a necessidade da lei ou a reserva da lei estão em íntima vinculação com o princípio de legalidade da Administração ("Die Erforderlichkeit des Gesetzes oder der Vorbehalt des Gesetzes steht in engstem Zusammenhange mit dem uns bereits bekannten Grundsatz von der Gesetzmässigkeit der Verwaltung" – *Verwaltungsrecht*, Berlin, 1929, § 7, p. 115). Nessa passagem, Jellinek sustenta que a necessidade da lei e a sua respectiva reserva decorrem de um dos princípios fundamentais do Direito Administrativo, que é o da legalidade da Administração. Sempre que houver uma intervenção na esfera jurídica individual, na liberdade ou na propriedade, faz-se necessária uma autorização na forma da lei.

Dizia, ainda, Jellinek, que a força da lei significa a sua preeminência. A primazia da lei revela-se na superioridade da lei sobre as fontes derivadas do direito ("Die *Gesetzkraft* oder der Vorrang des Gesetzes aüssert sich in der Überlegenheit des Gesetzes den abgeleiteten Rechstquellen gegenüber" (ob. cit., p. 114).

A lei será sempre superior ao regulamento. A lei federal, por sua vez, sempre terá preferência sobre a lei estadual, de acordo com o princípio acima referido, consagrado no Direito Constitucional alemão, segundo o qual "Bundesrecht bricht Landesrecht" (art. 31, GG) (Peter Badura, *Staatsrecht*, München, 1986, F-29, p. 374).

Uma lei poderá suprimir um regulamento; jamais um regulamento terá forças para suplantar a lei, quando entrar em colisão com os seus dizeres.

3-A.4 A *Lei Delegada*. Criada pela Constituição Federal de 1967, a Lei Delegada foi admitida pela Constituição Federal de 1988 (art. 59, IV). De acordo com o texto constitucional, as leis delegadas serão elaboradas pelo Presidente da República, que deverá solicitar a delegação ao Congresso Nacional (CF, art. 68, *caput*). Não serão objeto de delegação os atos de competência exclusiva do Congresso Nacional, os de competência privativa da Câmara dos Deputados ou do Senado Federal e a matéria reservada à lei complementar. Tampouco poderá ser objeto de delegação a legislação sobre: I – organização do Poder Judiciário e do Ministério Público, a carreira e a garantia de seus membros; II – nacionalidade, cidadania, direitos individuais, políticos e eleitorais; III – planos plurianuais, diretrizes orçamentárias e orçamentos (CF, art. 68, § 1º).

A delegação prevista pela Constituição de 1967 previa competência, além do Presidente da República, de comissão do Congresso Nacional ou de qualquer de suas Casas para a elaboração da lei delegada. A atual Constituição restringiu ao Presidente da República a competência para a elaboração dessas leis. Na prática, essa competência não tem sido utilizada, na medida em que o Presidente dispõe de um poder muito mais efetivo, que é largamente exercitado por meio das Medidas Provisórias.

3-A.5 A *Medida Provisória*. Criação da Constituição Federal de 1988, sob inspiração dos "provvedimenti provvisori" previstos no art. 177 da Constituição da República da Itália, de 1947, as Medidas Provisórias poderão ser editadas pelo Presidente da República, "em caso de relevância e urgência" e terão "força de lei, devendo submetê-las de imediato ao Congresso Nacional" (CF, art. 62, com a redação dada pela EC 32/2001). Na prática, essas Medidas Provisórias se transformaram num processo de usurpação do Poder Legislativo pelo Presidente da República, que as promulga e publica a propósito de qualquer assunto, por mais irrelevante que seja. O Supremo Tribunal Federal tem declarado seguidamente a sua inconstitucionalidade, mas os Presidentes não se comovem e continuam a praticá-las. Como exemplo que interessa ao Direito Administrativo, podemos mencionar a Medida Provisória 2.183-56, de 24.8.2001, que introduziu o art. 15-A, no Decreto-lei 3.365, de 21.6.1941, que disciplina a desapropriação por utilidade pública. O STF já suspendeu a eficácia da expressão "juros compensatórios de até 6% ao ano", suspendendo, também, a eficácia de parte do § 1º do art. 27, introduzido pela mesma Medida Provisória, que limitava os honorários de advogado a R$ 151.000,00 em qualquer desapropriação. A expressão suspendida é a seguinte: "não podendo os honorários ultrapassar R$ 151.000,00". Onde está a relevância e a urgência dessa Medida Provisória, que procura limitar os juros compensatórios de 12% ao ano e os honorários de advogado, que devem ser fixados ao prudente critério do Poder Judiciário? Não raro, os interesses mesquinhos da Administração Pública têm sido disciplinados por Medidas Provisórias, que ferem os direitos individuais. Falava-se mal dos Decretos-leis do período em que os militares governaram o País, mas as Medidas Provisórias se têm revelado piores e promulgadas com a mais absoluta falta de discernimento.

Essas Medidas vieram a substituir os Decretos-leis, permitidos pela Constituição Federal de 1967 (art. 49, V), com a diferença de que estes últimos só eram admitidos em matéria de segurança nacional e de finanças públicas (art. 58, I e II), posteriormente também para a criação de cargos públicos e fixação de vencimentos (pela Emenda Constitucional n. 1, conhecida como a CF de 1969, art. 55, III). O regime dos Decretos-leis era bem mais restrito que o das Medidas Provisórias, publicadas, não raro, com a mais absoluta falta de critério.

As Medidas Provisórias perderão a sua eficácia, desde a edição, se não forem convertidas em lei no prazo de sessenta dias – prazo prorrogável uma única vez, por igual período, se nesses sessenta dias, contados de sua publicação, não tiver sua votação encerrada nas duas Casas do Congresso Nacional – devendo o Congresso Nacional disciplinar, por decreto legislativo, as relações jurídicas delas decorrentes (art. 62, §§ 3º e 7º, da CF, na redação da EC 32/2001). Essa disposição visou a corrigir o abuso da edição de Medidas Provisórias, pois, de trinta em trinta dias, as Medidas Provisórias eram repristinadas, até mesmo aquelas rejeitadas pelo Poder Judiciário, empregando-se o artifício de alterar um ou outro artigo, ou simplesmente palavras do seu texto.

Os fatos que se seguiram à promulgação da Constituição estão a demonstrar a veracidade das palavras candentes de crítica ao dispositivo que as instituiu clandestinamente, incluindo-as no texto constitucional depois de já ter sido votado, proferidas pelo constitucionalista José Afonso da Silva: "As *medidas provisórias* não constavam da enumeração do art. 59, como objeto do processo legislativo, e não tinham mesmo que constar, porque sua formação não se dá por processo legislativo. São simplesmente editadas pelo Presidente da República. A redação final da Constituição não as trazia nessa enumeração. Um gênio qualquer, de mau gosto, ignorante e abusado, introduziu-as aí, indevidamente, entre a aprovação do texto final (portanto depois do dia 29.9.88) e a promulgação-publicação da Constituição no dia 5.10.88" (*Curso de Direito Constitucional Positivo*, 26ª ed., São Paulo, Malheiros Editores, 2006, n. 11, p. 524).

3-A.6 Decretos Legislativos. São atos destinados a regular matérias de competência exclusiva do Congresso Nacional, que tenham efeitos externos, e que independem de sanção presidencial e, por conseguinte, são insuscetíveis de veto (CF, art. 49).

3-A.7 Resoluções. São atos legislativos, também destinados a regular matérias de competência do Congresso e de suas duas Casas, mas com efeitos *interna corporis*. Há, contudo, exceções, em que resoluções têm efeito externo, como no caso de delegação legislativa ao Presidente da República, para editar lei delegada e nos casos de resoluções do Senado sobre matéria financeira e tributária (CF, arts. 68, § 2º, 52, IV a X, e 155, § 2º, V). •

3-A.8 Os *Atos Legislativos Extraordinários.* De 15 de novembro de 1889 a 24 de fevereiro de 1891, de 24 de outubro de 1930 a 16 de julho de 1934, de 10 de novembro de 1937 a 18 de setembro de 1946, o Poder Legislativo foi, em nosso país, unipessoalmente exercitado pelo Chefe de Estado. Os dois primeiros períodos correspondem a dois Governos Provisórios, de caráter unipessoal, declaradamente tais; o terceiro, a uma reestruturação constitucional que, decretada embora por um golpe de Estado, não chegou a concretizar-se em sistema político, tendo tido, ainda que a título transitório, na forma do art. 180 da Constituição Federal de 1937, por todo o tempo de sua duração, o Presidente da República como

§ 4. FONTES   81

órgão legislativo (§ 3, n. 10, supra). Aos atos legislativos dos dois primeiros períodos, chamou-se *decretos*; aos do terceiro, *decretos-leis*.

Durante a vigência do sistema parlamentar de governo, de 2 de setembro de 1961 a 23 de janeiro de 1963, delegações do Poder Legislativo ao Executivo geraram um tipo específico de atos legislativos, as *leis delegadas*, também de conumerar-se entre os atos legislativos extraordinários.

• A partir de 31 de março de 1964 um novo movimento revolucionário ocorreu, tendo sido editado inicialmente um Ato Institucional, em 9.4.1964, que mantinha a Constituição Federal de 1946 e as Constituições Estaduais e respectivas emendas, "com as modificações constantes deste ato" (art. 1º). O referido Ato Institucional foi promulgado e publicado por um comando revolucionário, composto pelos Ministros da Guerra, da Aeronáutica e da Marinha. A partir desse Ato, que foi acolhido como válido pelo povo, com eficácia jurídica inegável, foram baixados outros atos legislativos, sob a denominação simples de *ato* e outros tantos *decretos*. Em 27.10.1965 foi editado o Ato Institucional n. 2, assinado pelo Presidente da República que havia sido eleito pelo Congresso Nacional após o Ato Institucional de 9.4.1964. No art. 30 do referido AI 2, foi estabelecida a competência do Presidente da República para baixar *atos complementares*, utilizados depois largamente. Em 5.2.1966, foi editado, novamente pelo Presidente da República, o Ato Institucional n. 3, que disciplinava a eleição dos Governadores dos Estados. O Ato Institucional n. 5, foi editado em 13.12.1968, pelo novo Presidente da República, eleito de acordo com as normas revolucionárias.

Esse período revolucionário se desenrola com fluxos e refluxos até o advento do Ato Institucional n. 12, de 31.8.1969 que autorizou os Ministros Militares, no exercício da Presidência da República, por força de doença grave que acometera o Presidente em exercício, a promulgar, em 17.10.1969, a Emenda Constitucional n. 1, que alterava a Constituição Federal votada em 24.2.1967. Depois disso, houve novo retrocesso, que culminou com a promulgação direta, pelo Presidente da República, eleito com base na Emenda Constitucional n. 1, das Emendas Constitucionais ns. 7 e 8, respectivamente em 13 e 14.4.1977.

Todos esses atos legislativos devem ser considerados atos legislativos extraordinários, decorrentes de um período em que duas Constituições Federais deixaram de ter legitimidade democrática e passaram a depender de um poder revolucionário. Sobre a força normativa do fato da revolução ou do golpe de Estado, não há mais dúvida entre os jurisconsultos, que apenas divergem quanto à explicação doutrinária para a transformação do fato em direito. •

3-A.9 O Costume. Desde a Lei da Boa Razão, ou seja, desde 1769 se busca no direito pátrio, a limitação ou a eliminação do costume como fonte primária do direito. Vedava aquela lei de D. José I que os costumes fossem contrários à lei. Reduzia-se, por esse modo, o costume à formação *praeter legem*; impunha-se-lhe o respeito à lei escrita, como ao súdito o respeito ao monarca, que era, de resto, lei animada sobre a terra. Durante o Império, a tendência à legislação e à codificação ainda mais reduz a esfera do costume. O Código de Comércio admite o costume *secundum legem* tão-somente: os uso comerciais não fazem lei.

É insensatez, porém, prescrever a lei que lhe fique o costume subordinado ou limitar-lhe as manifestações (Pontes de Miranda, *Sistema de Ciência Positiva do Direito*, t. II, Rio de Janeiro, p. 494). Essa mesma prescrição legal será a primeira, evidentemente, a ser sobrepujada e vencida pelo costume, se assim o exigirem as condições sociais.

A natural resistência do costume às limitações legislativas recebeu entre nós, de resto, comprovação irretorquível. Sob a vigência da Lei da Boa Razão, prevaleceu o costume à lei, respeito à prova por escritos particulares e testemunhas. O alvará de 30 de outubro de 1793 expressamente o declara (Borges Carneiro, *Direito Civil de Portugal*, t. I, Lisboa, 1847, § 16 e nota "a", pp. 58 e 59). Durante o Império, a ocupação de terras devolutas, com o efeito de adquirir-lhes o ocupante a propriedade pela morada habitual e cultura efetiva, foi introduzida pelo costume, em oposição às leis sobre sesmarias (Ruy Cirne Lima, *Pequena História Territorial do Brasil*, Porto Alegre, 1954, p. 50). Cerca de dois meses depois da promulgação do Código do Comércio, a Lei de Terras, de 1850, dava testemunho da existência do costume, revogava-o e, dispondo *ex novo* sobre a matéria, lhe regulava, entretanto, ao costume anterior, as conseqüências já consumadas (Lei 601, de 18.9.1850, *passim*).

• Não é possível fugir ao dilema: a lei e o costume, ou são equivalentes, ou se excluem.

A lei exclui o costume, para o iluminado racionalismo do século XVIII; para a Escola Histórica, o costume exclui a lei (Ruy Cirne Lima, *Sistema de Direito Administrativo Brasileiro*, t. I, Porto Alegre, 1953, § 10, n. 16, p. 75). •

O costume, de resto, não ab-roga nem derroga a lei, a que se opõe; impede-lhe a aplicação, no todo ou em parte, exila-a, ou lhe exila algum

§ 4. FONTES

ou alguns preceitos. De tal sorte, extinto o costume contrário, a lei exilada volta a aplicar-se, independente de nova lei que a repristine (Ruy Cirne Lima, *Preparação à Dogmática Jurídica*, Porto Alegre, 1958, p. 43).

• Essa concepção é devida ao glosador Rogerius, que, ao examinar essa questão, sustenta que a ab-rogação ou derrogação da lei pelo costume não é total, mas significa apenas uma *desuetudo* ou um exílio da lei, semelhante àquele sofrido pelo direito natural sob a égide do direito positivo que lhe for contrário (Herman Kantorowicz, *Studies in the Glossators of the Roman Law*, Darmstadt, 1969, cap. VII, "Rogerius", p. 136).

Saliente-se que "O direito costumeiro existe, quando um determinado comportamento persiste, sem constituir a expressão de uma determinação soberana, sendo observado com a convicção de certeza jurídica, como mandamentos e autorizações, de maneira uniforme, por longo tempo, como se fosse uma determinação superior, pelos destinatários, de modo que a igualdade da determinação impede a sua derrogação. Antes de tudo, quando uma tal espécie de costume está formulada numa norma jurídica não escrita, que estabelece obrigações e direitos, torna-se esse costume fonte do direito" ("Erst wenn eine derartige Gewohnheit in einem verpflichtenden oder berechtigenden (ungeschrieben) Rechtssatz formulierbar ist, wird sie zur Rechtsquelle" – Hans Julius Wolff – Otto Bachof, *Verwaltungsrecht*, 1974, v. I, § 25, III, "a", p. 125).

Walter Jellinek já mencionava em seu livro que o costume como fonte primária do Direito Administrativo tinha sua mais profunda justificação como direito costumeiro, tendo "como fundamento a idéia da estabilidade dos direitos e a idéia da segurança jurídica" ("Seinen tiefsten Rechtfertigungsgrund aber nimmt das Gewohnheitsrecht aus der Idee der Beständigkeit des Rechts, der Idee der Rechtssicherheit" – *Verwaltungsrecht*, 1929, § 7, III, n. 2, p. 116).

Finalmente, deve-se pôr em relevo que "O direito costumeiro existe quando vale como uma fonte primária do direito, como uma ordem paralela em relação ao direito escrito. Por essa razão não se pode apenas colocar o direito costumeiro ao lado do direito escrito para completar lacunas e exercer função suplementar (*praeter legem*), mas também contra o direito escrito (*contra legem*) formar-se" ("Gewohnheitsrecht steht, da es aus einer ursprünglichen Rechtsquelle fliesst, zum geschriebenen Recht im Verhältnis der *Nebenordnung*. Daher kann sich Gewohnheitsrecht nicht nur neben dem geschriebenen Recht zur Lückenausfüllung um Ergänzung (*praeter legem*), sondern auch gegen geschriebenes Recht bilden" – Hans Julius Wolff – Otto Bachof, *Verwaltungsrecht*, vol. I, § 25, III, "b", pp. 125-126).

Essas referências, tiradas da doutrina do Direito Administrativo alemão, cujo sistema jurídico de direito escrito é análogo ao nosso, e nos serve permanentemente de ensinamento, considerando que a ciência jurídica alemã sempre exerceu predomínio em todo o direito, sobretudo no direito público, e mais em particular, no Direito Administrativo, são importantes, mormente se considerarmos o imenso número de jurisconsultos insipientes, que povoam as diferentes órbitas da Administração Pública brasileira, que costumam interpretar mal a lei escrita e sempre se esquecem de que o costume, sobretudo aquele que por muitos e muitos anos é obedecido, constitui fonte primária do Direito Administrativo Brasileiro, à semelhança do direito alemão. •

3-A.10 Os *fatos com força de lei*. Além da Constituição, da Lei e do costume, fonte primária do Direito Administrativo são, também, os fatos com força de lei. Consistem os mais freqüentes destes nos erros de cópia ou de impressão ocorridos na publicação da lei ou do decreto-lei, ou anteriormente na sanção daquela.

Havendo divergência entre o autógrafo sancionado de uma lei e o texto publicado, o restabelecimento do verdadeiro texto efetua-se mediante decreto do Presidente da República. Se a divergência for entre o autógrafo sancionado da lei e o que passou e foi aprovado pelo Poder Legislativo, a este competirá providenciar na correção devida. Considerar-se-á, porém, fato consumado tudo o que se praticou até o momento da publicação da correção do erro, e só depois desta prevalecerá a lei tal qual foi aprovada e sancionada, assumindo, assim, caráter de lei interpretativa (art. 1º, § 4º, da Lei de Introdução ao Código Civil: "As correções a texto de lei já em vigor consideram-se lei nova" (cf. Carlos de Carvalho, *Nova Consolidação das Leis Civis*, Porto, 1915, art. 17).

• *3-A.11 Fontes anômalas*. No número das fontes de direito objetivo, podem contar-se ainda certas *situações de fato* que influem, de modo direto, na ordem jurídica estabelecida, mudando-a não raro extensa e profundamente. A estas é que se chama, por isso mesmo, *fontes anômalas*. Entre tais situações compreendem-se os grandes eventos políticos, como o golpe de estado, a revolução e a *debellatio* no plano do Direito Internacional Público (Ruy Cirne Lima, *Sistema de Direito Administrativo Brasileiro*, t. I, Porto Alegre, 1953, "Introdução", § 10, p. 94).

Quando ocorre uma revolução vitoriosa, afirma Walter Jellinek que se deve também reconhecer os atos do governo revolucionário como válidos, e, assim, o próprio fato da revolução deve ser considerado como fonte do direito ("(...) sollte man also die Akte der Revolutionsregierung als gültig anerkennen, so musste die Tatsache der Revolution selbst Rechtsquelle sein" (*Verwaltungsrecht*, Berlin, 1929, § 7, III, n. 3, p. 118). No mesmo sentido, Santi Romano afirma que as alterações de governo, nos seus extremos, não são questões que podem ser resolvidas segundo os princípios gerais do direito; "essa é uma simples questão de fato" ("essa é una semplice *quaestio facti*" – *Corso di Dirito Internazionale*, Padova, 1929, p. 102).

Como já vimos, quando ocorre uma revolução vitoriosa, costuma-se reconhecer os atos do governo revolucionário como válidos e o próprio fato da revolução deve ser considerado como fonte do direito objetivo, segundo Walter Jellinek.

O golpe de Estado e a revolução são considerados como fontes primárias do direito, porque a ordem jurídica está sujeita a limites invencíveis na regulação do processo pelo qual o direito pode ser criado (João Leitão de Abreu, *A Validade da Ordem Jurídica*, Porto Alegre, 1964, p. 191). De um lado, não pode autorizar sua modificação pelo fato revolucionário. De outro, não lhe é dado prescrever eficazmente que não será alterada pela revolução. Walter Jellinek afirma, a esse respeito, que assim como o Poder Constituinte não pode determinar que no Estado, ninguém deverá ser legislador, assim também não pode prescrever que os órgãos legislativos, por ele instituídos, devam possuir mais força do que a realidade. Em face da revolução, diz W. Jellinek, malogra-se a força do legislador constituinte (*Gesetz, Gesetzesanwendung und Zweckmässigkeitserwägung*, Berlin, 1913, p. 27).

As explicações que os jurisconsultos propõem para justificar a mudança do direito pelo fato revolucionário são várias.

Hans Kelsen sustenta que a revolução vitoriosa e o golpe de Estado são capazes de criar direito novo, porque uma norma de direito internacional lhes comunica essa virtude (*General Theory of Law and State*, Harvard University Press, Cambridge, Massachusetts, 1945, p. 368). Diz Kelsen que ao determinar a razão de validade das ordens jurídicas nacionais, o Direito Internacional regula a criação do direito nacional. Isso, no dizer de Kelsen, fica claramente ilustrado no caso, repetidas vezes mencionado, em que a Constituição de um Estado é alterada não pelos meios nela prescritos, mas violentamente, isto é, pela violação da Constituição. Se uma monarquia é transformada numa república por uma revolução do povo, ou a república numa monarquia por meio de um *coup d'état* do presidente, e se o novo governo demonstra-se capaz de manter a nova Constituição de uma maneira eficaz, então esse governo e essa Constituição são, de acordo com o Direito Internacional, o governo legítimo e a Constituição válida de um Estado. Essas transformações podem ser operadas por força do princípio de efetividade, reconhecido em Direito Internacional Público, admitido por Hans Kelsen como norma jurídica desse Direito, que determina a razão de validade de todas as ordens jurídicas nacionais (ob. cit., p. 369).

Explicação diversa é oferecida por Georg Jellinek, para quem a transformação do fato da revolução em direito se deve à força normativa do fático. Os fatos que se repetem repercutem nas consciências individuais como fatos obrigatórios dos quais não é lícito afastar-se. Nessa tradução psicológica do fato na psique humana, G. Jellinek constata que o próprio fato possui uma força para se impor de modo inegável. O fato que se repete constantemente, cria para o indivíduo uma noção de sua obrigatoriedade, da qual não pode se afastar. Daí a concepção da força normativa do fático, que está presente também no fato da revolução e do golpe de Estado bem sucedidos. A transformação do fato em direito se deve a essa repercussão do fato na mente humana, que ocorre devido à força normativa do fático (*L'État Moderne et son Droit*, t. I, p. 512). Complementando o seu pensamento, Georg Jellinek afirma que "As revoluções violentas, quer sejam obra do soberano ou dos súditos, não poderiam ser julgadas de acordo com os princípios de uma ordem jurídica; a menos que quiséssemos aplicar à história os parágrafos do Código Penal".

A terceira explicação do fenômeno da revolução e do golpe de Estado, e de sua repercussão sobre a ordem jurídica, provém do grande administrativista italiano Santi Romano. Ele adota a idéia de que a revolução é violência, mas violência juridicamente organizada, cuja conseqüência é a de suplantar a ordem jurídica estatal anterior. Sustenta Santi Romano que na vida de todos os Estados, sobrevêm, a intervalos mais ou menos longos, momentos de crises – não menos interessantes do ponto de vista histórico e político do que para o jurista –, nos quais todos ou alguns dos princípios fundamentais do direito público vigente perdem bruscamente, de um modo ou de outro, o seu império, não por meio de um processo constitucionalmente previsto e preordenado, mas por forças superiores e contrárias ao direito até então vigente: novas formas estatais ou governamentais sucedem àquelas que por esse modo são destruídas. Constituem exemplos comuns e característicos desses casos, o golpe de Estado, a revolução popular e até mesmo a intervenção de um Estado estrangeiro (*Scritti Minori*, vol. I, *Diritto Costituzionale*, Milano, 1950, n. 5, p. 110, "L'instaurazione di fatto di un ordinamento costituzionale e sua legittimazione"). Para resolver essa tormentosa questão, como já mencionamos acima, Santi Romano adere à concepção de que a revolução ou o golpe de Estado é violência, mas violência juridicamente organizada, que vem a suplantar a ordem jurídica existente, pela sua substituição pela ordem jurídica revolucionária (*L'Ordinamento Giuridico*, Florença, 1951, § 14, p. 43).

A quarta e última teoria é de autoria do constitucionalista francês Georges Burdeau. Para Burdeau, nem todos os movimentos revolucionários têm a mesma força e significação idêntica na transformação da ordem jurídica. Para ele, somente é revolução aquela que pode ser definida como a substituição de uma idéia de direito por uma outra como princípio diretor da atividade social (*Traité de Science Politique*, t. IV, 2ª ed., Paris, 1969, n. 286, pp. 595-596).

Qualquer que seja a teoria adotada, o fato inconteste é o de que o golpe de Estado e a revolução criam direito novo, na medida em que conseguem impor uma ordem jurídica efetiva. Na efetividade da ordem jurídica assim constituída está o critério que indica, de forma segura, que o fato se transformou em direito. •

3-B. Fontes derivadas. São, de outra parte, fontes derivadas do Direito Administrativo:

3-B.1 O *Regulamento*. Denominam-se *regulamentos administrativos* os que promovem a execução de leis, de aplicação generalizada, pertinentes ao Direito Administrativo.

Chamam-se-lhes *regulamentos administrativos* para diferençá-los, precisamente, dos que dizem com a execução das leis, também de aplicação generalizada, civis ou comerciais. São regulamentos, simplesmente, os que prescrevem normas às organizações administrativas para execução dos serviços públicos. Estende-se-lhes a denominação de regulamentos por provirem da mesma fonte que os primeiros. Pela matéria que lhes é objeto, deveriam, em consonância com a tradição estabelecida, ser denominados de "regimentos" (Ribas, ob. cit., p. 225).

Reserva-se, porém, *presentemente a designação* de "regimentos" às disposições autonômicas. Assim, se diz "regimento interno" o adotado pelas Universidades oficiais e pelos estabelecimentos públicos de ensino superior (art. 53, V, da Lei 9.394, de 20.12.1996). "Regimentos internos", de acordo com o art. 96, I, "a", da Constituição de 1988, são os elaborados pelos tribunais "com observância das normas de processo e das garantias processuais das partes, dispondo sobre a competência e o funcionamento dos respectivos órgãos jurisdicionais e administrativos".

Durante o Império e sob a Constituição Republicana de 1891, os regulamentos foram instrumentos utilizadíssimos para a elaboração do direito. Delegações legislativas, admitidas sob o Império, salvo quando incondicionais, no dizer de Antônio Joaquim Ribas (*Direito Administrativo Brasileiro*, Rio de Janeiro, 1866, p. 220), e tradicionalmente toleradas pelas Cortes de Justiça da primeira fase da República (Acórdão, de 14.8.1925, do Supremo Tribunal Federal, *Revista de Direito* 91/542), incorporavam, derivadamente, ao regulamento, a autoridade da lei.

No presente, porém, a significação do regulamento é apagada. Não mais o podem valorizar as delegações legislativas, que segundo a Constituição Federal somente podem ocorrer por intermédio das leis delegadas (art. 59, IV), cujo processo de elaboração e a respectiva delegação estão previstos pelo seu art. 68.

Inoperante *contra legem* ou sequer *praeter legem*, o regulamento administrativo endereçado, como vimos, à generalidade dos cidadãos, nenhuma importância como direito material possui. Avulta nele certamente o cometimento técnico.

Cumpre-lhe resolver o problema da execução da lei (Pedro Autran da Mata Albuquerque, *Elementos de Direito Público Universal*, Recife, 1860, § 65, p. 58: "Sendo a lei geral, e a mesma para todos, importa que seja executada uniformemente; mas esta uniformidade não existiria, se o modo de execução fosse deixado à inteligência dos executores"). O problema da execução da lei é uma questão técnico-jurídica, por excelência.

Mas infelizmente, na prática, as soluções alcançadas carecem de interesse, porque carecem, em regra, de valor científico.

Quando, diversamente, os regulamentos prescrevem normas a organizações administrativas para a execução de serviços públicos, além de expressão do poder regulamentar do Executivo, servem geralmente de veículo ao exercício concomitante de poderes que, originados embora de uma relação de dependência funcional, disciplinada por lei especial, se enfeixam e se misturam nas mãos do Chefe do Executivo, com o poder geral de regulamentação que lhe compete.

• Os regulamentos são uma decorrência do princípio de organização, presente em todo o Estado de Direito. "A divisão dos poderes políticos" – já dizia José Antônio Pimenta Bueno – é a primeira e essencial condição da veracidade do sistema constitucional" (*Direito Público Brasileiro e Análise da Constituição do Império*, Brasília, 1978, n. 323, p. 233).

Nas palavras de Ernst Forsthoff: "Com a realização da separação dos poderes no Estado de Direito pela entrada em vigor das Constitui-

§ 4. FONTES 89

ções codificadas, uma parte essencial da organização estatal tornou-se regulada pela lei, antes de tudo a estrutura, a competência e a cooperação para um fim comum dos sujeitos do poder administrativo superior do Estado" ("Mit der Verwirklichung des gewaltenteilenden Rechtsstaats durch das Inkrafttreten kodifizierter Verfassungen wurde ein wesentlicher Teil der Staatorganisation gesetzt geregelt, vor allem Struktur, Kompetenz und Zusammenwirken der Träger der obersten Staatsgewalt" (*Lehrbuch des Verwaltungsrechts*, vol. I, *Parte Geral*, 10ª ed., München, 1973, § 23, p. 433).

Dentro dessa concepção, ao Poder Legislativo, e somente a ele, compete decretar princípios gerais e as normas reguladoras da sociedade, dos direitos e obrigações individuais. Tudo quanto representar a criação, a ampliação, a restrição, a modificação ou a extinção, quando possível, de direitos, obrigações ou sanções, é do domínio privativo da lei.

Os regulamentos serão sempre atos do Poder Executivo, que, no dizer de Pimenta Bueno, "determinam os detalhes, os meios, as providências necessárias para que as leis tenham fácil execução em toda a extensão do Estado" (ob. cit., n. 325, p. 234).

O poder executivo tem por atribuição *executar* e não *fazer* a lei, embora, entre nós, as medidas provisórias constituam o instrumento do despotismo disfarçado que medra sob o império da Constituição Federal de 1988.

Pimenta Bueno, depois de enumerar os diversos exemplos de grave abuso do governo, ao utilizar o regulamento como sucedâneo da lei, terminava dizendo: "Desde que o regulamento excede os seus limites constitucionais, desde que ofende a lei, fica certamente sem autoridade, porquanto é ele mesmo quem estabelece o dilema ou de respeitar-se a autoridade legítima e soberana da lei, ou de violá-la para preferir o abuso do poder executivo" (ob. cit., n. 327, p. 236).

Com o advento da República, Ruy Barbosa também profligava o vezo de substituir a lei pelo regulamento: "No Império como na República, o Poder Executivo expedia regulamentos para a execução das leis; e se eles as excediam, eram abusos de autoridade, a que os Tribunais muitas vezes negavam execução, devendo negar-lha sempre. O desmando não era raro sob a nossa Monarquia (de que a República se mostra aluna aproveitada)" (*Comentários à Constituição Federal Brasileira*, coligidos por Homero Pires, vol. III, São Paulo, 1933, pp. 210-211).

Sob a égide da Constituição de 1946, Pontes de Miranda condenava os regulamentos que pretendem suplantar a lei: "Se o regulamento cria direitos ou obrigações novas, estranhas à lei, ou faz reviverem direitos, deveres, pretensões, obrigações, ações ou exceções, que a lei apagou, é inconstitucional" (*Comentários à Constituição de 1946*, t. III, 1960, Rio de Janeiro, Borsói, p. 121).

Hodiernamente, com o advento da Constituição de 1988, Celso Antônio Bandeira de Mello adota idêntica opinião ao afirmar: "Seria grave equívoco supor que o fato de o regulamento ser regra geral e normalmente abstrata, proveniente, ademais, de autoridade eletivamente investida, aproxima-o da lei quanto às garantias democráticas que proporciona, minimizando, assim, os inconvenientes de não promanar do Legislativo" (*Curso de Direito Administrativo*, 20ª ed., São Paulo, Malheiros Editores, 2006, cap. VI, X, n. 41, p. 340).

Dos pródromos do Império à República atual, a opinião dos melhores jurisconsultos é a mesma: o regulamento é inoperante contra a lei ou *praeter legem* e nenhuma importância possui como direito material. •

3-B.2 O *Costume "secundum legem"* – Nesse caso, o costume depende da lei, recebe dela a autoridade e a força, reflete-lhe o mandamento e, quando muito, apenas lhe confere maior nitidez. *Secundum legem*, não é mais o costume, como de resto já o definiram, do que um regulamento de fato. • O costume *secundum legem*, não raro se constitui em fundamento de atos administrativos, praticados tanto no âmbito da Administração direta, bem como das autarquias e fundações, devidamente amparados neste último caso em disposições autonômicas. •

3-B.3 As *Instruções*. Clássica é a definição delas enunciada pelo Conselheiro Ribas: – "São regras dadas à autoridade pública, prescrevendo-lhes o modo por que devem organizar e pôr em andamento certos serviços, e quase sempre se referem aos que são de novo criados ou reformados e vão começar a funcionar" (Ribas, ob. cit., p. 226). Na igualmente conhecida definição de Pimenta Bueno, se ajunta mais um traço ao conceito de instruções: "são atos ministeriais". • Na definição completa de Pimenta Bueno, é dito o seguinte: "As instruções são atos ministeriais que se destinam a desenvolver o pensamento dos regulamentos ou ordens do governo, ou suas idéias sobre o modo de resolver as dificuldades que possam ocorrer na execução das leis ou realização dos atos administrativos" (ob. cit., 1978, n. 328, p. 237). •

Atos ministeriais expedidos "para a execução das leis, decretos e regulamentos", eis o que são as instruções, segundo a tradição jurídica e o direito vigente (CF, art. 87, parágrafo único, II).

As instruções merecem lugar entre as fontes derivadas do Direito Administrativo, especialmente pela sua eficácia reflexa. Dirigidas a agentes da Administração, a sua observância reflete-se, todavia, nas relações jurídicas, que se estabelecem, pela ação daqueles, entre a Administração e os particulares. Dilatam-se destarte, os seus efeitos para além dos lindes, a que a mera dependência hierárquica, aliás, os adscreveria. A eficácia reflexa das instruções, e aqui a nota qualificativa, é, de resto, intencional, e não casual.

Ao Conselheiro Ribas não passou despercebida a intencionalidade da eficácia reflexa das instruções. Tomando para conceituá-las o endereço principal que levam, aos agentes da Administração, observou, porém, e agudamente, que não lhes era alheia, ao conteúdo, embora secundariamente, a consideração das relações jurídicas entre a Administração e os administrados. Afirmava o Conselheiro Ribas que "Nelas não se tem tanto em vista definir as relações recíprocas da Administração e dos administrados (...)" (ob. cit., cap. X, n. III, p. 226).

3-B.4 As *Disposições Autonômicas* – São disposições autonômicas *lato sensu* todas as que são elaboradas pelos próprios destinatários. Assim, os regimentos internos das Cortes de Justiça (CF, art. 96, I, "a").

• Mas há um sentido estrito das disposições autonômicas, bem explicitado por Otto Gierke, ao estabelecer o seu conceito: "'Autonomia' denomina-se a competência de uma associação, que não é o Estado, de estabelecer para si Direito" ("'Autonomie' heisst die Befugnis eines Verbandes der nicht Staat ist, sich selbst Recht zu setzen" – *Deutsches Privatrecht*, vol. I, München-Leipzig, 1936, § 19, I, p. 142).

Para que haja o estabelecimento de direito de forma autônoma é necessária uma corporação, isto é, uma coletividade organizada, qualificada para tanto ("Zu autonomischer Rechtsetzung ist nur ein Verband, d. h., eine organisierte Gemeinschaft, befähigt" (ob. cit., p. 142, I, n. 1)

Os indivíduos não podem criar direito objetivo, da mesma forma que as coletividades não organizadas. •

Assim, *stricto sensu*, as disposições autonômicas são normas que, na forma da lei, as corporações, as fundações administrativas e os estabelecimentos públicos personalizados prescrevem a seus associados ou beneficiários, diretores, administradores ou funcionários.

• As primeiras disposições, como os regimentos dos Tribunais, não interessam ao Direito Administrativo. Somente aquelas *stricto sensu* é que dizem respeito à Administração e ao seu direito. Walter Jellinek, fala das "autonome Satzungen", que são aqueles estatutos e regimentos jurídicos, que existem ao lado dos regulamentos jurídicos, os quais uma pessoa jurídica de direito público, no seu nome particular, pode editar. "Tais normas jurídicas denominam-se de disposições autonômicas" ("Solche Rechtssätze nennt man autonome Satzungen" – *Verwaltungsrecht*, 1929, Berlin, § 7, n. 2, p. 123). •

Essas normas dividem-se em duas classes: os estatutos e os regimentos. Dizem-se estatutos os atos de auto-organização das corporações e fundações administrativas, instituídas pela lei diretamente, ou por decreto do poder público na forma da lei (Otto Mayer, *Le Droit Administratif Allemand*, t. IV, Paris, 1906, § 57, pp. 284-285). Chamam-se regimentos as normas que as corporações e fundações administrativas e os estabelecimentos públicos personalizados editam para o desenvolvimento de suas atividades e serviços.

4. Múltiplas e ricas como se mostram as fontes do Direito Administrativo, não se elaborou, no momento, até o presente, com os seus materiais, um Código Administrativo.

Durante o Império, a codificação do Direito Administrativo teve propugnadores valentes. Foi José de Alencar um deles (José de Alencar, *A Propriedade*, Rio de Janeiro, 1883, p. 130). Outros, porém, sensatamente lhe punham em dúvida a exeqüibilidade, pela novidade mesma do Direito Administrativo como disciplina jurídica autônoma. O Visconde do Uruguai ponderava, a esse propósito, que a própria França, berço (em seu dizer) da Ciência do Direito Administrativo, ainda não o codificara e que Portugal, se o fizera, possuía em realidade – "mais propriamente um Código de Organização Administrativa do que um código, no sentido rigoroso, do Direito Administrativo" (ob. cit., t. I, p. 39 e nota 1, e p. 40).

Na República, o problema foi, a princípio, discutido em forma acadêmica. Viveiros de Castro, que trata a matéria mais extensamente, limitou-se a resumir algumas opiniões estrangeiras em favor e desfavor da possibilidade de codificação (Viveiros de Castro, *Tratado de Ciência da Administração e Direito Administrativo*, Rio de Janeiro, 1914, pp. 112 e ss.).

Já agora, observa-se, porém, que o nosso Direito Administrativo tem avançado e avança no sentido das codificações parciais. O Código de Águas (Decreto 24.643, de 10.7.1934), o Código Florestal (Lei 4.771, de 15.9.1965, com modificações posteriores), o Código de Minas, • o Código Brasileiro de Aeronáutica (Lei 7.565, de 19.12.1986), o Código de Trânsito Brasileiro (Lei 9.503, de 23.9.1977), o Código de Proteção ao

Consumidor (Lei 8.078, de 11.9.1990), o Sistema Nacional de Defesa do Consumidor SNDC (Decreto 2.181, de 20.3.1997), a Lei de Licitações e Contratos (Lei 8.666, de 21.6.1993), a Lei do regime de concessão e permissão da prestação de serviços públicos (Lei. 8.987, de 13.2.1995), o Regime Jurídico dos Servidores Públicos Civis da União, das autarquias e fundações públicas federais (Lei 8.112, de 11.12.1990) traduzem, eloqüentemente, esse movimento legislativo.

Embora ainda haja manifestações importantes em prol da codificação do nosso Direito Administrativo (José Cretella Júnior, *Direito Administrativo Brasileiro*, Rio de Janeiro, Forense, 1999, cap. VII, n. 82, p. 90, bem como Diógenes Gasparini, *Direito Administrativo*, Saraiva, 2000, 5ª ed., VIII, p. 28), subsiste a tendência das codificações parciais, como as diferentes leis acima mencionadas o demonstram de forma irretorquível. •

§ 5. LITERATURA

• A literatura do Direito Administrativo tem evoluído constantemente, com o passar dos anos. Além das monografias, concebidas nos cursos de pós-graduação, têm sido publicadas obras sistemáticas da nossa disciplina, que evolui, apesar das teorias que pregam o absenteísmo estatal. Ao contrário, cada vez mais o Estado interfere na vida dos cidadãos, nem sempre de forma correta e inspirada nos direitos fundamentais, mas não raro por meio de intervenções caóticas e prepotentes. •

1. Durante o período colonial, em que estivemos submetidos às instituições portuguesas, não se extremara ainda o Direito Administrativo como disciplina jurídica autônoma.

As obras sobre direito público compreendem já, entretanto, matérias depois repartidas ao Direito Administrativo

São monumentos da publicística lusitana dos séculos XVI, XVII e XVIII:

– Antônio da Gamma, *Decisionum Supremi Senatus Lusutaniae Centuriae IV.*

– Jorge de Cabedo, *Praticarum Observationum sive Decisionum Supremi Senatus Regni Lusitaniae Partes II.*

– Domingos Antunes Portugal, *Tractatus de Donationibus Jurium et Bonorum Regiae Coronae.*

– Pascoal José Mello Freire, *Institutiones Juris Civilis Lusitani Cum Publici Tum Privati*, Liber I, *De Jure Publico.*

Inúmeras decisões de Gamma e de Cabedo dizem com matérias, hoje de Direito Administrativo; algumas, demais, referem-se diretamente ao Brasil. Assim, na CXII decisão da parte II da sua coletânea, Jorge de

§ 5. LITERATURA 95

Cabedo analisa a condição jurídica das terras do Brasil e os poderes sobre as mesmas competentes aos capitães de El-Rei.

O tratado de Domingos Antunes Portugal é a grande obra de exposição sistemática do Direito Público do tempo. "Compendioso comentário ao Direito Público da Monarquia Lusitana", chama-lhe o nosso Cândido Mendes de Almeida (*Auxiliar Jurídico*, Rio de Janeiro, 1869, p. 633). Os seus capítulos sobre os poderes régios, sobre o domínio público e sobre os tributos ainda hoje despertam a atenção.

O Livro I das *Instituições* de Mello Freire trata as matérias do direito público com a concisão e a nitidez peculiares a esse jurisconsulto. Especialmente interessante para o Direito Administrativo é o Título X (*Jus Politiae*); e especialmente relativa ao Brasil a notícia das leis agrárias editadas para o Grão-Pará e Maranhão (Tit. VII, § VIII), das Relações da Bahia e do Rio de Janeiro (Tit. II, § VI) e do Conselho Ultramarino (Tit. IX, § XVI).

2. Durante o Império, criadas em 1827 as Faculdades de Direito de São Paulo e de Olinda, não figurava entretanto o Direito Administrativo no quadro de seus estudos. Já em 1833, porém no relatório apresentado às Câmaras, pelo Ministro do Império Nicolau Pereira de Campos Vergueiro, surge a idéia da criação de uma cadeira de Direito Administrativo nos nossos cursos jurídicos. Somente em 1851, contudo, realiza o Poder Legislativo essa sugestão (Ribas, *Direito Administrativo Brasileiro*, Rio de Janeiro, 1866, pp.10 e 11).

Aos professores de Direito Administrativo, quase exclusivamente, deve-se a elaboração doutrinária da nossa Ciência durante o Império. Daí a preocupação de sistema e método, que se observa nos livros do tempo.

Foi, de resto, graças a essa preocupação, que pudemos ter uma Ciência do Direito Administrativo, sistematicamente organizada, numa época em que, a rigor – deve-se dizer – não possuíamos Direito Administrativo, ao menos normalmente desenvolvido.

Destacam-se entre as obras publicadas sob o Império as seguintes:

– V. Pereira do Rêgo, *Repetições escritas sobre o Direito Administrativo*.

– P. G. T. da Veiga Cabral, *Direito Administrativo Brasileiro*.

– Visconde do Uruguai, *Ensaio sobre o Direito Administrativo*.

– F. M. S. Furtado de Mendonça, *Excerto de Direito Administrativo Pátrio*.

– Antônio Ribas, *Direito Administrativo Brasileiro*.

— J. Rubino de Oliveira, *Epítome do Direito Administrativo Brasileiro*.

3. A República, na sua primeira fase, não contribuiu grandemente para o adiantamento da Ciência do Direito Administrativo. São ainda os professores de Direito Administrativo que empreendem a sistematização cientifica dos princípios novos incorporados pela mudança do regime ao Direito Administrativo Brasileiro. Contam-se nesse número:

— Viveiros de Castro, *Tratado de Ciência da Administração e Direito Administrativo*.

— Alcides Cruz, *Direito Administrativo Brasileiro*.

— Oliveira Santos, *Direito Administrativo*.

— Carlos Porto Carreiro, *Lições de Direito Administrativo*.

— Aarão Reis, *Direito Administrativo Brasileiro*.

Ao professor da Faculdade de Direito de Porto Alegre, Alcides Cruz, se deve a melhor obra sistemática sobre o Direito Administrativo nesse período. Contém a parte primeira do *Direito Administrativo Brasileiro*, de Alcides Cruz, além de uma introdução em que se fixam as noções gerais, a descrição da Administração Pública brasileira, federal, estadual e municipal, e a exposição dos princípios que lhe regulam a responsabilidade fora do contrato. Na parte segunda, estudam-se a ação administrativa. A "Introdução" por si só daria valor ao livro.

4. Depois da segunda Constituição republicana, a investigação sistemática do Direito Administrativo começa novamente a atrair os sabedores, e obras notáveis de exposição orgânica da disciplina entram a enriquecer a literatura brasileira do Direito Administrativo (embora sem a feição de exposição sistemática, transcende, porém, aos limites de uma simples monografia, a notável obra de Seabra Fagundes, *O Controle dos Atos Administrativos pelo Poder Judiciário*).

Dentre as mais, merecem menção assinalada as seguintes:

— *Instituições de Direito Administrativo Brasileiro*, de Temístocles Brandão Cavalcanti.

— *Princípios Gerais de Direito Administrativo* e *Tratado de Direito Administrativo*, também de Temístocles Brandão Cavalcanti.

— *Direito Administrativo*, de José Mattos de Vasconcellos.

— *Direito Administrativo* e *Lições de Direito Administrativo*, de Tito Prates da Fonseca.

§ 5. LITERATURA

– *Direito Administrativo e Ciência da Administração*, de J. Guimarães Menegale.

– *Curso de Direito Administrativo*, de J. Rodrigues do Vale.

– *Direito Administrativo Moderno*, de Djacir Menezes.

– *Noções de Direito Administrativo*, de Fernando Henrique Mendes de Almeida.

– *Curso de Direito Administrativo*, de Mário Masagão.

– *Direito Administrativo do Brasil*, de J. Cretella Júnior.

– *Manual de Direito Administrativo*, de Onofre Mendes.

– *Compêndio de Direito Administrativo*, de Carlos S. de Barros Júnior.

• **4-A.** Mais recentemente podemos enumerar:

– *Princípios Gerais do Direito Administrativo Brasileiro*, de Oswaldo Aranha Bandeira de Mello (3ª ed., Malheiros Editores, 2006).

– *Curso de Direito Administrativo*, de Celso Antônio Bandeira de Mello, já em sua 21ª edição, Malheiros Editores, 2006; a 20ª ed. também é de 2006.

– *Direito Administrativo Brasileiro*, de Hely Lopes Meirelles, 32ª edição, atualizada por Eurico de Andrade Azevedo, Délcio Balestero Aleixo e José Emanuel Burle Filho (Malheiros Editores, 2006).

– *Curso de Direito Administrativo*, de Lúcia Valle Figueiredo, Malheiros Editores, 8ª ed., 2006.

– *Tratado de Direito Administrativo*, publicado de 1966 a 1972, por José Cretella Júnior, obra vasta, publicada em 10 volumes.

– *Princípios Fundamentais do Direito Administrativo*, de Marcello Caetano, obra publicada durante seu exílio no Brasil, em 1977, com reimpressão portuguesa de 1996.

– *Direito Administrativo Moderno*, de Odete Medauar, 10ª ed., Ed. RT, 2006.

– *Direito Administrativo Brasileiro*, publicado em 1999, por José Cretella Júnior.

– *Curso de Direito Administrativo*, de Diogo de Figueiredo Moreira Neto, 14ª ed., Forense, 2005.

– *Direito Administrativo*, de Diógenes Gasparini, 10ª ed., Saraiva, 2005.

– *Curso de Direito Administrativo*, de Celso Ribeiro Bastos.

— *Direito Administrativo*, de Maria Sylvia Zanella Di Pietro, 19ª ed., 1ª tir., Atlas, 2006. •

5. No estudo do Direito Administrativo Brasileiro não é possível prescindir-se, entretanto, do auxilio da doutrina e dos escritores estrangeiros. "Hoje – escreve Carlos Maximiliano – não mais se concebe a existência de um jurisconsulto merecedor desse título, e adstrito ao estudo das leis de seu país" (*Hermenêutica e Aplicação do Direito*, Porto Alegre, 1925, n. 136, p. 138).

Dispostas segundo a nacionalidade das instituições jurídicas a que direta ou indiretamente se reportam, enumeramos, pois, a seguir, algumas obras sistemáticas de escritores estrangeiros.

França:

— Otto Mayer, *Theorie des Französischen Verwaltungsrechts*.
— Henri Berthélémy, *Traité Élémentaire de Droit Administratif*.
— Maurice Hauriou, *Précis de Droit Administratif et de Droit Public*.
— Gaston Jèze, *Les Principes Généraux du Droit Administratif*.
— Louis Rolland, *Précis de Droit Administratif*.
— Roger Bonnard, *Précis de Droit Administratif*.
— Marcel Waline, *Traité Élémentaire de Droit Administratif*.
— André de Laubadère, *Traité Élémentaire de Droit Administratif*.

Bélgica:

— Orban, *Manuel de Droit Administratif Belge*.
— Maurice Vauthier, *Précis du Droit Administratif de la Belgique*.

Alemanha:

— Otto Mayer, *Deutsches Verwaltungsrecht*, também publicado pelo autor em edição francesa, sob o titulo *Le Droit Administratif Allemand*.
— Fritz Fleiner, *Institutionen des Deutschen Verwaltungsrechts*.
— P. Schoen, "Deutsches Verwaltungsrecht", na *Enzyklopädie der Rechtswissenschaft*, fundada por Holtzendorff e editada por Josef Kohler, fazendo parte do tomo IV da 2ª edição refundida.
— Walter Jellinek, *Verwaltungsrecht* (professor em Heildeberg, herdou de Georg Jellinek, o sangue e o nome, o gênio da Jurisprudência. Mestre insigne, de suas lições largamente aproveitamos).
— Ernst Forsthoff, *Lehrbuch des Verwaltungsrechts*.

§ 5. LITERATURA

Itália:

– V. E. Orlando (com a colaboração de outros juristas), *Primo Trattato Completo di Diritto Amministrativo Italiano*.

– Santi Romano, *Principii di Diritto Amministrativo Italiano, Corso di Diritto Amministrativo*.

– Oreste Ranelletti, *Principii di Diritto Amministrativo, Lezioni di Diritto Amministrativo*.

– E. Presutti, *Istituzioni di Diritto Amministrativo*.

– L. Meucci, *Istituzioni di Diritto Amministrativo*.

– Cino Vitta, *Diritto Amministrativo*.

– Guido Zanobini, *Corso di Diritto Amministrativo*, em cinco volumes.

– Renato Alessi, *Diritto Amministrativo*.

– Massimo Severo Giannini, *Lezioni di Diritto Amministrativo*.

– Giovanni Miele, *Principii di Diritto Amministrativo*.

– Aldo M. Sandulli, *Manuale di Diritto Amministrativo*.

Portugal:

– Marcelo Caetano, *Manual de Direito Administrativo* e *Tratado Elementar de Direito Administrativo*.

Espanha:

– A. Posada, *Tratado de Derecho Administrativo*.

– J. Gascon y Marín, *Tratado de Derecho Administrativo*.

Argentina:

– Rafael Bielsa, *Derecho Administrativo y Ciencia de la Administración*.

Uruguai (merece atenção destacada o nome de Aparício Mendez, cuja obra, conquanto ainda não ordenada em tratação sistemática, encerra contribuição geral, das mais importantes na América Latina, à Ciência do Direito Administrativo):

– Enrique Sayagués Laso, *Tratado de Derecho Administrativo*.

México:

– Gabino Fraga, *Derecho Administrativo*.

Inglaterra:

— Gneist, *Das Englische Verwaltungsrecht der Gegenwart in Vergleichung mit den deutschen Verwaltungssystemen.*

— Wade e Dicey, *Introduction to the Study of the Law of the Constitution.*

Estados Unidos da América:

— F. Goodnow, *Principles of Administrative Law.*

• **5-A.** Hodiernamente podemos enunciar:

França:

— André de Laubadère, Yves Gaudemet e Jean-Claude Venezia, *Traité de Droit Administratif*, edição de 1998/1999. Dos mesmos autores: *Droit Administratif – Manuel*, edição de 1999.

— Jean Rivero e Jean Waline, *Droit Administratif*, 17ª ed., 1998, Dalloz.

— Francis-Paul Bénoit, *Le Droit Administratif Français*, 1968, Dalloz

— Georges Vedel, *Droit Administratif*, PUF, 1973

— Marcel Waline, *Précis de Droit Administratif*, 1969, Paris, 2 vols.

Não se poderia deixar de mencionar a obra fundamental, embora não pertencente ao Direito Administrativo, do grande Léon Duguit, no seu *Traité de Droit Constitutionel*, publicado em 5 volumes, no ano de 1927. Tampouco é de olvidar a obra notável de Georges Burdeau, no seu *Traité de Science Politique*, com a sua edição aumentada, publicado de 1966 a 1967.

Alemanha:

É notável a contribuição da nova geração de juristas alemães ao Direito Administrativo. Dentre tantos, é imperioso salientar:

— Hans-Julius Wolff e Otto Bachof, *Verwaltungsrecht* I, II, III e IV (obra notável, iniciada por Hans Julius Wolff, que abarca em extensão todo o Direito Administrativo alemão).

— Norbert Achterberger, *Allgemeines Verwaltungsrecht – Ein Lehrbuch*, 1982, Heidelberg.

— Norbert Achterberger, *Allgemeines Verwaltungsrecht – Ein Grundriss*, 1985.

§ 5. LITERATURA 101

– Hartmut Maurer, *Allgemeines Verwaltungsrecht*, München, 1986 (deste livro há uma notável tradução, elaborada pelo Prof. Michel Fromont, cuja última edição data de 1995, sob o título de *Manuel de Droit Administratif Allemand*. O mesmo Michel Fromont já havia publicado a tradução da 9ª edição do *Lehrbuch des Verwaltungsrecht*, do Prof. Ernst Forsthoff, que indubitavelmente se constitui num notável trabalho de tradução, elogiado no prefácio pelo próprio Prof. Forsthoff).

Há uma obra coletiva importante, em que se reuniram os professores Peter Badura, Hans Uwe Erichsen, W. Martens, I. V. Münch, F. Ossenbühl, W. Rodolf, W. Rütner e J. Salzwedel, intitulada *Allgemeines Verwaltungsrech*, em dois volumes, publicada pela primeira vez em 1981.

– Peter Badura, *Staatsrecht*, München, 1986.

– Ulrich Battis, *Allgemeines Verwaltungsrecht*, 1985.

– Hans-Peter Bull, *Allgemeines Verwaltungsrecht*, 1986.

– Volkmar Götz, *Allgemeines Verwaltungsrecht.*

– Hans-Joachim Koch, *Allgemeines Verwaltungsrecht*, 1984.

– Mayer e Kopp, *Allgemeines Verwaltungsrecht*, 1985.

– Gerd Roellecke, *Grundbegriffe des Verwaltungsrecht*, 1972.

– Dieter Schmalz, *Allgemeines Verwaltungsrecht*, 1983.

– Klaus Stern, *Das Staatsrecht der Bundesrepublik Deutschland*, 2 vols., ed. 1980-1984.

– Maximilian Wallerath, *Allgemeines Verwaltungsrecht*, 1985.

– F. Mayer, *Allgemeines Verwaltungsrech*, 1977.

– Walter Jellinek, *Verwaltungsrecht*, Neudruck 1966, Prólogo de Otto Bachof.

Ainda no campo do Direito Administrativo, nas suas relações com o Direito Econômico, vale ressaltar uma obra de valor permanente:

– *Wirtschafts-Verwaltungsrecht*, em 2 vols., edição de 1953, do Prof. Dr. Ernst Rudolf Huber.

Itália:

– Arnaldo De Valles, *Diritto Amministrativo*.

– M. S. Giannini, *Diritto Amministrativo*, 2 vols., 1970.

– Renato Alessi, *Principi di Diritto Amministrativo*, 2 vols., 1974.

– Aldo Sandulli, *Manuale di Diritto Amministrativo*, 2 vols., 1982.

Áustria:

Nada constava sobre este país nas edições anteriores deste livro. Entretanto, não seria possível deixar de mencionar o livro extraordinário do Prof. Adolf Merkl, discípulo de Hans Kelsen, a quem dedica "amistosamente" a obra, do qual, infelizmente, nunca conseguimos o original alemão, mas tão-somente a tradução espanhola. Trata-se da *Teoría General del Derecho Administrativo*, publicada na Espanha no ano de 1935, naqueles dias tormentosos que precederam a guerra civil na Espanha e a Segunda Guerra Mundial.

Argentina:

Nesse país vizinho, devemos salientar a obra de um notável administrativista, surgido na segunda metade do século passado. Trata-se do Prof. Agustín J. Gordillo, que, a partir de 1974, publicou um *Tratado de Derecho Administrativo*.

Inglaterra:

– H. W. R. Wade, *Administrative Law*, 3ª ed., 1974, Oxford, Clarendon Press.

– J. F. Garner, *Administrative Law*, 4ª ed., London, Butterworths.

Estados Unidos da América:

– Bernard Schwartz, *Administrative Law*, 1976, Boston

– Leonard White, *Introduction to the Study of Public Administration*, 1957, Macmillan, Nova York. •

6. Tão expressivas e variadas manifestações da doutrina deixam realçadas a significação e a importância dos estudos do Direito Administrativo. Não se suponha, entretanto, que estes devam ficar reservados aos juristas e aos eruditos. Bem ao contrário, deve-se, quanto possível, procurar difundir extensamente pela massa dos cidadãos o conhecimento do Direito Administrativo. A esse respeito, escreve Ribas no pórtico de seu *Direito Administrativo Brasileiro*: "A administração trata dos interesses de todos e responde pelos seus atos. Todos devem, pois, habilitar-se para julgar estes atos e conhecer a extensão dos seus direitos e deveres para com a administração. Assim, podia-se inscrever neste livro a epígrafe: 'vestra res agitur'" (ob. cit., p. XI).

Parte Geral
A RELAÇÃO JURÍDICA
NO DIREITO ADMINISTRATIVO

§ 6. A RELAÇÃO DE ADMINISTRAÇÃO

Concebe-se geralmente a relação jurídica como expressão de um poder do sujeito de direito sobre um objeto do mundo exterior, seja aquele uma cousa existente *per se*, seja uma abstenção ou um fato, esperados de outro sujeito. Nessa concepção da relação jurídica, sem dificuldade se compreendem todas as variedades de que a noção de direito subjetivo é suscetível.

1. Nela, não parece possa compreender-se, porém, nenhuma espécie de relacionamento jurídico, no qual se suponha, ao sujeito ativo, um dever, ao invés de um poder, sobrepondo-se-lhe à autonomia da vontade, o vínculo de uma finalidade cogente. Alguns momentos de reflexão, entretanto, tornam, para logo, evidente que, entre essa espécie de relacionamento jurídico e a que se exprime pelo conceito corrente, a diferença apurável nada tem de essencial. O que se denomina "poder" na relação jurídica, tal como geralmente entendida, não é senão a liberdade externa, reconhecida ao sujeito ativo, de determinar autonomamente, pela sua vontade, a sorte do objeto, que lhe está submetido pela dependência da relação jurídica, dentro dos limites dessa mesma relação. Limite-se ainda mais a liberdade externa de determinação, reconhecida ao sujeito ativo da relação jurídica, vinculando-o, nessa determinação, a uma finalidade cogente, e a relação se transformará imediatamente, sem alteração, contudo, de seus elementos essenciais.

2. À relação jurídica que se estrutura ao influxo de uma finalidade cogente, chama-se relação de administração (Ruy Cirne Lima, *Sistema de Direito Administrativo Brasileiro*, t. I, Porto Alegre, 1953, § 3, p. 25).

Chama-se-lhe relação de administração, segundo o mesmo critério pelo qual os atos de administração se opõem aos atos de propriedade (Código Civil Francês, art. 1.988).

Na administração, o dever e a finalidade são predominantes.

• Esse traço característico da administração é salientado no Código do Imperador Justiniano, quando afirma que "aquele que é administrador e senhor de sua cousa, nem todos os negócios realiza, mas a maior parte por sua vontade própria. Os negócios de outrem, porém, devem ser administrados com a maior exatidão; a esse respeito nada do que foi negligenciado ou mal administrado se isenta de falta" ("Nam suae quidem quisque rei moderator atque arbiter, non omnia negotia, sed pleraque ex proprio animo facit. *Aliena vero negotii exacto officio gerantur*; nec quisquam in eorum administratione neglectum ac declinatum, culpa vacuum est" – *Codicis Domini Justiniani*, Liv. IV, Tít. XXXV, n. 21, *Mandati vel contra*). •

No domínio, a vontade é predominante.

• Na definição do Conselheiro Lafayete Rodrigues Pereira, o "Domínio é o direito real que vincula e legalmente submete ao poder absoluto de nossa vontade a coisa corpórea, na substância, acidentes e acessórios" (*Direito das Coisas*, t. I, Editora Rio, edição histórica de 1977, § 24, p. 98). •

Não se adscreve a relação de administração aos lindes de tal ou qual província jurídica. Conhece-a o direito privado como a conhece o Direito Administrativo. Desenganar-se-ia, sem embargo, quem pretendesse encontrar uma relação de administração debaixo de cada uma das formas por que a atividade de administração pode traduzir-se na realidade jurídica.

A relação de administração somente se nos depara, no plano das relações jurídicas, quando a finalidade, que a atividade de administração se propõe, nos aparece defendida e protegida, pela ordem jurídica, contra o próprio agente e contra terceiros. Assim, no mandato, há atividade de administração e, sem embargo, não há relação de administração. A preservação da finalidade é, no mandato, dependência da vontade individual: ainda que o mandatário contrarie as instruções do mandante, se não exceder os limites do mandato, ficará o mandante obrigado para com aqueles com quem o seu procurador contratou (Código Civil, art. 679).

Há, de outro lado, atividade de administração e relação de administração:

• a) na administração pelo pai e pela mãe dos bens dos filhos menores sob sua autoridade (Código Civil, art. 1.689, II). De acordo com o Código, "Não podem os pais alienar, ou gravar de ônus real os imóveis dos filhos, nem contrair, em nome deles, obrigações que ultrapassem

§ 6. A RELAÇÃO DE ADMINISTRAÇÃO

os limites da simples administração, salvo por necessidade ou evidente interesse da prole, mediante prévia autorização do juiz" (Código Civil, art. 1.691);

b) na administração do bem de família, instituído como tal com a cláusula de ficar "isento de execução por dívidas posteriores à sua instituição (...)" (Código Civil, art. 1.715); "O prédio e os valores mobiliários, constituídos como bem de família, não podem ter destino diverso do previsto no art. 1.712 ou serem alienados sem o consentimento dos interessados e seus representantes legais, ouvido o Ministério Público" (Código Civil, arts. 1.717, 1.712). •

3. É no Direito Administrativo, porém, que a relação de administração adquire a plenitude de sua importância. Avulta essa importância quando se consideram, comparativamente, no direito privado e no Direito Administrativo, os efeitos da relação de administração sobre a relação de direito subjetivo, com sujeito diverso, acaso existente sobre o mesmo *objectum juris*.

A relação de administração coexiste, não raro, sobre o mesmo objeto, com um direito subjetivo, de titular diverso do daquela. Os bens dos filhos são propriedade destes, embora administrados pelos pais (Código Civil, art. 1.689, II). O bem de família pode ser propriedade do marido, se o regime dos bens do casamento for o da comunhão, ou, ainda, da mulher, no regime de separação (Clóvis Bevilacqua, *Código Civil Comentado,* t. I, Rio de Janeiro, 1921, p. 301).

Dentro no direito privado, os conflitos entre a relação de administração e a de direito subjetivo, resolvem-se em favor desta última. Ao pai ou à mãe, que arruína os bens dos filhos, suspende-se, com o pátrio poder, a administração, a este inerente (Código Civil, art. 1.637, *caput*). Quanto ao bem de família, lícito é ao instituidor, revogar-lhe a vinculação à finalidade legal (Decreto-lei 3.200, de 19.4.1941, art. 21. O instituidor, se não tem sempre a propriedade, tem, entretanto, sempre a disposição do bem *quoad institutionem*).

Diversamente, no Direito Administrativo, a relação de administração domina e paralisa a de direito subjetivo. Relação de administração, *exempli gratia*, é a que se estabelece, segundo o Direito Administrativo, sobre os bens destinados ao uso público. • "Desde a data do registro do loteamento, passam a integrar o domínio do Município as vias e praças, os espaços livres e as áreas destinadas a edifícios públicos e outros equipamentos urbanos, constantes do projeto e do memorial descritivo" (Lei 6.766, de 19.12.1979, art. 22). De outra parte, o art. 3º, do Decreto-

Lei 58, de 10.12.1937, determina que "A inscrição [*do loteamento*] torna inalienáveis, por qualquer título, as vias de comunicação e os espaços livres constantes do memorial e da planta". Não se cogita, no caso, da propriedade desses terrenos, que se tornam inalienáveis permanentemente, pertençam a quem pertencerem. • É indiferente, quem seja o proprietário da coisa vinculada ao uso público. A relação de administração paralisará em qualquer caso, a relação de direito subjetivo. Daí que, em nosso direito antigo, posto se reconhecesse à cidade o poder de abrir a via pública em solo público (Domingos Antunes Portugal, *De Donationibus Jurium et Bonorum Regiae Coronae*, Lugduni, 1726, t. II, lib. III, Cap. III, n. 2, p. 11), não se lhe reconhecia, sem embargo, salvo permissão do Príncipe, a faculdade de reduzir, novamente, a via que abrira, ao uso particular (Portugal, ob. cit., t. II, lib. III, Cap. III, n. 34, p. 14: "(...) quamvis enim civitas habet jurisdictionem faciendi viam publicam, tamen post eam factam, et juribus regalibus adjunctam, non potest civitas eam in locum privatum reducere sine licentia Principis (...)"). Dir-se-á mais tarde, que as coisas de uso público são inalienáveis. O Conselheiro Ribas, afirmava que as coisas de uso público estão fora do comércio e são imprescritíveis, salientando, porém, que "estes bens por ato da autoridade competente podem deixar de ser destinados ao uso público (...) "(*Direito Civil Brasileiro*, Editora Rio, 1977, tit. III, § 3, p. 429). A inalienabilidade delas significará, porém, simplesmente, que não é possível distraí-las do uso público, a que se encontram vinculadas, sem alteração da ordem jurídica ou, seja, sem lei que autorize a desvinculação (Código Civil, arts. 100 e 101).

4. Podem, no Direito Administrativo, como no direito privado, nascer simultaneamente, do mesmo negócio jurídico, a relação do direito subjetivo e a relação de administração. No Direito Administrativo, assim se desata, por exemplo, a controvérsia acerca da natureza jurídica da concessão de serviço público, da qual defluem simultaneamente, além da relação de administração, direitos subjetivos, recíprocos do concedente e do concessionário. Assim, também, a par da relação de administração que intercede entre o funcionário ou servidor público e a Administração, suscitam-se, entre ambos, direitos subjetivos, numerosos e variados, a maioria dos quais, é certo, em estado de pendência à ocasião da investidura, mas desde logo suscetíveis de completamento ulterior.

Cabe aqui se observe que os direitos subjetivos públicos, unidos, no Direito Administrativo, à relação de administração, têm, de regra, no desenvolvimento desta, uma como *conditio sine qua*. O funcionário público, por exemplo, não adquirirá direito ao vencimento, se não

§ 6. A RELAÇÃO DE ADMINISTRAÇÃO

prestar o trabalho, que a relação de administração lhe impõe, ao tempo e pelo modo em que esta lho exigir. Analogamente, quanto ao direito à aposentadoria. A mesma correspondência, depara-se-nos entre os direitos subjetivos públicos do concessionário de serviço público e a relação de administração, ínsita no objeto da concessão. A observação é tanto mais relevante, quanto é certo, de outro lado, que, de um mesmo e só negócio jurídico de Direito Administrativo, pode acidentalmente derivar-se, em concomitância com a relação de administração, regida pelo Direito Administrativo, direito subjetivo privado, regido pelo direito privado. Numa concessão de via-férrea, pode inserir-se *per accidens* a transferência do solo, necessário à implantação da linha, se for, aquele, propriedade da Administração concedente (Conselheiro Lafayette, ob. cit., t. I, § 51, n. 8, p. 190).

5. Conquanto a relação de administração e direito subjetivo sejam noções igualmente aceitas ao Direito Administrativo, base última da construção sistemática de nossa disciplina não é a noção de direito subjetivo, senão a de relação de administração. Os elementos estruturais da relação jurídica (pessoas, bens e atos), ainda que ambivalentes, são, no Direito Administrativo, conformados e adaptados primariamente à ordem que, pela relação de administração, se estabelece.

§ 7. A RELAÇÃO DE DIREITO SUBJETIVO

I – O Direito Subjetivo Público

I – A par da relação de administração, coexiste com ela, no Direito Administrativo – já ficou dito –, a relação de direito subjetivo. O direito subjetivo, de que aqui se cuida, é, de regra, o direito subjetivo público – público, por isso que a relação jurídica através da qual se manifesta, "é uma norma de direito (...) público que dá reconhecimento e assegura a proteção" (Eduardo Espínola e Eduardo Espínola Filho, *Tratado de Direito Civil Brasileiro*, t. IX, Rio de Janeiro, 1941, n. 132, p. 667). Não é, certamente, o Direito Administrativo fechado ao direito subjetivo privado (v. § 6, n. 4, supra), mas, evidentemente a figura subjetiva, própria do Direito Administrativo, enquanto direito público, há de ser o direito subjetivo público.

• Inicialmente, é preciso que se afirme não existir na Ciência e na Filosofia do Direito, noção mais discutida do que a do direito subjetivo. Antes de definirmos o direito subjetivo público, devemos, preliminarmente, tratar do problema tormentoso da existência ou da inexistência do direito subjetivo em geral. Na filosofia do direito, duas figuras de grande estatura no campo do conhecimento jurídico, opõem-lhe uma negação terminante: o direito subjetivo não existe.

O primeiro desses juristas é Hans Kelsen, fundador da escola de Viena. Kelsen afirma que, de acordo com a teoria do direito subjetivo, no princípio existiriam apenas direitos – em particular o protótipo de todos os direitos, o direito de propriedade, adquirido pela ocupação – e somente num estádio ulterior do direito, com a criação de uma ordem jurídica estatal, esses direitos foram sancionados e protegidos por meio do reconhecimento por parte da ordem estatal. Essa idéia, segundo Kelsen, foi mais claramente desenvolvida na teoria pela Escola Histórica do Direito,

§ 7. A RELAÇÃO DE DIREITO SUBJETIVO

que influenciou decisivamente não apenas o positivismo legal do século XIX, mas, no seu entender, a moderna jurisprudência dos países de língua inglesa. Kelsen cita a definição de Dernburg, que afirmava: "Os direitos existiam historicamente antes que o Estado com uma ordem jurídica deliberada tivesse aparecido". Seria, por conseguinte, tanto histórica quanto logicamente incorreto afirmar que os direitos, ou o direito subjetivo, são apenas emanação da ordem jurídica positiva. A ordem jurídica garante e molda esses direitos, mas não os criaria. Kelsen sustenta que essa concepção é totalmente equivocada, porque, segundo ele, "Não é possível existir direitos – ou direito subjetivo – antes que haja o direito positivo. A definição do direito subjetivo como um interesse juridicamente protegido pelo direito, ou como o poder de vontade reconhecido pela ordem jurídica, vagamente expressa uma visão desse fato". O direito subjetivo se resumiria numa garantia concedida pela ordem jurídica. Nada mais seria do que a proteção de um interesse, na medida em que fosse reconhecido pelo direito positivo (Hans Kelsen, *General Theory of Law and State*, Harvard University Press, Cambridge, Massachusetts, 1945, p. 79).

O segundo é Léon Duguit. O direito subjetivo é veementemente repelido por Duguit, que segue uma tradição positivista. Segundo a sua concepção, os membros de um grupo social estão numa situação qualificada de objetiva, porque ela é simplesmente o resultado da aplicação do direito objetivo, da norma jurídica do grupo social considerado. É aqui que se põe claramente, segundo Duguit, a questão do direito subjetivo. A existência de um direito subjetivo implicaria numa subordinação de vontades, uma superioridade de uma vontade sobre outra, um verdadeiro poder de um indivíduo sobre outro. A essência última da vontade humana estaria em questão na afirmação do direito subjetivo. A essas questões, Duguit responde com as palavras de Auguste Comte: "Não podem existir verdadeiros direitos se derivarmos os poderes regulares de vontades sobrenaturais; no Estado positivo, que não admite títulos celestiais, a idéia de direito desaparece irrevogavelmente" (Comte, *Politique Positive*, vol. I, 1890, p. 361, cit. por Léon Duguit, *Traité de Droit Constitutionnel*, t. I, 3ª ed., 1927, pp. 217-218). Léon Duguit pretendia ser um discípulo fiel de Auguste Comte. Vale recordar a passagem famosa da obra de Comte, na qual ele se propunha a que a sua nova filosofia tenderia cada vez mais a substituir a discussão vaga e tempestuosa dos direitos pela determinação calma e rigorosa dos deveres respectivos (*Cours de Philosophie Positive*, t. VI, Paris, 1908, p. 315).

II – Transcendendo da Filosofia do Direito para o Direito Administrativo, também vamos encontrar jurista de renome, que nega a noção de direito subjetivo público. Trata-se de Adolf Merkl, discípulo de Hans Kelsen, que em seu livro sobre o Direito Administrativo afirma textualmente: "A idéia dominante, que concebe o direito público objetivo como uma soma de relações de poder, dificulta, sem dúvida alguma, a admissão de direitos subjetivos entre pessoas tão desiguais como são, de um lado, o suposto detentor do poder de império, o Estado e as demais corporações públicas, e, de outro, os súditos, submetidos a esse poder; realmente se converte em problemática a existência de direitos subjetivos entre sujeitos tão multidistantes" (*Teoría General del Derecho Administrativo*, Madrid, 1935, p. 172).

III — Mas, a maioria dos jurisconsultos defende a idéia do direito subjetivo, apesar de reconhecerem a autoridade intelectual de Kelsen, de Duguit e de Merkl.

O direito subjetivo se manifesta sempre dentro de uma relação. Não conhece o direito relação entre pessoa e cousa. A própria relação de propriedade se estabelece não entre o titular do domínio e a coisa havida em propriedade, mas entre o proprietário e todos quantos estejam em posição de se opor à sua propriedade. Da mesma forma, a relação de direito subjetivo é sempre configurada entre pessoas. Uma pessoa isolada não poderia jamais ser titular de qualquer direito. O próprio Estado somente pode afirmar direitos na medida em que se contrapõe a outras pessoas.

IV — Não se poderia conceber a existência do direito subjetivo público dos indivíduos se não houvesse um ordenamento jurídico que lhes reconheça e atribua direitos. O direito subjetivo público está em íntima conexão com o direito público objetivo, do qual dimanam as pretensões correspondentes, no relacionamento entre Estado e indivíduo.

V — A importância do direito subjetivo público é extraordinária. Santi Romano afirmava que aqueles que despojam o cidadão de qualquer direito público e revestem somente o Estado de direitos, terminam, sem ter consciência do que fazem, negando que entre o Estado e os cidadãos possa existir uma relação jurídica. Essa heresia, segundo Romano, implicaria a negação, também, do próprio direito privado ("La Teoria dei Diritti Pubblici Subbiettivi", in *Primo Trattato Completo di Diritto Amministrativo Italiano*, a cura di V. E. Orlando, vol. I, Milano, 1900, p. 118). Sem direito público não é possível a existência de direito privado. Para o reconhecimento e proteção dos direitos privados é indispensável a existência do Estado, organizado de acordo com um ordenamento jurídico, que permite a proteção dos interesses privados. O Estado é pessoa jurídica, e, como tal, investido de direitos, tanto no plano das relações intra-estatais quanto no internacional. O direito subjetivo público se configura em íntima vinculação com o ordenamento jurídico geral, constituindo decorrência do Estado de Direito.

VI – Defensor do direito subjetivo público e o mais notável expositor desse tema foi Georg Jellinek. A própria personalidade do homem, na afirmação de Jellinek, é de direito público – pois somente como membro de um Estado o homem alcança a condição de sujeito de direitos (*Sistema dei Diritti Pubblici Subbiettivi*, trad. italiana, Milano, 1912, cap. VII, p. 92).

O direito de cidadania é um direito subjetivo público, que se afirma diante do Estado. Quem não é cidadão é apátrida e está privado de direitos, eis que não se vincula a nenhum Estado. O Estado atribui ao ser humano a capacidade de postular eficazmente a tutela jurídica estatal. Com isso, o Estado reconhece, por meio de sua ordem jurídica, a personalidade do ser humano.

VII – Devemos a Georg Jellinek a classificação dos direitos subjetivos públicos. Parte da observação de que a soberania do Estado é uma soberania sobre homens livres, elevados à condição de pessoas. No momento em que reconhece a personalidade dos indivíduos, o Estado limita-se a si mesmo. Essa limitação é de duas espécies.

Primeiro, o Estado traça uma linha de separação entre si mesmo e os seus súditos, reconhecendo-lhes uma esfera de atuação individual livre da intervenção estatal, subtraída em princípio à autoridade do Estado. Essa noção é decorrência do desenvolvimento do Estado moderno, cujas constituições afirmam o Estado de Direito. Antigamente, a liberdade individual não era reconhecida em favor de todos os seres humanos. A partir da Revolução Francesa, entretanto, essa situação se transforma com a Declaração dos Direitos do Homem e do Cidadão, ao afirmar que o fim de toda a associação política é a conservação dos direitos naturais e imprescritíveis do homem, sendo, esses direitos, a liberdade, a propriedade, a segurança e a resistência à opressão (art. 2º).

Segundo, o Estado não limita apenas negativamente o campo de sua atividade. Vai além, e atribui ao indivíduo o poder de exigir atividade estatal em seu proveito. O indivíduo pode exigir, de acordo com a Constituição, prestações do Estado. As pretensões jurídicas que resultam do direito de exigir prestações estatais, no dizer de Georg Jellinek, são o que se designam com o nome de *direitos subjetivos públicos* (ob. cit., cap. VI, p. 96).

VIII – De acordo com a opinião de Robert Alexy, a dogmática dos direitos fundamentais ainda segue o "espírito da teoria do 'status' de Jellinek" (*Teoría de los Derechos Fundamentales*, Madrid, 2002, p. 25). De modo que, a teoria desenvolvida por Georg Jellinek, sobre os diferentes *status*, ainda hoje norteia os estudos sobre os direitos fundamentais e o direito subjetivo público decorrente. Vinculado ao Estado, o indivíduo se encontra em diversas relações, que se consubstanciam em diferentes *status*. O primeiro desses *status* é o chamado *status passivus*, também denominado de *status subjectionis*, em que o indivíduo vê excluída sua autodeterminação e está situado na situação de sujeição diante do Estado. Esse *status* consagra os deveres do cidadão para com o Estado, como o dever de prestar o serviço militar obrigatório (hodiernamente com a possibilidade de objeção de consciência, CF, art. 143, § 1º), o dever de pagar impostos, o dever de prestar serviços públicos honorários, como o de mesário nas eleições e o de jurado. Em contraposição a esse, há um segundo *status*, chamado de *status negativus*, ou de *status libertatis*, em que a situação se inverte, passando o cidadão de súdito a senhor absoluto de sua liberdade, em que toda a atividade do Estado passa a ser exercida no interesse do súdito. Esse *status* caracteriza uma situação peculiar do Estado de Direito, em que os direitos individuais são considerados como anteriores à existência do próprio Estado. Segundo Carl Schmitt, "a esfera de liberdade dos indivíduos é concebida como algo dado anteriormente ao Estado, e na verdade a liberdade dos indivíduos é, em princípio, ilimitada, enquanto que é limitado, em princípio, o poder do Estado de invadir essa esfera de liberdade" (*Verfassungslehre*, Berlin, 1957, § 12, n. 3, p. 126).

O *status libertatis* configura em amplo sentido os direitos de liberdade, tanto do indivíduo isolado quanto em relação aos outros – desde a liberdade de consciência, passando pela livre manifestação do pensamento, chegando aos lindes da segurança jurídica e do direito de resistência à opressão, bem expresso na Lei Fundamental alemã de Bonn (art. 20 (4): "Gegen jeden, der es unternimmt, diese Ordnung zu beseitigen, haben alle Deutschen das Recht zum Widerstand, wenn andere Abhilfe nicht möglich ist" ("Contra aqueles que tentarem suprimir esta Ordem, têm, todos os alemães, quando outro recurso não seja possível, o Direito de resistir").

Em *terceiro lugar*, o Estado reconhece ao indivíduo a capacidade de pretender que o poder estatal seja exercido em seu favor, permitindo-lhe

§ 7. A RELAÇÃO DE DIREITO SUBJETIVO

que se utilize de serviços públicos e de instituições públicas, concedendo ao indivíduo pretensões jurídicas positivas. Reconhece o Estado, nesse momento, em favor do indivíduo, um *status positivus*, ou *status civitatis*, que se apresenta como fundamento para o complexo de prestações estatais, desenvolvidas no interesse dos indivíduos.

Finalmente, em *quarto lugar*, a atividade do Estado somente é possível mediante ações individuais. Na medida em que o Estado reconhece ao indivíduo a capacidade de agir em seu nome, o promove a uma condição mais elevada, isto é, ao exercício da cidadania ativa. Essa cidadania se expressa pelo *status activus*, ou *status activae civitatis*, no qual o indivíduo adquire a plenitude do exercício dos assim chamados direitos políticos (Georg Jellinek, *System der Subjektiven Öffentlichen Rechte*, nova impressão da 2ª ed., Tübingen, 1919, cap. VII, p. 87).

IX – Nesses quatro *status*, o *passivo*, o *negativo*, o *positivo* e o *ativo*, estão representadas as condições nas quais o indivíduo pode se encontrar diante do Estado, como membro e como cidadão. Prestações devidas ao Estado, como no caso do serviço militar obrigatório, liberdade de ingerência do Estado, como no caso da liberdade de consciência e da livre manifestação do pensamento, pretensões diante do Estado, como a de utilizar-se de seus serviços públicos, de que constituem exemplos as universidades oficiais, os museus, os teatros, os hospitais públicos, os parques e os jardins públicos, o serviço de segurança e a jurisdição estatal, e, finalmente, ações desenvolvidas em nome do Estado, como condutor político por exemplo, constituem-se em diferentes posições as quais indicam as situações em que o indivíduo pode se relacionar com o Estado.

X – No dizer de Léon Duguit, foi, fora de dúvida, Georg Jellinek "o autor que mais aprofundou a noção de direito subjetivo" (Ruy Cirne Lima, *Sistema de Direito Administrativo Brasileiro*, t. I, Porto Alegre, 1953, p. 222).

XI – A Georg Jellinek deve-se a concepção do direito subjetivo, no qual este se estrutura como uma interpretação da vontade humana e do interesse, a primeira, o elemento formal, o último, elemento material da subjetivação jurídica. O interesse constitui a matéria fundamental do direito subjetivo. Rudolf von Ihering pôs em relevo o dado fundamental da questão: "em latim, *inter esse*, *interest mea* significa: uma parte de mim está contida numa coisa estranha; trata-se aí, quanto a mim, de uma parte de mim mesmo" (*Du Rôle de la Volonté dans la Possession*, Paris, 1891, nota 6, p. 21). Esse interesse, que constitui a matéria do direito subjetivo, nada mais é do que a expressão psicológica da dependência moral das coisas e dos fatos em face do ser humano.

Por sua vez, a vontade tem, na concepção de Georg Jellinek, a função essencial de ordenadora, segundo a ordem da justiça, das coisas e fatos do mundo exterior (Ruy Cirne Lima, ob. cit., p. 223). Bernhard Windscheid havia chamado a atenção para a vontade como elemento essencial da definição de direito subjetivo (*Diritto delle Pandette*, trad. de Carlo Fadda e Paolo Emilio Bensa, vol. I, Torino, 1925, § 37, nota 3, p. 108). Definia o direito subjetivo como "um poder ou senhorio da vontade conferido pela ordem jurídica".

Unindo as duas concepções, a de von Ihering e a de Windscheid, Jellinek define o direito subjetivo como "o poder de vontade que tem o homem, reconhecido e protegido pelo ordenamento jurídico, enquanto voltado a um bem ou interesse" (*Sistema dei Diritti Pubblici Subbiettivi*, trad. italiana de G. Vitagliano, Milano, 1912, cap. IV, p. 49).

XII – As duas notações conceituais do direito subjetivo – poder de vontade e interesse – (*Willensmacht und Interesse*) são transpostas para os direitos públicos subjetivos ("lassen sich auch auf die subjektiven öffentlichen Rechte übertragen" – Walter Jellinek, *Verwaltungsrecht*, Berlin, 1929, § 9, IV, n. 1, p. 190). Recebidas pelo direito público, estas duas noções são utilizadas na sua definição específica: "O direito subjetivo público é um poder de vontade vinculado ao direito público, que é concedido ao seu titular para a proteção do seu interesse próprio" ("Das subjektive öffentliche Recht wäre demnach eine den öffentlichen Rechte angehörige Willensmacht, die dem Willensträger in seinen eigenen Interesse verliehen ist" – Walter Jellinek, ob. cit., p. 190).

XIII – Titulares dos direitos públicos subjetivos podem ser todos os sujeitos de direito, as pessoas físicas e também as pessoas jurídicas de direito privado, inclusive as de direito público, compreendidas dentro do Estado (Walter Jellinek, ob. cit., § 9, n. 2, p. 192). Até mesmo ao Estado deve ser reconhecida a possibilidade de titularidade de direitos subjetivos públicos, sendo-lhe atribuído, em seu interesse particular, o mesmo poder de vontade. O Estado tem o direito de cobrar e receber tributos (impostos, taxas, contribuição de melhoria, contribuição previdenciária, contribuições sociais, contribuições de intervenção no domínio econômico e de interesse das categorias profissionais ou econômicas, bem como empréstimos compulsórios – CF, arts. 145, 148, 149, §§ 1º e 2º, 149-A). O Estado é titular do direito de desapropriar, de impor punições e de exigir prestação de serviços públicos honorários, de impor a prestação de serviços obrigatórios. Em todos esses casos, há direitos subjetivos exercitados pelo Estado (Walter Jellinek, ob. cit., § 9, IV, n. 2, p. 193).

Em sentido contrário, posiciona-se Otto Mayer, ao sustentar que o direito subjetivo é sempre algo limitado. No que concerne ao Estado, porém, existiria antes um direito amplo de dominação e de submissão ("Meist steht dafür jetzt ein umfassendes Recht auf Beherrschung und Gehorsam (...)" – *Deutsches Verwaltungsrecht*, Heidelberg, 1923, t. I, § 10, p. 105).

Sob o Estado de Direito, entretanto, a opinião mais justa é a de Walter Jellinek.

XIV – Apresentado esse intróito, em que são discutidas as teses fundamentais que deram origem à afirmação do direito subjetivo público, estabelecemos os princípios básicos sobre essa figura jurídica, que provém, sobretudo, do Direito Administrativo alemão. Volvendo para o nosso direito, podemos indagar: que é direito subjetivo público? •

1. Diz-se que existe direito subjetivo público, quando uma pessoa administrativa se constitui em obrigação, segundo o direito público, para com o particular; ou igualmente, o Estado para com uma das pessoas administrativas por ele criadas. Sobre esse ponto, pode dizer-se estabelecido tal ou qual acordo entre as opiniões que controvertem a matéria.

Desse conceito, dessumem-se facilmente, entretanto, alguns caracteres, verificáveis *in specie*, do direito subjetivo público. Ele supõe nos sujeitos que vincula a posição de superior e inferior, respectivamente. Não é bastante, contudo, que dois sujeitos de direito estejam, dentro da esfera do direito público, em posição de superior e inferior, respectivamente, para que se torne possível o aparecimento de direitos subjetivos públicos. Entre os comandantes militares e seus subordinados, não é possível o estabelecimento de direitos subjetivos públicos. Não obstante, as relações entre aqueles e estes são reguladas pelo direito público e a posição de superior e inferior, respectivamente, se demonstra em uns e outros, fora de toda dúvida razoável. Nem toda relação de superioridade, com efeito, embora de direito público, pode fundamentar direitos subjetivos públicos. • Ouve-se, aqui, o eco das palavras de Otto Mayer, quando fala de ampla dominação e submissão ("umfassendes Recht auf Beherrschung und Gehorsam") para caracterizar a atuação do Estado enquanto poder. •

Supõe, o direito subjetivo público, que a melhor maneira de exercer-se o poder de mando, confiado ao superior, seja, nas circunstâncias que lhe dão origem, a obediência ao subordinado. Supõe, assim, que o subordinado, em condições determinadas, possa atuar melhor do que o superior; supõe, conseqüentemente, que o subordinado participe do poder de mando, reconhecido ao superior – sem o que seria impossível qualquer escolha entre os dois. Vem a definir-se, deste modo, a relação de superioridade, suscetível de gerar direitos subjetivos públicos, como a que existe entre as pessoas administrativas e os indivíduos, ou entre o Estado e as pessoas administrativas e os indivíduos, ou entre o Estado e as pessoas administrativas por ele criadas.

Dentro do direito público, outra relação se não conhece que reúna aqueles requisitos. Provém do povo o poder do Estado (CF, art. 1º, parágrafo único); provém do Estado, seja este a União Federal, o Estado federado, o Distrito Federal ou o Município, o poder das entidades autárquicas sobre os indivíduos. Implícitos nesta noção de direito subjetivo público se encontram, ao mesmo tempo, o reconhecimento da aptidão do indivíduo para governar (princípio democrático), que corresponde ao *status activae civitatis* na elaboração de Georg Jellinek, e a necessidade, para maior eficiência do serviço público, de uma delegação de funções (princípio econômico da divisão do trabalho).

Qualquer que seja a justificação político-jurídica dos direitos subjetivos públicos, certo é, porém, que a nota saliente de sua conceituação é a circunstância de criarem obrigação jurídica em pessoa de direito público, a quem normalmente apenas se reconhece, em tal ordem de matérias, o poder de obrigar juridicamente. • A explicação para esse aparente paradoxo quem no-la oferece é novamente Georg Jellinek, quando afirma: "No Estado moderno, mesmo aquele que é subordinado ao Estado por força da soberania territorial não é somente súdito eventual (*subditus temporarius*): mesmo a ele é atribuído um conjunto de pretensões jurídicas diante do Estado, embora em medida menor do que a dos cidadãos" (*Sistema dei Diritti Pubblici Subbiettivi*, cap. IX, p. 129). Se os próprios estrangeiros são titulares de direitos no Estado moderno, como indivíduos a que a Constituição assegura "a inviolabilidade do direito à vida, à liberdade, à igualdade, à segurança e à propriedade" (CF, art. 5º, *caput*), no que respeita aos cidadãos, novamente quem nos dá a solução é Georg Jellinek, quando afirma: "Por força da concessão de pretensões jurídicas positivas diante do Estado, o fato de ser membro do Estado se transforma de uma relação de pura dependência, em uma relação que possui duplo caráter, em uma condição jurídica que, ao mesmo tempo, atribui faculdades e impõe deveres" (*Sistema dei Diritti Pubblici Subbiettivi*, p. 129). •

Tomada essa notação conceitual do direito subjetivo público, que é reconhecido a nacionais e a estrangeiros, facilmente se ultrapassa o círculo dos direitos subjetivos públicos reconhecidos aos indivíduos e às pessoas administrativas criadas pelo Estado e alarga-se consideravelmente a enumeração dos direitos subjetivos públicos em geral. Ela compreenderá os direitos que se originam, na esfera do Direito Internacional, das obrigações assumidas pelos Estados, uns para com os outros, todos detentores exclusivos que se reputam da soberania; compreenderá, igualmente, os direitos que nascem na órbita do Direito Constitucional, tais como os que podem resultar do pacto federativo entre os Municípios, o Distrito Federal, os Estados-membros e a União Federal; e compreenderá, enfim, também, os direitos que se fundam no terreno do Direito Administrativo por intermédio de atos administrativos, entre a União Federal soberana, os Estados, o Distrito Federal e os Municípios, politicamente autônomos, e as entidades autárquicas, em suas relações paritárias de direito público.

Alarga-se da mesma sorte, a noção da origem do direito subjetivo público, que poderá fundar-se conseqüentemente, no tratado internacional, na Constituição, na lei ou no ato jurídico.

Em conexão, atenta a origem, deverão conumerar-se, também, entre os direitos subjetivos públicos os que surgem do exercício pelo Estado de seu poder de mando, como o direito de constituir o crédito tributário (Código Tributário Nacional, arts. 139 a 142), ou os direitos sobre a pessoa resultantes da conscrição militar (CF, art. 143, §§ 1º e 2º).

Concluindo, pode dizer-se que o direito subjetivo público nasce invariavelmente da transferência ou do exercício de uma parcela do poder estatal.

II – *A Posição Jurídica e o Reflexo de Direito*

Temo-nos referido até agora, a direitos subjetivos públicos. Enganar-se-ia, entretanto, quem supusesse que, na regra de direito objetivo, reside sempre, perfeito e acabado, o direito subjetivo correspondente. Vimos que todo direito subjetivo público importa uma obrigação, de que ele é a contraparte. Ora, salvo em hipóteses determinadas, a regra jurídica não é, ainda, a obrigação: é meramente a obrigatoriedade.

Antes, ainda, do instante, em que o direito subjetivo se concretiza, já alguma cousa dele existe, porém, no patrimônio jurídico do sujeito. É que – explica Pontes de Miranda – "a ordem legal não intervém somente quando se trata de garantir as conseqüências de um direito formalmente concreto, perfeito e acabado; mas, por igual, sempre que surge algo de jurídico, que pode influir na formação do direito de alguém" ("Títulos ao Portador", *Manual do Código Civil Brasileiro*, de Paulo de Lacerda, t. I, vol. XVI, parte I, Rio de Janeiro, 1932, p. 37). A essa situação jurídica, anterior à completa subjetivação do direito, chama-se *posição jurídica*.

1. À nossa doutrina, no campo do Direito Administrativo, não é desconhecida a figura da posição jurídica.

Posição jurídica era, ao tempo do Império, a situação do pretendente à concessão de terras devolutas que, tendo-lhe sido autorizada pelo Governo Imperial a concessão pretendida, ainda não recebera do Presidente da Província o competente título jurídico. Algo de jurídico já aparecera, então, capaz de influir na formação do direito do pretendente – "talvez mesmo – escreve Rodrigo Otávio – já um verdadeiro direito adquirido, mas apenas a que se promovessem os ulteriores termos legais para que pudesse entrar na posse, uso e gozo da concessão" (*Do Domínio da União e dos Estados*, São Paulo, 1924, n. 70, p. 119). Não obstante, essas formalidades ulteriores poderiam mostrar-se de execução impossível, inconveniente ou inoportuna e, nessa hipótese, aquele suposto direito adquirido se reduziria a nada.

2. Pode-se, com justeza, comparar-se a posição jurídica às posições no jogo de xadrez. "Para se chegar a um resultado, faz-se mister, no enxadrismo – observa Pontes de Miranda – efetuar, um após outro, vários lanços que constituem umas como avançadas e paralisações, necessárias à vitória. Cada lanço estabelece um estado, uma situação jurídica, 'Rechtslage', que pressupõe as anteriores e não se pode criar à vontade (...). Os jogadores podem misturar as peças e deixar para outra vez, o início de um novo combate. Mas não pode qualquer jogador resolver, de si só, o termo da partida, ou fazer-se posição sem anterioridades. Fora uma injustiça, manifesta de si mesma; pois que se têm de reconhecer ao adversário todas as possibilidades que a presente situação do jogo lhe oferece. Assim, no mundo jurídico, em se tratando de estádios que não constituem um direito: este surgirá do êxito da partida" (*Tratado de Direito Privado*, t. I, vol. XVI, parte I, pp. 41 e 42).

Distintos do direito subjetivo e da posição jurídica, são, a seu turno, os assim chamados *reflexos de direito*. Das regras jurídicas de que estes últimos procedem, devem, enfim, distinguir-se as simples *regras programáticas*.

§ 7. A RELAÇÃO DE DIREITO SUBJETIVO 121

• **2-A.** O primeiro jurisconsulto a tratar dos direitos públicos de forma sistemática foi Carl Friedrich von Gerber, que escreveu uma obra, intitulada *Über Öffentliche Rechte*, publicada em 1852. Nessa elaboração doutrinária von Gerber chegou a admitir a existência de direitos públicos subjetivos dos súditos de um Estado, ao afirmar que "a posição constitucional de um súdito é aquela de um indivíduo dominado estatalmente e é caracterizada perfeitamente com esse conceito. A circunstância que tal dominação, especialmente na medida em que se fundamenta na justiça e na sábia moderação, a torna rica em efeitos benéficos e fecunda em outros bens, sendo condição do desenvolvimento livre e do progresso moral, é uma nota característica do contraste entre tal submissão e aquela do direito privado".

Para complementar esta definição não é necessário pôr em relevo especial todas as obrigações para com o Estado que se encontram na esfera da submissão (por exemplo, a prestação do serviço militar, o pagamento dos impostos e das taxas etc.), pois esses não são mais do que simples aplicações de um conceito jurídico geral (von Gerber, *Diritto Pubblico*, trad. italiana, Milano, Giuffrè, 1971, cap. 7, pp. 65-66).

2-B. Criticando a elaboração de von Gerber, Georg Jellinek afirmava que em verdade "era uma falsa opinião, de acordo com a qual o direito subjetivo não seria na substância nada mais que uma miragem, pois onde se crê encontrar o direito subjetivo existe tão somente o direito objetivo e aquilo que se designa como direito subjetivo não é outra coisa que um simples reflexo do direito objetivo" (*Sistema dei Diritti Pubblici Subbiettivi*, Milano, 1912, cap. VI, p. 77). Jellinek menciona, ainda, que "Esta opinião foi acolhida pela primeira vez por Gerber, no livro *Über Öffentliche Rechte*, no que diz respeito aos direitos de liberdade e a pretensão à tutela jurídica" (ob. cit., pp. 77-78).

As normas de direito público devem servir aos fins do Estado e são editadas tendo em vista o bem comum e o interesse geral. Não é necessário, entretanto, que as normas jurídicas públicas sirvam sempre a finalidades individuais. A ordem jurídica compreende normas jurídicas que não raro traduzem interesses individuais, mas apenas na medida em que a realização do interesse individual se apresenta como um interesse geral.

Segundo Georg Jellinek, "no momento em que as normas jurídicas de direito público prescrevem no interesse geral um determinado comportamento ou ação, ou até mesmo omissão por parte dos órgãos do Estado, pode ocorrer que o resultado dessa ação ou omissão aproveite a determinados indivíduos, sem que o ordenamento jurídico, ao estabelecer a norma de que se trata, tenha se proposto a alargar a esfera jurídica dos indivíduos. Em tais casos poder-se-á falar de eficácia reflexa do direito objetivo" (*Sistema dei Diritti Pubblici Subbiettivi*, cit., p. 79).

Deve-se pôr em relevo que o conceito de eficácia reflexa do direito objetivo foi formulado com toda a clareza, em primeiro lugar, por Rudolf von Ihering, no seu livro *Geist des Römisches Rechtes* (*O Espírito do Direito Romano*), publicado em sua 1ª edição no ano de 1865.

Von Ihering dizia que nem todos os interesses reclamam a proteção jurídica, pois há interesses que ela não pode alcançar. Há mais, ainda: toda lei que protege nosso interesse não nos confere um direito subjetivo. Como explicar esse fato? Von Ihering responde: "é que às vezes, na proteção de um interesse, há apenas uma ação reflexa da ordem jurídica" (*L'Esprit du Droit Romain*, t. IV, tradução de O. de Meulenaere, Paris, 1888, § 71, p. 339). Trata-se, não raro, de uma relação jurídica, em que está presente o Estado, que apresenta uma grande analogia com o direito subjetivo, mas que é preciso distingui-la cuidadosamente deste. •

3. Na Constituição e nas leis, encontra, algumas vezes, o indivíduo o reconhecimento de particulares interesses seus; ora esse reconhecimento resulta de uma relação puramente de fato (p. ex., a organização legal de um serviço de transporte mais adequado a um gênero de comércio, do que a outros); ora dimana da indireta eficácia da disposição constitucional, ou legal, que, prescrevendo para os poderes públicos, lhes cria, perante a Constituição ou a lei, senão uma obrigação, ao menos, a abstrata imagem dela (p. ex., o art. 19, I, da CF 1988). Desta última modalidade de reconhecimento incidente, por via objetiva, de interesses individuais, procedem os assim chamados reflexos de direito (Georg Jellinek, *Sistema dei Diritti Pubblici Subbiettivi*, p. 80).

De outras vezes, os legisladores, constituintes ou não, prefixam diretivas, linhas gerais de ação ao poder público, cuja execução poderá mostrar-se vantajosa ao indivíduo, em situação dada. Daí, o problema das regras programáticas, relativamente aos indivíduos, distinto da questão dos reflexos de direito.

Desde que se trate, porém, de disposições auto-executáveis – assim a regra com eficácia jurídica reflexa, como a simples regra programática podem ser utilmente invocadas pelo indivíduo perante o Poder Judiciário. Pontes de Miranda, ao comentar a Constituição Federal de 1946, fazia a distinção entre as regras jurídicas bastantes em si, regras não-bastantes em si e regras programáticas. Afirmava que "o que se deve ter em vista é a dicotomia das regras jurídicas em regras bastantes em si e regras não-bastantes em si; porque tanto umas quanto outras podem ser simplesmente programáticas" (*Comentários à Constituição de 1946*, t. I, 3ª ed., Rio de Janeiro, 1960, § 8, n. 79, pp. 110-111).

Na dúvida – quanto a disposições constitucionais – deverá decidir-se pelo caráter auto-executável da prescrição (Levi Carneiro, *Conferências sobre a Constituição*, Rio de Janeiro, 1936, p. 25) e pelo cabimento da intervenção judiciária. A respeito do cabimento da intervenção judiciária, assim se pronunciava Ruy Barbosa: "O que distingue, na essência, as declarações de direitos promulgadas nas Constituições do tipo que a dos Estados Unidos consagrou, das declarações de direitos exaradas em outras Constituições, é a existência, naquelas, da garantia judiciária para a sustentação prática e a reivindicação eficaz de cada um dos direitos assim declarados" (*Comentários à Constituição Federal Brasileira*, coligidos e ordenados por Homero Pires, São Paulo, 1934, vol. V, art. 72, p. 175).

OS ELEMENTOS DA RELAÇÃO JURÍDICA ADMINISTRATIVA

A elaboração científica do Direito Administrativo supõe um fundamento dogmático inafastável que, de alguma forma, pode dizer-se, transcende aos dados do direito positivo, radicando, antes, na natureza das relações por este reguladas.

Base última da construção sistemática do Direito Administrativo é a relação de administração. Certo, não é o direito subjetivo desconhecido ao Direito Administrativo. Mas, os elementos estruturais da relação jurídica, ainda que ambivalentes – já o dissemos – são, no Direito Administrativo, conformados e adaptados, primariamente, à ordem que, pela relação de administração, se estabelece.

Um breve excurso pela doutrina das pessoas administrativas, dos bens *sub specie publicae administrationis* e dos atos administrativos dilucidar-nos-á o problema dogmático que subjaz às dificuldades da elaboração científica da nossa disciplina.

§ 8. AS PESSOAS ADMINISTRATIVAS

São as pessoas administrativas o elemento da relação jurídica administrativa, a ser, de início, considerado.

Além da União e dos Estados, Distrito Federal e Municípios – já o vimos – ainda outras pessoas administrativas existem, entre as quais, serviços públicos importantes são repartidos. Denominam-se essas pessoas administrativas entidades autárquicas (CF, art. 37, XIX e XX), quer dizer, entidades que a si próprias se governam. Poder de governar-se a si própria, toda pessoa – dir-se-á – em princípio tem. Chama-se, porém, autárquicas àquelas entidades, precisamente para significar que não se trata de meros órgãos de desconcentração administrativa, e, sim, de verdadeiras pessoas jurídicas de Direito Administrativo.

1. São todas as pessoas administrativas pessoas jurídicas de direito público, prepostas, de modo imediato, à atividade de Administração Pública. Nem toda a pessoa de direito público pode ser considerada pessoa administrativa. Os partidos políticos eram considerados, tradicionalmente, em nosso direito público, como pessoas jurídicas de direito público (Lei 1.164, de 24.7.1950, art. 132) e, fora de dúvida, não se incluíam entre as pessoas administrativas. • Uma longa tradição na República, fazia dos partidos políticos pessoas de direito público. Entretanto, a Constituição Federal de 1988, em seu art. 17, § 2º, estabeleceu que "Os partidos políticos, após adquirirem personalidade jurídica, na forma da lei civil, registrarão os seus estatutos no Tribunal Superior Eleitoral". Obediente à nova Constituição, a Lei 9.096, de 19.9.1995, em seu art. 1º, passou a definir "o partido político, pessoa jurídica de direito privado (...)". O exemplo dos partidos políticos, que serviu durante longo tempo, não serve mais para indicar pessoa jurídica de direito público que não exerce atividade de Administração Pública. À sua vez, nem toda a pessoa jurídica, preposta, de modo imediato, à atividade de Administração Pública, é pessoa administrativa. • Assim, o Serviço Social da Indústria (Decreto-lei 9.403, de 25.6.1946, art. 2º) e o Serviço Social do Comércio (Decreto-lei 9.853, de 13.9.1946, art. 2º) foram pela lei instituídos como pessoas de direito privado e, por essa mesma lei, prepostos, de modo imediato, a atividade que manifestamente se revela como de Administração Pública.

À conceituação de pessoa administrativa, não é suficiente, portanto, ou que se cuide de pessoa jurídica de direito público, ou que se trate de pessoa jurídica, preposta imediatamente à atividade de Administração Pública. A conjunção dessas duas notações características é essencial ao conceito. Não basta uma, sem a outra.

• As pessoas administrativas podem ser definidas hodiernamente, como faz Celso Antônio Bandeira de Mello, como "pessoas jurídicas de Direito Público de capacidade exclusivamente administrativa" (*Curso de Direito Administrativo*, 20ª ed., São Paulo, Malheiros Editores, 2006, cap. IV, I, n. 2, p. 145). •

Entre a pessoa administrativa e a atividade de Administração Pública – aquela, pessoa jurídica de direito publico, esta, atividade estatal propriamente tal – supõe-se, como diremos a seguir, adaptação completa, adequação perfeita, que se não estabeleceria, se, na configuração da pessoa administrativa, as duas notações sinaladas não coincidissem necessariamente. São as duas notas especificadoras como as duas metades de uma só noção.

2. No elenco das pessoas administrativas, já dissemos, algumas são de *natureza política e existência necessária*: a União, os Estados, o Distrito Federal e os Municípios (CF, art. 1º, *caput*). • O Conselheiro Ribas já dizia que "as pessoas jurídicas podem ser classificadas sob dois aspectos: quanto ao modo da sua existência e ao de sua manifestação. Consideradas quanto ao primeiro modo, elas se dividem em pessoas jurídicas: I – De *existência necessária*, e são: o Estado e suas divisões permanentes, as províncias e os municípios. II – E de *existência voluntária e contingente*, e são: as corporações, instituições pias ou de utilidade pública, e heranças jacentes" (*Curso de Direito Civil Brasileiro*, t. I, Rio de Janeiro, 1915, p. 333). •

As outras pessoas administrativas, segundo o Conselheiro Ribas, são de *natureza meramente administrativa e existência contingente*: são, hoje, as entidades autárquicas • e as fundações públicas de acordo com a Constituição Federal (art. 37, XIX).

Além dessas entidades, a Constituição dispõe, ainda, sobre os Territórios (CF, art. 33), que embora não sejam entidades essenciais à formação da União Federal, constituem-se em pessoas de natureza política quando criados, pois podem ter Governador, órgãos judiciários de primeira e segunda instância e Câmara Territorial (CF, art. 33, § 3º). Todas essas pessoas são dotadas de personalidade de direito constitucional (Pontes de Miranda, *Tratado de Direito Privado*, t. I, São Paulo, Ed. RT, 1983, § 77, n. 2, p. 296).

As entidades autárquicas foram redefinidas pelo Decreto-lei 200, de 25.2.1967, da seguinte forma: "Autarquia: o serviço autônomo, criado por lei, com personalidade jurídica, patrimônio e receita próprios, para executar atividades típicas da Administração pública, que requeiram para seu melhor funcionamento, gestão administrativa e financeira descentralizada" (art. 5º, I). Foram, ainda, as autarquias, incluídas na assim chamada Administração Indireta, ao lado das empresas públicas, das sociedades de economia mista e das fundações públicas, estas últimas acrescentadas ao art. 4º, II, "d", e ao art. 5º, IV, do Decreto-lei 200/1967, pelo Decreto-lei 900, de 29.9.1969. Celso Antônio Bandeira de Mello sustenta que "Como definição, o enunciado normativo não vale nada. Sequer permite ao intérprete identificar quando a figura legalmente instaurada tem ou não a natureza autárquica, pois deixou de fazer menção ao único traço que interessaria referir: a personalidade de Direito Público" (*Curso de Direito Administrativo*, 20ª ed., cit., cap. IV, I, n. 2, p. 145). Reconhece, entretanto, o ilustre administrativista que "O certo é que doutrina e jurisprudência jamais hesitaram em reconhecer o caráter de entidade autárquica às pessoas meramente administrativas revestidas de personalidade de Direito Público" (ob. cit., cap. IV, n. 3, p. 146).

Logo, a omissão do Decreto-lei, à personalidade de Direito Público, embora seja censurável, não teve o efeito de impedir a identificação correta das autarquias no âmbito das diversas administrações públicas, federais, estaduais, distrital ou municipais. •

3. As pessoas administrativas, de natureza política e existência necessária, nascem em plano superior ao da legislação assim administrativa como civil, e com finalidades que abrangem, mas superam as da simples administração. A sua sede, no direito positivo, é a Constituição.

Já, ao contrário, as pessoas administrativas de natureza puramente administrativa e existência contingente, surgem no mesmo seio do Direito Administrativo, como obra da lei ordinária, prepostas imediata e exclusivamente à atividade de Administração Pública. Nestas, pois, mais facilmente se apurarão os característicos peculiares, que as ajustam, todas, no essencial, ao conceito enunciado.

• ***3-A.*** O Código Civil diz que as pessoas jurídicas são de direito público, interno ou externo, e de direito privado (art. 40).

Como pessoas jurídicas de direito público interno, a lei civil menciona a União, os Estados, o Distrito Federal e os Territórios, os Municípios, as autarquias e as demais entidades de caráter público, criadas por lei (Código Civil, art. 41, I a V).

Admite, ainda, o Código Civil, a existência de pessoas jurídicas de direito público, a que se tenha dado estrutura de direito privado, as quais, regem-se, no que couber, quanto ao seu funcionamento, pelas normas desse Código (art. 41, parágrafo único).

3-B. Todas as pessoas administrativas são pessoas jurídicas de direito público, com a exceção única daquelas que o Código Civil admite sejam constituídas por lei, com a estrutura de direito privado. Há um longo debate jurídico no que concerne à existência das pessoas administrativas de direito público. A noção de pessoa jurídica de direito público decorre de um empréstimo feito ao direito civil. O Estado foi qualificado como pessoa jurídica. Quem o afirma é Otto Mayer, ao dizer que "Os professores alemães, sem a ajuda de mais ninguém, promoveram o Estado a pessoa jurídica" ("Die Deutschen Professoren haben, ohne alle Beihilfe, den Staat zur juristischen Person ernannt" – cf. Ernst Forsthoff, *Lehrbuch des Verwaltungsrechts*, vol. I: Parte Geral, 10ª ed., 1973, § 25, II, 1, p. 484).

Por diversas razões históricas a pessoa jurídica sempre foi considerada como de direito privado, porque o poder estatal era considerado como grandeza extrajurídica (Francesco Ferrara, *Trattato di Diritto Civile Italiano*, Roma, 1921, p. 621). Com o advento do Estado constitucional e do Estado de Direito, a aludida concepção tornou-se insustentável. As investigações acerca do direito subjetivo público, devidas a Georg Jellinek, alargaram o conceito de pessoa jurídica, para abranger também as pessoas de direito público.

3-C. A distinção não é mais colocada em dúvida. Contudo, há incertezas e dificuldades para estabelecer a diferenciação entre as duas categorias de pessoas (Giovanni Miele, "La Distinzione fra Ente Pubblico e Privato", in *Studi in Memoria di Francesco Ferrara*, vol. II, Milano, 1943, p. 473). Na verdade, nem sempre a linha de separação é nítida. A concepção daquilo que é público ou privado é relativa aos vários sistemas jurídicos de direito positivo e às diferentes épocas da história da humanidade.

3-D. Dois métodos têm sido utilizados para atingir um critério diferencial entre pessoas de direito público e pessoas de direito privado. De um lado, há um sistema empírico, empregado de longa data pela ciência jurídica francesa, que procura definir para os estabelecimentos públicos um regime normal, que lhes descreveria seu modo de ação. Pessoas administrativas de direito público seriam as que fazem parte da Administração Pública, gerem serviços públicos, praticam atos administrativos e estão submetidas às regras do orçamento e da contabilidade públicas. De outro lado, há o método seguido pela ciência jurídica alemã, que procura um elemento diferencial único para separar as duas classes de pessoas. Dentro dessa concepção, inúmeras teorias procuram um conceito único, que serviria para distinguir as pessoas jurídicas públicas das de direito privado.

3-E. Vamos examinar, de acordo com a doutrina alemã, também adotada por outros administrativistas, como Giovanni Miele, os diferentes critérios empregados para chegar a um fundamento inconcusso de separação entre as pessoas jurídicas de direito público e as de direito privado.

3-E-1 Finalidade pública. A primeira concepção é de Otto Mayer. De acordo com o seu pensamento, "para encontrar um critério, o único meio é o de considerar a finalidade da pessoa jurídica; é a sua finalidade exclusivamente, que faz a sua individualidade. São pessoas morais de direito público aquelas que, como o Estado e os Municípios, existem tendo em vista o desenvolvimento de atividade de Administração Pública" (*Le Droit Administratif Allemand*, t. IV, Paris, 1906, § 55, p. 260). Se a finalidade for pública, a pessoa que nasceu com o destino de realizar essa finalidade será pública. Como a finalidade pública é compreendida como finalidade do Estado, será pública toda a entidade cujos objetivos se incluem entre aqueles que são próprios do Estado. Para evitar confusão com as empresas concessionárias de serviço público, por exemplo, que desenvolvem, em seu próprio nome, tarefas que pertencem ao Estado, mediante concessão, permanecendo, entretanto, como entidades privadas, acrescenta-se que a finalidade pública deverá ser institucional, conatural à pessoa. Assim, os interesses geridos pela pessoa administrativa, além de peculiares à sua natureza, devem ser também interesses do Estado e, por conseguinte, interesses comuns (Santi Romano, *Corso de Diritto Amministrativo*, 2ª ed., Padova, 1932, n. 5, p. 87). Além dessa peculiaridade, acrescentada por Santi Romano, há os que procuram explicitar ainda mais o critério da finalidade, exigindo que a consecução desse objetivo seja *obrigatória*. Esse é o pensamento de Rosin, num livro intitulado *Das Recht der Öffentlichen Genossenschaft* (1886, pp. 13 e ss.).

Entretanto, o critério da *finalidade*, na medida em que é tomado com exclusividade, se revela inadequado para distinguir as pessoas de direito público das de direito privado. Deve-se considerar, a propósito, que um determinado fim público pode ser perseguido tanto por uma entidade de direito público quanto por uma pessoa jurídica de direito privado. Isso acontece, por exemplo, com as instituições de beneficência, de instrução, de assistência, que tanto podem ser públicas quanto privadas. O critério da finalidade teria como fundamento a idéia de que o fim público somente poderia ser procurado, com exclusividade, pelo Estado. Essa concepção, entretanto, não se sustenta diante da realidade. Com efeito, ela é contraditada pelo sistema do direito positivo, em particular no que concerne à noção de serviço público, que, não raro, é atividade que o Estado comparte com outras pessoas não estatais. Além disso, é preciso considerar que, no Estado moderno, há pessoas de direito privado que integram a Administração Indireta do Estado, como as empresas públicas e as sociedades de economia mista, que procuram realizar finalidades públicas, mantendo a estrutura de pessoas de direito privado.

Nesse particular, merece integral adesão a afirmação de Ernst Forsthoff, quando diz: "Mas a apresentação das formas de organização da Administração moderna seria incompleta, se ela se limitasse à Administração indireta e se ela se abstivesse de estudar as formas de organização do direito privado" ("Aber die Darstellung der Gliederungsformen der modernem Verwaltung würde unvollständig sein, wenn sie sich auf die mittelbare Staatsverwaltung beschränken und darauf verzichten würde, den *privatrechtlichen Gliederungsformen* ihre Aufmerksamkeit zuzuwenden" (*Lehrbuch des Verwaltungsrechts*, vol. I: Parte Geral, 10ª ed., 1973, § 25, p. 510).

Essas considerações são suficientes para demonstrar as deficiências da teoria da finalidade pública como critério de distinção entre as pessoas de direito público e as de direito privado.

Hodiernamente, é preciso considerar que a ordem jurídica presente, constantemente sujeita a modificações e a transformações, ao influxo das idéias econômicas liberais, criou duas novas formas de entidades, que são as "organizações sociais" (Lei 9.637, de 15.5.1998) e as "organizações da sociedade civil de interesse público" (Lei 9.790, de 23.3.1999), entidades de direito privado, alheias à Administração estatal, que pretendem realizar fins públicos, mediante os assim chamados "contratos de gestão", ainda não definidos em lei. Embora se reconheça o caráter surrealista dessas criações, não há dúvida de que representam novas formas de colaboração de entidades privadas com a Administração Pública, as quais demonstram que nem sempre a finalidade pública – ao menos confessada – é apanágio das pessoas de direito público.

Se a finalidade pública não serve para indicar o elemento fundamental de diferenciação entre as pessoas de direito público e as de direito privado, de forma exclusiva, deve-se sinalar, entretanto, com Jean Rivero, que os fins determinados às pessoas públicas não poderão ser de ordem privada; pelo contrário, sempre lhes é confiada a satisfação de determinados interesses gerais. Por esse motivo, o fim puramente lucrativo não é o objetivo para o qual são constituídas, pois a utilidade pública está sempre presente em sua criação (*Droit Administratif*, 6ª ed., Paris, Dalloz, 1973, cap. II, § 2, n. 39-3º, p. 46).

A finalidade pública não é o critério diferencial único, mas, sem dúvida, é elemento da mais alta relevância para identificar, com segurança, as pessoas administrativas.

3-E-2 Poderes de Império. Na procura de critérios para diferençar os entes públicos dos privados, foi proposta a questão pertinente à outor-

§ 8. AS PESSOAS ADMINISTRATIVAS 131

ga de *poderes de império* à entidade pública. Afirmava Georg Jellinek que a característica da obrigação imposta a uma corporação de realizar a sua finalidade não pode ser considerada como aquela que permite sua classificação entre as corporações de direito público (*Sistema dei Diritti Pubblici Subbiettivi*, Milano, 1912, cap. XVI, p. 293). Segundo Jellinek, o traço característico das pessoas administrativas deve antes residir no fato de que uma corporação seja considerada como sujeito de direito público, isto é, que a ela digam respeito direitos que teoricamente pertencem à esfera de *soberania do Estado*. Com as associações ou corporações de direito público sucederia o mesmo que ocorre com o Estado, que é sujeito de direito público em virtude do poder soberano que lhe é peculiar. Para que uma corporação seja elevada à condição de pessoa de direito público devem ser reconhecidas em seu favor faculdades diversas daquelas que são identificadas nas pessoas jurídicas comuns. Essas faculdades especiais outra coisa não são que *direitos de soberania*.

Esses direitos de soberania manifestam-se de duas formas. Em primeiro lugar, o exercício da soberania deve ser atribuído à corporação pela lei, de tal forma que esse direito possa ser afirmado diante do próprio Estado. Haveria uma transferência de deveres e de direitos do Estado para a corporação por ele criada. O Estado não poderia mais avocar a si, por meio de atos administrativos, o *imperium* concedido à corporação por força de lei. Em segundo lugar, essas corporações devem exercitar necessariamente os direitos de soberania, que lhes foram atribuídos, sobre aqueles que delas fazem parte. Um poder qualificado é exercido sobre os membros das corporações. Haveria uma delegação do poder de *imperium* estatal em favor dessas entidades, que seria transmitido às pessoas jurídicas de direito público criadas pelo Estado, outorgando em seu favor direitos, mas lhes atribuindo deveres, tanto diante do Estado quanto em face dos seus membros.

Entretanto, o direito público conhece entes públicos totalmente desprovidos de poderes de império, de que constituem exemplo conspícuo as instituições de ensino público autárquicas, como as universidades públicas, assim como os estabelecimentos públicos previdenciários, como os institutos de seguridade social, existentes entre nós tanto no plano federal, como o INSS, quanto no plano estadual, de que constitui exemplo, entre nós, o Instituto de Previdência do Estado do Rio Grande do Sul (IPERGS).

É importante salientar que Georg Jellinek introduz uma distinção significativa em sua teoria, ao contrapor às associações perfeitas de direito público uma outra categoria, composta de um número indefinido de corporações, às quais não foi atribuído, de forma alguma, o exercício da soberania, mas têm enorme importância para a realização dos fins do Estado (ob. cit., p. 295). De outra parte, admite Jellinek, graduações intermediárias na concessão do poder de império, em medida maior ou menor, circunstância que torna difícil estabelecer que a outorga de poderes de império representa a diferença essencial entre as pessoas de direito público e as de direito privado.

3-E-3 Controles. Um terceiro critério é o dos controles. A teoria remonta a G. Treves ("Controllo Statale ed Ente Pubblico", in *Temi Emiliana*, 1932, fasc. 10). Outro autor que também adotou a concepção foi Ugo Forti, o qual afirma que o caráter público do ente consiste em ser enquadrado na Administração Pública e esse enquadramento, por sua vez, na obrigação, para a pessoa jurídica pública, de agir para a realização dos seus fins: a referida obrigação, por conseguinte, resulta da "presença de controles apósitos" (*Lezioni di Diritto Amministrativo*, t. I, p. 175).

De acordo com essa concepção, considera-se que o Estado tem um interesse relevante no que concerne às pessoas de direito público e que esse interesse se manifesta submetendo a um reexame a atividade dessas pessoas e supervisionando a conduta de seus órgãos dirigentes. Manifestações análogas, de intensidade diversa, se verificam também no que concerne às pessoas privadas. Entretanto, não são idênticas, pois no caso das pessoas de direito público, os controles visam a assegurar que a entidade realize os fins públicos a que se destina. De outra parte, verifica-se que um sistema de controles administrativos é imposto, na atualidade, sobre as pessoas privadas incumbidas, mediante concessão ou autorização, de executar diversos serviços públicos. Agências apositamente criadas, no Brasil, como a ANATEL, a ANEEL, a ANVISA, a ANS e a ANP exercem controles sobre empresas concessionárias de serviços públicos, bem como sobre diversas manifestações de atividade econômica que interessam à sociedade e ao Estado, de que constituem exemplos a ANS, que fiscaliza as operadoras dos planos de assistência à saúde, e a ANP, cuja atividade se desenvolve "como órgão regulador da indústria do petróleo, vinculado ao Ministério de Minas e Energia" (art. 7º, Lei 9.478, de 6.8.1997), observada a regra constitucional do monopólio do petróleo pela União (CF, art. 177).

Indubitavelmente, a inspeção que o poder público exerce, sob a denominação de tutela administrativa, sobre as entidades autárquicas, representa modalidade do poder de controle do Estado sobre as pessoas jurídicas por ele criadas (vide adiante, § 14, n. 5). Como se observa pelos

§ 8. AS PESSOAS ADMINISTRATIVAS 133

exemplos já referidos, o poder de inspeção, ora se volta para a fiscalização de entidades privadas, ora para supervisionar pessoas jurídicas de direito público, não servindo, portanto, de critério seguro para estabelecer distinção apropriada entre essas duas espécies de pessoas jurídicas.

3-E.4 Posição Jurídica. Outra doutrina pretende identificar o caráter da pessoa jurídica pela *posição jurídica* de que ela desfruta no Estado. Essa posição aponta para dupla direção: de um lado, os privilégios e prerrogativas que recebe; de outro, as restrições, vigilância e tutela a que está submetida.

A pessoa jurídica de direito público desfruta de uma posição jurídica privilegiada, no que concerne a direitos. Em primeiro lugar, a imunidade tributária, a que se refere o art. 150, VI, "a", e § 2º, da Constituição Federal de 1988. Em segundo lugar, o privilégio de jurisdição, como no caso do INSS, sempre que houver sede de vara do juízo federal (CF, art. 109, § 3º); em terceiro lugar, o privilégio dos prazos em quádruplo para contestar e em dobro para recorrer (CPC, art. 188), peculiar à Fazenda Pública e aplicável às autarquias e fundações públicas (Lei 9.469, de 10.7.1997). Em quarto lugar, o direito de preferência dos créditos tributários das pessoas administrativas (CTN, art. 186). Em quinto lugar, a execução judicial especial para a cobrança das dívidas ativas, inclusive das autarquias (Lei 6.830, de 22.9.1980, art. 1º). Todos esses direitos e privilégios são típicos das pessoas administrativas em geral, tanto as de natureza política e existência necessária quanto as de natureza meramente administrativa e existência contingente, como as entidades autárquicas e as fundações públicas. Em compensação, como reverso da medalha, o Estado se envolve em sua administração, estabelece a supervisão ministerial, controla-as pelo mecanismo da tutela administrativa e submete-as a limitações de diversos tipos. Mas os privilégios não são suficientes para separar nitidamente as pessoas de direito público das pessoas de direito privado. Não raro, o Estado concede isenções tributárias, mediante lei, a entidades privadas, com o objetivo de encorajar e de estimular determinadas atividades. Não é decisiva, por outro lado, a posição de vigilância ou de tutela a que se encontra submetida determinada entidade. Há um poder de inspeção do Estado sobre os serviços concedidos (cf. infra, § 14, n. 5), exercitado sob a forma de fiscalização permanente de sua execução (Lei 8.987, de 13.2.1995, art. 29, I). Essa peculiar forma do poder de inspeção exercitado pela Administração Pública não transforma, por exemplo, uma empresa concessionária de serviço público em pessoa jurídica de direito público. Mesmo quando a ingerência penetra profundamente na vida da pessoa jurídica, poder-se-á, quando muito, falar em "organizações sociais" (Lei 9.637, de 15.5.1998), ou em "organizações da sociedade civil de interesse público" (Lei 9.790, de 23.3.1999), que são pessoas jurídicas de direito privado que podem estabelecer "contratos de gestão" ou "termos de parceria" com a Administração Federal, de cuja relação é possível induzir o caráter de utilidade pública da pessoa, mas não a qualidade de pessoa jurídica de direito público, pois tratam-se de conceitos diversos. Giovanni Miele, ao tratar do tema, assim se expressa: "A existência de uma relação particular publicística entre o Estado e o ente público, se é elemento necessário para determinar a posição deste último, não é, contudo, suficiente. Ajuda a considerar que só em poucos casos essa relação se delineia no direito positivo (...)" ("La Distinzione fra Ente Pubblico e Privato", p. 502). Miele conclui afirmando que das observações desenvolvidas sobre a posição jurídica dos entes públicos "não se pode extrair um argumento decisivo em favor da publicidade do ente" (ob. cit., p. 502). Constata-se, assim, que o conceito de posição jurídica da pessoa em face do Estado não é decisivo para caracterizá-la como entidade de direito público.

3-E.5 *Modo de constituição.* Outra teoria pretende dessumir a distinção pelo modo de constituição da pessoa jurídica. Ludwig Enneccerus observa que as pessoas públicas devem o seu nascimento a um ato de criação estatal, enquanto que as pessoas de direito privado repousam sobre um ato privado de constituição e fundação (*Lehrbuch des Bürgerlichen Rechts*, t. I, p. 233). Segundo Enneccerus "o ponto de vista decisivo está no nascimento da pessoa jurídica". Mais adiante, afirma apositamente: "São pessoas jurídicas de direito público as constituídas imediatamente pela lei ou por ato administrativo para serem titulares de funções públicas, de modo que sua constituição está regulada pelo interesse público, por prescrição de direito, ou então são reconhecidas posteriormente, mediante lei ou ato administrativo da autoridade competente". Contra essa concepção, há o argumento evidente de que o Estado, como pessoa jurídica que é, pode ser instituidor de pessoas jurídicas tanto de direito público quanto de direito privado. O nascimento dessas pessoas pode ocorrer por ato administrativo, autorizado por lei específica no nosso caso (CF, art. 37, XIX), ou simplesmente decorrer diretamente da lei. É o caso das empresas públicas, constituídas como sociedades de um sócio só, cujo capital pertence exclusivamente à União Federal. Também é o caso de inúmeras fundações de direito privado, cuja criação foi autorizada por lei e que são denominadas de fundações públicas. De outra parte, as sociedades de economia mista, cuja forma societária obrigatória é a da sociedade anônima (Decreto-lei 200/1967, art. 4º, II, "c", e art. 5º, III), são criadas hodiernamente, mediante autorização legislativa, assim como exige a Constituição Federal (art. 37, XIX). Nos casos da criação de empresas públicas e de sociedades de economia mista, há criação, autorizada por lei, de pessoas jurídicas de direito privado.

3-E.6 Direito de dominação, competência e submissão ao controle do Estado. Fritz Fleiner propõe um critério misto para identificar as pessoas jurídicas de direito público, em particular as administrativas, de existência contingente. Na sua concepção, as autarquias (*Selbstverwaltungskörper*), que poderíamos denominar de entidades de administração autônoma numa tradução literal, estão obrigadas, diante do Estado a desempenhar tarefas administrativas que lhes são próprias ou lhes foram delegadas. Mas o elemento decisivo – diz Fleiner – para a determinação da natureza jurídica desses grupamentos reside no fato de que estão revestidos do direito de dominação estatal (*imperium*), de um poder de comando. Mas, logo a seguir, afirma que isso não diz nada ainda sobre a natureza jurídica desses grupos ou entidades. É preciso ir além, para constatar que no conjunto da Administração Pública, os corpos de administração autônoma se caracterizam por dois traços: em primeiro lugar, pela sua esfera de competência; em segundo, pela sua submissão ao controle do Estado. O Estado confia a essas pessoas atividades de Administração Pública. A pessoa jurídica pública passa a agir por delegação e no interesse do Estado. O poder para assim atuar lhe foi conferido pelo próprio Estado. De outra parte, essas entidades estão submetidas ao poder de controle do Estado. O Estado vigia para que não ultrapassem a esfera de sua competência, própria ou delegada, bem como para que realizem permanentemente as atividades que lhes foram confiadas. Por força de seu poder de controle, as autoridades do Estado detêm a faculdade de tomar conhecimento, de ofício, da atividade das pessoas administrativas menores. Não raro, esse poder assume a feição de verdadeira tutela do Estado sobre as entidades por ele criadas (*Les Principes Généraux du Droit Administratif Allemand*, trad. de Charles Eisenmann, Paris, 1933, § 7, II, 1º e 2º, "a" e "b", pp. 70-80).

Esse critério misto, escolhido por Fritz Fleiner para identificar as pessoas jurídicas de direito público, particularmente as administrativas, demonstra a enorme dificuldade com que se defronta a ciência jurídica para estremar as pessoas jurídicas públicas das de direito privado. Os diferentes critérios apresentados não estão equivocados, pois aparecem nas pessoas administrativas criadas pelo Estado, mas não são os únicos; tampouco nos dão garantia segura de esgotar as características que identificam a verdadeira natureza jurídica das pessoas administrativas.

***3-E.7** Titularidade da Administração Pública*. Na formulação de Hans Julius Wolff e Otto Bachof, as pessoas jurídicas de direito público, de natureza administrativa, se caracterizariam por ser "Titulares da Administração Pública" ("Träger öffentlicher Verwaltung"). Wolff e Bachof, vão além e também afirmam que "elas são na maioria também titulares de poder soberano e podem, via de regra, por meio de disposições autonômicas de direito público, estabelecer direito objetivo e impor contribuições" ("Sie sind meist auch Träger hoheitlicher Gewalt, können i.d.R. in öffentlich – rechtliche Satzungen objektives Recht setzen und Beiträgen erheben"). Continuam: "Elas são em grande parte competentes para gerir serviços públicos. (...) Sempre estão limitadas à procura dos fins públicos e submetidas à supervisão do Estado" ("Stets sind sie eingeschränkt auf die Verfolgung öffentlicher Zwecke und unterliegen der Aufsicht des Staates" – *Verwaltungsrecht*, t. I, 9ª ed., München, 1974, § 34, I, b, n. 2, p. 245).

A titularidade da função de administração, bem como a competência para editar disposições autonômicas e gerir serviços públicos, assim como a titularidade do poder de soberania, sob a tutela do Estado seriam os elementos característicos que identificariam a pessoa administrativa, ou pessoa de direito público, distinguindo-as das pessoas jurídicas de direito privado. As observações são de grande exatidão, mas continua a diversidade de elementos característicos para indicar a existência da pessoa jurídica de direito público.

***3-E.8** Definição legal*. Segundo Giovanni Miele, para determinar se um ente é público ou privado, é decisivo tão-somente aquilo que foi estabelecido pelo legislador. Como este nunca se atém a um só critério, deve-se abandonar qualquer posição apriorística e deduzir a natureza pública ou privada de um ente da disciplina legal concreta que foi editada a seu respeito. Esta, segundo Miele, é a primeira e mais importante diretiva a seguir, quando se pretende manter dentro dos lindes do direito objetivo, sem levar em consideração os esquemas e as teorias elaboradas pela doutrina. Embora sem descurar das disquisições doutrinárias, poder-se-ia afirmar, de acordo com Miele, que, ao se falar de pessoas jurídicas públicas e privadas, de entes públicos e privados, emprega-se uma expressão convencional para significar que existem pessoas enquadradas na organização do Estado e pessoas que permanecem fora dessa organização ("La Distinzione fra Ente Pubblico e Privato", in *Studio in Memoria di Francesco Ferrara*, t. II, Milano, 1943, n. 7, p. 493).

§ 8. AS PESSOAS ADMINISTRATIVAS

Em nosso direito, o insigne Pontes de Miranda adotou posição semelhante, ao afirmar: "O que se pode extrair da observação dos sistemas jurídicos é apenas o seguinte: as pessoas jurídicas, que o direito público cria, por lei, ou por ato administrativo legal, são de direito público, se o próprio sistema jurídico não as privatiza desde logo, ou mais tarde; as pessoas jurídicas, que oriundas do direito privado, são, por lei ou ato administrativo legal, tornadas de direito público (...) enquanto não se lhes tira esse caráter. *Tudo se reduz a certo arbítrio do legislador, dentro dos princípios constitucionais*" (*Tratado de Direito Privado*, t. I, 4ª ed., 1983, São Paulo, § 76, n. 1, p. 293).

Em nossa opinião, a razão está com Pontes de Miranda, que manifesta opinião similar à de Giovanni Miele. É necessário sempre recorrer à lei para estabelecer a distinção entre as pessoas de direito público e as de direito privado. Isso não significa que se não possa invocar o auxílio das disquisições doutrinárias sobre os diferentes critérios de distinção, sempre valiosas como subsídio complementar, nos casos concretos.

De qualquer modo, a evolução dos tempos tem demonstrado que a noção de pessoa jurídica de direito público está de tal forma arraigada na estrutura da Administração Pública, que não é necessário aprofundar-se em maiores discussões para afirmar sua existência em contraposição às entidades de direito privado (vide Ernst Forsthoff, *Traité de Droit Administratif Allemand*, Bruxelles, 1969, p. 697). •

4. A pessoa administrativa, seja a de natureza política, seja a de natureza meramente administrativa, esta, porém, de modo especial, singulariza-se pela sua adequação específica à atividade de Administração Pública.

A pessoa jurídica é uma relação de direito, estabelecida entre duas ou mais pessoas, para a unificação e, não raro, para a perpetuação em unidade, quanto a bens comuns e atos determinados, das virtualidades jurídicas, ínsitas na capacidade de agir de cada uma (Ruy Cirne Lima, *Sistema de Direito Administrativo Brasileiro*, t. I, Porto Alegre, 1953, p. 178). É o vínculo jurídico, pelo qual se unificam potencialidades que, separadamente, não poderiam produzir o resultado a ser alcançado. A consideração do resultado é que determina, conseqüentemente, a constituição do vínculo unificador, sem o qual o mesmo resultado se mostraria inatingível. A finalidade, inacessível a um só indivíduo, é que faz surgir a pessoa jurídica, consociação de tantos indivíduos quantos bastem à persecução eficaz do propósito comum. Não se pode conceber uma cidade a obrigar-se, sem pressupor-se um vínculo jurídico que unifique em cidade todos os cidadãos, para o efeito de se obrigarem como cidade.

A essa relação de direito, a esse vínculo jurídico, dá-se a denominação de pessoa jurídica. A pessoa jurídica é, destarte, como um pré-efeito, do resultado que lhe é proposto. A atividade de Administração Pública antepõe-se, na ordem lógica, à pessoa administrativa, à qual é referida.

"Primum in intentione, ultimum in executione". O ato pelo qual o fim determinado se realiza, é anterior logicamente ao órgão ou instrumento, mediante o qual o mesmo ato vem, depois, a realizar-se. Assim, a pessoa administrativa, enquanto pessoa jurídica, órgão ou instrumento da atividade de Administração Pública, encontra, nessa atividade mesma, o seu princípio informador. Como, na atividade de Administração Pública, está ínsita uma relação de administração, pode dizer-se de outro lado, ainda, que a relação de administração, de alguma forma, suscita e chama à existência a pessoa administrativa, conformando-lhe a estrutura e adaptando-a especificamente a si própria.

Certo, as pessoas administrativas, e, notadamente as de natureza política, não adscrevem toda a atividade, de que são capazes, aos limites da Administração. São atos da pessoa administrativa também os atos ilícitos, embora lhe contrariem a finalidade. Quanto às pessoas administrativas, de natureza política e existência necessária, fogem aos limites da Administração os atos materiais, formalmente tais, de legislação e de jurisdição (v. § 2, n. 5, supra). Também os atos políticos não se caracterizam como atos típicos da Administração. • Ruy Barbosa, a propósito desse assunto, assim se manifestava:

"Mas como reconhecer esse gênero especial de questões? Quais as questões meramente, unicamente, exclusivamente políticas? Óbvio é que as relativas ao exercício de poderes mera, única e exclusivamente políticos.

"Quais são, porém, os poderes exclusiva e meramente políticos? Evidentemente os que não são limitados por direitos correlativos, nas pessoas, individuais ou coletivas, sobre que tais poderes se exercem. Quando à função de um poder, governativo ou legislativo, não corresponde, fronteiramente, um direito constitucional da entidade, natural ou moral, que a ação desse poder interessa e poderá ferir, um tal poder está confiado, pela sua natureza, ao arbítrio da autoridade em que reside. É um poder discricionário, e, como poder discricionário, seria palpável contradição nos termos que sofresse restrição pela interferência coibitiva de outro.

§ 8. AS PESSOAS ADMINISTRATIVAS

"De sorte que a noção abstrata de poder meramente político se define praticamente pela noção concreta dos poderes discricionários" (*Comentários à Constituição Federal Brasileira*, coligidos e ordenados por Homero Pires, São Paulo, Saraiva, 1933, vol. IV, p. 215). •

Mas nem por isso deixa de ser a atividade de administração, sem a qual nenhuma pessoa jurídica existe (Ruy Cirne Lima, *Sistema*, p. 39, § 4, n. 8), a grande força que as faz transcender do inorgânico ao orgânico, da coletividade à personalidade.

5. Dessa adequação específica entre a pessoa administrativa e a atividade de Administração Pública, mais saliente quanto às pessoas de natureza meramente administrativa e existência contingente, decorrem, como corolários, algumas peculiaridades que relevantemente sinalam, em face do direito positivo, a pessoa administrativa como tal.

Primeira conseqüência dessa adequação perfeita entre a pessoa jurídica e a atividade, é a atribuição às pessoas administrativas da atividade de Administração Pública, por modo imediato, isto é, sem dependência de um negócio jurídico intermediário (Ruy Cirne Lima, *Sistema*, ob. cit., § 15, n. 4, p. 141). Excepcionalmente, uma atividade de Administração Pública pode vir a ser atribuída pelo modo imediato, a uma pessoa jurídica de direito privado. Mas, nesse caso, a norma que assim disponha, terá de haver-se como *jus singulare* ou, seja, editada *contra tenorem rationis*, na afirmação do jurisconsulto Paulus (*Digesto*, Liv. I, Tit. III, fr. 16, *De Legibus*).

A imediatidade da atividade de Administração Pública, com respeito à pessoa administrativa, marca-lhe a diferença específica, em confronto com todas as demais pessoas, físicas ou jurídicas, que exercitam a Administração Pública. O funcionário e o concessionário de serviço público (pessoa física ou jurídica) se exercitam Administração Pública, exercitam-na em dependência de um negócio jurídico intermediário (nomeação ou concessão). A eficácia legitimadora desse negócio jurídico real ou aparente, é que distingue, de resto, o funcionário de fato do usurpador de função pública (Francisco Campos, *Pareceres*, Rio de Janeiro, 1934, p. 124; Fernando Henrique Mendes de Almeida, *Contribuição ao Estudo da Função De-fato*, São Paulo, 1957, n. 38, p. 44).

Desse negócio jurídico de legitimação, porém, prescinde, por definição, a pessoa administrativa, quanto à atividade de Administração Pública: esta lhe é imediata e conatural.

Conseqüência, por igual, e não menos importante, daquela adequação específica entre a pessoa administrativa e a atividade de Administração Pública (v. Hans Julius Wolff – Otto Bachof, ob. cit., t. I, § 34, I, "b", n. 2, p. 245) é a regra segundo a qual o ato administrativo somente pode emanar da pessoa administrativa (v. § 11, princ., infra).

Na verdade, somente o Estado e as demais pessoas administrativas são capazes, em sua atividade administrativa de comensurar-se, como potência, à utilidade pública, como ato; somente eles podem dizer-se *ad hoc* instituídos e organizados. Ora, utilidade pública é o princípio que dominativamente informa, como finalidade, todo o direito administrativo (v. § 1, n. 1, supra); e informa, também finalisticamente, a mesma atividade de Administração Pública e a relação de administração que por ela se exterioriza. Frustrar-se-ia a adequação entre a pessoa administrativa e a atividade de Administração Pública, se não se admitisse o referimento necessário do ato administrativo à pessoa administrativa (Otto Mayer, *Le Droit Administratif Allemand*, t. I, *Partie Générale*, Paris, 1903, § 8, p. 120).

6.1 Três formas estruturais da personalidade jurídica depara-nos o nosso Direito Administrativo: a corporação, a fundação e o estabelecimento público.

• Essa divisão tripartida remonta a Otto Mayer. Dizia Mayer que "uma empresa pública determinada, de um caráter permanente, um *estabelecimento público* (*öffentliche Anstalt*), como nós o chamamos (§ 51, nota 1, p. 184), pode ser acompanhada de uma personalidade jurídica criada para esse efeito. A designação da finalidade dessa pessoa, do ponto de vista material, está, por conseguinte, estabelecida de antemão com uma grande clareza: é a gestão desse estabelecimento. Por isso, é denominado de *öffentliche Anstalt*. Isso quer dizer que se trata de um estabelecimento público personificado, ou tendo uma personalidade jurídica individualizada (*Le Droit Administratif Allemand*, t. IV, 1906, § 56, p. 267). Mas, além dos estabelecimentos públicos, Otto Mayer foi adiante e definiu as fundações públicas, afirmando: "Nós nos servimos também, para pessoas jurídicas semelhantes, da expressão *fundação pública* (*öffentliche Stiftung*); dá-se-lhe como caráter particular de ter como substrato simplesmente um certo patrimônio, em oposição à corporação e à associação, que têm, atrás de si, ao mesmo tempo, um grupo de pessoas naturais" (ob. cit., t. IV, § 56, p. 268). Mais adiante, Otto Mayer nos fala "de uma pessoa moral designada como sendo aquela constituída por uma reunião de indivíduos ao interesse dos quais ela serve. Tal é a particularidade da *associação pública* (*öffentliche Genossenschaft*). É uma reunião de pessoas, tendo personalidade jurídica para a gestão de uma porção da

Administração Pública. Os seus membros são os destinatários desse corpo de administração própria" (ob. cit., t. IV, § 56, p. 272).

6.1-A Essa classificação tripartida foi retomada por Walter Jellinek, que distingue as pessoas administrativas, dividindo-as em corporações (*Körperschaften*), fundações (*Stiftungen*) e estabelecimentos públicos (*Anstalten*), acrescentando que a distinção é importante ("Die Unterscheidung ist wichtig"), quando uma lei pode tratar de uma espécie ou de outra ("Wenn ein Gesetz die eine Art anders behandelt" – *Verwaltungsrecht*, Berlin, 1929, § 8, II, n. 1, p. 163).

Já naquele tempo havia os que pretendiam subsumir o conceito de estabelecimento público dentro do de instituição, praticamente confundindo-o com o de fundação. Mas Walter Jellinek chamava a atenção para a distinção que deveria ser feita entre estabelecimento público e fundação, afirmando que a separação entre fundações e estabelecimentos públicos era importante ("(...) die Abgrenzung zwischen Stiftungen und Anstalten nötig ist"). Dizia mais, Walter Jellinek, que "Mais importante do que a divisão tripartida da personalidade jurídica de direito público, é somente a divisão bipartida entre pessoas jurídicas de direito privado e de direito público" ("Wichtiger als die Dreiteilung ist die Zweiteilung in juristische Personen des Privatrechts und des öffentlichen Rechts") (ob. cit., p. 164).

6.1-B Na mesma época em que Walter Jellinek escreveu seu livro sobre o Direito Administrativo, Fritz Fleiner também elaborou o seu, intitulado *Institutionen des Deutschen Verwaltungsrechts*, cuja oitava edição data de 1928. Nessa obra, Fleiner adota posições análogas às de Otto Mayer e de Walter Jellinek. Fleiner nos diz que "Uma olhada na legislação nos mostra, que no terreno do direito público, a associação corporativa, ou a *corporação* de direito público, para atingir finalidades coletivas, se revela como a forma mais adequada" (ob. cit., § 7, p. 105). Também quando se trata de realizar tarefas estatais mais importantes, o poder público cria os "öffentlichrechtliche *Anstalten*" -- os estabelecimentos públicos. Tais estabelecimentos públicos são chamados à existência por meio da vontade estatal, do Estado ou de um Município ("Solche Anstalten werden durch den Willen des Staats oder einer Gemeinde ins Leben gerufen" – Fleiner, ob. cit., pp. 106-107). "Essa vontade parcial se torna independente da ordem jurídica e sob o *spiritus rector* de um estabelecimento público ou – o que é semelhante – cria a *fundação* de direito público (*der öffentlichrechtlichen Stiftung*)'lhe atribuindo um patrimônio" (Fritz Fleiner, ob. cit., p. 107).

Novamente aparece a divisão tripartida das entidades de natureza meramente administrativa e de existência contingente, que são as entidades autárquicas, denominadas pela doutrina alemã, genericamente, de *Selbstverwaltungskörper*.

6.1-C Depois dessas manifestações, a melhor doutrina orientou-se progressivamente nesse sentido. Ernst Forsthoff sustenta que as pessoas de direito público se subdividem em corporações, fundações e estabelecimentos públicos (*Lehrbuch des Verwaltungsrechts*, vol. I: Parte Geral, 10ª ed., München, 1973, § 25, II, n. 1, p. 484). Reconhece Forsthoff que se discute a questão de saber se a noção de fundação de direito público (*Stiftungen des öffentlichen Rechts*) é distinta da de estabelecimento público (*öffentliche Anstalt*). A fundação apresenta uma importância prática menor, no dizer de Forsthoff, do que o estabelecimento público, existindo certo parentesco entre as duas noções. Mas reconhece que entre as duas há diferenças que justificam uma concepção distinta para a fundação de direito público (ob. cit., § 25, n. 4, p. 506).

6.1-D Embora reconhecendo um caráter secundário para a fundação de direito público ("der öffentlich-rechtlich Stiftung kommt daneben nur eine sekundäre Bedeutung zu"), Ernst Rudolf Huber adota a classificação tripartida em sua notável obra sobre o Direito Administrativo Econômico (*Wirtschaftsverwaltungsrecht*, vol. I, 2ª ed., Tübingen, 1953, § 11, I, n. 1, p. 104).

6.1-E Mais recentemente, Hans-Julius Wolff e Otto Bachof reconhecem que as pessoas jurídicas de direito público podem consistir numa associação de pessoas (*Körperschaft*), numa organização administrativa de um patrimônio destinado a terceiros (*Stiftung*), ou na direção de uma empresa destinada a realizar finalidade pública (*Anstalt*) (*Verwaltungsrecht*, t. I, 9ª ed., München, 1974, § 34, I, b, n. 2, p. 244).

6.1-F Na década de 1980, Norbert Achterberg, ao falar da Administração autônoma, ou Administração indireta do Estado, afirmava que, dentro dessa concepção, devem ser levadas em consideração as pessoas jurídicas de direito público, das quais três espécies são consagradas: a) corporações de direito público, organizadas com base na participação de associados; b) estabelecimentos públicos, como conjunto de meios pessoais e materiais, servindo a um fim determinado da Administração Pública; c) fundações de direito público, que são constituídas por um patrimônio destinado à realização de um fim público, a que se atribui personalidade jurídica (*Allgemeines Verwaltungsrecht. Ein Lehrbuch*, Heidelberg, 1982, § 11, I, ns. 3, 4, 5 e 6, pp. 146-147).

6.1-G Idêntica é a posição de Hartmut Maurer (*Allgemeines Verwaltungsrecht*, 5ª ed., München, 1986, § 23, ns. 30 a 55, pp. 468 a 481), devendo-se salientar a distinção que faz entre os três tipos de pessoas administrativas, no que concerne aos administrados. Afirma que enquanto a corporação possui associados e o estabelecimento público tem usuários, a fundação é instituída para satisfazer as necessidades de destinatários ("Während die Körperschaft Mitglieder und die Anstalt Benutzer hat, gibt es bei die Stiftung allenfalls Nutzniesser Destinatäre" – ob. cit., § 23, n. 55, p. 481).

6.1-H Essas considerações demonstram que o direito brasileiro, no que concerne às pessoas administrativas, inconscientemente é tributário do direito alemão, pois os autores nacionais teimam em só admitir a existência de fundações de direito privado. A teimosia chegou a tal ponto que o Decreto-lei 200, de 25.2.1967, com a redação dada pelo Decreto-lei 900, de 29.9.1969, define, em seu art. 5º, inciso IV, a "Fundação Pública", como "a entidade dotada de personalidade jurídica de direito privado, sem fins lucrativos, criada em virtude de autorização legislativa, para o desenvolvimento de atividades que não exijam execução por órgãos ou entidades de direito público, com autonomia administrativa, patrimônio próprio gerido pelos respectivos órgãos de direção e funcionamento custeado por recursos da União e de outras fontes". De outra parte, a Constituição Federal, já deformada por inúmeras emendas – não raro traduzindo verdadeiras fraudes constitucionais –, fala "da Administração direta, autárquica e fundacional" (art. 38, *caput*), tendo criado, em oposição à Administração direta, não apenas a autárquica, mas ainda a fundacional. Denomina, entretanto, as fundações, de fundações públicas, e impõe a elas todas as restrições a que estão sujeitas as autarquias. Para tanto, basta ler o disposto no art. 71, incisos II e III, da Constituição Federal, para constatar que não há diferenças entre as corporações e os estabelecimentos públicos autárquicos e as fundações no que concerne ao julgamento das contas dos administradores e na apreciação dos atos de admissão de pessoal, a qualquer título, bem como as concessões de aposentadoria, reformas e pensões. A idéia de criar uma Administração fundacional em oposição à autárquica não tem efeito prático algum e está em desacordo completo com a melhor doutrina sobre o tema das autarquias, que é a do direito alemão.

6.1-I No direito italiano, a distinção tradicional das pessoas de direito público é feita entre corporações e instituições. Nesse sentido manifestam-se Guido Zanobini (*Corso di Diritto Amministrativo*, 1958, vol. I, cap. III, § 1, n. 7, "c", p. 128), Renato Alessi (*Principi di Diritto Amministrativo*, vol. I, Milano, 1974, n. 25, p. 54) e Santi Romano (*Corso di Diritto Amministrativo*, Padova, 1932, III, § 1, n. 7, p. 91), todos distinguindo os entes públicos em corporações e instituições (corporazioni ed istituzioni). Admite, entretanto, Santi Romano, a existência de fundações, em contraposição às corporações.

Com relação a sua estrutura, se contrapõem – no dizer de Santi Romano – as comunidades ou corporações às instituições ou fundações, segundo tenhamos entre seus elementos, ou não, uma coletividade de membros (*Corso*, cit., p. 91). A distinção termina sem efeito, porquanto Romano subsume as fundações no seio das instituições.

6.1-J No Direito Administrativo francês também não podemos encontrar símile, considerando que a Administração indireta daquele país é dominada pela noção de "établissement public", que é considerado como pessoa jurídica de direito público que tem por objeto a gestão de um serviço público (Jean Rivero e Jean Waline, *Droit Administratif*, 17ª ed., Paris, Dalloz, 1998, n. 484, p. 461). Entretanto, ao lado do estabelecimento público, o Conselho de Estado, na França, reconheceu a personalidade de direito público para as ordens profissionais, que não são consideradas estabelecimentos públicos, cujo regime jurídico não conviria a esse tipo de pessoas. Não admitindo a extensão da noção de estabelecimento público para as ordens profissionais, o Conselho de Estado criou um novo tipo, que veio a somar-se às formas clássicas administrativas, correspondentes à administração das profissões. Trata-se de uma nova estrutura especializada, a que se reconhece o caráter corporativo (Francis-Paul Bénoit, *Le Droit Administratif Français*, Paris, 1968, ns. 421-423, pp. 240-241). A todas essas pessoas, tanto estabelecimentos públicos, quanto corporações, bem como departamentos e municípios, o Direito Administrativo francês, como o nosso, designa como pessoas administrativas (Francis-Paul Bénoit, ob. cit., n. 124, p. 89; André de Laubadère, *Traité de Droit Administratif*, t. I, Paris, 1976, n. 69, p. 57). •

6.2 A corporação é uma relação jurídica *ob personam*; a fundação, uma relação jurídica *ob rem*; ambas, porém, estabelecidas entre pessoas (Ruy Cirne Lima, *Sistema de Direito Administrativo Brasileiro*, t. I, 1953, p. 199). Na corporação, a relação jurídica estabelece-se *intuitu personae*, entre as pessoas que se reúnem para compô-la; na fundação, entre o fundador e o povo – o povo, no seio do qual se encontram, latentes ou manifestos, mas, de regra, indeterminados, os beneficiários ou destinatários da dotação patrimonial correspondente (Ruy Cirne Lima, *Sistema*, t. I, pp. 199-200). O estabelecimento público, à sua vez, é o serviço público, a que se reconhece personalidade jurídica. Não é uma corporação, por isso que lhe faltam associados ou membros. Não é tampouco uma fundação pura e simples, por isso que a sua personificação se não explica meramente pelo propósito de dar destino a um patrimônio. No estabelecimento público, bem ao contrário, a personificação é antes necessitada pelas exigências da divisão do trabalho, na realização da tarefa estatal, a fim de que o Estado, graças à desagregação de alguns de seus serviços públicos, possa, com menor esforço ou dispêndio, imprimir-lhes à execução maior eficiência.

• Segundo Otto Mayer, o estabelecimento público tem por finalidade a de servir às finalidades do bem público e recebe a sua competência para atuar dessa peculiaridade de representar o bem público e a sua realização efetiva (*Deutsches Verwaltungsrecht*, vol. II, 1969, § 51, III, p. 277). •

Denota, não obstante, o estabelecimento público um tipo de personalidade, aproximado do da fundação. Ao passo, porém, que a fundação é comum ao direito privado e ao direito público, o estabelecimento público é figura peculiar a este. No nosso direito público não se confundem o estabelecimento público e a fundação. Prescrevia o art. 22 do Código Civil de 1916: "Extinguindo-se uma associação de intuitos não-econômicos, cujos estatutos não disponham quanto ao destino ulterior de seus bens, não tendo os sócios adotado a tal respeito deliberação eficaz, devolver-se-á o patrimônio social a um estabelecimento municipal, estadual ou federal, de fins idênticos ou semelhantes". Da mesma forma, o art. 61 do atual Código Civil, assim dispõe: "Dissolvida a associação, o remanescente do seu patrimônio líquido, depois de deduzidas, se for o caso, as quotas ou frações ideais referidas no parágrafo único do art. 56, será destinado à entidade de fins não econômicos designada no estatuto, ou, omisso este, por deliberação dos associados, à instituição municipal, estadual ou federal, de fins idênticos ou semelhantes".

• Dispunha, ao revés, o art. 30 do antigo Código Civil: "Verificando ser nociva ou impossível a manutenção de uma fundação, ou vencido o prazo de sua existência, o patrimônio, salvo disposição em contrário no ato constitutivo, ou nos estatutos, será incorporado em outras fundações, que se proponham a fins iguais ou semelhantes". O art. 69 do Código Civil de 2002 também contém disposição análoga, determinando que no caso de extinção, deverá ser incorporado "(...) o seu patrimônio, salvo disposição em contrário no ato constitutivo, ou no estatuto, em outra fundação, designada pelo juiz, que se proponha a fim igual ou semelhante". •

Corporações, fundações e estabelecimentos públicos, eis, portanto, delimitado o campo de nosso estudo.

7. O Direito Administrativo Brasileiro conhecia três tipos principais de corporações: as corporações de disciplina mercantil, as de disciplina profissional e as de assistência social.

Corporações de disciplina mercantil. Pertenciam a esse número as antigas corporações de corretores de fundos públicos, de organização federal e estadual. Sua existência jurídica era incontestável. No decreto legislativo da União que instituiu a Bolsa de Fundos Públicos do Distrito Federal, atribuiu-se à Câmara Sindical, órgão diretor desta, competência para "organizar o regimento interno da Bolsa e da corporação dos corretores" (Decreto 354, de 16.12.1895, art. 7º, "b"). No nosso Estado, o Decreto 4.847, de 19.11.1931, que criou a Bolsa de Fundos Públicos de Porto Alegre, impôs à respectiva Câmara Sindical o dever de "velar pela disciplina e sociabilidade da corporação (art. 70, n. 13).

• Hodiernamente não existem mais essas corporações de corretores de fundos públicos, substituídas que foram pelas novas "Bolsas de Valores e (...) sociedades corretoras que sejam seus membros" (art. 5º, I, da Lei 4.728, de 14.7.1965, que "disciplina o mercado de capitais e estabelece medidas para o seu desenvolvimento"). De outra parte, "As Bolsas de Valores são associações civis, sem finalidades lucrativas", que "dependerão, para o início das operações, de prévio registro no Banco Central e autorização deste (...)" (Resolução n. 39 da Comissão de Valores Mobiliários, de 20.10.1966). •

Corporações de disciplina profissional. Conumeram-se entre estas a Ordem dos Advogados do Brasil e as suas diferentes secções, dotadas, como aquela, de personalidade jurídica. Ressai a natureza corporativa dessas pessoas jurídicas da sua composição, coletividades de advogados, denominados membros da Ordem; da sua organização, em que uma assembléia geral, denominada de Conselho Federal (Lei 8.906, de 4.7.1994, art. 51 e ss.), delibera e sobrepaira a todos os demais órgãos; • da sua definição como serviço público, dotada de personalidade jurídica e forma federativa (Lei 8.906/1994, art. 44, *caput*). Tanto o Conselho Federal quanto os Conselhos Seccionais são dotados de personalidade jurídica própria, de acordo com os §§ 1º e 2º do art. 45 da Lei 8.906/1994. Também "as Caixas de Assistência dos Advogados" são "dotadas de

§ 8. AS PESSOAS ADMINISTRATIVAS 147

personalidade jurídica própria" (Lei 8.906/1994, art. 45, § 4º). A Ordem dos Advogados foi regida inicialmente pela Consolidação baixada com o Decreto 22.478, de 20.2.1933. Seus objetivos são definidos pelo art. 44, da Lei 8.906/1994 e consistem em: "I – defender a Constituição, a ordem jurídica do Estado Democrático de Direito, os direitos humanos, a justiça social, e pugnar pela boa aplicação das leis, pela rápida administração da Justiça e pelo aperfeiçoamento da Cultura e das instituições jurídicas; II – promover, com exclusividade, a representação, a defesa, a seleção e a disciplina dos advogados em toda a República Federativa do Brasil".

A OAB não mantém com órgãos da Administração Pública qualquer vínculo funcional ou hierárquico. Tal é a disposição constante do § 1º do art. 44 da Lei 8.906/1994. Isso significa que a OAB não está sujeita ao poder de inspeção do Estado e à tutela administrativa. Trata-se de um caso singular de descentralização administrativa com personificação, em que a entidade que surge desse processo é totalmente autônoma, não estando sujeita a nenhuma ingerência do Poder Público. *A OAB representa, entre nós, o caso único de descentralização perfeita.* Como dizia Hans Kelsen, as normas editadas pelos órgãos autônomos são finais e independentes, pelo menos com relação aos órgãos centrais da Administração do Estado (*General Theory of Law and State*, Harvard, 1945, pp. 314 e 315). Isso significa que inexiste poder de tutela sobre a OAB, pois se trata de uma autarquia decorrente de um processo de descentralização perfeita, totalmente independente de qualquer ingerência estatal.

Finalmente, deve-se salientar que a Constituição Federal, em seu art. 133, determinou o seguinte: "o advogado é indispensável à administração da justiça, sendo inviolável por seus atos e manifestações no exercício da profissão, nos limites da lei". A inviolabilidade do advogado tem a sua origem histórica na *sacrosanctitas*, ou inviolabilidade ligada à pessoa do tribuno da plebe no Direito Romano (H. F. Jolowicz, *Historical Introduction to the Study of Roman Law*, 3ª ed., Cambridge, University Press, 1978, cap. 19, n. 1, p. 324).

Análoga estrutura foi dada ao Conselho Federal e aos Conselhos Regionais de Medicina, órgãos de disciplina profissional dos médicos, pela Lei 3.268, de 30.9.1957. Além da profissão de médico, outras profissões são disciplinadas por corporações públicas de disciplina profissional, como a dos engenheiros e arquitetos, pelo CREA, a dos odontólogos, a dos psicólogos, a dos economistas etc.

Todas as corporações que disciplinam as profissões organizadas são pessoas jurídicas de direito público, de natureza autárquica. Recentemente, entretanto, pela Lei 9.649, de 27.5.1998, houve uma tentativa de reduzir todas essas pessoas de direito público a entidades de direito privado. O art. 58 da referida lei assim dispôs: "os serviços de fiscalização de profissões regulamentadas serão exercidos em caráter privado, por delegação do poder público, mediante autorização legislativa". No § 2º da referida lei, dispunha-se da seguinte forma: "Os Conselhos de fiscalização das profissões regulamentadas, dotados de personalidade jurídica de direito privado, não manterão com os órgãos da Administração Pública qualquer vínculo funcional ou hierárquico". Com uma penada legislativa, passavam para o direito privado todas as corporações de disciplina profissional, com uma única exceção, a Ordem dos Advogados do Brasil, pois a Constituição Federal dificultava sua passagem para a órbita privada. A exceção estava formulada no § 9º do art. 58, que dizia o seguinte: "O disposto neste artigo não se aplica à entidade de que trata a Lei 8.906, de 4 de julho de 1994".

O art. 58 da Lei 9.649/1998 felizmente teve vida efêmera. Uma Ação Direta de Inconstitucionalidade do art. 58 e de seus parágrafos da Lei Federal 9.649, de 27.5.1998, foi proposta pelo Partido dos Trabalhadores e pelo Partido Democrático Trabalhista, tendo como requerido o Sr. Presidente da República (ADI 1.717-6-DF, rel. Min. Sidney Sanches). A ementa do acórdão diz o seguinte:

"Direito Constitucional e Administrativo – Ação Direta de Inconstitucionalidade do art. 58 e seus parágrafos da Lei federal n. 9.649, de 27.5.1998, que tratam dos serviços de fiscalização de profissões regulamentadas. – 1. Estando prejudicada a ação quanto ao § 3º do art. 58 da Lei 9.649, de 25.5.1998, como já decidiu o Plenário, quando apreciou o pedido de medida cautelar, a Ação Direta é julgada procedente, quanto ao mais, declarando-se a inconstitucionalidade do *caput* e dos §§ 1º, 2º, 4º, 5º, 6º, 7º e 8º do mesmo artigo 58. 2. Isso porque a interpretação conjugada dos arts. 5º, XIII, 22, XVI, 21, XXIV, 7º, parágrafo único, 149 e 175 da Constituição Federal, leva à conclusão, no sentido da indelegabilidade, a uma entidade privada, de atividade típica do Estado, que abrange até poder de polícia, de tributar e de punir, no que concerne ao exercício de atividades profissionais regulamentadas, como ocorre com os dispositivos impugnados. 3. Decisão unânime."

O STF foi exemplar nesse caso, ao declarar a inconstitucionalidade manifesta do famigerado art. 58 de uma lei, que pretendia dispor sobre a organização da Presidência da República e dos Ministérios, e que terminou por incluir no seu texto um dispositivo absurdo, inconstitucional e aberrante, que transferia para o setor privado atividade típica da União, abrangendo poder de polícia, poder de tributar e poder de punir. São os descaminhos do neoliberalismo econômico, introduzido no Brasil a partir da década final do século passado. •

Corporações de Assistência Social. • As antigas Caixas de Aposentadoria e Pensões eram tipicamente corporações de assistência social. Entretanto, elas desapareceram com o advento da Lei 3.807, de 26.8.1960, art. 88. Sobrou, tão-somente, a recordação de sua existência.

8. Em outras edições deste livro, falou-se que eram raras as fundações de Direito Administrativo. Nos anos que se seguiram, elas proliferaram, chegando ao ponto de constar da Constituição Federal, na redação original dos arts. 37 e 39, as expressões "A Administração Pública direta, indireta ou fundacional" (art. 37), e "servidores da Administração Pública direta, das autarquias e das fundações públicas" (art. 39). Esses dispositivos foram alterados pela Emenda Constitucional 19, de 4.6.1998, cujas normas, em sua maioria, são de duvidosa constitucionalidade. Mas, a redação original e as disposições constitucionais que ainda ficaram, mesmo depois do trabalho de fraude constitucional levado a efeito sob a inspiração do Presidente da República de então, como as dos incisos II e III do art. 71 da Constituição, demonstram a importância das fundações públicas nos tempos atuais. Em nosso Estado, exemplo interessante e relevante de fundação pública é constituído pela "OSPA-Orquestra Sinfônica de Porto Alegre", bem como pela "Fundação do Theatro São Pedro". No plano federal, são inúmeras as fundações públicas, sobretudo aquelas vinculadas ao Ministério da Educação, como a Faculdade Federal de Ciências Médicas de Porto Alegre, a Fundação Coordenação de Aperfeiçoamento de Pessoal de Nível Superior-CAPES, a Fundação Joaquim Nabuco, a Fundação de Ensino Superior de São João Del-Rei, a Fundação Universidade de Brasília, a Fundação Universidade do Amazonas, a Fundação Universidade do Rio de Janeiro, a Fundação Universidade de Rio Grande, a Fundação Universidade Federal de Mato Grosso, a Fundação Universidade Federal de Mato Grosso do Sul, a Fundação Universidade Federal de Ouro Preto, a Fundação Universidade Federal de Pelotas, a Fundação Universidade Federal de Rondônia, a Fundação Universidade Federal de Roraima, a Fundação Universidade Federal de São Carlos, a Fundação Universidade Federal de Sergipe, a Fundação Universidade Federal de Uberlândia, a Fundação Universidade Federal de Viçosa, a Fundação Universidade Federal do Acre, a Fundação Universidade Federal do Amapá, a Fundação Universidade Federal do Maranhão e a Fundação Universidade Federal do Piauí.

O Ministério da Cultura também está dotado de inúmeras fundações, como: a Fundação Biblioteca Nacional; a Fundação Casa de Rui Barbosa; a Fundação Cultural Palmares e a Fundação Nacional das Artes-FUNARTE.

O Ministério da Saúde, por sua vez, têm vinculadas a si duas fundações importantíssimas: a Fundação Oswaldo Cruz e a Fundação Nacional de Saúde.

Dizíamos, anteriormente, que a disciplina específica da inspeção do Estado sobre a fundação, quando a Administração assume a posição de fundador, depara-nos geralmente a notação diferenciadora da fundação administrativa, ou fundação pública na terminologia do Decreto-lei 200/1967, art. 5º, IV.

Ernst Forsthoff afirma que a distinção entre a fundação de direito público e as outras fundações tornou-se extremamente difícil, pelo fato de que, mesmo para as outras fundações, as autoridades do Estado participam da sua criação e a sua missão, não raro, diz com o interesse geral. Além disso, o legislador não emprega sempre uma terminologia correta, notadamente não distinguindo claramente as chamadas fundações públicas das fundações de direito público. Contudo, o critério a ser empregado, em primeiro lugar, é o da qualificação dada pela lei. Segundo Forsthoff "um critério seguro para a fundação de direito público é a atribuição de competências de direito público" (*Traité de Droit Administratif Allemand*, Bruxelles, 1969, cap. 24, § 4, "a", p. 729). Mas como uma tal atribuição não é necessária geralmente para o funcionamento da fundação, ela não constitui a regra, mas a exceção. Entretanto, a análise do processo de criação da fundação nos fornece elementos seguros. Para criar uma fundação de direito público, é o Estado ou uma outra pessoa administrativa que afeta um patrimônio a uma missão que entre no domínio de suas atribuições. Nesse caso, o caráter de direito público da fundação deve ser presumido. Contudo, nunca se deve excluir a possibilidade de se tratar de fundação de direito privado. Deve-se considerar, porém, que a tutela administrativa é indício seguro de que se trata de uma fundação de direito público ou de uma fundação pública sob a veste privada. Quer se trate de uma, quer da outra, estaremos sempre em presença de pessoa de direito público, pois, como admite o Código Civil, "as pessoas jurídicas de direito público, a que se tenha dado estrutura de direito privado, regem-se, no que couber, quanto ao seu funcionamento, pelas normas deste Código" (art. 41, parágrafo único). Não raro, é atribuída veste privatística a uma entidade que, na sua essência, é de direito público.

§ 8. AS PESSOAS ADMINISTRATIVAS

8-A. As fundações públicas, no Brasil, não obtiveram da doutrina um reconhecimento adequado. Uma parte considerável dos administrativistas sustenta que a fundação somente pode ser considerada como pessoa jurídica de direito privado (Hely Lopes Meirelles, *Direito Administrativo Brasileiro*, 32ª edição, 2006, São Paulo, Malheiros Editores, p. 355). Essa concepção passou para a lei ordinária, pois o Decreto-lei 200/1967 define a fundação pública como "entidade dotada de personalidade jurídica de direito privado" (art. 5º, IV), distinguindo-a nitidamente das entidades autárquicas, essas sim, pessoas jurídicas de direito público, embora o art. 5º, inciso I, do Decreto-lei 200/1967, não atribua a personalidade jurídica de direito público às autarquias.

Entretanto, a Constituição de 1988 admite as fundações públicas como entidades de direito público (CF, art. 22, XXVII; art. 38, *caput*), denominadas simplesmente de *fundações públicas* ou de *fundações instituídas e mantidas pelo Poder Público* (CF, art. 71, II,). Considera, acertadamente, Hely Lopes Meirelles, mudando sua posição inicial, que, com esse tratamento, a Constituição transformou essas fundações em entidades de direito público integrantes da Administração indireta (ob. cit., p. 355). Menciona que o STF já havia considerado, sob a égide da Constituição anterior, que "tais fundações são espécies do gênero autarquia" (STF, *RDA* 160/85, 161/50 e 171/24). A jurisprudência está correta. As fundações constituem-se, sem dúvida alguma, em espécies do gênero autarquia, tendo lugar assinalado entre as duas espécies restantes, que são a corporação e o estabelecimento público. A Emenda Constitucional 19/1998, que modificou a redação do art. 37 e do seu inciso XIX, não alterou radicalmente a questão. Apenas exige a criação das fundações mediante autorização legislativa específica – o que é indispensável para constituir qualquer autarquia – e as coloca ao lado das empresas públicas e das sociedades de economia mista, sem retirar-lhes, contudo, a natureza publicística. Foi alterada, entretanto, pela aludida Emenda, a redação do *caput* do art. 39 da Constituição, que estabelecia regime jurídico único para os servidores da Administração Pública direta da União, dos Estados, do Distrito Federal e dos Municípios, bem como das autarquias e fundações públicas. Ocorre, porém, que o regime jurídico único foi abandonado parcialmente não apenas para as fundações públicas e para as autarquias, mas até mesmo para a Administração direta do Poder Público, sob a inspiração de uma reforma inepta da Administração Pública. Com efeito, depois dessa Emenda Constitucional 19, foi publicada a Lei 9.962, de 22.2.2000, que disciplina o regime de emprego público do pessoal da Administração Federal direta, autárquica e fundacional (art.

1º) e que prevê leis específicas para a criação dos empregos no âmbito da Administração direta, autárquica e fundacional do Poder Executivo (Lei 9.962/2000, art. 1º, § 1º).

Há, por conseguinte, uma Administração Pública fundacional, prevista em lei. De modo que a modificação do *caput* do art. 39 não foi suficiente para eliminar as fundações de direito público do cenário do nosso Direito Administrativo. De resto, o regime do emprego público, regulado pelas normas da CLT, foi estendido aos novos cargos da Administração direta, autárquica e fundacional do Poder Executivo da União Federal.

De qualquer modo, deve-se reconhecer que há um descompasso entre os ditames da Constituição Federal de 1988 e algumas leis ordinárias, que insistem em definir as fundações públicas como entidades de direito privado, enquanto outras falam de uma Administração Pública fundacional.

8-B. A solução para a questão, criada por uma legislação antinômica e inspirada por tendências contraditórias, ainda é aquela apontada por Forsthoff, que distingue entre as fundações públicas, como entidades de direito privado, não raro criadas e geridas pela autoridade pública e as fundações de direito público, que são instituições organizadas de acordo com o Direito Administrativo (ob. cit., p. 728).

Sem embargo, Forsthoff, como já dissemos (v. n. 12, supra), reconhece que a distinção entre fundação de direito público e fundação pública tornou-se extraordinariamente difícil pelo fato de as autoridades públicas participarem da criação e da gestão de ambos os tipos. Adverte, também, que o legislador nem sempre emprega uma terminologia correta e não distingue claramente as Fundações Públicas das Fundações de Direito Público. Reconhece, contudo, que o primeiro critério a ser utilizado para efetuar a distinção é o da qualificação dada pela lei à entidade, com o que retornamos ao antigo discrime, já aludido, de operar a separação entre as pessoas jurídicas públicas e as pessoas jurídicas privadas pelo recurso ao que já foi dito pela lei. É a concepção defendida por Giovanni Miele, já exposta ("La Distinzione fra Ente Pubblico e Privato", in *Studi in Memoria di Francesco Ferrara*, vol. II, 1943, p. 536).

8-C. A questão das fundações de direito público é controvertida, mas deve-se creditar o mérito da enunciação correta do tema à ciência jurídica alemã, que sempre tem afirmado a existência das fundações de direito público (Otto Mayer, *Le Droit Administratif Allemand*, t. IV, Paris, 1906, p. 268; Walter Jellinek, *Verwaltungsrecht*, Berlin, 1929, § 8, n. 3, "a";

§ 8. AS PESSOAS ADMINISTRATIVAS 153

Ernst Forsthoff, *Traité de Droit Administratif Allemand*, trad. francesa, 1969, cap. XXIV, § 4, pp. 727-728; Hans-Julius Wolff e Otto Bachof, *Verwaltungsrecht*, t. II, München, 1976, § 102, "b", n. 2, p. 446; Norbert Achterberg, *Allgemeines Verwaltungsrecht. Ein Lehrbuch*, Heidelberg, 1982, § 11, I, 4, "c", p. 147; Harmut Maurer, *Allgemeines Verwaltungsrecht*, 5ª ed., München, 1986, § 23, IV, 55, p. 481). •

9. Mostram-se numerosos, contudo, os estabelecimentos públicos federais, estaduais e municipais. Podemos classificá-los, segundo o objeto – e ainda que lacunosamente – em estabelecimentos de ensino, estabelecimentos de assistência sanitária, estabelecimentos de assistência à pequena economia privada, estabelecimentos de assistência à grande economia privada, estabelecimentos de previdência social, • estabelecimentos de controle financeiro e monetário, estabelecimentos de controle e fiscalização de valores mobiliários, estabelecimentos de desenvolvimento regional, estabelecimentos de controle industrial, estabelecimentos de proteção ao patrimônio histórico e artístico nacional e tantos outros quantas forem as finalidades que a Administração Pública eleger como as mais proveitosas e necessárias. •

Estabelecimentos de Ensino. Encontra-se a mais alta expressão desta classe de estabelecimentos públicos nas Faculdades e Universidades oficiais, dotadas, umas e outras, de personalidade jurídica (Lei 4.024, de 20.12.1961, art. 81). Eram as academias e universidades, no antigo direito português, criação privativa do monarca; somente este possuía o "jus creandi academias" (Portugal, *De Donationibus Jurium et Bonorum Regiae Coronae*, Lugduni, 1726, Lib. II, cap. XXII, n. 5, p. 280). Foi relativamente à Universidade de Coimbra, de resto, que se afirmou entre nós, possivelmente pela primeira vez, a existência de instituições administrativas, distintas das corporações de mão-morta do direito privado.

• O Conselheiro Ribas afirmava, no seu livro *Direito Civil Brasileiro*, que "a Universidade de Coimbra era qualificada corpo ou corporação em diversos atos do governo e possuía bens de raiz; mas era antes instituição administrativa ou repartição pública, do que corporação no sentido do direito privado". As primeiras universidades que se estabeleceram na Europa tinham este último caráter (Savigny, *Geschichte des Römischen Rechts im Mittelalter*, p. 359, nota 8). No Brasil, foram criadas no primeiro Império, ao tempo de D. Pedro I, sendo Ministro do Império o Visconde de São Leopoldo (José Feliciano Fernandes Pinheiro), duas Faculdades de Direito – uma em São Paulo, outra no Recife – com personalidade jurídica, pela lei de 11 de agosto de 1827. É a partir dessa primeira providência legal, que se inicia, entre nós, a criação de Faculdades oficiais e de Universidades, que tiveram um desenvolvimento extraordinário na República. •

Estabelecimentos de Assistência Sanitária. "A única solução prática – escreveu Alcides Cruz – comportada até agora pela tese da assistência médica gratuita é o hospital" (*Direito Administrativo Brasileiro*, Rio de Janeiro, 1914, p. 248). Daí aparecerem como forma por excelência dos estabelecimentos de assistência sanitária os hospitais. Na antiga monarquia portuguesa, eram os hospitais instituições eclesiásticas, submetidas, embora, ao regime do padroado régio. Assim, o Hospital de Todos os Santos, que se tornou o modelo de todas as instituições congêneres (Jorge de Cabedo, *De Patronatibus Regiae Coronae*, Antuerpiae, 1734, cap. XXXIV, n. 3, p. 39). Da Confraria da Misericórdia de Lisboa, à qual a administração do Hospital de Todos os Santos foi confiada, disse Jorge de Cabedo que "emanaram, como da fonte, todas as outras deste Reino (ob. cit., cap. XLVI, n. 1, p. 50). Conquanto, já então, os regalistas apontassem a ereção mesma do Hospital de Todos os Santos como iniciativa estatal, partida do monarca (Cabedo, ob. cit., cap. XXXIX, n. 1, p. 39), a verdade é que, para tanto, fora impetrada autorização pontifícia, sem dificuldade concedida pela Bula 'Ex debito', de Sixto IV" (José Amado, *História da Igreja Católica em Portugal*, t. VI, Lisboa, 1873, p. 56).

No Brasil, a par dos hospitais eclesiásticos, contam-se, já ao tempo do Império, os criados e mantidos pela Administração Pública (Pereira do Rêgo, *Elementos de Direito Administrativo Brasileiro*, Recife, 1860, § 322, p. 252). Segundo Pereira do Rego, eram eles considerados como estabelecimentos públicos (ob. cit., § 322, p. 252) e sobre a sua personalidade jurídica parece nunca haver pairado dúvida (Ribas, *Curso de Direito Civil Brasileiro*, t. I, edição comemorativa, Editora Rio, 1977, pp. 349 e 352). Após a República, entretanto, a personalidade jurídica dos hospitais, criados pela Administração Pública, deixa de ser a regra, e passa a constituir a exceção. As causas desse fato, não considerada já a tardia introdução em nosso Direito Administrativo da noção de entidade autárquica, transcendem, porém, de qualquer maneira aos limites da investigação jurídica. Temístocles Brandão Cavalcanti disse excelentemente: "A criação dos entes autônomos, ou autarquias, é, antes de tudo, um problema de ordem técnica, uma imposição do sistema de contabilidade do Estado, da eficiência dos seus serviços industriais, ou de suas instituições de beneficência" (*Tratado de Direito Administrativo*, t. II, Rio de Janeiro, 1956, p. 117).

§ 8. AS PESSOAS ADMINISTRATIVAS 155

Estabelecimentos de assistência à pequena economia privada. •
Estão nesse número as antigas Caixas Econômicas Federais, que tinham como órgão superior o Conselho Superior das Caixas Econômicas, constituídas como uma autarquia em cada Estado da Federação, bem como as Caixas Econômicas Estaduais, sobretudo a de São Paulo, a de Minas Gerais e a do Rio Grande do Sul. As Caixas Econômicas são consideradas como estabelecimentos públicos. As Caixas Econômicas Federais foram unificadas em sua personalidade, tornando-se uma empresa pública, da qual a única detentora do capital é a União Federal. O Decreto-lei 759, de 12.11.1969, dispôs, em seu art. 1º, que "Fica o Poder Executivo autorizado a constituir a Caixa Econômica Federal-CEF, instituição financeira sob a forma de empresa pública, dotada de personalidade jurídica de direito privado, com patrimônio próprio e autonomia administrativa, vinculada ao Ministério da Fazenda". No mesmo Decreto-lei 759/1969, ficou estipulado que "Considerar-se-ão extintos em 31 de dezembro de 1970 o Conselho Superior das Caixas Econômicas Federais e as Caixas Econômicas Federais dos Estados e no Distrito Federal" (art. 13). Restaram as Caixas Econômicas Estaduais, às quais o art. 12 do Decreto-lei 759/1969 fazia menção expressa. Além das já mencionadas, havia as do Estado de Santa Catarina e do Estado de Goiás. A primeira a ser extinta foi a de Santa Catarina, depois veio a de Goiás e a de Minas Gerais. Restavam as de São Paulo e do Rio Grande do Sul, como estabelecimentos públicos. A de São Paulo não resistiu à pressão do Banco Central do Brasil e foi transformada em pessoa jurídica de direito privado, sob a forma de sociedade anônima de economia mista. Mas até hoje existe, e é uma instituição financeira da mais alta expressão. Não utiliza, contudo, a denominação de Caixa Econômica Estadual, mas a de Nossa Caixa, Nosso Banco. A única que resistia, ainda, em sua forma autárquica de estabelecimento público era a Caixa Econômica Estadual do Rio Grande do Sul, cuja autorização para sua criação foi dada pela Lei 3.914, de 6.2.1960. A Caixa Econômica Estadual estava garantida pela própria Constituição do Estado, de 3.10.1989, no art. 41, §§ 1º e 2º, do ADCT. Entretanto, ao influxo das idéias neoliberais, manifestamente hostis à existência de Caixas Econômicas, e em decorrência das imposições do Banco Central, que só admite a natureza de estabelecimento público autárquico para si próprio, o Estado do Rio Grande do Sul rendeu-se, em contradição com todo o seu passado de lutas e de afirmações de independência face ao poder central, e, por uma reforma constitucional de encomenda, mediante proposta enviada por um Governador que não tinha noção do que fazia, foi transformada numa agência de fomento de pouca ou nenhuma expressão. Uma instituição financeira autárquica, dotada de um vasto patrimônio, que fun-

cionava nos moldes das Caixas Econômicas dos países civilizados, como a Alemanha e a Itália, foi destruída porque o Banco Central não gosta de Caixas Econômicas Estaduais.

São as contradições decorrentes de uma Federação de aparência, somadas a governos estaduais destituídos de conhecimento e de responsabilidade. Na Alemanha, por exemplo, há centenas de Caixas Econômicas municipais, que lá são denominadas de "Gemeinde Sparkassen", que integram a Administração indireta dos municípios (*Gemeinde*). Na definição de Ernst Rudolf Huber, "Caixas Econômicas são estabelecimentos de crédito de direito público, vinculadas aos distritos urbanos ou aos municípios, destinadas a depósitos de poupança e concessões de crédito" ("Sparkassen sind öffentlich-rechtliche Kreditanstalten der Kreise oder Gemeinden für das Spareinlagen. – und Kreditanstalten der Kreise oder Gemeinden für das Spareinlagen. – und Kreditgeschäft" – *Wirtschaftsverwaltungsrecht*, 1953, t. I, §15, IV, p. 157). Já as "Öffentlich Bausparkassen", as Caixas Econômicas Habitacionais, são estabelecimentos públicos que se vinculam aos Estados-membros da Federação alemã, cujo objetivo é o de conceder empréstimos para a construção de imóveis, garantidos por contratos de mútuo com garantia real (Ernst Rudolf Huber, ob. cit., p. 156). Todas essas Caixas Econômicas, na Alemanha, são constituídas na forma autárquica, como estabelecimentos públicos. Ao contrário do que ocorre em nosso meio, o Banco Central da Alemanha não se envolve com as Caixas Econômicas Municipais, que dispõem de um Banco Central próprio, que é o "Deutsche Girozentrale – Deutsche Kommunalbank", também uma autarquia, que funciona como Banco Central de todas as Caixas Econômicas da Alemanha (E. R. Huber, ob. cit., t. I, § 14, 4, III, p. 145). Como se observa, a economia da Alemanha não entrou em colapso devido à existência de Caixas Econômicas estaduais e municipais. Pelo contrário, elas têm contribuído, de forma decisiva, para fortalecer o Estado Social de Direito, que a Lei Fundamental de Bonn instituiu.

As Caixas Econômicas, no dizer de Veiga Filho, são "a única instituição que garante [*ao povo*] o reembolso de suas economias" (*Manual da Ciência das Finanças*, São Paulo, 1923, § 133, p. 380). Criadas como "estabelecimentos de beneficência", pela Lei 1.083, de 22.11.1860 (art. 2º, § 14), as Caixas Econômicas incluem-se, pela antiguidade, entre os primeiros estabelecimentos públicos que o país conheceu. •

Estabelecimentos de assistência à grande economia privada. Eram vários os serviços do Estado, por que se manifestava a ingerência do Poder Público nos negócios da economia industrial e comercial, ou seja,

§ 8. AS PESSOAS ADMINISTRATIVAS 157

nos negócios da grande economia privada. Essa ingerência tomava, geralmente, a forma da assistência econômica, limitando-se à direção e ao auxílio da iniciativa privada. Entre os serviços dessa natureza, constituídos como estabelecimentos públicos, conumeravam-se o Instituto do Açúcar e do Álcool, o Instituto Nacional do Mate, o Instituto Nacional do Sal, o Instituto Nacional do Pinho, • todos já extintos. A partir de 1990, com o advento de um novo governo, que implantou política econômica neoliberal, as últimas entidades que ainda existiam, como o Instituto do Açúcar e do Álcool e o Instituto Brasileiro do Café, autarquias na forma de estabelecimentos públicos, foram extintas com autorização legal (Lei 8.029, de 11.4.1990), pelo Decreto 99.240, de 7.5.1990, art. 1º, I, "d" e "e"). Subsiste, todavia, em nosso Estado, o IRGA-Instituto Riograndense do Arroz, como estabelecimento público de assistência à grande economia privada, embora de atuação cada vez mais restrita. •

Estabelecimentos de Previdência Social. Os estabelecimentos públicos de previdência social discriminavam-se segundo os destinatários dos benefícios. De um lado os estabelecimentos de previdência dos servidores públicos; de outro, os dos trabalhadores privados. Dentre aqueles, havia, na órbita federal, o Instituto de Previdência e Assistência dos Servidores do Estado (IPASE) • e o Serviço de Assistência e Seguro Social dos Economiários (SASSE), que era o estabelecimento de previdência dos funcionários de todas as Caixas Econômicas. Na órbita estadual, havia, como ainda há, o Instituto de Previdência do Estado do Rio Grande do Sul (IPE), que resistiu ao espírito filoneísta dos nossos governantes.

De outro lado, havia os estabelecimentos públicos de previdência dos trabalhadores privados. Dentre esses últimos, podemos mencionar o Instituto de Aposentadoria e Pensões dos Marítimos (IAPM), o Instituto de Aposentadoria e Pensões dos Empregados em Transportes e Cargas (IAPETC), o Instituto de Aposentadoria e Pensões dos Comerciários (IAPC), o Instituto de Aposentadoria e Pensões dos Bancários (IAPB), o Instituto de Aposentadoria e Pensões dos Industriários (IAPI). Destes, nem todos surgiram, desde logo, como estabelecimentos públicos, ainda que denominados já institutos. Veio-lhes a condição de estabelecimentos públicos de ulterior eliminação dos elementos corporativos de sua estrutura originária. Todos foram extintos, na órbita federal, tendo sido criados, em seu lugar, o antigo INPS (Instituto Nacional da Previdência Social) e o INAMPS (Instituto Nacional de Assistência Médica da Previdência Social) e mais um outro estabelecimento, destinado a arrecadar os recursos da previdência social, que era o IAPAS. O INAMPS foi extinto, no momento em que foi criado o Sistema Único de Saúde, integrado pela

União, os Estados, o Distrito Federal e os Municípios. O IAPAS também foi extinto. No lugar do INPS, surgiu um novo instituto, com uma nova sigla (INSS), o Instituto Nacional de Seguridade Social, resultado da fusão do INPS com o IAPAS. Com isso, toda a previdência social passou a ser administrada pelo INSS, que é um estabelecimento público autárquico. O INSS foi criado pela Lei 8.029, de 12.4.1990.

Novos Estabelecimentos Públicos. Ao influxo das transformações sofridas pela Administração federal, novos estabelecimentos públicos foram criados para atender às necessidades sempre crescentes de intervenção estatal em outros domínios. Entre esses estabelecimentos podemos conumerar os seguintes:

1º) *Estabelecimento de controle do crédito e das instituições financeiras.* Foi criado, em 31.12.1964, o Banco Central do Brasil, como resultado da transformação da antiga Superintendência da Moeda e do Crédito (SUMOC) em autarquia federal, sob a forma de estabelecimento público, de acordo com o art. 8º da Lei 4.595, de 31.12.1964. O Banco Central tem competência legal para emitir moeda papel e moeda metálica, nas condições e limites autorizados pelo Conselho Monetário Nacional (art. 8º, I); executar os serviços do meio circulante (art. 8º, II); receber os recolhimentos compulsórios das instituições financeiras e também depósitos voluntários (inciso III); realizar operações de redesconto e empréstimo a instituições financeiras bancárias (inciso IV); exercer o controle do crédito sob todas as suas formas (inciso V); efetuar o controle dos capitais estrangeiros, nos termos da lei (inciso VI); ser depositário das reservas oficiais de ouro, de moeda estrangeira e de Direitos Especiais de Saque e fazer com estas últimas todas e quaisquer operações previstas no Convênio Constitutivo do Fundo Monetário Internacional (inciso VII); exercer a fiscalização das instituições financeiras e aplicar as penalidades previstas (inciso VIII); conceder autorização às instituições financeiras (inciso IX); estabelecer condição para a posse e para o exercício de quaisquer cargos de administração de instituições financeiras privadas, assim como para o exercício de quaisquer funções em órgãos consultivos, fiscais e semelhantes, segundo as normas que forem expedidas pelo Conselho Monetário Nacional (inciso X); efetuar, como instrumento de política monetária, operações de compra e venda de títulos públicos federais (inciso XI); determinar que as matrizes das instituições financeiras registrem o cadastro das firmas que operam com suas agências há mais de um ano (inciso XII). O Banco Central do Brasil é uma autarquia com personalidade jurídica e patrimônio próprios, "este constituído dos bens, direitos e valores que lhe" foram "transferidos na forma desta lei e ainda da apropriação de juros e rendas resultantes" (Lei 4.595/1964, art. 8º, *caput*).

§ 8. AS PESSOAS ADMINISTRATIVAS 159

2º) *Estabelecimento de controle de valores mobiliários.* Os valores mobiliários, em sua movimentação, estão sujeitos ao controle da Administração federal. A lei disciplina a fiscalização da emissão e distribuição de valores mobiliários; a organização, o funcionamento e as operações das Bolsas de Valores; a administração de carteiras e a custódia de valores mobiliários; a auditoria das companhias de capital aberto e os serviços de consultor e analista de valores mobiliários (Lei 6.385, de 7.12.1976, art. 1º).

Com a finalidade de exercer esse poder de fiscalização foi criada a Comissão de Valores Mobiliários, "entidade autárquica vinculada ao Ministério da Fazenda" (Lei 6.385/1976, art. 5º). Trata-se de um estabelecimento público autárquico, com jurisdição em todo o território nacional (art. 99).

3º) *Estabelecimento de colonização e de reforma agrária.* Criado pelo Decreto-lei 1.110, de 9.7.1970, o INCRA-Instituto Nacional de Colonização e Reforma Agrária, é o estabelecimento público que promove a colonização e a reforma agrária, como resultado das competência que lhe foram transferidas com a extinção dos antigos IBRA, INDA e do GERA (art. 2º). Todas essas entidades foram extintas, dando lugar ao INCRA, estabelecimento público federal, vinculado, hoje em dia, ao Ministério do Desenvolvimento Agrário (Lei 10.683/2003, art. 25, inciso VIII, e art. 27, VIII). Compete a essa entidade o desenvolvimento de um conjunto de planos e de medidas que visem a promover a melhor distribuição da terra e uma política agrícola de orientação e de amparo às atividades agropecuárias.

4º) *Estabelecimento de ordenamento econômico.* Pela importância e pelo elenco de suas atribuições, o CADE-Conselho Administrativo de Defesa Econômica, criado pela Lei 4.137, de 10.9.1962 e transformado em autarquia federal, na forma de estabelecimento público, pelo art. 3º da Lei 8.884, de 11.6.1994, com larga competência em matéria de repressão às infrações da ordem econômica, é, fora de dúvida, estabelecimento público da maior relevância, no âmbito da Administração federal, estando vinculado ao Ministério da Justiça de acordo com o Decreto 3.280, de 8.12.1999, em seu Anexo n. XI.

5º) *Estabelecimento de proteção ao meio ambiente.* Destinado a executar a política de proteção, de preservação e defesa do meio ambiente, que compete ao Poder Público (CF, art. 225, *caput*), foi instituído pela Lei 7.735/1989 o Instituto Brasileiro do Meio Ambiente e dos Recursos Naturais Renováveis-IBAMA, estabelecimento público ao qual foi atribuída competência para executar a política nacional de proteção ao meio ambiente, bem como exercer as atribuições de polícia correspondentes, vinculado ao Ministério do Meio Ambiente. O IBAMA é inequivocamente um estabelecimentos público, cuja criação foi motivada pela crescente preocupação da humanidade com os recursos naturais e com o meio ambiente, que ganhou corpo na segunda metade do século XX.

6º) *Estabelecimentos de estímulo ao desenvolvimento regional*. São três esses estabelecimentos públicos, no âmbito da Administração Federal. O mais antigo é a SUDENE-Superintendência do Desenvolvimento do Nordeste. Os outros dois são da região amazônica. O primeiro é a SUDAM-Superintendência do Desenvolvimento da Amazônia. O segundo diz respeito com o estabelecimento de uma zona franca de comércio. É a SUFRAMA-Superintendência da Zona Franca de Manaus. Um se refere a toda a Amazônia; outro a uma zona de livre comércio na capital do Estado do Amazonas. Todos esses estabelecimentos estão vinculados ao Ministério da Integração Nacional.

7º) *Estabelecimento de proteção ao patrimônio histórico e artístico nacional*. A proteção do patrimônio histórico e artístico nacional, tanto dos bens móveis quanto imóveis existentes no País, cuja conservação seja de interesse público, está definida pelo Decreto-lei 25, de 30.11.1937 (art. 1º). A entidade que cuida atualmente desse patrimônio é o IPHAN-Instituto de Patrimônio Histórico e Artístico Nacional, que veio a substituir o Serviço do Patrimônio Histórico e Artístico Nacional, previsto pelo art. 4º do referido Decreto-lei 25/1937. O IPHAN é um estabelecimento público federal, dotado de personalidade jurídica, que se encarrega da proteção efetiva desse patrimônio.

8º) *Estabelecimentos de controle industrial*. São dois esses estabelecimentos públicos. O primeiro é o Instituto Nacional da Propriedade Industrial, que é um estabelecimento público incumbido de fazer cumprir o Código da Propriedade Industrial (Lei 5.772, de 21.12.1971), podendo tomar decisões nos processos administrativos correspondentes (art. 104 da Lei 5.772), cabendo ao Presidente do Instituto a decisão dos recursos respectivos, salvo nos casos em que a decisão couber ao Ministro do Desenvolvimento, Indústria e Comércio Exterior (art. 108).

O segundo é o Instituto Nacional de Metrologia, Normalização e Qualidade Industrial-INMETRO, também estabelecimento público vinculado ao Ministério do Desenvolvimento, Indústria e Comércio Exterior.

9º) *Estabelecimentos de infra-estrutura de transportes*. A Lei 10.233, de 5.6.2001, em seu art. 102-A, extinguiu o DNER-Departamento Nacio-

§ 8. AS PESSOAS ADMINISTRATIVAS

nal de Estradas de Rodagem e criou, em seu lugar, o DNIT-Departamento Nacional de Infra-Estrutura de Transportes, como pessoa jurídica de direito público, submetido ao regime de autarquia, com sede e foro no Distrito Federal (art. 79 e seu parágrafo único da Lei 10.233/2001). O DNIT tem uma atuação mais ampla do que tinha o DNER, pois esse estabelecimento público, vinculado ao Ministério dos Transportes, deverá atuar em vários planos da atividade de infra-estrutura de transportes, devendo sua esfera de atuação compreender: I – vias navegáveis; II – ferrovias e rodovias federais; III – instalações e vias de transbordo e de interface intermodal; IV – instalações portuárias (art. 81 da Lei 10.233). Indúbio é que o DNIT é um estabelecimento público que abrange as várias modalidades de transporte em sua ação administrativa, com exceção, é claro, do transporte aéreo.

10º) *Estabelecimentos de execução de diversos serviços públicos.* Inúmeros estabelecimentos destinam-se à execução de serviços públicos de diversas naturezas, que a Constituição ou as leis atribuem ao Poder Público. Esses estabelecimentos públicos variam em função das atividades assumidas pela Administração. Podemos enumerar, apenas exemplificativamente, sem exaurir a classificação, os seguintes: a) EMBRATUR-Instituto Brasileiro de Turismo, vinculado ao Ministério do Turismo; b) A Comissão Nacional de Energia Nuclear, que é o estabelecimentos público encarregado de traçar as diretrizes da energia nuclear no país, a qual é monopólio, de acordo com o que determina o art. 177, inciso V, da Constituição Federal, reservado à União. A Lei 7.781/1989 regula presentemente a CNEN; c) O Departamento Nacional de Produção Mineral é estabelecimentos público vinculado ao Ministério de Minas e Energia; d) O Instituto Nacional de Desenvolvimento do Desporto, vinculado ao Ministério do Esporte.

9-A. As Agências Reguladoras. Nova modalidade de autarquia foi introduzida em nosso direito com a criação das assim chamadas Agências Reguladoras, "qualificadas como *autarquias sob regime especial*, ultimamente criadas com a finalidade de *disciplinar e controlar certas atividades*" (Celso Antônio Bandeira de Mello, *Curso de Direito Administrativo Brasileiro*, 20ª ed., São Paulo, Malheiros Editores, 2006, cap. IV, n. 21, p. 154).

Essas agências têm sua origem no direito anglo-saxônico, tanto inglês (Jowitt's, *Dictionary of English Law*, vol. 1, London, 1977, verbete "Authority", *in fine*, p. 165) quanto americano (*Corpus Juris Secundum*, vol. 84, § 206, p. 391). No dicionário de Jowitt, no final do verbete já aludido, está dito que "No direito relativo à Administração Pública, uma "authority" é uma pessoa que tem jurisdição em certas matérias de natureza pública" ("In the law relating to public administration, an authority is a body having jurisdiction in certain matters of a public nature"). No direito americano, quem melhor expõe a questão das "administrative agencies" é, inquestionavelmente, Bernard Schwartz, no seu livro clássico intitulado *Administrative Law* (Boston e Toronto, Little, Brown, 1976). Afirma Bernard Schwartz que "Durante este século, agências governamentais foram instituídas para operar serviços públicos, que anteriormente eram operados exclusivamente por empresas privadas (ob. cit., cap. 1, § 2, n. 5, p. 4). Segundo Bernard Schwartz, o exemplo mais importante dessa nova realidade é constituído pela Tennessee Valley Authority (ob. cit., p. 4). Trata-se da famosa autarquia do Vale do Tennessee, criada durante o governo de Franklin Delano Roosevelt, que controla a energia elétrica, produzida por suas várias represas, na região leste dos Estados Unidos.

A Tennessee Valley Authority está largamente descrita no livro de Leonard White (*Introduction to the Study of Public Administration*, 4ª ed., New York, Macmillan, 1957, pp. 111-113). Na sua afirmação, a TVA é uma "federal agency", operando dentro de sete Estados, que convergem em seus territórios em um único vale, não tendo sede em Washington, respondendo apenas perante o Presidente e o Congresso (ob. cit., pp. 111-112).

Retornando às considerações de Bernard Schwartz sobre o tema, afirma ele que, nos dias atuais as agências administrativas estão investidas de autoridade para prescrever, de forma geral, aquilo que deve ou não deve ser feito em uma dada situação (exatamente como o Poder Legislativo o faz); determinar se o direito foi violado em casos particulares e processar os que violam a lei (assim como promotores o fazem); também têm competência para admitir o público a desfrutar de privilégios, que anteriormente não eram reconhecidos em favor da coletividade; impor multas e tomar decisões que envolvem o pagamento de indenizações. Segundo Bernard Schwartz, "as agências investidas desses poderes são usualmente denominadas de "agências reguladoras", porque devido a sua atividade, invadem a esfera dos direitos privados e regulam o modo pelo qual esses direitos podem ser exercidos (ob. cit., cap. 1, § 2, n. 5, p. 5).

O Direito Administrativo e os seus especialistas se concentram primariamente sobre as "agências reguladoras" pela razão natural de que elas servem para restringir direitos privados (ob. cit., p. 5).

No dizer de Bernard Schwartz, "the outstanding characteristic of the administrative Agency is its possession of legislative and judicial powers"

§ 8. AS PESSOAS ADMINISTRATIVAS

(ob. cit., § 4, p. 7). No que concerne ao Poder Legislativo, "a agência pode ter o poder de estabelecer prescrições que têm força de direito, mas ela assim o faz somente devido a uma delegação legislativa. O poder de legislar, quando delegado pelo Legislativo, difere basicamente do poder de legislar que o próprio Legislativo tem. O Poder Legislativo está investido de toda a autoridade legislativa concedida pela Constituição; qualquer poder delegado pelo Legislativo é, necessariamente, um poder subordinado, limitado pelos termos da lei de delegação. O Legislativo, pode-se dizer, exerce uma função legislativa primária; a agência administrativa uma função legislativa secundária" (*Administrative Law*, § 4, p. 8). "No que concerne ao Poder Judiciário, sua essencialidade está preservada pela competência de revisão das Cortes de Justiça, sobre as questões de direito e a razoabilidade das determinações de fato das agências reguladoras" (ob. cit., p. 8).

As questões levantadas por Bernard Schwartz, entre nós, devem resolver-se da seguinte forma:

a) No que concerne ao Poder Judiciário e a decisões administrativas que repercutem sobre os direitos individuais, há o dispositivo que Pontes de Miranda dizia ser a maior conquista da antiga Constituição de 1946, que diz o seguinte na atual Constituição Federal de 1988: "Art. 5º. (...) XXXV – a lei não excluirá da apreciação do Poder Judiciário lesão ou ameaça a direito".

Diante desse dispositivo constitucional, sempre haverá o recurso ao Poder Judiciário para rever toda e qualquer decisão administrativa proferida por agência reguladora.

b) No que concerne ao Poder Legislativo e à delegação de poderes que as agências reguladoras receberiam nos Estados Unidos, o próprio Bernard Schwartz resolve a questão, ao afirmar que "qualquer poder delegado pelo Legislativo é necessariamente um poder subordinado, limitado pelos termos da lei de delegação". Entre nós, as agências reguladoras podem editar disposições autônomas, já definidas anteriormente (v. § 4, item 4º, supra). As disposições autônomas são as *autonome Satzungen* a que se referia Walter Jellinek, como sendo "Normas de direito, que uma pessoa jurídica de direito público, em seu próprio nome pode promulgar" ("Daneben gibt es Rechtssätze, die eine juristische Person des öffentlichen Rechts im eigenen Namen erlassen kann" – *Verwaltungsrecht*, ob. cit., § 7, IV, n. 2, p. 123).

Assim, as "Public Agencies" são constituídas, nos Estados Unidos, como pessoas jurídicas que exercem uma atividade reguladora de outras atividades privadas, ou que são dispensadoras de benefícios para a promoção do bem-estar social e econômico (B. Schwartz, ob. cit., § 2, n. 2, p. 5). Essas "Public Authorities" são dotadas de autonomia de gestão e de imunidade tributária e se destinam à realização de atividades de Administração Pública, tanto em sua função reguladora, quanto em sua função de prestadoras de benefícios sociais ou econômicos. A França também conhece as denominadas "autorités administratives indépendantes", criadas no curso dos últimos anos, todas dominadas pela vontade de afirmar a independência do organismo face ao governo e à hierarquia administrativa (Jean Rivero e Jean Waline, *Droit Administratif*, 17ª ed., Paris, Dalloz, 1998, n. 358, p. 338).

As entidades que são constituídas sob essa denominação de "agências reguladoras", nada mais são do que autarquias, na forma de estabelecimentos públicos especiais, no intuito sempre renovado de lhes dar maior flexibilidade e independência de ação, que se transforma rapidamente em miragem.

As agências reguladoras, sendo consideradas como autarquias especiais, na verdade são estabelecimentos públicos com nova denominação. Sua finalidade é a de exercer função reguladora sobre serviços públicos concedidos, ou executados concomitantemente com particulares, bem como sobre atividades econômicas monopolizadas pelo Estado (CF, art. 177, e seus incisos e parágrafos). São, as agências reguladoras, decorrência do poder de inspeção inerente ao Estado, sobre os serviços públicos concedidos e sobre outras atividades que digam respeito fundamentalmente ao interesse público.

O seu surgimento se deve ao fato de a Administração Pública ter retornado à velha prática de conceder serviços públicos fundamentais, que deveriam ser executados pelo Estado diretamente.

Essas agências reguladoras podem ser classificadas de acordo com o seu objeto de controle. Celso Antônio Bandeira de Mello as classifica em cinco tipos diferentes, de acordo com as atividades que são objeto do seu controle (*Curso de Direito Administrativo*, 20ª ed., 2006, cap. IV, n. 21, p. 155).

Nós as classificamos da seguinte forma:

I – *Agências reguladoras de serviços públicos de competência da União Federal*:

a) Compete à União executar "os serviços e instalações de energia elétrica e o aproveitamento energético dos cursos de água, em articulação com os Estados onde se situam os potenciais energéticos (CF, art.

§ 8. AS PESSOAS ADMINISTRATIVAS 165

21, XII, "b"). Inúmeras concessões de serviço público foram realizadas, principalmente no que concerne à construção de redes de transmissão e de distribuição de energia elétrica, bem como para a construção de usinas geradoras de energia, embora permaneça, ainda, nas mãos do Estado, a geração de energia elétrica na sua maior parte. Com a "finalidade de regular e fiscalizar a produção, transmissão, distribuição e comercialização de energia elétrica, em conformidade com as políticas e diretrizes do governo federal" (Lei 9.427, de 26.12.1996, art. 2º), foi criada "a Agência Nacional de Energia Elétrica-ANEEL, autarquia sob regime especial, vinculada ao Ministério das Minas e Energia, com sede e foro no Distrito Federal e prazo de duração indeterminado" (art. 1º, da Lei 9.427).

b) Compete, também, à União "explorar, diretamente ou mediante autorização, concessão ou permissão, os serviços de telecomunicações, nos termos da lei, que disporá sobre a organização dos serviços, a criação de um órgão regulador e outros aspectos institucionais" (CF, art. 21, XI). O órgão regulador a que se refere a Constituição de 1988 foi criado pela Lei 9.472, de 16.7.1997. Em seu art. 8º, a lei aludida dispõe que "Fica criada a Agência Nacional de Telecomunicações, entidade integrante da Administração Pública Federal indireta, submetida a regime autárquico especial e vinculada ao Ministério das Comunicações, com a função de órgão regulador das telecomunicações, com sede no Distrito Federal, podendo estabelecer unidades regionais". A referida agência, contudo, não tem jurisdição sobre todas as telecomunicações, considerando que o art. 211, estabelece o seguinte: "A outorga dos serviços de radiodifusão sonora e de sons e imagens fica excluída da jurisdição da Agência, permanecendo no âmbito de competências do Poder Executivo, devendo a Agência elaborar e manter os respectivos planos de distribuição de canais, levando em conta, inclusive, os aspectos concernentes à evolução tecnológica". No parágrafo único do art. 211, entretanto, faz-se a ressalva de que "caberá à Agência a fiscalização, quanto aos aspectos técnicos das respectivas estações". A sigla dessa entidade é ANATEL, correspondente a Agência Nacional de Telecomunicações.

c) Compete à União, ainda, de acordo com o art. 21, inciso XII, da Constituição Federal, "explorar diretamente ou mediante autorização, concessão ou permissão: (...) d) os serviços de transporte ferroviário e aquaviário entre portos brasileiros e fronteiras nacionais, ou que transponham os limites de Estado ou Território; e) os serviços de transporte rodoviário interestadual e internacional de passageiros; f) os portos marítimos, fluviais e lacustres".

No exercício dessa competência constitucional, a União constituiu, pela Lei 10.233, de 5.6.2001, a Agência Nacional de Transportes Terrestres-ANTT, e a Agência Nacional de Transportes Aquaviários-ANTAQ, definidas como "entidades integrantes da Administração Federal indireta, submetidas ao regime autárquico especial e vinculadas ao Ministério dos Transportes, nos termos desta lei" (Lei 10.233/2001, art. 21). O § 1º do art. 21, estabelece a sede e o foro das duas Agências no Distrito Federal. E o § 2º dispõe que "o regime autárquico especial conferido à ANTT e à ANTAQ é caracterizado pela independência administrativa, autonomia financeira e funcional e mandato fixo de seus dirigentes".

d) Na saúde pública, em que o serviço não está dotado de privilégio exclusivo, mas é executado juntamente com particulares, pela ação "de terceiros e, também, por pessoa física ou jurídica de direito privado" (CF, art. 197), a Lei 9.782, de 26.1.1999, criou a Agência Nacional de Vigilância Sanitária-ANVISA, "autarquia sob regime especial, vinculada ao Ministério da Saúde, com sede e foro no Distrito Federal, prazo de duração indeterminado e atuação em todo o território nacional" (art. 3º). A natureza de autarquia especial conferida à Agência é caracterizada pela independência administrativa, estabilidade de seus dirigentes e autonomia financeira (art. 3º, parágrafo único). A agência – de acordo com o art. 6º – tem por finalidade institucional promover a proteção da saúde da população, por intermédio do controle sanitário de produtos e serviços submetidos à vigilância sanitária, inclusive dos ambientes, dos processos, dos insumos e das tecnologias a eles relacionados, bem como o controle de portos, aeroportos e de fronteiras. Saliente-se que o *caput* do art. 3º teve a sua redação alterada pela Medida Provisória 2.010-34, de 23.8.2001, havendo a sigla da agência sido alterada de ANVS, para ANVISA.

Além da ANVISA, deve ser mencionada a ANS-Agência Nacional de Saúde Complementar, criada pela Lei 9.961, de 28.1.2000, que tenta fiscalizar os planos de seguro de assistência médica, hospitalar e odontológica e conter os abusos, não raro praticados por entidades que estão na condição de seguradoras e oferecem esses planos à população.

e) Compete à União, de acordo com a Constituição Federal (art. 21, XII, "c") "explorar diretamente ou mediante autorização, concessão ou permissão: a navegação aérea, aeroespacial e a infra-estrutura aeroportuária".

A infra-estrutura aeroportuária é exercida pela União por intermédio de uma empresa pública, que se inclui em sua administração indireta. Trata-se da INFRAERO, sociedade comercial de que a União Federal é a

§ 8. AS PESSOAS ADMINISTRATIVAS 167

única acionista, que administra todos os aeroportos federais no território nacional.

A navegação aérea tem sido explorada mediante concessão ou permissão por empresas que exploram tanto linhas aéreas no território nacional quanto linhas internacionais. Foi instituída pela Lei 11.182, de 27.9.2005, a Agência Nacional de Aviação Civil-ANAC, "entidade integrante da Administração Pública Federal indireta, submetida a regime autárquico especial, vinculada ao Ministério da Defesa, com prazo de duração indeterminado" (art. 1º). A competência da União para regular e fiscalizar as atividades de aviação civil e de infra-estrutura aeronáutica e aeroportuária passou toda para a ANAC, que, por sua vez, deverá obedecer, observar e implementar orientações, diretrizes e políticas estabelecidas pelo Conselho de Aviação Civil-CONAC (arts. 2º e 3º, da Lei 11.182/2005).

A ANAC assumiu, com a sua criação, as atribuições do Departamento Nacional de Aviação Civil-DNAC, entidade que era subordinada ao antigo Ministério da Aeronáutica e que, por longos anos, realizou as atribuições que ora foram delegadas à ANAC.

II – *Agência reguladora de atividade econômica monopolizada.*

No que concerne a uma atividade econômica monopolizada pelo Estado, como é o caso do petróleo, em que a União Federal poderá contratar com empresas estatais ou com empresas meramente privadas a realização da atividade monopolística (CF, art. 177, § 1º), foi constituída a ANP-Agência Nacional do Petróleo, "como entidade integrante da Administração Federal indireta, submetida ao regime autárquico especial, como órgão regulador da indústria do petróleo, vinculado ao Ministério de Minas e Energia (Lei 9.478, de 6.8.1997, art. 7º).

Os serviços públicos não se confundem com o monopólio de atividade econômica. A eliminação de direito (pelo monopólio, ou de fato pela competição invencível), das atividades econômicas num setor econômico determinado, importa a transformação da atividade pública que lhes tomou lugar, em indispensável – não relativamente à existência da sociedade, mas relativamente à existência dessa atividade mesma, enquanto parte da vida social. Se há de preservar-se, pois, a integridade da vida social, essa atividade terá de passar a reputar-se como existencial em si mesma e, de modo indireto, como existencial, relativamente à sociedade toda que, sem ela, teria desfalcada a sua integridade (Ruy Cirne Lima, *Pareceres – Direito Público*, Porto Alegre, 1963, p. 120).

É precisamente esse o caso do monopólio estatal do petróleo, indispensável à segurança nacional, à sobrevivência das atividades econômicas em geral e à existência da própria coletividade humana, que compõe o povo. Nem se diga que todo o monopólio é nocivo, devendo, sempre, a atividade econômica ser entregue à livre concorrência. Há monopólios que, na medida em que são bem exercitados pelo Estado, em favor da coletividade, produzem justamente o efeito contrário dos monopólios dominados por uma entidade privada, desvinculada do interesse público. No caso brasileiro, complemento indispensável desse monopólio estatal é a Petrobrás, "sociedade de economia mista, vinculada ao Ministério de Minas e Energia, que tem como objeto a pesquisa, a lavra, a refinação, o processamento, o comércio e o transporte de petróleo proveniente de poço, de xisto ou de outras rochas, de seus derivados, de gás natural e de outros hidrocarbonetos fluidos, bem como quaisquer outras atividades, correlatas ou afins, conforme definidas em lei" (art. 61 da Lei 9.478, de 6.11.1997). O art. 62, da Lei 9.478/1997, diz que "A União manterá o controle acionário da Petrobrás com a propriedade e posse de, no mínimo, cinquenta por cento das ações, mais uma ação, do capital votante". É uma típica sociedade de economia mista, cuja característica principal é a da participação da Administração Pública na direção da empresa (Ernst Forsthoff, *Lehrbuch des Verwaltungsrechts*, vol. I, 10ª ed., 1973, § 25, p. 520).

III – *Agência reguladora de uso de bem público*.

A Agência Nacional de Águas-ANA, criada pela Lei 9.984, de 17.7.2000, como "autarquia sob regime especial, com autonomia administrativa e financeira, vinculada ao Ministério do Meio Ambiente, com a finalidade de implementar, em sua esfera de atribuições, a Política Nacional de Recursos Hídricos, integrando o Sistema Nacional de Gerenciamento de Recursos Hídricos" (art. 3º da Lei 9.984/2000), destina-se a fiscalizar os usos de recursos hídricos nos corpos de água de domínio da União (art. 4º, V), bem como a supervisionar, controlar, avaliar todas as ações e atividades respectivas, e, ainda, disciplinar, em caráter normativo, a implementação, a operacionalização, o controle e a avaliação dos instrumentos da Política Nacional de Recursos Hídricos (art. 4º, I e II).

Deve-se relembrar que é da competência privativa da União legislar sobre "águas", de acordo com o que prevê o art. 22, IV, da Constituição Federal. De outra parte, compete ao "Sistema Único de Saúde" "fiscalizar e inspecionar (...) águas para consumo humano" (CF, art. 200, VI). A ANA foi constituída tendo em vista essa competência da União para controlar a utilização das águas e para fiscalizar o seu próprio consumo.

IV – *Agência de fomento e de fiscalização de atividade privada*. Foi instituída a Agência Nacional do Cinema-ANCINE, criada pela Medida Provisória 2.281-1, de 6.9.2001, que Celso Antônio Bandeira de Mello afirma ser inconstitucional (*Curso de Direito Administrativo*, cit., p. 155). Posteriormente, sobreveio a Lei 10.454, de 13.5.2002, que parece haver sanado a referida inconstitucionalidade.

9-A.1. Anteriormente, costumava-se fazer referência a autarquias especiais, ou sob regime especial, para referir-se às Universidades oficiais, para indicar que desfrutavam de independência administrativa em relação ao poder central, bem como independência em termos de orientação pedagógica e de liberdade de ensino (Celso Antônio Bandeira de Mello, ob. cit., cap. IV, n. 19, p. 154).

9-A.2. Hodiernamente, depois da última Reforma Administrativa, as Agências Reguladoras, passaram a ser denominadas de "autarquias submetidas a regime especial". O que identifica esse regime jurídico especial são algumas características que aparecem nos textos legais que criaram as Agências Reguladoras. Em primeiro lugar, a independência administrativa, que parece significar que a agência reguladora representa um fenômeno de descentralização perfeita – como admitia Hans Kelsen – (v. n. 11, supra); em segundo lugar, o mandato fixo e a estabilidade de seus dirigentes, entendendo-se, no dizer de Celso Antônio Bandeira de Mello, que este mandato fixo não poderá ultrapassar o mandato do Presidente da República que nomeou os dirigentes da Agência (ob. cit., IV, n. 20, p. 154); em terceiro lugar, a autonomia financeira; em quarto lugar, a ausência de subordinação hierárquica, o que é óbvio, pois a autarquia administrativa representa um fenômeno de descentralização da Administração propriamente dita, que é o oposto da subordinação hierárquica.

9-B. Agências Executivas. Trata-se de nova forma legal de pessoa administrativa, criada pela Lei 9.649, de 27.5.1998, arts. 51 e 52.

O art. 51 dispõe que o Poder Executivo poderá qualificar como Agência Executiva a autarquia ou fundação, que tenha cumprido os seguintes requisitos: I – ter um plano estratégico de reestruturação e de desenvolvimento institucional em andamento; II – ter celebrado Contrato de Gestão com o respectivo Ministério supervisor. No § 1º está dito que "a qualificação como Agência Executiva será feita em ato do Presidente da República". No § 2º diz-se que o Poder Executivo editará medidas de organização administrativa específicas para as Agências Executivas, visando a assegurar a sua autonomia de gestão, bem como a disponibilidade de recursos orçamentários e financeiros para o cumprimento dos objetivos e metas definidos nos Contratos de Gestão.

Esses dispositivos continuam em vigor mesmo depois do advento da Lei 10.683, de 28.5.2003, que "Dispõe sobre a organização da Presidência da República e dos Ministérios, e dá outras providências". Essa lei corresponde à visão do novo governo, que se instalou no poder no princípio do ano de 2003 e tratou de operar modificações na organização dos órgãos que integram a Presidência da República e nos Ministérios, como é, de resto, o costume que se estabeleceu em nosso País. Cada Presidente afeiçoa os órgãos permanentes da Administração Federal aos seus desejos, e muda a Constituição Federal como quem baixa um novo regulamento.

O primeiro requisito já demonstra que a Agência Executiva nada mais é do que um *nomen juris* vazio de conteúdo. Essa afirmação de que deverá existir um plano estratégico de desenvolvimento e reestruturação é vazia de conteúdo. Se não houvesse plano algum, para que criar a autarquia ou a fundação autárquica? Trata-se de uma estultice manifesta. O segundo requisito é pior ainda. O contrato de gestão deverá ser realizado com o Ministério supervisor. Desde quando um Ministério, que é um simples órgão da Administração Pública, pode firmar contratos? Contrato é negócio jurídico que se faz entre pessoas. Pessoas de direito público podem contratar entre si. Mas no caso só existe uma pessoa, que é a autarquia que pretende a condição de Agência Executiva. Do outro lado inexiste pessoa, pois está o Ministério supervisor. Ora, para que supervisão ministerial, se é preciso reforçá-la mediante um contrato de gestão? Trata-se de uma toleima absoluta. Ou o ministro exerce as suas funções, através do Ministério e do respectivo poder de supervisão, sem nenhum contrato de gestão, ou não exerce e deixa de ser Ministro. Esse contrato de gestão faz lembrar um contrato que o Presidente da diretoria executiva de uma sociedade anônima tivesse que fazer com o seu empregado, chefe do setor de planejamento, para que impulsionasse a empresa. Se isso fosse necessário, um administrador esclarecido teria a solução imediata: demitir o chefe de setor incompetente. No Brasil, pretende-se suprir a incompetência mediante um contrato de gestão, realizado entre uma pessoa jurídica, dependente da supervisão ministerial, com o Ministério que lhe supervisiona, que não está dotado de personalidade jurídica e não pode contratar em seu nome. Celso Antônio Bandeira de Mello afirma com toda a propriedade: "Com a expressão "contrato de gestão" querem mencionar aquilo que, na verdade, não passa de um arremedo de contrato, uma encenação sem qualquer valor jurídico, pelo qual se documenta que a Administração Central "concede" à autarquia ou fundação maior liberdade de ação, isto é, mais autonomia, com a dispensa de determinados controles, e assume o "compromisso" de repasse regular de recursos em contrapartida do cumprimento por estas de determinado programa de atuação, com metas definidas e critérios precisos de avaliá-las, pena de sanções a serem aplicadas ao dirigente da autarquia que firmou o "pseudocontrato" se, injustificadamente o descumprir. É evidente que se as competências da entidade, se sua liberdade, "autonomia", decorrem da lei e não podem ultrapassar o que nela se dispõe, resulta óbvio que a autoridade supervisora não tem qualquer poder em relação a isto" (*Curso de Direito Administrativo*, ob. cit., IV, n. 34, p. 167). Numa expressão simples: os contratos de gestão são anódinos, não representam nada. Mas, do nada cria-se uma Agência Executiva.

Talvez a existência dessas Agências Executivas esteja na dependência da regulamentação legal do art. 37, § 8º da Constituição Federal, parágrafo que foi acrescentado pela Emenda Constitucional 19/1998, que prevê os assim chamados "contrato de gestão" dentro da própria Administração Pública. A definição do art. 51, inciso II, da Lei 8.649/1998, como já o dissemos, é incompreensível. Não é admissível juridicamente que uma autarquia ou fundação pública realize contratos com o Ministério de que depende e que tem ao seu dispor o poder de supervisão ministerial, muito mais efetivo do que um simples contrato. Contratos, já o dissemos, se realizam entre pessoas administrativas, ou entre pessoas administrativas e pessoas jurídicas ou físicas de direito privado. No caso, nenhum Ministério da República é pessoa jurídica. Pessoas jurídicas são a União, suas autarquias e fundações públicas. Entre essas pessoas jurídicas é possível estipular contratos de direito público. Nunca entre uma autarquia ou fundação e o Ministério supervisor, que não é pessoa administrativa. Até o presente momento não surgiu uma definição legal melhor para os chamados *contratos de gestão*. Logo, é correta a observação de que, presentemente, não existem, de direito, agências executivas. Dependendo de "falsos contratos", de existência jurídica atualmente impossível ou inválida (Celso Antônio Bandeira de Mello, *Curso de Direito Administrativo*, 15ª cit., cap. IV, n. 94, p. 210), as Agências Executivas se constituem numa fantasia jurídica.

9-C. Organizações Sociais. De acordo com a Lei 9.637, de 15.5.1998, "O Poder Executivo poderá qualificar como organizações sociais pessoas jurídicas de direito privado, sem fins lucrativos, cujas atividades sejam dirigidas ao ensino, à pesquisa científica, ao desenvolvimento tecnológico, à proteção e preservação do meio ambiente, à cultura e à saúde, atendidos os requisitos previstos nesta Lei" (art. 1º).

As Organizações Sociais são as entidades originariamente definidas como capazes de contratar com o Poder Público por meio dos denominados "contrato de gestão". Esses contratos, de acordo com os arts. 5º, 6º e 7º da referida Lei, foram originariamente definidos como sendo aqueles realizados entre o Poder Público e as Organizações Sociais, tendo em vista o fomento de atividades que interessam á Administração Pública.

Mas, logo a seguir, em 27.5.1998, a Lei 9.649, de forma incompreensível, estendeu o alcance dos contrato de gestão para abranger as avenças entre autarquias, ou fundações, com o respectivo Ministério supervisor (art. 51), prejudicando de forma evidente a conceituação original dos mesmos.

É certo, contudo, que as Organizações Sociais não se constituem, à evidência, em pessoas administrativas, e não integram a Administração indireta da União Federal.

Finalmente, não se confundem com as Organizações Sociais as denominadas "Organizações da Sociedade Civil de Interesse Público", introduzidas pela Lei 9.760, de 23.3.1999. Essas entidades podem firmar "termos de parceria" com o Poder Público, não podendo celebrar "contrato de gestão" com a Administração Pública.

10. Ao contrário da conclusão constante do item 10 da última edição deste livro, hodiernamente deve-se considerar que todas as entidades autárquicas, na órbita federal, estão submetidas ao controle externo e à fiscalização contábil, financeira, orçamentária e operacional do Tribunal de Contas da União (CF, arts. 70, e 71, II e III). •

11. Não se computam, de regra, entre as entidades autárquicas as *empresas de economia mista* (Ruben Rosa, "Entidades de Economia Mista", *Revista Jurídica*, t. 37, p. 21). A disciplina destas, ainda que especial, insere-se ordinariamente no Direito Mercantil. Nenhuma incompatibilidade, sem embargo, existiria entre o regime econômico de tais empresas e o regime jurídico da entidade autárquica. O Instituto de Resseguros do Brasil é, ao mesmo tempo, uma entidade autárquica e uma empresa de economia mista.

• Presentemente, o Instituto de Resseguros do Brasil é considerado como sociedade de economia mista, vinculada ao Ministério da Fazenda (Decreto 1.361, de 1º.1.1995, Anexo único).

11-A. As *sociedades de economia mista* integram a Administração indireta da União Federal (Decreto-lei 200/1967, arts. 4º, II, "c", e 5º, III). A expressão economia mista não significa uma noção jurídica, pois indica tão somente que o capital privado e os recursos públicos se reuniram para explorar uma determinada atividade econômica (Fritz Fleiner, *Institutionen des Deutschen Verwaltungsrecht*, Tübingen, 1963, § 8, p. 124). Hodiernamente, o conceito de economia mista está ligado ao de sociedade por ações, em nosso direito. O Decreto-lei 200/1967 define a sociedade de economia mista como entidade dotada de personalidade jurídica de direito privado, criada por lei para a exploração de atividade econômica, sob a forma de sociedade anônima, cujas ações com direito a voto pertençam em sua maioria à União ou a entidade da Administração indireta (art. 5º, III). Na conceituação legal estão enucleados os traços distintivos da sociedade de economia mista: a) personalidade jurídica de direito privado; b) criação por lei (CF, art. 37, XIX); c) forma de sociedade anônima; d) entidade destinada à exploração de atividade econômica; e) maioria das ações com direito a voto pertencentes à União ou a entidade da Administração indireta.

11-B. A sociedade de economia mista somente é uma sociedade privada em relação a terceiros com que entra em contato; não assim em suas relações com a entidade pública para a qual e pela qual foi criada, como instrumento de intervenção social ou econômica. Privada *quoad extra*, a sociedade de economia mista é necessariamente pública *quoad intra* (Ruy Cirne Lima, *Pareceres – Direito Público*, 1963, p. 18). Porque na intervenção estatal consista a nota específica da sociedade de economia mista, caracteriza-se, esta, antes pela participação da Administração Pública na direção social do que pela participação daquela no capital social (Ernst Forsthoff, *Lehrbuch des Verwaltungsrechts*, t. I, 10ª ed., München, 1973, § 25, "c", p. 520). Forsthoff é incisivo ao afirmar que na participação na direção da empresa, não na simples participação no capital social, se manifesta o traço característico especial da sociedade de economia mista ("in der Beteiligung in der Leitung der Unternehmung, nicht in der bloss kapitalmässigen Beteiligung, tritt der besondere, gemischtwirtschaftliche Charakter der Unternehmung in die Erscheinung")

11-C. Além da sociedade de economia mista, o Decreto-lei 200/1967 definiu nova forma de sociedade, denominada de *empresa pública*, que já tinha sido experimentada entre nós com a constituição da Novacap-Cia. Urbanizadora da Nova Capital, sociedade da qual a União Federal era detentora da totalidade do capital social. A empresa pública é a entidade dotada de personalidade jurídica de direito privado, com patrimônio próprio e capital exclusivo da União, criada por lei para a exploração de atividade econômica que o governo seja levado a exercer por força de contingência administrativa, podendo revestir-se de qualquer das formas admitidas em Direito. A empresa pública é a sociedade de um sócio só. Não constitui, a empresa pública, novidade jurídica. Ulpiano, em fragmento transcrito no *Digesto*, já admitia a possibilidade de uma pessoa jurídica (*universitas*) reduzir-se a uma só pessoa física como participante, afirmando que, nesse caso, o direito dos demais recairia sobre um só, permanecendo a denominação de pessoa jurídica (*universitas*). O texto é claro e inequívoco: "Sed si universitas ad unum redit: magis admittitur, posse eum convenire et conveniri, cum jus omnium in unum recidirit, et stet nomen universitatis", *Digesto*, L. III, Tit. IV, fr. 7, § 2). Traduzindo: "Mas, se a pessoa jurídica se reduz a um só, ainda assim se admite que possa ela ir a juízo e ser chamada a juízo: pois o direito de todos, recaiu sobre um só, e permanece o nome de *universitas*" (pessoa jurídica).

11-D. A concepção de uma pessoa jurídica com a participação de um único membro, já aparecia também no Direito público clássico Romano. Como regra, havia apenas um *princeps* de cada vez. Ele era o único proprietário de certos fundos destinados para propósitos públicos, os quais, após sua morte não eram herdados por seus herdeiros *iure civili*, mas pelo seu sucessor no cargo. Adotando a concepção inglesa de *corporation sole*", nós podemos simplesmente dizer que o *princeps* constituía uma *corporation sole* (Fritz Schulz, *Classical Roman Law*, Oxford, Clarendon Press, 1954, cap. II, *Corporations*, n. 3, *Princeps*, p. 90).

No direito inglês, sir Carleton Kemp Allen menciona que, na teoria do direito, a monarquia começa a emergir, com aquilo que Maitland denominou de "um aborto jurídico" – "the corporation sole" – a corporação de um único membro. O rei serve como arcabouço para uma estrutura elaborada de um metafísico ou poderíamos dizê-lo, metafisiológico contra-senso (*nonsense*). Ele se torna duas pessoas com dois corpos e duas capacidades, mesmo sendo apenas uma pessoa ("yet with only one person") (*Law in the Making*, 5ª ed., Oxford, Clarendon Press, 1956, p. 11).

De modo que a "corporation sole" do direito inglês nada mais é do que a personalidade jurídica do *Princeps* romano do direito clássico, trazida para os dias atuais. Maitland a denomina de "aborto jurídico", mas o certo é que a pessoa jurídica de apenas um membro, partindo da realeza e mesmo do direito civil romano, é uma realidade de nossos dias, representada pela empresa pública.

§ 8. AS PESSOAS ADMINISTRATIVAS

A empresa pública de um sócio só nos foi transmitida sobretudo pelo Direito Administrativo alemão. Ernst Forsthoff, ao definir o que é empresa pública, afirma que "Une entreprise est une entreprise publique lorsqu'elle appartient à l'administration publique" – "Uma empresa é uma empresa pública quando ela pertence integralmente à Administração Pública" (*Traité de Droit Administratif Allemand*, trad. de Michel de Fromont, Bruxelles, 1969, cap. XXIV, n. 2, p. 739).

O certo, porém, é que essa idéia, aparentemente moderna, de uma sociedade de um único sócio, nos veio do Direito Romano clássico, do tempo do Principado, quando "The sovereignty is no longer in the people: it is in Caesar. And Caesar is a man, possibly what we should call a corporation sole, the *fiscus* being merely a department of State" (W. W. Buckland e Arnold D. Mcnair, *Roman Law and Common Law*, Cambridge, 1952, n. 7, p. 55).

As empresas públicas constituem-se com capital exclusivo da pessoa administrativa de natureza política e existência necessária a que se vinculam (Odete Medauar, *Direito Administrativo Moderno*, 3ª ed., 1999, p. 96). Discutiu-se, anteriormente, sobre a possibilidade de criação de empresa pública no âmbito estadual e municipal. A questão foi resolvida, entretanto, pela Constituição de 1988, que dispõe sobre a criação de empresas públicas e de sociedades de economia mista pelo Estado (CF, art. 173, § 1º), sem distinguir entre União Federal, Estados-membros, Distrito Federal e Municípios. Dessa disposição constitucional deve-se inferir que qualquer uma dessas esferas de poder pode constituir empresas públicas, como entidades de um sócio só. A Constituição fala de "atividade econômica", mas em verdade as empresas públicas destinam-se sobretudo à prestação de serviços públicos, constituindo-se em exemplo conspícuo nesse setor a Caixa Econômica Federal, que presta um serviço público, o serviço de assistência à pequena economia privada.

As empresas públicas podem revestir-se de qualquer forma societária, havendo algumas sob a forma de sociedade anônima ou de sociedade por quotas de responsabilidade limitada.

Mas as mais importantes, na esfera federal, não adotam forma societária específica, constituindo-se em espécie *sui generis*, por não se subordinar às formas societárias conhecidas. Entre essas, podemos mencionar a ECT-Empresa Brasileira de Correios e Telégrafos, a Infraero-Empresa Brasileira de Infra-estrutura Aeroportuária, a Embrapa-Empresa Brasileira de Pesquisa Agropecuária, a empresa pública Hospital de Clínicas de Porto Alegre, a Casa da Moeda do Brasil, o Serpro, a CEF-Caixa Econômica Federal e o BNDES-Banco Nacional de Desenvolvimento

Econômico e Social. Todas essas empresas não se conumeram entre as formas societárias normalmente empregadas no direito comercial. Existem outras empresas, na Administração Federal, contudo, que aliam a condição de empresa pública à forma de sociedade por ações, de que constituem exemplo a Radiobrás S.A, a Cia. do Desenvolvimento do Vale do São Francisco e a Cia. Nacional de Abastecimento. Predominam, por conseguinte, as empresas públicas não subordinadas às formas usuais de sociedade comercial.

11-E. A empresa pública corresponde à figura da assim chamada "ein Mann Gesellschaft" do direito alemão, a sociedade de um sócio só. No Brasil, as empresas públicas ganharam expressão após a Reforma Administrativa do Decreto-lei 200/1967, tendo sido transformadas diversas autarquias, como as antigas Caixas Econômicas Federais, o Departamento de Correios e Telégrafos e o Banco Nacional de Desenvolvimento Econômico em empresas públicas. A característica fundamental dessas empresas consiste no fato de o titular da propriedade da empresa ser uma pessoa jurídica de direito público – entre nós uma pessoa administrativa de natureza política e existência necessária. No caso das empresas públicas, há identidade entre o proprietário da empresa e o seu dirigente máximo. Na afirmação de Ernst Rudolf Huber, o titular da empresa e o dirigente são idênticos ("Unternehmensträger und Unternehmensleiter können identisch sein (...)" – *Wirtschafts-Verwaltungsrecht*, Tübingen, 1954, vol. II, cap. 28, § 97, p. 472). No caso da empresa pública, a titular da empresa é uma pessoa jurídica de direito público (ob. cit., p. 471). As empresas públicas, por força de disposição constitucional (CF, art. 173, § 1º, II), devem sujeitar-se ao regime jurídico próprio das empresas privadas, inclusive quanto aos direitos e obrigações civis, comerciais, trabalhistas e tributários. Entretanto, difere das empresas privadas no que concerne aos controles a que está submetida, no que diz respeito às suas contas, pelo Tribunal de Contas (CF, art. 71, II) e à obrigação de licitação para a contratação de obras, serviços, compras e alienações em que deverão ser observados os princípios da Administração Pública (CF, art. 173, § 1º, III). Não poderão as empresas públicas gozar de privilégios fiscais não extensivos às empresas do setor privado (CF, art. 173, § 2º). Por isso, com o advento da Constituição de 1988, a isenção geral de impostos que tinha sido concedida à Caixa Econômica Federal desapareceu, obrigando aquela empresa ao pagamento de tributos a partir de então.

11-F. As sociedades de economia mista, assim como as empresas públicas, exercem tanto a atividade econômica quanto a prestação de

§ 8. AS PESSOAS ADMINISTRATIVAS

serviços públicos. Sociedades de economia mista que exercem atividade econômica são, por exemplo, o Banco do Brasil S.A., o Banco do Nordeste do Brasil S.A., o Banco da Amazônia S.A. e a Petrobrás-Petróleo Brasileiro S.A. Sociedades de economia mista que desenvolvem um serviço público são, por exemplo, o Instituto de Resseguros do Brasil, o Hospital Nossa Senhora da Conceição S.A., o Hospital Fêmina S.A. e o Hospital Cristo Redentor S.A.

No âmbito dos Estados-membros, também há a mesma dicotomia. No Estado do Rio Grande do Sul, por exemplo, a Cia. Estadual de Energia Elétrica é uma sociedade de economia mista concessionária de um serviço público federal; já o Banco do Estado do Rio Grande do Sul-BANRISUL, é uma sociedade de economia mista que desenvolve atividade econômico-financeira. •

12. Inconfundíveis, porém, com as entidades autárquicas, pessoas físicas ou jurídicas de direito privado, regular ou singular, exercem a Administração Pública, na sua qualidade mesma de pessoas privadas, ou imediatamente, por disposição legal, ou mediatamente, mercê da concessão ou ato equivalente do poder público.

Contam-se nesse número: o Serviço Social da Indústria (v., n. 1, supra); o Serviço Social do Comércio; os concessionários de serviços públicos (CF, art. 175, parágrafo único, I), • como as empresas de rádio e televisão; as empresas de navegação aérea; as empresas de transporte interestadual de pessoas; as empresas concessionárias das rodovias federais; as empresas concessionárias de energia elétrica; as empresas concessionárias de telefonia fixa e móvel; • os estabelecimentos particulares de ensino superior, oficialmente reconhecidos (Decreto-lei 421, de 11.5.1938, art. 18); o Banco do Brasil S.A., sociedade de economia mista, instrumento freqüente de atividades da Administração Pública, ainda fora do terreno estritamente financeiro.

§ 9. OS BENS EM RELAÇÃO À ADMINISTRAÇÃO PÚBLICA

1. São públicos – declara o Código Civil de 2002 – os bens do domínio nacional pertencentes às pessoas jurídicas de direito público interno; todos os outros são particulares, seja qual for a pessoa a que pertencerem (art. 98).

• São pessoas jurídicas de direito público interno, por sua vez, segundo o art. 41 do Código Civil: I – a União; II – os Estados, o Distrito Federal e os Territórios; III – os Municípios; IV – as autarquias, inclusive as associações públicas; V – as demais entidades de caráter público criadas por lei. •

Mas, pertencentes embora à União, aos Estados, ao Distrito Federal, aos Municípios ou aos Territórios, originariamente, podem os bens públicos achar-se aplicados a serviços ou estabelecimentos públicos federais, estaduais, territoriais ou municipais (CC, art. 99, II), inclusive as suas respectivas autarquias, que, personificadas, venham a tornar-se-lhes titulares do domínio. Ora, pertencentes originariamente ao domínio nacional, é fora de dúvida que esses bens, a fim de poderem ser considerados bens particulares, haviam de ser previamente transferidos a pessoas de direito privado. Não houve tal transferência; logo, continuam no domínio nacional. Compreende, pois, o domínio nacional, como o próprio Código Civil o diz, os bens incorporados às autarquias (art. 41, inciso IV).

• Divide o Código Civil os bens públicos em três classes, conforme o disposto no art. 99: I – os de uso comum do povo, tais como rios, mares, estradas, ruas e praças; II – os de uso especial, tais como edifícios ou terrenos destinados a serviço ou estabelecimento da Administração federal, estadual, territorial ou municipal, inclusive os de suas autarquias; III – os dominicais, que constituem o patrimônio das pessoas jurídicas de direito público como objeto de direito pessoal, ou real de cada uma dessas

§ 9. OS BENS EM RELAÇÃO À ADMINISTRAÇÃO PÚBLICA

entidades. E dispõe, ainda, no parágrafo único do art. 99: "Não dispondo a lei em contrário, consideram-se dominicais os bens pertencentes às pessoas jurídicas de direito público a que se tenha dado estrutura de direito privado". •

Chama-se aos bens do primeiro grupo "bens do domínio público"; aos do segundo "bens patrimoniais indisponíveis"; e aos do terceiro "bens patrimoniais disponíveis". Essas denominações provêm do antigo Regulamento Geral de Contabilidade Pública (Decreto 15.783, de 8.11.1922, arts. 804, 810 e 811). Respeito às duas últimas classes de bens, a denominação atende mais às conseqüências de sua condição jurídica do que à condição mesma. Daí preferível chamar-lhes "bens do patrimônio administrativo" aos bens patrimoniais indisponíveis, os quais, somente por estarem aplicados a serviço ou estabelecimento administrativo, é que se tornam indisponíveis; e "bens do patrimônio fiscal" (Veiga Filho, *Manual da Ciência das Finanças*, 1923, § 35, pp. 162 e ss.) aos bens patrimoniais disponíveis, os quais, também, somente por estarem destinados a serem vendidos, permutados ou explorados economicamente pelas autoridades fiscais, no interesse da Administração, é que são declarados disponíveis.

• Essa classificação remonta a Walter Jellinek, que afirmava o seguinte: "O poder público, por seus representantes, pode, em relação a coisas que lhe pertencem, também empregá-las no desenvolvimento de seus serviços internos. Ele erige prédios públicos, quartéis militares, depósitos para estocagem, entrepostos de fronteira. Todos esses bens pertencem ao assim chamado patrimônio administrativo" (*Verwaltungsvermögen*) (*Verwaltungsrecht*, ob. cit., § 22, I, p. 487).

Ainda segundo Walter Jellinek "O Estado e outros titulares do poder público podem ser titulares de um patrimônio administrado de acordo com o direito privado. Eles permitem a exploração de campos e de florestas, mediante locação, exploram minas e fábricas, colocam os recursos financeiros supérfluos a render juros. Esse patrimônio assim administrado denomina-se de patrimônio fiscal ou patrimônio financeiro" (*Finanzvermögen* – ob. cit., § 22, I, p. 487).

Walter Jellinek, ainda se referindo ao patrimônio administrativo, afirmava que, para o Direito Administrativo, não era de grande relevância, pois dele não nasciam relações jurídicas entre o Poder Público e os cidadãos de forma significativa.

Entretanto, esse não era o caso das coisas do domínio público (*öffentlichen Sachen*). Pode-se circunscrever a influência duradoura no direito público das coisas públicas, nas suas relações administrativas e relações individuais regidas pelo direito público. Os principais exemplos dessas coisas podem ser dados pelas estradas públicas, com suas pontes e caminhos, as águas públicas, compreendendo ainda os portos, as praias dos mares, o espaço aéreo para além dos limites do interesse da propriedade fundiária e os lugares de refúgio, de uso comum, nas estradas (Walter Jellinek, ob. cit., p. 488). •

2. Os bens do domínio público e do patrimônio administrativo encontram-se, na maioria das legislações cultas, submetidos a regime jurídico especial. Esse regime não lhes é privativo; pode, por disposição legal, estender-se ao patrimônio fiscal.

Regime jurídico especial supõe, normalmente, entretanto, situação de fato especial. Em que, portanto, se singularizariam o domínio público e o patrimônio administrativo?

Em se constituírem de bens de propriedade do Estado? Indubitavelmente não, porque, como proprietário precisamente, o Estado se submete ao regime do direito comum (Visconde do Uruguai, *Ensaio sobre o Direito Administrativo*, Rio de Janeiro, 1862, I, p. 86). Não os sinala, igualmente o uso que dos respectivos bens é feito na sociedade política; comum era o uso dos bens sociais na sociedade universal (art. 1.373 do Código Civil de 1916) e especial o uso deles na sociedade particular, para certa empresa, indústria ou profissão (art. 1.317 do Código Civil de 1916).

Qual lhes será, então, o sinal distintivo?

• **2-A.** A questão foi muito controvertida no Direito Administrativo. A primeira teoria que tentou dar uma explicação para a natureza jurídica dos bens públicos foi aquela elaborada por Otto Mayer. Ela apareceu inicialmente, em 1886, no livro que Otto Mayer publicou, em alemão, sobre o Direito Administrativo francês. Dizia Mayer que há duas espécies de propriedade do Estado: uma propriedade privada ("domaine privé de l'État") e uma propriedade pública ("domaine public"). A distinção não concerne apenas aos limites estritos da propriedade do Estado, mas, ainda, da Administração autônoma; há um domínio público departamental e um domínio público municipal (*Theorie des Französischen Verwaltungsrechts*, Strassburg, 1886, § 35, p. 227).

Otto Mayer, pela primeira vez, dá uma definição de propriedade pública, que passou para o direito alemão.

"*Domaine public* ist also ein Eigentum des Staates, welches dem öffentliches Rechte unterliegt" ("O domínio público é, portanto, uma

§ 9. OS BENS EM RELAÇÃO À ADMINISTRAÇÃO PÚBLICA

propriedade do Estado, a qual se submete ao Direito Público"). Mayer interrogava, então: "mas quando isso acontece"? ("Aber wann ist das der Fall?"). E respondia: "Trata-se de uma manifestação de vontade do Estado" ("Es handelt sich um eine Willenstätigkeit des Staates" – ob. cit., p. 229). "A doutrina dominante encontra essa necessidade de manifestação da vontade do Estado – de que a coisa de propriedade do Estado seja afetada a um estabelecimento público, 'affecté à un service public'" (ob. cit., p. 230). É a segunda forma de propriedade do Estado, aquela vinculada à Administração estatal autônoma.

Do direito francês essa concepção passou, pela pena de Otto Mayer, para o direito alemão.

Na Alemanha, em seu livro sobre o Direito Administrativo Alemão (*Le Droit Administratif Allemand*) Otto Mayer sustenta que determinadas coisas corpóreas, manifestam, por seu aspecto exterior, uma destinação especial de servir à sociedade e ao interesse público. As vias públicas, os rios, as fortificações são coisas públicas. Sua própria destinação não permite que estejam colocadas sob o poder de um particular, que delas disporia de acordo com os seus interesses pessoais. Por isso, todas essas coisas são subtraídas ao comércio ordinário do direito privado. Por outro lado, sua destinação de atender ao interesse público as coloca numa dependência especial do Estado. Essa dependência pode encontrar sua expressão na forma da propriedade pública, ou domínio público (Otto Mayer, *Le Droit Administratif Allemand*, t. III, Paris, 1905, § 35, p. 87).

O que seria a propriedade pública? Na afirmação de Otto Mayer "é a idéia da propriedade civil transportada para o direito público e modificada para adaptar-se às suas peculiaridades" (ob. cit., t. III, § 35, II, p. 108). A concepção de Mayer sobre propriedade pública não foi devida, na sua afirmação, aos seus estudos sobre o direito alemão, mas relativos ao Direito Administrativo francês, cujo livro famoso fizemos menção acima.

No seu *Deutsches Verwaltungsrecht* (vol. II, Berlin, 1924, § 35, p. 42), Otto Mayer confessa que "Na edição francesa do meu livro, tive a oportunidade de expor largamente minha teoria da propriedade pública, a que Gaston Jèze se vinculou no seu livro sobre o Direito Administrativo da República Francesa, no qual as minhas proposições fundamentais sobre a propriedade pública foram traduzidas" (p. 42, nota 5).

2-B. A questão da natureza jurídica do domínio público remonta a uma famosa controvérsia, suscitada no século XIX, sobre a separação do Cantão suíço da Basiléia, por ocasião de sua divisão em dois: Basiléia cidade e Basiléia campo. Quando foi decidida a separação, entre cidade e campo, uma grande contestação foi levantada sobre a questão de saber se as antigas fortificações da cidade da Basiléia deviam entrar na massa de bens a serem partilhados. Não havendo texto expresso de lei, a questão deveria ser julgada segundo os princípios do Direito Romano. Otto Mayer afirmava que foram os romanistas que, em primeiro lugar, proclamaram a idéia de uma propriedade regida pelo direito público. As maiores autoridades universitárias foram chamadas a se manifestar sobre o tema. Houve os que sustentaram, como Keller, defendendo a causa da cidade de Basiléia, que, em se tratando de coisas públicas, não existe para o Estado nada de semelhante a uma propriedade. O Estado teria, em relação às coisas públicas, um direito de superioridade puro. O Estado seria incapaz de ser proprietário e as coisas públicas somente poderiam ser consideradas como *res nullius*.

Em oposição a essa concepção, embora admitindo sua conclusão de que o Estado não poderia ser titular de propriedade alguma, o grande Rudolf von Ihering sustentou que o verdadeiro proprietário das coisas públicas, é o público, na condição de seu usuário. No que concerne às *res publicae* o que haveria é o reverso do uso de todos.

Otto Mayer fez uma crítica severa à teoria defendida por R. von Ihering, ao afirmar que é singular que se tenha feito essa tentativa de restabelecer o uso comum, elevando-o à dignidade de direito de propriedade das coisas públicas, precisamente em relação a uma coisa pública que não está à disposição do uso de todos, como é o caso das fortificações. Conclui dizendo: "As fortificações! Bastaria fazer apenas a tentativa de nelas penetrar, para se constatar que não são de uso comum" (*Le Droit Administratif Allemand*, t. III, Paris, 1905, nota 14, p. 102).

Houve, também, aqueles que, como Wappäus, defendiam a propriedade privada do Estado, ou como Rüttimann, que sustentavam a propriedade do Fisco, entidade inexistente naquela época, desaparecida que fora com o Império Romano.

Nesse conflito de opiniões, sinala Otto Mayer que uma idéia surge e se revela de extrema relevância. É a concepção da propriedade de direito público, defendida pelo pandectista Dernburg: Dizia Dernburg que a propriedade sobre as coisas públicas não é uma simples propriedade como aquela que podem ter as pessoas de direito privado. O Estado, pelo contrário, elevou sua situação acima daquela de um proprietário comum; ele declarou que seu direito é inalterável e intangível, colocando essas coisas como *res extra commercium*. Haveria nesse direito um caráter de soberania, que determina a relação de propriedade estatal, quanto à sua forma e ao seu conteúdo, como regida pelo direito público. Concluindo,

§ 9. OS BENS EM RELAÇÃO À ADMINISTRAÇÃO PÚBLICA

afirma Dernburg, dizendo que "A opinião exata é que, também as coisas públicas do Estado e dos Municípios são de sua propriedade" (Arrigo Dernburg, *Pandette*, vol. 1º, parte I, *Parte Generale*, trad. italiana de F. B. Cicala, Torino, 1906, § 71, p. 207). Nesse particular, Dernburg invoca e segue a opinião do jurisconsulto Marcianus, que dizia: "Universitatis sunt, non singulorum, veluti quae in civitatibus sunt theatra, et stadia, et similia, et si qua alia sunt communia civitatum" (*Digesto*, Liv. I, Tit. VIII, Fr. 6). A concepção de Dernburg, que se originava na de Marcianus no Direito Romano, foi acolhida também, na Alemanha, por Eisele, que sustentava que "O Direito do Estado sobre as coisas públicas deve ser designado como propriedade de direito público, ou como propriedade publicística" (Otto Mayer, *Le Droit Administratif Allemand*, t. III, § 35, pp. 102-103, nota 14).

Otto Mayer, em seu livro, relembra que enquanto Eisele chega a essa definição do domínio público, embora permanecendo estranho aos estudos do Direito Administrativo, por uma coincidência curiosa, ele, Otto Mayer, sem conhecer o trabalho de Eisele, tinha chegado a uma tese praticamente idêntica, ao estudar o Direito Administrativo francês, conforme demonstra sua definição de "domaine public", acima referida.

2-C. Otto Mayer chega, então, em seu outro livro, escrito em francês, *Le Droit Administratif Allemand*, publicado em Paris, no ano de 1905, a uma concepção idêntica. Indaga, O. Mayer, nesse livro: "O que é a propriedade pública?". Responde à indagação, afirmando: "É a idéia da propriedade civil transposta para a esfera do direito público e modificada em conseqüência de suas peculiaridades" (ob. cit., t. III, § 35, n. II, p. 108).

2-D. A doutrina desenvolvida por Otto Mayer, apesar do relevo e da estatura do grande mestre, não vingou no seio do Direito Administrativo. Novas concepções surgiram para explicar a verdadeira natureza jurídica dos bens do domínio público e do patrimônio administrativo, tendo sido abandonada a teoria formulada por Otto Mayer.

2-E. Walter Jellinek já observava com acuidade que "para determinadas coisas públicas, a gênese do seu nascimento é puramente natural. O mar invade com suas ondas longas extensões de terra firme e se torna, por essa forma, parte integrante dos oceanos; o que era uma praia, torna-se mar, o que era uma região continental, torna-se apenas uma praia" ("Für gewisse öffentliche Sachen ist der Entstehungstatbestand rein natürlich

Art. Das Meer überflutet eine Strecke Festlandes und macht sie damit zum Bestandteil des Ozeans; was strand war, wird Meer, was Binnenland war, Strand" – *Verwaltungsrecht*, ob. cit., § 22, n. 3, p. 490).

Essa gênese natural não se verifica para todas as coisas públicas. Contrariamente, o fato do nascimento de outras coisas do domínio público, não é obra da natureza. Jellinek exemplifica que "contrariamente – ao nascimento natural – não há nenhuma estrada pública feita pela natureza" ("Dagegen gibt es Keine von Natur öffentlichen Wege" – ob. cit., p. 490). Mas, há um poder de excluir a utilização do proprietário privado, no caso de uma necessidade suplementar. Nesse caso, pode haver uma afetação obrigatória de um caminho à circulação pública ("der bindenden Widmung des Weges für den öffentlichen Verkehr" – W. Jellinek, ob. cit., p. 491).

Para que estejamos diante de uma estrada pública, sobre o solo privado, é indispensável não uma ação da natureza, mas um ato de autoridade. Por isso, Walter Jellinek afirma que "sem afetação não há estrada pública" ("Ohne Widmung kein öffentlicher Weg" – ob. cit., p. 491).

Quando W. Jellinek fazia referência à afetação (*Widmung*) para a existência de determinados bens públicos, do domínio público principalmente, estava lançando as bases de uma nova teoria, posteriormente desenvolvida.

2-F. A partir desse ponto, Fritz Fleiner desenvolveu a teoria da afetação (*Widmung*) para caracterizar os bens públicos.

Dizia Fleiner que "denominam-se as coisas que o Estado ou uma outra corporação de direito público se servem para cumprir suas atividades, coisas públicas em sentido largo. De acordo com sua *afetação*, elas se classificam seja no patrimônio fiscal, seja no patrimônio administrativo, seja entre as coisas de uso comum" (*Institutionen des Deutschen Verwaltungsrechts*, 2ª impr. da 8ª ed., Tübingen, 1928-1963, § 21, pp. 351-352).

As coisas públicas em sentido estrito estão submetidas em parte ao direito público, em parte ao direito privado. Quando não é a própria natureza que, como no caso dos cursos de água naturais, tornou uma coisa pública, a qualidade de coisas públicas somente pode ser atribuída por um ato jurídico de direito público do órgão estatal competente, não podendo elas ser subtraídas, de novo, à sua destinação pública a não ser por um ato da mesma natureza. Este ato é a afetação (*Widmung*), a colocação em serviço (*Indienststellung* – F. Fleiner, ob. cit., § 21, n. II, p. 353).

2-G. Ernst Forsthoff sustenta a mesma concepção. Afirma que as coisas públicas assim são consideradas, ou por sua própria natureza, ou por meio de um ato especial: a colocação em serviço (*Indienststellung*), sob a afetação (*Widmung*) a uma determinada finalidade pública.

Riachos naturais, ou as praias do mar são, por sua natureza, destinados ao uso público. São coisas públicas no sentido de que, tarefa da Administração é a de regular o seu uso comum. Entretanto, as ruas, os prédios das escolas, ou a praça do mercado são obras construídas, as quais estão destinadas a um fim administrativo especial e se destinam ao serviço público. Nesses casos, aparecem as coisas como coisas públicas, sob o domínio do direito público. A sua utilização e o seu serviço, destinado a um fim público, devem ser julgados segundo as regras do direito público. O que isso significa, será ainda explicitado nos casos particulares.

As coisas públicas, por conseguinte, não são simplesmente *extra commercium*, assim como as *res publicae* no Direito Romano. Elas permanecem objeto da propriedade privada. Não saem da autoridade do Direito Civil. Apenas têm a vinculação a um fim público, que tem absoluta preeminência sobre todas as relações jurídicas privadas ("Nur hat die öffentlichrechtliche Zweckbindung vor allen privatrechtlichen Verhältnissen den absoluten Vorrang" – *Lehrbuch des Verwaltungsrechts*, vol. I: Parte Geral, 10ª ed., München, 1973, § 20, p. 380).

2-H. Retornando, agora, ao ponto em que iniciamos a digressão sobre a natureza jurídica dos bens públicos, voltamos à pergunta anteriormente feita: qual lhes será, então, o sinal distintivo? •

3. Sinal distintivo dos bens do domínio público e do patrimônio administrativo é o fato de participarem da atividade de Administração da União, dos Estados, do Distrito Federal, dos Municípios, dos Territórios ou das entidades autárquicas, nelas compreendendo as fundações públicas. Tão saliente é essa feição daqueles bens que no Código Civil de 1916, respeito aos bens de uso comum, ao invés de declará-los pertencentes à União, Estado ou Município, a cuja Administração porventura servissem, por uma figura de linguagem, corrente no nosso Direito Administrativo, desde logo os declarava pertencentes à Administração mesma (art. 68, CC/1916). Ora, traço característico da Administração Pública é estar vinculada – não a uma vontade – porém, a um fim (v. § 2, n. 2, supra). Logo, este há de ser, também, um dos atributos dos bens do domínio público e do patrimônio administrativo. Costuma dizer-se que os bens do domínio público, por natureza, e os do patrimônio administrativo, por destino, são insuscetíveis de propriedade, quer dizer, de vincular-se, pelo laço do direito real, a uma vontade ou personalidade (Rodrigo Otávio, *Do Domínio da União e dos Estados*, 1924, n. 36, p. 63: "(...) posto que o domínio público se manifeste mais efetivo que o domínio eminente, não tem ainda o caráter de propriedade (...). No domínio público se distinguem os bens que dele fazem parte por natureza e os que por destino lhe são incorporados").

4. Adquirida esta noção, no entanto, já o conceito enunciado, de domínio público e patrimônio administrativo, se nos afigura restrito e acanhado. De feito, se é suficiente para reputar-se um bem incorporado ao domínio público ou ao patrimônio administrativo que esse bem participe da Administração Pública como atividade, e se ache, portanto, vinculado ao fim peculiar desta, então devemos concluir que o conceito de domínio público e de patrimônio administrativo excede ao de propriedade pública e que, além dos bens do domínio nacional, ainda outros podem e devem classificar-se como tais. Essa conclusão é exata e outros bens existem, realmente, não pertencentes às pessoas administrativas, e incorporados, não obstante, ao domínio público e ao patrimônio administrativo. Assim incorporado ao domínio público e tornado bem de uso comum encontra-se o álveo do rio público, tirado pela natural mudança do curso deste à propriedade particular (CC, art. 1.252), • sem que tenham direito a indenização os donos dos terrenos por onde as águas abrirem novo curso. •

Aplicações desse princípio se encontram já, de resto, no artigo 3º, do Decreto-Lei 58, de 10.12.1937, no qual se declara que o registro no cartório imobiliário dos documentos relativos ao loteamento de terrenos destinados à venda em prestações, "torna inalienáveis por qualquer título, as vias de comunicação e os espaços livres constantes do memorial e planta". • Disposição análoga consta da lei que dispõe sobre o parcelamento do solo urbano, a qual, em seu art. 22, dispõe que "desde a data do registro do loteamento, passam a integrar o domínio do Município as vias e praças, os espaços livres e as áreas destinadas a edifícios públicos e outros equipamentos urbanos, constantes do projeto e do memorial descritivo" (Lei 6.766, de 19.12.1979, art. 22). Da mesma forma, o Código Brasileiro de Aeronáutica (Lei 7.565, de 19.12.1986), considera como aeronaves públicas "as destinadas ao serviço do poder público, inclusive as requisitadas na forma da lei" (art. 107, § 3º). •

Devemos ampliar, portanto, o nosso primitivo conceito a esse propósito. Não rejeitaremos, porém, a classificação do Código Civil nessa matéria. • O Código Civil, no seu Capítulo III, ocupa-se dos bens, consi-

§ 9. OS BENS EM RELAÇÃO À ADMINISTRAÇÃO PÚBLICA

derando-os relativamente a seus proprietários; fiel a esse critério geral, a sua classificação se restringe aos bens públicos, isto é, aos de propriedade das pessoas jurídicas de direito público interno (art. 98).

Os bens públicos são classificados em de uso comum do povo (art. 99, I), de uso especial (art. 99, II) e os dominicais (art. 99, III). Afirma, ainda, o Código Civil que, "não dispondo a lei em contrário, consideram-se dominicais os bens pertencentes às pessoas jurídicas de direito público a que se tenha dado estrutura de direito privado" (art. 99, parágrafo único). •

Pensamos nós que nessas mesmas classes, perfeitamente nítidas e exatas, cabem ainda outros bens que não pertencem a tais proprietários. Não diz o Código o contrário. Podemos dizer conseqüentemente, sem ofensa ao novo Código, que formam o domínio público e o patrimônio administrativo, todos os bens, pertençam a quem pertencerem, que participam da atividade administrativa e se achem, por isso mesmo, vinculados aos fins desta.

• *4-A.* De tudo quanto ficou dito, verifica-se que a concepção que predomina hodiernamente é a que rejeita a tese da propriedade pública, formulada por Otto Mayer, com base nas observações de Dernburg, que teve curta vida na Alemanha, e por Maurice Hauriou, na França (*Précis de Droit Administratif et de Droit Public*, Paris, 1921, cap. II, § 2º, p. 616), doutrina que define o domínio público como uma forma de propriedade pública administrativa, inalienável e imprescritível.

Essa doutrina sempre teve adversários de renome. Na França, a figura brilhante de Léon Duguit se opôs à tese da propriedade pública, afirmando que "a categoria jurídica do direito real foi concebida para o regime da propriedade privada" (*Traité de Droit Constitutionnel*, t. III, Paris, 1923, cap. V, § 77, p. 357). Segundo Duguit, a inalienabilidade do assim chamado domínio público nada tem a ver com uma oposição ao direito privado, nada mais sendo do que uma proteção da afetação das coisas dominiais ao serviço público, a fim de que esse serviço possa funcionar sem interrupção e no melhor interesse dos usuários (ob. cit., § 76, p. 340).

4-B. A tese dominante entre nós, idêntica à esposada neste livro, é a de que o regime do domínio público e do patrimônio administrativo não tem como suporte a propriedade, nem pública, tampouco privada. Os direitos exercidos pela Administração Pública sobre esses bens não decorrem do direito de propriedade, mas de um vínculo específico, consubstanciado pela relação de administração, que protege a destinação pública desses bens, mesmo contra seus proprietários eventuais, que deles não têm mais a livre disposição. Nesse sentido, veja-se a opinião de Odete Medauar (*Direito Administrativo Moderno*, Ed. RT, 1999, 12.4, p. 264).

4-C. Hodiernamente, na doutrina estrangeira, a formulação da teoria da afetação dos bens a uma finalidade pública não mudou. Hans-Julius Wolff e Otto Bachof sustentam que uma coisa se transforma em coisa pública num sentido jurídico, por intermédio de um ato estatal, que se denomina de *Widmung*, isto é, *afetação*. Esse ato determina o fim público a que o bem deverá servir (*Verwaltungsrecht*, I, 9ª ed., 1974, München, § 56, n. I, p. 487). A afetação poderá decorrer tanto de uma lei em sentido formal, quanto de um regulamento, do costume ou de um ato administrativo (ob. cit., n. II, "a", "b", "c", "e", pp. 488-489). Permanece, pois, a concepção que considera a afetação como o traço característico dos bens públicos, ao invés da propriedade pública.

4-D. A afetação, ao contrário do que afirmava Otto Mayer, não se constitui num simples processo material. De acordo com Ernst Forsthoff, a doutrina dominante se afasta dessa concepção. A afetação é basicamente um ato jurídico de destinação do bem ao uso público ou ao serviço público. É um ato que não tem destinatário específico, ao contrário dos demais atos administrativos. Trata-se de ato que apresenta um caráter *erga omnes*, à semelhança do direito real de propriedade. A qualidade de coisa pública repousa, segundo Forsthoff, sobre uma afetação a uma finalidade pública. Poderá, por conseguinte, essa mesma coisa deixar de ser pública, por um ato de desafetação. A desafetação é um ato contrário à afetação e tem a mesma natureza jurídica de ato administrativo, sem um destinatário específico (*Traité de Droit Administratif Allemand*, trad. de Michel de Fromont, Bruxelles, 1969, p. 560). •

5. A relação jurídica, na qual os bens do domínio público e do patrimônio administrativo se inserem como objeto, é a relação de administração (v. § 6, n. 3, supra), relação, que aqui se nos depara como análoga, mas distinta da de propriedade (Ruy Cirne Lima, *Sistema de Direito Administrativo Brasileiro*, t. I, 1953, § 15, p. 151).

Na propriedade, cabe ao proprietário a faculdade de excluir; no domínio público, quanto aos bens de uso comum, ao utente, a pretensão a não ser excluído, enquanto se adscreve no uso à destinação do bem. • A situação jurídica, que aqui se origina da ocupação é transitória. Cícero já advertia: "Mas como em um teatro, embora seja um lugar público,

§ 9. OS BENS EM RELAÇÃO À ADMINISTRAÇÃO PÚBLICA

pode-se dizer corretamente que o lugar ocupado por alguém é o seu lugar" ("sed, quem ad modum, theatrum ut commune sit, recte tamen dici potest, ejus esse eum locum, quem quisque occuparit" – *De Finibus*, lib. III, cap. XX). Da mesma forma, Sêneca se manifestava: "os lugares destinados aos cavaleiros, são de todos os cavaleiros romanos: neles, contudo, o meu lugar se torna próprio enquanto o estiver ocupando" ("equestria ommnium equitum romanorum sunt: in illis tamen locus meus fit poprius, quem occupavi" – *De Beneficiis*, lib. VII, cap. XII).

A propriedade é perpétua; o uso público é transitório. Mas, salvo essa notação discriminativa, é fora de dúvida que, quanto aos usuários, o uso público e a relação de administração que nele se manifesta, refletem e reproduzem os lineamentos clássicos da propriedade. • Na propriedade, cabe o direito de excluir; no uso público, a pretensão a não ser excluído. Ressalvada, porém, essa diferenciação, de resto, fundamental, a analogia entre as duas situações é manifesta. Quanto aos bens do patrimônio administrativo, a analogia é ainda mais flagrante. O uso especial assemelha-se ao exercício do domínio, ainda que, aqui também, a destinação da cousa elimine todo o arbítrio na utilização dela, diretamente pelo Estado ou outra pessoa administrativa (v. § 23, n. 3, supra).

Dá-nos a relação de administração, a seu turno, e não a propriedade, a medida da participação do bem, de que se cuida, na atividade administrativa.

Mas a relação de administração e a propriedade não se excluem, ainda que coincidentes sobre os bens do domínio público e do patrimônio administrativo. Aquela domina e paralisa esta, superpõe-se-lhe, mas não a afasta.

6. As duas expressões "domínio público" e "patrimônio administrativo" não possuem, quanto ao conteúdo, a mesma intensidade; antes designam duas proporções diferentes de participação dos bens na atividade administrativa.

Sob esse aspecto, pode o domínio público definir-se como a forma mais completa da participação de um bem na atividade de Administração Pública. São os bens de uso comum, ou do domínio público, o serviço mesmo prestado pela Administração ao público. Assim, as estradas, os viadutos, as pontes, as ruas e praças (CC, art. 99, I).

Pelo contrário, os bens do patrimônio administrativo são meramente instrumentos de execução dos serviços públicos; não participam propriamente da Administração Pública, porém do aparelho administrativo;

antes se aproximam do agente do que da ação por este desenvolvida. Assim, os edifícios das repartições públicas • e os terrenos destinados a serviço ou estabelecimento da Administração federal, estadual, territorial ou municipal, inclusive os de suas autarquias (CC, art. 99, II). •

Entre essas duas classes de bens existem, no entanto, tipos intermediários; forma o conjunto uma gradação quase insensível de tons e matizes. Assim, entre as estradas e as construções ocupadas pelas repartições públicas, figuram as fortalezas que, a rigor, pode dizer-se, participam dos caracteres de umas e outras: são o serviço de defesa nacional, porque são a concretização desta em seu setor de ação, e, ao mesmo tempo, estão meramente aplicadas a esse serviço, porque o público não se utiliza delas diretamente. Entre os bens do patrimônio administrativo e a propriedade pura e simples do patrimônio fiscal, as mesmas nuanças aparecem; entre aquelas e esta devem classificar-se os vagões das estradas de ferro estatais, que tanto podem reputar-se bens do patrimônio administrativo, porque aplicados ao serviço público do transporte terrestre, como do patrimônio fiscal, porque destinados à exploração econômica.

Verifica-se, destarte, que a distinção entre os bens do domínio público e os do patrimônio administrativo é de caráter quantitativo; e ainda que o patrimônio administrativo, se representa o mínimo legal de participação de um bem determinado na Administração Pública, não representa, todavia, o mínimo possível dessa participação. Em classe intermediária, situada entre o patrimônio administrativo e o patrimônio fiscal, hão de classificar-se os monopólios que a Constituição atribuiu à União (CF, art. 177, I, II, III, IV e V). • O patrimônio da CNEN-Comissão Nacional de Energia Nuclear e o da ANP-Agência Nacional de Petróleo, estariam nesse caso. Deve-se considerar, por outro lado, que, de acordo com o art. 99, parágrafo único, do Código Civil, as fundações públicas a que se deu estrutura de direito privado, têm o seu patrimônio incluído entre os bens dominicais. Também estão incluídos entre os bens dominicais, os bens das empresas públicas, como a Infraero, que detém os aeroportos do país, como a ECT-Empresa Brasileira de Correios e Telégrafos, como o BNDES-Banco Nacional de Desenvolvimento Econômico e Social, como a Eletrobrás S.A, como a CEF-Caixa Econômica Federal, como a IMBEL-Indústria de Material Bélico do Brasil, como a EMGEPRON-Empresa Gerencial de Projetos Navais, como a EMBRAPA-Empresa Brasileira de Pesquisa Agropecuária, como a CONAB-Companhia Nacional de Abastecimento e tantas outras entidades a que se deu estrutura de direito privado, embora seja a União a detentora de todo o capital social, ou da maioria, como é o caso da Eletrobrás.

6-A. As coisas públicas podem ser consideradas em sentido estrito e em sentido lato.

Em sentido estrito, são públicas, em primeiro lugar, as coisas de uso comum do povo, conceituadas pelo art. 99, inciso I, do Código Civil – como rios, mares, estradas, ruas e praças –, denominadas, também, bens do domínio público; em segundo lugar, as coisas do patrimônio administrativo, que formam a base material indispensável para a execução dos serviços públicos. São as coisas de uso especial, a que alude o art. 99, inciso II, do Código Civil. As primeiras são denominadas no direito alemão de "Sachen im Gemeingebrauch" (Hans-Julius Wolff e Otto Bachof, *Verwaltungsrecht*, 1974, § 55, "b", n. 2, p. 486), as segundas de "Sachen im Verwaltungsvermögen", coisas do patrimônio administrativo (ob. cit., § 55, "a", p. 486). Coisas de uso comum do povo e bens do patrimônio administrativo formam o conjunto das coisas públicas em sentido estrito.

Além das coisas públicas em sentido estrito, deve ser considerada uma outra categoria, a do patrimônio fiscal, constituída entre nós pelos bens dominicais (CC, art. 99, III), denominado no direito alemão de *Finanzvermögen*, também de *Fiskalgut*, que fornecem ao Estado pelo seu valor de capital, e não pelo seu valor de uso, os meios financeiros necessários ao funcionamento da Administração Pública (Fritz Fleiner, *Institutionen des Deutschen Verwaltungsrechts*, cit., p. 352). Esses bens, tais como o dinheiro, os títulos públicos, as terras públicas, as jazidas minerais, as instalações industriais, fornecem à Administração os recursos de que necessita para a manutenção de suas atividades. Os bens públicos dominicais, que integram a classificação em sentido lato, em nosso direito, "podem ser alienados, observadas as exigências da lei" (CC, art. 101). Nesse ponto, o nosso Direito Administrativo aproximou-se nos últimos tempos do alemão, que submete integralmente ao direito privado os bens dominicais. Entre nós, dependerá sempre do regime legal especial, a sua alienação. No que concerne às receitas do poder público e seus títulos de crédito, a própria lei orçamentária anual (CF, art. 70, parágrafo único), estabelece as condições segundo as quais se realizará a arrecadação e a efetivação da despesa pública.

6-B. Como sinala Celso Antônio Bandeira de Mello, "O fato de um bem estar na categoria de dominical não significa, entretanto, que só por isto seja alienável ao alvedrio da Administração, pois o Código Civil, no artigo 101, dispõe que: 'Os bens públicos dominicais podem ser alienados, observadas as exigências da lei'. Independentemente do que dispõe o Código Civil, o simples princípio da subordinação da Administração à lei (princípio da legalidade), já serviria de fundamento para tal característica dos bens pertencentes às pessoas de Direito Público" (*Curso de Direito Administrativo*, 20ª ed., 2006, cap. XVII, IV, n. 4, p. 861).

6-C. Há manifestação de doutrina no sentido de operar-se uma necessária reclassificação dos bens públicos. Já foi dito que a distinção no que concerne à participação dos bens públicos na atividade de Administração Pública é de natureza quantitativa. Se o domínio público representa a forma mais completa de participação de um bem na atividade de Administração Pública, pois se constitui na encarnação do próprio serviço público que é prestado, ou posto à disposição dos administrados, o patrimônio administrativo não representa o mínimo possível dessa participação por outro lado, pois há bens que se situam entre o patrimônio administrativo e o patrimônio fiscal.

6-D. Não seria necessária mudança nessa classificação, em função, sobretudo, de sua flexibilidade.

Em seu favor, militam alguns argumentos que merecem reflexão:

a) em primeiro lugar, a vetustez não é anátema com que se possa condenar ao oblívio inúmeros institutos jurídicos. Se há alguma cousa antiga em nossa civilização é o Direito, que serviu de ponte entre o passado remoto do Império Romano e a nossa civilização. Essa antigüidade não serviu para a sua destruição, mas é indício seguro de que, apesar de todas as fraquezas e mesquinharias do ser humano, o Direito permanece como instrumento inafastável para assegurar a paz social e alcançar o bem comum. Nesse mister, não têm sido as novidades o que mais propicia o seu desenvolvimento, mas, não raro, noções vetustas, que nem o tempo, nem as vicissitudes da História conseguiram apagar;

b) em segundo lugar, não há sentido em estabelecer a figura dos bens quase-públicos. Ou os bens são públicos, e sujeitos às restrições normalmente admitidas para a preservação do interesse público, ou são privados, e submetidos às disposições do direito comum. De outra parte, deve-se sinalar que essa passagem dos bens públicos em sentido estrito para os bens regidos pelo direito privado, já é feita em nosso direito e no direito dos países civilizados por intermédio da categoria dos bens dominicais, que estão sujeitos às normas do direito civil e a outras disposições legais extravagantes;

c) em terceiro lugar, a Constituição Federal é muito clara ao estabelecer que "os imóveis públicos não serão adquiridos por usucapião" (CF, art. 183, § 3º), tanto no que concerne às áreas urbanas quanto às rurais (art. 191, parágrafo único), bem como no que diz respeito às terras devolutas, arrecadadas pelos Estados (art. 225, § 5º);

d) em quarto lugar, diante dos dispositivos constitucionais tão claros, não seria possível chegar à conclusão de que a vontade da Constituição, no que tange à insuscetibilidade de usucapião de imóveis públicos, pode ser relativizada por outros princípios superiores, pela singela razão de que inexistem princípios superiores diante da Lei Fundamental. Se, porventura, existissem esses princípios superiores, colocados acima da Constituição, esta deixaria de ser a lei suprema do Estado e perderia sua supremacia.

6-E. A classificação dos bens públicos em bens de uso comum do povo, bens do patrimônio administrativo e bens do patrimônio fiscal tem resistido ao tempo. Desde Otto Mayer, a classificação tripartida já desponta com os bens de uso comum ("on réclame les choses publiques pour le peuple, dont le droit se manifeste par *l'usage de tous*" (*Le Droit Administratif Allemand*, cit., vol. III, § 35, p. 90), os bens do patrimônio administrativo (*Verwaltungsvermögen*) e os bens do patrimônio fiscal (*Finanzvermögen*) (ob. cit., p. 98). Não haveria utilidade alguma em mudar para pior, agora, aquilo que a ciência jurídica, há mais de cem anos definiu com a marca da perenidade.

6-F. As idéias costumam ir e vir no Direito. A concepção da propriedade pública, abandonada na Alemanha, apesar da autoridade incontestável do Otto Mayer ("a idéia de um direito público das coisas antes de tudo é uma concepção da propriedade pública" – "die Idee eines öffentlichen Sachenrechts, vor allem die eines öffentlichen Eigentums (...)" – *Deutsches Verwaltungsrecht*, vol. II, § 35, p. 40), não prosperou dentro do Direito Administrativo. Na França, ela foi posta em xeque pela autoridade inegável e pelo brilho de Léon Duguit, que afirmava: "Para certas categorias de dependências dominicais, o regime jurídico se aproxima muito daquele dos bens pertencentes aos particulares; mas o erro está em admitir em princípio a assimilação da 'domanialité' à propriedade, quando são, ao contrário, duas coisas em princípio completamente diferentes" (*Traité de Droit Constitutionnel*, t. III, Paris, 1930, cap. V, § 74, pp. 348-349). Completava Duguit: "É preciso não esquecer jamais que o fundamento mesmo da 'domanialité publique' está na idéia de afetação a um serviço público" (ob. cit., p. 350).

A afetação ao uso público e a um serviço público foi admitida por André de Laubadère, que o definia como "o conjunto de bens das coletividades públicas e estabelecimentos públicos que são, ou postos à disposição direta do público utente, ou afetados a um serviço público, contanto que neste caso eles sejam, pela natureza ou pela determinação particular, adaptados exclusivamente ou essencialmente ao fim específico do serviço público (*Traité Élémentaire de Droit Administratif*, 3ª ed., Paris, 1963, t. II, n. 222, p. 120). Morto Laubadère, seu livro foi reeditado por Yves Gaudemet e Jean-Claude Venezia. Nessa versão, elaborada por Yves Gaudemet, ele reconhece que se deve a Maurice Hauriou o mérito de haver introduzido na doutrina a idéia de propriedade das coletividades administrativas sobre o domínio público respectivo. Afirma que "A l'heure actuelle la doctrine admet en général que l'administration est propriétaire de son domaine public" (*Traité de Droit Administratif*, André de Laubadère e Yves Gaudemet, t. 2, 11ª ed., Paris, 1998, cap. II, ns. 29 e 30, p. 29). Afirma, também, que a idéia de propriedade está consagrada pela jurisprudência (ob. cit., n. 31, p. 30) e pela doutrina (n. 32, p. 31). Mas, Yves Gaudemet apresenta uma sutileza de interpretação, ao afirmar que o regime da dominialidade pública aparece como uma regulamentação suplementar, que vem se juntar aos direitos e obrigações que a pessoa jurídica pública tem na sua qualidade de proprietária do bem. Afirma Gaudemet que "la domanialité publique était comme un voile – le voile de l'affectation à l'utilité publique" (ob. cit., n. 33, p. 32). O domínio público se sobreporia, como um véu, sobre o domínio de direito privado. Esse véu consistiria precisamente na afetação do bem á utilidade pública. Depois de um longo caminho, volta-se à afetação como critério dominante, que se sobrepõe ao direito de propriedade.

São mudanças que, na realidade, não transformam nada. Apenas demonstram a ânsia de novidade que estimula, de forma perene, o espírito humano.

6-G. Independentemente da classificação genérica dos bens públicos, há diversas formas de domínio do solo público, que merecem ser estudadas.

I – *Terras devolutas*. São aquelas que pertencem ao patrimônio fiscal, por não estarem aplicadas nem ao uso público comum, tampouco ao especial. A origem das terras devolutas situa-se no descobrimento do Brasil. Com o descobrimento, todas as terras do Brasil foram incorporadas ao domínio da Coroa Portuguesa. Parte dessas terras foram concedidas em sesmarias e cartas de data, com a obrigação de medi-las, demarcá-las e cultivá-las, sob pena de comisso. A grande maioria não foi jamais passada, em sua propriedade, para os sesmeiros, por não cumprimento de

§ 9. OS BENS EM RELAÇÃO À ADMINISTRAÇÃO PÚBLICA

suas obrigações, tendo sido submetidas à pena de comisso. Todas essas terras que não ingressaram no domínio privado por título legítimo, tampouco receberam destinação pública, passaram a se constituir em "terras devolutas". A Lei 601, de 18.9.1850, procurou regularizar a situação das terras devolutas, permitindo que o Governo as vendesse em hasta pública, ou fora dela, fazendo previamente medir, dividir, demarcar e descrever a porção das mesmas terras, que houvesse de ser expostas à venda (arts. 1º e 14). Essa lei que se inclui entre as leis administrativas, procurou resolver o problema das terras devolutas para o futuro (Ruy Cirne Lima, *Pequena História Territorial do Brasil – Sesmarias e Terras Devolutas*, 1954, cap. IV, n. 6, p. 63).

A Lei 601, dispondo sobre a alienação das terras devolutas, então incorporadas ao domínio nacional, tornou-se inaplicável, ante a atribuição da propriedade delas aos Estados, declarada pelo art. 64 da Constituição de 24 de fevereiro de 1891, salvo quanto ao Território do Acre, ainda sob jurisdição federal (Ruy Cirne Lima, ob. cit., cap. IV, n. 14, p. 68).

No dizer de Celso Antônio Bandeira de Mello "Pode-se definir as terras devolutas como sendo as que, dada a origem pública da propriedade fundiária no Brasil, pertencem ao Estado – sem estarem aplicadas a qualquer uso público – porque nem foram trespassadas do Poder Público aos particulares, ou, se o foram, caíram em comisso, nem se integraram no domínio privado por algum título reconhecido como legítimo" (*Curso de Direito Administrativo*, 20ª ed., 2006, cap. XVII, n. V, p. 864).

As terras devolutas são insuscetíveis de usucapião. A Lei 601, de 1850, em seu art. 2º já determinava que os que se apossassem de terras públicas estavam sujeitos a penas de multa e de prisão, sendo chamados de delinqüentes.

Desde o advento da Constituição de 1891, instituída a Federação entre nós, as terras devolutas foram atribuídas aos Estados-membros pelo art. 64, como já ficou dito. A União, entretanto, reservou-se as terras indispensáveis à defesa das fronteiras, das fortificações e construções militares, das vias federais de comunicação e à preservação ambiental, definidas em lei (CF de 1988, art. 20, II). Além dessas terras, as que estiverem na faixa de até cento e cinqüenta quilômetros de largura, ao longo das fronteiras terrestres, designada como "faixa de fronteira", considerada fundamental para a defesa do território nacional, também pertencem à União (CF de 1988, art. 20, § 2º). Todas as demais pertencem aos Estados, que as não tenham passado para os Municípios. As terras devolutas são bens dominicais.

II – *Terrenos de marinha*. São constituídos por aqueles terrenos fronteiros ao mar, numa largura de 15 braças craveiras, a contar do preamar médio de 1831, em direção ao interior do continente. Essas 15 braças representam 33 metros. Além disso, incluem-se entre esses terrenos os que se encontram à margem dos rios e lagoas que sofram a influência das marés, bem como os terrenos que contornam ilhas situadas em zonas sujeitas à mesma influência. Os referidos terrenos pertencem à União, assim como dispõe o art. 20, VII, da Constituição de 1988, sendo considerados como bens públicos dominicais. Já as praias, em que se inserem os terrenos de marinha, são bens de uso comum do povo, de acordo com o que dispõe o art. 20, IV, da Constituição de 1988, que as inclui entre os bens do domínio da União. O mar territorial é bem do domínio da União (CF, art. 20, VI). O mar territorial brasileiro compreende uma faixa de doze milhas marítimas de largura, medidas a partir da linha de baixa-mar do litoral continental e insular brasileiro, tal como indicada nas cartas náuticas de grande escala, reconhecidas oficialmente no Brasil (Lei 8.617, de 4.1.1993, art. 1º). Além do mar territorial, há a zona contígua, de doze a vinte e quatro milhas marítimas, onde o Brasil poderá tomar as medidas de fiscalização necessárias para evitar e reprimir infrações às leis e regulamentos (Lei 8.617/1993, art. 2º). Depois da zona contígua, há a zona econômica exclusiva, que se estende das 12 às duzentas milhas marítimas (art. 6º) e, finalmente, a plataforma continental que "compreende o leito e o subsolo das áreas submarinas que se estendem além do seu mar territorial, em toda a extensão do prolongamento natural de seu território terrestre, até o bordo exterior da margem continental, ou até uma distância de duzentas milhas marítimas das linhas de base" (Lei 8.617/1993, art. 11). O art. 12 da referida Lei determina que "O Brasil exerce direitos de soberania sobre a plataforma continental, para efeitos de exploração e aproveitamento dos seus recursos naturais".

Os terrenos reservados – de outra parte – "são os que, banhados pelas correntes navegáveis, fora do alcance das marés, vão até a distância de 15 metros para a parte da terra, contados desde o ponto médio das enchentes ordinárias", assim como dispõe o art. 14 do Código de Águas (Decreto 24.643, de 10.7.1934).

III – *águas superficiais ou subterrâneas ou em depósito*. A Constituição de 1988 incluiu entre os bens dos Estados-membros da Federação "as águas superficiais ou subterrâneas, fluentes, emergentes e em depósito, ressalvadas, neste caso, na forma da lei, as decorrentes de obras da União" (art. 26, I). A ressalva se destina a incluir entre os bens da União os açudes e barragens feitos pelo Governo Federal, sobretudo na zona das secas. Todas as demais águas, inclusive aquelas em depósito, entre as quais se incluem as águas de açudes e barragens, são consideradas como bens de domínio dos Estados. No que concerne aos açudes e barragens, o domínio do Estado não impede o seu uso privativo por particulares, pois concessões restritas sobre o domínio público são admissíveis e podem dizer respeito ao uso e ao aproveitamento das águas (v. § 22, n. 3, infra). •

7. No nosso direito positivo, ainda se estende aos bens do patrimônio fiscal, de propriedade exclusivamente das pessoas administrativas, o regime jurídico especial, assegurado ao domínio público e ao patrimônio administrativo, nos quais, com os bens das pessoas administrativas, coexistem bens de propriedade particular.

Justifica-se essa extensão daquele regime especial, por isso que o patrimônio fiscal é mediatamente aplicado à Administração Pública, para custeio de cujos serviços as rendas e o produto da alienação dos respectivos bens contribuem, depois de incorporados aos recursos da receita geral do Estado. Consiste o regime especial do domínio público, do patrimônio administrativo e, ainda, segundo vimos, do patrimônio fiscal, na tríplice regulamentação da sua inalienabilidade, imprescritibilidade e impenhorabilidade.

a) *A inalienabilidade.* "Não há – observa Azevedo Marques – texto algum em nosso direito, dizendo que os bens públicos são absolutamente inalienáveis. Ao contrário, o artigo 67 do Código [*de 1916; hodiernamente, art. 100*] foi escrito para dizer que eles são inalienáveis enquanto conservarem a sua qualificação, na forma que a lei determinar" (*RT* 62/23 e ss.).

A denominada *inalienabilidade* dos bens públicos é, em si mesma, mera decorrência do regime político: no nosso direito antigo, exprimia a condição da cidade relativamente ao monarca, quanto à disposição dos *bona publica* urbanos (Portugal, *De Donationibus Jurium et Bonorum Regiae Coronae*, Lugduni, 1726, Lib. III, cap. III, n. 30, p. 13); no direito atual, a condição do Poder Executivo relativamente ao Legislativo, quanto à disposição dos bens que integram o domínio nacional (Azevedo Marques, ob. e loc. cits.).

Quanto ao domínio público e ao patrimônio administrativo, em que se incluem, como vimos, bens particulares a par dos públicos, diz-se que são inalienáveis, por natureza ou por destino, para significar, simplesmente, a peculiar situação, em que se encontram, como objeto, simultaneamente, de uma relação de administração e do direito subjetivo da propriedade, atenta a impossibilidade jurídica de distraí-los do uso, a que a relação de administração os vincula, sem lei que autorize a desvinculação.

Da mesma forma, entretanto, por que se pode admitir a incorporação ao domínio público de um terreno particular, sem privação da propriedade individual, enquanto, por exemplo, leito de uma estrada pública (*Revista do Supremo Tribunal Federal* 15/292), por igual se poderia admitir a alienação de um terreno do Estado, servindo de leito a uma estrada pública, não obstante manter-se a pertinência desta ao domínio público (Ruy Cirne Lima, *Pequena História Territorial do Brasil*, 1954, p. 94). Dificilmente ocorreria, no entanto, uma alienação dessa natureza, por isso que não traria vantagem atual ao adquirente; ficaria o terreno adquirido no patrimônio deste, inútil e sem significação econômica, como o leito dos rios públicos no patrimônio dos proprietários ribeirinhos (CC, art. 1.252).

• No Direito Administrativo francês, a situação é semelhante à nossa. O princípio da inalienabilidade do domínio público foi delineado no século XIX, ao mesmo tempo em que se distinguia entre um domínio público e um domínio privado. A doutrina da inalienabilidade foi acolhida pela jurisprudência, mas está na lei, que no art. L. 52 do Code du Domaine de L'État, assim dispõe: "les biens du domaine public sont inaliénables et imprescriptibles" ("os bens do domínio público são inalienáveis e imprescritíveis"). Havia uma questão de se saber se a inalienabilidade dos bens públicos tinha conservado um caráter constitucional ou não. Entretanto, nem a Constituição de 1946, tampouco a de 1958 fizeram menção ao princípio fundamental da inalienabilidade dos bens públicos. Por esse motivo, o Conselho Constitucional, na França, em 1986, não reconheceu valor constitucional ao princípio da inalienabilidade. Mas admitiu que o princípio da proteção constitucional do direito de propriedade não concerne tão-somente à propriedade privada do Estado e das outras pessoas jurídicas de direito público. Essa proposição foi novamente repetida numa decisão de 21 de julho de 1994. Mas o Tribunal Constitucional salientou que a proteção constitucional do direito de propriedade não impede, de forma alguma, a alienação normal dos bens privados e públicos. O que ela obstaculiza é o desapossamento a preço vil da propriedade (André de Laubadère e Yves Gaudemet, *Traité de Droit Administratif*, t. 2, 1998, ns. 182, 183 e 184, pp. 123 e 124). •

b) *A imprescritibilidade*. São os bens públicos inadquiríveis por prescrição. Costuma fazer-se decorrer a imprescritibilidade da inalienabilidade. Essa opinião, entretanto, não parece exata, no que toca aos bens públicos. Já do Direito Romano, recebemos a tradição clássica de que os bens do fisco são inalienáveis, mas imprescritíveis: "res fisci nostri usucapi non potest" (*Institutas*, Livro II, Título VI, § 9).

Também no nosso direito positivo, faz-se, aparentemente, resultar a imprescritibilidade da inalienabilidade; mas, para isso, houve a lei de determinar que assim se procedesse. Podemos, pois, dizer que, ainda no direito vigente, os bens públicos, como os fiscais do direito das Institutas, são alienáveis, nos casos e forma da lei e, por disposição • constitucional (art. 183, § 3º), insuscetíveis de usucapião. •

Não se cogita da imprescritibilidade respeito aos bens particulares incorporados ao domínio público ou ao patrimônio administrativo, já que a posse constitutiva da usucapião seria por si só suficiente para desligá-los da Administração Pública e restituí-los ao direito comum. • No Direito Administrativo francês também se diz que "nenhuma posse útil pode ser exercida sobre uma parcela do domínio público" e a imprescritibilidade se apresenta nos textos legais como distinta da inalienabilidade (André de Laubadère e Yves Gaudemet, ob. cit., t. 2, n. 207, p. 139), embora seja em realidade sua conseqüência necessária. •

c) *A impenhorabilidade*. Gozam os bens públicos da garantia da impenhorabilidade. Com relação ao domínio público e ao patrimônio administrativo funda-se a impenhorabilidade dos bens que os compõem em que o conceito moderno de Estado não comporta que o interesse patrimonial de um cidadão determine a apreensão e a alienação de bens aplicados ao proveito comum da coletividade. Tal impenhorabilidade, quanto aos bens públicos, não é, entretanto – nem conviria que fosse – absoluta: se a União, o Estado, o Distrito Federal ou o Município vier a preterir o seu credor, munido de sentença judiciária, este terá ao seu alcance uma modalidade especial de seqüestro, a fim de fazer-se pagar (CF, art. 100, § 2º). • O art. 100 da Constituição estabelece que os pagamentos devidos pela Fazenda Federal, Estadual ou Municipal, em virtude de sentença judiciária, far-se-ão exclusivamente na ordem cronológica de apresentação dos precatórios e à conta dos créditos respectivos, proibida a designação de casos ou de pessoas nas dotações orçamentárias e nos créditos adicionais abertos para esse fim.

No início do art. 100, fala-se em "À exceção dos créditos de natureza alimentícia (...)". Essa exceção, entretanto, não vingou. O que é feito é uma separação entre os precatórios alimentícios e os demais, dando-se preferência ao pagamento daqueles de natureza alimentar.

O § 1º do art. 100 dispõe que "É obrigatória a inclusão, no orçamento das entidades de direito público, de verba necessária ao pagamento de seus débitos oriundos de sentenças transitadas em julgado, constantes de precatórios judiciários, apresentados até 1º de julho, fazendo-se o pagamento até o final do exercício seguinte, quando terão os seus valores atualizados monetariamente". O § 1º-A diz o seguinte: "Os débitos de natureza alimentícia compreendem aqueles decorrentes de salários, vencimentos, proventos, pensões e suas complementações, benefícios previdenciários e indenizações por morte ou invalidez, fundadas na responsabilidade civil, em virtude de sentença transitada em julgado".

Apesar de todas essas disposições constitucionais, o pagamento dos precatórios, sobretudo no âmbito dos Estados-membros, tem-se constituído em dificuldade crescente para credores e advogados, pois há Estados que há anos não pagam precatórios, nem os de natureza alimentícia.

A União Federal, por sua vez, tem um sistema próprio de se furtar aos pagamentos devidos, interpondo recursos de toda a ordem, a fim de evitar o trânsito em julgado das sentenças que lhe são desfavoráveis. Com isso, e mais com a lentidão da Justiça, em grande parte devida ao acúmulo de recursos do próprio Poder Público, o sistema em vigor não alcançou os resultados esperados pelo legislador constituinte. Os credores do Poder Público são desprezados e desconsiderados, apesar das garantias constitucionais. •

Finalmente, com relação aos bens particulares, a incorporação deles ao domínio público ou ao patrimônio administrativo ocorre por evento natural de caráter fortuito (p. ex., mudança do curso do rio público) ou ato do Poder Público (p. ex., servidão administrativa). Na primeira hipótese, inexiste indenização alguma (CC, art. 1.252). Na segunda, a indenização devida pelo poder público se estenderá sub-rogada no bem, a fim de sujeitar-se à penhora (Firmino Whitaker, *Desapropriação*, 1926, nota 1, p. 18; v. CC, art. 959, II).

§ 10. OS SERVIÇOS PÚBLICOS

A par das pessoas e dos bens, conhece o Direito Administrativo mais uma categoria jurídica, indecisa em seus caracteres – sorte de limbo em que se acumulam as pré-formas e as formas não diferenciadas, ainda insuscetíveis de enquadrar-se em uma daquelas duas classificações fundamentais.

Essa categoria jurídica é o serviço público.

1. A par das pessoas e dos bens, figura o serviço público entre os padrões de individualização jurídica da realidade objetiva; mas, a sua importância nos quadros do Direito Administrativo quase, pelo confronto, lhe faz desaparecer as manifestações paralelas na esfera do direito privado.

A individualidade jurídica, a que se dá o nome de serviço público, é indecisa em seus caracteres: ora denota a predominância dos sinais caracterizadores da individualidade – pessoa, ora a predominância dos da individualidade – coisa.

Assim, encontramos serviços que são autônomos e se mostram, entretanto, destituídos de personalidade jurídica. Tal é o que incumbe ao Conselho Florestal Federal, mantido pelo art. 48 do Código Florestal (Lei 4.771, de 15.9.1965). Reside a autonomia do serviço na organização e economia separadas, de que dispõe. A autonomia de que goza não significa, pois, auto-organização ou autodeterminação. É simplesmente autonomia funcional – o serviço autônomo funciona sobre si. É o que já se denominou de autofuncionamento (Fernando Antunes, *Do Município Brasileiro*, Porto Alegre, pp. 67 e 68).

Mas deparamos, também, serviços públicos que são havidos como coisas, sem que, contudo, verdadeiramente o sejam. Estão nesse caso os serviços em favor dos quais as servidões administrativas são estabelecidas: cabe-lhes papel idêntico ao da *res dominans*, já que tais servidões administrativas são *análogas* na estrutura às servidões reais.

Esta ampla conceituação da servidão real é, deixe-se dito, no nosso direito, comum ao direito privado, ainda que, naquele, *analogicamente*. Assim, a servidão real de passagem de água é, no nosso direito privado, estabelecida em favor dos serviços da agricultura e da indústria (CC, art. 1.293, *caput*, e §§ 1º, 2º e 3º, e art. 117, "b", do Código de Águas – Decreto 24.643, de 10.7.1934).

2. Decorre dessa indecisão de caracteres que compreende a doutrina do serviço público, em Direito Administrativo, matérias conexas com a doutrina das pessoas e com a doutrina dos bens.

Com o conceito de serviço público, é construída a doutrina da "falta do serviço", já introduzida e aplicada no nosso direito em tema de responsabilidade do Estado (Francisco Campos, *Pareceres*, Rio de Janeiro, 1934, pp. 229 e ss.).

• A doutrina da "falta do serviço" é de origem francesa. Léon Duguit afirmava que "Quando o serviço público funcionou mal, ou há um caso de força maior, ou há uma falta do agente do serviço público, pode-se então falar da falta do Estado, da falta do serviço público" ("de la faute du service public"). "Mas são expressões figuradas – afirma Duguit –; seria pueril tomá-las no sentido estrito da palavra. (...) A realidade é a falta de um agente; e a única questão que se põe é aquela de saber se as conseqüências dessa falta serão suportadas pelo patrimônio público ou pelo patrimônio do agente. Já dissemos que, em princípio, elas eram suportadas pelo patrimônio público" (*Traité de Droit Constitutionnel*, t. II, 1ª parte, Paris, 1928, § 8, p. 70).

Modernamente, Jean Rivero e Jean Waline definem a "faute de service", de forma sucinta, da seguinte maneira: "A falta do serviço é uma deficiência no funcionamento normal, que incumbe a um ou vários agentes da Administração, mas não imputável a eles pessoalmente" ("La faute de service est une défaillance dans le fonctionnement normal du service, incombant à un ou plusieurs agents de l'administration, mais non imputable à eux personnellement" – *Droit Administratif*, 17ª ed., Paris, Dalloz, 1998, n. 285, p. 268). Dessa definição, pode-se constatar o seguinte: 1º) a falta do serviço é caracterizada por uma deficiência no funcionamento normal do serviço público; 2º) a falta incumbe aos agentes do serviço, devendo ser distinguida da responsabilidade pelo fato das coisas, que

§ 10. OS SERVIÇOS PÚBLICOS

se situa no quadro da responsabilidade objetiva, sem falta; 3º) a falta do serviço não é imputável aos agentes públicos pessoalmente.

Há uma distinção capital entre falta do serviço e falta pessoal. Na falta do serviço, a pessoa do agente público não é levada em consideração; ela não é responsável diante da vítima do mau funcionamento do serviço, nem tampouco diante da Administração. A responsabilidade remonta diretamente à pessoa jurídica de direito público, prestadora do serviço. •

Ainda com o conceito de serviço público, encarado sob o aspecto do gozo de seus benefícios pela coletividade, explica a nossa Ciência Jurídica o uso dos particulares, comum ou privativo (autorizações, permissões e concessões), sobre o domínio público, ou sobre o patrimônio administrativo (admissões a hospitais públicos, a universidades e faculdades públicas, a bibliotecas públicas etc.).

Antiga, de resto, é a noção de uma categoria jurídica, na qual aspectos de pessoa e da coisa se consociam. Tal, o pecúlio profectício do filho sob o pátrio poder, instituição que o direito pátrio conheceu, herdada do Direito Romano. Era o pecúlio coisa coletiva, universalidade de coisas; e universalidade, não meramente de fato, senão de direito. Nesse sentido, a opinião de Antônio Joaquim Ribas (*Curso de Direito Civil Brasileiro*, Rio de Janeiro, 1915, t. II, § 3º, n. 2º, p. 397). Quanto às características do *peculium profectitium* no Direito Romano, posteriormente transformado por Augusto em *peculium castrense*, veja-se a opinião de W. W. Buckland, em seu livro *A Text-Book of Roman Law, from Augustus do Justinian* (3ª ed., 1966, Cambridge, p. 280, letra "f"). A administração do pecúlio profectício cabia ao filho; a propriedade, ao pai. Pelas obrigações do filho, no exercício da administração, o pecúlio respondia como se fora uma pessoa: "peculium simile (...) homini" (*Digesto*, Lib. XV, tit. I, *De peculio*, fragmento 40, princ.). Mas, ao mesmo tempo, como coisa, o pecúlio profectício podia ser retomado pelo pai (Lafayette, *Direitos de Família*, Rio de Janeiro, 1869, § 116, pp. 235 e 236). Nenhuma novidade jurídica, pois, na ambigüidade de caracteres, com que a figura do serviço público se nos apresenta no Direito Administrativo.

3. Se damos, entretanto, pela afirmação de uma figura jurídica específica, conceituada como serviço público, importa que lhe determinemos, para logo, o conteúdo. Que é serviço público?

Serviço público é todo o serviço existencial, relativamente à sociedade ou, pelo menos, assim havido num momento dado, que, por isso mesmo, tem de ser prestado aos componentes daquela, direta ou indiretamente, pelo Estado ou outra pessoa administrativa. Tito Prates da Fonseca disse admiravelmente: "Como em todas as coisas, predominam na matéria considerada, as duas causas – eficiente e final. A causa final está no objetivo: prestação ao público. É o que vemos, por exemplo, nos estabelecimentos comerciais. Intervém, então, a causa eficiente da prestação para restringir a extensão do conceito e enriquecer-lhe a compreensão. Não há serviço público que não seja, direta ou indiretamente, prestado pela Administração ou pelo Estado" (*Noções de Direito Administrativo*, Rio de Janeiro, 1943, n. 15, p. 32). Mas entre as duas causas – acrescentemos – a final governa a eficiente: porque existencial relativamente à sociedade; é que a prestação ao público tem de ser executada, direta ou indiretamente, pelo Estado ou outra pessoa administrativa. Reside o traço característico principal do serviço público, portanto, na sua condição de existencial relativamente à sociedade. E como administração se diz assim a atividade como o agente desta (v. § 2, princ., supra), também serviço público diz-se, assim a prestação ao público como a organização, de bens e pessoas, constituída para executá-lo (v. § 8, n. 2, supra).

• *3-A.* Apresentamos, de início, nosso conceito de serviço público. Mas é forçoso dizer que na literatura jurídica esse conceito tardou em se manifestar. Serviço Público é uma expressão que, embora presente na palavra de todos, foi durante muitos anos empregada raramente pelo direito positivo. Foi ela adotada inicialmente pelos economistas, com significado que não coincide com aquele em que comumente é utilizada. Era natural, por isso, que até mesmo juristas de renome negassem à expressão "serviço público" o significado de uma noção jurídica. Assim, para Santi Romano, o conceito de serviço público, mais do que a uma figura jurídica própria e verdadeira, acena para o complexo de finalidades sociais a que os entes administrativos se devem propor e compreende uma quantidade de institutos e relações profundamente diversos uns dos outros (*Principi di Diritto Amministrativo Italiano*, 3ª ed., Milano, 1912, Livro VI, n. 312, p. 357).

3-B. A primeira questão que se deve propor é aquela pertinente à existência de um conceito jurídico de serviço público. Embora já o tenhamos manifestado, vamos realizar o caminho inverso, para verificar e testar a veracidade do conceito que formulamos.

Parece estranho que uma noção tão difundida na prática possa fugir a uma definição jurídica. Quando falamos de serviço público, estamos nos referindo a alguma coisa de concreto. Há diversas noções de serviço público que provêm antes da literatura econômica e financeira do que da jurídica, que compreendem o serviço público de um modo muito geral,

§ 10. OS SERVIÇOS PÚBLICOS

como toda e qualquer forma de atividade de um ente público, dirigida à satisfação de um interesse geral. Fala-se então em receitas e despesas públicas, cuja finalidade é a de prover essa figura genérica dos serviços públicos.

Existem algumas classificações, especialmente na doutrina francesa, que fazem coincidir completamente a produção de serviços públicos com toda a atividade administrativa. Neste sentido é a opinião, por exemplo, de Berthélémy, no seu *Traité Élémentaire de Droit Administratif*, p. 9. Do mesmo passo, foi da doutrina francesa que provieram as definições mais compreensivas. Maurice Hauriou define o serviço público como "um serviço técnico prestado ao público, de um modo regular e contínuo, para a satisfação da ordem pública e por uma organização pública" (*Précis de Droit Administratif et de Droit Public*, 10ª ed., Paris, 1923, p. 25). Já o grande Léon Duguit definia o serviço público, dizendo que "é toda a atividade cuja realização deve ser assegurada, regulada e controlada pelos governantes, porque o cumprimento dessa atividade é indispensável à realização e ao desenvolvimento da interdependência social, sendo ela de tal natureza que não pode ser realizada completamente a não ser pela intervenção da força governante".

Complementava Léon Duguit a sua definição, afirmando: "esta atividade é de uma importância tal para a coletividade que ela não pode ser interrompida um só instante. O dever dos governantes é de empregar o seu poder para assegurar o seu cumprimento de uma maneira absolutamente contínua". Encerrava dizendo: "a continuidade é um dos caracteres essenciais do serviço público (...)" (*Traité de Droit Constitutionnel*, t. II, Paris, 1928, § 8, p. 61). Não podemos nos esquecer nesta exposição retroativa, de Otto Mayer, não o do Direito Administrativo alemão, mas o Otto Mayer do Direito Administrativo francês, pois ele lecionou no final do século XIX na Universidade de Strassburg, ao tempo em que a Alsácia estava sob domínio germânico. Otto Mayer escreveu, em alemão, um belo livro sobre o Direito Administrativo francês, intitulado *Theorie des Französischen Verwaltungsrechts*, editado em Strassburg no ano de 1886. Dizia Otto Mayer que "Os meios estatais, tanto reais quanto pessoais, os quais estão predispostos e destinados à realização de uma determinada finalidade pública, formam sempre um serviço público" ("Staatliche Mittel, sächliche wie persönliche, welche zur Erfüllung je eines gewissen öffentlichen Zweckes bestimmt und vereinigt sind, bilden je eine öffentliche Anstalt (*service public*)" – ob. cit., § 34, p. 225).

Na Itália, Oreste Ranelletti, procurando sistematizar a noção de serviço público dizia que "por serviço público se entende toda a série das ações e prestações, que o Estado, ou um outro ente público realiza para satisfazer uma dada necessidade coletiva" ("Concetto delle Persone Giuridiche Pubbliche Amministrative", in *Rivista di Diritto Pubblico*, 1916, vol. I, p. 345, nota 4). Ranelletti desenvolve um conceito objetivo da ação administrativa, presente em todo o serviço público. Otto Mayer coloca a tônica de sua definição no conjunto de meios estatais predispostos à realização de uma determinada finalidade pública. Um estabelece a definição de serviço público a partir da ação administrativa; o outro parte do conjunto de meios pessoais e materiais necessários ao desenvolvimento dessa ação, que ambos concordam ser o serviço público. Um conceito objetivo de um lado, em face de um outro subjetivo.

3-C. É bem verdade que, quando se usa a qualificação de *público*, na expressão *serviço público*, tem-se em vista não o ente que presta o serviço, que é o seu sujeito, mas os destinatários, aos quais se dirige.

Falando de serviço público, compreende-se como público, num significado comum, que não corresponde a um critério científico, mas que caracteriza a idéia que se costuma exprimir, que é a de serviço prestado ao público, instituído para o público, compreendendo dessa forma não a coletividade inteira, mas a coletividade considerada naquela parte variável e indeterminada de indivíduos, que é levada em consideração num momento particular. Assim, a definição de serviço público atinge antes a idéia do público ao qual está dirigido do que a do ente administrativo, que o exercita. O serviço público não seria outra coisa que *serviço para o público*. É um conceito prático, que pode ser testado para verificar se pode vir a se tornar um conceito jurídico.

Há um significado tradicional da expressão serviço público em vários países do mundo civilizado.

3-D. Na Inglaterra, a palavra *service*, no seu significado mais simples e originário, indica ação desenvolvida por uma pessoa ou por um conjunto de pessoas em benefício de uma outra pessoa ou de um complexo de pessoas. Desse significado passa a indicar uma tarefa oficial requisitada de qualquer um cidadão, e, assim, todo o sistema e organização instituídos para o cumprimento da aludida tarefa (*military service*, *naval service*, *diplomatic service*, *Crown service*). *Civil service* é a organização das prestações dos funcionários e dos empregados da Administração interna (H. W. R. Wade, *Administrative Law*, 3ª ed., Oxford, 1974, p. 298).

3-E. No mesmo significado se fala de *public service* nos Estados Unidos da América, onde se encontram *Commissions* que tratam tanto

§ 10. OS SERVIÇOS PÚBLICOS

dos *Public Services* (Leonard White, *Introduction to the Study of Public Administration*, New York, Macmillan, 1955, cap. 27, p. 402), quanto do *Civil Service* (ob. cit., pp. 324-325).

3-F. Na França não há terminologia distinta, mas a expressão *service public* serve para designar tanto o conceito de ação desenvolvida pelo Estado em proveito dos cidadãos e do interesse público em sentido material, quanto em sentido orgânico: "a expressão designa um conjunto de agentes e de meios que uma pessoa administrativa destina à realização de uma mesma tarefa" (Jean Rivero e Jean Waline, *Droit Administratif*, 17ª ed., Paris, n. 445, p. 430).

3-G. Na Alemanha, onde a idéia de soberania foi sempre muito forte, na literatura jurídica falta uma palavra para indicar o conceito de serviço público. Empregam os alemães a expressão *öffentliche Anstalt* que, na verdade, se traduz por "estabelecimento público", para significar o serviço público. Daí o emprego da expressão no livro de Otto Mayer sobre o Direito Administrativo francês.

3-H. Na verdade, a definição que já oferecemos no início desta reflexão serve perfeitamente para delinear os contornos do serviço público. Serviço público, dizíamos, é todo o serviço existencial relativamente à coletividade. Existencial quer dizer essencial, quer significar indispensável à promoção do bem individual e do bem coletivo. Liga-se o conceito de existencial ao de utilidade pública, que, também já o dissemos, é a expressão orgânica do bem comum, a definição deste, quanto aos meios e processos, capazes de realizá-lo. O bem comum é mais do que a simples multiplicação aritmética, pelo número de indivíduos da coletividade, do bem de cada qual. Sujeito a que o bem comum se proponha, somente pode ser o homem – o indivíduo, na sociedade, enquanto componente dela, ou seja, enquanto parte do todo, interessado como tal na conservação deste. À sua vez, e ainda como conseqüência, a distinção entre o bem individual e o bem comum somente pode estar em que o primeiro vai referido ao indivíduo sobre si, ao passo que o último se lhe refere, enquanto parte do todo, cuja conservação lhe é um bem, em si mesma: "alia est ratio boni communis et boni singularis, sicut alia est ratio totius et partis", advertia Santo Tomás de Aquino (*Summa Theologica*, IIa, Iae, quolibet XXVI, art. 6).

3-I. No processo de absorção dos fins de interesse público e das funções dirigidas a realizá-los diante de outras organizações, com a conseqüente consolidação do Estado, que substitui, na tarefa de realizar o bem comum, outras organizações sociais, os poderosos meios jurídicos e econômicos de que o Estado dispõe, conduzem a uma forte exigência no sentido de que o Estado assuma o cuidado das atividades essenciais ao desenvolvimento da interdependência social, suprindo ou integrando a livre atividade individual (Georg Jellinek, *Allgemeine Staatslehre*, p. 254). Assim, a estatização dos interesses e das funções é progressiva e corresponde à própria lei de evolução do Estado (Jellinek, ob. cit., p. 255). Como meio para o atingimento de seus fins, o Estado possui o poder de sujeitar à sua vontade própria qualquer indivíduo e qualquer associação ou grupo de indivíduos, no seu território; pode dar à sua vontade, independentemente do concurso de outras vontades, eficácia jurídica; pode impor essa vontade coercitivamente, seja ao ordenar aos seus súditos um determinado comportamento, seja ao restringir a sua liberdade de agir, seja para obrigar a determinadas prestações de natureza tributária para consigo ou para com outras pessoas jurídicas de direito público. Este poder é poder de império, originário exclusivamente do Estado o qual, hodiernamente, o possui frente a todas as outras organizações sociais, que estão dentro dos limites de sua soberania. Trata-se de atributo inseparável da sua personalidade, mesmo nos casos em que age praticamente para fins de interesse social, substituindo ou integrando a atividade das pessoas privadas, impondo condições e fornecendo os meios com os quais esta pode desenvolver-se com melhor proveito. Sendo o poder de império, como manifestação da soberania estatal, meio necessário para a realização da maior parte dos fins coletivos, e sendo este originário exclusivamente do Estado, se distingue de todas as outras formas de manifestação de organizações sociais, que na sua constituição, organização e atividade são subordinadas ao Estado, disciplinadas e limitadas pelas normas jurídicas estatais.

3-J. Conceitos jurídicos para determinar os fins individuais e coletivos, somente podem ser formulados por meio do Estado. Denominamos públicos, assim, os fins que estão na esfera própria do Estado, porque ele os assumiu como próprios. Por isso, ser ou não ser um fim público, não se pode exclusivamente estabelecer tendo como base um critério objetivo, mas se deverá levar em consideração, também um critério subjetivo, referido necessariamente ao Estado. São públicos, destarte, os fins que o Estado assumiu e reconheceu como próprios.

3-K. O conceito de fim público, de interesse público, é, por isso, variável no *quantum*, pois, como estamos expondo, a esfera das atribuições do Estado é mutável nos diversos momentos históricos, com uma tendência constante e irresistível de alargar-se frente à esfera reservada ao indivíduo e às organizações privadas. Mesmo quando se pretende promover a desestatização, novas formas jurídicas, que nada mais são do que antigas entidades com roupagem nova, são criadas para controlar e assegurar as prestações de serviços públicos, que recém foram objeto de concessão por parte do Estado. É o caso das agências reguladoras, com poderes extraordinários para fiscalizar e assegurar a efetiva prestação dos serviços públicos concedidos. Bernard Schwartz, no seu livro *Administrative Law*, nos diz que "o Direito Administrativo cresceu consideravelmente pelas necessidades de nossa moderna e complexa sociedade, mediante agências administrativas, dotadas de ambas as funções, legislativas e judiciais" ("Administrative law has grown out of the need of our modern complex society for administrative agencies, endowed with both legislative and judicial functions") (ob. cit., 1976, Boston e Toronto, § 3, p. 6).

3-L. Critério fundamental, destarte, para distinguir os serviços públicos de outras formas de atividade, com as quais podem apresentar pontos de contato e de semelhança, é o da finalidade à qual tendem os serviços ditos públicos, porque como tais são reconhecidos pelo Estado e, não raro, como é o nosso caso, inscritos na Constituição do Estado. O Estado assume esses serviços diretamente, pelos seus órgãos centrais, ou os confia a entidades autárquicas ou empresas públicas, que são também entes públicos, não raro com veste privada, porque tem como destinação a satisfação de finalidades públicas e, por conseqüência, são públicos todos aqueles serviços dos quais um ente público seja o sujeito, embora esse ente tenha a estrutura de direito privado (CC, art. 41, parágrafo único).

3-M. Feitas essas considerações, verifica-se a razão de ser da definição de serviço público que é apresentada por André de Laubadère: "On appelle service public toute activité d'une collectivité publique visant à satisfaire un besoin d'intérêt général: la défense nationale, les transports par chemins de fer, la tenue de l'état civil sont des services publics. Les diverses collectivités publiques: les relations extérieures de la France sont par exemple un service public de l'État ou national; un service de transports dans une ville est un service public municipal" (André de Laubadère, Jean-Claude Venezia e Yves Gaudemet, *Traité de Droit Administratif*, 15ª ed., Paris, 1999, t. 1, n. 35, p. 42).

3-N. Da mesma forma, Rivero e Waline definem o serviço público em dois sentidos: um sentido material ou funcional e um sentido concreto ou orgânico.

Em sentido concreto, ou orgânico, a expressão designa um conjunto de agentes e de meios que uma pessoa jurídica pública afeta a uma mesma tarefa; nesse sentido, fala-se de serviços desconcentrados dos ministérios, que o administrado se lamenta ou manifesta satisfação com o serviço telefônico, ou com o serviço de pontes e de calçadas.

Em sentido material, ou funcional, que é o que é mais considerado hodiernamente pela jurisprudência, a expressão designa uma atividade de interesse geral que a Administração delibera assumir (*Droit Administratif*, Paris, Dalloz, 1998, n. 445, p. 430).

3-O. Qualquer que seja a definição adotada, aparecem dois elementos essenciais. Primeiro, uma atividade que visa a dar satisfação a necessidades de interesse geral, que se destina a promover o bem comum e o desenvolvimento da interdependência social. Segundo, pelo seu caráter de essencial, ou de existencial, essa atividade é assumida pelo Estado, que é o responsável pela manutenção das condições indispensáveis à realização do bem comum, do bem-estar da coletividade e da manutenção das condições indispensáveis à preservação da solidariedade social. Uma atividade essencial e um agente, no caso, o Estado, que se revela a única entidade com poder e titularidade para cuidar e preservar o bem comum da coletividade.

3-P. É por isso que Gaston Jèze afirmava que os governantes têm o poder e o dever de organizar os serviços públicos. Esses serviços se destinam a satisfazer necessidades de interesse geral, sentidas em um dado momento, em um país determinado. Dizia Jèze que esse dever estava enunciado implicitamente no preâmbulo da Constituição Americana, no qual esta se diz adotada "in order to (...) establish justice, insure domestic tranquillity, provide for the common defence, promote the general welfare, and secure the blessings of liberty to ourselves and our posterity" (*Les Principes Généraux du Droit Administratif*, t. III, Paris, 1926, cap. I, sec. I, p. 5). Afirmava, ainda, Gaston Jèze, que "Os serviços públicos têm por finalidade dar satisfação a necessidades de interesse geral. Os governantes, os agentes públicos, os concessionários de serviços públicos são encarregados de organizá-los e de fazê-los funcionar para assegurar o bem-estar material, moral, e intelectual dos administrados. Para os indivíduos, o serviço público ora se analisa por *vantagens gerais*, comuns a todos os habitantes, como a defesa nacional, o serviço diplomático, a proteção aduaneira, a polícia, a Academia francesa, o Instituto, o Observatório, etc. Ora o serviço público está destinado a proporcionar aos indivíduos consi-

§ 10. OS SERVIÇOS PÚBLICOS

derados isoladamente, *vantagens particulares*; por exemplo, os serviços de instrução, de assistência social, de ferrovias, de correios, de telégrafos e telefones, de justiça, de desinfecção, de vacinação, de verificação de pesos e medidas, etc.; consistem em efetuar prestações determinadas em proveito dos indivíduos considerados isoladamente (estudantes, indigentes, viajantes, comerciantes, postulantes, etc.); é pela satisfação dessas necessidades individuais que será desenvolvida a prosperidade geral da comunidade política" (Gaston Jèze, ob. cit., t. III, p. 3).

3-Q. O conceito de serviço público, durante algum tempo foi fundamental na evolução do Direito Administrativo francês. O expoente maior dessa concepção, a par de Jèze, foi Léon Duguit, que, atacando vigorosamente as noções de soberania, de poder soberano do Estado e da própria personalidade jurídica do Estado, procurou substituir essas noções pela simples diferenciação entre governantes e governados e pela concepção de serviço público. Já vimos o conceito de serviço público, formulado por Duguit. O que importa dizer agora é que, para Duguit, o serviço público era o fundamento e o limite do poder governamental. Nele, a sua Teoria do Estado teria encontrado a plenitude e o acabamento definitivo (*Traité de Droit Constitutionnel*, t. II, Paris, 1928, § 8, p. 62). A escola do serviço público não prepondera mais no Direito Administrativo francês, mas sua noção permaneceu como marco fundamental para todo o Direito Administrativo.

3-R. A concepção do serviço público não tem a mesma importância para o Direito Administrativo alemão, que substitui esse conceito pelo de estabelecimento público (*öffentliche Anstalt*), havendo Otto Mayer agudamente assinalado a equivalência entre o conceito germânico de *öffentliche Anstalt* e o de *service public* da doutrina francesa, no livro que escreveu sobre o Direito Administrativo francês, conforme já sinalamos acima (*Theorie des Französischen Verwaltungsrechts*, Strassburg, 1886, § 24, p. 225). Na já mencionada definição de Otto Mayer, o serviço público é considerado como o conjunto de meios estatais, tanto materiais quanto pessoais, que estão predispostos e destinados ao cumprimento de uma determinada finalidade pública.

Enquanto os primeiros doutrinadores franceses, hostis à idéia da personalidade jurídica de direito público, tanto do Estado quanto dos entes menores, davam ênfase à atividade dos governantes, destinada à realização de uma finalidade pública, Otto Mayer, o jurista que afirmara terem os professores alemães, sem a ajuda de ninguém, promovido o Estado à condição de pessoa jurídica, dava preponderância à idéia de organização de um conjunto de meios materiais e pessoais, em mãos da Administração Pública, destinado à realização de uma finalidade pública.

De um lado, os que põem em relevo a atividade, ou a causa final, que é a prestação ao público. De outro, a concepção germânica, que dá preponderância à causa eficiente, isto é, a organização de meios materiais e pessoais para fornecer a prestação ao público. Essa prestação tem de ser executada pelo Estado ou por um estabelecimento público. A causa final e a causa eficiente se reencontram nas doutrinas desenvolvidas por Léon Duguit e Gaston Jèze do lado francês, e por Otto Mayer do lado alemão.

3-S. Dissemos, já, que o serviço público é todo serviço existencial relativamente à sociedade, ou, pelo menos, assim havido num momento dado, que, por isso mesmo, tem de ser prestado aos componentes daquela, direta ou indiretamente, pelo Estado ou outra pessoa administrativa. •

4. A essa conceituação do serviço público, conduzir-nos-ia, de resto, o só exame das *garantias*, de que se lhe cerca o exercício.

A *primeira dessas garantias* deveria ser a do patriotismo dos agentes. Prescrevia, e acertadamente, a Constituição Federal de 1937, que as empresas concessionárias de serviços públicos constituíssem com maioria de brasileiros a sua administração ou delegassem a brasileiros todos os poderes de gerência (Constituição de 1937, art. 146). • No regime vigente, a Constituição de 1988 estabeleceu, em seu art. 176 o seguinte: "As jazidas, em lavra ou não, e demais recursos minerais e os potenciais de energia hidráulica constituem propriedade distinta da do solo, para efeito de exploração ou aproveitamento, e pertencem à União, garantida ao concessionário a propriedade do produto da lavra".

O art. 176, ainda, no seu § 1º, dispõe da seguinte forma: "§ 1º. A pesquisa e a lavra de recursos naturais e o aproveitamento dos potenciais a que se refere o *caput* deste artigo somente poderão ser efetuados mediante autorização ou concessão da União, no interesse nacional, por brasileiros ou empresa constituída sob as leis brasileiras e que tenham sua sede e administração no País, na forma da lei, que estabelecerá as condições específicas quando essas atividades se desenvolverem em faixa de fronteira ou terras indígenas".

A Constituição Federal, por conseguinte, em seu art. 176, § 1º, considerou a questão do interesse nacional em matéria de jazidas, de recursos minerais e de potenciais de energia hidráulica, cuja concessão somente poderá ser feita a brasileiros ou a empresas constituídas sob as leis brasi-

§ 10. OS SERVIÇOS PÚBLICOS

leiras, com sede e administração no País. Por conseguinte, em parte, está atendida a primeira garantia dos serviços públicos, formulada já há longes tempos, em edições anteriores deste livro, do patriotismo dos agentes.

Na vigência da atual Constituição Federal, entretanto, foi editada a Lei 8.987, de 13.2.1995, que silenciou a respeito desse tema em relação a outras concessões de serviços públicos, de acordo com seu art. 14, *caput*.

A Lei 9.074, de 7.7.1995, foi mais adiante em matéria de concessão de serviço público, permitindo a concessão de vias federais, precedidas ou não da execução de obra pública (art. 1º, IV); a exploração de obras ou serviços federais de barragens, contenções, eclusas, diques e irrigações, precedidas ou não da execução de obras públicas (art. 1º, V); a concessão de estações aduaneiras e outros terminais alfandegados de uso público, não instalados em área de porto ou aeroporto, precedidos ou não de obras públicas (art. 1º, VI); e os serviços postais (art. 1º, VII), que constituíam até então privilégio exclusivo da Empresa Brasileira de Correios e Telégrafos-ECT, sendo considerados como serviço público federal pela Constituição (CF, art. 21, X).

Nessa lei, não há qualquer distinção entre empresas nacionais e estrangeiras. O interesse público nacional, e a sua manutenção deverá, ao que se supõe, constituir encargo das respectivas agências reguladoras, que tantas foram criadas quantas concessões outorgadas. Assim, caberá à ANEEL, à ANATEL, à ANA, à ANTT, à ANTAQ, entre outras, a fiscalização dos respectivos serviços públicos concedidos, no que entendem com o interesse nacional, estabelecendo regras para a sua proteção. •

A *segunda dessas garantias* é a do não-predomínio do intuito de lucro, do que deve resultar para as empresas concessionárias de serviços públicos, a limitação de suas possibilidades com esse endereço a uma justa retribuição do capital, como previa o art. 151, parágrafo único, da Constituição Federal de 1946. Evita-se, desse modo, que o desenvolvimento do serviço possa sofrer com o ilimitado das ambições mercenárias. • Hodiernamente, a Lei 8.987/1995 prevê, em seu art. 9º. § 2º, que "Os contratos poderão prever mecanismos de revisão das tarifas, a fim de manter-se o equilíbrio econômico-financeiro". Trata-se de expressão usual, empregada nas concessões de serviço público, essa da referência ao equilíbrio econômico-financeiro do contrato (Celso Antônio Bandeira de Mello, *Curso de Direito Administrativo*, cit., cap. X, VII, ns. 48 e 52, pp. 603 e ss.). Deve-se salientar, de outra parte, que a Lei 8.666, de 21.6.1993, já previa, em seu art. 65 e seus parágrafos, as alterações nos contratos de direito público, inclusive as alterações dos preços. •

Por essas duas garantias iniciais, o serviço é protegido contra os seus agentes mesmos.

Vem a *terceira das garantias* protegê-lo já contra os interesses particulares, de natureza privada, suscetíveis de entravar-lhe a execução regular e continuada. Consiste essa garantia em assegurar-se o prosseguimento normal do serviço, ainda no caso de penhora (CPC, art. 678).
• O referido artigo diz o seguinte: "A penhora de empresa, que funcione mediante concessão ou autorização, far-se-á, conforme o valor do crédito, sobre a renda, sobre determinados bens, ou sobre todo o patrimônio, nomeando o juiz como depositário, de preferência, um dos seus diretores". Há, ainda, o caso de falência da empresa concessionária (art. 195 da Lei 11.101, de 9.2.2005). •

A *quarta dessas garantias* resguarda, enfim o serviço público contra os interesses fiscais das demais pessoas administrativas, capazes de criar-lhe ônus ou embaraços. Reside ela na proibição, constante do art. 150, inciso VI, letra "a", da Constituição de 1988, de tributarem com impostos União, Estados, Distrito Federal e Municípios "o patrimônio, renda ou serviços, uns dos outros", posto não se estenda a mesma imunidade aos serviços concedidos (CF, art. 150, VI, § 3º). • Qualquer subsídio ou isenção, acaso concedido a empresa concessionária de serviços públicos, somente poderá ter como fundamento lei específica, federal, estadual ou municipal (CF, art. 150, VI, § 6º). •

Tamanhas garantias, contra os agentes, contra os particulares em geral e contra as próprias pessoas administrativas, estão a mostrar que tais serviços são, realmente, reputados existenciais relativamente à sociedade; não se compreenderia tamanho rigor de direito para assegurar-se a só conveniência, conforto ou recreio dos indivíduos ou da coletividade.

Ajuntam-se a essas garantias jurídicas, além disso, nalgumas hipóteses, as que resultam de *verdadeiros deveres éticos do Estado* nessa matéria, os quais lhe impõem a execução de alguns serviços públicos como função indeclinável.

"Serviços públicos existem – escreve Mário Masagão – que o Estado forçosamente há de executar por si próprio, de forma direta. Em primeiro lugar, entre eles avultam os da atividade jurídica. Declarar o direito, manter a ordem internamente, defender o país contra o inimigo externo, distribuir justiça são funções que o Estado a ninguém pode confiar. Em segundo lugar, e mesmo no campo da chamada ação social, no qual a iniciativa dos particulares concorre com a do Estado, há atividades especiais que, com caráter de serviço público, não podem ser transferidas da Administração (federal, estadual ou municipal) para mãos de particulares. Isso acontece quanto aos serviços que não comportam especulação lucrativa, e quanto aos que possam exigir coação física sobre os administrados. Na primeira hipótese desaparece o único elemento, com o qual a Administração consegue fazer coincidir o seu próprio interesse (bom funcionamento do serviço) com o interesse particular (auferir proventos). Na segunda, a entrega a particulares dos poderes que devem acompanhar a execução do serviço ofereceria inconvenientes óbvios quanto à segurança dos cidadãos" (*Natureza Jurídica da Concessão de Serviço Público*, São Paulo, 1933, ns. 26 e 27, pp. 21 e ss.).

Dissemos que serviços dessa natureza têm a sua execução assegurada, ainda por verdadeiros deveres éticos do Estado, que lhes não deve transferir o exercício a particulares. A distribuição da justiça e a proteção das pessoas e bens, na ordem interna, podem dizer-se até deveres jurídicos internacionais (Clóvis Bevilaqua, *Direito Público Internacional*, t. I, Rio de Janeiro, 1911, § 38, p. 219; § 40, p. 228). Transferi-los a particulares seria, entretanto, de qualquer maneira, ainda no que respeita só à ordem jurídica interna, *imoralidade* tão flagrante quanto a transferência por concessão ou contrato das prerrogativas do pai no seio da família.

5. Determinado, porém, que o serviço público seja todo serviço existencial, relativamente à sociedade, fica, não obstante, por determinar o que há de entender-se por existencial.

A condição do existencial, relativamente à sociedade, pela qual o serviço público se caracteriza, filia-lhe a noção ao conceito de utilidade pública, no qual se subsume tudo quanto se haja por essencial ao bem do indivíduo, ao bem da coletividade, e à própria sociedade, como bem em si mesma.

No conceito de utilidade pública encontrar-se-á, portanto, implícita, a noção de serviço existencial. Ora, a determinação do conceito de utilidade pública incumbe a ciências não-jurídicas, como a Sociologia, a Política e a Ciência da Administração. Essa determinação, de resto, faz-se relativamente a tal país e a tal momento designados. Trata-se, pois, de conceito essencialmente variável no tempo e no espaço.

§ 11. OS ATOS ADMINISTRATIVOS

Conforme dissemos já, a Administração Pública é atividade que merece, como conjunto, o reconhecimento e a proteção do Direito para os fins que a governam (v. § 2, supra).

Essa atividade, entretanto, decompõe-se em fatos e em atos jurídicos praticados, uns e outros, pelas pessoas administrativas e pelas pessoas privadas incumbidas da execução de serviços públicos. Aqueles, juridicamente relevantes, atenta a finalidade, tutelada pelo direito, do conjunto dinâmico em que se integram, são destituídos de conteúdo volitivo. São ações ou omissões de feição puramente material, que só interessam ao direito pela relação em que se encontram com a finalidade que este, à atividade em que se inserem, reconhece e protege.

• I – Walter Jellinek já chamava a atenção para as simples ações do Estado ou de um titular de Poder Público, às quais se sobrepõe em significação o Ato Administrativo como a manifestação de vontade soberana mais importante ("von den Handlugen des Staates oder eines sonstigen Trägers öffentlicher Gewalt überragt alle andern an Bedeutung der Verwaltungsakt als die hoheitliche Willensäusserung" – *Verwaltungsrecht*, § 10, VII, Berlin, 1929, p. 233). •

Juridicamente relevantes embora, estão sujeitos, assim, à disciplina das ciências técnicas mais diversas. Isso não é, contudo, peculiaridade dos fatos da Administração Pública. Também o desempenho técnico do artífice privado interessa ao direito, quando o fim a que o seu trabalho se vincula é tutelado pelo direito. Assim, porque o direito protege em seus fins a empreitada, legitimamente contraída, aquele que encomendou a obra poderá "(...) rejeitá-la, se o empreiteiro se afastou das instruções recebidas e dos planos dados, ou das regras técnicas em trabalhos de tal natureza" (Código Civil de 2002, art. 615). De outra parte, todo ato de Administração Pública que seja lícito e tenha por fim imediato adquirir, resguardar, transferir, modificar ou extinguir direitos se denomina ato administrativo.

• II – Definindo de forma sintética atos administrativos, podemos dizer que são os atos jurídicos praticados, segundo o Direito Administrativo, pelas pessoas administrativas.

III – Quem primeiro definiu o ato administrativo foi Otto Mayer, no seu livro *Deutsches Verwaltungsrecht*, também publicado pelo Autor em versão francesa, sob o título *Le Droit Administratif Allemand*, em quatro volumes.

a) "O ato administrativo é um ato de autoridade, emanando da Administração, ato que determina, diante do sujeito, aquilo que, para ele, deve ser de direito no caso individual" ("(...) ist der Verwaltungsakt, ein der Verwaltung zugehöriger obrigkeitlicher Ausspruch, der den Untertanen im Einzelfall bestimmt, was für ihn Rechtens sein soll" – *Deutsches Verwaltungsrecht*, vol. I, § 9, Berlin, 1924, reimp. de 1969, p. 93).

Na concepção de Otto Mayer, o traço saliente do ato administrativo está na manifestação da autoridade pública frente ao particular, que, no caso concreto, determina aquilo que deve ser considerado como de direito.

Mayer toma como ponto de contraste do ato administrativo a sentença do Poder Judiciário ("Sein Vorbild ist das gerichtliche Urteil" – ob. cit., p. 93). Esse ato está reservado apenas para as autoridades administrativas (*Verwaltungsbehörden*) com competência para praticá-lo. Assim, nem todos os servidores públicos podem praticar atos administrativos, mas, tão-somente aqueles a quem a lei conferiu autoridade para agir em nome da pessoa administrativa.

b) A concepção de Mayer foi seguida por seu sucessor na cátedra em Heidelberg, o professor Walter Jellinek. Mas, pondera Jellinek que os estritos limites em que Otto Mayer encerrou o ato administrativo têm contra si os casos em que não se cogita de atividade soberana do Estado, suscetível de ser denominada de ato soberano de autoridade. Sem dúvida, há atos administrativos que se constituem em manifestações de vontade soberanas, como a afetação de uma estrada à circulação pública. Mas, em contraposição, há inúmeros atos em que a manifestação soberana unilateral se revela demasiado ampla para justificá-los, tampouco a comparação com a sentença do Poder Judiciário mostra-se adequada como termo de contraste. Há atos que significam simplesmente o registro de fatos já ocorridos, como a certidão de nascimento, ou a de óbito, em que há um exagero em compará-los com a sentença do Poder Judiciário. Walter

Jellinek, sem tecer mais críticas à definição de seu mestre, prefere pôr em relevo a distinção, por ele criada, entre atos administrativos unilaterais e bilaterais ("Einseitige und zweiseitige Verwaltungsakte", ob. cit., § 11, n. 2, p. 240).

c) No mesmo sentido de Otto Mayer é a concepção desenvolvida por Ernst Forsthoff, para quem o "Ato administrativo é uma decisão, ou manifestação soberana unilateral" ("Der Verwaltungsakt ist ein einseitiger hoheitlicher Ausspruch" – *Lehrbuch des Verwaltungsrechts*, 10ª ed., München, 1973, § 11, p. 200).

d) Hans-Julius Wolff e Otto Bachof retiraram de Otto Mayer o mérito da grande definição do ato administrativo para o Direito Administrativo em geral e atribuem ao direito francês o merecimento da primeira conceituação, dizendo que "O conceito de ato administrativo foi recepcionado da França, desde 1826, e desenvolvido pela ciência alemã e pela Legislação inspirado em sua parte principal" (*Verwaltungsrecht*, 9ª ed., vol. I, § 46, "c", n. 1, p. 372). Definem o ato administrativo como "uma medida jurídica administrativa, tomada por um sujeito da Administração Pública para (unilateral e obrigatoriamente) operar a regulamentação de um caso individual, pela qual uma ou mais pessoas imediatamente são atingidas, ou uma coisa é juridicamente qualificada ou ordenada" ("(...) Verwaltungsakts (...) als jede von einem Subjekte öffentlicher Verwaltung getroffene verwaltungsrechtliche Massnahme zur (einseitigen, verbindlichen) Regelung eines Einzelfalles, durch welche eine oder mehrere Personen unmittelbar betroffen werden oder eine Sache rechtlich qualifiziert oder zugeordnet wird" – ob. cit., § 46, Ic, p. 373). De modo que, sem recordar em um momento sequer, sem citá-lo na bibliografia, Hans Julius – Otto Bachof conseguiram afastar e legar ao oblívio a figura de Otto Mayer, para dizer com outras palavras o que ele dissera setenta anos antes.

e) A formulação destituída de uma justa inspiração, acima referida, foi corrigida por um grande administrativista da atualidade. Trata-se de Hartmut Maurer, professor na Universidade de Konstanz, no seu livro *Allgemeines Verwaltungsrecht*, de 1992, traduzido para o francês em 1995, por Michel de Fromont, que já executara um brilhante trabalho de tradução do *Tratado* do professor Ernst Forsthoff, muito elogiado pelo próprio Forsthoff.

Referindo-se ao ato administrativo, o professor Maurer assim se expressa: "2. O ato administrativo é uma criação do Direito Administrativo do século XIX. Otto Mayer lhe atribuiu os traços que o caracterizam ainda hoje em dia no essencial, definindo-o como a declaração de uma autoridade pública, determinando face a um administrado, em um caso concreto, aquilo que é conforme ao direito" ("ein der Verwaltung zugehöriger obrigkeitlicher Ausspruch, der dem Untertanen gegenüber im Einzelfall bestimmt was für ihn Rechtens sein soll" – *Deutsches Verwaltungsrecht*, t. I, 1ª ed., 1895, p. 95). Acrescenta Maurer: "A doutrina e a prática se vincularam, na sua maioria, a esta definição" (*Droit Administrative Allemand*, cap. 9, I, n. 2, Paris, LGDJ, 1995, pp. 184-185).

IV – Nas leis, entretanto, o ato administrativo figurava desde muito tempo sob a forma de ordem (*Verfügung*), de decisão (*Entscheidung*), de autorização (*Erlaubnis*), de dispensa (*Dispens*), mas, segundo Maurer, ele só emergiu, como noção individualizada e global, após 1945, nas leis sobre os tribunais administrativos, promulgadas após a Segunda Guerra Mundial, que garantiam e regulamentavam a proteção jurisdicional contra todos os atos da Administração.

A lei sobre processo administrativo, na Alemanha, aplicável ao Código Tributário e ao Código Social, no seu parágrafo 35, I, define como ato administrativo "toda ordem, decisão ou medida do Poder Público, tomada por uma autoridade administrativa, tendo em vista regular um caso especial, decorrente do direito público e que visa a produzir efeitos de direito diretos face a terceiros" (Hartmut Maurer, ob. cit., cap. 9, n. 4, p. 185).

Afirma Maurer que as objeções formuladas contra essa definição, que até agora prevaleceu, somente se referem a questões de detalhe, até mesmo de pura formulação, como é o caso da crítica feita por Hans-Julius Wolff e Otto Bachof (*Verwaltungsrecht*, I, § 46, I, "c", 1). As diferenças essenciais decorrem principalmente do cuidado de incluir alguns efeitos jurídicos do ato administrativo, ou ao menos colocá-los em evidência, notadamente no que concerne a fazer referência expressa à *autoridade de coisa julgada* (*Bestandkraft*), ou então dando ênfase ao alcance processual do ato administrativo. A questão do efeito de coisa julgada do ato administrativo foi levantada, com muita propriedade, por Adolf Merkl, que a define como sendo "aquela propriedade de certos atos estatais, por meio da qual não são modificáveis em nenhum caso, por atos da mesma espécie, ou sob determinadas circunstâncias" (*Teoría General del Derecho Administrativo*, Madrid, 1935, § 14, p. 263). Reconhece que relativamente tarde a teoria do Direito Administrativo formulou a questão de se também os atos administrativos podem assumir essa força de coisa julgada, mas reconhece que "até agora a teoria administrativa não chegou a encontrar uma opinião geral" (ob. cit., p. 264). A negativa para reconhecer à Administração o efeito de coisa julgada costuma fundamentar-se, segundo Merkl, em que não incumbe à Administração, como ao Judiciário, o direito, mas tão-somente o interesse público, que não poderia ser entorpecido pela existência de atos administrativos insuscetíveis de revogação. "Mas – salienta Merkl – esta hipótese não nos leva à conclusão de que o ordenamento jurídico deveria prever a revogação dos atos administrativos, mas que os atos administrativos são, por si mesmos, irrevogáveis" (ob. cit., p. 265).

Além disso, costuma alegar-se que as exigências de segurança das relações jurídicas tornam necessária a imutabilidade de certos atos administrativos, mesmo diante das modificações que reclamaria o interesse público (ob. cit., p. 265).

Desenvolvendo um raciocínio extremamente lógico, Merkl afirma que "O que é imanente ao ordenamento jurídico não é o princípio *lex posterior derogat priori*, mas o seu contrário, segundo o qual *lex posterior non derogat priori*. Em outras palavras, na dúvida, o preceito jurídico anterior prevalece sobre o posterior; na dúvida, o direito em todos os planos e degraus, não é flexível, mas incomovível" (p. 276).

A conclusão a que chega Adolf Merkl é a de que "Por conseguinte, os atos administrativos que tenham originado direitos subjetivos não podem ser revogados discricionariamente em atenção a qualquer interesse público, mas em virtude de um interesse público qualificado, que se coadune da melhor forma possível com o direito adquirido (...)" (ob. cit., p. 277).

V – A questão, como se observa, é antiga e o debate sobre o tema aguçado, preponderando sempre, entretanto, na doutrina, a concepção de preservar o direito adquirido no caso de revogação de ato administrativo. Ernst Forsthoff é claro a respeito: "O ato administrativo regular, que concede vantagens não é revogável pura e simplesmente" ("Der fehlerfreie, begünstigende Verwaltungsakt ist nicht ohne weiteres widerrufbar" – *Lehrbuch des Verwaltungsrechts*, cit., § 13, "c", p. 265).

O fato de a lei processual administrativa alemã não fazer menção à "Bestandkraft" do ato administrativo não prejudicou o seu desenvolvimento na doutrina e na jurisprudência, tampouco atingiu a segurança jurídica e os direitos adquiridos, que devem ser preservados.

O certo é que, em oposição à teoria de Merkl, outro jurisconsulto, como Michel Stassinopoulos, afirma que "A força de coisa julgada é portanto o verdadeiro critério da distinção entre o ato administrativo e a decisão jurisdicional. Essa força previne toda a controvérsia sobre a solução dada pela decisão tendo em vista pôr fim às contestações e manter a ordem social" (*Traité des Actes Administratifs*, § 10, III, Paris, 1973, p. 74).

§ 11. OS ATOS ADMINISTRATIVOS

Do mesmo sentir é Walter Jellinek, ao dizer que "Nós temos até aqui tido a intenção de evitar que a denominação da irrevogabilidade de um ato administrativo seja caracterizada pela expressão 'força de coisa julgada', pois essa expressão para os atos administrativos em geral é pouco conveniente, não se comparando com as ações do direito privado. Poucas vezes o emprego de um servidor, mediante a conclusão de um contrato de serviço, torna-se definitivo, como poucas vezes a função de um funcionário, por essa razão, de que o cargo não poderá ser, unilateralmente, retomado pelo poder público. A coisa julgada é antes uma particularidade das decisões jurisdicionais e significa que a aplicação do direito a um determinado suporte fático na sua justeza não pode mais ser posta em questão; então, mediante uma decisão jurisdicional um litígio é resolvido finalmente e a paz deve retornar, não podendo mais o Tribunal ter a liberdade de contrariar a decisão tomada. Nas decisões de litígios, geralmente envolvendo atos administrativos ou não, uma nova disposição ordenadora poderá se verificar. O ato administrativo contém uma decisão, que encerra a presunção de irrevogabilidade, por analogia com as sentenças dos tribunais" (*Verwaltungsrecht*, § 11, IV, 3, p. 271).

Levando em consideração essas circunstâncias, Hartmut Maurer propõe uma definição de ato administrativo, nos seguintes termos: "O ato administrativo é um ato de poder público, que regula um caso especial, emanando de uma autoridade administrativa, que tem um efeito direto face a terceiros" (*Droit Administratif Allemand*, cit., cap. 9, I, n. 5, p. 186). Maurer formula essa definição com fundamento na lei processual administrativa alemã, aceitando embora, que ainda há problemas recorrentes, como por exemplo o da distinção entre o caráter puramente unilateral do ato administrativo, reconhecido pelos juristas alemães, e a existência do contrato administrativo que não raro é admitido entre os atos administrativos.

VI – No Brasil, a lei que regula o processo administrativo no âmbito da Administração Pública Federal é a Lei 9.784, de 29.2.1999, uma das raras leis sobre o Direito Administrativo, elaborada de modo técnico, em vernáculo correto e apresentando adequação perfeita aos conceitos jurídicos hodiernos sobre o tema. A única omissão dessa lei, que poderíamos lamentar, consiste no fato de não ter definido o conceito de ato administrativo, do qual certamente só poderíamos aproveitar, dada a correção e a forma escorreita por que foi redigida. Quando se compara essa lei com o § 8º do art. 37 da Constituição Federal de 1988, nela incluído pela Emenda Constitucional 19, de 4.6.1998, que estabelece, em realidade, o contrato de gestão da União consigo mesma, ou com uma entidade da Administração indireta, pode-se constatar a distância infinita entre a compreensão e o estudo sério do Direito e a sua contrafacção, posta na Constituição da República.

Distinguem-se os • atos administrativos dos atos jurídicos, praticados pelos concessionários de serviços públicos e outros particulares encarregados de atividades administrativas, quando regidos pelo Direito Administrativo. É o caso de atos jurídicos de direito privado, que têm como fundamento a concessão ou a permissão de um serviço público, levadas a efeito mediante ato administrativo. Esses atos dos concessionários têm eficácia derivada, pois seu valor decorre exclusivamente de um outro ato de direito público. São reflexos a que falta significação em si próprios. Assim os considera, pelo menos o nosso direito, o qual, regulando o processo do mandado de segurança, impetrável contra os atos, também, de tais pessoas privadas, não lhes equipara os atos aos das pessoas administrativas. Nesse sentido é a disposição do art. 1º, § 1º, da Lei 1.533, de 31.12.1951, que considera como autoridades "para os efeitos desta lei" os representantes "das pessoas naturais ou jurídicas com funções delegadas do Poder Público, somente no que entender com essas funções".

O conceito de ato administrativo, tal como o vimos expondo, é tradicional em todo o Direito Administrativo. No Brasil, dizia o Visconde do Uruguai: "Para que um ato ou fato tenha caráter administrativo, no sentido jurídico desta palavra, é necessário que emane de uma autoridade da ordem administrativa" (*Ensaio sobre o Direito Administrativo*, 1862, t. I, p. 95; ver § 8, n. 5, supra). • No Direito Administrativo hodierno, Hartmut Maurer nos diz: "11. O ato deve ser do Poder Público. Tal é o caso quando ele decorre do direito público, em particular quando intervém na execução de regras de direito público. Por isso, a delimitação do direito público e do direito privado apresenta importância" (*Droit Administratif Allemand*, cit., cap. 9, II, 2, n. 11, p. 190).

VII – O ato administrativo representa a primeira manifestação da vontade estatal. Georg Jellinek afirmava que um Estado poderia existir sem leis e sem juízes, mas nunca sem Administração, porque a Administração representa a ação que completa a sua vida, como no homem a vida não consiste tão-somente em vontade e pensamento, mas inicialmente em ação (*Allgemeine Staatslehre*, Heidelberg, 1912, p. 612).

A supremacia natural e lógica da Administração, em relação às demais funções do Estado, explica a posição preponderante que conservou durante um longo período na vida estatal. De um Estado autoritário, que se transforma progressivamente num Estado em que o Poder Executivo e a Administração passam a submeter-se à lei, um desenvolvimento cons-

§ 11. OS ATOS ADMINISTRATIVOS   223

tante e progressivo se operou. A submissão do Executivo à lei somente vem a se concretizar com o advento do Estado de Direito. A atual Constituição Federal de 1988 foi a primeira a definir em nosso país um Estado Democrático de Direito (CF, art. 1º).

A concepção do Estado de Direito é importante para conceituar o ato administrativo e situá-lo no conjunto das manifestações do Estado.

No Direito Administrativo, a idéia do Estado de Direito está vinculada a noções jurídicas precisas, que o identificam, subordinando todas as manifestações da Administração à lei. São diversos os elementos fundamentais, que individualizam o Estado de Direito, no âmbito do Direito Administrativo.

a) Em primeiro lugar, deve-se considerar a Declaração dos Direitos Fundamentais, constante da Constituição Federal, como ponto de partida de toda a ordem jurídica. Esses direitos são invioláveis e inalienáveis, tendo sido simplesmente reconhecidos pelo legislador constituinte, pois antecedem o Estado (Peter Badura, *Staatsrecht*, C, n. 1, München, 1986, p. 62). A Administração e o Direito Administrativo são determinados, fundamentalmente, pela Constituição que vigorar em seu tempo (Hartmut Maurer, *Droit Administratif Allemand*, trad. de Michel de Fromont, cap. 2, I, n. 1, Paris, 1995, p. 21). Como a atual Constituição procurou estabelecer um Estado de Direito, as concepções essenciais desse tipo de Estado são as que determinam o nosso Direito Administrativo atual.

b) Em segundo lugar, a separação dos poderes aparece como elemento fundamental do Estado de Direito. Cada função do Estado é atribuída, pelo menos de forma preponderante, a um órgão particular. Dessa forma, há três poderes distintos, incumbidos de realizar suas funções específicas: o legislativo, o executivo e o judiciário. Da repartição de encargos entre os três poderes, decorre a noção de competência funcional. Sendo a competência a medida de poder que a ordem jurídica assina a um órgão ou pessoa determinada (ver § 16, infra), cria para o órgão a obrigação de agir unicamente nos limites de suas funções. O executivo não poderá jamais agir contra a lei, mas apenas de acordo com a lei. Daí resulta a regra de submissão da Administração à lei, expressamente definida pelo art. 37, *caput*, da Constituição Federal de 1988, ao explicitar o princípio de legalidade.

c) Em terceiro lugar, como decorrência da separação de poderes e do respeito aos direitos fundamentais, a Administração deverá submeter-se ao princípio de legalidade, que constitui a regra básica dos atos administrativos. Esse princípio está consagrado em inúmeras disposições constitucionais. É possível distinguir entre o princípio de legalidade *lato sensu* e o princípio de legalidade *stricto sensu*.

A Constituição Federal estabelece regras muito claras sobre a necessidade da lei para efetivar, por exemplo, a desapropriação por necessidade ou utilidade pública, ou por interesse social (art. 5º, inciso XXIV), para punir qualquer discriminação atentatória dos direitos e liberdades fundamentais (art. 5º, inciso XLI), para definir que não há crime sem lei anterior que o defina (art. 5º, inciso XXXIX), para vedar a retroatividade da lei penal (art. 5º, inciso XL), para vedar a exigência de imposto ou seu aumento sem lei que o estabeleça (art. 150, inciso I), para vedar também, a cobrança de tributos "em relação a fatos geradores ocorridos antes do início da vigência da lei que os houver instituído ou aumentado" (art. 150, inciso III, "a"), para vedar a cobrança de tributos "no mesmo exercício financeiro em que haja sido publicada a lei que os instituiu ou aumentou (art. 150, inciso III, "b"). Todos esses dispositivos constitucionais estão a exigir leis que lhes obedeçam e lhes dêem expressão concreta. A isso se denomina de reserva da lei (*Vorbehalt des Gesetzes*) (Otto Mayer, *Deutsches Verwaltungsrecht*, vol. I, § 6, Berlin, 1924, p. 70), ou princípio de legalidade *stricto sensu*. Já o princípio de legalidade *lato sensu* está ligado à idéia de competência, como a do Congresso Nacional "para dispor sobre todas as matérias de competência da União" (CF, art. 48, *caput*).

d) Para que o Estado de Direito seja eficaz, deverá haver um poder de controle. Esse controle, entre nós, é de natureza jurisdicional e o seu titular é um poder neutro, "un pouvoir neutre", uma instância mediadora ("so ist er als Träger einer neutralen Gewalt, eines 'pouvoir neutre', eine Vermittlungsinstanz" – Carl Schmitt, *Verfassungslehre*, § 27, Berlin, 1957, p. 351). Como o Estado de Direito está definido pela Constituição Federal, essa instância mediadora, encarregada da guarda da Constituição, foi atribuída ao Tribunal de maior hierarquia, que é o Supremo Tribunal Federal, que faz as vezes de tribunal constitucional, havendo a Constituição lhe atribuído "precipuamente, a guarda da Constituição" (CF, art. 102, *caput*).

e) Com essa determinação constitucional, fecha-se o círculo do Estado de Direito, que encontra no seu interior o fundamento necessário para a sua defesa e para a preservação da sua estrutura normativa.

VIII – Dizia Otto Mayer que o regime do Estado de Direito (*Rechtsstaat*) se completa pelo ato administrativo, que, com sua força obrigatória, está colocado para definir as relações entre o Estado e os seus súditos (*Le Droit Administratif Allemand*, t. I, § 8, Paris, 1903, p. 119). Desconhecido do círculo de idéias que caracterizavam o regime do Estado de Polícia,

§ 11. OS ATOS ADMINISTRATIVOS

não se constituindo inteiramente nem em julgamento, tampouco em simples ato de gestão, o ato administrativo deve, segundo Otto Mayer, ser estudado em sua natureza particular, para que se compreenda o Direito Administrativo moderno, que é dominado por ele.

IX – Os atuais administrativistas atribuem, com a exceção já mencionada de Hans-Julian Wolff e Otto Bachof, a criação do ato administrativo à doutrina do Direito Administrativo alemão do século XIX e a Otto Mayer a sua definição até hoje considerada como fundamental nos seus caracteres essenciais (Hartmut Maurer, ob. cit., cap. 9, p. 184).

Já vimos anteriormente que Otto Mayer definia "o ato administrativo" como "um ato de autoridade, emanando da Administração, ato que determina, diante do destinatário, aquilo que, para ele, deve ser de direito no caso individual" (*Le Droit Administratif Allemand*, t. I, § 8, Paris, 1903, p. 120). Comparava esse ato com a sentença do Poder Judiciário, como manifestação especial do poder público, reservada a certo tipo de servidor público, no caso os magistrados, titulares de competência para o exercício da jurisdição. Na Administração também haveria autoridades especiais, sem poder jurisdicional, mas dotadas de competência para manifestar a vontade do Estado, no caso concreto. São as autoridades administrativas que decidem inúmeras questões no caso individual. A presunção legal é a de estão praticando um ato jurídico, com efeitos jurídicos diante do particular. O julgamento de um tribunal civil repousa sobre a lei que é aplicada ao caso especial. O ato administrativo também está subordinado à reserva da lei, até mesmo quando ele se diz discricionário, pois a discrição consiste naquela opção que a própria lei permite que a Administração venha a escolher. A sentença tem força de coisa julgada; o ato administrativo também a tem, dentro de certos limites. O que torna o ato administrativo diferente é que os seus conteúdos são infinitamente mais variados e as suas formas extremamente diferenciadas, pois se constituem em ordens, disposições, decisões, proibições, nomeações, transferências, enfim, se desdobram numa multiplicidade de manifestações do Poder Executivo, enquanto que a Justiça, agindo sempre por provocação da parte, conflui, do ponto de vista formal, para a sentença ou para o acórdão, decisão individual ou coletiva de um magistrado ou de uma coletividade de magistrados.

X – O ato administrativo, na definição de Otto Mayer, à qual é sempre útil voltar, é invariavelmente um ato de autoridade, emanando da Administração Pública. Mas, na sua formação, a questão não se resolve de forma tão simples. Não raro, a vontade do administrado tem uma certa importância na formação e na validade do ato administrativo. Essa vontade do particular pode ter diversos graus de influência. *Em primeiro lugar*, há atos administrativos para a formação ou execução dos quais a vontade do administrado não têm influência alguma. Esse é o caso dos atos normativos de que o particular não participa. Uma instrução ministerial, do ponto de vista formal, é um ato administrativo, de competência exclusiva e privativa de um Ministro de Estado.

Em segundo lugar, há atos individuais, realizados sem a colaboração dos administrados, mas que não podem produzir efeitos, tampouco ser postos em vigor, sem a notificação prévia do interessado. Nesse caso, está a intimação do indiciado para interrogatório em inquérito administrativo (Lei 8.112, de 11.12.1990, arts. 157, 158 e 159). Além disso, há o ato de tipificação da infração disciplinar (art. 161), devendo o servidor indiciado ser citado por mandado expedido pelo presidente da comissão para apresentar defesa escrita no prazo de 10 dias, assegurando-se-lhe vista do processo na repartição (art. 161, § 1º, Lei 8.112/1990). Todos os atos, praticados dentro do processo administrativo, dependem, para ter validade, da intimação e da citação do indiciado.

Em terceiro lugar, há atos individuais e unilaterais para a realização dos quais o administrado contribui com uma declaração de vontade, expressando o seu consentimento inequívoco. É o caso da nomeação de uma pessoa para ocupar um cargo público.

Finalmente, há atos bilaterais, tanto formais quanto materiais, entre os quais se incluem os contratos administrativos.

XI – Os atos referidos em terceiro lugar são importantes para o estudo dos atos administrativos. Entre esses atos, como já ficou dito, conumera-se a nomeação de uma pessoa para exercer um cargo público, o ato de naturalização de um cidadão estrangeiro e o ato de admissão de um eventual aluno para cursar um estabelecimento público de ensino.

XII – A natureza jurídica do ato de nomeação de um funcionário público foi objeto de longa e controvertida disquisição doutrinária. Três concepções procuraram justificar a indispensável participação do destinatário nesse ato jurídico praticado pelo Estado, ou por outra pessoa administrativa:

a) A primeira se deve a Paul Laband. No seu livro intitulado *Le Droit Public de l'Empire Allemand* (cuja edição francesa foi obra do próprio autor, quando lecionava na cidade de Strassburg, na Alsácia, que se tornara alemã após a Guerra Franco-Prussiana), publicada em Paris, no ano de 1901, no tomo II, diz o seguinte: "O Estado não impõe a ninguém a obrigação de se votar ao seu serviço; se alguém deve assumir o compromisso

§ 11. OS ATOS ADMINISTRATIVOS   227

de o servir, é preciso, para tanto, que declare que essa é a sua vontade; não basta uma decisão unilateral do Estado, pois é preciso que haja uma declaração unânime dos dois interessados, um consentimento que diga respeito sobre a atribuição do título e a aceitação das obrigações recíprocas, constituindo-se num ato bilateral, que é precisamente um contrato" (t. II, § 45, pp. 131-132).

b) A segunda, de Otto Mayer, que explicava o ato de nomeação de um funcionário público como sendo um ato administrativo por submissão ("Verwaltungsakt auf Unterwerfung"). Otto Mayer afirmava que é preciso subentender, em todas as reservas constitucionais, que proíbem impor aos indivíduos encargos fora da lei, a existência de uma cláusula tácita: a menos que a parte interessada outorgue o seu consentimento. É o caso dos atos administrativos por submissão. A submissão substituiria a autorização da lei, fazendo desaparecer a barreira oposta pela reserva constitucional. Segundo Mayer, "o ato administrativo, tornado livre, produz então seu efeito por si mesmo" (*Le Droit Administratif Allemand*, cit., t. I, p. 124).

c) A terceira, de Walter Jellinek, segundo o qual o ato administrativo, cuja realização exige o consentimento necessário do administrado, não é um contrato, mas um ato administrativo bilateral, que, sem o consentimento do destinatário, não é anulável, mas nulo. Walter Jellinek o denomina de "zweiseitiger Verwaltungsakt" (ato administrativo bilateral). Segundo Jellinek, o ato administrativo bilateral se forma sempre de duas partes desiguais: uma declaração de vontade individual e privada, submetida ao direito civil, e uma declaração de vontade do Estado, segundo o direito público, cuja juridicidade e validade se presumem (*Verwaltungsrecht*, Berlin, 1929, § 11, p. 124). Ernst Forsthoff objeta à teoria de Walter Jellinek que essa terminologia desconcertou a muitos, a justo título, porque ela é contrária à natureza do ato administrativo, que, segundo Forsthoff, é necessariamente unilateral. Contudo, o sentido dessa terminologia seria claro: ela significa que a validade do ato administrativo depende tanto da participação do interessado quanto da ação do próprio Estado. Jellinek considera o ato administrativo como inexistente (*nichtig*), quando o consentimento do destinatário não é manifestado. Forsthoff, porém, adverte que embora o resultado seja justo, a terminologia induz a erro mesmo no sentido empregado por Jellinek, e por isso a evita em sua obra (*Traité de Droit Administratif Allemand*, trad. de Michel de Fromont, Bruxelles, 1969, p. 335).

d) Ernst Forsthoff propõe uma quarta teoria, que seria uma variante da concepção de Jellinek. Muda a denominação do ato administrativo bilateral, passando-a para "ato administrativo com a participação do destinatário"("mitwirkungsbedürftiger Verwaltungsakt"). Afirma que essa expressão não indica a nulidade do ato quando não há consentimento do destinatário e diz que, mesmo que se veja inconveniente na sua ausência, ela é menos importante que o risco de induzir em erro. De outra parte, segundo Forsthoff, o ato administrativo bilateral de Jellinek não é idêntico ao ato administrativo fundado na subordinação. Segundo Forsthoff, o próprio Jellinek admitia que certos atos administrativos, para os quais a concordância era exigida, poderiam ser válidos mesmo sem ela.

Entre esses, Jellinek inclui os atos administrativos que normalmente são praticados sem concordância do administrado, mas que dependem, em certos casos, de sua aprovação em virtude de dispositivos legais. Isso valeria sobretudo para as modificações levadas a efeito em atos administrativos já praticados. A regularidade desses atos administrativos, praticados mesmo na ausência de concordância do interessado, pode se justificar pelo fato de que essa não apresenta a mesma importância que apresentam o caso da naturalização, ou da nomeação de um cidadão para atingir a condição de funcionário público. Segundo Forsthoff, quando um tal ato é praticado sem a participação do interessado (a seu pedido ou outra forma de assentimento), ele é *inexistente* (*nichtig*), se a ação administrativa depende, segundo a lei, dessa participação.

Isso é verdadeiro em relação a todas as autorizações, permissões, concessões e licenças; ademais, isso vale para os exemplos clássicos tirados do direito de nacionalidade (naturalização ou revogação de nacionalidade) e do direito dos funcionários (ingresso no serviço público, na respectiva carreira e cessação do exercício do cargo, pela exoneração). A inexistência traduz a importância que é reconhecida à concordância ou pedido do interessado em todos esses casos (*Traité de Droit Administratif Allemand*, cit., Bruxelles, 1969, p. 336).

e) A concepção do ato administrativo por submissão, ou ato administrativo bilateral, ou ato administrativo com a participação do interessado é conhecida não apenas pelo direito administrativo alemão, mas pela doutrina francesa e italiana. Na França, Gaston Jèze afirma que a nomeação de um funcionário, o alistamento militar, a oferta de um concurso público são atos unilaterais e não contratos. Sustenta que há uma diferença nítida entre um ato unilateral provocado ou aceito, e um acordo de vontades. No primeiro caso, o ato é obra de uma só vontade. No segundo, o ato decorre da manifestação de duas vontades. Para determinar os efeitos do ato unilateral, a vontade de quem o praticou é decisiva, e não aquela de quem o pediu, provocou ou aceitou. Em particular, a revogação do ato é sempre possível, em princípio, da parte da Administração que o praticou (*Les Principes Généraux du Droit Administratif Français*, vol. 3, Paris, 1926, Section VIII, § 2, I, II, pp. 485-486).

Da mesma forma, na Itália, Arnaldo de Valles afirma que não interessa ver se a vontade privada tem o efeito de criar um especial estado de dependência do cidadão diante do Estado; mas, certamente, aos atos administrativos – que, para serem considerados válidos, necessitam que o interessado remova a proteção outorgada pela lei –, se aplica a qualificação, que lhes têm sido dada, de *atos administrativos por submissão* (*La Validitá degli Atti Amministrativi*, Roma, 1917, p. 38).

XIII – A doutrina do ato administrativo por submissão, segundo Walter Jellinek, tem como exemplos básicos a nomeação, ou o ato de admissão ao serviço público, e o ato contrário, de exoneração a pedido do serviço público ("Anstellung im Staatdienst und die Entlassung aus dem Staatdienst auf Antrag" – *Verwaltungsrecht*, Berlin, 1929, § 11, p. 242). Para Jellinek, todos os atos administrativos condicionados à cooperação do destinatário, na dúvida, não deveriam ser considerados atos administrativos por submissão, mas atos administrativos bilaterais ("die mitwirkungsbedingten Verwaltungsakte im Zweifel nicht Verwaltungsakte auf Unterwerfung, sondern zweiseitige Verwaltungsakte sind" – ob. cit., p. 242). Sustentava Jellinek que o ato administrativo bilateral explica não raro as diferenças existentes entre o Estado e o particular, que o contrato não consegue denotar. Muitas vezes se questiona se ao lado do ato administrativo bilateral não se desenha, porventura, a figura jurídica do contrato. Jellinek afirma que a pergunta deverá ser respondida afirmativamente ("Die Frage ist zu bejahen, wenn man mit den Worte 'öffentlichrechtlich' alle Tatbestände benennt, die ein öffentliches Rechtsverhältnis begründen oder sonst wie beeinflussen" – ob. cit., p. 243). A resposta é afirmativa e se refere ao caso em que, pela expressão "de direito público" são denominados todos aqueles suportes fáticos, que fundamentam uma relação de direito público, ou, de outra maneira, a influenciam. Muitas vezes, reconhece Walter Jellinek, que os assim chamados contratos outra coisa não são do que atos administrativos bilaterais. Embora reconhecendo as peculiaridades do ato administrativo bilateral, Jellinek lhe atribui parentesco muito próximo ao contrato de direito público. A formulação do ato administrativo bilateral e da sua similitude com o contrato de direito público, embora anterior no tempo, serve de temperamento para a rígida concepção de Ernst Forsthoff, segundo o qual "o ato administrativo é uma medida soberana unilateral" ("Der Verwaltungsakt ist ein einseitiger hoheitlicher Ausspruch" – *Lehrbuch des Verwaltungsrechts*, 10ª ed.,

München, 1973, § 11, p. 200). O ato administrativo bilateral, combinado com o contrato administrativo, assim como Walter Jellinek os via, estão alinhados na diretriz deste livro – em larga medida baseado nos ensinamentos de Jellinek – em que se admite, entre os atos administrativos considerados como atos jurídicos, também os contratos administrativos. Essa opinião, contudo, é firmemente contestada por Ernst Forsthoff, que diz sobre o tema expressamente o seguinte: "O contrato de direito público não é um ato administrativo" ("Der öffentlichrechtliche Vertrag ist kein Verwaltungsakt" – ob. cit., p. 200).

Apesar de assertiva tão peremptória desse ínclito administrativista, sem dúvida um dos mais extraordinários juristas da Alemanha no século XX, mantemos a orientação primeira deste livro, sob a inspiração de Walter Jellinek, e continuamos a incluir os contratos administrativos entre os atos administrativos. Essa orientação, de resto, mereceu confirmação pelo menos parcial da atual legislação brasileira, considerando que a Lei 8.666/1993, em seu art. 4º, parágrafo único, e no art. 38, inciso X, considera o procedimento licitatório, que normalmente é concluído pela assinatura de um contrato administrativo com o vencedor da licitação, como ato administrativo formal.

XIV – Não se confundem com os atos administrativos, os atos materiais, praticados pela Administração Pública, dos quais não decorrem conseqüências jurídicas. Exemplos desses atos materiais são as aulas que os professores ministram nas Universidades oficiais, a construção de um colégio, a atividade profissional desenvolvida por um médico a serviço da Administração Pública, na condição de funcionário público, a construção de uma ponte ou de uma rodovia, a construção de uma usina hidrelétrica ou atômica e tantos atos meramente materiais em que se decompõe a atividade de Administração. Todos esses atos são meramente materiais e por não serem jurídicos não há possibilidade de sua qualificação como atos administrativos (Celso Antônio Bandeira de Mello, *Curso de Direito Administrativo*, 20ª ed., São Paulo, Malheiros Editores, 2000, p. 357).

XV – Ainda no que concerne ao conceito de ato administrativo, deve ser mencionada uma certa dificuldade de classificação para determinados atos, a que faz referência Hartmut Maurer. Segundo Maurer, "Diferentes atos jurídicos que se desenvolveram em época recente, não se enquadram perfeitamente bem com a distinção tradicional entre ato administrativo (regulação concreta) e regra de direito (regulamentação geral). Entram principalmente nesta categoria os planos com efeitos jurídicos obrigatórios ('rechtsverbindliche Pläne') e os sinais de circulação e de tráfego ('Verkehrszeichen') (...)" (*Droit Administratif Allemand*, Paris, 1995,

§ 11. OS ATOS ADMINISTRATIVOS

cap. 9, 3, "b", n. 21). Quanto aos primeiros, não há maior dificuldade, se estendermos o conceito de contrato administrativo, em que o ato administrativo não aparece com apenas um destinatário, mas de forma mais abrangente. Quanto aos outros atos, como os sinais de trânsito, tanto fixos quanto aqueles que um agente de polícia faz nas ruas, avenidas ou rodovias, é possível encontrar no direito privado uma figura jurídica semelhante, qual seja a do ato-fato jurídico. De acordo com Pontes de Miranda, "os atos-fatos jurídicos são os fatos jurídicos que escapam às classes dos negócios jurídicos, dos atos jurídicos *stricto sensu* (...)" (*Tratado de Direito Privado*, t. II, Rio de Janeiro, Ed. RT, 1983, cap. VII, § 209, n. 1, p. 372). Mais adiante, afirma o ínclito jurista: "Não se desce à consciência, ao arbítrio de se ter buscado a causa do fato da vida e do mundo (definição de vontade consciente); satisfaz-se o direito com a determinação exterior. *Actus* vem de *ago, agere*" (ob. cit., § 209, p. 373). Esses últimos atos de que Hartmut Maurer cogita, como os sinais de trânsito ou de um guarda de trânsito, podem ser explicados pela doutrina do ato-fato jurídico, em que a participação da vontade é mínima e o que mais aparece é o fato na sua visão exterior. •

1. Podem os atos administrativos ser classificados: a) segundo o seu fim imediato; b) segundo a sua composição intrínseca; c) segundo o poder que encerram: I – reconhecido ao agente e posto em obra pelo ato; II – ou ao ato mesmo para sua execução contra o particular; d) segundo a sua eficácia.

2. Segundo o seu fim imediato, tantos hão de ser necessariamente os tipos do ato administrativo quantos os fins imediatos, reconhecidos pela lei aos atos jurídicos. O antigo Código Civil de 1916 dizia que "Todo o ato lícito, que tenha por fim imediato adquirir, resguardar, transferir, modificar ou extinguir direitos, se denomina ato jurídico" (art. 81). • Embora este artigo não conste do novo Código Civil de 2002, vamos utilizá-lo como princípio jurídico já consagrado e realizar uma classificação dos atos administrativos a partir de sua enunciação, que é correta e absolutamente clara. • Assim, por esse critério, os atos administrativos serão constitutivos, assecuratórios, alienativos, modificativos e extintivos de direitos.

Atos constitutivos chamam-se aos que criam direitos, isto é, incorporam ao patrimônio particular direitos originariamente só concebíveis como pertencentes à Administração Pública. • Essa definição não é admitida uniformemente pela doutrina. Michel Stassinopoulos está entre os que consideram que os atos constitutivos são atos pelos quais a Administração procede à criação, à modificação ou à abolição de direitos (*Traité des Actes Administratifs*, Paris, 1973, § 13, B, p. 86). Discordamos dessa definição porquanto para a modificação ou extinção de direitos já fizemos enunciação própria nesta classificação dos atos quanto ao seu fim imediato. Não há que confundir e misturar a constituição de direitos, com sua modificação e extinção. De acordo com a concepção que vimos expondo, consideramos como ato constitutivo a concessão • de serviço público, mercê da qual ao concessionário, além da delegação de serviço público, são constituídos direitos, cujo conteúdo são poderes especificadamente próprios de administração, tais, dentre os mais, os relativos ao uso do domínio público. • A concessão de serviço público, nas suas diferentes modalidades, é regulada presentemente pela Lei 8.987, de 13.2.1995, a qual estabelece, em seu art. 23, inciso V, como cláusula essencial do contrato de concessão as relativas "aos direitos, garantias e obrigações do poder concedente e da concessionária (...)". Esses direitos do poder concedente pertencem originariamente à Administração Pública e são transferidos por meio do contrato de concessão, que é um contrato administrativo, à empresa concessionária, sendo considerado como um ato administrativo constitutivo de direitos. Além da concessão de serviço público, outros atos podem ser conumerados entre os atos administrativos constitutivos. Entre esses incluem-se: a nomeação de um servidor público, a concessão de naturalização a um cidadão estrangeiro, a matrícula de um estudante, também denominada de admissão, num estabelecimento público autárquico ou fundação pública de ensino superior. A matrícula de um estudante na autarquia Colégio Pedro II, no Rio de Janeiro. Todos esses atos administrativos têm caráter constitutivo. A esses atos administrativos Hartmut Maurer denomina de "rechtsgestaltende Verwaltungsakte" e exemplifica com uma naturalização, com a nomeação de um funcionário e a matrícula de um estudante (*Droit Administratif Allemand*, cit., cap. 9, V, n. 46, p. 215). Divergimos de Maurer, entretanto, pelo mesmo motivo já aludido quanto à concepção de Michel Stassinopoulos. Também Maurer coloca entre esses atos os atos modificativos e supressivos de uma relação jurídica. •

Atos assecuratórios dizem-se os que, levantando proibições ou removendo restrições postas à atividade privada por disposições legais, se limitam a resguardar o exercício dos direitos daquele modo tolhidos. Contam-se nesse número as dispensas e as autorizações. • Pereira e Souza já dizia que "dispensa he a relaxação do rigor de direito concedida a alguém por considerações particulares. Não se concede jamais alguma dispensa do direito divino, nem também do direito natural; mas somente do direito positivo" (*Esboço de um Dicionário Jurídico*, t. I, A-E, Lisboa, 1825, verbete "Dispensa"). Quanto às autorizações, vale lembrar a lição do grande mestre do Direito Administrativo, que foi Mario Masagão: "A palavra autorização tem em Direito Administrativo dois sentidos. No primeiro, significa apenas outorga de competência especial, dada por um órgão a outro, dentro do aparelho administrativo. No segundo, que agora nos interessa, autorização é o ato administrativo discricionário pelo qual se permite ao particular exercer atividade que a lei declara, salvo assentimento da Administração, proibida" (*Natureza Jurídica da Concessão de Serviço Público*, São Paulo, 1933, 8, p. 8). •

Atos modificativos são os que produzem meramente alteração em direitos ou obrigações pré-existentes, sem, entretanto, inová-los ou suprimi-los.

Atos alienativos são os que, tendo por objeto direitos peculiares à Administração Pública, operam a transferência destes para o particular por via do Direito Administrativo. • Incluem-se, entre estes, o aforamento dos bens dominiais da União (Lei 9.636, de 15.5.1998, art. 12), a cessão de imóveis da União a Estados, Municípios, entidades sem fins lucrativos, de caráter educacional, cultural ou de assistência social (art. 18, I, Lei 9.636/1998), bem como a pessoas físicas ou jurídicas, em se tratando de interesse público ou social ou de aproveitamento econômico de interesse nacional, que mereça tal favor (art. 18, II, Lei 9.636/1998). A cessão poderá ser realizada, ainda, sob o regime de concessão de direito real de uso, resolúvel, na forma do art. 7º do Decreto-lei 271, de 28.2.1967 (art. 18, § 1º, Lei 9.636/1998). Alienativos são, também, os atos administrativos por intermédio dos quais as pessoas administrativas transferem, umas às outras, os direitos que lhes competem. • Compreendem-se como tais as alienações de território *quoad imperium* e as alienações *quoad dominium*, feitas por via de Direito Administrativo. • As alienações *quoad imperium* supõem a transferência de uma porção do território nacional a outra pessoa jurídica de Direito Internacional Público. Pontes de Miranda, falando sobre a integridade de nosso território, disse excelentemente: "José Antônio Pimenta Bueno (*Direito Público Brasileiro e Análise da Constituição do Império*, p. 20) com aquela inteligência dos fatos histórico-jurídicos do Brasil, que nenhum outro jurista alcançou, escreveu: 'O território nacional compõe-se de todas as possessões que a monarquia portuguesa tinha na América Meridional ao tempo da emancipação do Brasil. Os Portugueses possuíam todos esses territórios conjuntamente com os Brasileiros, assim como esses possuíam conjuntamente com eles os territórios de além-mar.

Separando-se, e constituindo-se os Brasileiros em nacionalidade independente, separaram-se e constituíram-se com todas as possessões que a coroa comum tinha no Brasil'. Excelentemente dito" – encerra o nosso Pontes de Miranda (*Comentários à Constituição de 1946*, t. I, 1960, p. 372). De modo que, toda e qualquer alienação de parte desse território *quoad imperium* será um ato administrativo alienativo, assim como, no plano do direito interno, toda alienação quoad dominium também terá o mesmo caráter, com a distinção que a alienação interna não modifica o território nacional, tampouco depende do direito internacional. •

Atos extintivos são os que põem termo a direitos existentes. Dentre os atos extintivos, pela freqüência e pela importância, sobressai a desapropriação • em suas diversas modalidades, por necessidade ou utilidade pública ou por interesse social, mediante prévia e justa indenização em dinheiro (CF, art. 5º, XXIV); desapropriação de solo urbano não edificado, mediante o pagamento em títulos da dívida pública, no prazo de dez anos, com emissão previamente aprovada pelo Senado Federal (CF, art. 182, § 4º, III); desapropriação de competência da União, por interesse social para fins de reforma agrária, de imóvel rural que não esteja cumprindo sua função social, mediante prévia e justa indenização em títulos da dívida agrária, com cláusula de preservação do valor real, resgatáveis no prazo de até vinte anos, a partir do segundo ano de sua emissão (...) (art. 184, CF); com a ressalva de que "As benfeitorias úteis e necessárias serão indenizadas em dinheiro" (CF, art. 184, § 1º).

Além dessas diversas formas de desapropriação, são atos extintivos de direito a exoneração de um servidor público (Lei 8.112, de 11.12.1990, art. 33, inciso I), a demissão do servidor público, imposta como pena, precedida do competente inquérito administrativo (Lei 8.112/1990, arts. 132 e 153 e ss.). Também são atos extintivos de direitos a encampação da concessão de serviço público (art. 53, II, Lei 8.987/1995, art. 35, III) e a rescisão do contrato (art. 35, IV). Deve ser considerado, ainda, ato administrativo extintivo de direito, a exclusão do aluno, devidamente motivada, de Universidade ou Faculdade oficial. •

3. *Segundo a sua composição intrínseca*, sói fazer-se a distinção dos atos administrativos em *simples* e *complexos*.

São atos administrativos simples os atos unilaterais e os contratos administrativos. Contam-se os contratos entre os atos administrativos simples, porque as manifestações de vontade, bilaterais ou plurilaterais, que neles concorrem, contribuem para a sua formação com volições múltiplas e convergentes, inserindo-se indissociavelmente umas nas outras,

§ 11. OS ATOS ADMINISTRATIVOS

de tal sorte que, somente pela conjunção de todas, pode a relação jurídica, fundada no contrato, adquirir consistência e unidade. Assim, na compra e venda, a manifestação de vontade do vendedor (promessa da coisa), desligada da manifestação de vontade do comprador (promessa do preço), caracterizaria uma doação, negócio jurídico de natureza diferente. Não é, pois, a compra e venda suscetível de expressão mais simples; nem o são, também, os contratos em geral.

Está, à sua vez, o traço distintivo do ato unilateral em que a situação jurídica dele resultante "é criada unicamente pela vontade da autoridade administrativa" (Alcides Cruz, *Direito Administrativo Brasileiro*, Rio de Janeiro, 1914, p. 39).

• Nesse sentido é a opinião de Santi Romano, quando afirma: "Simples se diz o ato no qual a manifestação de vontade, se se trata de ato unilateral, emana de uma só pessoa física, e, se se trata de convenções, de tantas pessoas físicas quantos são os participantes e cada participante constitui uma parte" (*Corso di Diritto Amministrativo*, Padova, 1932, cap. VII, § 2, n. 3, p. 238). •

As diferentes doutrinas acerca do ato complexo definem-no como expressão de mera unidade extrínseca, em conexão com a unidade do órgão de que promanam (Otto Gierke, *Deutsches Privatrecht*, vol. I, München e Leipzig, 1936, § 63, p. 486), ou com a unidade material de conteúdo das manifestações de vontade que reúne (Léon Duguit, *Traité de Droit Constitutionnel*, t. I, Paris, 1927, § 39, p. 406), ou com a unitariedade, que a ordem jurídica lhe atribui (Maurice Hauriou). Ato complexo seria o que dimanasse de uma só volição porém, ao mesmo tempo, de um concurso de vontades. Tantos atos simples nele se abrangeriam quantas as manifestações de vontade que nele concorressem.

Aquela unidade de volição, por sobre essa pluralidade de vontades, ora resultaria de vínculo psicológico existente entre os sujeitos das vontades concorrentes (unicidade orgânica) (Otto Gierke, ob. cit., p. 497); ora de vínculo lógico, tal o que se estabelecesse, pela identificação de conteúdo, entre todas as vontades manifestadas (unidade material) (Léon Duguit, ob. cit., p. 405), ora de vínculo jurídico que reunisse em uma só volição juridicamente relevante todas as manifestações de vontade postas em concurso (unitariedade jurídica) (Maurice Hauriou).

• Santi Romano, com aquela elegância de estilo e simplicidade que o caracterizava, nos diz que "Invece l'atto unilaterale o convenzionale è complesso se una o più delle volontà in esso dichiarate deriva dalla fusione di più volontà che si unificano in una sola" (*Corso di Diritto Amministrativo*, Padova, 1932, cap. VII, n. 3, p. 238). •

Entre os atos complexos figurariam os atos de constituição corporativa, nos quais o vínculo psicológico da solidariedade social, já definido entre os fundadores que se associassem, lhes faria das múltiplas vontades o órgão de uma só volição; figurariam, também, as convenções normativas, nas quais a identidade de conteúdo entre as manifestações de vontade concorrentes, todas jungidas a um só efeito, poderia levar logicamente a classificá-las todas como expressão de uma volição apenas; figurariam, enfim, ainda os procedimentos administrativos, em que as consecutivas ou concomitantes manifestações de vontade fossem consideradas pelo direito como frações do conteúdo único da mesma volição.

O ato complexo não mais é, no entanto, que a revivescência moderna da antiqüíssima concepção romana da irredutibilidade de obrigações múltiplas à unidade do negócio jurídico (W. W. Buckland, *A Text-Book of Roman Law, from Augustus to Justinian*, Cambridge University Press, 1975, cap. X, CXLIII, pp. 407-409). O ato complexo multiplicaria o negócio jurídico, debaixo de uma unidade meramente extrínseca, segundo a multiplicidade das obrigações justapostas ou das declarações de vontade correlatas.

A tal arcaísmo jurídico revivido é manifestamente preferível a dilatação do conceito básico de contrato, em correspondência, de resto, com o progresso dogmático.

Há, porém, realmente, contratos administrativos?

• A resposta a essa indagação tem dividido os jurisconsultos. Contrariamente ao ato administrativo que encontrou, no dizer de Hartmut Maurer, desde o fim do século XIX, graças a Otto Mayer, seus traços distintivos e que ocupa, desde então, uma posição dominante no Direito Administrativo, posto que não exclusiva, o contrato administrativo foi durante longo tempo negligenciado ou rejeitado. Na verdade, ele já era conhecido na teoria do Direito Administrativo desde o século XIX. Paul Laband, por exemplo, afirmava em princípio, referindo-se ao Estado, na qualidade de titular de um poder soberano, que ele poderia recorrer à vontade a qualquer das formas jurídicas que lhe parecesse útil. Na Alemanha, uma proporção considerável das obras e dos estudos de doutrina consideravam a nomeação de um funcionário como decorrente de um contrato de direito público. Laband estava entre os que afirmavam que haveria um contrato de nomeação entre o Estado e o funcionário público (*Le Droit Public de l'Empire Allemand*, t. II, Paris, 1901, § 45, 3º, p. 135).

Entretanto, contra essa concepção e contra a admissão da existência de um contrato de direito público nas relações entre Estado e cidadão, Otto Mayer reagiu com extremo vigor. Considerava Mayer, os contratos entre

§ 11. OS ATOS ADMINISTRATIVOS 237

o Estado e o cidadão no domínio do direito público como sendo "impossíveis", pela razão de que o contrato supõe a colocação em um mesmo plano (*Gleichordnung*) dos sujeitos de direito, enquanto que o direito público se caracterizava pela supremacia (*Überordnung*) do Estado. O veredicto de Otto Mayer prevaleceu durante longo tempo. Entretanto, vieram os contraditores, cada vez mais numerosos, sobretudo Willibald Appelt, que terminaram por vencê-lo e o contrato administrativo passou a fazer parte da doutrina do Direito Administrativo (Hartmut Maurer, *Droit Administratif Allemand*, Paris, 1995, cap. 14, III, n. 21, 1, p. 376). A posição radical de Otto Mayer já havia sido revista por seu professor assistente em Heidelberg, Walter Jellinek. No seu livro, Jellinek afirmava que: "Mas existe também autênticos contratos de direito público, pouco freqüentes entre duas pessoas privadas, ou entre um indivíduo privado e um titular de poder público, mais freqüentes entre dois sujeitos de direito da última espécie" ("Aber es gibt auch wirkliche öffentlichrechtliche *Verträge*, selten zwischen zwei Privatleuten oder einem Privatmann und einer Träger öffentlicher Gewalt, häufiger zwischen zwei Rechtsubjekten der letzten Art" – *Verwaltungsrecht*, Berlin, 1929, § 11, II, n. 2, p. 244). Mas Walter Jellinek fala ainda de um contrato acerca da outorga de um direito que não existe por si, como o de utilização da energia de uma usina elétrica da cidade ("oder einem Vertrage über die Gewährung eines an sich nicht bestehen Rechts zur Benutzung eines städtischen Elektrizitätswerkes" – ob. cit., p. 244).

Hodiernamente, na doutrina, a discussão doutrinária não se refere mais à admissão do contrato administrativo entre Estado e particular, mas tão-somente sobre as condições, a formalização e as conseqüências dos vícios dos contratos administrativos (Hartmut Maurer, ob. cit., p. 376).

Autores modernos referem-se largamente aos diferentes contratos de direito público, tanto no âmbito do Direito Constitucional, do Direito Internacional Público, quanto do Direito Administrativo (Norbert Achterberg, *Allgemeines Verwaltungsrecht – Ein Lehrbuch*, Heidelberg, 1982, § 20, n. 199, p. 394).

A afirmação que Otto Mayer fazia, segundo a qual o Estado dá sempre ordens unilaterais, não constituía argumento consistente, que permitisse a negação do conceito de contrato de direito público, como instituição jurídica (Ernst Forsthoff, *Traité de Droit Administratif Allemand*, 1969, pp. 417-418). Outra objeção que levantavam contra o contrato de direito público é a de que ele violaria o princípio de igualdade. De acordo com a opinião de Bornhak, seria inconcebível falar-se em igualdade jurídica entre o Estado soberano e o particular, súdito desse Estado (*Grundriss des Verwaltungsrechts*, Leipzig, 1928, p. 35). A esta objeção respondeu Georg Jellinek. Chamado a cumprir determinados objetivos, mesmo o Estado é limitado em sua capacidade de agir, por força do dever moral, que lhe incumbe, de reconhecer a personalidade dos súditos. O Estado está juridicamente obrigado em decorrência de seu próprio ordenamento jurídico. A relação entre o Estado e a pessoa singular está de tal forma estruturada, que tanto um quanto a outra apareçam como duas grandezas que se integram reciprocamente. Por isso, a soberania do Estado é um poder objetivamente limitado, que se exercita no interesse geral. Trata-se de um poder exercido sobre pessoas, que não lhe são em tudo e por tudo subordinadas, pois é uma potestade exercida sobre homens livres. Aos integrantes de um Estado corresponde um *status*, no qual são senhores absolutos, uma esfera de liberdade, que exclui o Estado e o seu poder de *imperium*.

É o que Carl Schmitt denomina de "Verteilungsprinzip", de acordo com o qual a esfera de liberdade do indivíduo se constitui num pressuposto, enquanto que a competência do Estado de invadir essa esfera, em princípio, é limitada ("die Befugnis des Staates zu Eingriffen in diese Sphäre prinzipiell begrenzt ist" – *Verfassungslehre*, 1957, § 12, n. 3, p. 126). Essa é a esfera da liberdade individual, do *status negativus*, do *status libertatis*, em que as finalidades individuais são alcançadas pela livre atividade dos indivíduos (G. Jellinek, *Sistema dei Diritti Pubblici Subbiettivi*, trad. italiana, Milano, 1912, p. 97). Não há, segundo Jellinek, desigualdade entre Estado e súdito, respondendo ao argumento formulado por Bornhak. Esse argumento, como vimos acima, também era empregado por Otto Mayer, além do primeiro, segundo o qual o Estado dá sempre ordens unilaterais. Mayer considerava, também, que os contratos entre o Estado e os cidadãos eram impossíveis, no âmbito do direito público, pela simples razão de que o contrato supõe a colocação num mesmo plano dos sujeitos contratantes, enquanto que o direito público se caracterizaria pela supremacia do Estado. Como já dissemos, esse veredito permaneceu por longo tempo, apesar da resposta magistral, dada, no início do século XX, por Georg Jellinek e apesar do reconhecimento de Walter Jellinek, no final da década de 20, da existência de contratos de direito administrativo entre o poder público e o particular. Por outro lado, um dos argumentos maiores de Otto Mayer era o de que nenhuma regra de direito autorizava a Administração a concluir contratos de direito público, faltando-lhes base legal (Ernst Forsthoff, *Traité de Droit Administratif Allemand*, cit., p. 419).

Essa objeção, segundo Forsthoff, fundada no positivismo que não aceitava nada a não ser o direito escrito, caiu quando o positivismo começou a declinar e também pela circunstância de que a própria lei passou a tratar dos contratos administrativos, contrariando a afirmação doutrinária de Otto Mayer. A partir da segunda metade do século XX, na Alemanha, todos os administrativistas abandonaram as idéias defendidas por Mayer a respeito do contrato de direito administrativo, devendo-se salientar que o precursor dessa tendência doutrinária foi Walter Jellinek, conforme já referimos.

Mas o contrato de Direito Administrativo já era considerado como instituto jurídico perfeitamente integrado ao Direito Administrativo francês. O contrato de concessão de serviço público era tradicionalmente admitido como contrato administrativo desde o início do século XX (Gaston Jèze, *Les Principes Généraux du Droit Administratif*, t. III, Paris, 1926, pp. 311-312 e 341). No mesmo sentido é a opinião de André de Laubadère, J. C. Venezia e Yves Gaudemet (*Traité de Droit Administratif*, Paris, 1999, t. I, n. 997, p. 786). Esses contratos são inúmeros, tais como os de obra pública, de fornecimento de bens, de transporte, de concessão de serviço público, de empréstimo público, de oferta de participação e de permissão ou delegação de serviço público (Jean Rivero e Jean Waline, *Droit Administratif*, Paris, Dalloz, 1998, n. 107, p. 116).

Outra não é a opinião da doutrina do Direito Administrativo italiano, em que se admite a confluência de duas ou mais vontades para a regulamentação de relação tendo um objeto de direito público, que tem lugar na forma de contrato (Aldo Sandulli, *Manuale di Diritto Amministrativo*, Napoli, 1982, n. 124, p. 531).

Em nosso direito não pode haver dúvida alguma acerca da existência dos contratos administrativos, que obrigatoriamente deverão ser realizados para a execução de obras, serviços, compras, alienações, concessões, permissões e locações da Administração Pública (Lei 8.666, art. 2º e parágrafo único), sendo considerados como atos administrativos formais (Lei 8.666/1990, art. 4º, parágrafo único), pois fazem parte integrante do procedimento licitatório. •

O contrato administrativo não é qualificável como tal, simplesmente com qualificar-se um dos contratantes como pessoa administrativa, ou com atribuir-se-lhe por finalidade mediata um interesse conexo com a atividade de Administração Estatal. Induvidoso é que o negócio jurídico administrativo reclama como requisito a participação, ao menos paritária, se houver pluralidade de compartes, de uma pessoa administrativa. Mas a recíproca não é verdadeira. Nem todos os negócios jurídicos celebrados por pessoas administrativas são negócios jurídicos administrativos. Negócios jurídicos administrativos são somente os atos jurídicos das pessoas administrativas, praticados segundo o Direito Administrativo.

À sua vez, a finalidade mediata, a que o negócio jurídico tende, não se mostra também capaz de qualificá-lo como negócio jurídico administrativo. A *causa finalis*, capaz dessa qualificação, há de caber dentro dos lindes a que se adscreve a execução do ato como tal. O nosso Portugal, aplicando-lhes o aforismo ontológico da Escola, dizia, apositamente: "(...) causa finalis prima in consideratione disponentis, ultima in fieri dispositi" (*De Donationibus, Jurium et Bonorum Regiae Coronae*, t. I, Lugduni, 1726, lib. I, *Praeludium* II, n. 61, p. 12).

O que, na verdade, qualifica como tal o contrato administrativo é a relação de administração que nele se manifesta. O fim que polariza a relação de administração, a *causa finalis*, não poderá faltar, sem dúvida, ao contrato administrativo; há de patentear-se, porém, imediatamente pela consumação do próprio negócio jurídico, ainda que *ultima in executione*.

Certo, uma pessoa administrativa há de ser necessariamente um dos agentes do contrato administrativo; mas, somente, enquanto traduz essa qualificação subjetiva, uma exigência inafastável da natureza mesma da relação de administração. Análoga exigência impõe que o objeto no contrato administrativo da prestação contratual, enquanto objeto de uma relação de administração, se encontre imediatamente vinculado à finalidade que lhe é, a esta, essencial. Contrato administrativo e relação de administração interpenetram-se destarte, como continente e conteúdo. O contrato administrativo, como o ato administrativo, gênero no qual se insere, é, de alguma forma, engendrado pela relação de administração, tal como o negócio jurídico real, a tradição, pode dizer-se engendrado pela relação jurídica, de que o direito real é expressão. • Lacerda de Almeida dizia que "a tradição não é a simples tomada de posse. Mais do que isso, a tradição é a transferência da posse ou do exercício de um direito das cousas por mútuo acordo, e assim envolve de uma parte a intenção de outorgar e da outra a de aceitar o direito outorgado. Por esta razão vêem a mor parte dos autores modernos na tradição, com especialidade os alemães, um contrato, não destinado como os contratos na sua aplicação mais comezinha e ordinária a criar, modificar ou extinguir obrigações, não parte constitutiva do Direito das Obrigações, mas *contrato real*, que tem por objeto transferir cousas ou direitos referentes às cousas; da esfera portanto do Direito das Cousas" (Lacerda de Almeida, *Direito das Cousas*, t. I, Rio de Janeiro, 1908, § 23, pp. 161-163). •

§ 11. OS ATOS ADMINISTRATIVOS   241

Posta em tais termos a qualificação jurídica do contrato administrativo, podem compendiar-se-lhe os requisitos numa fórmula sucinta: a) um dos contratantes há de ser uma pessoa administrativa; b) o objeto de uma, ao menos, das prestações obrigacionais há de ser, ou um fato que represente o exercício da atividade de Administração Pública, ou uma coisa do domínio público ou do patrimônio administrativo – o fato, desdobramento ativo da relação de administração; a coisa, integrante passiva dela (Ruy Cirne Lima, "Os Contratos do Estado e o Direito Administrativo", *Justiça* XXII/10; "Atos de Comércio e Contratos Administrativos", *Revista da Faculdade de Direito de São Paulo*, Homenagem a Waldemar Ferreira). O conteúdo restante do contrato abrangerá os direitos subjetivos que, pelo seu efeito, constituir-se-ão aos contratantes. Mas o que haverá de especificamente administrativo neste contrato, qualificando-o como contrato administrativo, será tão-somente o que concernir à relação de administração.

4. *Segundo o poder reconhecido ao agente e posto em obra pelo ato*, podem os atos administrativos dividir-se em executivos, facultativos e discricionários.

Dizem-se executivos aqueles atos que representam meramente a execução de lei ou regulamento, podendo se constituir, também, em execução de disposição constitucional de aplicação imediata: todos os elementos do ato vêm estabelecidos na disposição constitucional, legal ou regulamentar, incluída a prática do ato mesmo, que ao funcionário vem imposta como dever.

Denominam-se facultativos aqueles atos que, determinados em seus elementos constitutivos pela lei ou regulamento, lhes serão simplesmente a execução, se forem praticados, mas que só serão praticados, se assim resolver a autoridade administrativa, à qual é facultado livremente praticá-los ou deixar de praticá-los.

Discricionários, finalmente, são aqueles atos, respeito aos quais a autoridade administrativa, embora adscrita a prescrições não-jurídicas, possui, face à regra jurídica, liberdade de determinação, quanto ao respectivo destinatário, objeto ou fim (Mario Masagão, *Natureza Jurídica da Concessão de Serviço Público*, 1933, 8, p. 8).

São *atos executivos* as admissões, irrecusáveis a quem preencher as condições requeridas pela Constituição, pela lei ou regulamento, salva a opção *in hypothesin*, entre os iguais em condição, se vários forem os que pretenderem e não se puder outorgá-las a todos. • Exemplos de admissões podem ser identificados na matrícula de um estudante num estabelecimento público oficial de ensino, ou numa fundação pública de ensino, como é o caso das Universidades oficiais; admissão também ocorre na utilização por uma pessoa de uma biblioteca pública, na utilização de um hospital público, sempre considerada a opção entre os iguais em condição se os estabelecimentos estiverem já com os seus lugares ocupados. Também são atos executivos, as nomeações daqueles que se habilitarem devidamente e forem aprovados em concurso público para o cargo de professor titular de qualquer universidade oficial, como adiante veremos. São atos executivos, ainda, as revisões dos proventos das aposentadorias dos servidores públicos da União, dos Estados, do Distrito Federal e dos Municípios, incluídas suas autarquias e fundações, na mesma proporção e na mesma data em que se modificar a remuneração dos servidores em atividade, na forma da lei que alterou a retribuição ou modificou os benefícios e vantagens dos servidores em atividade, de acordo com o art. 7º da Emenda Constitucional 41, de 19.12.2003. Ainda de acordo com o mesmo artigo, constituem atos executivos as revisões das pensões dos pensionistas dos servidores já falecidos. •

São *atos facultativos* as subvenções, em cuja concessão, que é livre ao governo, se impõe, contudo, a observância exata das disposições legais aplicáveis. • O art. 26, da Lei Complementar 101, de 4.5.2000, estabelece a possibilidade de "destinação de recursos para, direta ou indiretamente, cobrir necessidades de pessoas físicas ou déficits de pessoas jurídicas", no capítulo VI, que dispõe sobre a destinação de recursos públicos para o setor privado. Essa destinação deverá ser autorizada por lei específica, atender às condições estabelecidas na lei de diretrizes orçamentárias e estar prevista no orçamento ou em seus créditos adicionais.

Além das subvenções ou destinação de recursos para cobrir necessidades de pessoas físicas ou déficits de pessoas jurídicas privadas, são considerados facultativos os atos de nomeação para o preenchimento de cargos públicos, em que a autoridade administrativa tem liberdade de escolha no que concerne a nomear ou deixar de nomear, mesmo tendo havido concurso público. Não poderá, entretanto, nomear fora da ordem de classificação no concurso público, pois se optar pela nomeação, deverá fazê-lo, praticando o ato nos estritos termos da Constituição e das leis. A faculdade consiste meramente na escolha de nomear ou não. Uma vez exercida a faculdade, a ordem jurídica deverá ser cumprida estritamente.

Entretanto, nem todas as nomeações devem ser consideradas como atos facultativos. Há certas nomeações, para determinados cargos, que se incluem, como já dissemos acima, entre os atos executivos, em que não há para a Administração liberdade de escolha, pois essa já foi feita anteriormente, ou com a abertura e realização do concurso público, ou com a indicação do nomeado. Nesse caso está a nomeação para o cargo de professor titular de uma faculdade oficial, isolada ou integrante de uma Universidade federal ou estadual, que representa o final da carreira de magistério superior, ao qual o professor, ou pessoa de notável saber, concorre para o preenchimento de uma determinada vaga, a cujo respeito a Administração já fez a escolha prévia de nomear ao abrir o respectivo concurso público. Nesse sentido é a opinião de Celso Antônio Bandeira de Mello, com a qual concordamos irrestritamente (*Apontamentos sobre os Agentes e Órgãos Públicos*, 1972, p. 50). Da mesma forma, depois de indicado pelo Presidente da República e aprovada sua escolha pelo Senado Federal, por maioria absoluta, o cidadão brasileiro "de notável saber jurídico e reputação ilibada" adquire o direito de ser nomeado pelo Presidente da República para o cargo de Ministro do Supremo Tribunal Federal, na forma do art. 101, *caput* e parágrafo único da Constituição Federal. •

Atos discricionários, as autorizações, quando dependentes, com relação ao destinatário, objeto ou fim, de determinação, *ad hypothesin*, da administração. Conumeram-se entre as autorizações administrativas – discricionária, quanto ao destinatário –, a licença para o porte de arma de fogo, • de competência da Polícia Federal, após autorização do SINARM (Lei 10.826, de 22.12.2003, art. 10, *caput*). •

Discricionária quanto ao objeto, a autorização sobre o domínio público, em que podemos destacar a permissão de uso, a título precário, de área do domínio, • na forma de que dispõe o art. 22, da Lei 9.636, de 15.5.1998.

Por último, discricionária quanto ao fim, é a discrição que o Poder Público tem, "através do órgão competente", de regular as diversões e espetáculos públicos, "informando sobre a natureza deles, as faixas etárias a que não se recomendam, locais e horários em que sua apresentação se mostre inadequada", de acordo com o que dispõe o art. 74, *caput*, da Lei 8.069, de 13.7.1990 (Estatuto da Criança e do Adolescente), sem que esse ato implique em censura, que está vedada terminantemente pela Constituição Federal (CF, art. 5º, inciso IX).

4-A. A discricionariedade é um conceito que diminui de intensidade dentro do Estado de Direito. Segundo Celso Antônio Bandeira de Mello, pode ser definida como "A margem de liberdade conferida pela lei ao administrador a fim de que este cumpra o dever de integrar com sua vontade ou juízo a norma jurídica, diante do caso concreto, segundo critérios subjetivos próprios, a fim de dar satisfação aos objetivos consagrados no sistema legal" (*Curso de Direito Administrativo*, 20ª ed., São Paulo, Malheiros Editores, 2006, cap. VII, n. 90, p. 403). Dentro dessa linha de pensamento, é claro que não se pode confundir discricionariedade com arbitrariedade. A discrição se exerce dentro do direito. O arbítrio desafia e contraria o direito.

4-B. Segundo Hartmut Maurer, há poder discricionário (*Ermessen*) se a Administração pode, quando estão reunidas as condições de aplicação da lei, escolher entre diferentes modos de comportamento. A lei não vincula à situação por ela definida uma só conseqüência jurídica (como no caso de uma atividade administrativa submetida imperativamente à lei), mas habilita, ao contrário, a Administração a determinar ela própria uma tal conseqüência, desde que, a esse respeito, duas ou mais possibilidades lhe sejam oferecidas. O poder discricionário permite que a Administração venha a tomar uma atitude ou se abstenha de tomá-la, a seu critério. No dizer de Maurer, "A decisão de agir e a escolha da medida a ser tomada, caso a autoridade opte por uma decisão, são deixadas à sua apreciação" (*Droit Administratif Allemand*, trad. de Michel de Fromont, Paris, 1995, cap. 7, II, 1, n. 7, p. 127).

4-C. Abolida a censura pela Constituição Federal de 1998, conforme dissemos acima, na forma do art. 5º, inciso IX da Constituição, houve ainda a vedação expressa de "toda e qualquer censura de natureza política, ideológica e artística" (CF, art. 220, § 2º), podendo, todavia, a lei federal regular as diversões e espetáculos públicos, de modo que coubesse ao Poder Público informar sobre a natureza deles, as faixas etárias a que se recomendam, locais e horários em que sua apresentação se mostre inadequada, para que os pais e os responsáveis pelos menores estejam devidamente informados (CF, art. 220, § 3º, I).

A autoridade policial pode recusar a tal ou qual pessoa licença para o porte de arma. A autorização é ato da competência privativa da Polícia Federal (Lei 10.826/2003, art. 10, *caput*). A administração do domínio pode fixar a modalidade de uso ou a extensão deste em tal ou qual parcela do domínio público. O Ministério da Justiça, dando cumprimento ao Estatuto da Criança e do Adolescente, pode informar a população em geral e aos pais e responsáveis especificamente, sobre a natureza dos espetáculos e diversões públicas, indicando as faixas etárias a que se recomendam, ficando ao prudente arbítrio dos pais a escolha dos espetáculos e diversões que seus filhos poderão freqüentar. •

§ 11. OS ATOS ADMINISTRATIVOS 245

5. *Segundo o poder reconhecido ao ato mesmo*, para sua execução contra o particular, devem os atos administrativos classificar-se em executórios e não-executórios.

Atos executórios são os que independem de apreciação prévia do Poder Judiciário, para serem executados coercitivamente contra o particular. • Discorrendo sobre o tema da coerção administrativa, Ernst Forsthoff afirma o seguinte: "Titular da coerção administrativa é o Estado. Qual autoridade, como autoridade de execução pode tomar a iniciativa e quais os meios de coação que estão à sua disposição, determinam as leis" ("Träger des Verwaltungszwangs ist der Staat. Welche Behörde als Vollstreckungsbehörde auftreten kann und welche Zwangsmittel ihr zur Verfügung stehen, bestimmen die Gesetze" – *Lehrbuch des Verwaltungsrechts*, vol. I: Parte Geral, 10ª ed., München, 1973, § 15, n. 2, p. 295). Da mesma forma já tinha se expressado Fritz Fleiner, com relação à executoriedade de alguns atos administrativos: "As disposições das autoridades administrativas contêm medidas de autoridade que, como os julgamentos, valem para uma espécie concreta" ("Die Verfügungen der Verwaltungsbehörden enthalten herrschaflitliche, obrigkeitliche Anordnungen, die für konkrete Einzelfälle ergehen, wie die Gerichtsurteile" – *Institutionen des Deutschen Verwaltungsrechts*, Tübingen, 1963, § 13, n. 1, "b", p. 194). •

Não estão os atos administrativos em geral sujeitos à censura, prévia ou ulterior, do Poder Judiciário, no que tange à sua conformidade ao direito: são os atos executórios. Executórios ou não-executórios, todos os atos administrativos no nosso regime político estão, porém, submetidos sob esse último aspecto à censura do Poder Judiciário, embora, quanto aos atos executórios, esta só se exerça *a posteriori*.

Não é exato que "todas as decisões administrativas sejam executórias por si mesmas, sem que haja necessidade de recorrer a tribunais para a obtenção do mandado executório", como afirmava Alcides Cruz (ob. cit., p. 40). Assim, a desapropriação é ato administrativo que depende de mandado judiciário para ser coercitivamente executado, metendo-se a Administração na posse da coisa desapropriada. • Nesse sentido é a opinião de F. Whitaker, no seu livro intitulado *Desapropriação* (São Paulo, 1926, 121, p. 82). Entende Alcides Cruz que "o expropriante tem o direito de ser metido na posse da cousa desapropriada, visto que o ato administrativo que julgou a expropriação tem força de executório" (ob. cit., p. 220). Concepção absolutamente equivocada. Não se pode falar de julgamento da desapropriação por ato administrativo, tampouco em força executória desse ato. A situação é precisamente a oposta. A doutrina correta está com Pontes de Miranda, que afirma: "As autoridades administrativas do Estado não desapropriam por si; há a ação de desapropriação, que ainda é o ato de exercício do direito de desapropriar, exercício que começou com a declaração de desapropriação e vai terminar naquele que há de coincidir com a perda da propriedade pelo demandado" (*Tratado de Direito Privado*, t. XIV, Rio de Janeiro, 1955, § 1.621, n. 1, p. 230).

A desapropriação, pela sua natureza de garantia constitucional do direito de propriedade, é inequivocamente um ato administrativo não-executório. •

6. *Segundo a sua eficácia*, os atos administrativos se dividem em válidos e inválidos. Ineficácia e invalidade não se confundem, mas da invalidade resulta, aqui, a ineficácia. Os atos inválidos, à sua vez, subdividem-se em: a) inexistentes; b) nulos; c) anulados; d) revogados; e) suspensos.

Não se identifica o conceito de invalidade do ato administrativo com a noção corrente de nulidade (*lato sensu*) do ato jurídico. Decorre esta da lei exclusivamente; ao passo que a invalidade do ato administrativo pode resultar da só vontade da Administração, tal como acontece nos pedidos de reconsideração e nos recursos hierárquicos em que o ato ou decisão reconsiderado ou recorrido pode ser reformado por motivos de conveniência ou oportunidade. Não obstante, a nulidade é uma das formas de invalidade do ato administrativo.

A nulidade e a anulabilidade caracterizam-se, dentre as formas de invalidade do ato administrativo, pelo interesse mais geral que as informa, transcendente à esfera exclusiva da administração e manifestamente ligadas à própria conservação da ordem jurídica.

A revogação e a suspensão do ato administrativo tendem, diretamente, à conservação da ordem e harmonia da administração (v. 8, infra). A revogabilidade e a suspendibilidade do ato são, evidentemente, dados jurídicos, mas a revogação e a suspensão, ao invés – salvo quanto à última, o que se dispõe acerca do processo do mandado de segurança (v. 10, infra) –, motivadas pelo interesse exclusivo da Administração.

Assim é que a revogação e, em regra, a suspensão dos atos administrativos não pertencem ao Poder Judiciário, pertencendo-lhe, ao contrário, a declaração de nulidade ou anulação dos atos administrativos. • Dispõe, com efeito, o art. 5º, inciso LXXIII, da Constituição Federal de 1988, que "qualquer cidadão é parte legítimo para propor ação popular que vise a anular ato lesivo ao patrimônio público ou de entidade de que o Estado participe, à moralidade administrativa, ao meio ambiente e ao patrimônio histórico e cultural, ficando o autor, salvo comprovada má-fé, isento de custas judiciais e do ônus da sucumbência". •

A competência do Poder Judiciário, nessas matérias, não é, porém, excludente da Administração, senão relativamente aos atos administrativos anuláveis. Os atos nulos podem ser diretamente declarados tais pela Administração Pública. • A Lei 9.784, de 29.1.1999, dispõe em seu art. 53, que "A Administração deve anular seus próprios atos, quando eivados de vício de ilegalidade, e pode revogá-los por motivo de conveniência ou oportunidade, respeitados os direitos adquiridos". O Supremo Tribunal Federal já havia sumulado essa questão, na Súmula 346: "A Administração Pública pode declarar a nulidade dos seus próprios atos". •

Não se lhe reconhece, contudo, faculdade idêntica, relativamente aos atos anuláveis, e a razão é transparente: na declaração de nulidade, aprecia-se o ato administrativo tão-somente; na anulação, ao revés, há que se apreciar o interesse do promovente e reconhecer-lhe, com fundamento nesse interesse, o direito de ação a esse respeito (Código de Processo Civil, art. 3º; Código Civil de 2002, art. 177), atribuições que cabem exclusivamente na competência do Poder Judiciário.

Distintos dos atos nulos e anuláveis, os atos inexistentes prescindem de qualquer pronunciamento sobre a sua ineficácia. • São considerados como inexistentes os contratos, ou seus aditamentos, que deixarem de ser publicados na Imprensa Oficial, "que é condição indispensável para sua eficácia", de acordo com o que dispõe o art. 61, parágrafo único, da Lei 8.666/1993, com a redação que lhe foi dada pela Lei 8.883, de 8.6.1994.

O ato administrativo inexistente, segundo Hartmut Maurer, não tem o poder de desenvolver os efeitos jurídicos por ele visados, e isso desde o início. O ato inexistente está desprovido de força jurídica, não tendo caráter obrigatório. O cidadão não deverá se conduzir de acordo com as disposições de um ato administrativo inexistente e a autoridade administrativa não terá o poder de executá-lo. A inexistência poderá ser invocada por qualquer pessoa (*Droit Administratif Allemand*, Paris, 1995, cap. 10, n. 35, p. 263).

Além do exemplo acima enunciado, é possível referir outros casos de inexistência do ato administrativo. Inexistente é o ato administrativo, cuja autoridade que o praticou não é suscetível de ser identificada; inexistente também é o ato a que faltou solenidade essencial à sua existência (o ato deveria ter obedecido à forma de um decreto do Chefe do Poder Executivo, mas não obedeceu nem à forma, tampouco à competência, tendo sido praticado por pessoa não integrante dos quadros da Administração Pública); também é inexistente o ato praticado pela prefeitura de um Município, autorizando a construção de um imóvel sobre terreno localizado em outro Município, num outro Estado-membro da Federação. Em todos esses casos não se cogita de nulidade do ato administrativo, mas de inexistência, diante de tamanhas irregularidades que impedem a seriedade necessária à existência do ato administrativo. •

7. São causas de nulidade dos atos administrativos: a) a incompetência absoluta do agente ou incapacidade absoluta do co-contratante; • b) vício de forma; c) ilegalidade do objeto; d) inexistência dos motivos; e) desvio de finalidade.

O Direito Administrativo teve essa matéria disciplinada legalmente, pela primeira vez, por intermédio da Lei 4.717, de 29.6.1965, que regula, entre nós, a ação popular (CF, art. 5º, inciso LXXIII).

As causas de nulidade dos atos administrativos são, destarte, estabelecidas pelo art. 2º da referida Lei. No seu âmbito, a validade dos atos administrativos praticados pela Administração está em estrita dependência à forma por que são realizados. A forma especial dos atos administrativos, geralmente escrita, é traço que os singulariza. •

Este princípio, quanto aos contratos administrativos da União, dos Estados, do Distrito Federal e dos Municípios, bem como das suas autarquias, fundações públicas, empresas públicas e sociedades de economia mista se encontra expresso de maneira inequívoca no art. 1º e seu parágrafo único, da Lei Federal 8.666/1993. Além da forma, conceito da mais alta relevância dentro do Direito Administrativo é o de competência, considerada como medida de poder que a ordem jurídica atribui a uma pessoa determinada. Não raro, a forma, no Direito Administrativo, se entrelaça com a competência. Assim, na Administração federal, apenas o Presidente da República tem competência para praticar atos administrativos sob a forma de decretos (CF, art. 84, inciso IV).

De outra parte, a incapacidade, relativamente aos agentes das pessoas administrativas, não é causa de nulidade (tampouco de anulação) dos atos administrativos. A incapacidade pessoal do funcionário não vicia, por si só, o ato, de que aquele participa. À sua vez, o nosso direito positivo não conhece pessoas jurídicas de direito público interno (Código Civil de 2002, art. 41), feridas de incapacidade de fato.

• *7-A.* A *incompetência*, que é a primeira causa de nulidade dos atos administrativos, fica caracterizada quando o ato não se incluir nas atribuições legais do agente que o praticou (Lei 4.717/1965, art. 2º, parágrafo único, "a").

A competência, que é reconhecida aos diferentes órgãos administrativos, deve ser repartida entre eles de modo claro pelo direito objetivo. A repartição das competências não é feita tão-somente no interesse da Administração, mas ainda no interesse dos administrados.

Fritz Fleiner, discorrendo sobre essa questão, já afirmava que "Uma disposição somente tem validade jurídica, quando está fundamentada numa regra de direito válida e tenha sido editada por um órgão competente, no exercício de sua competência" ("Jede Verfügung ist nur rechtsbeständig, wenn sie in einem gültigen Rechtssatz verankert und von zuständigen Organ innerhalb seiner Kompetenz erlassen worden ist" – *Institutionen des Deutschen Verwaltungsrechts*, Tübingen, 1963, § 13, II, 1, "a", p. 189).

Da mesma forma se manifesta Michel Stassinopoulos, ao afirmar que "A determinação da competência de cada órgão é obra do legislador. A regra de competência é uma regra de direito, pois o seu efeito jurídico consiste em estabelecer limitação às vontades" (*Traité des Actes Administratifs*, 1973, cap. III, § 16, I, p. 99).

Se a regra da competência for violada, surge imediatamente a ilegalidade do ato administrativo. A ilegalidade, prevista na lei, decorrente da inobservância da competência, constitui-se naquilo que se denomina de ilegalidade orgânica. Hodiernamente, discorrendo sobre esse tema, assim se pronuncia Norbert Achterberg: "*Competência da autoridade*: É necessário, em primeiro lugar, que a autoridade que pronuncie o ato administrativo, no quadro da competência de uma associação, de uma função, de um departamento tenha procedido dentro da competência" ("*Zuständigkeit der Behörde*: Erforderlich ist zunächst, dass die den Verwaltungsakt erlassende Behörde im Rahmen der Verbands-, der Funktions- und der Ressortkompetenz gehandelt hat" – *Allgemeines Verwaltungsrecht. Ein Lehrbuch*, Heidelberg, 1982, § 20, n. 148, p. 377). A incompetência consiste na inaptidão de um agente público de realizar um ato que poderia ser praticado, mas que o deveria ser por um outro agente. Distingue-se, nitidamente, a incompetência da ilegalidade material quanto ao objeto, pois se o agente praticou um ato que não poderia ter sido realizado por nenhum outro, ou procurou exercer um poder não previsto pelo direito positivo, não houve incompetência, mas ilegalidade material quanto ao objeto.

A incompetência se manifesta sob diversas formas:

a) A primeira delas é a da usurpação de função (Roger Bonnard, *Précis de Droit Administratif*, 4ª ed., Paris, 1943, II, "a", p. 99). Ela se verifica quando um agente exerce uma atividade administrativa e pratica atos administrativos sem ter sido investido em nenhuma função ou tendo uma investidura irregular. O usurpador de função é aquele que não foi nomeado para o cargo e se inculca a condição de funcionário público. A usurpação de função é delito previsto pelo art. 328 do Código Penal.

b) A segunda é a do funcionário de fato, que é a pessoa não investida regularmente no exercício da função, ou cuja investidura é irregular, por não ter sido feita por meio de ato administrativo de nomeação. Os funcionários de fato diferem dos usurpadores de função nisto que não há má-fé em sua atuação, pois crêem estar investidos regularmente na função pública.

Há sempre uma certa dificuldade em distinguir o funcionário de fato do usurpador. A questão de saber se uma investidura é admissível ou não, pode ser considerada tanto do ponto de vista objetivo quanto do subjetivo. Do ponto de vista subjetivo, a nomeação de um funcionário é plausível se o nomeado, de boa-fé, acredita na sua legalidade. Do ponto de vista objetivo, ela é admissível se o público crê na sua legalidade (Michel Stassinopoulos, *Traité des Actes Administratifs*, Paris, 1973, § 20, I, p. 114). É evidente que o lado objetivo predomina na distinção a ser feita, pois a noção de funcionário de fato não é desenvolvida em favor dos funcionários, mas do público que com eles se relaciona eventualmente.

c) A terceira forma a ser considerada é a da invasão de atribuições e funções alheias. A invasão de função consiste no fato de um funcionário, regularmente investido em um cargo público, praticar ato que é da competência de outrem.

A invasão de funções pode se produzir de duas maneiras diferentes. *Em primeiro lugar*, pode ocorrer entre autoridades que estão situadas em poderes diferentes. Discorrendo sobre esse tema, Hans-Julius Wolff e Otto Bachof falam de uma falta de competência para a prática de ato administrativo, dizendo que ela aparece, quando a medida que geralmente não deve ser tomada por uma autoridade administrativa é realizada, quando deveria ser objeto de lei ou de decisão jurisdicional ("Fehlende Verwaltungskompetenz. Sie liegt vor, wenn die Massnahme überhaupt nicht von einer Verwaltungsbehörde getroffen werden darf, sondern nur durch Gesetz oder richterliches Urteil" – *Verwaltungsrecht*, vol. I, 1974, § 51, III, *c*, n. 3, p. 431).

Em segundo lugar, a invasão de que cogitamos, dentro do Direito Administrativo, é a que se processa no âmbito da hierarquia administrativa, quando um ato é praticado por autoridade diferente daquela que normalmente seria competente para praticá-lo. No âmbito da Administração Pública, as invasões de competência no interior da hierarquia administrativa podem ser tanto dos superiores diante dos subordinados como desses mesmos face aos superiores hierárquicos. Essas invasões caracterizam incompetências que são consideradas como ilegalidades orgânicas, porque a repartição de competência entre os diferentes graus de hierarquia administrativa é absolutamente necessária ao bom funcionamento da Administração Pública.

Hans-Julius Wolff e Otto Bachof denominam esse caso de incompetência objetiva em sentido lato, afirmando que ela se apresenta quando uma autoridade incompetente se coloca no lugar de uma autoridade competente, da mesma autoridade titular do direito, e pratica um ato administrativo ("Sachliche Unzuständigkeit i.w.S. Sie liegt vor, wenn eine unzuständige Behörde anstelle der zuständigen Behörde desselben Rechtsträgers einen Verwaltungsakt setzt" – ob. cit., vol. I, 1974, § 51, III, *c*, n. 5, p. 431).

Nesse sentido, autoridades de uma mesma pessoa administrativa, de um mesmo Poder, no caso, o Poder Executivo, não podem praticar atos de competência privativa umas das outras. O Presidente da República, por exemplo, não poderia praticar um ato administrativo da competência de um Reitor de Universidade Federal autárquica ou fundacional, tampouco um Ministro de Estado poderia praticar ato da competência privativa do Presidente. Um Ministro de Estado, *exempli gratia*, não poderia expedir um decreto para regulamentar uma lei, ou uma medida provisória, que são atos da competência privativa do Presidente. No caso, apenas os Reitores de Universidades são funcionários públicos, já que tanto o Presidente quanto os seus Ministros são condutores políticos. Mas todos são agentes públicos, ou autoridades públicas, cujas competências estão definidas pela ordem jurídica. Não pode o Presidente da República praticar atos da competência de um dirigente de autarquia federal, assim como, tampouco pode o Governador de um Estado, ou do Distrito Federal, invadir a esfera de competência de um dirigente de autarquia estadual ou distrital. Todas as competências estão claramente definidas pela ordem jurídica e não podem ser violadas nem por autoridades superiores, nem por subordinados hierárquicos. Em todos os casos de violação, o ato administrativo será nulo por incompetência do agente.

d) A incompetência pode ser distinguida, ainda, em dois tipos: de um lado, a incompetência *ratione loci*, de outro a incompetência *ratione materiae*. A incompetência *ratione loci* se verifica quando uma autoridade pública invade a competência territorial de outra autoridade da mesma ordem, ultrapassando os limites territoriais de sua competência. Já a incompetência *ratione materiae* se verifica quando uma autoridade administrativa pratica ato que deveria ser praticado por outro agente público, no quadro da mesma competência territorial. A incompetência *ratione loci* tem lugar no momento em que um funcionário de um Município pratica ato que deveria ser praticado em outro Município, por funcionário deste último. No caso, há invasão da esfera territorial de competência do Município vizinho. A incompetência *ratione materiae* tem lugar sempre que, dentro de um mesmo território, autoridade inferior age no lugar da superior, ou ao contrário, dentro dos quadros de uma mesma Administração de um dado território (Ernst Forsthoff, *Traité de Droit Administratif Allemand*, Bruxelles, 1969, trad. de Michel de Fromont, cap. XII, pp. 357-358). Enquanto há discussão no Direito Administrativo alemão sobre as conseqüências jurídicas da incompetência *ratione materiae*, já que a incompetência *ratione loci* acarreta a inexistência do ato administrativo, em nosso direito, a primeira, nos termos da lei, produz sempre a nulidade do ato administrativo (Lei 4.717/1965, art. 2º, parágrafo único, "a").

e) A competência não se confunde com a capacidade. Diz-se que a pessoa física é incapaz. Do agente público, fala-se de incompetência, considerando que a capacidade é sempre um atributo pessoal, inerente à personalidade, enquanto que a competência é impessoal, de direito objetivo.

Por esse motivo, Walter Jellinek afirma que não é inválido um ato administrativo praticado por um funcionário doente mental ("nicht Unwirksam ist auch der Akt eines geisteskranken Beamten" – *Verwaltungsrecht*, cit., § 11, IV, n. 1, p. 263). O funcionário pode estar atacado de moléstia mental que o incapacite para os atos da vida civil, mas o ato administrativo que pratica é válido, porque se trata de agente público competente para tanto.

7-B. A segunda causa de nulidade do ato administrativo consiste no vício de forma. Os atos administrativos estão sujeitos a regras de forma e de procedimento para a sua prática.

A observância das formas e dos procedimentos constitui obrigação jurídica para a Administração Pública. A legalidade formal dos atos administrativos pode gerar inclusive direitos subjetivos em favor dos administrados, sempre que da forma resultar direitos em seu favor.

A violação da legalidade formal traduz ilegalidade que se denomina *vício de forma*, que a lei define como consistindo "na omissão ou na

§ 11. OS ATOS ADMINISTRATIVOS

observância incompleta ou irregular de formalidades indispensáveis à existência ou seriedade do ato" (Lei 4.717/1965, art. 2º, parágrafo único, "b").

A forma escrita dos atos administrativos constitui a regra. Ela se impõe pelos próprios fatos, por motivo de clareza jurídica e pelas facilidades maiores que oferece em matéria de prova e de conservação de documentos.

Há situações em que somente a forma escrita pode oferecer ao ato administrativo aquelas condições de seriedade, de segurança e de legalidade indispensáveis à sua validade. Os funcionários públicos em geral estão sujeitos ao cumprimento das ordens superiores, exceto quando manifestamente ilegais (Lei 8.112, de 11.12.1990, art. 116, IV).

Como poderiam os servidores públicos aferir a ilegalidade das ordens superiores, se não fossem dadas por escrito? Um simples *flatus vocis* não é suficiente para estabelecer, com certeza, a verdadeira natureza de uma ordem superior. É por isso que, não raro, na Administração Pública, aparecem ordens meramente verbais, cuja origem se desconhece, cuja extensão não é precisa, mas cujo cumprimento é exigido de forma disfarçada, para mascarar sua ilegalidade. Essas ordens verbais, que geralmente procuram ferir a legalidade, não devem ser cumpridas, por serem, não raro, manifestamente ilegais. Daí a necessidade da forma escrita, única que pode dar seriedade à ordem superior, que traduz um tipo de ato administrativo. Do mesmo modo, devem obedecer à forma escrita, os atos constitutivos, por exemplo, como as nomeações, as permissões e as concessões, os atos de aposentadoria, os atos de concessão de gratificações ou de vantagens ao funcionário público. Também os atos extintivos de direito, como as demissões, as exonerações e as desapropriações, geralmente decretadas mediante decreto, ou mesmo por lei, constituem exemplos de atos que exigem a forma escrita.

Hodiernamente, a doutrina, sobretudo a alemã, vem admitindo a existência de atos orais e de atos emitidos por meio de sinais e de gestos, que se constituiriam em atos administrativos. Os atos emitidos na forma de gestos ou de sinais são, por exemplo, aqueles emitidos por um policial, postado em um cruzamento de tráfego, destinado a orientá-lo.

Os atos orais seriam aqueles dados diretamente aos cidadãos destinatários, mediante a palavra oral, de que constituem exemplo as ordens e proibições de polícia, como a ordem verbal para dissolver uma reunião que está perturbando a ordem pública. Hartmut Maurer é defensor destas novas formas de atos administrativos, mas ressalva que "um ato administrativo oral, emitido por meio de um sinal ou por uma outra forma, visando um determinado fim público, não poderá ser considerado como tal a não ser que esta seja a única forma de praticar o ato administrativo, não podendo ser atingida sua finalidade de modo adequado a não ser por este meio" (*Droit Administratif Allemand*, trad. de Michel de Fromont, 1995, cap. 10, 3, n. 12, p. 245).

No que concerne a esses atos, parece-nos que não se poderia incluí-los entre os atos jurídicos *stricto sensu* (Pontes de Miranda, *Tratado de Direito Privado*, t. I, São Paulo, Ed. RT, 1983, § 36, n. 3, p. 83), mas poderiam ser conumerados entre os atos-fatos jurídicos, em que não há manifestação expressa da vontade, tendente à produção de efeitos jurídicos, mas apenas uma manifestação exterior, reveladora de uma intenção, como é o caso no direito civil, da ocupação (Código Civil de 2002, art. 1.263). Por outro lado, essas manifestações se aproximam mais da noção de atividade administrativa do que daquela de ato jurídico administrativo.

Deve-se considerar, por outro lado, que o silêncio puro não poderá, em hipótese alguma, ser interpretado como ato administrativo. Nesse sentido, é a opinião acertada de Hartmut Maurer, quando afirma: "O silêncio puro e simples (*reines Schweigen*) não pode jamais ser interpretado como um ato administrativo" (*Droit Administratif Allemand*, cap. 10, n. 12, p. 246). A forma especial geralmente é a prescrita pela lei. Assim, a nomeação para um cargo público, em caráter efetivo ou em comissão (Lei 8.112/1990, art. 9º, incisos I e II), supõe sempre ato escrito da autoridade competente (Lei 8.112/1990, art. 6º), que é indispensável ao provimento de qualquer cargo público.

O vício de forma, nos termos da lei, produzirá sempre a nulidade do ato administrativo. Nesse particular, não diverge o Direito Administrativo das disposições do direito civil, eis que o último subordina a validade do ato jurídico ou negócio jurídico à "forma prescrita ou não defesa em lei" (Código Civil de 2002, art. 104, III).

7-C. A terceira causa de nulidade dos atos administrativos consiste na *ilegalidade do objeto*. Segundo a definição legal, a ilegalidade do objeto ocorre quando o resultado do ato importa em violação da lei, regulamento ou outro ato normativo (Lei 4.717/1965, art. 2º, parágrafo único, "c").

Há três questões a serem consideradas em matéria de ilegalidade do objeto.

A primeira diz respeito à conformidade do ato administrativo à lei. Todo ato administrativo deve obrigatoriamente ser compatível com as

§ 11. OS ATOS ADMINISTRATIVOS

normas jurídicas existentes. O princípio que rege a matéria é o da primazia da lei (*Vorrang des Gesetzes*). Otto Mayer dizia que "Isto é o que nós denominamos de preeminência da lei" ("Das ist es, was wir den Vorrang des Gesetzes nennen" – *Deutsches Verwaltungsrecht*, vol. I, Berlin, 1924, § 6, p. 68). Como já expusemos anteriormente, esse princípio é considerado como fundamental no Estado de Direito. Em consonância com ele e acima dele há um outro, ainda mais fundamental, que é o da supremacia da Constituição (*Vorrang der Verfassung*), a que toda a Administração estatal está subordinada (Norbert Achterberg, *Allgemeines Verwaltungsrecht. Ein Lehrbuch*, Heidelberg, 1982, § 4, n. 6, p. 65).

Todo o ato administrativo deverá ter um fundamento legal. Não haverá justificação para o ato sempre que a regra jurídica for inconstitucional por violação de um princípio jurídico de natureza constitucional. A primazia da lei está, por conseguinte, condicionada à supremacia da Constituição.

Os atos administrativos deverão obedecer à Lei e à Constituição.

A segunda se refere ao regulamento. O ato administrativo deverá ter base regulamentar. Mas o regulamento, em hipótese alguma, poderá alterar, modificar ou revogar a lei escrita.

O regulamento deverá ater-se aos limites da lei, não sendo válido aquele que representar tentativa de criar direitos e obrigações novos, não previstos pela lei, porque tal regulamento, no dizer de Pimenta Bueno, consistiria "uma usurpação do poder legislativo" (*Direito Público Brasileiro e Análise da Constituição do Império*, Brasília, Senado Federal, 1978, p. 235). Nesse particular, devemos ter sempre presente as considerações apósitas, feitas por aquele ilustre publicista pátrio, que afirmava: "Desde que o regulamento excede seus limites constitucionais, desde que ofende a lei, fica certamente sem autoridade, porquanto é ele mesmo que estabelece o dilema ou de respeitar-se a autoridade legítima e soberana da lei, ou de violá-la para preferir o abuso do poder executivo" (ob. cit., p. 236).

A conclusão é a de que somente são nulos os atos administrativos que contravierem regulamentos válidos, isto é, regulamentos baixados dentro dos estritos limites da primazia da lei escrita sobre as demais fontes derivadas do direito.

A terceira se refere a outros atos normativos.

Esses atos normativos são as instruções ministeriais, as disposições autonômicas e demais fontes derivadas, baixadas sempre em consonância com a lei.

A ilegalidade do objeto nada mais é do que a violação do princípio da legalidade, cuja observância está expressamente determinada pelo art. 37 da Constituição Federal de 1988. O princípio de legalidade decorre da existência do Estado constitucional, que introduziu o princípio da administração legal, segundo o qual há uma obrigação geral para a Administração Pública de respeitar a lei. O princípio de legalidade tem uma fundamentação política, pois representa um freio contra a onipotência do Poder Executivo. Na verdade, a administração legal supõe, dentro do Estado de Direito, uma presunção em favor da liberdade dos cidadãos, diante da coerção estatal. As intervenções do Estado nas esferas de liberdade e da propriedade individuais somente poderão ser realizadas, obedecido o princípio de "reserva da lei" (*Vorbehalt des Gesetzes*) (Fritz Fleiner, *Institutionen des Deutschen Verwaltungsrechts*, Tübingen, 1963, p. 181). De forma concisa e elegante, Fritz Fleiner afirma: "Jeder Verwaltungsakt bedarf der gesetzliche Grundlage" (ob. cit., p. 181).

Os negócios jurídicos de direito privado também são nulos, quando seu objeto não for lícito (Código Civil de 2002, art. 104, II). Recebe, pois, o Direito Administrativo, do Direito Civil, o princípio geral que domina a matéria.

7-D. A quarta causa de nulidade dos atos administrativos é representada pela *inexistência dos motivos*.

A inexistência dos motivos é uma causa material de nulidade. Todo ato administrativo deve ter um motivo que possui ao mesmo tempo uma existência material e uma existência legal (Roger Bonnard, *Précis de Droit Administratif*, 4ª ed., Paris, 1943, p. 105). Para a Administração Pública, entre nós, há o dever de motivar os seus atos, com indicação dos fatos e dos fundamentos jurídicos, quando: I – neguem, limitem ou afetem direitos ou interesses; II – imponham ou agravem deveres, encargos ou sanções; III – decidam processos administrativos de concurso ou seleção pública; IV – dispensem ou declarem a inexigibilidade de processo licitatório; V – decidam recursos administrativos; VI – decorram de reexame de ofício; VII – deixem de aplicar jurisprudência firmada sobre a questão ou discrepem de pareceres, laudos, propostas e relatórios oficiais; VIII – importem anulação, revogação, suspensão ou convalidação de ato administrativo (Lei 9.784, de 29.1.1999, art. 50, incisos I a VIII). De outra parte, "A motivação deve ser explícita, clara e congruente, podendo consistir em declaração de concordância com fundamentos de anteriores pareceres, informações, decisões ou propostas, que, nesse caso, serão parte integrante do ato" (art. 50, § 1º). Esse dever da Administração Pública é de natureza legal e o próprio elenco dos casos que justificam os fundamentos jurídicos da decisão demonstra que a Administração está obedecendo a um princípio racional de direito. Ao justificar o seu ato, a Administração está demonstrando o motivo, ou os motivos que a levaram a tomar tal decisão, permanecendo dentro da racionalidade, característica do ser humano.

A inexistência de motivos pode ser material ou legal.

a) A inexistência material de motivos se caracteriza quando não se verificam os fatos que supostamente deram origem ao ato administrativo. Para uma proibição de polícia, haveria inexistência material se a perturbação à tranqüilidade, à incolumidade e à saúde públicas não existisse. Não poderia a autoridade sanitária proibir a venda de um medicamento que não prejudicasse a saúde comprovadamente. Da mesma forma, não poderia o superior hierárquico punir um servidor público por uma falta que, de fato, não cometeu.

b) a inexistência legal de motivos se verifica quando o ato administrativo se baseia em fundamento legal inexistente. Um funcionário público não pode ser punido por ter violado um suposto dever, ao sentir de seu superior hierárquico, que não está previsto nem no art. 116, tampouco no art. 117 da Lei 8.112/1990. Os deveres e proibições, previstos na lei que regula o regime jurídico dos servidores públicos constituem *numerus clausus*, não sendo admissível interpretação extensiva que procure fundamentar a punição do servidor sem a estrita base legal, indispensável a qualquer punição.

Tanto no caso de inexistência material quanto no de inexistência legal, o ato administrativo praticado será nulo de pleno direito. A lei diz que "a inexistência dos motivos se verifica quando a matéria de fato ou de direito, em que se fundamenta o ato, é materialmente inexistente ou juridicamente inadequada ao resultado obtido" (Lei 4.717/1965, art. 2º, parágrafo único, "d").

Nessa matéria, como em outras, o princípio geral nos vem do Direito Civil. O art. 140 do Código Civil de 2002 diz expressamente que "O falso motivo só vicia a declaração de vontade quando expresso como razão determinante".

No caso, o "falso motivo" está evidenciado na inexistência material ou legal dos motivos, expressa "como razão determinante" para a prática do ato administrativo.

7-E. *Ilegalidade do objeto*

Retornando à legalidade dos atos administrativos quanto ao seu objeto, é preciso distingui-la quanto à sua origem. A legalidade, assim como a ilegalidade, podem ter como fundamento direto a conformidade ou desconformidade com a lei, o regulamento ou outro ato normativo.

Mas é possível que a legalidade e a conseqüente ilegalidade tenham como fulcro a conformidade ou desconformidade com um ato administrativo unilateral ou com um ato jurisdicional. É possível falar-se de ilegalidade do objeto tanto por violação das leis ou dos regulamentos quanto de um ato administrativo individual ou de um ato jurisdicional, que produziu coisa julgada.

A questão da ilegalidade por violação das leis, dos regulamentos ou de outros atos normativos já foi examinada anteriormente. Resta um exame mais acurado da ilegalidade do objeto por violação dos atos jurisdicionais e dos atos administrativos individuais.

O conteúdo dos atos administrativos deve estar em consonância com as decisões jurisdicionais e com outros atos administrativos, que já produziram seus efeitos como atos jurídicos perfeitos. A Administração Pública não pode se recusar a tomar uma decisão, que um ato jurisdicional lhe impõe como dever inafastável. Não lhe cabe, também, desrespeitar as cláusulas de um contrato administrativo, por ela firmado, por meio de um outro ato administrativo. Em ambos os casos, há flagrante violação da ordem jurídica, numa hierarquia superior, pois a Constituição Federal proíbe que a lei prejudique o direito adquirido, o ato jurídico perfeito e a coisa julgada (CF, art. 5º, XXXVI). Se a lei não pode atingir a coisa julgada e o ato jurídico perfeito, com mais forte razão o ato administrativo, que segundo Otto Mayer, determina o que deve ser havido como de direito para o sujeito no caso individual (*Le Droit Administratif Allemand*, t. I, Paris, 1903, § 8, p. 120), deverá se conformar à coisa julgada, ao ato jurídico perfeito e ao direito adquirido.

A norma constitucional estabelece, entre nós, de forma clara e insofismável, para os atos jurisdicionais, o princípio da autoridade da coisa julgada e para os atos administrativos individuais, o princípio da intangibilidade dos efeitos individuais dos atos jurídicos perfeitos.

A violação da coisa julgada representa inegavelmente matéria de ilegalidade do objeto do ato administrativo. É a questão da autoridade material da coisa julgada, que não deverá ser desrespeitada pela Administração Pública.

A autoridade da coisa julgada significa que a determinação de uma sentença do Poder Judiciário é considerada como verdade legal definitiva. Há dois aspectos a serem considerados. De um lado, a autoridade formal da coisa julgada; de outro, a autoridade material.

A autoridade formal de coisa julgada se constitui dentro de um determinado processo em que, esgotados todos os graus de jurisdição, o julgamento torna-se definitivo e intangível e o litígio por ele decidido não poderá mais ser objeto de uma nova ação na Justiça.

A autoridade material de coisa julgada se volta para aquilo que pode ou não pode ser feito depois da decisão de um litígio. Dela decorre que a Administração Pública, nos seus atos posteriores, não poderá desconhecer o que foi decidido por sentença trânsita em julgado, quer por omissão, quer por um ato positivo. A Administração deverá agir de acordo com o que o julgamento impõe, perpetuamente, sem tentar novas interpretações contrárias à sentença definitiva. Em decorrência da autoridade material de coisa julgada, um ato administrativo poderá ser considerado ilegal por violação da coisa julgada – em nosso direito havida como garantia constitucional –, que integra o núcleo fundamental imodificável da Constituição Federal de 1988.

Um novo ato administrativo pode ser considerado inconstitucional pela violação da coisa julgada. Os atos da administração não podem se subtrair à autoridade material da coisa julgada, sob pena de grave inconstitucionalidade, que se inclui dentro do conceito amplo de ilegalidade do objeto e de violação do princípio já referido de supremacia da Constituição (*Vorrang der Verfassung*).

Não se trata de subordinar o Poder Executivo simplesmente ao Judiciário, mas de reconhecer que o Executivo está subordinado à Constituição e às leis, que protegem a coisa julgada das arbitrariedades que a podem atingir.

Há casos comuns de ataque do Poder Executivo à coisa julgada, como a recusa da Administração de pagar uma indenização ou o valor de uma condenação, expressa em dinheiro, decorrente de sentença trânsita em julgado. Há uma diferença, por exemplo, estabelecida por Friedrich Carl von Savigny, entre prestações passageiras e permanentes (*Le Droit des Obligations*, t. I, Paris, 1875, § 28, n. 2, pp. 233 e 238). As prestações passageiras se esgotam num dado momento e, feito o pagamento, desaparece a obrigação. Sua existência foi momentânea, diz Savigny (ob. cit., p. 239). Mas, em oposição a esse tipo de obrigação, há "As prestações permanentes, que se estendem sempre por todo um espaço de tempo, de sorte que o seu cumprimento durante esse tempo é de sua essência" (ob. cit., p. 239). Ainda no dizer de Savigny, "O espaço de tempo referido pode ser limitado ou ilimitado" (ob. cit., p. 239). Não raro, "a obrigação é perpétua ou de uma duração indefinida" ("l'obligation est perpétuelle ou d'une durée indéfinie" – ob. cit., p. 239).

Dentre as formas correntes de descumprimento de obrigações perpétuas estão aquelas que dizem com o pagamento de proventos de aposentadoria e pensões, que a Administração Pública delibera unilateralmente reduzir pela sua não revisão, embora garantidas pela Constituição Federal e asseguradas muitas vezes pela coisa julgada.

Da mesma forma, consiste em violação flagrante da coisa julgada praticar, de novo, ato administrativo já anulado pelo Judiciário. Em todos esses casos, há ilegalidade do objeto e tanto os atos de recusa quanto o *contrarius actus* são absolutamente nulos.

Deve ser mencionada, ainda, a questão dos atos jurídicos perfeitos, que já produziram plenamente os seus efeitos, ou continuam a produzi-los, como os atos de aposentadoria de um servidor público, cujos direitos que geram em favor dos destinatários, não são suscetíveis de serem apagados pela omissão ou por um outro ato administrativo, tampouco por um parecer contrário de um órgão jurídico do poder público. O princípio de que os efeitos individuais produzidos pelos atos jurídicos são intangíveis é constitucional, assegurado pelo art. 5º, inciso XXXVI, da Constituição Federal de 1988.

O ato jurídico perfeito, praticado de acordo com a lei ou a Constituição, não é suscetível de ser desfeito por outro ato. Além disso, em nome da *segurança jurídica*, a doutrina admite que mesmo certos atos defeituosos, praticados de boa-fé pelo administrador e acolhidos pelo destinatário também de boa-fé, devem ser mantidos no interesse da *proteção da confiança e da boa-fé* dos destinatários.

Walter Jellinek afirma que "A autoridade pública pode expressamente confirmar um ato defeituoso e renunciar, assim, à faculdade de revogá-lo. Ela pode, porém, tacitamente confirmá-lo, pois agiria contra a boa-fé se desejasse remontar ao passado, valendo-se de uma irregularidade longamente tolerada" ("Die Behörde kann einen erschlichenen ausdrücklich bestätigen und begibt sich dadurch der Widerrufbefugnis. Sie kann ihn aber auch stillschweigend bestätigen, so dass es gegen Treu und Glauben verstossen würde, wenn sie auf die längst verziehene Fehlerhaftigkeit zurückgreifen wollte" – *Verwaltungsrecht*, Berlin, 1929, § II, IV, 3, p. 277).

Embora Walter Jellinek fale de revogação, trata-se, na verdade, de anulamento de ato defeituoso, pois a revogação será sempre a retirada de um ato administrativo válido. Mas o que importa em sua afirmação é a questão da proteção da boa-fé (*Treu und Glauben*) dos administrados, que impede o poder público de rever atos que já se consolidaram no tempo e sobre os quais nenhuma dúvida paira no espírito dos destinatários

§ 11. OS ATOS ADMINISTRATIVOS 261

de boa-fé. Trata-se, ainda, de proteger a confiança, que é outro conceito importante no Direito Administrativo, que demonstra que os destinatários dos atos administrativos devem ter sua confiança e segurança nos atos da administração devidamente protegida.

Discorrendo sobre esse tema, assim se expressam Hans-Julius Wolff e Otto Bachof: "A legalidade da administração significa também no mínimo: 1. A proibição da violação dos princípios jurídicos válidos, nomeadamente: a) A determinação da observância dos princípios jurídicos fundamentais, tanto gerais quanto especiais, especialmente a determinação da igualdade, a proibição da violação dos costumes, a parcialidade e o arbítrio. ab) Significa também a obrigação, por meio da segurança jurídica reconhecida, da proteção da confiança, por meio dos órgãos administrativos e uma limitação do princípio 'volenti non fit injuria'" ("Gesetzmässigkeit der Verwaltung bedeutet also mindestens: 1. Das Verbot der Verletzung gültiger Rechtssätze, nämlich: a) Das Gebot der Beachtung der allgemeinen und der besonderen Rechtsgrundsätze, insbes., des Gleichheitsgebotes, der Verbote der Sittenwidrigkeit, der Befangenheit und der Willkür. ab) Es bedeutet ferner die Verpflichtung zu einem durch die Rechtssicherheit gebotenen Vertrauensschutz durch die Verwaltungsorgane und eine Einschränkung des Satzes 'volenti non fit injuria'" – *Verwaltungsrecht*, vol. I, 1974, § 30, II, *b*, p. 178).

O que seria da Administração Pública, se os seus atos fossem revistos a todo o momento pelos eventuais detentores do poder? A seriedade e a moralidade das ações do poder público, que a Constituição Federal impõe como um dever, terminariam desaparecendo.

Na verdade, a boa-fé e a confiança dos destinatários representam elementos integrantes do conceito de segurança jurídica. Na Administração brasileira, há uma tendência manifesta, como sinala apositamente Almiro do Couto e Silva, de aplicar o princípio de legalidade, "esquecendo-se completamente do princípio de segurança jurídica" ("Princípio da Legalidade da Administração Pública e da Segurança Jurídica no Estado de Direito Contemporâneo", *Revista do Direito Público*, n. 84, 1987, p. 62).

Mas o conceito de segurança jurídica representa um dos princípios basilares do moderno Direito Administrativo, precipuamente no quadro constitucional do Estado de Direito.

a) Norbert Achterberg alude aos atos administrativos que concedem uma única ou prestações continuadas em dinheiro, que não podem ser suprimidos, na medida em que o favorecido pelo ato administrativo tem confiança na sua estabilidade e que essa confiança não pode ser prejudicada por uma decisão de anulamento. Inicia sua exposição falando que o objetivo da supressão de um ato administrativo ilegal tem por fundamento o restabelecimento de uma situação de legalidade. No original, assim se expressa: "50. Das Ziel der Rücknahme eines rechtswidrigen Verwaltungsakts besteht in der Wiederherstellung eines rechtmässigen Zustand".

Mais adiante, na página seguinte, afirma: "54. (1) Verwaltungsakte, *die eine einmalige oder laufende Geldleistung oder teilbare Sachleistung gewähren oder hierfür Voraussetzung sind*, dürfen nicht zurückgenommen werden, soweit der Begünstigte auf den Bestand des Verwaltungsakts vertraut hat und sein Vertrauen unter Abwägung mit dem Öffentlichen Interesse an einer Rücknahme schutzwürdig ist" (*Allgemeines Verwaltungsrecht. Ein Lehrbuch*, § 22, 50 e 54, pp. 468 e 469).

Essa limitação do poder de supressão dos atos administrativos pode ser denominada de "Bestandsschutz", que significa "proteção da segurança" (ob. cit., § 22, 55, p. 469).

A segurança jurídica, como a expressão indica, predomina sobre a estrita legalidade formal. Na verdade, a segurança jurídica não está em confronto com a legalidade, mas representa a forma superior dessa mesma legalidade. É nesse sentido que Jean Rivero se manifesta ao afirmar que "a jurisprudência considera a segurança jurídica mais importante do que a própria legalidade" ("La jurisprudence estime la sécurité juridique plus importante que la légalité elle-même". C.E., 3 nov. 1922, dame Cachet, Gr. Ar., 42 – *Droit Administratif*, Jean Rivero e Jean Waline, 17ª ed., Paris, Dalloz, 1998, n. 103, p. 112). A palavra legalidade deve ser entendida em sentido estrito e formal, na afirmação de Jean Rivero.

b) Hartmut Maurer sustenta que o problema da supressão dos atos administrativos que conferem direitos está dominado por dois princípios antagônicos. O princípio da submissão da Administração ao direito (*Gesetzmässigkeit der Verwaltung*), que postula o restabelecimento da legalidade violada e, por isso, a supressão de todo o ato administrativo ilegal, deve ser respeitado hodiernamente como em dias passados. A esse princípio se opõe aquele da proteção da confiança (*Vertrauensschutz*), que exige se leve em consideração a existência da confiança (*Vertrauen*) do beneficiário na estabilidade (*Bestand*) do ato administrativo praticado por autoridade administrativa e que, por isso, deve ser mantido todo o ato administrativo, mesmo ilegal, segundo admitia já Walter Jellinek em tempos passados. As razões apresentadas para a proteção da confiança constituem, ainda, matéria de discussão num Direito Administrativo extremamente avançado, como é o alemão. Essa proteção é admitida ora tendo como fundamento o princípio da segurança jurídica (*Rechtssicherheit*), cujo, de sua parte, integra o princípio do Estado de Direito, e o princípio

§ 11. OS ATOS ADMINISTRATIVOS 263

da boa-fé (*Treu und Glauben*). Esses dois princípios têm sido utilizados como justificativa pela jurisprudência alemã, mas a doutrina vai além, procurando fundamento no Estado Social e, em medida crescente, nos Direitos Fundamentais. O fundamento essencial, segundo Maurer, parece ser o da segurança jurídica, porque essa segurança confere ao ato administrativo a força de coisa julgada. De qualquer forma, a supressão de um ato administrativo não pode ser apreciada tão-somente do ponto de vista da legalidade, mas ainda sob o aspecto da proteção da confiança (Hartmut Maurer, *Droit Administratif Allemand*, 1995, cap. 11, II, n. 22, p. 291). A tendência da jurisprudência do Tribunal Administrativo Federal é a de proteger os destinatários de todos os atos administrativos que tenham por objeto sobretudo as prestações pecuniárias, como remunerações, proventos de aposentadoria, indenizações por danos de guerra, bolsas e subvenções (Hartmut Maurer, ob. cit., acima, n. 24, p. 292), embora haja oposição minoritária da doutrina (Ernst Forsthoff, *Lehrbuch des Verwaltungsrechts*, 10ª ed., 1973, § 13, n. 2, p. 262). Nas palavras de Forsthoff, "O anulamento ou supressão (do ato administrativo contrário ao direito) é permitido, quando está formalmente admitido na lei, ou se entende como esclarecida a permissão: a legalidade da administração estará sendo orientada pela proteção da confiança dos destinatários".

c) A conclusão inarredável é a de que deve ser considerado como ilegal, atentatório à segurança jurídica, todo ato que desconhece, modifica ou suprime o efeito individual produzido por um ato administrativo anterior. A Administração deve respeitar o princípio da segurança jurídica e a intangibilidade dos direitos já constituídos e incorporados ao patrimônio individual. A nossa lei já deu os primeiros passos, no sentido da orientação aqui defendida, ao estabelecer prazo de decadência de cinco anos para anular os atos administrativos de que decorram efeitos favoráveis aos destinatários, contados da data em que foram praticados, salvo comprovada má-fé (Lei 9.784, de 29.1.1999, art. 54). É verdade que permanece a competência para anular seus próprios atos, quando eivados de vício de legalidade e o poder de revogá-los por motivo de conveniência ou de oportunidade, respeitados os direitos adquiridos (Lei 9.784/1999, art. 53). Distingue-se, no caso, nitidamente, a anulação da revogação nisto que na anulação ocorre a supressão de um ato administrativo nulo, enquanto que na revogação se verifica a retirada de um ato administrativo válido, por motivo de conveniência ou de oportunidade, da qual falaremos adiante.

7-F. A quinta causa de nulidade dos atos administrativos, de acordo com a Lei 4.717/1965, consiste no assim chamado desvio de finalidade. A

Lei define o desvio de finalidade que "se verifica quando o agente pratica o ato visando fim diverso daquele previsto, explícita ou implicitamente, na regra de competência" (Lei 4.717/1965, art. 2º, parágrafo único, "e").

Todo ato administrativo deve perseguir um fim estabelecido pelo direito. Se esse fim não é procurado, o ato deve ser considerado ilegal.

A concepção de desvio de finalidade nos vem do Direito Administrativo francês, no qual é denominado de "détournement de pouvoir". A ilegalidade que caracteriza o desvio de poder consiste, segundo Roger Bonnard, em que "um ato, de resto regular, é praticado com outra finalidade, diversa daquela para a qual deveria ser realizado" (*Précis de Droit Administratif*, Paris, 1943, p. 112). Afirma Bonnard que a denominação é bastante expressiva, porque a ilegalidade consiste precisamente no fato de um poder ser exercido com outra finalidade, diferente daquela para a qual foi estabelecido. O poder, concedido por lei a um agente público, é desviado de sua finalidade específica.

Observação importante que se deve a Roger Bonnard é a de que, em matéria de finalidade, "não há jamais para a Administração um poder discricionário" (ob. cit., p. 112). O fim está sempre previsto na lei definidora da competência e o agente público deverá praticar o ato em estrita obediência aos seus ditames.

Não é tarefa fácil detectar o desvio de finalidade. A autoridade administrativa realiza um ato dentro dos limites de sua competência, mas com finalidade diversa daquela prevista em lei.

A questão é delicada, pois exige que o juiz da causa procure as intenções subjetivas do agente público, que estão situadas na região nebulosa dos motivos psicológicos do agir humano. Como ensina André de Laubadère, essa procura é, não raro, muito "delicada". De qualquer forma, ela é sensivelmente diferente da pura confrontação com a regra de direito, como no caso da competência, da forma e do conteúdo do ato (André de Laubadère, Jean-Claude Venezia e Yves Gaudemet, *Traité de Droit Administratif*, 15ª ed., t. I, Paris, 1999, n. 720, p. 580).

O Direito Administrativo brasileiro, na Lei de Ação Popular, filiou-se a essa corrente doutrinária, que procura examinar a motivação subjetiva do ato, diferenciando-o dos seus motivos.

Em sentido oposto, situa-se a opinião do notável administrativista francês Gaston Jèze, que reúne os motivos determinantes e a finalidade do ato administrativo debaixo da noção de "motifs déterminants" (*Les Principes Généraux du Droit Administratif*, t. III, 3ª ed., 1926, n. II, pp. 218 e ss.). Segundo Jèze, a idéia fundamental do direito público é a de

§ 11. OS ATOS ADMINISTRATIVOS 265

que a atividade dos agentes públicos, o exercício de sua competência não podem ter por motivo determinante a não ser o motivo do bom funcionamento dos serviços públicos. Em conseqüência dessa notação conceitual essencial, todos os interessados podem sustentar que o ato praticado por um agente público teve um motivo determinante diverso do interesse público. Para assegurar que os agentes públicos exerçam sua competência somente determinados por motivo de interesse público, as leis e os regulamentos, segundo Jèze, multiplicam os casos em que os agentes públicos, ao praticar um ato jurídico, devem dar expressamente a justificação dos motivos. O fato de não haver motivação para o ato será suficiente para torná-lo irregular (Gaston Jèze, ob. cit., p. 219).

De acordo com o que ficou dito anteriormente, Gaston Jèze afirma que a jurisprudência do Conselho de Estado demonstrou-se e demonstra-se, cada vez mais severa no que concerne à aplicação da teoria dos motivos determinantes.

Então, manifesta a opinião que diverge da maioria e da nossa lei, ao afirmar que "Esta teoria geral jurisprudencial dos motivos determinantes, em direito público, engloba e ultrapassa a teoria do desvio de poder (*détournement de pouvoir*) (ob. cit., n. 2, p. 219).

Retornando ao desvio de finalidade de que estamos tratando, há exemplos significativos de fins incorretos de atos praticados por agentes públicos em geral, sobretudo por condutores políticos, ou por servidores públicos por eles influenciados ou intimidados:

1º) a motivação pessoal, o interesse privado, o espírito de vingança, o prazer de atormentar os desafetos políticos;

2º) a motivação puramente política, entendida no seu mau sentido, como é o caso de decisão destinada a desfavorecer ou eliminar um adversário político, tomada sob o manto aparente da legalidade;

3º) a motivação de favorecer um particular, em detrimento de outro cidadão;

4º) a instauração de inquérito administrativo, sob a capa da legalidade, com a única finalidade de eliminar do serviço público um funcionário estável, que a autoridade maior considera como desafeto.

Em todos esses casos, atos aparentemente legais servem de proteção para atitudes mesquinhas, inconfessáveis, que se originam no espírito de vindita, devendo ser corretamente examinadas para que o ato administrativo praticado com espírito de maldade não prevaleça e seja declarado nulo de pleno direito.

Essa noção de desvio de poder é tão relevante que reúne praticamente a unanimidade dos administrativistas.

Na França, desde o início do século XX, Maurice Hauriou chamava a atenção para o "excès de pouvoir", que é a outra denominação dada para o "détournement de pouvoir", ao afirmar que "o excesso de poder é uma noção complexa, ao mesmo tempo jurídica e moral. Há excesso de poder não apenas quando o administrador ultrapassa os limites legais de suas atribuições, mas até mesmo quando ele utiliza, por motivos estranhos ao bem do serviço, de seu poder discricionário de apreciação" (*Précis de Droit Administratif et de Droit Public*, Paris, 1921, p. 424).

Na Alemanha, apreciando a definição e as considerações de Maurice Hauriou, feitas na edição de 1933 de seu livro *Précis de Droit Administratif et de Droit Public*, à p. 442, em que o Autor a altera e coloca que "O desvio de poder é o fato de uma autoridade administrativa que, embora cumprindo um ato de sua competência, observando as formas prescritas, não cometendo nenhuma violação formal à lei, emprega o seu poder para outros motivos, diversos daquele em vista dos quais esse poder lhe foi conferido, isto é, outros que não a salvaguarda do interesse geral e o bem do serviço", Ernst Forsthoff afirma que nessa definição se encontra o essencial daquilo que constitui a arbitrariedade. "Se o poder discricionário sai de seu domínio ou se ele persegue abertamente uma finalidade que lhe é estranha ao objetivo, a ilegalidade é evidente" (*Traité de Droit Administratif Allemand*, Bruxelles, 1969, cap. V, secção III, p. 166).

Na Itália, também não é diferente a posição da doutrina em relação ao desvio de poder, bem como da jurisprudência. Arnaldo de Valles, discorrendo sobre o tema, adverte: "C) A figura do excesso de poder que, pela elasticidade de seus limites e pelo caráter multiforme dos casos que podem ser compreendidos na sua fórmula, mais do que as outras justifica a sua qualificação de pretória, dada à nossa jurisprudência administrativa, é o desvio do poder, tirado do clássico 'détournement de pouvoir' do direito francês. O vício que isso designa consiste em desviar um poder legal da finalidade para qual foi instituído, fazendo-o servir para fins aos quais não foi destinado: temos, por conseguinte, o caso típico de discordância entre os motivos subjetivos que o direito pressupôs como determinantes de uma atividade administrativa, e os motivos reais pelos quais o órgão age: assim, embora o ato, na sua forma típica, compendia a própria causa, como pressuposto de um determinado interesse público, que a lei lhe deu por fundamento, quando está viciado por desvio de poder, resulta de uma causa que esconde ou a falta de interesse público, ou um motivo diverso daquele, que segundo o espírito da lei deveria ter como pressuposto. Para declarar o desvio de poder, a indagação deve muitas vezes estender-se aos motivos íntimos, isto é, que de outra forma não teriam relevância jurídica; indagação repleta de dificuldades, pois o juiz não pode naturalmente deixar valer aquilo que o próprio órgão declarou, tampouco pode entrar na sua concepção psicológica, para perscrutar as suas intenções e verificar os motivos dos seus atos: mas deve ater-se, e fundamentar o seu julgamento nas intenções e nos motivos que resultaram exteriorizados, ou nos atos preparatórios do provimento administrativo, ou em atos ou fatos que com esse tenham uma conexão (...)" (*La Validitá degli Atti Amministrativi*, Roma, 1917, n. 35, pp. 185-186).

7-G. Além das causas enumeradas na Lei 4.717/1965, constitui causa de nulidade do ato administrativo, na sua forma bilateral do contrato de direito público, a incapacidade absoluta do co-contratante. Essa disposição consta do Código Civil de 2002, em seu art. 166, inciso I, o qual assim dispõe:

"Art. 166. É nulo o negócio jurídico quando:

"I – celebrado por pessoa absolutamente incapaz; (...)".

Em relação à autoridade administrativa, que participa do contrato administrativo, cogita-se, tão-somente, de sua competência, pois a incapacidade, relativamente às pessoas administrativas e a seus agentes, não é causa de nulidade (nem de anulação) dos atos administrativos. A incapacidade pessoal do funcionário não vicia, por si só, o ato, de que aquele participou. Nesse sentido é a opinião de Walter Jellinek, que afirma apositamente que "não é nulo também o ato de um funcionário doente mental" ("Nicht unwirksam ist auch der Akt eines geisteskranken Beamten" – *Verwaltungsrecht*, 1929, § 11, IV, n. 1, p. 263). O nosso direito positivo não conhece pessoas jurídicas de direito público interno, feridas de incapacidade de fato. A incapacidade é pessoal e pode ocorrer, tão-somente, em relação ao co-contratante, no ato administrativo bilateral ou contrato administrativo, que nesse caso estará ferido de nulidade.

8. A anulabilidade dos atos administrativos, de acordo com a lei, tem como fundamento a lesão ao patrimônio das pessoas de direito público ou privado, ou das entidades mencionadas no art. 1º da Lei 4.717/1965, cujos vícios não se compreendam nas especificações do art. 2º da referida Lei, os quais já examinamos e dissemos que são causadores da nulidade dos atos administrativos. Os atos administrativos anuláveis decorrerão das prescrições legais vigentes a respeito deles, enquanto compatíveis com sua natureza. Essa regra está contida no art. 3º, da mesma Lei.

Podemos, pois, dizer, sem ofensa à lei, que são anuláveis os seguintes atos:

a) os atos lesivos ao patrimônio de todas as pessoas de direito público interno, assim como a União, os Estados, o Distrito Federal, os Municípios, os Territórios, as autarquias e as fundações públicas, de acordo com o que está definido pelo art. 3º e pelo art. 1º, da Lei 4.717, de 29.6.1965;

b) os atos praticados com incompetência relativa do agente da Administração Pública, ou incapacidade relativa do co-contratante;

c) os atos anuláveis por vício resultante de erro, dolo, coação, estado de perigo, lesão ou simplesmente fraude (Código Civil, art. 171, incisos I e II). •

A anulação é, na doutrina do Direito Administrativo, em relação aos atos administrativos, domínio quase exclusivo dos princípios do Direito Civil. Justifica-se esta privatização quase completa de capítulo tão relevante da doutrina do ato administrativo, pela unidade de critério que lhe deve presidir à elaboração. A anulabilidade há de ser estabelecida relativamente ao ato mesmo, mas em favor de pessoas determinadas e em atenção aos interesses destas. Ora, existem atos administrativos que comportam a participação de particulares ou os trazem por destinatários.

• Exemplos desses atos são o ato administrativo por submissão (*Verwaltungsakt auf Unterwerfung*), criado por Otto Mayer; o ato administrativo bilateral (*Zweiseitige Verwaltungsakt*), concebido por Walter Jellinek, que afirma que o ato administrativo bilateral esclarece, muitas vezes, aquilo que não se tem como admissível juridicamente, devido à diversidade estabelecida entre Estado e particular, assim como o contrato de direito público procura explicar (*Verwaltungsrecht*, 1929, § 11, p. 243); e o ato administrativo com "a participação do destinatário" ("mitwirkungsbedürftiger Verwaltungsakt"), imaginado por Ernst Forsthoff (*Traité de Droit Administratif Allemand*, Bruxelles, 1969, cap. XI, secção IV, p. 335). •

Ora, como acabamos de ver, existem atos administrativos que comportam a participação de particulares ou os trazem por destinatários. Logo, a anulabilidade estabelecida em favor destes há que assentar forçosamente sobre o respectivo interesse individual. E, em conseqüência, uma doutrina geral sobre a anulabilidade dos atos administrativos, em conflito com a doutrina do Direito Civil e a proteção por esta concedida àqueles interesses individuais, seria manifestamente descabida. Diversamente, entretanto, do direito privado (Código Civil, art. 172), o ato adminis-

§ 11. OS ATOS ADMINISTRATIVOS 269

trativo anulável não é ratificável, quando lesivo ao patrimônio fiscal da União, dos Estados, do Distrito Federal, dos Municípios, dos Territórios, das entidades autárquicas e das fundações públicas, das empresas públicas e das sociedades de economia mista (v. § 25, n. 8, infra).

• *8-A*. O direito de a Administração anular seus próprios atos, quando eivados de vício de legalidade, refere-se, tão-somente, aos atos administrativos nulos e não aos anuláveis. Esse direito está previsto no art. 53, da Lei 9.784, de 29.1.1999. No que concerne aos atos anuláveis, não se reconhece à Administração Pública a faculdade de declará-la *ex officio* e a razão é transparente – na declaração de nulidade aprecia-se o ato administrativo apenas; na anulabilidade, ao revés, há que apreciar-se o interesse do promovente e também que reconhecer-lhe o direito de ação (Código de Processo Civil, art. 3º; Código Civil de 2002, art. 177), para que a anulação seja declarada pelo Poder Judiciário, cuja competência, para tal, é exclusiva. A Lei 9.784/1999, ao estabelecer em seu art. 54 o direito da Administração de anular os atos administrativos, diz respeito, em nosso entender, aos atos nulos. Tanto isso é verdade que no § 2º do art. 54 está disposto que "Considera-se exercício do direito de anular qualquer medida de autoridade administrativa que importe impugnação à validade do ato". Tal disposição significa que a Administração pode agir *sponte sua* em relação aos atos nulos, nunca em relação aos anuláveis, cuja declaração de nulidade é privilégio do Poder Judiciário. Em sentido contrário opina o ilustre Celso Antônio Bandeira de Mello, que considera não ter a referida lei distinguido entre atos nulos e anuláveis, fundamentando sua opinião no art. 54, § 1º.

8-B. Além da anulabilidade prevista no art. 3º da Lei 4.717/1965, há as nulidades previstas pelo art. 4º, constituindo a primeira delas, nos termos do inciso I, "A admissão ao serviço público remunerado, com desobediência, quanto às condições de habilitação, das normas legais, regulamentares ou constantes das instruções gerais". Tratando-se de ato administrativo unilateral, que viola dispositivo expresso de lei, indúbia é a competência da Administração Pública para anular o ato administrativo, de acordo com o que preceituam os arts. 53 e 54 da Lei 9.784/1999. A enumeração prossegue com uma série de atos, como operações bancárias, contratos de empreitada, tarefa ou concessão de serviço público, modificações em contrato de empreitada e de concessão de serviço público, contrato de compra e venda de bens móveis e imóveis, com desobediência a normas legais, operações de redesconto, empréstimos efetuados pelo Banco Central com desobediência a quaisquer normas legais. Ressalvado o primeiro caso, em que se trata de um ato unilateral, cremos que todos esses atos enumerados pelo art. 4º, com a ressalva da emissão de papel-moeda, referida no inciso IX, são atos que estão sujeitos à anulabilidade e à apreciação do Poder Judiciário, não podendo a Administração Pública, a pretexto de defeitos em concorrências e aditamentos a contratos, pôr-se a declarar nulidades e a substituir-se, nesse particular, ao Poder Judiciário.

Deve-se salientar que a referência feita pelo art. 3º da Lei 4.717/1965, "segundo as prescrições legais, enquanto compatíveis com a natureza deles", diz respeito, e manifestamente, à disciplina da anulabilidade dos atos jurídicos, definida pelo Código Civil, a que deve ser acrescido o conceito de "lesão", aludido pela lei, de resto já referido pelo próprio Código Civil, em seu art. 171, inciso II.

9. Revogação do ato administrativo.

A revogação somente pode se propor diante do ato administrativo válido, enquanto que o ato administrativo nulo gera o seu anulamento pela própria autoridade administrativa.

O ponto comum que existe entre ambos é que a retirada do ato administrativo válido, por motivo de conveniência ou de oportunidade e o anulamento do ato administrativo nulo têm uma conseqüência que os assemelha. Tanto a revogação quanto o anulamento geram a ineficácia do ato administrativo.

A questão inicial, que se nos propõe, é a de que a revogação constitui sempre a supressão de um ato administrativo válido. Não se deve confundir, por conseguinte, no plano da validade, o ato revogado com o ato nulo. A sua identificação somente aparecerá no plano da eficácia, distinto, como se sabe, daquele da validade. Validade e eficácia não se confundem. Um ato jurídico válido pode ser ineficaz, embora a situação normal seja a da sua eficácia plena. Já os atos nulos são ineficazes. Não se confunde, por conseguinte, invalidade com ineficácia (Pontes de Miranda, *Tratado de Direito Privado*, t. IV, São Paulo, Ed. RT, 1983, § 360, n. 1, p. 16). Há, por conseguinte, em se tratando de atos jurídicos, três planos distintos: o da existência, o da validade e o da eficácia (Pontes de Miranda, ob. cit., t. IV, § 357, n. 1, p. 6).

Quando tratamos da revogabilidade do ato administrativo, partimos de um ponto inquestionável, qual seja o da validade do ato administrativo revogado.

O fundamento racional da retirada de um ato jurídico está na autonomia da vontade humana. Assim como é possível produzir atos jurídicos, também é possível eliminá-los com o mesmo fundamento: a autonomia da vontade. Mas a autonomia da vontade está sujeita a limites na supressão de atos jurídicos. Se esses atos produziram efeitos em relação aos destinatários, se há direitos subjetivos em jogo, o poder de retirar um ato jurídico encontra um limite instransponível, que está na própria Constituição Federal (CF, art. 5º, inciso XXXVI).

Segundo Raffaele Resta, "É certa nas superiores exigências da vida social, reconhecida pelo Estado de Direito, a necessidade da segurança jurídica e da estabilidade das situações jurídicas de que estão investidos os vários sujeitos de um ordenamento jurídico. Dita necessidade traz, inelutavelmente, entre as normas fundamentais de qualquer ordenamento jurídico evoluído, a solene sanção do princípio da não retroatividade da lei" (*La Revoca degli Atti Amministrativi*, Parte Geral, 1970, p. 16).

Se a lei não pode ser retroativa, se a norma constitucional protege, entre nós, os direitos adquiridos, o ato jurídico perfeito e a coisa julgada, é inegável que esse princípio deverá valer para todo o sistema positivo, postulando, também, a irretratabilidade de todos os atos jurídicos.

É significativo que o princípio da irretratabilidade dos atos administrativos se constitua em um dos fundamentos da escola de Viena, que teve no Direito Administrativo de Adolf Merkl seu grande propagador. Dizia Merkl que "Relativamente tarde, a teoria administrativa considerou se aos atos administrativos se pode atribuir a força de coisa julgada" (Adolf Merkl, *Teoría General del Derecho Administrativo*, Madrid, 1935, p. 264). Afirmava Merkl que a negativa de reconhecer para a Administração o efeito de coisa julgada costuma fundamentar-se, antes de tudo, em que à Administração não incumbe, como à justiça, o direito, mas o interesse público, ou quando menos, preferentemente, e por isso mesmo, não se pode encontrar entorpecida pela existência de atos administrativos. Diante desse argumento, Adolf Merkl responde brilhantemente: "Mas esta hipótese não leva à conclusão de que o ordenamento jurídico devesse prever a revogação dos atos administrativos, mas que os atos administrativos, por si mesmos, são irrevogáveis" (ob. cit., p. 265).

9-A. A revogação dos atos administrativos, em nosso direito, foi regulada pela Lei 9.784/1999. O art. 53 dessa Lei estipula que "A Administração deve anular seus próprios atos, quando eivados de vício de ilegalidade, e pode revogá-los por motivo de conveniência ou de oportunidade, respeitados os direitos adquiridos".

Não se confunde, do ponto de vista legal, a revogação com o anulamento do ato administrativo. A revogação será sempre a supressão ou retirada de um ato administrativo válido, enquanto que o anulamento significa a supressão de um ato administrativo nulo. De acordo com a enunciação legal, o anulamento é um dever da Administração Pública, enquanto que a revogação é uma faculdade que pode ou não ser exercitada, estando sujeita a limites precisos, sobretudo no que tange aos direitos adquiridos. Justifica-se o emprego de dois verbos distintos para dois casos diversos. No primeiro, a Administração *deve* anular os atos administrativos eivados de ilegalidade. No segundo, *pode* retirar um ato administrativo válido, por motivo de conveniência ou de oportunidade.

9-B. Como bem sinala Miguel Reale, o anulamento e a revogação são institutos que facilmente se confundem, tanto na doutrina quanto na jurisprudência, porque tanto no Brasil quanto no estrangeiro persiste o emprego impreciso do termo revogar em sentido genérico, para indicar o ato pelo qual a Administração cassa outro ato seu, quer por vício de legalidade, quer por motivo de conveniência ou de oportunidade (*Revogação e Anulamento do Ato Administrativo*, Rio de Janeiro, Forense, 1980, cap. VI, n. 22, p. 57).

9-C. Entretanto, é necessário fazer uma clara distinção entre anulação do ato administrativo e sua revogação. O ato jurídico é anulado quando nele se descobre um vício que caracteriza sua nulidade desde a sua prática. Fundamentalmente, por razões de legalidade, o anulamento do ato administrativo deve ser efetivado, com a ressalva daquelas situações em que a boa-fé e a confiança criaram uma situação de aparente legalidade, com o predomínio da segurança jurídica sobre o princípio de legalidade (Almiro do Couto e Silva, "Princípio da Legalidade da Administração Pública e da Segurança Jurídica no Estado de Direito Contemporâneo", *Revista de Direito Público*, n. 84, 1987, n. 15, p. 61).

9-D. Walter Jellinek trata desse tema, mas com uma imperfeição, ao falar em competência para revogar (*Widerrufbefugnis*) em relação ao ato defeituoso, suscetível de anulamento, mas que foi longamente tolerado pela Administração, devendo ser mantido em função da boa-fé que presidiu sua prática e da longa duração por que foi admitido. A revogação desse ato, segundo Jellinek, estaria em confronto direto com a boa-fé, quando a nulidade foi admitida por um longo tempo ("so dass es gegen Treu und Glauben verstossen würde, wenn sie auf die längst verziehne Fehlerhaftigkeit zurückgreifen wollte" – *Verwaltungsrecht*, Berlin, 1929, § 11, IV, n. 3, p. 277). Como já foi sinalado e Almiro do Couto e Silva põe em relevo, o equívoco de Walter Jellinek consiste, tão-somente, em falar de "competência para revogação, em se tratando de ato nulo" cuja competência é, na verdade, para sua anulação, reconhecida, entre nós pelo Supremo Tribunal Federal (Súmula 346), em favor da Administração Pública.

9-E. O ato jurídico válido pode ser revogado, segundo diz a Lei, por motivos de conveniência ou de oportunidade. Entretanto, há uma nítida distinção a ser feita no que concerne aos efeitos do anulamento e da revogação. No anulamento, a eficácia do ato anulado é cortada *ex tunc*, segundo o princípio romano de que: "Quod initio vitiosum est, non potest tractu temporis convalescere" (*Digesto*, Livro L, Tit. XVII, fr. 30, Paulus, lib. 8, ad Sabinum). Na revogação, pelo contrário, como se trata da supressão de ato jurídico válido e eficaz, os efeitos serão meramente *ex nunc*, pois é impossível eliminar ato válido de forma retroativa. Ernst Forsthoff manifesta opinião um pouco diferente, mais favorável ao destinatário do ato. Afirma Forsthoff que normalmente o anulamento e a revogação do ato administrativo os extinguem *ex nunc*. Em princípio, o direito do interessado de ver protegida sua confiança na Administração impedirá a autoridade de agir de outra forma. Mas esse direito desaparece se o interessado obteve o ato administrativo por meio de astúcia. Nesse caso, a autoridade pode suprimir (*Rücknahme*) o ato retroativamente, mas, se isso não for constatado e determinado pela Administração, a revogação (*Widerruf*) é considerada com válida somente *ex nunc* (*Lehrbuch des Verwaltungsrechts*, vol. I, 10ª tir., 1973, § 13, n. 3, p. 272).

9-F. A questão suscitada por Miguel Reale, do fundamento diverso para os atos de anulação e revogação, que geraria, no seu entender, "um problema assaz delicado, que é o de saber se se trata de uma faculdade ou de um dever conferidos pela lei à autoridade pública" (*Revogação e Anulamento do Ato Administrativo*, Forense, 1980, cap. VI, n. 23, p. 59) foi resolvida por nosso direito positivo e já estava solucionada no Direito Administrativo alemão. A Lei 9.784/1999, diz claramente em seu art. 53 que "A Administração deve anular seus próprios atos, quando eivados de vício de legalidade, e pode revogá-los por motivo de conveniência ou oportunidade, respeitados os direitos adquiridos". Essa norma jurídica define o anulamento como um dever da Administração, ao mesmo tempo em que estabelece a revogação como uma faculdade. Nesse sentido, de resto, era a solução que antes da lei o insigne Miguel Reale sugeria, ao afirmar: "Dúvida não me parece possa haver quanto ao caráter facultativo, sob o prisma estritamente jurídico, do *ato revocatório*, confiado à discrição do órgão administrativo, o qual poderá licitamente discordar da opinião dominante quanto à oportunidade ou conveniência de determinado ato" (*Revogação e Anulamento do Ato Administrativo*, 1980, 23, p. 59).

Quanto ao anulamento, assim se pronuncia o emérito jurisconsulto: "No concernente ao anulamento, divergem os autores, revelando-se, uns, partidários da teoria da faculdade, com maiores ou menores ressalvas, enquanto outros se apegam ao rigorismo da doutrina do *dever*, que converte o poder de anulação em *ato vinculado*.

"O problema não pode ser posto em termos jurídico-formais, como se a Administração tivesse a finalidade precípua de policiar a validade de seus atos. Entendem, por isso, vários mestres atuais do Direito Administrativo, cada vez mais libertos de critérios privatísticos, que é o interesse público que deve determinar a conduta dos órgãos do Estado, podendo verificar-se a hipótese, embora excepcional, de julgar-se indispensável ou mais prudente manter em vida um ato formalmente inválido, salvo a hipótese de dolo ou de lesão de direitos subjetivos, ou sendo a nulidade argüida por interessado legítimo.

"Dentro de tal ordem de idéias, afirma-se que há uma *faculdade*, no sentido técnico desse termo, ou seja, um poder que tem a Administração de cassar ou não atos próprios, na medida do interesse público, e não um *dever*, insuscetível de levar em linha de conta outros fatores, como, por exemplo, os males que em dada circunstância excepcional adviriam da cassação do ato para a coisa pública, ou o longo tempo decorrido, como logo se verá" (Miguel Reale, *Revogação e Anulamento do Ato Administrativo*, cit., n. 23, p. 60).

No que concerne ao anulamento, como transcrevemos acima, Reale diz que alguns se apegam à teoria do dever, que converte o poder de anular em ato vinculado, enquanto que outros são partidários da teoria da faculdade. Reale acolhe, no que concerne ao anulamento, a doutrina que não apresenta como absoluto dever da Administração o de decretar a nulidade dos próprios atos administrativos. Hodiernamente, entretanto, a lei impõe o anulamento como um dever. Mas permanecem válidos, como exceção, os argumentos dos juristas que consideram, em certos casos, o anulamento como não prevalecente quando confrontado com a noção de segurança jurídica, que é inequivocamente, um direito fundamental (CF, art. 5º, *caput*). Por outro lado, deve-se salientar que a própria lei ressalva os direitos adquiridos (art. 53, Lei 9.784/1999), que é cláusula protetora tanto no caso da revogação quanto no do anulamento, se a parte beneficiada pelo ato estiver de boa-fé.

9-G. É preciso considerar que, não raro, algumas circunstâncias militam a favor da permanência de um ato nulo. O tempo transcorrido pode gerar situações de fato equiparáveis a situações jurídicas, não obstante a nulidade que originariamente as comprometia (Miguel Reale, ob. cit., 27, p. 68). Duas hipóteses são geralmente apresentadas: a primeira, que é a da convalidação ou sanatória do ato nulo ou anulável; a segunda, que é o decurso de tempo. No que concerne à primeira hipótese, Santi Romano nos fala da possibilidade de anulamento de um ato administrativo, que inobstante a sua invalidade, tenha se mantido por um longo tempo. Afirma Santi Romano que antes de mais nada é de avaliar se essa sua persistência por um período mais ou menos amplo no tempo, além da influência que possa ter na eventual sanatória do ato, não tenha determinado o desinteresse por parte da Administração Pública de anulá-lo. Na avaliação de cada caso, devem ser considerados elementos diversos, que variam de acordo com os respectivos casos: condições e situações de fato consolidadas; a conveniência que aconselha "quieta non movere"; a consideração que uma Administração sábia deve ter pela eqüidade; o dano superior à vantagem que do anulamento pudesse advir (Santi Romano, *Annulamento degli Atti Amministrativi, Novissimo Digesto Italiano*, t. I, 1964, p. 645, n. 5).

9-H. O decurso do tempo também é motivo para que o anulamento do ato administrativo não seja decretado. A Lei 9.784/1999 estabelece o prazo de decadência de cinco anos, findo o qual decai o direito da Administração de anular os atos administrativos, com a única ressalva da "comprovada má-fé" (Lei 9.784/1999, art. 54). O nosso direito foi buscar no direito europeu a concepção da decadência do direito de anular a Administração seus próprios atos. Na França, o anulamento do ato administrativo, que é denominado de "retrait", é possível desde que um recurso contencioso seja formalizado, no prazo de 2 (dois) meses, a partir da decisão administrativa. A jurisprudência considera que a segurança jurídica é mais importante do que a legalidade, desde a decisão do "affaire Dame Cachet", no ano de 1922 (Jean Rivero e Jean Waline, *Droit Administratif*, 17ª ed., Paris, Dalloz, n. 103, p. 112; André de Laubadère, Jean-Claude Venezia e Yves Gaudemet, *Traité de Droit Administratif*, t. I, Paris, 1999, n. 638, p. 514; Georges Vedel, *Droit Administratif*, Paris, P.U.F., 1973, p. 199; Francis-Paul Bénoit, *Le Droit Administratif Français*, Paris, Dalloz, 1968, n. 1.019, p. 579). No Direito Administrativo alemão, o prazo de anulação do ato administrativo é de 1 (um) ano, a partir da prática do ato, salvo os casos de atos obtidos mediante dolo, ameaças ou corrupção (Hartmut Maurer, *Droit Administratif Allemand*, 1995, cap. 11, III, n. 35, p. 299).

9-I. Os atos administrativos que conferem direitos aos particulares não são livremente revogáveis. Segundo Forsthoff, um limite geral da revogação se encontra no direito dos interessados ("Eine allgemeine Schranke findet der Widerruf an dem Recht des Betroffenen" – *Lehrbuch des Deutschen Verwaltungsrecht*, 10ª tir., 1973, § 13, p. 267). Deve-se salientar, ainda, segundo Forsthoff, que o ato administrativo regular, que concede vantagens ("der fehlerfreie begünstigende Verwaltungsakt") não é revogável pura e simplesmente. Antigamente, admitia-se durante algum tempo, que a Administração pudesse revogar livremente todos os seus atos administrativos. Mas, segundo Forsthoff, por boas razões hodiernamente não se permite mais a livre revogação. A necessidade de proteção jurídica crescente, cada vez maior, e um Direito Administrativo cuidadoso de proteger os interesses do indivíduo tornaram a faculdade de revogação uma exceção. Os tribunais admitiram essa nova tese e a jurisprudência moderna restringe de tal modo o poder de revogação que não se pode dizer que ele ainda exista em relação aos atos administrativos que concedem direitos. Segundo Forsthoff, "A autoridade administrativa não pode revogar o ato administrativo regular, do qual ela é a autora, sob o pretexto de que uma alteração das circunstâncias de fato ocorreu" (*Traité de Droit Administratif Allemand*, 1969, p. 404).

Idêntica é a opinião de Hartmut Maurer. Os atos administrativos que conferem direitos aos particulares não são livremente revogáveis. De acordo com Maurer, o princípio da proteção da confiança ocupa uma posição de primeiro plano no caso da revogação – "Widerruf" – dos atos administrativos que conferem direitos. Não se pode mais falar em conflito com o princípio da legalidade, mas de conjugação com esse princípio (*Droit Administratif Allemand*, Paris, 1995, n. 39, p. 303).

Essa concepção remonta à observação de Walter Jellinek que, ainda na vigência da Constituição de Weimar, encontrava como limite da livre revogação o direito subjetivo público constituído por um ato administrativo ("(...) so findet man als Schranke des freien Widerrufs das durch den Verwaltungsakt geschaffene subjektive öffentliche Recht" – *Verwaltungsrecht*, Berlin, 1929, § 11, IV, n. 3, p. 270). No que concerne aos atos administrativos que concedem direitos, a opinião dominante não mudou com o passar do tempo.

Em época mais recente, Hans-Julius Wolff e Otto Bachof manifestam pensamento idêntico, ao afirmar que um ato administrativo conforme ao direito, que concede vantagem ao particular, somente poderá ser revogado diante da existência de um fundamento para a revogação. Um tal fundamento é estabelecido: 1. quando uma lei especial prescreve ou autoriza expressamente a revogação ("d) Ein rechtmässiger begünstigen der Verwaltungsakt kann nur bei Vorliegen eines besonderes Widerrufsgrundes widerrufen werden. Ein solcher Grund ist gegeben; 1. wenn ein spezielles Gesetz den Widerruf ausdrücklich vorschreibt oder zulässt" – *Verwaltungsrecht*, vol. I, 1974, § 53, d, n. 1, p. 456). Forsthoff também sustenta que a revogação dos atos administrativos favoráveis ao interessado deverá respeitar os seus direitos. Apesar de reconhecer a primazia do interesse geral sobre o interesse privado, em determinadas circunstâncias, Forsthoff conclui dizendo que a revogação não pode atingir os direitos subjetivos (*Traité de Droit Administratif Allemand*, 1969, cap. XIII, séc. II, p. 406).

9-J. A questão da conveniência ou oportunidade, apresentada como fundamento para a revogação, também aparece no Direito Civil. No Direito Civil são revogáveis o mandato (Código Civil 2002, art. 682, I); o depósito (Código Civil, art. 633) e a doação (Código Civil, art. 555). No mandato e no depósito, a revogação opera-se ao nuto do mandante ou depositante; na doação, suposta a ingratidão como causa, e por ação judicial (Código Civil, art. 559). Da vontade na revogação, transcende-se no Direito Civil, à limitação legal das causas (Código Civil, art. 557) no caso da doação e, enfim, à exigência da discussão contenciosa prévia no caso da doação (Código Civil, art. 559), como pressupostos da revogação. Gradação semelhante depara-nos o Direito Administrativo na doutrina da revogação do ato administrativo. Assim, livremente revogável é a autorização administrativa quando discricionária (Mário Masagão, *Natureza Jurídica da Concessão de Serviço Público*, São Paulo, 1933, n. 8, nota 2, p. 11), a qual, *ex natura sua*, importa restrição espontânea a exclusão geral, subordinada, em sua aplicação, ao arbítrio exclusivo da Administração Pública (Mário Masagão, ob. cit., n. 8, pp. 8 e 9).

Revogável por discrição da Administração, mas com limitação de tempo, é a concessão de serviço público sujeita a resgate ou encampação, após o decurso de prazo certo. A extinção da concessão de serviço público por ato de encampação do poder concedente, que representa o *contrarius actus* da concessão, está definida legalmente pelo art. 35, inc. II, e pelo art. 37 da Lei 8.987, de 13.2.1995.

Na concessão, o exercício intempestivo da revogação pode preverse, desde logo, que dê lugar a dano considerável, atento o investimento econômico que a execução do serviço público sói reclamar ao concessionário. Donde, a limitação de tempo, de uso, posta à revogabilidade, convencionalmente estipulada, da concessão. Revogável *ex causa*, como a doação, mediante discussão judicial antecedente, prevista para esse caso, é a naturalização, cuja perda será declarada por sentença judicial (CF, art. 12, § 4º, I). Revogável *ex causa*, com discussão judicial contenciosa prévia, é a nomeação de magistrado vitalício, que após dois anos de exercício somente poderá perder o cargo em decorrência de sentença judicial transitada em julgado (CF, art. 95, inciso I). Além desses casos, podem ser mencionadas as admissões a serviços ou estabelecimentos públicos. A exclusão, que é a revogação da admissão, somente se legitima, quando arrimada a causa previamente definida em lei. Assim, o aluno de uma Universidade oficial, federal ou estadual, somente poderá ser excluído com justa causa e mediante processo administrativo, em que lhe seja assegurada ampla defesa, de acordo com o que dispõe a Constituição Federal em seu art. 5º, inciso LV. A mesma situação é a do funcionário público estável, que somente perderá o cargo em virtude de processo administrativo, em que lhe seja assegurada ampla defesa (CF, art. 41, II). Como é incontroverso, a demissão do servidor público representa a revogação do ato de nomeação, é o seu *contrarius actus*.

O princípio geral que domina a matéria é o do dissenso, como forma de dissolução das relações jurídicas. Hans-Julius Wolff e Otto Bachof chamam a atenção para o fato de que a revogação do ato administrativo que concede direitos (*begünstigender Verwaltungsakt*) somente é admissível quando o destinatário consente com a revogação ("8. Wenn der Betroffene in den Widerruf einwilligt" – *Verwaltungsrecht*, vol. I, 9ª tir., München, § 53, IV, n. 8, p. 458).

9-K. Com respeito ao tempo de incidência da revogação do ato administrativo, cabe reconhecer-se-lhe, quanto às espécies singularmente indicadas, nas quais se interrompem pela revogação, os efeitos do ato revogado, eficácia meramente *ex nunc*. Nesse sentido é a opinião de Hans-Julius Wolff e Otto Bachof, que sustentam que, com o final da validade, a revogação vigora, em regra, apenas para o futuro (*ex nunc*). Na expressão alemã a afirmação assim está expressa: "2. Als Geltungsbeendigung wirkt der Widerruf i.d.R. nur für die Zukunft (*ex nunc*)" – *Verwaltungsrecht*, vol. I, cit., § 53, IV, "g", n. 2, p. 459).

Quando a revogação se verificar, entretanto, por aplicação do princípio geral, com relação a ato administrativo que ainda não tenha produzido efeito, a sua incidência se operará *ex tunc*, e aniquilará *ab origine* o ato revogado, como se este não houvera existido (Lacerda de Almeida, *Obrigações*, Porto Alegre, 1897, § 91, p. 412).

Deve-se acrescentar que a revogação, se não se cuidar da revogação de ato unilateral, não se fundar diretamente em regra jurídica permissiva,

§ 11. OS ATOS ADMINISTRATIVOS

ou não houver sido estipulada previamente, exigirá, além da vontade da Administração, a da pessoa que se lhe tiver conjugado, para a formação do ato a revogar. Nesse sentido é a opinião já mencionada de Hans-Julius Wolff e Otto Bachof, que consideram necessária a concordância do destinatário com o ato da revogação (*Verwaltungsrecht*, vol. I, 1974, § 53, IV, "d", n. 8, p. 458). •

10. São coextensivas a competência para a revogação e a competência para a suspensão do ato administrativo, quando exercidas por via hierárquica (v. § 19, 6, infra).

São, porém, suspendíveis, além disso, todos os atos administrativos, que contravierem a direito individual certo e incontestável.

Na verdade, o juiz ao qual for impetrado mandado de segurança contra ato administrativo, ao despachar a inicial, determinará "se suspenda o ato que deu motivo ao pedido, quando for relevante o fundamento e do ato impugnado puder resultar a ineficácia da medida, caso seja deferida" (Lei 1.533, de 31.12.1951, art. 7º, II).

• Além da suspensão dos atos administrativos pela via do mandado de segurança, deve ser considerada, ainda, a antecipação de tutela, nas ações ordinárias e nas medidas cautelares, de acordo com o disposto no art. 273, *caput* e inciso I, e § 7º do Código de Processo Civil. •

§ 12. A PRESCRIÇÃO

Têm na sistematização do Direito Administrativo lugar assinalado os fatos naturais. Contam-se no número destes: a) os acontecimentos extraordinários, tais como o acaso e a força maior; b) os acontecimentos ordinários, dos quais o principal é o decurso do tempo.

• Eduardo Espínola diz que o tempo também influi sobre os direitos, da mesma forma que sobre todas as coisas humanas. "A doutrina antiga – segundo Espínola –partindo de uma análise defeituosa das fontes romanas, reunia em um conceito único – a prescrição (aquisitiva ou extintiva) e todas as diferentes figuras sob que se manifestava a influência do tempo na vida do direito subjetivo. Uma teoria científica mais racional, devida principalmente a Donello, Fick, Brinz, Unger, Grawein, propôs-se a separar as várias figuras, injustificadamente confundidas" (*Sistema do Direito Civil Brasileiro, Parte Geral do Direito Civil*, vol. 2, 4ª ed., Rio de Janeiro, 1961, n. 372, p. 319).

Grawein, em seu livro *Verjährung und Gesetzliche Befristung*, 1880, apresenta os seguintes casos de influência do tempo, que não representam um fenômeno jurídico de caráter unitário:

1º) A temporalidade do direito ou termo legal ("Rechtstemporalität oder Legalbefristung"). O tempo como medida para a duração dos efeitos de um fato gerador de direitos.

2º) A prescrição (extintiva) e fenômenos semelhantes. O tempo como medida para a extensão de um fato extintivo de direitos, o qual se efetua, estendendo-se no tempo ("in zeitlicher Ausdehnung sich vollzienden").

3º) O usucapião (prescrição aquisitiva) e fenômenos semelhantes. O tempo como medida para a extensão de um fato criador de direitos, que se efetua, estendendo-se no tempo.

§ 12. A PRESCRIÇÃO   281

4º) Os termos presuntivos ("die Vermutungsfristen"), em que o tempo serve como medida de duração para um estado de fato, que forma a base para a presunção de cessação de um direito.

5º) Os termos preclusivos do direito material e do processual, em que o tempo serve de medida para a duração da possibilidade de praticar um ato com eficácia jurídica.

Indúbio, ainda, que é indispensável estabelecer a distinção entre a prescrição e a decadência. •

Avulta, porém, o decurso de tempo entre os fatos naturais, influentes sobre a formação das relações jurídicas, tanto no direito público como no direito privado. Reveste, no Direito Administrativo, a influência do tempo sobre as relações jurídicas formas múltiplas.

• Walter Jellinek, discorrendo sobre o tema, distinguia os prazos constitutivos e extintivos de direitos ("Rechtsbegründende und rechtsvernichtende Fristen gibt es im Verwaltungsrecht ebenso wie im Privatrecht" – *Verwaltungsrecht*, Berlin, 1929, § 10, I, n. 4, p. 210). Afirmava que esses prazos existiam tanto no direito público quanto no direito privado.

Como exemplo de prazo constitutivo de direito, Walter Jellinek menciona o tempo de serviço necessário para o funcionário público adquirir o direito de receber os proventos decorrentes de sua aposentadoria ("Eine rechtsbegründende Frist ist, z.B. die für die Ruhegehaltsberechtigung des Beamten erforderliche Dienstzeit (...)" – ob. cit., p. 210).

Mas, além dos prazos constitutivos de direitos, há aqueles cujo decurso aniquila o direito ou simplesmente o direito de ação de que originariamente se encontrava provido o direito.

Walter Jellinek afirma, com relação aos prazos extintivos que, "além disso, nós também temos como prazos extintivos de direitos, o prazo de decadência e o prazo prescricional a serem distinguidos" ("Bei den rechtsvenichtenden Fristen sind, wie auch sonst, Ausschlussfristen und Verjährungsfristen zu entscheiden" – ob. cit., p. 211). Nas suas palavras, "Os prazos de decadência suprimem integralmente o direito, no máximo concedendo a lei, em caráter excepcional, uma excusa ou justificação para restabelecer a situação anterior" ("Die Ausschlussfristen beseitigen das Recht vollständig, höchstens gewährt das Gesetz bei aussergewöhnlichen Entschuldigungsgründen eine Wiedereinsetzung in den vorigen Stand" – ob. cit., pp. 211-212).

Em oposição a essa situação, segundo Walter Jellinek, os prazos de prescrição não aniquilam o direito completamente, mas impedem os titulares do direito apenas no que concerne à execução ou realização de suas pretensões (no original, assim se expressa Jellinek: "Im Gegensatze dazu zerstören die Verjährungsfristen das Recht nicht vollständig, sondern hindern den Berechtigten nur an der Durchführung seines Anspruchs" – ob. cit., p. 212).

Como afirmado, "reveste no Direito Administrativo a influência do tempo sobre as relações jurídicas formas múltiplas". Compreendem essas formas: a) o termo legal; b) a prescrição extintiva; c) a prescrição aquisitiva; d) o termo presuntivo; e) o termo preclusivo. •

No termo legal, o tempo serve de medida aos efeitos de um fato jurídico gerador de direito. • O exemplo dado por Walter Jellinek, em relação ao tempo necessário a que o funcionário público adquira o direito à aposentadoria e ao recebimento dos respectivos proventos, é típico da ocorrência de um termo legal. Assim, o servidor público que cumprir o tempo mínimo de dez anos de efetivo exercício no serviço público e cinco anos no cargo efetivo em que se dará a aposentadoria, poderá se aposentar se tiver sessenta anos de idade e trinta e cinco de contribuição, se homem, e cinqüenta e cinco anos de idade e trinta de contribuição, se mulher, denominando-se essa aposentadoria de voluntária (CF, art. 40, § 1º, inciso III, "a"). •

Termo presuntivo é aquele dentro do qual uma situação de fato pode produzir a presunção de que se estabelece ou cessa um direito. Está nesse caso o lapso de tempo, de três anos, findo o qual o imóvel abandonado poderá ser arrecadado como bem vago e passar, três anos depois, à propriedade do Município ou à do Distrito Federal, • se se achar nas respectivas circunscrições (Código Civil de 2002, art. 1.276, *caput*). O imóvel situado em zona rural, abandonado nas mesmas circunstâncias, poderá ser arrecadado como bem vago, e passar, três anos depois, à propriedade da União, onde quer que ele se localize (Código Civil 2002, art. 1.276, § 1º). •

No termo preclusivo se limita a duração da possibilidade de praticar um ato dado com eficácia jurídica. Inclui-se, nesta espécie, o prazo para o exercício do direito de "reclamação administrativa" contra ato ou fato da Administração Pública, • de acordo com o art. 6º do Decreto 20.910, de 6.1.1932, se outro não estiver previsto em lei especial.

A prescrição aquisitiva está estipulada pelo artigo 191, e seu parágrafo único, da Constituição Federal de 1988. O referido artigo diz o seguinte:

"Art. 191. Aquele que, não sendo proprietário de imóvel rural ou urbano, possua como seu, por cinco anos ininterruptos, sem oposição, área de terra, em zona rural, não superior a cinqüenta hectares, tornando-a produtiva por seu trabalho ou de sua família, tendo nela sua moradia, adquirir-lhe-á a propriedade.

"Parágrafo único. Os imóveis públicos não serão adquiridos por usucapião."

A prescrição aquisitiva é, na realidade, o usucapião, que não se confunde com a prescrição simplesmente dita, que é a extinção do direito de ação de que o direito se achava originariamente provido. Esse usucapião extraordinário, previsto pela Constituição Federal, teve a sua norma repetida pelo novo Código Civil, no artigo 1.238. Em se tratando de área urbana, o Código Civil concedeu o mesmo tipo de usucapião para área urbana de até duzentos e cinqüenta metros quadrados, possuída ininterruptamente pelo prazo de cinco anos, sem oposição (Código Civil de 2002, art. 1.240). •

De todas as formas, entretanto, por que o decurso do tempo pode influir sobre as relações jurídicas, a que merece principalmente ser considerada é a prescrição extintiva.

1. Clóvis Bevilaqua entendia que todos os direitos da União, dos Estados e dos Municípios eram imprescritíveis. Apoiava sua opinião no resultado do confronto entre os artigos 66, II, 67 e 69 do antigo Código Civil. No art. 66, inciso II, do antigo Código Civil, com efeito, fazia-se alusão aos bens que constituíam o patrimônio da União, dos Estados e dos Municípios, como objeto de direito pessoal, ou real da cada uma dessas entidades, para, no artigo 67, declarar-se que são indistintamente inalienáveis e, no art. 69, compreendê-los *eo ipso* entre as coisas fora do comércio (*Código Civil Comentado*, t. I, Rio de Janeiro, 1921).

• *2.* De modo oposto pensava, à época do Código Civil de 1916, Luiz Carpenter, que considerava ter o próprio Código Civil regulado, na condição de lei federal, diretamente a matéria. Dizia Carpenter que o Código Civil tivera o cuidado de não se referir a nenhuma ação comercial. Com relação, porém, ao Direito Administrativo e ao Direito Processual, o Código Civil Brasileiro não tinha guardado a mesma atitude, pois, em seu art. 178, § 10, inciso VI, havia estabelecido o prazo de cinco anos para a prescrição das dívidas passivas da União, dos Estados e dos Municípios, e bem assim toda e qualquer ação contra a Fazenda Federal, Estadual ou Municipal. Daí e do que dizia o art. 179 do antigo Código Civil, concluía Carpenter que a antiga prescrição de trinta anos, constante originalmente do referido Código, seria a prescrição ordinária vigente no Direito Administrativo (Luiz Carpenter, *Manual do Código Civil Brasileiro*, de Paulo de Lacerda, t. IV, Rio de Janeiro, s.d., n. 186, p. 368).

3. Com o advento do novo Código Civil de 2002, a situação mudou, pois nele não há nenhuma referência à prescrição ou prescrições vigentes no Direito Administrativo.

4. *Ações dos administrados contra o Poder Público*. As ações contra a Fazenda Pública estão, quanto ao seu prazo de prescrição, reguladas hodiernamente pelo Decreto 20.910/1932. Assim, a prescrição das dívidas passivas da União, dos Estados, do Distrito Federal e dos Municípios, e de todo e qualquer direito contra a Fazenda Federal, Estadual ou Municipal, é a qüinqüenária.

Bastante se discutiu se, já no direito anterior, estavam as dívidas passivas dos Estados, e todos os direitos contra a Fazenda destes, sujeitos à prescrição qüinqüenária. No Rio Grande so Sul, André da Rocha, com mão de mestre, defendeu essa opinião (*Pareceres e Decisões*, Porto Alegre, 1925, pp. 217 e ss.). O Tribunal de Justiça do Rio Grande do Sul negou-lhe, porém, acolhimento (*Decisões de 1913*, pp. 389 e ss.). Reconheceu, mais tarde, todavia, a existência de dualidade de opiniões a esse respeito no direito anterior e, por arestos subseqüentes, dentre as duas opiniões antagônicas, abraçou a recolhida pelo Código Civil de 1916 (*Decisões de 1921*, p. 714; *Decisões de 1926*, p. 648).

O art. 1º do Decreto 20.910/1932 estabelece que as dívidas passivas da União, dos Estados e dos Municípios, bem assim todo e qualquer direito ou ação contra a Fazenda federal, estadual ou municipal, seja qual for a sua natureza, prescrevem em cinco anos contados da data do ato ou fato do qual se originaram.

O art. 2º do aludido Decreto determina que "Prescrevem igualmente no mesmo prazo todo o direito e as prestações correspondentes a pensões vencidas ou por vencerem, e ao meio soldo e ao montepio civil e militar ou a quaisquer restituições ou diferenças".

Em decorrência desse artigo, alguns admitem a existência da prescrição do fundo de direito, no caso dos proventos, das pensões, dos soldos e das restituições ou quaisquer diferenças devidas pela Fazenda Pública. Entretanto, sempre é bom recordar que o direito não prescreve jamais, não sendo possível invocar a prescrição do "fundo de direito". Por outro lado, de acordo com o artigo 3º do Decreto 20.910/1932, "Quando o pagamento se dividir por dias, meses ou anos, a prescrição atingirá progressivamente as prestações, à medida que completarem os prazos es-

§ 12. A PRESCRIÇÃO 285

tabelecidos pelo presente decreto'". Parece que o art. 3º resolve a redação pouco feliz do art. 2º, que poderia fazer incidir em erro os desavisados.

Na verdade, mesmo que os proventos, as pensões e os montepios não sejam reclamados por mais de cinco anos, a prescrição, de acordo com o art. 3º, "atingirá progressivamente as prestações, à medida que completarem os prazos estabelecidos pelo presente decreto". Em decorrência desse artigo, que praticamente estabelece a imprescritibilidade do direito de ação para haver, proventos, pensões, diferenças e montepios, ressalvando, apenas, o atingimento progressivo das prestações, na medida em que se completarem os prazos, o Supremo Tribunal Federal sumulou a questão. A Súmula 443 diz o seguinte: "A prescrição das prestações anteriores ao período previsto em lei não ocorre, quando não tiver sido negado, antes daquele prazo, o próprio direito reclamado ou a situação jurídica de que ele resulta".

A prescrição qüinqüenal também beneficia as autarquias e as fundações públicas, que constituem espécie do gênero autarquia. O Decreto-Lei 4.597, de 19.8.1942, em seu art. 2º, estabeleceu que "O Decreto 20.910, de 6 de janeiro de 1932, que regula a prescrição qüinqüenal, abrange as dívidas passivas das autarquias, ou entidades e órgãos paraestatais, criados por lei e mantidos mediante impostos, taxas ou quaisquer contribuições, exigidas em virtude de lei federal, estadual ou municipal, bem como a todo e qualquer direito e ação contra os mesmos".

Deve-se salientar que a referência a prescrição de direito deve ser entendida como não escrita, considerando, para tanto, que o direito em si não prescreve. O direito pode ser atingido pela decadência, nunca pela prescrição que somente extingue o direito de ação de que o direito se encontrava originariamente provido.

É importante o art. 3º do referido Decreto-Lei 4.597/1942.

Dispõe, com efeito, o aludido art. 3º, o seguinte: "A prescrição das dívidas, direitos e ações a que se refere o Decreto 20.910, de 6 de janeiro de 1932, somente poderá ser interrompida uma vez, e recomeça a correr, pela metade do prazo, da data do ato que a interrompeu, ou do último do processo para a interromper; consumar-se-á a prescrição no curso da lide sempre que a partir do último ato ou termo da mesma, inclusive da sentença nela proferida, embora passada em julgado, decorrer o prazo de dois anos e meio".

A primeira determinação do art. 3º do referido Decreto-Lei diz com a interrupção da prescrição, cujo prazo será devolvido pela metade. Tudo indica que estamos diante de uma situação em que há uma transformação qualitativa do conceito: o prazo só pode ser interrompido uma vez e é devolvido por metade. Parece-nos que esse prazo devolvido por metade, na verdade, é um prazo de decadência, atingindo o próprio direito que está sendo objeto do litígio. Por outro lado, o Supremo Tribunal Federal sumulou também essa questão, ao estabelecer, na Súmula 383 o seguinte: "A prescrição em favor da Fazenda Pública recomeça a correr por dois anos e meio, a partir do ato interruptivo, mas não fica reduzida aquém de cinco anos, embora o titular do direito a interrompa durante a primeira metade do prazo".

A segunda determinação do art. 3º diz respeito à prescrição intercorrente, no curso da lide, a qual se consuma no prazo de dois anos e meio, contado a partir do último ato ou termo praticado no processo. O prazo de cinco anos também é estipulado para a propositura de ação que tenha por objetivo pedir indenização por danos causados por pessoas jurídicas de direito público ou de direito privado, prestadoras de serviço público, nos termos do art. 1º-C da Lei 9.494, de 10.9.1997.

A ação popular. Todo o cidadão tem direito a propor ação popular para anular os atos lesivos ao patrimônio público ou de entidade de que o Estado participe, à moralidade administrativa, ao meio ambiente e ao patrimônio histórico e cultural, de acordo com o que dispõe o art. 5º, inciso LXXIII da Constituição Federal. A Lei 4.717, de 29.6.1965 regula a ação popular e, no seu art. 21, diz que "A ação prevista nesta lei prescreverá em cinco anos".

As ações do Poder Público contra os administrados. De acordo com Celso Antônio Bandeira de Mello, "Não há regra alguma fixando genericamente um prazo prescricional para as ações judiciais do Poder Público em face do administrado" (*Curso de Direito Administrativo*, 20ª ed., São Paulo, Malheiros Editores, 2006, cap. XXI, VI, n. 12, p. 993).

Mas é possível enumerar alguns casos específicos, em que normas sobre a prescrição dessas ações têm sido editadas.

1º) *Extinção do crédito tributário.* De acordo com o Código Tributário Nacional, a prescrição e a decadência extinguem o crédito tributário. A norma está contida no art. 156, inciso V, da Lei 5.172, de 25.10.1966, que passou a denominar-se Código Tributário Nacional em decorrência do Ato Complementar n. 36, de 13.3.1967.

a) *A decadência do direito* de a Fazenda Pública constituir o crédito tributário verifica-se após cinco anos contados: I – do primeiro dia do exercício seguinte àquele em que o lançamento poderia ter sido efetuado; II – da data em que se tornar definitiva a decisão que houver anulado, por vício formal, o lançamento anteriormente efetuado (CTN, art. 173).

b) *A prescrição da ação para a cobrança do crédito tributário* ocorre em cinco anos, contados da data da sua constituição definitiva (CTN, art. 174).

Com essas disposições do Código Tributário Nacional estabeleceu-se simetria entre o prazo qüinqüenal de prescrição das dívidas passivas da União, dos Estados, dos Municípios e de suas autarquias e órgãos paraestatais (Decreto-Lei 4.597/1942, art. 2º), com os prazos de decadência do direito de constituição do crédito tributário e com o prazo de prescrição da ação de cobrança do crédito tributário, todos eles de cinco anos.

2º) *Prescrição para o exercício das ações punitivas pela Administração Pública Federal, direta ou indireta.* Desde o advento do Código Tributário Nacional, e da publicação da Lei 4.717/1965, que regulou a ação popular e estabeleceu o prazo de cinco anos para a propositura daquela ação (art. 21), estabeleceu-se a tendência legislativa de fixar em cinco anos os prazos de prescrição, tanto para o Poder Público quanto para os cidadãos.

Dentro desse espírito, o art. 1º da Lei 9.873, de 23.11.1999, estabeleceu que "Prescreve em cinco anos a ação punitiva da Administração Pública Federal, direta e indireta, no exercício do poder de polícia, objetivando apurar infração à legislação em vigor, contados da prática do ato ou, no caso de infração permanente ou continuada, do dia em que tiver cessado".

Nessa mesma lei, entretanto, há exceção ao prazo geral de cinco anos.

No § 1º do art. 1º está dito que "Incide a prescrição no procedimento administrativo paralisado por mais de três anos, pendente de julgamento ou despacho, cujos autos serão arquivados de ofício ou mediante requerimento da parte interessada, sem prejuízo da apuração da responsabilidade funcional, decorrente da paralisação, se for o caso".

A interrupção da prescrição, nos casos desta Lei, ocorre: I – pela citação do indiciado ou acusado, inclusive por meio de edital; II – por qualquer ato inequívoco, que importe apuração do fato; III – pela decisão condenatória recorrível.

A suspensão da prescrição está prevista no art. 3º da referida Lei 9.873/1999.

O art. 4º dispõe que "Ressalvadas as hipóteses de interrupção previstas no art. 2º, para as infrações ocorridas há mais de três anos, contados do dia 1º de julho de 1998, a prescrição operará em dois anos, a partir dessa data".

O art. 5º da referida Lei estabeleceu uma disposição importante, que se não tivesse sido colocada na Lei, terminaria por derrubar os prazos prescricionais dos processos administrativos e os procedimentos de natureza tributária. Diz, o art. 5º, o seguinte: "O disposto nesta Lei não se aplica às infrações de natureza funcional e aos processos e procedimentos de natureza tributária".

3º) *Prescrição para o exercício da ação disciplinar contra o servidor público.*

De acordo com o que dispõe o art. 142 da Lei 8.112, de 11.12.1990, prescreverá: I – em cinco anos, a ação disciplinar quanto às infrações puníveis com demissão, cassação de aposentadoria ou disponibilidade e destituição de cargo em comissão; II – em dois anos, quanto à suspensão; III – em 180 dias, quanto à advertência.

4º) *Prescrição para a anulação de atos administrativos nulos por parte da própria Administração.*

A Lei 9.784/1999, "Regula o processo administrativo no âmbito da Administração Pública Federal".

Nessa Lei, no art. 54, consta a seguinte disposição normativa: "O direito da Administração de anular os atos administrativos de que decorram efeitos favoráveis para os destinatários decai em cinco anos, contados da data em que foram praticados, salvo comprovada má-fé".

Da leitura desse dispositivo constata-se o seguinte: a) em primeiro lugar, que não se trata de prescrição, que atinja somente o direito de ação; b) em segundo lugar, que a lei fala de que "O direito da Administração (...) decai em cinco anos (...)"; c) em terceiro lugar, a conclusão inarredável é a de que se trata de prazo de decadência, que atinge o próprio direito e não simplesmente a ação de que se encontrava originariamente provido.

Celso Antônio Bandeira de Mello afirma, corretamente, o seguinte: "Vê-se, pois, que este prazo de cinco anos é uma constante nas disposições gerais estatuídas em regras de Direito Público, quer quando reportadas ao prazo para o administrado agir, quer quando reportadas ao prazo para a Administração fulminar seus próprios atos" (*Curso de Direito Administrativo*, 20ª ed., São Paulo, Malheiros Editores, 2006, cap. XXI, VI, n. 12, "b", pp. 994-995).

5º) *Prazos diversos.*

a) O prazo de prescrição das ações referentes a prestações por acidente de trabalho, a cargo do antigo INSS, é de cinco anos, de acordo com o art. 18 da Lei 6.367, de 19.10.1976.

§ 12. A PRESCRIÇÃO 289

b) O prazo de prescrição para o direito de requerer o servidor público ou de mover qualquer processo contra a Administração Federal, quanto a atos de demissão e de cassação de aposentadoria ou disponibilidade, ou que afetem interesse patrimonial e créditos resultantes das relações de trabalho, é o de cinco anos (Lei 8.112, de 11.12.1990, art. 110, inciso I).

c) Nos demais casos, não especificados no inciso anterior, a prescrição ocorrerá em 120 dias, salvo quando outro prazo for fixado em lei (art. 110, II, Lei 8.112/1990).

d) Na ausência de regra específica, o prazo para a Administração proceder contra atos que concedam direitos aos administrados, quer se trate de anulação ou de anulabilidade dos respectivos atos, é o de cinco anos.

e) A Lei 8.429, de 2.6.1992, "Dispõe sobre as sanções aplicáveis aos agentes públicos nos casos de enriquecimento ilícito no exercício do mandato, cargo, emprego ou função da Administração Pública direta, indireta ou fundacional e dá outras providências. O art. 23 da aludida Lei dispõe o seguinte:

"Art. 23. As ações destinadas a levar a efeito as sanções previstas nesta Lei podem ser propostas:

"I – até cinco anos após o término do exercício de mandato, de cargo em comissão ou de função de confiança;

"II – dentro do prazo prescricional previsto em lei específica para faltas disciplinares puníveis com demissão a bem do serviço público, nos casos de exercício de cargo efetivo ou emprego."

f) Nos casos de atos administrativos praticados com má-fé, referidos pelo art. 54 da Lei 9.784/1999, que estabelece a anulação de atos nulos, salvo comprovada má-fé, admitindo a prescrição de cinco anos para os atos simplesmente nulos, a solução para a prescrição daqueles atos em que houve comprovada má-fé parece ser a de submetê-los à regra geral de prescrição, estabelecida pelo art. 205 do Código Civil de 2002. Trata-se de uma solução, que, na ausência de prazo específico, mas na afirmação de que o prazo deverá ser maior do que o prazo geral de cinco anos, deve-se recorrer ao Direito Comum, que estabelece o prazo máximo de dez anos para a prescrição de qualquer ação, real ou pessoal. •

5. Já mencionamos que a suspensão e a interrupção da prescrição qüinqüenária são regidas pelas disposições do Decreto 20.910/1932 e pelo Decreto-lei 4.597/1942, que criou a prescrição intercorrente, no curso da lide. A interrupção somente pode operar-se uma vez, restituindo-se

o prazo por metade. A prescrição intercorrente, no curso da lide, consuma-se no prazo de dois anos e meio.

• O Insigne Pontes de Miranda, discorrendo sobre o tema assim se pronuncia: "Diz o Decreto-lei n. 4.597, de 19 de agosto de 1942, art. 3º, *in fine*: '(...) consumar-se-á a prescrição no curso da lide sempre que a partir do último ato ou termo da mesma, inclusive da sentença nela proferida, embora passada em julgado, decorrer o prazo de dois anos e meio'" (*Tratado de Direito Privado*, t. VI, São Paulo, Ed. RT, 1983, § 714, n. 10, p. 399). Mais adiante, prossegue Pontes de Miranda: "Nenhuma fixação de prazo novo de prescrição, ou de preclusão, se estabelece no art. 3º. Durante a lide, se a partir do último ato ou termo da mesma correr prazo de dois anos e meio, está prescrita a ação, isto é, a pretensão 'in judicio deducta'" (ob. cit., t. VI, § 714, n. 10, p. 400).

Como o dispositivo legal do art. 3º do Decreto-lei 4.597/1942, não faz distinção entre autor e réu, deve-se concluir que a prescrição no curso da lide apanha tanto o Poder Público quanto o administrado que com ele litiga, não importando a posição processual. Se a demora é do administrado, seu direito de ação é atingido pela prescrição; se é do Poder Público, ocorre a mesma situação, sendo atingido inexoravelmente pela prescrição. Na verdade, a prescrição intercorrente, que ocorre no curso de qualquer processo, tanto em primeira quanto em segunda instância, dá causa à preclusão, também chamada de decadência, atingindo o próprio direito que é invocado e defendido por qualquer uma das partes. É evidente que o direito atingido é aquele da parte que foi omissa durante o prazo de dois anos e meio, ficando preservado, na sua integridade o direito da parte que sofreu com a omissão e a demora no reconhecimento ou na execução correspondente ao seu direito.

O Código de Processo Civil dispõe em seu art. 219, § 5º, o seguinte: "O juiz pronunciará, de ofício, a prescrição". O Supremo Tribunal Federal tem entendimento sumulado de que é evidente a existência do instituto da prescrição intercorrente (Súmula n. 264 do STF). De outra parte, entende o STF que, ainda que se trate de direitos patrimoniais, a decadência pode ser decretada de ofício (decisão do Tribunal Pleno, publicada na *Revista Trimestral de Jurisprudência* 130/1.001).

A prescrição intercorrente é considerada pela jurisprudência como instituto de direito material, tendo prazos e conseqüências próprias, que se não confundem com os casos de extinção do processo, regulados pelo art. 267 e seus incisos do CPC. A partir do momento em que o processo ficou estagnado, tanto em primeira quanto em segunda instância, começa a fluir o prazo da prescrição intercorrente. A declaração de que a prescrição efe-

§ 12. A PRESCRIÇÃO

tivamente ocorreu não depende de prévia intimação da parte que propôs a ação ou o recurso perante o Tribunal competente. Basta que ocorra o requerimento da parte a quem a prescrição intercorrente aproveita. •

6. Nem todos os direitos contra a União, Estados e Municípios estão sujeitos à prescrição, como nem todos os direitos prescritíveis estão sujeitos à prescrição qüinqüenária, conforme já referimos anteriormente (v. n. 4, supra).

Direitos existem, todos o sabem, que são por índole imprescritíveis. • "No número das ações imprescritíveis – dizia João Leitão de Abreu – contam-se, para exemplificar, as concernentes ao estado das pessoas. Invoca-se esse exemplo, porque guarda ele afinidades com o *status* do indivíduo, na ordem política. Da mesma sorte que são imprescritíveis as ações relativas ao estado das pessoas, na ordem privada, encontram-se, também, fora do alcance da prescrição qüinqüenária as ações destinadas a desfazer ofensa ao estado político do indivíduo".

"Não incorrem, destarte, em primeiro lugar, na qüinqüenária, as ações que, pela natureza do direito ou pretensão que tutelam, se tenham como imprescritíveis. Refogem, ainda, à prescrição qüinqüenária, segundo a opinião que se pode dizer geral, as ações reais, cujo prazo de prescrição é o comum, estabelecido para tais ações na lei civil. Permanecem, pois, no campo da prescrição qüinqüenária, como sujeitos aos seus efeitos, somente as ações pessoais. Mas, indaga-se, todas as ações pessoais, tenham ou não conteúdo patrimonial? Vozes autorizadas, que decisões jurisprudenciais corroboram, proclamam não serem os direitos pessoais, a que falte conteúdo patrimonial, alcançados pela qüinqüenária, que só abrangeria, assim, os direitos pessoais de objeto patrimonial" (*Da Prescrição em Direito Administrativo*, pp. 18 e 19). •

Destarte, nem todos os direitos prescritíveis contra a União, Estados e Municípios prescrevem em cinco anos. Estão nesse caso todos os direitos faltos de conteúdo patrimonial, que, por isso mesmo, evidentemente não poderão considerar-se incluídos no número dos direitos contra a Fazenda Pública. Analogamente, as ações reais, a que a pretensão *erga omnes* tira qualquer endereço específico prévio contra o patrimônio ou Fazenda da União, dos Estados ou dos Municípios.

Sob a Constituição de 1891, debateu-se longamente sobre se o Poder Judiciário poderia restaurar direito contra a Administração Pública, de ordem não patrimonial. Vacilou constantemente a jurisprudência do Supremo Tribunal Federal. No nosso Estado, o Tribunal de Justiça pronunciou-se pela afirmativa.

A Constituição Federal de 1934 cortou a dúvida, ao estabelecer que, por efeito imediato da sentença judiciária, o funcionário cujo afastamento do serviço público tivesse sido assim invalidado seria reintegrado em suas funções – destituído de plano aquele que, em seu lugar, houvesse sido nomeado (art. 173). A Constituição de 1937, porém, silenciosa a respeito, repôs o problema no terreno da discussão. Na Constituição de 1946, o princípio de 1934 foi acertadamente restabelecido (art. 190). • Dizia o referido art. 190: "Invalidada por sentença a demissão de qualquer funcionário, será ele reintegrado; e quem lhe houver ocupado o lugar ficará destituído de plano ou será reconduzido ao cargo anterior, mas sem direito a indenização". A Constituição Federal de 1988, vítima da iniciativa constante de Emendas propostas pelo Presidente da República (CF, art. 60, II), também admite a reintegração, mas com a redação dada pela Emenda Constitucional 19, de 4.6.1998. Diz o art. 41, § 2º, da atual Constituição, o seguinte: "Invalidada por sentença judicial a demissão do servidor estável, será ele reintegrado, e o eventual ocupante da vaga, se estável, reconduzido ao cargo de origem, sem direito a indenização, aproveitado em outro cargo ou posto em disponibilidade com remuneração proporcional ao tempo de serviço".

7. *Ações imprescritíveis.* A Constituição Federal de 1988, em seu art. 37, § 5º, estabelece o seguinte: "A lei estabelecerá os prazos de prescrição para ilícitos praticados por qualquer agente, servidor ou não, que causem prejuízos ao erário, ressalvadas as respectivas ações de ressarcimento".

Qual a interpretação para esse artigo da Constituição Federal de 1988? Se a lei estabelecerá prazos de prescrição para os ilícitos praticados por qualquer agente, servidor ou não, que causem prejuízos ao erário, mas ressalva "as respectivas ações de ressarcimento", a interpretação literal do texto é a de que as ações de ressarcimento não estão sujeitas à prescrição, sendo, portanto, imprescritíveis. No mesmo sentido é a opinião de Celso Antônio Bandeira de Mello, *Curso de Direito Administrativo*, 20ª ed., São Paulo, Malheiros Editores, 2006, cap. XXI, VI, n. 12, "b", pp. 994-995). •

A LIMITAÇÃO DOS DIREITOS

§ 13. OS DIREITOS INDIVIDUAIS

A todo ramo do direito objetivo correspondem direitos subjetivos. Não foge à regra, dissemos já, o Direito Administrativo. Correspondem-lhe, também, direitos subjetivos.

Merecem, porém, particularmente, a nossa atenção os direitos subjetivos fundamentais dos administrados contra a Administração, dentre os quais os de maior significação transcendem, entretanto, pela origem, o Direito Administrativo. São eles os assim chamados direitos individuais, de que o Direito Constitucional se ocupa, antes do Direito Administrativo. Incluem-se os direitos individuais no plano dos direitos subjetivos públicos, mas a sua importância lhes confere, nesse elenco, lugar assinalado.

1. Definem-se entre nós os direitos individuais ou pela substância, no dizer de Ruy Barbosa, "como inerentes à individualidade humana"; ou pela origem, como "direitos que não resultam da vontade particular por atos ou contratos, mas da nossa própria existência na espécie, na sociedade e no Estado" (*Comentários à Constituição Federal Brasileira*, coligidos e ordenados por Homero Pires, t. V, São Paulo, 1934, p. 185).

Definidos pela origem, os direitos individuais abrangem os direitos do cidadão; definidos pela substância se resumem aos direitos de personalidade. As expressões "direitos do cidadão" e "direitos de personalidade" são consagradas em nosso direito (Teixeira de Freitas, *Consolidação das Leis Civis*, Rio de Janeiro, 1876, p. CV, e nota 224, p. CCXXVII).

Pode, talvez, imaginar-se que o reconhecimento objetivo dos primeiros pressupõe estabelecidos estes últimos. De feito, logicamente, essa deveria ser a situação. Porém, historicamente, não é assim. Enquanto coexistiam o homem livre, pessoa, e o escravo, coisa, e aquele podia vir a ser reduzido à mesma condição deste – não se reputando, destarte, a personalidade como inerente ao indivíduo humano –, não se compreendia, também, que ao súdito pudesse assistir contra o Príncipe direito originário, característico daquela personalidade. Sob o impulso de causa que lhe parecesse justa, podia o Príncipe derrogar as próprias leis do direito natural. "Ex causa tamen potest tollere quae sunt de jure naturali vel gentium" – escrevia Jorge de Cabedo (*Decisiones*, Antuerpiae, 1734, p. II, dec. LXXXIX, n. 10, p. 115). São, em conseqüência, nesse período, todos os direitos contra o Estado direitos adquiridos – *jura quaesita*. Conta-se já entre estes, todavia, o *jus dicendi suffragia in Comitiis*, reconhecido aos povos (Mello Freire, *Institutiones Juris Civilis Lusitani*, Conimbricae, 1853, lib. I, tit. XII, § 1, p. 203).

• Lendo as palavras de Jorge de Cabedo, verifica-se como era autocrática a monarquia portuguesa, que nos legou o autoritarismo governamental de que muitos reprovam, não sem razão, os desvios e os retrocessos constitucionais, que representam uma característica da nossa República.

Cabedo era simplesmente o jurisconsulto que descrevia uma realidade extremamente adversa aos direitos humanos, consubstanciada no absolutismo da monarquia portuguesa. Quando se lê algumas observações de Jorge de Cabedo, sem dúvida um notável jurisconsulto – e o espírito faz um retorno de quinhentos anos no tempo –, constata-se que no século XIII da nossa era já havia quem pensasse em termos mais liberais e verdadeiros. Henry Bracton, jurisconsulto que viveu na Inglaterra ao tempo de Henrique III, já dizia nessa época que "Ipse autem rex non debet esse sub homine sed sub deo et sub lege, quia lex facit regem. Attribuat igitur rex legi, quod lex attribuit ei, videlicet dominationem et potestatem. Non est enim rex ubi dominatur voluntas et non lex. Et quod sub lege esse debeat, cum sit dei vicarius, evidenter apparet ad similitudinem Ihesu Christi, cuius vices gerit in terris. Quia verax dei misericordia, cum ad recuperandum humanum genus ineffabiliter ei multa suppeterent, hanc potissimam elegit viam, qua ad destruendum opus diaboli non virtute uteretur potentiae sed iustitiae rationis" ("O rei não deve estar abaixo dos homens, mas abaixo de Deus e sob a lei, porque a lei é que faz o rei. Que o rei conceda de acordo com a lei, o que a lei lhe concedeu, nomeadamente o governo e o poder. Pois não existe rei onde domina a vontade e não a lei. Desde que ele é o vigário de Deus, e que ele deve estar abaixo da lei, aparece claramente na analogia de Jesus Cristo, cuja vice-regência

§ 13. OS DIREITOS INDIVIDUAIS 295

na terra ele detém, pois apesar de muitos caminhos estarem abertos a Ele para sua inefável redenção do gênero humano, a verdadeira misericórdia de Deus escolheu o modo mais poderoso de destruir a obra do demônio, e ele utilizaria não o poder da força, mas a razão da justiça" (*De Legibus et Consuetudinibus Angliae*, Massachusetts, Harvard University Press in association with Selden Society, 1968, vol. II, f. 5b, p. 33). Se na monarquia portuguesa, o Rei podia eleger uma causa para afastar o direito natural e o direito internacional, o jurisconsulto inglês do século XIII sugeria exatamente o caminho oposto, dizendo que o rei estava submetido a Deus e à lei que o fez rei. Passagem semelhante aparece no mesmo volume de Bracton, em que ele afirma: "Rex habet superiorem, deum scilicet. Item legem per quam factus est rex" ("O Rei tem um superior, que é Deus. Da mesma forma, a lei pela qual foi feito Rei" – ob. cit., f. 34, p. 110). Se Deus está acima do Rei, não pode o Rei afastar o direito natural, que é obra de Deus. Da mesma forma, não pode o Rei afastar os dispositivos da *Lex regia*, pela qual foi feito rei. Essa exposição serve para demonstrar as origens do absolutismo português, em contraste com a formação do direito inglês, que, apesar de todos os reveses que o tempo lhe trouxe e continua trazendo, terminou por produzir a Constituição Americana de 1787.

Feita essa digressão de certa forma longa, podemos dizer que se unem no presente os direitos de cidadão aos direitos de personalidade pelo seu comum caráter existencial. Os direitos de personalidade planteiam, diante do Estado, o indivíduo, nacional ou estrangeiro, como sujeito de direitos. A Constituição Federal garante "aos brasileiros e aos estrangeiros residentes no País a inviolabilidade do direito à vida, à liberdade, à igualdade, à segurança e à propriedade (...)" (art. 5º, *caput*). Os direitos de cidadão possibilitam, face aos indivíduos, a representação do Estado como pessoa jurídica. Reversamente, como dizia Georg Jellinek, "A possibilidade de direitos (*Ansprüche*) recíprocos entre pessoas jurídicas e pessoas físicas é garantida pelo ordenamento jurídico do Estado" (*Sistema dei Diritti Pubblici Subbiettivi*, trad. italiana, Milano, 1912, cap. II, p. 11). Por outro lado o ser vivente é elevado à condição de pessoa, de sujeito de direito, porque o Estado lhe atribui a capacidade de requerer eficazmente a tutela jurídica estatal. É o Estado, por conseguinte, quem cria a personalidade em favor dos seres viventes, por força de seu ordenamento jurídico (ob. cit., cap. VII, pp. 92-93).

Na concomitante afirmação dos direitos de personalidade e dos direitos de cidadão se funda, pois, o dualismo "indivíduo-Estado" – base sobre a qual as Constituições Políticas lançam a trama das relações jurídicas constitucionais de diferentes países e diferentes momentos históricos, se dizem, não obstante a sua origem tópica ou duração efêmera, direitos individuais também. Na palavra de Pontes de Miranda, "Os direitos públicos subjetivos, ainda os de ordem constitucional, não competem somente aos cidadãos ou nacionais do Estado, nem somente aos domiciliados, nem, necessariamente, aos residentes ou que se achem no país. Tratando-se de direito constitucional, ou de outro direito público interno, o legislador do Estado confere – a quem entende – o direito à prestação do Estado. O limite, que se lhe impõe, é exatamente no sentido de não poder negar direitos públicos subjetivos, que nasçam no direito das gentes; que é, por definição, direito supraestatal" (*Comentários à Constituição de 1946*, t. I, 3ª ed., Rio de Janeiro, 1960, n. 89, p. 118).

1-A. A Constituição Federal de 1988 instituiu um Estado Democrático de Direito (art. 1º, *caput*), que tem como fundamento, entre outros, a cidadania (art. 1º, III) e se rege, em suas relações internacionais, segundo o princípio da prevalência dos direitos humanos (art. 4º, II). A inspiração para essas decisões fundamentais foi encontrada, inequivocamente, na Lei Fundamental de Bonn, que afirma ser a dignidade do homem intangível ("Die Würde des Menschen ist unantastbar" – Art. 1); que reconhece os direitos invioláveis e inalienáveis do homem como fundamento de qualquer comunidade humana, da paz e da justiça no mundo ("unverletzlichen und unveräusserlichen Menschenrechten als Grundlage jeder menschlichen Gemeinschaft, des Friedens und der Gerechtigkeit in der Welt" – Art. 1, 2); que define a aplicação imediata dos direitos fundamentais ("Die nachfolgenden Grundrechte binden Gesetzgebung, Verwaltung und Rechtsprechung als unmittelbar geltendes Recht" – Art. 1, 3); e estabelece, por fim, uma ordem constitucional correspondente aos princípios do Estado Republicano, Democrático e Social de Direito (art. 28, 1 – "Die verfassungsmässige Ordnung in den Ländern muss den Grundsätzen des republikanischen, demokratischen und sozialen Rechtsstaates im Sinne dieses Grundgesetzes entsprechen").

1-B. Em ambos os textos constitucionais aparece como fundamento inicial a dignidade da pessoa humana (*Würde des Menschen*). Essa dignidade é intangível e inviolável. O princípio da dignidade da pessoa humana tem como origem a concepção jusnaturalista da liberdade e dos direitos fundamentais. A idéia básica é a de que o Estado existe para proteger a liberdade e os direitos humanos, não para violá-los. A liberdade e a propriedade dos indivíduos podem ser limitadas apenas pelas exigências do bem comum, jamais pelo oportunismo político e pelas finalidades

§ 13. OS DIREITOS INDIVIDUAIS 297

burocráticas do Estado (Peter Badura, *Staatsrecht*, München, 1986, C 1, p. 62).

Esses direitos invioláveis constituem fundamento "da paz e da justiça no mundo" ("des Friedens und Gerechtigkeit in der Welt", Art. 1, 2). A não ser no *Digesto*, com a sempre repetida definição de Ulpiano, segundo o qual "Justitia est constans et perpetua voluntas jus suum cuique tribuendi" (*Digesto*, Lib. I, tit. I, fr. 10), nenhuma outra Constituição teve o descortino de colocar a justiça como fundamento do Direito. Na Filosofia do Direito, coube a um positivista, Léon Duguit, afirmar que o sentimento de Justiça constitui o fundamento de toda ordem jurídica. Embora reconhecendo que "O sentimento de justiça, como todas as coisas humanas, variou continuamente na sua aplicação e no seu desenvolvimento" (*Traité de Droit Constitutionnel*, t. I, Paris, 1927, § 11, p. 121), Duguit o coloca, ao lado da sociabilidade, como um dos fundamentos inconcussos da ordem jurídica (ob. cit., t. I, p. 120), e tem a coragem de dizer que não se trata de uma quimera, mas de um sentimento próprio da natureza humana. Quem preferisse pôr de lado o sentimento e se dedicasse à investigação do conceito de justiça podia atingir a idéia de justiça, que sempre será objeto da maior discussão e confrontação entre os jurisconsultos. Mas é importante que alguém tenha tido essa coragem. Foi o professor Armando Camara, que definia a "Justiça como a conformidade de uma relação interpessoal com o bem comum" (Jacy de Souza Mendonça, *O Curso de Filosofia do Direito do Professor Armando Camara*, Porto Alegre, 1999, p. 212).

Quer se defina a virtude da Justiça, como Ulpiano o fez, quer se recorra ao sentimento da Justiça assim como Léon Duguit, quer se reconheça a idéia de Justiça, como a contemplação do supremo fim do Direito, que é a sua realização, o importante é que todos esses ínclitos juristas consideraram que o Direito não é pensável sem a referibilidade à Justiça. E o Conselho Parlamentar que confirmou a Lei Fundamental de Bonn, em 23 de maio de 1949, prestou esse enorme serviço à causa do Direito e da Justiça, ao colocá-la como centro das preocupações de sua ordem jurídica.

1-C. Todo o poder do Estado está subordinado à realização desses objetivos de proteção à dignidade da pessoa humana, do respeito aos direitos fundamentais e do reconhecimento do valor Justiça. Na realidade, os direitos fundamentais preexistem ao Estado, cabendo aos poderes estatais assegurá-los e respeitá-los. É por isso que não se concebe, na nossa Constituição Federal, sequer a possibilidade de objeto de deliberação da proposta de Emenda Constitucional tendente a abolir os direitos e garantias individuais (CF, art. 60, § 4º, IV). Os direitos e garantias individuais fazem parte do núcleo imodificável da Constituição, não sendo suscetíveis de qualquer alteração.

1-D. As disposições da Constituição Federal de 1988 sobre os direitos fundamentais constituem direito objetivo. Dessas normas de direito objetivo devem surgir, em favor das pessoas, direitos subjetivos, no caso concreto. Mas os direitos individuais vinculam o Poder Público, sobretudo o Poder Executivo, e constituem fundamento, no caso de sua violação pelo poder, para a afirmação do direito subjetivo público diante do Estado. Para os particulares, os direitos fundamentais, no dizer de Peter Badura, constituem-se em fonte de direitos subjetivos diante do Poder Público ("Die Grundrechte binden die öffentliche Gewalt und sind im Falle ihrer Beeinträchtigung Grundlage subjektiver Rechte der einzelnen gegen die öffentliche Gewalt auf Einhaltung der verfassungsrechtlichen Freiheiten, Rechten und Garantien" – "Os direitos fundamentais vinculam o Poder Público e são, na eventualidade de sua violação, fundamentos de direitos subjetivos dos indivíduos contra o Poder Público com base nas liberdades, nos direitos e garantias decorrentes dos direitos constitucionais" – *Staatsrecht*, ob. cit., C2, p. 62).

1-E. Os direitos individuais vinculam, destarte, o Poder Público em todas as suas manifestações e no caso de sua violação, como já ficou dito, constituem-se em fundamento de direitos subjetivos públicos, cuja característica essencial é a de criarem obrigações para as pessoas administrativas, segundo o direito público, para com o particular (vide § 7, I, n. 1, supra).

1-F. As doutrinas jusnaturalistas inspiraram as Constituições democráticas escritas a afirmarem a liberdade dos indivíduos diante das investidas do poder descontrolado. Alguns, como Georg Jellinek, viram como ponto de partida dos direitos individuais a liberdade de religião (Carl Schmitt, *Verfassungslehre*, Berlin, 1957, § 14, pp. 157-158). Mas, outras liberdades também foram importantes na afirmação dos direitos individuais: a liberdade de expressão, a liberdade pessoal e a proteção da propriedade privada também foram significativas na afirmação dos direitos e de um espaço livre da ingerência do Estado, para que as decisões e a atividade individuais ficassem resguardadas de toda e qualquer intervenção estatal. Como direitos defensivos devem ser consideradas as declarações constitucionais de direitos, voltando-se sobretudo contra o poder executivo, que está em posição de oferecer perigo constante à liberdade individual.

§ 13. OS DIREITOS INDIVIDUAIS 299

1-G. A cidadania, assim como a Constituição a considera, também é importante como afirmação da liberdade política, que assegura a participação dos cidadãos nas decisões que envolvem seus direitos ou interesses. Nesse sentido, a cidadania é um elemento da democracia. O direito de votar, pelo voto direto e secreto (CF, art. 14), como expressão da soberania popular, o direito de reunião e o direito de associação política constituem-se em manifestações da cidadania e dos direitos cívicos, da mais alta relevância para a preservação e a manutenção de um Estado Democrático de Direito. Há um órgão do Poder Judiciário que poucas vezes é mencionado, mas se constitui no elemento fundamental da preservação da democracia e do Estado de Direito. É a Justiça Eleitoral, criada entre nós pela Constituição Federal, de 16.7.1934 (arts. 82 e 83) – atualmente estruturada de acordo com os arts. 118, 119, 120 e 121 da Constituição Federal de 1988 –, a grande conquista obtida com a Revolução de 1930, que assegura a lisura dos pleitos e a continuidade democrática, livrando as eleições das fraudes e das coações que anteriormente existiam.

1-H. Os direitos e garantias fundamentais e suas normas definidoras têm aplicação imediata (CF, art. 5º, § 1º). Isso significa que esses direitos e garantias fundamentais não podem ser considerados como simples normas programáticas, mas direito objetivo com efeito vinculante imediato para todos os poderes do Estado. Esses direitos, definidos pelo texto constitucional, podem desdobrar-se em outros tantos direitos subjetivos públicos, voltados para a proteção do súdito contra o Poder Público. A inspiração para a decisão constitucional de dar aplicação imediata aos direitos individuais remonta, sem dúvida alguma, à Lei Fundamental de Bonn (art. 1º (3), GG) que os define como "unmittelbar geltendes Recht" ("direitos de validade imediata" – Peter Badura, *Staatsrecht*, C4, p. 64).

1-I. Além dos direitos individuais tradicionalmente afirmados pelo liberalismo político, a Constituição de 1988 acrescentou os direitos sociais, definindo a missão governamental de construir uma sociedade livre, justa e solidária, (CF, art. 3º, I). Enumerando os direitos sociais (CF, arts. 6º, 7º, 8º, 9º 10º e 11º), a Constituição procurou dar uma resposta às exigências de justiça social dentro das situações concretas da vida, ao mesmo tempo em que estabeleceu as obrigações do Estado para alcançar, por atividades especificas, o objetivo da justiça social. •

2. Os direitos de personalidade – inerentes à individualidade humana – transcendem, em sua expressão mais ampla, à esfera do direito positivo. • "O primeiro dever da lei positiva – escreve Pimenta Bueno – é de reconhecê-los, de respeitá-los, de garanti-los, por isso mesmo que o único fim legítimo da sociedade é de defendê-los, de assegurar o gozo deles, de consagrá-los como faróis luminosos que devem estar bem expostos aos olhos e respeito de todos" (*Direito Público Brasileiro e Análise da Constituição do Império*, Brasília, Senado Federal, 1978, tit. VIII, cap. II, seção I, § 1º, n. 534, p. 382). •

Quando referidos, porém, aos estrangeiros, deles se ocupa já o mesmo direito positivo. Assim, no Direito das Gentes, a Convenção de Havana (publicada no Brasil pelo Decreto 18.956, de 22.10.1929), dispõe, a respeito que "os Estados devem conceder aos estrangeiros (...) todas as garantias individuais que concedem aos seus nacionais e o gozo dos direitos civis essenciais".

Não determinantes, mas pressupostos do direito positivo são, de outra parte, os assim chamados direitos de cidadão (vide n. 1-G, supra). Dominam eles o Direito Constitucional entendido no seu mais largo sentido, como sistema jurídico de adaptação político-social, ínsito nas condições de vida da coletividade. A norma constitucional rigorosamente não os cria: define-os. Entre os direitos de cidadãos conumeram-se, dissemos já: o direito de voto (CF, art. 14), que é também dever (CF, art. 14, § 1º, inciso I); o direito de acesso aos cargos públicos (CF, art. 37, I).

Mas aos direitos de cidadão, sublinhando-lhes a inerência, não aos textos, e sim ao regime, é que particularmente se refere • o art. 5º, § 2º da Constituição Federal: "Os direitos e garantias expressos nesta Constituição não excluem outros decorrentes do regime e dos princípios por ela adotados, ou dos tratados internacionais em que a República Federativa do Brasil seja parte". •

A própria regra constitucional é, enfim, a origem imediata dos direitos subjetivos constitucionais. No número destes podem incluir-se: o direito reconhecido ao posseiro de terras "que, não sendo proprietário de imóvel rural ou urbano, possua como seu, por cinco anos ininterruptos, sem oposição, área de terra, em zona rural, não superior a cinqüenta hectares, • tornando-a produtiva por seu trabalho ou de sua família, tendo nela sua moradia" de adquirir-lhe a sua propriedade (CF, art. 191, *caput*). Não se incluem, nesse direito, à evidência, os imóveis públicos, expressamente excluídos da aquisição por usucapião pelo parágrafo único do art. 191. Os direitos dos servidores públicos, definidos no capítulo VII, seção II, da Constituição Federal, também têm sua origem no próprio texto constitucional, embora tenham sido objeto de cortes profundos pelas Emendas Constitucionais 19, 20 e 41 dessa mesma Constituição. •

§ 14. A POLÍCIA

Denomina-se o título da Constituição Federal consagrado aos direitos individuais – "Dos direitos e Garantias fundamentais". Não se confundem, todos sabem, direitos e garantias, embora garantias existam que são direitos; mão de mestre estabeleceu definitivamente esse discrime no Direito Constitucional brasileiro.

• **I** – Ruy Barbosa assentou, de forma lapidar, a distinção, ao afirmar que: "uma coisa são as *garantias constitucionais*, outra coisa os *direitos*, de que essas garantias traduzem, em parte, a condição de segurança, política e judicial. Os direitos são aspectos, manifestações da personalidade humana em sua existência subjetiva, ou nas suas situações de relação com a sociedade, ou os indivíduos, que a compõem. As *garantias constitucionais, stricto sensu*, são as solenidades tutelares, de que a lei circunda alguns desses direitos contra os abusos do poder" (*Comentários à Constituição Federal Brasileira*, coligidos e ordenados por Homero Pires, t. V, São Paulo, 1934, p. 178). Sustentava, ainda, o notável jurisconsulto e publicista pátrio, que das garantias adotava a acepção menos ampla, que reduz a designação de garantias constitucionais às franquias que as Constituições usam outorgar aos indivíduos, como a liberdade religiosa (CF/1988, art. 5º, VI), o direito de não ser sentenciado senão por autoridade competente (CF/1988, art. 5º, LIII), a abolição da pena de morte (CF/1988, art. 5º, XLVII, "a"), o direito de defesa penal, o direito de ampla defesa (CF/1988, art. 5º, LV), o direito de propriedade (CF/1988, art. 5º, XXII, XXIV, XXIX e XXX), o direito de resistir aos impostos não votados por lei (CF/1988, art. 150, I), o julgamento pelo júri (CF/1988, art. 5º, XXXVIII). No dizer de Ruy, "Todas estas são verdadeiras garantias constitucionais no sentido mais estrito da palavra, e entram inquestionavelmente no quadro das garantias constitucionais propriamente ditas" (ob. cit., t. V, p. 177). Embora houvesse garantias que são direitos, como o grande publicista reconhecia, insistia, contudo, na distinção, ao afirmar: "A confusão, que irrefletidamente se faz muitas vezes entre direitos e garantias, desvia-se sensivelmente do rigor científico, que deve presidir à interpretação dos textos, e adultera o sentido natural das palavras. *Direito* – é a faculdade reconhecida, natural, ou legal, de praticar ou não praticar certos atos. (...) *Garantia* ou segurança de um direito é o requisito de legalidade, que o defende contra a ameaça de certas classes de atentados, de ocorrência mais ou menos fácil" (ob. cit., t. V, p. 181).

Não há, no texto constitucional, cláusula especial que nos esclareça quanto ao alcance da locução "garantias constitucionais" (Ruy Barbosa, ob. cit., t. V, p. 181). Mas o ilustre jurisconsulto afirmava que a acepção torna-se óbvia se separarmos, no texto da Lei Fundamental, as disposições meramente *declaratórias*, que reconhecem direitos, das *assecuratórias*, que em defesa dos direitos, limitam o poder. As primeiras instituem os direitos; as outras, estipulam as garantias que os protegem. Sublinhava o mestre inolvidável que, não raro, ocorre juntar-se, na mesma disposição constitucional, a fixação da garantia com a declaração do direito. Por isso, é necessário fazer o escólio, discriminando a declaração do direito da garantia que o assegura.

II – Exemplos de enunciação de direitos:

1º) Todos, homens e mulheres, são iguais em direitos e obrigações, nos termos da Constituição Federal de 1988 (art. 5º, I).

2º) Ninguém será obrigado a fazer ou deixar de fazer alguma coisa, senão em virtude de lei (CF, art. 5º, II).

3º) É livre a manifestação do pensamento, sendo vedado o anonimato (CF, art. 5º, IV).

4º) Aos autores pertence o direito exclusivo de utilização, publicação ou reprodução de suas obras, transmissível aos herdeiros pelo tempo que a lei fixar (CF, art. 5º, XXVII).

5º) É livre o exercício de qualquer trabalho, ofício ou profissão, atendidas as qualificações profissionais que a lei estabelecer (CF, art. 5º, XIII).

III – Exemplos de enunciação de garantias:

1º) A lei não prejudicará o direito adquirido, o ato jurídico perfeito e a coisa julgada (CF, art. 5º, XXXVI).

2º) É reconhecida a instituição do júri, com a organização que lhe der a lei, assegurados: a) a plenitude da defesa; b) o sigilo das votações; c) a soberania dos veredictos; d) a competência para o julgamento dos crimes dolosos contra a vida (CF, art. 5º, XXXVIII).

3º) Não haverá juízo ou tribunal de exceção (CF, art. 5º, XXXVII).

4º) Ninguém será preso senão em flagrante delito ou por ordem escrita e fundamentada de autoridade judiciária competente, salvo nos casos de transgressão militar ou crime propriamente militar, definidos em lei (CF, art. 5º, LXI).

5º) A prisão de qualquer pessoa e o local onde se encontre serão comunicados imediatamente ao juiz competente e à família do preso ou à pessoa por ele indicada (CF, art. 5º, LXII).

6º) Não há crime sem lei anterior que o defina, nem pena sem prévia cominação legal (CF, art. 5º, XXXIX).

7º) O preso será informado de seus direitos, entre os quais o de permanecer calado, sendo-lhe assegurada a assistência da família e de advogado (CF, art. 5º, LXIII).

8º) Ninguém será levado à prisão ou nela mantido, quando a lei admitir liberdade provisória, com ou sem fiança (CF, art. 5º, LXVI).

9º) Aos litigantes, em processo judicial ou administrativo, e aos acusados em geral, são assegurados o contraditório e ampla defesa, com os meios e recursos a ela inerentes (CF, art. 5º, LV).

10º) O *habeas corpus* (CF, art. 5º, LXVIII).

11º) O mandado de segurança (CF, art. 5º, LXIX).

12º) O mandado de segurança coletivo (CF, art. 5º, LXX).

13º) O mandado de injunção (CF, art. 5º, LXXI).

14º) O *habeas data* (CF, art. 5º, LXXII).

15º) A desapropriação (CF, art. 5º, XXIV).

IV – Constituem exemplos de enunciação de direitos juntamente com as garantias respectivas:

1º) *Definição do direito*: "A casa é o asilo inviolável do indivíduo (...)".

Definição da garantia: "(...) ninguém nela podendo penetrar sem o consentimento do morador, salvo em caso de flagrante delito ou desastre, ou para prestar socorro, ou, durante o dia, por determinação judicial" (CF, art. 5º, XI).

2º) *Definição do direito*: "É livre a expressão da atividade intelectual, artística, científica e de comunicação (...)".

Definição da garantia: "(...) independentemente de censura ou licença" (CF, art. 5º, IX). •

O que devemos, entretanto, assinalar é que, na idéia de garantia de um direito vai implícita a possibilidade de limitação desse direito ou do respectivo exercício. São, realmente, os direitos individuais suscetíveis de limitação em seu exercício. Consistirá a limitação em restrição consentida pelo indivíduo, ou provirá, talvez, de norma ou ato do Poder Público. Umas e outras, contudo, hão de conservar-se dentro da medida que a ordem jurídica prefixa. A lei garante, nessa medida, os direitos individuais contra o próprio indivíduo; a Constituição garante-os contra o Poder Público. • Assim, o Código Civil admite que "O possuidor turbado, ou esbulhado, poderá manter-se ou restituir-se por sua própria força, contanto que o faça logo; os atos de defesa, ou de desforço, não podem ir além do indispensável à manutenção, ou restituição da posse" (art. 1.210, § 1º). Assim, também, a Constituição Federal resguarda a liberdade individual, determinando que, "ninguém será preso senão em flagrante delito ou por ordem escrita e fundamentada de autoridade judiciária competente (...)" (art. 5º, LXI). •

Quais, todavia, as limitações que pode o Poder Público impor ao exercício dos direitos individuais, a que a Constituição prefixa infrangível medida, pelo estabelecimento de garantias correspondentes?

São as que resultam da intervenção da Administração Pública, reclamada pelas próprias contingências do tempo, do espaço e do convívio em sociedade, para tornar possível o exercício dos direitos individuais concorrentemente assegurados a todos os nacionais e a todos os estrangeiros residentes no país. A essa intervenção reguladora da Administração Pública chama-se *polícia*.

Como conceituar *polícia*?

• Walter Jellinek nos diz que "há certos direitos sem os quais não se pode jamais pensar o Estado. A esses pertence o poder de polícia" ("Es gibt gewisse Befugnisse, ohne die man sich einen Staat überhaupt nicht denken kann. Dazu gehört die Polizeigewalt" – *Verwaltungsrecht*, Berlin, 1929, § 20, II, p. 412). O poder de polícia, destarte, está entre os direitos essenciais do Estado. Perguntamos qual a sua melhor conceituação. • A nosso ver, a melhor conceituação consistirá simplesmente em significar-se que a polícia é a contraparte da justiça. A justiça opera, no campo das relações sociais, a realização concreta da regra jurídica, aplicando-a, cogente e terminativamente, a cada caso sujeito. À polícia, ao revés, incumbe criar as condições gerais indispensáveis, para que os indivíduos, em ordem e harmonia, logrem conduzir, através do convívio quotidiano o desenvolvimento de suas relações sociais, independentemente de coação em cada caso concreto.

§ 14. A POLÍCIA

Costuma-se, na verdade, caracterizar a polícia por oposição à justiça. Quando o Visconde do Uruguai observa que a Administração Pública "pode providenciar para o futuro com largueza sem restringir-se a um fato e caso dado e às suas circunstâncias" e "tomar medidas de prevenção que não lhe são requeridas sobre assuntos que interessam à totalidade ou grande número de cidadãos" e lhe sublinha o contraste com as atividades do Poder Judiciário que "somente procede, sendo provocado, sobre contestações existentes em processos que nascem de um direito litigioso, ou de fato que prejudica a um indivíduo conhecido e determinado" – o que, em realidade, faz, é opor e contrastar polícia e justiça (*Ensaio Sobre o Direito Administrativo*, t. I, Rio de Janeiro, 1862, pp. 33-34).

1. Justiça e polícia são exteriorizações de dois diferentes processos de raciocinar, aplicados ao problema da ordem, dentro do Estado. A justiça encorpa um raciocínio silogístico, em que se conjugam a Lei (premissa maior), o fato (premissa menor) e a sentença (conclusão). A polícia inversamente é a encarnação de um raciocínio indutivo. Parte-se dos fatos da experiência para atingir-se a disposição que deverá discipliná-los. Com base na observação das realidades é que o Estado formula as ordens e proibições de polícia. Daí dizer-se que as leis de polícia são naturalmente temporárias, revogáveis pela só mudança dos fatos que lhes deram origem, ou, até, do só critério de apreciação destes. • Discorrendo sobre as ordens de polícia (*Polizeiverfügungen*), Otto Mayer afirmava que "Para elas a revocabilidade é também natural e um ponto de partida" ("Die Widerruflichkeit ist auch für sie das Natürliche und der Ausgangspunkt" – *Theorie des Französischen Verwaltungsrechts*, Strassburg, 1886, § 26, nota 5, p. 172). •

Alcança-se, entretanto, facilmente, a razão dessa dualidade de processos lógicos, desde que se atente para a diversidade dos objetos a que vão aplicados: lida a justiça com fatores de ordem moral, dos quais a disciplina jurídica não depende principalmente da experimentação do Estado, mas sobretudo do desenvolvimento e concretização de princípios universais; pelo contrário, lida a polícia com fatores de ordem natural, ou pelo menos, por ela encarados sob essa feição – fatores esses, de cuja realidade e sentido, fixados pela experiência, lhe compete induzir as regras necessárias à realização de seus fins.

• *2.* Dizia Walter Jellinek que o conceito de polícia tem uma longa história atrás de si. "O radical da palavra é o mesmo que o da palavra Política e remonta à *polis* grega, como cidade, por trás do Estado, mais justa como *polis* derivada da palavra *politeia*, que em primeiro lugar, tanto significa como um cidadão pode ser, na vida como cidadão de uma cidade, ou então no sentido de Constituição do Estado, e segundo Aristóteles, como o bom desenvolvimento da Constituição do Estado" (*Verwaltungsrecht*, Berlin, 1929, § 20, I, n. 1, p. 407). •

Vem, destarte, a palavra polícia do grego *politeia* através do latim *politia*. Largo era o seu conteúdo no direito antigo. "Quae multa juris publici Scriptores sub nomine politiae tractent juris nemo ignorat" (Mello Freire, *Institutiones Juris Civilis Lusitani*, Conimbricae, 1853, lib. I, tit. X, XVI, p. 180). No presente, entende-se por esta palavra toda restrição ou limitação coercitivamente posta pelo Estado à atividade ou propriedade privada, para o efeito de tornar possível, dentro da ordem, o concorrente exercício de todas as atividades e a conservação perfeita de todas as propriedades privadas. Nesse sentido é a opinião de Ruy Barbosa (*Comentários à Constituição Federal Brasileira*, t. V, São Paulo, 1934, p. 317). Promove, destarte, a polícia o bem individual e o bem social e, ainda, a própria utilidade pública, porque, sob esse aspecto, a proteção ao indivíduo e ao agregado é essencial à existência da sociedade, bem em si mesma.

Vamos examinar, agora, os traços característicos da limitação ou restrição policial.

a) O primeiro é o de ser imposta pelo Poder Público privativamente. Não é ato de polícia, por conseguinte, a deterioração ou destruição da coisa alheia, a fim de remover perigo iminente, se não é o Poder Público como tal quem a pratica (Código Civil de 2002, art. 188, II). Não é ato de polícia, igualmente, o recolhimento dos interditos, referidos nos incisos I, III e IV do art. 1.767 do Código Civil, em estabelecimentos adequados, quando não se adaptarem ao convívio doméstico (Código Civil de 2002, art. 1.777).

b) O segundo traço característico da restrição ou limitação policial é o de ser imposta pela Administração coercitivamente, quer dizer, podendo a Administração usar da força para executá-la.

• A circunstância de se admitir o uso da força para a execução da restrição ou limitação policial não permite que, no Estado de Direito, a autoridade policial aja de forma arbitrária, desconhecendo o princípio de legalidade, que é noção fundamental do moderno Direito Administrativo. Com efeito, é opinião pacífica entre os jurisconsultos a de que o princípio do Estado de Direito exige que as relações jurídicas entre Estado e cidadãos sejam regidas pelas leis, que não se limitam a autorizar a ação do Poder Público, mas tornam essa ação previsível pelo cidadão (Hartmut Maurer, *Droit Administratif Allemand*, 1995, cap. 6, II, n. 6, "b", p. 109).

§ 14. A POLÍCIA

De outra parte, é fundamental considerar, como sinala apositamente Celso Antônio Bandeira de Mello, que "Em rigor, no Estado de Direito inexiste um poder, propriamente dito, que seja discricionário fruível pela Administração Pública" (*Curso de Direito Administrativo*, 20ª ed., São Paulo, Malheiros Editores, 2006, cap. XIV, n. 28, p. 786). O uso da força está condicionado a necessidades muito claras da manutenção da ordem e da tranqüilidade públicas e deverá ser considerado, sempre, como absoluta exceção.

Otto Mayer, ao dissertar sobre o Direito Administrativo francês, dedicou um capítulo (§ 27), que ele denominou de "Limites de poder das ordens de polícia" (*Machtgrenzen des Polizeibefehls*), em que sustenta que esses limites "repousam sobre a idéia de um domínio inviolável para o Estado correspondente à liberdade dos indivíduos, à qual, na palavra de Rousseau, eles não renunciaram ou quiseram renunciar no contrato social que fundou o Estado" ("Dieselben beruhen auf der Idee von einem dem Staate unantastbaren Gebiete der Freiheit des Einzelnen, auf welches er, um mit Rousseau zu sprechen, bei dem staatsgründenden Vertrage nicht hat verzichten wollen" – *Theorie des Französischen Verwaltungsrechts*, 1886, § 27, p. 174).

Como sinala Fritz Fleiner, a polícia deve tomar as providências necessárias para a manutenção da segurança pública. Nenhuma restrição à liberdade individual deverá exceder jamais a medida absolutamente necessária à preservação da ordem e da segurança públicas. Nesse mister, a polícia deve utilizar judiciosamente os meios necessários ao cumprimento da sua missão de salvaguarda da tranqüilidade e da incolumidade públicas. Empregando expressão hiperbólica, Fritz Fleiner afirmava que a polícia não deve atirar com canhões em pardais ("Die Polizei soll nicht mit Kanonen auf Spatzen schiessen") (*Institutionen des Deutschen Verwaltungsrechts*, Tübingen, 1963, reimp. da 8ª ed., § 24, n. 4, p. 404). Essa mesma hipérbole é atribuída por Ernst Forsthoff a Walter Jellinek (*Traité de Droit Administratif Allemand*, trad. francesa autorizada pelo autor, cap. IV, II, p. 130). As afirmações dos ilustres jurisconsultos alemães demonstram, inequivocamente, que no Estado de Direito, a presunção é a de que a liberdade do indivíduo está acima do poder de intromissão do Estado, de modo a não haver acolhida para as ações arbitrárias e violentas, que violam as liberdades fundamentais. •

c) A terceira característica da polícia é destinar-se, na mais larga compreensão possível, a assegurar o concorrente exercício de todas as atividades e a conservação perfeita de todas as propriedades privadas. Assim, podem incluir-se entre as manifestações da polícia os monopólios constituídos com essa finalidade, o mesmo não poderá dizer-se dos monopólios fiscais, por isso que estes se destinam à proteção de uma só atividade e à conservação e aumento de um só patrimônio (Veiga Filho, *Manual da Ciência das Finanças*, São Paulo, 1923, § 81, pp. 181 e ss.).

• d) A quarta característica da atividade de polícia consiste na afirmação apósita, de autoria de Fritz Fleiner, segundo a qual "está proibido à polícia, na medida em que é função da Administração interior, de colocar seu poder de coação ao serviço de um outro ramo da Administração. Não lhe compete, por exemplo, ajudar a atingir fins puramente fiscais" ("Endlich ist der Polizei, als einer Funktion der inneren Verwaltung, auch verwehrt, ihre Zwangsgewalt in den Dienst eines anderen Verwaltungszweiges zu stellen. Ihr kommt z.B, nicht zu, zur Erreichtung rein finanzieller Zwecke hilfreiche Hand zu bieten" – *Institutionen des Deutschen Verwaltungsrechts*, cit., § 24, pp. 394-395).

Esse último traço característico, apontado por Fleiner com extrema acuidade, é relevante para nós, no Brasil atual, em que a União, por meio da Receita Federal e do Ministério Público, tem fartamente lançado mão da polícia de segurança para efetuar uma verdadeira caçada a supostos ou verdadeiros sonegadores, antes mesmo de haver a instauração de Processo Administrativo Fiscal, de acordo com a Lei. Nesse mister, a União tem sido contemplada com o favorecimento e o auxílio prestimoso da Justiça Federal, que age, não raro, como se fosse parte nos litígios de que a União participa. •

3. No velho direito, estendia-se a polícia à ordem jurídica. Matérias de polícia reputavam-se as leis de amortização (Mello Freire, ob. cit., lib. I, tit. X, § XXV, p. 190), o impedimento da viúva para casar-se dentro no ano da viuvez (Mello Freire, ob. cit., lib. I, tit. XVII, pp. 181-182), a proteção jurídica dos menores e seus bens (Mello Freire, ob. cit., lib. I, tit. X, XII e XIII, pp. 177-178), a curadoria dos ausentes, pródigos e furiosos (Mello Freire, ob. cit., lib. I, tit. X, § XIV, p. 179).

No presente, adscreve-se, ao inverso, a polícia ao mundo dos fatos.

Tem ela o seu lugar assinalado entre aquelas manifestações do Direito Administrativo e da Administração Pública, que se destinam à definição ou ao afeiçoamento do meio administrativo, quer dizer, das condições de tempo, espaço e de convívio humano, em que a obra administrativa do Poder Público deve desenvolver-se e completar-se.

Não desconhece o Direito Administrativo o decurso do tempo; antes, o supõe e define, para o efeito da contagem e fixação dos prazos (v. § 12, supra). Não ignora, também, a marcha e os efeitos das estações que, no

§ 14. A POLÍCIA 309

direito público, se refletem, não raro, sobre a formação ou desenvolvimento das relações jurídicas. Assim, as disposições sobre a caça, que é proibida em termos profissionais • (art. 2º, Lei 5.197, de 3.1.1967), mas permitida para amadores, sendo obrigatória a licença anual, de caráter específico e âmbito regional, expedida pela autoridade competente (art. 13, Lei 5.197/1967). Não confunde o dia e a noite. A Constituição Federal estabelece, em seu art. 5º, inciso XI, que mesmo por determinação judicial somente se poderá penetrar na casa, que é asilo inviolável do indivíduo, "durante o dia". À noite, a inviolabilidade do domicílio é total.

Walter Jellinek nos fala do tempo. "O tempo tem diante do espaço a particularidade de estar adiante, de tal sorte que ele já por si revela, sem outro conteúdo, somente pelo seu decurso, conseqüências de direito que dele decorrem" ("Die Zeit hat gegenüber dem Raume die Eigentümlichkeit voraus, dass sie schon für sich betrachtet, ohne andere Inhalt, allein durch ihren Ablauf Rechtsfolgen nach sich zieht" – *Verwaltungsrecht*, Berlin, 1929, § 10, I, p. 206).

"A determinação do tempo oferece resposta à pergunta: qual ano, qual mês, qual dia, quantas horas temos nós agora? Para as primeiras três interrogações, remete o Estado, de uma vez, ao calendário de Gregório XIII. Sem a aprovação dos Papas, ele dificilmente seria possível. O calendário gregoriano para toda a terra, por meio de um aperfeiçoamento, a festa da Páscoa e as festas a ela vinculadas foram postas em dias determinados" ("Die Zeitbestimmung gibt Antwort auf die Fragen: welches Jahr, welchen Monat, welchen Tag, welche Stunde haben wir jetzt? Für die ersten drei Fragen verweist der Staat einfach auf den Kalender Gregors XIII. Ohne Zustimmung des Papstes wird es auch kaum möglich sein, den Gregorianischen Kalender für die ganze Erde durch einen besseren, das Osterfest und die von ihm abhängigen Feste auf einen bestimmten Tag legenden zu ersetzen" – Walter Jellinek, *Verwaltungsrecht*, cit., § 10, I, n. 1, pp. 206-207).

As próprias horas merecem a atenção do direito. A hora legal nos é fornecida nos termos do Decreto 10.546, de 5.11.1943. Disposições especiais estabelecem, todos os anos, entre nós, de resto, transitoriamente, o chamado horário de verão, que geralmente se inicia em fins de outubro e vai até meados de fevereiro do ano seguinte. •

Do mesmo modo, as medidas e limitações do espaço formam, também, objeto de disposições administrativas, seja no tocante à determinação geodésica de uma posição dada, seja como padrões de grandeza. Assim a Lei de Terras de 1850, a mais importante, talvez, de todas as nossas leis administrativas, determinava que os territórios devolutos, discriminados pelos agrimensores do governo, fossem divididos por linhas retas, que corressem de norte a sul, segundo o meridiano verdadeiro (art. 14, Lei 601, de 18.9.1850). Por sua vez, um sistema de pesos e medidas não é mais que a instituição de uma medida de espaço como padrão de grandeza. Padrão de grandeza, transformado em padrão de valor, é também, a seu turno, a moeda – maior ou menor quantidade de metal havida em um momento dado como unidade de valor. • O sistema monetário, criado pela conferência de Bretton Woods, realizada em 1944, pelo qual os Estados Unidos estabeleceram a paridade de sua moeda em relação ao ouro, à razão de $ 35 dólares por onça de ouro, entrou em colapso, como John Maynard Keynes previra na conferência, em agosto de 1971, quando o governo americano cortou totalmente a ligação do dólar com o ouro, levando a era de Bretton Woods ao seu fim (Paul A. Samuelson, William D. Nordhaus, *Economics*, 1989, cap. 40, p. 947). •

A fixação do sistema monetário e do sistema de pesos e medidas (CF, art. 22, VI) pertence, fora de toda dúvida, ao Direito Administrativo. Enfim, os próprios números, por que as grandezas espaciais se exprimem, interessam ao Direito Administrativo. • Assim, "Proporcional à população dos Estados e do Distrito Federal, o número de deputados federais não ultrapassará quinhentos e treze (513) representantes, fornecida pela Fundação Instituto Brasileiro de Geografia e Estatística, no ano anterior às eleições, a atualização estatística demográfica das unidades da Federação (art. 1º, Lei Complementar 78, de 30.12.1993). De outra parte, "Nenhum dos Estados membros da Federação terá menos de oito (8) deputados federais" (art. 2º, Lei Complementar 78/1993) e "O Estado mais populoso será representado por setenta (70) deputados" (art. 3º, Lei Complementar 78/1993). •

Não se limita, porém, o Direito Administrativo a disposições tais. Ele regula, também, a ação da Administração Pública sobre as realidades. A Administração empreende a construção de estradas e a abertura de ruas; talha, nas rochas do litoral, os portos; ergue, nas fronteiras, as fortalezas; desbrava o sertão, mede territórios, divide-os em lotes, coloniza, funda cidades. Diz-se, então, que a Administração Pública afeiçoa o meio administrativo.

Ora, não é a polícia, a nosso ver, senão, igualmente, um afeiçoamento da realidade, embora de grau superior, à economia própria da coletividade social e do Estado. Ela se equipara à construção de estradas, à abertura de portos, às obras de guerra, à abertura de cidades. Da mesma sorte, entretanto, por que um salto se interpõe da só constatação das realidades pelo Estado à ação do Estado sobre as realidades, assim, também, desta última à polícia vai um salto. Rasgando estradas e portos, erguendo praças de guerra, fundando cidades, o Estado atua sobre realidades inanimadas. Fazendo polícia, o Estado atua sobre realidades humanas. Limita atividades e propriedades privadas; disciplina em aparência, meramente fatos e bens na ordem material. Mas, em verdade, não desconhece, por detrás dos fatos e dos bens que diretamente visa, a existência da vontade humana, que, a uns e outros, os governa e dirige. Daquela equiparação, portanto, não se deverá concluir que a polícia é essencialmente a ação material do Estado. Pelo contrário, embora se proponha atingir fatos e bens na ordem material, é principalmente sobre a vontade humana que a polícia atua – sobre as vontades que movem e regem, no espaço e no tempo, os fatos do homem e as coisas postas ao seu serviço. Não é a polícia, destarte, apenas uma exteriorização da força; antes, se se quiser diferençá-la das funções congêneres do Estado, deverá assinalar-se que a polícia se distingue delas, exatamente porque nem sempre precisa empregar a força para a realização dos seus fins. Ela o faz, algumas vezes, certo (detenção de pessoa perturbada mentalmente, destruição de cousa alheia para remover perigo iminente); mas isso não constitui a regra.

A verdadeira natureza da polícia, sob esse aspecto, está nitidamente caracterizada, embora de forma demasiado absoluta, neste conceito de Aurelino Leal: "O poder de polícia se exerce por proibições e por ordens" (*Polícia e Poder de Polícia*, Rio de Janeiro, 1918, p. 87).

4. Não sendo a força, não é, também, a polícia o arbítrio. "Basta serem crimes de polícia – adverte Lobão, acerca dos deveres dos comissários do Intendente Geral de Polícia – para deverem condenar arbitrariamente" (*Notas a Mello*, t. I, Lisboa, 1847, pp. 346 e 347).

Não o comporta, ao revés, o conceito moderno de polícia: admite-se às autoridades administrativas, nesse terreno, maior ou menor discrição; recusa-se-lhes, no entanto, todo e qualquer arbítrio. O arbítrio desconhece e desafia o direito; a discrição, ao contrário, se exerce e move, dentro do direito (João Leitão de Abreu, *Revista de Direito Administrativo*, t. XVII, pp. 10 e s.). Ora, na administração do Estado moderno, tudo se move dentro do direito; toda atividade administrativa se encontra vinculada a um fim impessoal, tutelado pelo direito (v. § 2, n. 4, supra).

• "Para apreciar exatamente a importância e os limites da polícia de acordo com o direito em vigor – afirma Fritz Fleiner – não se deve jamais perder de vista que no Estado de Direito a presunção é a favor da liberdade do indivíduo de toda coação estatal. Nesse sentido, a fórmula segundo a qual 'o que não é proibido, é permitido' contém uma verdade jurídica"

("Um Bedeutung und Schranken der Polizei nach geltenden Recht richtig zu würdigen, muss man sich stets vor Augen halten dass im Rechtsstaat die Vermutung für die Freiheit des Individuums von staatlichem Zwang spricht. In diesem Sinne enthält der Satz 'was nicht verboten ist, ist erlaubt' eine Rechtswahrheit" – *Institutionen des Deutschen Verwaltungsrechts*, reimp. da 8ª tir. (1928), Tübingen, 1963, § 24, p. 389). •

Ainda os mesmos atos materiais da Administração Pública são juridicamente relevantes; a ordem jurídica protege a finalidade a que eles tendem e, por isso mesmo, lhes delega a regulamentação às ciências técnicas competentes, fora e acima do arbítrio dos agentes. Não é raro, com efeito, que a lei ou o regulamento suponham ou imponham a observância de preceitos técnicos, numa verdadeira remissão da lei jurídica à lei científica (v. § 11, supra). A maior dose de discrição possível não envolve, destarte, arbítrio nenhum.

5. Não se confunde, entretanto, o poder de polícia, já no extremo oposto, com a só *inspeção* exercida pelo Poder Público. Esta distinção é tradicional em nosso direito; vem-nos da Lei de 1º de outubro de 1828 (arts. 66 e 70).

Modalidades dessa inspeção do Poder Público, que se estende às matérias mais variadas, são, no direito anterior, as atribuições do provedor de resíduos e capelas e dos juízes de direito em correição sobre as ordens terceiras, irmandades e confrarias religiosas, ou sobre as instituições de beneficência. • O Conselheiro Ribas dizia que "Nenhuma nova ordem monástica sem autorização do governo imperial, a quem também cabe o direito de permitir ou vedar a admissão dos noviços". Compete, porém, às assembléias provinciais legislar sobre conventos e quaisquer ordens religiosas, permitindo a fundação dos conventos pelas ordens autorizadas pelo governo imperial ou abolindo-os; mas não dar destino aos seus bens, visto ser esta atribuição pertencente ao governo imperial.

Também a criação e abolição das ordens terceiras ou irmandades e confrarias religiosas, bem como a aprovação dos seus estatutos ou compromissos, é da competência das assembléias provinciais, algumas das quais tem delegado esta atribuição aos presidentes das respectivas províncias. "Estas corporações acham-se também sujeitas ao provedor dos resíduos e capelas, e aos juízes de direito em correição (...)" (*Direito Civil Brasileiro*, t. I, Rio de Janeiro, 1977, p. 345).

No direito atual, modalidade desse poder de inspeção é o que o Código Civil atribui ao Ministério Público sobre as fundações. No art. 66, *caput*, o novo Código Civil dispõe: "Velará pelas fundações o Ministério Público do Estado onde situadas".

A forma mais freqüente, por que essa inspeção do Poder Público costuma manifestar-se, é, todavia, a fiscalização exercida sobre os serviços públicos executados por particulares, mediante concessão de serviço público, empresas públicas ou sociedades de economia mista. No primeiro caso, estão as concessões de serviços públicos, regidas, entre nós, pela Lei federal 8.987, de 13.2.1995, que determina, em seu art. 3º, o seguinte: "As concessões e permissões sujeitar-se-ão à fiscalização pelo poder concedente responsável pela delegação, com a cooperação dos usuários". A fiscalização deverá tomar por base as cláusulas essenciais do contrato de concessão, previstas no art. 23, da Lei 8.987/95. No que concerne às empresas públicas, o exemplo típico do poder de inspeção, a ser referido, é o da ANEEL, Agência Nacional de Energia Elétrica, autarquia sob regime especial, vinculada ao Ministério das Minas e Energia (art. 1º, Lei n. 9.427 de 26 de dezembro de 1996), cuja competência para 'regular e fiscalizar a produção, transmissão, distribuição e comercialização de energia elétrica, em conformidade com as políticas e diretrizes do governo federal', pode levá-la a fiscalizar a ELETROBRÁS, que é uma empresa pública, embora atípica, pois não possui um sócio só. Quanto às sociedades de economia mista, exemplo de sua fiscalização pode ser mencionado na Agência Nacional do Petróleo – ANP, criada pela Lei n. 9.478, de 6 de agosto de 1997, como autarquia especial (art. 7º), com competência para exercer fiscalização sobre as atividades programadas pela PETROBRÁS – Petróleo Brasileiro S.A., sociedade de economia mista vinculada ao Ministério das Minas e Energia (art. 61 e art. 31, da Lei n. 9.478/97)". •

Ainda essa mesma inspeção do Poder Público, sob a denominação de tutela administrativa, se estende às atividades das entidades autárquicas. Nesse sentido é a opinião de Tito Prates da Fonseca (*Autarquias Administrativas*, São Paulo, 1935, p. 93). Assim, o Instituto Nacional de Seguridade Social se encontra sujeito à intervenção da Administração central "sempre que for necessário coibir abusos ou corrigir irregularidades" (Lei 3.807, de 26.8.1960, art. 133).

Enfim, no interior das próprias repartições públicas, deparamos manifestações dessa inspeção do Poder Público, aqui exercitada pelos funcionários mesmos sobre os respectivos subalternos. Reflexo dessa atribuição funcional é a responsabilidade, explícita na Constituição Federal de 1891 (art. 82), implícita nas de 1934, 1937, 1946, 1967 e 1988, de todos os funcionários públicos "pela indulgência ou negligência em não responsabilizarem efetivamente os subalternos".

6. Dividem os escritores comumente a polícia em judiciária e administrativa. Costuma fazer-se essa distinção, a fim de relegar-se desde logo ao Direito Judiciário Penal a disciplina integral da polícia judiciária, ramo, como lhe chamam, da justiça criminal (Alcides Cruz, *Direito Administrativo Brasileiro*, Rio de Janeiro, 1914, p. 164).

Em rigor, a polícia judiciária – destinada, na definição da antiga lei rio-grandense, "a promover a repressão dos crimes e contravenções" (Lei 11, de 4.1.1896, art. 2) – deve reputar-se um ramo da polícia administrativa, dita de segurança.

A polícia judiciária é, na verdade, meramente a ordenação necessitada pelo processo judiciário penal, da atividade administrativa da polícia de segurança, à qual, de alguma forma, se superpõe, ao invés de afastá-la. Diz-se, explicitamente, em nosso Código de Processo Penal, que o exercício da polícia judiciária não exclui a ação das autoridades administrativas, a quem por lei esteja cometida a mesma função (art. 4º, parágrafo único). Significa isso que, entre a atividade da polícia judiciária e a atividade administrativa eqüipolente da polícia de segurança, há unicamente diversidade de ordenação: ali, a ordenação é de natureza processual; aqui, de natureza administrativa. Mas significa, por igual, que a atividade da qual se cuida é fundamentalmente a mesma, embora diversamente ordenada, segundo propósitos diversos.

• **6-A.** A distinção entre polícia judiciária e polícia administrativa remonta a Otto Mayer (*gerichtliche und administrative Polizei*). Segundo a opinião de Mayer a expressão polícia judiciária tem uma origem francesa. Esclarecia que, quando houve a instalação do procurador do rei junto aos tribunais, o pessoal que trabalhava na polícia de segurança, subordinado a esse funcionário, foi colocado a serviço da justiça criminal. A polícia judiciária compreende a atividade do Estado, na medida em que ela tem por finalidade constatar os fatos puníveis e a assegurar a punição dos culpados. Sustentava Otto Mayer que a polícia judiciária, sob o ponto de vista de suas atribuições, não é polícia no sentido moderno da palavra, pois, pela sua natureza jurídica, insere-se no âmbito da justiça criminal. De acordo com Otto Mayer, só a polícia administrativa é que seria verdadeiramente polícia (*Le Droit Administratif Allemand*, t. II, Paris, 1904, § 18, pp. 13-14). •

7. Também de rejeitar-se, como critério de classificação, a divisão da polícia em repressiva e preventiva. No nosso direito, já a doutrina bem orientada a havia repelido (Alcides Cruz, *Direito Administrativo Brasileiro*, 1914, p. 27).

§ 14. A POLÍCIA 315

• *7-A.* Otto Mayer também repelia a divisão entre polícia preventiva e repressiva (*vorbeugende und zwingende Polizei*). Dizia que são igualmente expressões tomadas dos jurisconsultos franceses. A distinção visa principalmente o caso de um fato punível e a maneira de agir da polícia: antes do fato, a polícia tenta impedi-lo; após o fato, trata-se de assegurar o castigo do culpado. A distinção, na verdade, coincidiria com aquela de polícia administrativa e polícia judiciária. Compreendida nesse sentido – segundo Mayer –, a classificação é bastante inocente, da qual não resultaria nada de bom do ponto de vista doutrinário (*Le Droit Administratif Allemand*, t. II, § 18, pp. 14-15). •

8. Ficamos com uma distinção apenas: a que separa a polícia de segurança da polícia administrativa e que, acrescentemos, subdivide esta última em polícia de costumes, polícia educacional, polícia sanitária, polícia rural, polícia industrial, polícia comercial e polícia de imigração.

• *8-A.* Walter Jellinek, ao estabelecer "as espécies de polícia" ("die Arten der Polizei"), depois de falar da distinção entre polícia preventiva e polícia judiciária administrativa ("vorbeugende Polizei und Polizei Strafrechtspflege" (*Verwaltungsrecht*, § 20, n. 2, "a", p. 409), chega à classificação que adotamos acima, dizendo que, por essa forma nós tocamos na distinção mais importante para o Direito Administrativo: de polícia de segurança e polícia administrativa ("c) Damit berühren wir eine für das Verwaltungsrecht bedeutsamere Unterscheidung: die Sicherheitspolizei und Verwaltungspolizei" – *Verwaltungsrecht*, Berlin, 1929, § 20, n. 2, "c", p. 410). A distinção, de resto, já aparecia na obra de Otto Mayer, que dividia a polícia em "Police de sûreté et police d'administration" ("Sicherheits- und Verwaltungspolizei"), que ele considerava como a classificação mais recente (*Le Droit Administratif Allemand*, t. II, § 18, p. 15). •

9. À polícia de segurança incumbe a manutenção da ordem pública (Alcides Cruz, ob. cit., p. 164). Que há de entender-se, perguntar-se-á, como compreendido nesse conceito?

Dentro da noção de ordem pública se reúnem as noções de tranqüilidade e de incolumidade públicas. Não é difícil alcançar-lhes os limites.

À distinção, porém, das diferentes províncias, por que se reparte a missão de polícia, não é possível pedir-lhe nitidez geométrica. Transições imperceptíveis apagam o vinco das linhas divisórias que as separam. Assim, a proibição de receber em casa particular, sem licença de autoridade competente, pessoas atacadas de alienação mental (art. 23, Lei das Contravenções Penais), constitui medida pertinente à polícia de segurança até o limite em que interessa à manutenção da ordem pública; além desse limite, constitui medida de polícia sanitária.

São, entretanto, correntemente reputadas como pertinentes à *polícia de segurança* limitações de natureza vária, assim relativas à *generalidade dos indivíduos*, como a *classes determinadas de indivíduos* ou a *formas determinadas de atividade*.

a) *Limitações relativas à generalidade dos indivíduos*. Estão nesse número, evidentemente, • a proibição de posse irregular de arma de fogo de uso permitido (art. 12, Lei 10.826, de 22.12.2003), a proibição de porte ilegal de arma de fogo de uso permitido (art. 14, Lei 10.826/2003), o disparo de arma de fogo em lugar habitado ou em suas adjacências, em via pública ou em direção a ela (art. 15, Lei 10.826/2003), a posse ou porte ilegal de arma de fogo de uso restrito (art. 16, Lei 10.826/2003) e, finalmente, a omissão de cautela para impedir que menor de 18 anos ou pessoa portadora de deficiência mental se apodere de arma de fogo (art. 13, Lei 10.826/2003). •

b) *Limitações relativas a classes determinadas de indivíduos*. Algumas restrições de polícia, porém, supõem nos indivíduos a que se dirigem a concorrência de condições ou circunstâncias especiais. Nessa acepção se diz que se dirigem a classes determinadas de indivíduos. Assim, aos serralheiros é vedado, a pedido ou por incumbência de pessoa, de cuja legitimidade não se tenham certificado previamente, abrir fechadura ou qualquer outro aparelho destinado à defesa de lugar ou objeto (art. 26, Lei das Contravenções Penais, Decreto-Lei 3.688, de 3.10.1941); • aos que estão em regime de liberdade vigiada, o juiz fixará as normas de conduta que serão observadas durante este período; serão normas obrigatórias: i) tomar ocupação, dentro de prazo razoável, se for apto para o trabalho; ii) recolher-se cedo à habitação; iii) não trazer consigo armas ofensivas ou instrumentos capazes de ofender; iv) não freqüentar casas de bebidas ou de tavolagem, nem certas reuniões, espetáculos ou diversões públicas (Código de Processo Penal, art. 767, § 1º); no caso de livramento condicional, o liberado será advertido da obrigação de apresentar-se imediatamente à autoridade judiciária e à entidade de observação cautelar e proteção (Código de Processo Penal, art. 718, § 2º); aos que não possuem meios de subsistência, sendo válidos para o trabalho, veda-se que se entreguem habitualmente à ociosidade (contravenção de vadiagem, nos termos do art. 59 da Lei das Contravenções Penais); aos estrangeiros não se permite, de modo geral, a mendicância (Bento de Faria, *Sobre o Direi-*

§ 14. A POLÍCIA 317

to de Expulsão, Rio de Janeiro, 1929, n. 22, pp. 143 e s.). Nessa ordem de matérias deve incluir-se a detenção dos loucos perigosos (Aurelino Leal, ob. cit., p. 9); e, a nosso ver, também, a dos criminosos que ponham em perigo a sociedade. •

c) *Limitações relativas a formas determinadas de atividades*. A todas as liberdades, tutelares da atividade individual, o Estado estabelece restrições de polícia. À liberdade de indústria corresponde a proibição do fabrico de arma ou munição, como à liberdade de comércio, a proibição de • "Adquirir, alugar, receber, transportar, conduzir, ocultar, ter em depósito, desmontar, montar, remontar, adulterar, vender, expor à venda, ou de qualquer forma utilizar, em proveito próprio ou alheio, no exercício de atividade comercial ou industrial, arma de fogo, acessório ou munição, sem autorização ou em desacordo com determinação legal ou regulamentar. Pena – reclusão de 4 (quatro) a 8 (oito) anos, e multa" (Lei 10.826/2003, art. 17, e parágrafo único). À liberdade de associação, a proibição das sociedades secretas, ainda que lícitos os seus fins (art. 39, Lei das Contravenções Penais). À liberdade de imprensa, a proibição de anunciar desastre ou perigo inexistente, de forma a provocar alarme, pânico ou tumulto (contravenção de falso alarma, art. 41 da Lei das Contravenções Penais).

Deve-se salientar que a Lei 10.826, de 22.12.2003, tem em seu texto pelo menos dois artigos absolutamente inconstitucionais: i) O primeiro é o que define a posse ou a manutenção sob sua guarda de arma de fogo, acessório ou munição, de uso permitido, como crime formal, que sujeita o possuidor à pena de detenção de 1 (um) a 3 (três) anos e multa (art. 12). ii) O segundo diz respeito à posse de arma de fogo de uso restrito, bem como acessórios ou munição, que também é definido como delito formal, mesmo que essa posse seja anterior à lei em cinqüenta anos, sujeita à pena de reclusão de 3 (três) a 6 (seis) anos e multa.

Os referidos artigos são flagrantemente inconstitucionais, pelo efeito retroativo que estabelecem. Se uma pessoa é possuidora de armas, que herdou de seus antepassados, que estão, não raro, há mais de cinqüenta anos numa família, torna-se automaticamente criminosa, por um crime formal, sem ter praticado um ato sequer de atentado a qualquer bem jurídico protegido pelo Código Penal.

Trata-se de disposições legais retroativas, proibidas expressamente pelo art. 5º, inciso XL, da Constituição Federal, que diz o seguinte: "A lei penal não retroagirá, salvo para beneficiar o réu".

Há, ainda, a violação do art. 5º, inciso XXXIX, da Constituição, que estabelece: "Não há crime sem lei anterior que o defina, nem pena sem prévia cominação legal". A posse de armas nunca constituiu anteriormente delito, de modo que, no caso, há dupla violação da Constituição: i) Em primeiro lugar, do princípio de reserva da lei: não há crime sem lei anterior que o defina, nem pena sem prévia cominação legal. ii) Em segundo lugar, há a retroatividade da lei penal, expressamente proibida pela Constituição: "a lei penal não retroagirá, salvo para beneficiar o réu". No caso, a lei penal retroage para incriminar pessoas inocentes, que sequer fizeram uso do armamento de que têm a propriedade.

De outra parte, a tabela para o registro de arma é no valor de R$ 300,00 para cada uma, o que caracteriza uma situação de confisco, proibida expressamente pelo art. 150, inciso IV, da Constituição Federal. Com efeito, o cidadão terá que pagar R$ 300,00 pelo registro de uma arma comum, que o Governo se propõe a indenizar por R$ 100,00. Ora, isso é confisco, é autoritarismo, é desmando legislativo, com violência flagrante ao direito individual, transformando em delinqüentes cidadãos de bem, que nada fizeram de mal à sociedade ou ao Estado, pelo simples fato de possuírem armas. Esses dispositivos ferem a Declaração de Direitos Fundamentais, assim como o direito à segurança, que todo cidadão tem e que está sendo ameaçado por um Estado que hodiernamente é dirigido por condutores políticos de ideologia extremamente duvidosa.

Há mais um dispositivo flagrantemente inconstitucional. É o art. 30 da famigerada Lei 10.826/2003, que dispõe da seguinte forma: "Os possuidores e proprietários de armas de fogo não registradas deverão, sob pena de responsabilidade penal, no prazo de 180 (cento e oitenta dias), após a publicação desta lei, solicitar o seu registro apresentando nota fiscal de compra ou a comprovação da origem lícita da posse, pelos meios de prova em direito admitidos".

Com essa disposição, armas que foram registradas há 30 anos atrás, das quais não há nota de compra conservada, porque ninguém conserva por vinte ou trinta anos notas fiscais da compra de bens móveis, deverão ser registradas de novo, para que o proprietário tenha confiscada a quantia de R$ 300,00 por arma, a favor de erário da União, pagando só pelo registro 3 vezes o que a arma vale, segundo os próprios órgãos governamentais. Trata-se de uma inconstitucionalidade flagrante, que desfaz a legitimidade de compras legítimas, que faz do proprietário o autor de um delito formal não-comissivo, que retroage no tempo, violando tudo quanto de mais sagrado existe no Direito Penal e na Declaração dos Direitos Humanos.

Nesse tema, esse Poder Legislativo fraco, que faz tudo o que um governo de duvidosa ideologia quer, é ajudado pela ignorância de muitos,

§ 14. A POLÍCIA

pela ingenuidade de outros tantos e pela má-fé de políticos inescrupulosos, produzindo uma legislação que é tão terrorista quanto os antigos terroristas e delinqüentes comuns que estão por trás dela, transformados agora em agentes da paz.

9-A. De acordo com Fritz Fleiner, a manutenção da ordem pública coloca o poder de polícia diante da mais difícil de suas missões. Não é somente a prevenção das infrações penais que deverá ser considerada, mas a preservação das concepções morais e sociais dominantes. A polícia é chamada a apreciar, dentro da ordem constitucional, aquilo que é considerado como admissível e suportável pela sociedade.

O exercício do poder de polícia deve ser submetido aos limites que decorrem da Constituição Federal e das leis. A missão da polícia é a de proteger a ordem pública, na medida em que se fala de polícia de segurança. Logo, a polícia não poderá colocar a força de que dispõe à disposição da proteção de interesses exclusivamente privados. Para essa proteção, somente a autoridade judicial é que tem competência para tanto, ao requisitar a força policial para fazer cumprir determinadas decisões tomadas dentro de processos legais, que deverão ser executadas compulsoriamente contra o particular.

A vida privada do indivíduo e o seu domicílio, de acordo com a Constituição Federal (art. 5º, incisos X e XI) são invioláveis e intangíveis. Por isso, estão fora do controle da atividade de polícia. No dizer de Fritz Fleiner, "O domínio da intervenção de polícia não começa a não ser que uma atividade individual seja empreendida de modo público. A polícia somente tem poderes sobre as manifestações sociais" ("für die Polizei entsteht ein Angriffspunkt erst, wenn eine individuelle Tätigkeit öffentlich vorgenommen wird, oder ihre Wirkungen aus dem Privatleben und der Privatwohnung in die Öffentlichkeit ausstrahlen. Nur über sog. 'gesellschaftliche Äusserungen' hat die Polizei Gewalt" (*Institutionen des Deutschen Verwaltungsrechts*, cit., § 24, III, n. 1, p. 401).

9-B. Walter Jellinek, ao tratar dos fundamentos jurídicos do poder de polícia, afirmava que existem determinadas competências sem as quais, de um modo geral, não se pode pensar o Estado. Uma delas é a do poder de polícia. O mínimo que se exige de um Estado é que, no seu interior, seja estabelecida a ordem (*Verwaltungsrecht*, Berlin, 1929, § 20, II, p. 412).

Como todas as formas de manifestação do Estado de Direito, o poder de polícia está subordinado à legalidade e os seus atos obedecem aos caracteres que identificam os atos administrativos, no que concerne à sua existência e validade. As manifestações do poder de polícia estão sujeitas, assim, às formas e aos procedimentos previstos para os atos administrativos.

Destarte, as ordens de polícia estão vinculadas aos mesmos casos de nulidade previstos para os atos administrativos. Walter Jellinek menciona três motivos fundamentais que as tornariam inválidas. Esses motivos seriam a ilegalidade do objeto (*Rechtswidrigkeit in der Sache*), a contradição com os fatos (*Widerspruch mit den Tatsachen*), que corresponde em nosso direito à inexistência material de motivos e o vício de discrição ou de julgamento (*Ermessensfehler*), que corresponde ao nosso desvio de finalidade (*Verwaltungsrecht*, ob. cit., § 20, II, p. 413).

A ilegalidade do objeto é desdobrada por Walter Jellinek, em duas partes distintas: a) a contradição com uma norma ou determinação superior; b) o abuso de poder (*Machtüberschreibung*), que está compreendido no nosso direito dentro do conceito de desvio de finalidade, que os franceses denominam de *excès de pouvoir*.

"A contradição com uma norma mais elevada existe, por exemplo, quando a polícia ordena algo, que está em contradição com uma ordem mais elevada" ("Widerspruch mit einer höheren Norm liegt z.B. vor, wenn die Polizei etwas befiehlt, was unvereinbar mit einem höheren Befehle ist" – ob. cit., § 20, III, n. 1, p. 413).

"Enquanto o estudo da contradição geralmente nenhuma dificuldade apresenta, encontram-se os problemas mais elevados no estudo do abuso do poder. Estes, entretanto, não deveriam existir. Poderes indeterminados, nomeadamente em leis especiais, são tão claramente verificáveis, que constitui coisa fácil constatar uma violação de poder" ("2. Während die Lehre vom Widerspruch meist keine Schwierigkeiten bereitet, stecken die Hauptprobleme in der Lehre von der Machtüberschreitung. Dies muss allerdings nicht sein. Gewisse Ermächtigungen, namentlich in Sonderngesetzen, sind so klar gefasst, das es ein leichtes ist, eine Zuständigkeitsüberschreitung festzustellen" – *Verwaltungsrecht*, Berlin, 1929, § 20, III, n. 2, pp. 413-414). Entretanto, a realidade se revela outra, pois, na verdade, há as intenções inconfessáveis, há os atos praticados por motivos mesquinhos, fundamentados na inveja, na intenção malévola, que se apresentam aparentemente como perfeitos. Um parecer, que é elaborado por motivos subalternos e invocando normas cuja inaplicabilidade ao caso não é aparente, constitui exemplo de ato praticado por motivos subalternos, com abuso de poder, que viola o direito de outrem, sob a aparência da falsa legalidade. Por isso, Walter Jellinek diz que o abuso de poder, que aparentemente não encerra problema algum, é difícil de ser constatado, porque debaixo da aparência de legalidade está a intenção maldosa, o interesse pessoal, o desejo de prejudicar. Como é incontroverso, é muito fácil utilizar o Poder Público para fazer o mal. Todos os dias estamos nos defrontando com essa realidade de atos fundamentados na perfídia e na deslealdade, com a aparência mais inocente que se poderia imaginar.

9-C. Essas questões, relevantes no moderno Estado de Direito, já eram objeto de preocupação daquele ilustre jurista, sob a Constituição de Weimar.

9-D. Além disso, desde então, eram definidas algumas características importantes do poder de polícia, que vigoram até os nossos dias:

Em primeiro lugar, a intervenção da polícia somente deve ter lugar para a proteção de um interesse racional da coletividade. Interesses irracionais e sem nenhuma ligação com a ordem pública não devem ser objeto do poder de polícia.

Em segundo lugar, a autoridade policial deve ser competente para proteger ditos interesses no que concerne ao território, ao objeto e ao tempo.

Em terceiro lugar, tão-somente ações inconvenientes devem ser proibidas ou suprimidas pela autoridade policial.

"Em quarto lugar, a polícia deve dar ordens unicamente no interesse público" ("Die Polizei dar nur in öffentliche Interesse befehlen").

Em quinto lugar, os interesses protegidos pela autoridade policial devem ser relevantes, justificando a sua intervenção (Walter Jellinek, ob. cit., § 20, III, n. 2, pp. 417-420). Na verdade, a polícia deve intervir levando em consideração situações concretas e não simples possibilidades virtuais de perturbação da ordem pública.

9-E. Essas apósitas considerações, feitas pelo notável administrativista, estão a demonstrar a atualidade do seu pensamento, que sobreviveu a um dos períodos mais tenebrosos dos tempos modernos, da mesma forma que revelam a sintonia perfeita de suas concepções com as que originalmente foram formuladas neste livro. •

10. Tem a *polícia administrativa* por objeto a preservação daquelas demais condições que, juntamente com a ordem pública, são essenciais à vida do indivíduo e do agregado social, e ainda à existência mesma do Estado.

Pela polícia administrativa se exprime a maneira de ser de cada povo; revela-se tudo quanto se reputa existencial à sua economia viva, ao seu ser e, mais do que isso, ao seu destino mesmo. A estrutura, as funções e os fins do Estado ou da coletividade nacional influem poderosamente sobre o conceito e compreensão da polícia administrativa.

Que condições, entretanto, ou melhor, que ramos da polícia administrativa se reputarão indispensáveis para que alcancem toda a plenitude de que são capazes o concorrente exercício de todas as atividades e a conservação perfeita de todas as propriedades privadas? A essa pergunta, nenhuma resposta séria pode dar-se senão referindo-se a um povo determinado, a tal ou qual país ou nacionalidade.

No nosso país, conhecemos no presente uma polícia de costumes, uma polícia educacional, uma polícia sanitária, uma polícia rural, uma polícia industrial, uma polícia comercial, uma polícia de imigração. A cada momento, contudo, essa enumeração que, de resto, nada tem de limitativa, tende a ampliar-se. Assim, a monopolização.

• *10-A.* O monopólio da União sobre o petróleo, no que entende com a pesquisa e a lavra das jazidas, bem como do gás natural e outros hidrocarbonetos, previsto no art. 177, inciso I, da Constituição Federal de 1988, já constituiu uma atividade de polícia nessa área, exercitada pela Agência Nacional do Petróleo – ANP, autarquia especial, criada pela Lei 9.478, de 6.8.1997 (art. 7º), que "terá como finalidade promover a regulação, a contratação e a fiscalização das atividades econômicas integrantes da indústria do petróleo (...)" (art. 8º, *caput*). De outra parte, foi mantida a PETROBRÁS, apesar das manifestações desfavoráveis do neoliberalismo econômico, como "uma sociedade de economia mista vinculada ao Ministério de Minas e Energia, que tem como objetivo a pesquisa, a lavra, a refinação, o processamento, o comércio e o transporte de petróleo proveniente de poço de xisto ou de outras rochas, de seus derivados, de gás natural e de outros hidrocarbonetos fluidos, bem como quaisquer outras atividades correlatas ou afins, conforme definidas em lei" (art. 8º, Lei 9.478/1997). Retirou-se o exercício do monopólio da União das mãos da PETROBRÁS, que, salvo esse, ficou com todos os seus poderes, passando os demais para a ANP, que exerce o poder de polícia sobre a indústria do petróleo. O transporte marítimo do petróleo bruto de origem nacional ou de derivados básicos de petróleo produzidos no País, que também é monopólio da União, continuou a ser exercido pela PETROBRÁS (CF, art. 177, IV; Lei 9.478/1997, art. 61). "Todos os direitos de exploração e produção de petróleo e gás natural em território nacional, nela compreen-

§ 14. A POLÍCIA 323

didos a parte terrestre, o mar territorial, a plataforma continental e a zona econômica exclusiva, pertencem à União, cabendo sua administração à ANP" (Lei 9.478/1997, art. 21). Com isso, transferiu-se o exercício do monopólio das mãos da PETROBRÁS para a administração da Agência Nacional do Petróleo – ANP, que estabelece as regras para eventuais concessões e exerce o poder de polícia sobre esse monopólio da União, nos seus diferentes desdobramentos. Como conseqüência da retirada da PETROBRÁS do exercício do monopólio, a importação e exportação de petróleo podem ser exercidas por qualquer empresa que atender ao disposto no art. 5º da Lei 9.478/1997, isto é, receber concessão da ANP e submeter-se à sua fiscalização integral, podendo exercer essas atividades de importação e exportação de petróleo bruto e seus derivados, bem como de gás natural, sob a vigilância da ANP. O resultado dessa providência, defendida com muito ardor pelos neoliberais não foi dos melhores para as duas refinarias privadas que já existiam, em nosso país, quando foi criada a PETROBRÁS, lá no longínquo ano de 1953. Essas refinarias não recebem mais o petróleo produzido pela PETROBRÁS, devendo recorrer ao mercado livre internacional, no qual a cotação do petróleo flutua ao sabor das circunstâncias, principalmente da instabilidade política do oriente médio e do mundo muçulmano em geral. A diferença dos preços do mercado, em relação aos da PETROBRÁS é simplesmente astronômica e essas entidades estão sofrendo as conseqüências do remédio prescrito pelo neoliberalismo econômico.

Com relação a outro monopólio, definido pela Constituição Federal em favor da União, que é o da "pesquisa, a lavra, o enriquecimento, o processamento, a industrialização e o comércio de minérios e minerais nucleares e seus derivados", a União já criou uma autarquia, encarregada do assunto, que é a Comissão Nacional de Energia Nuclear, criada pela Lei 6.189, de 1974, bem como a NUCLEBRÁS S.A., empresa pública vinculada ao Ministério da Ciência e Tecnologia, da mesma forma que a CNEN, cuja Lei de criação foi alterada posteriormente pela Lei 7.781, de 1989. A Comissão Nacional de Energia Nuclear exerce o seu poder de polícia administrativa sobre mais este monopólio da União, definido pela Constituição Federal (art. 177, inciso V). A vinculação ao Ministério da Ciência e Tecnologia foi estabelecida recentemente, pelo Decreto 4.566, de 1º.1.2003.

10-B. Passemos ao exame da enumeração já feita, embora reconheçamos não ser exaustiva, sendo suscetível de aumentar com o desenvolvimento das exigências sociais e das múltiplas tarefas que o Estado continuamente assume. •

10-C. Polícia de costumes. Tarefa da polícia de costumes é a preservação dessa moralidade externa que, em toda sociedade civilizada, se tem por indispensável ao convívio coletivo. São inumeráveis as manifestações concretas dessa incumbência de tamanhas proporções. De modo principal, todavia, vela a polícia de costumes na prevenção ou repressão da embriaguez, da prostituição, dos jogos de azar. Atenção igual mereciam, porém, as diversões públicas, os teatros e o cinema.

a) *Embriaguez* – A Lei de 1º.10.1828 incluía a vigilância sobre os embriagados entre as matérias da polícia de segurança (art. 66, § 3). A antiga Lei rio-grandense (Lei 11, de 4.1.1896) incorporava aos deveres da polícia administrativa o de "pôr em custódia por tempo nunca excedente de 24 horas os turbulentos que, por palavras e ações, ofendam a moral e os bons costumes, os bêbados por hábito e prostitutas que perturbem o sossego público" (art. 5, § 2). Ainda nesse caso, no entanto, meramente se dispõe sobre desordens públicas, decorrentes da embriaguez. A embriaguez em si própria é, também, objeto de limitações policiais. Assim, é vedado apresentar-se alguém publicamente em estado de embriaguez, que cause escândalo • ou ponha em perigo a segurança própria ou alheia. A vedação encontra-se no art. 62 da Lei das Contravenções Penais, que pune o fato com pena de prisão simples, de 15 (quinze) dias a 3 (três) meses. No caso de contraventor habitual, a Lei das Contravenções Penais dispõe que "o contraventor é internado em casa de custódia e tratamento" (art. 62, parágrafo único). Constitui também, contravenção penal, "Servir bebidas alcoólicas: I – a menor de 18 (dezoito) anos; II – a quem se acha em estado de embriaguez; III – a pessoa que o agente sabe sofrer das faculdades mentais; IV – a pessoa que o agente sabe estar judicialmente proibida de freqüentar lugares onde se consome bebidas de tal natureza; Pena – prisão simples, de 2 (dois) meses a 1(um) ano, ou multa" (Lei das Contravenções Penais, art. 63).

Lei especial (Lei 6.368, de 21.10.1976), dispõe sobre medidas de prevenção e repressão ao tráfico ilícito e uso indevido de substâncias entorpecentes ou que determinem dependência física ou psíquica e dá outras providências. Essa Lei Federal instituiu o Sistema Nacional Antidrogas (art. 3º), estabeleceu normas sobre o tratamento e a recuperação dos dependentes de substâncias entorpecentes, ou que determinem dependência física ou psíquica, definiu os crimes e as penas referentes à importação, exportação, produção, fabricação, aquisição e venda de substâncias tóxicas, estabelecendo para esses casos penas que variam de 3 (três) anos a 15 (quinze) anos de reclusão e pagamento de 50 a 360 dias multa (art. 12). Essa mesma lei, entretanto, em seu art. 19, isenta "de pena o agente que, em razão da dependência ou sob o efeito de substância entorpecente ou que determine dependência física ou psíquica proveniente de caso fortuito ou força maior, era, ao tempo da ação ou da omissão, qualquer que tenha sido a infração penal praticada, inteiramente incapaz de entender o caráter ilícito do fato ou de determinar-se de acordo com esse entendimento". Essa Lei também estabelece o procedimento criminal para os delitos nela definidos. •

b) *Prostituição* – A ação da polícia de costumes, no tocante à prostituição, assume geralmente a forma de localização, isto é, da circunscrição limitativa. A jurisprudência do Supremo Tribunal Federal, desde 1899, mostrou-se constante em prestigiar essa modalidade de ação policial (Aurelino Leal, ob. cit., pp. 127 e ss.).

A providência, no direito pátrio, tem, entretanto, origens bem mais remotas. Prescrevia-a já o Alvará de 2 de junho de 1570 (*Código Administrativo Anotado*, Lisboa, 1865, ao art. 227, VI, p. 239).

c) *Jogos de azar* – Dependem de autorização as loterias e as rifas no território do país. "A permissão de loterias – escreve Pontes de Miranda – é medida de exceção e (...) a título provisório. É o que deriva claramente das disposições legais que estabelecem prazos aos contratos. Fruto do século XVI, ano 1530, em Florença, a loteria de dinheiro constitui especulação rigorosamente imoral, pois que explora a ambição dos pequenos e necessitados, a quem ostenta, impudicas, as possibilidades de riqueza e libertação pecuniária, mediante pequenas quantias" (*Manual do Código Civil Brasileiro*, de Paulo de Lacerda, vol. XVI, t. II, parte I, Rio de Janeiro, 1932, n. 338, pp. 367 e 368). Hodiernamente, compete à empresa pública Caixa Econômica Federal "explorar com exclusividade, os serviços de Loteria Federal do Brasil e da Loteria Esportiva Federal nos termos da legislação pertinente" (Decreto-Lei 759, de 12.8.1969, art. 2º, "d"). Dispõe, ainda, o referido Decreto-Lei que "Os resultados da exploração da Loteria Federal e da Loteria Esportiva Federal que couberem à CEF como executora desses serviços públicos serão destinados ao fortalecimento do patrimônio da empresa, vedada sua aplicação no custeio de despesas correntes" (art. 10, *caput*). As loterias, em nosso direito, do ponto de vista formal, constituem-se em serviços públicos. Assim dispunha já o Decreto-Lei 6.259, de 10.2.1944, que denominava de concessões as permissões que concedia para a exploração da Loteria Federal, e as equiparava às concessões de serviço público. Presentemente, a Caixa Econômica Federal detém o privilégio exclusivo da exploração das loterias federais. Pontes de Miranda, entretanto, ao comentar a Constituição Federal de 1934, dizia: "Loterias não são serviço público, nem de utilidade pública;

são submetidas à permissão, ao regime da fiscalização, em virtude da sua periculosidade, para que se proteja e se acautele contra elas o público" (*Comentários à Constituição dos Estados Unidos do Brasil*, t. I, Rio de Janeiro, 1936, p. 421). A opinião de Pontes de Miranda não prevaleceu, sobretudo porque o Estado assumiu o serviço de loterias, denominando-o de serviço público, embora do ponto de vista material não o seja, pois é o serviço mais dispensável que se poderia imaginar. Mas, do ponto de vista formal, da sua organização e da sua estrutura, indúbio que se trata de serviço público e goza das garantias pertinentes ao serviço público. Como as loterias apenas formalmente são consideradas serviço público, poder-se-ia falar de um monopólio estatal que, pela sua finalidade, constitui a expressão de uma limitação de polícia.

d) *Diversões públicas e teatros* – Entendia-se, outrora, geralmente caber aos Municípios o exercício da polícia de costumes relativamente às diversões e espetáculos públicos. Esse era o pensamento da antiga Lei rio-grandense (art. 5º, § 3, Lei 11, cit.); essa parece ter sido a orientação, também, da nossa velha Lei de 1º.10.1828 (art. 66, § 12).

A Constituição Federal de 1937 transferiu, porém, à União a competência para legislar sobre o regime de teatros, confirmando-lhe a já exercida a respeito dos cinematógrafos (art. 16, XVIII). "Hoje – escreve Pontes de Miranda – tão importante se tornou toda a política da diversão pública e de tal alcance social, crescente com o progresso dos meios técnicos e a educação generalizada das populações, que os teatros e as exibições cinematográficas, que deviam competir, segundo as velhas linhas discriminatórias das competências legislativas, aos Municípios, passaram a ser objeto de normas de origem federal" (*Comentários à Constituição Federal de 10 de Novembro de 1937*, t. I, Rio de Janeiro, 1938, p. 460).

Com o advento da Constituição Federal de 1946 (art. 141, § 5º), foi admitida a censura "quanto a espetáculos e diversões públicas", tendo havido a reafirmação da competência federal nessa matéria. A inviolabilidade (CF de 1946, art. 141) dos direitos individuais significava que haviam de ser eles intangíveis, salvo pelas vias de direito, compatíveis com a garantia constitucional que os assegurava. A via de direito, pela qual se lhes poderia limitar o exercício, havia de ser, à sua vez, definida pela Constituição mesma (CF/1946, art. 141, § 11), ou por lei federal. À lei federal, sob o regime da Constituição Federal de 1946, incumbia, portanto, regular, *primo loco*, ao menos, a censura "quanto a espetáculos e diversões públicas" (art. 141, § 5º).

• O novo regime constitucional, instituído pela Constituição Federal de 1988, que estabeleceu um Estado Democrático de Direito, eliminou completamente a censura e a licença quanto a espetáculos e diversões públicas, estabelecendo que "é livre a expressão da atividade intelectual, artística, científica e de comunicação, independentemente de censura ou licença" (CF/1988, art. 5º, IX). Reforçando esse dispositivo que consta da declaração dos "Direitos e Garantias Fundamentais", a Constituição voltou a tratar do tema em seu art. 220, § 2º, no qual diz expressamente que "É vedada toda e qualquer censura de natureza política, ideológica e artística". A inspiração desse dispositivo constitucional remonta à Lei Fundamental de Bonn (23.5.1949), cujo art. 5º, parte 1, parágrafo 3, afirma enfaticamente: "Não será exercida a censura" ("Eine Zensur findet nicht statt"). "Historicamente considerada, a censura significa uma instituição de poder autoritária, proveniente do Estado ou da Igreja, exercendo um controle planejado da vida espiritual, especialmente, o controle dos conteúdos das obras escritas, e do advento de idéias indesejáveis, bem como informações a serem impedidas, ou inibidas a sua propagação" ("Historisch betrachtet bedeutet die Zensur eine vom Staat oder von der Kirche als den massgeblichen Herrschaftseinrichtungen ausgeübte planmässige Überwachung des Geisteslebens, insbes., die Kontrolle des Inhalts von Schriftwerken, um das Aufkommen unerwünschter Ideen und Nachrichten zu verhindern oder deren Verbreitung zu unterbinden" – Peter Badura, *Staatsrecht*, München, 1986, C 68, p. 126).

Saliente-se, por fim, que a censura, de que a Constituição da República cogita, é a chamada censura prévia, que tem como fundamento de sua atuação uma organização formal de polícia, com normas estatais estabelecidas por regulamentos de polícia, ordens e proibições como atos administrativos, tudo isso estabelecendo regras de sua ação, toda ela voltada para impedir a livre manifestação do pensamento. Essa censura é totalmente vedada pela atual Constituição que, em boa hora, pôs fim àquele ranço medieval que existia nessa atividade de polícia administrativa voltada para a censura. Não envolve, entretanto, a proibição constitucional, as decisões tomadas no âmbito das empresas de comunicação, de natureza interna, que não raro deixam de publicar artigos e entrevistas, ou manifestações indesejadas pela sua direção, mas que não correspondem a nenhuma norma ou atividade estatal de censura. O que a Constituição proíbe é que o Estado assuma a posição de censor e faça a escolha dos livros que podem ser publicados ou lidos, das peças de teatro que devem ou não ser exibidas e dos filmes que os cinemas podem ou não podem apresentar. Essa censura oficial, como atividade inerente à polícia de costumes, ramo da polícia administrativa, no âmbito do Direito Administrativo e do Direito Constitucional, felizmente acabou. Esperamos que para sempre. •

10-D. Polícia educacional. "Os nossos tempos – sinala Pontes de Miranda – sugerem a dissociação do conceito de liberdade de ensino em liberdade de ensinar e liberdade de comerciar com o ensino", esta última sujeita, nas Constituições modernas, ao "regime das autorizações com fundamento na suficiência didática e nas condições de moralidade" (*Direito à Educação*, Rio de Janeiro, 1933, pp. 92 e 93). A limitação consistente na exigência de aptidão didática, em relação à liberdade de ensinar, constituiria absurdo evidente. Mas, a suficiência didática, exigida a quem se faz pagar pela instrução que ministra e tem no ensino mister lucrativo, é, ao contrário, restrição aconselhada pelo bem público.

• A legislação sobre diretrizes e bases da educação nacional é da competência privativa da União Federal (CF/1988, art. 22, XXIV).

É da competência comum da União, dos Estados, do Distrito Federal e dos Municípios proporcionar os meios de acesso à cultura, à educação e à ciência (CF, art. 23, V).

Há, entretanto, competência concorrente da União, dos Estados e do Distrito Federal para legislar sobre educação, ressalvadas as diretrizes e bases que são de competência privativa da União (CF/1988, art. 24, IX).

A Constituição Federal estabelece que o ensino é livre à iniciativa privada (art. 209, *caput*), mas ressalva o cumprimento das normas gerais da educação nacional (inciso I) e a autorização e avaliação de qualidade pelo Poder Público (inciso II, art. 209). Por essa forma, a União Federal exerce poder de polícia sobre o ensino ministrado por entidades privadas, no intuito de assegurar o cumprimento das diretrizes fundamentais da educação nacional e a suficiência didática, com avaliação permanente da qualidade de ensino por parte do Ministério da Educação (Lei 9.649, de 27.1.1998, art. 13, VII). Incumbe, com efeito, ao referido Ministério, por força da competência da União, traçar a política nacional de educação e fiscalizar a educação em geral, compreendendo o ensino fundamental, o ensino médio e o ensino superior, promovendo a avaliação dos respectivos curso (Lei 9.649, 27.1.1998, art. 14, VII, "a", "c" e "d").

Ao fiscalizar a educação em geral, a União, pelo seu respectivo Ministério, está desenvolvendo atividade de polícia administrativa no campo da educação.

A competência para fixar as diretrizes e bases da educação nacional é privativa da União, que a exerceu ao editar a Lei 9.394, de 20.12.1996, cujo texto determina: "Caberá à União a coordenação da política nacional de educação, articulando os diferentes níveis e sistemas e exercendo função normativa, redistributiva e supletiva em relação às demais instâncias educacionais" (art. 8º, § 1). No que concerne aos cursos superiores, "A autorização e o reconhecimento de cursos, bem como o credenciamento de instituições de educação superior, terão prazos limitados, sendo renovados, periodicamente, após processo regular de avaliação" (art. 46). Dispõe, também, a referida Lei 9.394/1996, que "A educação superior será ministrada em instituições de ensino superior, públicas ou privadas, com variados graus de abrangência ou especialização" (art. 45). No que concerne às Universidades oficiais, vigora o art. 207 da Constituição Federal, que dispõe da seguinte forma:

"Art. 207. As universidades gozam de autonomia didático-científica, administrativa e de gestão financeira e patrimonial, e obedecerão ao princípio de indissociabilidade entre ensino, pesquisa e extensão.

"§ 1º. É facultado às universidades admitir professores, técnicos e cientistas estrangeiros, na forma da lei.

"§ 2º. O disposto neste artigo aplica-se às instituições de pesquisa científica e tecnológica."

Considerando a competência privativa da União concernente às diretrizes e bases da educação nacional, deve-se admitir que a respectiva fiscalização de polícia é também de competência privativa da União. Essa conclusão decorre da disposição do art. 22, inciso XXIV, da Constituição Federal. •

10-E. Polícia sanitária. Merece especial destaque no Brasil este ramo da polícia administrativa. Uma disposição de polícia sanitária teve já, em nosso país, o efeito, real ou protestado, de gerar uma revolução. Trata-se da lei de vacinação obrigatória, a propósito de cuja execução se verificou, a 14 de novembro de 1904, um levante militar chefiado pelo general Lauro Sodré (Max Fleiuss, *Apostilas de História do Brasil*, Rio de Janeiro, 1933, p. 439).

Repartem-se no nosso regime político as atribuições de polícia sanitária entre a União, os Estados, o Distrito Federal e os Municípios. À União compete primariamente o estabelecimento das normas fundamentais de defesa e proteção da saúde, que foram estabelecidas na seção II do Título da Ordem Social da Constituição Federal. • A saúde foi definida como direito de todos (art. 196), considerados como de relevância pública as ações e serviços de saúde, cabendo ao Poder Público dispor, nos termos da lei, sobre sua regulamentação, fiscalização e controle (CF, art. 197). Foi criado um sistema único de saúde, financiado com recursos orçamentários da seguridade social, da União, dos Estados, do Distrito Federal e dos Municípios (CF, art. 198, § 1º). A Constituição Federal atribui ao sistema único de saúde, além de outras atribuições, as seguintes diretrizes: I – descentralização, com direção única em cada esfera do governo; II – atendimento integral, com prioridade para as atividades preventivas, sem prejuízo dos serviços assistenciais; III – participação da comunidade.

A Constituição Federal, em seu art. 200, outorga competência ao sistema único de saúde, além de outras atribuições, nos termos da lei, para: "I – controlar e fiscalizar procedimentos, produtos e substâncias de interesse para a saúde e participar da produção de medicamentos, equipamentos, imunobiológicos, hemoderivados e outros insumos; II – executar as ações de vigilância sanitária e epidemiológica, bem como as de saúde do trabalhador; III – ordenar a formação de recursos humanos na área da saúde; IV – participar da formulação da política da execução das ações de saneamento básico; V – incrementar em sua área de atuação o desenvolvimento científico e tecnológico; VI – fiscalizar e inspecionar alimentos, compreendendo o controle de seu teor nutricional, bem como bebidas e águas para consumo humano; VII – participar do controle e fiscalização da produção, transporte, guarda e utilização de substâncias e produtos psicoativos, tóxicos e radioativos; VIII – colaborar na proteção do meio ambiente, nele compreendido o do trabalho" (CF, art. 200, incisos I a VIII).

Como se observa, a competência do sistema único de saúde é ampla no que concerne a tudo quanto possa interessar à saúde pública e individual.

Pode-se dizer, por conseguinte, que a competência de polícia sanitária é concorrente entre União, Estados, Distrito Federal e Municípios, obedecido sempre o princípio segundo o qual o direito federal corta o direito estadual, consagrado na Constituição alemã ("Bundesrecht bricht Landesrecht") e admitido pela nossa Constituição (art. 24, § 4º).

Nessa matéria, a União já tomou a dianteira e estabeleceu, por Lei federal, o Sistema Nacional de Vigilância Sanitária, criado pela Lei Federal 9.782, de 26.1.1999. No art. 1º, a Lei admite que o "Sistema Nacional de Vigilância Sanitária compreende o conjunto de ações (...) executado por instituições da Administração Pública direta e indireta da União, dos Estados, do Distrito Federal e dos Municípios (...)".

Entretanto, no art. 2º, fica definida a competência privativa da União nessa matéria, como "normatizar, controlar e fiscalizar produtos, substâncias e serviços de interesse para a saúde" (inciso III), bem como "exercer a vigilância sanitária de portos, aeroportos e fronteiras, podendo

§ 14. A POLÍCIA 331

essa atribuição ser supletivamente exercida pelos Estados, pelo Distrito Federal e pelos Municípios' (inciso IV). Há um pequeno equívoco nesse dispositivo, considerando, para tanto, que o Distrito Federal situa-se no centro do país. Logo, não poderia jamais exercer, mesmo supletivamente, a vigilância de fronteiras, que, por definição, se situam nos extremos do território nacional. A referida Lei 9.782/1999 criou a ANVISA, ou Agência Nacional de Vigilância Sanitária, autarquia sob regime especial, vinculada ao Ministério da Saúde (art. 3º). A amplitude da competência da ANVISA é vastíssima e está definida no art. 7º da Lei 9.728/1999, em 25 incisos, salientando-se o inciso XXIV, que lhe dá competência para "autuar e aplicar as penalidades previstas em lei". De modo que a Vigilância Sanitária no Brasil hodierno é fundamentalmente exercida pela ANVISA, que é uma autarquia especial, na forma de agência reguladora, que dispõe de atribuições amplíssimas que lhe foram outorgadas especificamente por Lei federal. A estultice jurídica, que não poderia faltar nesta época de irracionalismo em que vivemos, consta do art. 19 da Lei 9.728/1999. O art. 19 diz o seguinte: "A administração da Agência será regida por um contrato de gestão, negociado entre o seu Diretor-Presidente e o Ministro de Estado da Saúde, ouvidos previamente os Ministros de Estado da Fazenda e do Planejamento, Orçamento e gestão, no prazo máximo de 120 (cento e vinte) dias seguintes à nomeação do Diretor-Presidente da autarquia".

Por mais que se faça esforço para cometer uma tolice, seria difícil imaginar uma toleima tão grande quanto essa, que consta do art. 19 da Lei 9.728/1999. A Administração Pública direta ou indireta, por sua própria definição, exerce de modo imediato a respectiva atividade, sem a dependência de nenhum negócio jurídico intermediário. Se o negócio jurídico intermediário é dispensável entre as pessoas jurídicas de direito público da mesma órbita de competência, mais incompreensível ele se torna quando é feito entre o Ministro da Saúde e o Presidente de uma autarquia que integra a Administração indireta da União. Isso tudo nós devemos a um Ministro de Estado, que entrou pomposamente no Ministério e saiu em silêncio, pela porta dos fundos do governo e que até os dias atuais se propõe a efetuar reformas. Recentemente, publicou ainda um artigo, pretendendo reformar a Constituição dos Estados Unidos da América. Thomas Jefferson, onde quer que se encontre sua alma, deve ter tremido de pavor.

Da enunciação feita pela Constituição Federal, percebe-se que há uma competência concorrente, em matéria de saúde pública, da União, dos Estados, do Distrito Federal e dos Municípios. Logo, também em matéria de polícia sanitária.

Mas também se percebe que a União Federal tomou a dianteira em matéria legislativa, com a Lei 9.782/1999, deixando pouca coisa às demais entidades de direito público que integram a federação. •

O nosso saudoso mestre professor Francisco Rodolfo Simch subdividia, para fins de classificação demonstrativa, a polícia sanitária da seguinte forma: 1. polícia alimentar; 2. polícia edilícia; 3. polícia profilática; 4. polícia curativa; 5. polícia mortuária.

• A *polícia alimentar* é exercida primariamente pela ANVISA, que tem competência para, "respeitada a legislação em vigor, regulamentar, controlar e fiscalizar os produtos que envolvam risco á saúde pública: (...) II – alimentos, inclusive bebidas, águas envasadas, seus insumos, suas embalagens, aditivos alimentares, limites de contaminantes orgânicos, resíduos de agrotóxicos e de medicamentos veterinários" (art. 8º, inciso II, Lei 9.782/1999).

A *polícia profilática* também está a cargo da ANVISA, pelo menos em grande parte. Basta considerar o art. 7º, incisos V, VII, XIV, XV, XVI e XXV, letras "a" e "b", da Lei 9.782/1999.

A *polícia curativa*, em princípio, é atribuição do SUS, sistema único de saúde, ao qual compete as ações "que visem à redução do risco de doenças e de outros agravos" (CF, arts. 196 e 198). Nesse particular, há uma competência comum, prevista pelo art. 23, inciso II, da Constituição Federal, que atribui à União, aos Estados, ao Distrito Federal e aos Municípios a obrigação de "cuidar da saúde".

A *polícia edilícia* inicia com a obediência às normas pertinentes ao parcelamento do solo urbano (Lei 6.766, de 19.12.1979, art. 1º). Os Estados, o Distrito Federal e os Municípios têm competência para estabelecer normas complementares relativas ao parcelamento do solo municipal (art. 2º). Tanto as Prefeituras Municipais, quanto o Distrito Federal têm competência para definir as diretrizes para o uso do solo, traçado dos lotes, do sistema viário, dos espaços livres e das áreas reservadas para equipamento urbano e comunitário (art. 6º). A infra-estrutura básica dos parcelamentos situados em Zonas Habitacionais declaradas por lei como de interesse social (ZHIS) consistirá, no mínimo, de: I – vias de circulação; II – escoamento de águas pluviais; III – rede para o abastecimento de água potável; IV – soluções para o esgotamento sanitário e para a energia elétrica domiciliar (art. 2º, § 6º).

De modo que, a polícia edilícia, que tem o seu início com o parcelamento do solo urbano, em princípio, é da competência dos Municípios e do Distrito Federal (art. 6º, Lei 6.766/1979). Entretanto, a competência

§ 14. A POLÍCIA

para "legislar sobre normas gerais de direito urbanístico" é privativa da União Federal, assim como dispõe o art. 3º, inciso I, da Lei 10.257, de 10.7.2001.

A *polícia mortuária* é da competência do Estado e dos Municípios respectivos. Ao Estado compete tomar as providências, sobretudo no que concerne às autópsias de cadáveres, cabendo aos Municípios a manutenção e o cuidado de cemitérios seculares. Nessa matéria, entretanto, a iniciativa particular, pelo menos na cidade de Porto Alegre, tem cumprido missão relevante. Sobretudo as irmandades religiosas, como a Santa Casa de Misericórdia de Porto Alegre, a Irmandade do Arcanjo São Miguel e Almas, a Irmandade São José, a Comunidade Luterana possuem cemitérios que exercem, no lugar do Poder Público, com mais vantagem e presteza na prestação dos serviços, de modo perfeito, essa atribuição que, em princípio, é da competência do Município. É um exemplo conspícuo esse dos cemitérios de Irmandades religiosas, da função subsidiária da sociedade, à ação da Administração Pública. •

10-F. A polícia industrial. Algumas disposições de polícia industrial ficaram já entrevistas, quando tratamos da polícia de segurança e da polícia sanitária. Assim, as respeitantes às fábricas de armas e munições; assim, também, as relativas a estabelecimentos de preparo de produtos de origem animal e vegetal, destinados ao comércio internacional ou interestadual, sujeitos, à fiscalização sanitária federal da ANVISA. Por sua vez, separou-se do Direito Administrativo, há algum tempo, para constituir ramo de direito autônomo, toda a matéria relativa às condições do trabalho e do trabalhador.

Há ainda, entretanto, neste capítulo, limitações policiais que merecem a nossa atenção. São as restrições postas pelo Estado à caça, à pesca, à indústria extrativa de madeiras e correlatas e à indústria da mineração.

a) Caça e pesca – • O *novo Código de Caça*, baixado pela Lei 5.197, de 3.1.1967, proíbe expressamente a caça como atividade profissional. Admite a lei, tão-somente, atos de caça, praticados por amadores devidamente licenciados pela autoridade competente (art. 13). O Poder Público, na forma da lei, estimulará a formação e o funcionamento de clubes e sociedades amadoristas de caça e de tiro ao vôo, objetivando alcançar espírito associativista para a prática desse esporte (art. 6º, "a"). O poder de polícia sobre o exercício da caça como atividade amadorista compete, na forma de lei, à União Federal (art. 25), podendo a União realizar convênios com esse propósito, com os Estados e Municípios. Os funcionários que exercerem atividade de fiscalização de caça são equiparados aos agentes de segurança pública, sendo-lhes assegurado o porte de armas (art. 26). Constitui crime punível com pena de reclusão de 2 a 5 anos a violação da proibição do exercício da caça profissional (art. 2º), o comércio de espécimes da fauna silvestre e de produtos e objetos que impliquem na sua caça, perseguição, destruição ou apanha (art. 3º, *caput*), a falta da apresentação da declaração de estoques e valores por parte de pessoas físicas ou jurídicas com criadouros legalizados (arts. 17 e 3º, § 1º), bem como a exportação de peles e couros de anfíbios e répteis, em bruto. Além disso, o Código estabelece a punição com a pena de reclusão de 1 a 3 (um a três) anos para outras violações dos seus dispositivos. Essas penas estão previstas pelo art. 27 e seus parágrafos do Código de Caça, que capitula como crimes as violações previstas em seu art. 27.

O novo Código de Pesca foi estabelecido pelo Decreto-Lei 221, de 28.2.1967. A pesca poderá efetuar-se com fins comerciais, desportivos ou científicos (art. 2º, *caput*). São considerados como de domínio público todos os animais e vegetais que se encontrem nas águas dominiais (art. 3º). Os efeitos do Código de Pesca alcançam as águas interiores do Brasil, o mar territorial brasileiro, as zonas de alto-mar, desde que em conformidade com tratados e convenções internacionais ratificados pelo Brasil, a zona contígua e a plataforma submarina, até a profundidade que esteja de acordo com tratados e convenções internacionais (art. 4º, "a", "b", "c", "d", e "e"). A pesca comercial é realizada por embarcações pesqueiras, na forma do art. 5º. Toda embarcação nacional ou estrangeira que se dedique à pesca, além do cumprimento das exigências das autoridades marítimas, deverá ser inscrita na Superintendência do Desenvolvimento da Pesca – SUDEPE (art. 6º). As embarcações estrangeiras somente poderão realizar atividade de pesca no mar territorial do Brasil quando devidamente autorizadas pelo Ministério da Agricultura ou quando cobertas por acordos internacionais sobre pesca, firmados pelo Governo Brasileiro (art. 9º, *caput*). As sanções ao descumprimento da lei vão desde o apresamento da embarcação, pela autoridade inspetora competente, à aplicação de multas e apreensão do equipamento. Já as pequenas embarcações de pesca poderão transportar livremente as famílias de pescadores, produto de pequena lavoura ou indústria doméstica (art. 10). A pesca é regulamentada também em seu aspecto profissional, considerando a lei como "Pescador profissional (...) aquele que, matriculado na repartição competente segundo as leis e regulamentos em vigor, faz da pesca sua profissão ou meio principal de vida" (art. 26, *caput*). A pesca profissional, na forma da lei, será exercida por brasileiros natos ou naturalizados e por estrangeiros, devidamente autorizados pelo órgão competente (art. 27, *caput*). A pesca profissional

§ 14. A POLÍCIA   335

somente é permitida aos maiores de 18 (dezoito) anos (art. 27, § 1º), sendo permitido, porém, o embarque de maiores de 14 (quatorze) anos como aprendizes de pesca, desde que autorizados pelo Juiz competente (art. 27, § 2º). Para a obtenção da matrícula de pescador profissional é preciso autorização prévia da SUDEPE, ou de órgão nos Estados com delegação de poderes para a aplicação e fiscalização do Código de Pesca. A matrícula, de sua parte, será emitida pela Capitania dos Portos, do Ministério da Defesa, Comando da Marinha, tudo na forma do art. 28 e seu § 1º. A lei proíbe a pesca nos lugares e épocas interditados pelo órgão competente, em locais onde o seu exercício cause embaraço à navegação, com dinamite e outros explosivos comuns, ou com substâncias que, em contato com a água, possam agir de forma explosiva, com substâncias tóxicas e a menos de 500 metros das saídas de esgotos (art. 35, "a", "b", "c", "d" e "e"). O poder de polícia sobre a atividade pesqueira é da competência da União Federal, que poderá delegar poderes aos Estados. Os fiscais da pesca são equiparados aos agentes de segurança pública (art. 53, *caput*). Os referidos servidores poderão portar armas de defesa, cujo porte lhes será fornecido pela Polícia mediante solicitação da SUDEPE, ou órgãos com delegação de poderes, nos Estados (art. 53, parágrafo único). Os servidores da fiscalização da pesca têm competência para prender em flagrante delito e autuar os infratores dos dispositivos do Código. As infrações aos dispositivos do Código são punidas com pena de multa, de gradação variada, na forma do art. 55 e seguintes, podendo, em caso de reincidência, ter suas matrículas ou licenças cassadas, mediante regular processo administrativo (art. 64).

b) Indústria extrativa de madeiras – O Código Florestal (Lei 4.771, de 15.9.1965) estabelece limitações numerosíssimas à indústria extrativa de madeiras e às indústrias correlatas, ainda quando exercidas pelo proprietário mesmo da floresta. O Código define, primeiramente, as florestas de preservação permanente (arts. 2º e 3º). Além disso, estabelece as medidas de interesse público destinadas à adequada conservação e propagação da vegetação florestal, tais como a limitação e o controle do pastoreio em determinadas áreas, as providências de prevenção e de erradicação de pragas e doenças que afetam a vegetação florestal e a difusão e a adoção de métodos tecnológicos que visem a aumentar economicamente a vida útil da madeira (art. 4º). Incumbe ao Poder Público, ainda, a criação de Parques Nacionais, Estaduais e Municipais e Reservas Biológicas, para a proteção integral da flora, fauna e das belezas naturais, bem como criar Florestas Nacionais, Estaduais e Municipais (art. 5º). No que concerne às empresas industriais que, por sua natureza, consumirem grandes quantidades de matéria-prima florestal, a lei as obriga a manter um serviço organizado, que assegure o plantio de novas áreas, em terras próprias ou pertencentes a terceiros, cuja produção sob exploração racional, seja equivalente ao consumido para o seu abastecimento (art. 20). As empresas siderúrgicas, de transporte e outras, à base de carvão vegetal, lenha ou outra matéria-prima florestal, são obrigadas a manter florestas próprias para exploração racional ou a formar, diretamente ou por intermédio de empreendimentos dos quais participem, florestas destinadas ao seu suprimento (art. 21, *caput*). O poder de polícia para fiscalizar o exato cumprimento das normas do Código Florestal é da União Federal, por meio de órgão executivo específico, podendo realizar convênios com os Estados e Municípios para o cumprimento dos objetivos de fiscalização (art. 22). Os funcionários florestais, no exercício de suas funções, são equiparados aos agentes de segurança pública, sendo-lhes assegurado o porte de armas (art. 24). São inúmeras as contravenções penais, puníveis com 3 (três) meses a 1 (um) ano de prisão simples, ou multa de uma a cem vezes o salário mínimo mensal (art. 26). Dentre essas contravenções conumeram-se a de destruir ou danificar floresta de preservação permanente (art. 26, "a"); cortar árvores em florestas de preservação permanente, sem permissão de autoridade competente (letra "b"); penetrar em florestas de preservação permanente conduzindo armas, substâncias ou instrumentos próprios para caça proibida ou para exploração de produtos ou subprodutos florestais, sem estar munido de licença da autoridade competente (letra "c"); causar danos aos Parques Nacionais, Estaduais ou Municipais, bem como às reservas biológicas (letra "d"); fazer fogo, por qualquer modo, em floresta e demais formas de vegetação, sem tomar as precauções adequadas (letra "e"); fabricar, vender, transportar ou soltar balões que possam provocar incêndios nas florestas e demais formas de vegetação (letra "f"); impedir ou dificultar a regeneração natural de florestas e demais formas de vegetação (letra "g"); receber madeira, lenha, carvão e outros produtos procedentes de florestas, sem exigir a exibição de licença do vendedor, outorgada pela autoridade competente, e sem munir-se da via que deverá acompanhar o produto, até final beneficiamento (letra "h"); transportar ou guardar madeiras, lenha, carvão e outros produtos procedentes de florestas, sem licença válida para todo o tempo da viagem ou do armazenamento, outorgada pela autoridade competente (letra "i"); empregar, como combustível, produtos florestais ou hulha, sem uso de dispositivo que impeça a difusão de fagulhas, suscetíveis de provocar incêndios nas florestas (letra "l"); soltar animais ou não tomar precauções necessárias para que o animal de sua propriedade não penetre em florestas sujeitas a regime especial (letra "m"); matar, lesar ou maltratar, por qualquer meio ou modo, plantas de ornamentação de logradouros públicos ou em propriedade privada alheia ou árvore imune de corte (letra "n"); extrair de florestas de domínio público ou consideradas de preservação permanente, sem prévia autorização, pedra, areia, cal ou qualquer outra espécie de minerais (letra "o"); transformar madeiras de lei em carvão, inclusive para qualquer efeito industrial, sem licença da autoridade competente (letra "q"). Tamanhas restrições demonstram a preocupação do Poder Público com a conservação das florestas, dos parques e das reservas biológicas, que são fiscalizados pelo poder de polícia da União Federal. Além dessas restrições já mencionadas, constantes do art. 26 do Código Florestal, há a proibição absoluta de usar fogo nas florestas e demais formas de vegetação (art. 27). Além dessas contravenções, subsistem as contravenções e crimes previstos no Código Penal e demais leis aplicáveis à espécie, com as penalidades respectivas (art. 28). Os funcionários da repartição florestal e de autarquias com atribuições correlatas são autoridades competentes para instaurar, presidir e proceder a inquéritos policiais, bem como lavrar autos de prisão em flagrante e intentar a ação penal nos casos de crimes ou contravenções previstos no Código Florestal ou em outras leis, que tenham por objeto florestas e demais formas de vegetação (art. 33). O órgão superior consultivo e normativo da política florestal é o Conselho Florestal Federal (art. 48). Compete ao IBAMA, autarquia federal, zelar pelas florestas plantadas (art. 46) e pelos recursos naturais em geral.

c) Indústria de mineração – i) A exploração e o aproveitamento das jazidas, dos recursos minerais e da energia hidráulica pertencem à União Federal, que poderá concedê-los, constituindo propriedade distinta da do solo, garantida ao concessionário a propriedade do produto da lavra (CF/1998, art. 176).

ii) A pesquisa e a lavra de recursos minerais e o aproveitamento dos potenciais de energia hidráulica somente poderão ser efetuados mediante autorização ou concessão da União Federal, por brasileiros ou empresa constituída sob as leis brasileiras, que tenham sua sede e administração no país. Cabe, à União Federal, por conseguinte, exercer poder de polícia sobre essas atividades, embora a Constituição Federal atribua competência concorrente à União, aos Estados e ao Distrito Federal para legislar sobre "defesa do solo e recursos naturais" (CF, art. 24, VI). A competência dos Estados é suplementar (art. 24, § 2º) e não prevalece diante da superveniência de lei federal sobre normas gerais, que suspende a eficácia da lei estadual, no que lhe for contrária (CF, art. 24, § 4º).

d) Polícia comercial – Também algumas disposições de polícia comercial tivemos já ocasião de deparar. Estão nesse número as limitações ao comércio de armas e munições e, bem assim, as relativas ao comércio de substâncias tóxicas e entorpecentes, bem como de determinados remédios.

e) Polícia de imigração – Dispõe a Constituição Federal que a emigração e a imigração, entrada, extradição e expulsão de estrangeiros é da competência privativa da União Federal, no que concerne à legislação e à fiscalização (CF, art. 22, XV). A competência da União Federal nessa matéria decorre do próprio texto constitucional. Celso Antônio Bandeira de Mello, discorrendo sobre o tema afirma apositamente: "Como critério fundamental, procede o dizer-se que é competente para dada medida de polícia administrativa quem for competente para legislar sobre a matéria. Assim, a União exercerá em caráter exclusivo polícia administrativa sobre o que estiver arrolado no art. 22 da Constituição (...)" (*Curso De Direito Administrativo*, 20ª ed., São Paulo, Malheiros Editores, 2006, cap. XIV, n. 47, p. 795). •

f) Polícia rural – A vida nos campos reclama um ordenamento distinto do das coletividades urbanas. Um ramo especial da polícia administrativa é-lhe certamente consagrado: a polícia rural. Pertence à polícia rural: a) proibir que se deite fogo; • por qualquer modo, em florestas e demais formas de vegetação, sem tomar as precauções adequadas (Código Florestal, art. 26, "e"); • b) proibir se soltem balões • que possam provocar incêndios nas florestas e demais formas de vegetação (Código Florestal, art. 26, "f"); • c) proibir se deixe gado solto, sem pastor, em lugares onde possa causar prejuízo aos habitantes e às lavouras (Lei de 1º.10.1828, art. 66, § 5º); d) dispor sobre a salubridade das águas em geral e sobre a limpeza e desobstrução das águas públicas e comuns (Código de Águas, arts. 53 e 109); • e) promover a defesa permanente contra as calamidades públicas, especialmente as secas e as inundações (CF, art. 21, XVIII).

Quanto às secas, há uma autarquia federal encarregada de realizar as obras necessárias para minorar esse flagelo social e econômico. Trata-se do Departamento Nacional de Obras Contra as Secas – DNOCS – estabelecimento público encarregado de construir açudes, barragens e de perfurar poços artesianos na zona das secas, incumbindo-lhe ainda velar pela manutenção e conservação dessas obras. •

§ 15. OS DIREITOS DO ESTADO

Ainda nos regimes democráticos, reconhecem-se ao Estado direitos contra o indivíduo, tendo por objeto a pessoa e bens deste e tendo por origem o exercício, por parte daquele, dos poderes comumente designados como direitos de soberania.

• A controvérsia sobre o tema aparece em Walter Jellinek, quando afirma no seu livro que "Titulares de direitos públicos subjetivos podem ser todos os sujeitos de direito, os seres humanos, as pessoas jurídicas de direito privado e as de direito público, inclusive o Estado" ("Träger der subjektiven öffentlichen Rechte können alle Rechtssubjekte sein, der Mensch also, die juristischen Personen des Privatrechts und die des öffentlichen Rechts, einschliesslich des Staates" – *Verwaltungsrecht*, Berlin, 1929, § 9, IV, n. 2, p. 192). Embora antigamente a possibilidade de direitos subjetivos públicos diante do Estado não fosse admitida – considerando-se que o Estado, nessa matéria, estivesse desligado de toda a obrigação e que um direito que dependesse da vontade dos súditos não pudesse ser considerado direito –, hodiernamente encontra-se a resposta afirmativa à existência desses direitos subjetivos, seguramente não mais contestados. "Então, levando em consideração nomeadamente a separação dos Poderes, a possibilidade de um Direito Administrativo teve sua confirmação como um direito que liga dois lados, não apresentando mais o direito subjetivo dos indivíduos contra o Estado dificuldade alguma" ("Da wir mit Rücksicht namentlich auf die Trennung der Gewalten die Möglichkeit eines Verwaltungsrechts als zweiseitige bindenden Rechts bejaht haben, bereitet das subjektive Recht des einzelnen gegen den Staat keine Schwierigkeit mehr" – W. Jellinek, *Verwaltungsrecht*, Berlin, 1929, § 9, IV, n. 2, p. 192).

"Apenas para os Direitos do Estado há de novo os que contestam, desde que o Estado já é tão poderoso, e pode estar em relação aos demais sujeitos de direito num degrau superior de poder. (...) Mas – diz Walter Jellinek – também para ele deve ser reconhecida a possibilidade de direitos subjetivos públicos pela pertinência de um poder de vontade, a qual para ele como contraparte lhe é reconhecida. O Estado tem um direito ao pagamento de impostos, taxas e contribuições, um direito à prestação de serviços, à desapropriação, à imposição de penas, à abstenção de comportamentos contrários às determinações de polícia" ("Aber auch für ihn muss die Möglichkeit subjektiver öffentlicher Rechte anerkannt werden, denn auch für ihn gibt es eine dem öffentlichen Rechte angehörige Willensmacht, die ihm zum eigenen Vorteil verliehen ist. Der Staat hat ein Recht auf Zahlung von Steuern, Gebühren und Beiträgen, ein Recht auf Dienste, auf Enteignung, auf Strafe, auf Unterlassung polizeiwidrigen Verhaltens" – W. Jellinek, *Verwaltungsrecht*, cit., § 9, IV, n. 2, p. 193).

Depois de observar que apenas em relação aos Direitos de Estado existiria uma negação, fundada no poder soberano do Estado, o qual estaria numa posição de superioridade e de poder face aos súditos, Jellinek contesta essa assertiva. Com a afirmação feita acima, sustenta ser admissível reconhecer a possibilidade da existência de direitos subjetivos públicos, em favor do Estado, ao qual normalmente só se reconhece no direito subjetivo público a situação de estar obrigado diante dos súditos a prestar-lhes os seus direitos. Entretanto, conforme ficou demonstrado acima, na última citação, o poder do Estado é imenso e se desdobra em várias direções, ao exigir impostos, serviços, desapropriar e impor penas. Logo, é indúbio que existem direitos do Estado contra os indivíduos. •

1. Sempre que o exercício de tais poderes consiste numa atividade administrativa, os direitos do Estado, assim formados, embora devam a sua origem à disposição constitucional, fonte daqueles poderes, vêm, de sua vez, produzir efeitos dentro do Direito Administrativo e ficam subordinados, nessa parte, às regras deste ramo do direito.

Objetos desses Direitos do Estado podem ser: a) a pessoa; b) atividade pessoal determinada; c) o patrimônio; d) bem patrimonial determinado.

2. No número dos direitos do Estado contra o indivíduo, que têm por objeto a pessoa deste, figura, como principal, o que resulta do recrutamento militar. A obrigatoriedade do serviço militar, em tempo de paz, • começa no dia primeiro de janeiro do ano em que o cidadão completar dezenove anos de idade e subsistirá até 31 de dezembro do ano em que completar quarenta e cinco anos (Lei 4.375, de 17.8.1964, art. 5º).

§ 15. OS DIREITOS DO ESTADO

O serviço militar é obrigatório nos termos da Constituição Federal (art. 143). Mas as mulheres e os eclesiásticos ficam isentos do serviço militar obrigatório em tempo de paz, sujeitos, porém, a outros encargos que a Lei lhes atribuir (CF, art. 143, § 2º). A nova Constituição Federal de 1988 acolheu a figura da *objeção de consciência*, denominada no texto constitucional de "imperativo de consciência", decorrente da crença religiosa e de convicção filosófica ou política, para eximir aqueles que o invocarem de atividades de caráter essencialmente militar (art. 143, § 1º). O serviço militar inicial dos incorporados terá a duração normal de 12 (doze) meses (art. 6º, Lei 4.375/1964). Em tempo de guerra, o período de obrigação para com o serviço militar poderá ser ampliado, de acordo com os interesses da defesa nacional (art. 5º, § 2º, Lei 4.375/1964). Para o efeito do serviço militar cessará a incapacidade civil do menor, na data em que completar 17 (dezessete) anos (art. 73, Lei 4.375/1964). Inúmeras restrições são estabelecidas pela lei àqueles que entre o dia 1º de janeiro do ano em que completarem 19 (dezenove) anos de idade e 31 de dezembro do ano em que completarem 45 (quarenta e cinco) anos não estiverem em dia com suas obrigações militares. Entre essas restrições conumeram-se a de obter passaporte ou a prorrogação de sua validade (art. 74, "a"), Lei 4.375/1964); ingressar como funcionário, empregado ou associado em instituição, empresa ou associação oficial ou oficializada ou subvencionada ou cuja existência ou funcionamento dependa de autorização ou reconhecimento do Governo Federal, Estadual ou Municipal (letra "b"); assinar contratos com o Governo Federal, Estadual, dos Territórios ou Municipal (letra "c"); prestar exame ou matricular-se em qualquer estabelecimento de ensino (letra "d"); obter carteira profissional, matrícula ou inscrição para o exercício de qualquer função e licença de indústria e profissão (letra "e"); inscrever-se em concurso para o provimento de cargo público (letra "f"); exercer, a qualquer título, sem distinção de categoria ou forma de pagamento, qualquer função ou cargo público (letra "g"). Tamanhas restrições, impostas aos refratários e insubmissos, estão a demonstrar o caráter obrigatório do serviço militar e o rigor da lei no que concerne ao cumprimento exato da obrigação legal prevista pelo art. 2º da Lei 4.375/1964. •

3. Objeto do direito do Estado contra o indivíduo é, algumas vezes, entretanto, meramente uma atividade pessoal determinada.

Tal é a significação das *angariae* e *perangariae* do direito antigo e das requisições civis e militares do direito moderno, umas e outras tendo por objeto tanto a prestação de coisas como de serviços (Domingos Antunes Portugal, *De Donationibus Jurium et Bonorum Regiae Coronae*, Lugduni, 1726, lib. III, cap. II, n. 1, p. 8: "Et illud datur discrimen inter angariae et perangariae, ut angariae verificentur in servitio subditorum cum plaustris, equis et aliis jumentibus, vel cum navibus; perangariae vero sint servitio personale").

4. Pode ainda incidir o direito do Estado apenas sobre o patrimônio, mas sobre todo o patrimônio do indivíduo. • Diferentemente da obrigação de prestar o serviço militar, que se constitui em dever apenas do cidadão brasileiro, nato ou naturalizado, bem como optante (art. 2º, § 1º, Lei 4.375/1964), a obrigação de pagar impostos, taxas, contribuição de melhoria e contribuições em geral abrange tanto nacionais quanto estrangeiros, que tenham residência, domicílio ou negócios no Brasil. O direito do Estado de cobrar tributos, neles compreendidos os impostos, taxas, contribuição de melhoria (CF, art. 145, I, II e III) e contribuições sociais, de intervenção no domínio econômico e de interesse das categorias profissionais e econômicas (CF, art. 149 e seu parágrafo único) tem como consectário natural o privilégio do crédito tributário, cujo pagamento é garantido pela totalidade dos bens e rendas, de qualquer origem ou natureza, do sujeito passivo, seu espólio ou sua massa falida, inclusive os gravados por ônus real ou cláusula de inalienabilidade ou impenhorabilidade, seja qual for a data da constituição do ônus ou da cláusula, excetuados unicamente os bens e rendas que a lei declare absolutamente impenhoráveis (Código Tributário Nacional, art. 184). No nosso país, com efeito, o crédito fiscal prefere, de modo quase absoluto, a qualquer outro. Prescreve o art 186 do Código Tributário Nacional, de 25.10.1966, que "O crédito tributário prefere a quaisquer outros, seja qual for a natureza ou o tempo da constituição destes, ressalvados os créditos decorrentes da legislação do trabalho".

No mesmo sentido, completando essa disposição, estabelece o art. 187 do referido Código o seguinte: "Art. 187. A cobrança judicial do crédito tributário não é sujeita a concurso de credores ou habilitação em falência, concordata, inventário ou arrolamento. Parágrafo único. O concurso de preferência somente se verifica entre pessoas jurídicas de direito público, na seguinte ordem: I – União; II – Estados, Distrito Federal e Territórios, conjuntamente e *pro rata*; III – Municípios, conjuntamente e *pro rata*".

Por esse modo, todo o patrimônio particular fica vinculado ao pagamento dos impostos, das taxas e das contribuições, que nada são, a seu turno, senão prelevações do Estado, para custeio de seus serviços, sobre

§ 15. OS DIREITOS DO ESTADO 343

esse mesmo patrimônio. Surge o direito fiscal do Estado, quanto à taxa, de regra, pela prestação do serviço a que ela corresponde; quanto ao imposto, pelo lançamento. "Lançamento – escreve Veiga Filho – é o processo pelo qual se contempla ou coleta o contribuinte para o pagamento de um imposto. O lançamento pode ter por base não só a declaração da parte (o que é mais geralmente adotado) como também as avaliações oficiais ou cálculos dos lançadores, e os indícios ou presunções legais reveladores das condições do contribuinte, como a casa, a instalação desta, os criados e outras" (ob. cit., parágrafo 40, p. 79).

Antigamente esse direito do Estado sobre todo o patrimônio individual pertencia ao Direito Administrativo Financeiro, que, segundo Walter Jellinek, disciplinava as taxas públicas, as contribuições públicas, bem como os impostos ("öffentlichrechtlichen Gebühr, dem öffentlichen Beitrag und der Steuer", *Verwaltungsrecht*, § 17, I, p. 372). No mesmo sentido já se manifestara Otto Mayer quando afirmava que a administração das finanças é a atividade do Estado que diz respeito às suas receitas e que comparava o poder financeiro do Estado ao seu poder de polícia, ambos de natureza essencialmente análoga, apresentando uma grande afinidade (*Le Droit Administratif Allemand*, t. II, Paris, 1904, § 26, pp. 177-178).

Hodiernamente, o Direito Tributário e o Direito Financeiro destacaram-se do Direito Administrativo, para formar direito especial e autônomo (Alfredo Augusto Becker, *Teoria Geral do Direito Tributário*, 3ª ed., São Paulo, Lejus, 1998, n. 70, p. 255). •

5. Enfim, o direito do Estado contra o indivíduo pode ter, ainda, como objeto, um bem patrimonial determinado. O seu nascedouro é, nessa hipótese, a desapropriação. A requisição de coisas pode conduzir a resultado semelhante. Mas a forma normal de manifestação de tal direito é verdadeiramente a desapropriação por necessidade ou utilidade pública, • prevista como garantia constitucional do direito de propriedade pelo art. 5º, inciso XXIV, da Constituição Federal de 1988. Além da desapropriação por necessidade ou utilidade pública, deve ser incluída no âmbito do Direito Administrativo a desapropriação por interesse social, prevista pela Lei 4.132, de 10.9.1962. Não se inclui, e manifestamente, no Direito Administrativo, a desapropriação por interesse social para fins de reforma agrária, que pertence ao Direito Agrário (CF, arts. 184 e 185). Nesse sentido é a opinião de Wellington Pacheco Barros (*Curso de Direito Agrário*, vol. 1, Porto Alegre, 1997, n. 4.6, p. 48).

5-A. Há outras formas de intervenção do Estado na propriedade, sem que se possa falar de desapropriação.

I – Há a assim chamada disposição compulsória (*der Ablieferungszwang*), pela qual o Estado ou outra pessoa administrativa estabelece restrições coativas à propriedade, sem desapropriá-la (Ernst Rudolf Huber, *Wirtschafts-Verwaltungsrechts*, t. 2, Tübingen, 1954, § 69, n. III, p. 34).

II – Também deve ser conumerado entre as intervenções estatais sobre a propriedade privada o chamado "sacrifício compulsório" (*der Aufopferungszwang*) por intermédio do qual há uma intervenção do Estado na propriedade privada, pela qual o proprietário é obrigado a suportar uma limitação ao seu direito de propriedade, em benefício do bem comum, no caso de uma colisão de interesses entre a propriedade individual e a utilidade pública, mediante o pagamento de uma indenização (E. R. Huber, ob. cit., t. II, § 69, n. IV, p. 36).

III – Deve-se considerar, ainda, o confisco como pena prevista em lei, de perda de bens, em função do cometimento de um ilícito penal, de acordo com o que dispõe o art. 5º, incisos XLV e XLVI da Constituição Federal de 1988.

IV – O confisco da propriedade, compreendendo todo o patrimônio ou uma parte dele, é ato de motivação política, que não se admite dentro do Estado de Direito, considerando a garantia constitucional do direito de propriedade, prevista pelo art. 5º, inciso XXI, da Constituição Federal. A proibição de confisco político já aparecia na Constituição de Weimar, que em seu art. 48, parágrafo 2, proibia essa forma agressiva de manifestação da vontade estatal (E. R. Huber, ob. cit., t. II, n. VI, 2, p. 43).

V – A restituição é a entrega do que está no patrimônio público ao seu verdadeiro titular, feita coativamente ou voluntariamente. Pode ocorrer depois da requisição, a que alude o art. 5º, inciso XXV, da Constituição Federal, que determina que, no caso de perigo iminente público, a autoridade competente poderá usar de propriedade particular, assegurada ao proprietário indenização ulterior, se houver dano. Nesse sentido, a opinião de Pontes de Miranda (*Questões Forenses*, t. VII, Rio de Janeiro, 1962, p. 213).

VI – A transformação coativa da propriedade é o ato do Estado pelo qual se muda a estrutura ou a destinação da propriedade. O direito alemão fala de *Eingentumsumlegung* (E. R. Huber, ob. cit., t. II, n. VIII, p. 46). A transformação coativa da propriedade tem como exemplos as aberturas de ruas, as construções de praças, as urbanizações, os loteamentos compulsórios, de que podem resultar prejuízos aos titulares de direitos, com a conseqüente pretensão à indenização prévia e justa. Nesse sentido a opinião de Pontes de Miranda (ob. cit., p. 213).

§ 15. OS DIREITOS DO ESTADO

VII – A desconcentração da propriedade (*Eigentumsumschichtung*) consiste numa intervenção estatal por meio da qual um patrimônio de grande valor, concentrado nas mãos de poucos ("in der Hand von Wenigen konzentriert"), seja redistribuído para que a propriedade venha a se difundir entre mais pessoas. Por meio desse instituto é possível combater os cartéis, os trustes e os latifúndios em matéria de propriedade imobiliária (E. R. Huber, ob. cit., t. II, n. IX, p. 48).

VIII – A destruição compulsória tem lugar sempre que o bem público o exija, como é o caso das doenças contagiosas de gado, como a aftosa, que não raro tem exigido o sacrifício de rebanhos inteiros. O princípio da indenização subsiste nesse caso, assim como sustenta E. R. Huber (ob. cit., t. II, p. 38, "a"). A afirmação é clara: "Assim, contém o princípio do sacrifício compulsório uma garantia de indenização" ("insoweit enthält der Aufopferungsgrundsatz eine Entschädigungsgarantie").

IX – A socialização é uma intervenção do Estado por intermédio da qual determinados bens econômicos são arrebatados da propriedade privada e transferidos para a propriedade pública ou para outras formas de propriedade pública (E. R. Huber, ob. cit., t. II, n. X, p. 50). A socialização está prevista no art. 15 da Lei Fundamental de Bonn. Nossa Constituição não prevê a socialização, mas admite a intervenção do Estado no domínio econômico, sempre que necessária aos imperativos da segurança nacional ou a relevante interesse coletivo (CF, art. 173, *caput*). Não pode haver intervenção do Estado no domínio econômico, caso envolva desapropriação de bens, sem incidência do art. 5º, inciso XXIV, da Constituição Federal. Destarte, face aos termos claros da nossa Constituição de 1988, não poderia jamais ocorrer a socialização, sem que houvesse a obrigação do Estado de pagar uma justa e prévia indenização em dinheiro. •

6. Costuma discutir-se a compossibilidade lógica dessa dupla ordem de causas justificativas da desapropriação – necessidade e utilidade pública – à vista da compreensão pacificamente reconhecida à noção de utilidade pública, na qual se abrange a noção mais restrita de necessidade pública.

Na Assembléia Nacional Constituinte de 1933-1934, o jurisconsulto Carlos Maximiliano levantou a questão e propôs se cancelasse do texto da Lei suprema, por obsoleta, a distinção entre a necessidade e a utilidade pública, como determinantes da desapropriação. O alvitre, entretanto, não prevaleceu (Marques dos Reis, *A Constituição Federal Brasileira de 1934*, Rio de Janeiro, 1934, pp. 238 e s.). Tal como os textos de 1934, de 1946, e de 1967, o de 1988 conserva, ainda, a distinção (CF/1988, art. 5º, XXIV).

A dualidade das causas justificativas da desapropriação remonta a longes tempos, na nossa tradição jurídica. Domingos Antunes Portugal, jurisconsulto que floresceu no século XVII, não se cansa de apresentar, associadas, as duas expressões: "causae publicae utilitatis, vel necessitatis" (ob. cit., lib. II, cap. XI, n. 72, p. 175); "publica utilitas vel necessitas" (ob. cit., lib. II, cap. XI, n. 73, p. 175); "ad utilitatem publicam vel necessitatem" (ob. cit., lib. II, n. 75, p. 176). A nosso ver, a explicação desse persistente dualismo está em que ele reflete uma dupla fundamentação desse direito do Estado. Dupla, porque relativa, de uma parte, ao direito objetivo e, de outra, ao direito subjetivo. A necessidade pública justifica a violação do regime da propriedade individual, estabelecido pelo direito objetivo, "quia ut vulgo dicitur, necessitas caret lege, imo ipsa lex necessitati subjicitur" (ob. cit., lib. II, cap. IV, n. 23, p. 116); "et ea propter casus necessitatis in quacumque prohibitione semper censetur exceptus, quia facit licitum quod alias erat illicitum" (ob. cit., lib. II, cap. XXIV, n. 110, p. 298). A utilidade pública, de sua vez, nos dá a justificativa pela qual se consente seja arrebatado ao particular, em benefício do Estado, o cômodo da propriedade, o bem que lhe é objeto, quando considerada como direito subjetivo: "etenim semper utilitas et causa publica praefertur privatae" (ob. cit., lib. II, cap. XI, n. 26, p. 171); e ainda, "multa concedentur in damnum et in commodum privatorum propter publicam utilitatem, quae alis nom concederentur" (ob. cit., lib. II, cap. XI, n. 29, p. 171).

A dualidade de causas da desapropriação, no nosso direito antigo, a nosso ver, portanto, não reflete senão a dualidade de fundamentos a que o instituto, ainda mal definido, então se apoiava. Mais proximamente no tempo, esse dualismo foi insatisfatoriamente explicado pelas formas mais variadas:

a) pela diversidade do processo, sumário, quando se trata de necessidade pública; oferecendo maiores garantias, quando se trata de utilidade pública (Rodrigo Otávio, *Do Domínio da União e dos Estados*, São Paulo, 1924, ns. 17 e 19, pp. 36 e 38);

b) pela natureza da matéria que, reclamando interpretação restritiva, exige por isso mesmo a distinção aludida (Sá Pereira, *Manual do Código Civil Brasileiro*, de Paulo de Lacerda, t. VIII, Rio de Janeiro, 1934, n. 126, p. 325);

c) pela maior gravidade e urgência dos casos de desapropriação por necessidade pública (Clóvis Bevilaqua, *Código Civil Comentado*, t. III, Rio de Janeiro, 1923, p. 124).

§ 15. OS DIREITOS DO ESTADO 347

7. "A desapropriação – declarou-se num aresto do Supremo Tribunal Federal – é um instituto jurídico misto: tem uma parte sujeita ao Direito Administrativo e uma parte subordinada a certas normas de Processo Civil, bem como a alguns preceitos de Direito Civil" (Acórdão do STF, de 13.1.1914, *RSTF* 1/147).

Pensamos, ao contrário, que a desapropriação é instituto exclusivamente de direito público, • regido pelo direito público em sua substância e seus efeitos.

Essa opinião é antiga e remonta ao século XIX.

a) Otto Mayer definia a desapropriação como "um ato de autoridade, pelo qual é arrebatado ou restringido um direito de propriedade, em benefício de uma empresa de utilidade pública" ("L'expropriation est un acte de l'autorité, par lequel est enlevé ou restreint un droit de propriété du sujet, au profit d'une entreprise d'utilité publique" – *Le Droit Administratif Allemand*, t. III, Paris, 1905, § 33, p. 1).

b) No seu livro sobre o Direito Administrativo francês, publicado em 1886, em Strassburg, ao tempo em que a Alsácia estava sob domínio alemão, Otto Mayer define a desapropriação no direito francês da seguinte forma: "A desapropriação é uma intervenção do poder executivo, para a qual é necessária uma autorização da lei. Esta autorização lhe é concedida para um fim determinado e sob condição de cumprimento de determinadas formalidades. A finalidade estava na Constituição de 1791, Art. 17, caracterizada com as palavras: 'lorsque la nécessité publique l'exige évidemment'. As leis ulteriores permitiram ao invés dessa, julgando-a suficiente, uma necessidade de 'utilidade pública'" ("Die Enteignung ist ein Eingriff der vollziehenden Gewalt, zu welchem es einer Ermächtigung des Gesetzes bedarf. Diese Ermächtigung ist ihr gegeben für einem bestimmten Zweck und unter der Bedingung der Erfüllung gewisser Formen. Der Zweck war in der Verfassung von 1791, Art. 17, bezeichnet mit den Worten: 'lorsque la nécessité publique l'exige évidemment'. Die späteren Gesetze lassen statt dessen genügen ein Bedürfniss der 'utilité publique'" – *Theorie des Französischen Verwaltungsrechts*, Strassburg, 1886, § 36, pp. 36-37).

c) Walter Jellinek afirma que "a desapropriação clássica (...) ocorre sempre que a medida é necessária para uma determinada empresa pública, por meio de um ato administrativo, compensado por uma indenização" ("die klassische Enteignung bezeichnen (...) soweit die Massnahme für ein bestimmtes öffentliches Unternehmen nötig ist, durch Verwaltungsakt gegen Entschädigung" – *Verwaltungsrecht*, Berlin, 1929, § 18, I, n. 1, p. 388).

d) Fritz Fleiner nos diz que "O Estado está autorizado, de acordo com as regras do direito público, a retirar dos particulares seus direitos, deles se apropriando, desde que o interesse público o exija. Mas ele está, então, obrigado a dar ao particular lesado plena indenização em dinheiro. Nascendo de uma relação de direito público, esse direito é um direito público. Apoiando-se nessa habilitação, os Estados editaram leis sobre desapropriação, nas quais determinam as formas e as condições segundo as quais o Estado pode, para uma entrepresa pública específica, que ele projeta, proceder à desapropriação forçada" ("Der Staat ist nach öffentlichem Rechte befugt, dem Privaten Rechte zu entziehen und sie sich selbst anzueignen, sobald das öffentliche Interesse dies verlangt. Aber der Staat ist verpflichtet, dem Geschädigten dafür vollen Ersatz in Geld zu leisten. Weil dieser Anspruch einem öffentlich-rechtlicher Natur. Auf Grund dieser Ermächtigung haben die Staaten Expropriationsgesetze erlassen, in denen der Staat für ein bestimmtes in Aussicht genommenes öffentliches Unternehmen Rechte der Bürger zwangsweise enteignen darf" – *Institutionen des Deutschen Verwaltungsrechts*, 1963, § 18, p. 292).

Não seria necessário trazer à colação mais opiniões para demonstrar o que já dissemos, isto é, que a desapropriação é um instituto jurídico de direito público, Constitucional e Administrativo. Dissemos já que a desapropriação é um ato administrativo, regido pelo direito público na sua substância e nos seus efeitos. Tais efeitos são meramente reconhecidos pelo Direito Civil, que se limita a providenciar, apenas, sobre as conseqüências deles. • Por esse modo, de resto, é que universalmente se assegura, na economia do direito, a continuidade da ordem jurídica.

Na esfera do Direito Internacional, as leis internas são consideradas simples fatos (Pontes de Miranda, *Os Fundamentos Atuais do Direito Constitucional*, Rio de Janeiro, 1932, p. 40); na esfera do direito interno, dividido em público e privado, já se dizia ao tempo de Jorge de Cabedo, "factum principis non speratum consetur casus fortuitus" (*Decisiones*, Antuerpiae, 1734, p. II, dec. 114, n. 5, p. 161). Assim é, também, que no nosso Direito Civil, embora se providencie sobre os efeitos da desapropriação relativamente aos direitos reais por ela extintos (art. 1.387 em relação à extinção das servidões; art. 1.409 em relação ao usufruto; art. 1.425, V, em relação ao penhor, à hipoteca e à anticrese; art. 1.509, § 2º, em relação à anticrese, Código Civil de 2002), em disposição alguma se encontra a desapropriação mesma classificada entre as causas extintivas de tais direitos (Código Civil de 2002, arts. 1.389, 1.410, 1.436, 1.499). •

§ 15. OS DIREITOS DO ESTADO 349

O Código Civil de 2002, em seu artigo 1.275, inciso V, dispõe que "Além das causas consideradas neste código, perde-se a propriedade: V – por desapropriação". Não se veja contradição alguma nessa afirmação. O Código Civil faz menção à desapropriação como causa de perda da propriedade. "Além das causas consideradas neste Código" (art. 1.275). Por isso, é fora de dúvida que o advérbio "além", indica que já se não refere a outras causas de extinção disciplinadas pelo Direito Civil, esgotadas suas indicações em outros dispositivos do mesmo Código. Ao contrário do Código Civil de 1916, o novo Código de 2002 não enumera os casos de necessidade ou utilidade pública, como fizera o art. 590 do antigo Código, pois deixou para leis especiais, do Direito Administrativo, a enunciação desses casos.

As disposições do Direito Processual Civil relativas à matéria nenhum característico lhe juntam aos que lhe são peculiares. • Não se diz, também, que o crédito fiscal seja um instituto misto, meramente porque um processo especial – a execução judicial ou execução fiscal (Lei 6.830, de 22.9.1980, arts. 1º e 4º) – lhe assegura a cobrança.

8. A desapropriação é, pois, um instituto de Direito Público. Dentro do Direito Administrativo, que lhe regula os efeitos, já deparamos a desapropriação entre os atos extintivos de direitos (v. § 11, n. 2, supra), por isso que ela, direta e imediatamente, extingue todos os direitos reais e pessoais relativos à coisa desapropriada: o domínio, todos os seus desmembramentos, e ainda os direitos pessoais resultantes do respectivo exercício.

• Walter Jellinek afirmava que a resposta a uma indagação retrospectiva acerca da natureza jurídica da desapropriação ("nach die Rechtsnatur der Enteignung") não poderia apresentar dúvida alguma. Ela não é uma compra forçada (*Zwangskauf*), como outrora se admitia, a qual com direitos iguais podia ser executada pela força; ela não é, também, no caso das desapropriações normais, jamais uma lei no sentido de uma norma geral, pois não se regula a generalidade e não se dirige a uma universalidade. Antes, ela é, como já ficou demonstrado em nosso circunlóquio, um poder de arrebatamento ao mesmo tempo em que um poder de concessão por meio de um ato administrativo ("Vielmehr ist sie, wie es schon in unserer Umschreibung zum Ausdruck kam, ein machtentziehender und zugleich machtverleihender Verwaltungsakt" – *Verwaltungsrecht*, Berlin, 1929, § 18, I, n. 7, p. 393). Nenhuma dúvida, pois, quanto ao caráter extintivo de direitos reais e pessoais sobre a coisa desapropriada e a simultânea atribuição dessa mesma coisa a uma pessoa de direito público, por força de um ato administrativo extintivo de direitos. •

Acompanha-se o efeito da desapropriação de extinção dos direitos privados e do simultâneo estabelecimento do domínio do desapropriante sobre a coisa desapropriada. Dizemos simultâneo, não dizemos correspondente, ou correspectivo, porque o desapropriante adquire o domínio da coisa desapropriada, originariamente. "A desapropriação – observa Viveiros de Castro – é um título originário de aquisição; o desapropriante não se substitui à pessoa do desapropriado, não exerce os seus direitos, mas adquire a propriedade do que foi desapropriado, livre de todos os encargos, quaisquer que sejam" (*Tratado de Ciência da Administração e Direito Administrativo*, Rio de Janeiro, 1914, p. 280).

Certo, supõe a desapropriação assim concebida, que a propriedade privada possa, num momento dado, reger-se exclusivamente pelo direito público, assim no tocante à extinção como à constituição, isto é, possa ser transitoriamente subtraída à disciplina da ordem jurídica privada. Tal possibilidade é, porém, francamente reconhecida pelo nosso direito, em que a propriedade privada não é obstáculo a que passe a reger-se pelo direito público a condição do terreno sobre o qual a natural mudança de curso desviou as águas do rio público (Código Civil de 2002, art. 1.252).

• **8-A.** Segundo Pontes de Miranda, "O ato de desapropriação é ato jurídico *stricto sensu*, de que se irradiam efeitos jurídicos, dos quais é principal a perda da propriedade pelo demandado, ou pelo que, acudindo à declaração de desapropriação, entra em acordo desde logo" (*Tratado de Direito Privado*, t. XIV, § 1.627, n. 1, p. 255, São Paulo, Ed. RT, 1983). Completando seu pensamento, Pontes de Miranda afirma, a seguir, que "A propriedade adquirida após a desapropriação é adquirida segundo o Direito Civil; se imobiliária pela transcrição, se mobiliária, segundo os princípios do direito civil, para o qual o ato de direito público é título. Tal aquisição nada tem com o ato desapropriativo" (ob. cit., § 1.627, n. 3, p. 257). Na concepção de Pontes de Miranda, como corolário inexorável, deflui a possibilidade de a propriedade imobiliária vir a se constituir em *res nullius*, no intervalo entre a sentença e o pagamento da indenização e sua respectiva transcrição no Registro de Imóveis. Ora, tal concepção não se coaduna com o princípio fundamental de nosso direito, segundo o qual inexiste propriedade imobiliária considerada como *res nullius*. Se verificarmos a origem remota da propriedade de nosso solo, constataremos que a sua ocupação pelos capitães descobridores, em nome da Coroa Portuguesa, transportou, inteira, como num grande vôo de águias, a propriedade de todo o nosso imensurável território para além-mar, para o alto senhorio do rei e para a jurisdição da Ordem de Cristo. No Brasil, as terras ou são públicas, pertencentes ao Estado, consideradas como devolutas

§ 15. OS DIREITOS DO ESTADO

depois da abolição das sesmarias, ou particulares, consideradas como de propriedade privada. Inexiste a figura da *res nullius* em nosso direito, no que concerne à propriedade imobiliária. Expressão inconteste dessa tradição é a norma do art. 51, e seu § 3º, do Ato das Disposições Constitucionais Transitórias da Constituição Federal de 1988, que estabelece a revisão dos atos de venda e concessões de terras públicas, realizadas no período de 1º de janeiro de 1962 a 31 de dezembro de 1987, dispondo que, "comprovada a ilegalidade, ou havendo interesse público, as terras reverterão ao patrimônio da União, dos Estados, do Distrito Federal ou dos Municípios" (art. 51, § 3º). Trata-se de mais uma comprovação da tradição de nosso direito, de acordo com a qual não há *res nullius* em matéria de propriedade territorial. E isso ocorre desde o descobrimento do Brasil, em que a Coroa de Portugal tornou-se proprietária de todas as terras aqui existentes.

Se assim é, a concepção do insigne Pontes de Miranda não se sustenta, pois suporia, ela, que, em um dado momento, entre o pagamento da indenização fixada em sentença transitada em julgado e o registro dessa mesma sentença no albo imobiliário, a propriedade imobiliária ficasse numa espécie de limbo, já perdida sua titularidade pelo proprietário desapropriado, mas ainda não adquirida pelo Estado, que só a transcrição no Registro Imobiliário teria esse efeito. A desapropriação, destarte, ao contrário do que sustenta o ínclito Pontes de Miranda, é modo de perder e de simultaneamente adquirir a propriedade, sempre de acordo com o direito público, Administrativo e Constitucional. De modo que a propriedade não é adquirida pelo Estado ou por outra pessoa administrativa "segundo o direito civil", mas de acordo com o Direito Constitucional e Administrativo.

8-B. As três perguntas clássicas sobre a desapropriação são devidas ao ilustre Maurice Hauriou, ao afirmar que, antes de abordar o exame do processo de desapropriação, nós devemos formular as seguintes questões: 1º) quem pode desapropriar; 2º) quais as coisas que podem ser desapropriadas; 3º) em vista de que objetivos pode-se desapropriar (*Précis de Droit Administratif et de Droit Public*, 10ª ed., Paris, Sirey, 1921, p. 695).

No caso presente, altera-se o sentido da última questão, que na verdade representa o fundamento da desapropriação, que o próprio Hauriou qualifica como "L'expropriation pour cause d'utilité publique" (ob. cit., p. 603). Assim, num terceiro momento, ao invés de se falar no objetivo de utilidade pública, que é o fundamento da desapropriação, vamos falar de como se desapropria, no item 11 infra. •

9. *Quem desapropria?* Esta pergunta tem recebido, no correr dos tempos, as mais singulares respostas. Assim, entende Viveiros de Castro que a desapropriação rigorosamente não é competente a alguém, mas a algo: "A causa *publicae utilitatis*, legalmente constatada, é a causa verdadeira que determina o ato de desapropriação; o sujeito ativo, que pode ser uma pessoa jurídica de direito público ou privado, ou ainda um simples particular, não serve de motor à causa citada" (*Tratado de Ciência da Administração e Direito Administrativo*, Rio de Janeiro, 1914, pp. 304 e 305).

• Em oposição à opinião de Viveiros de Castro, situa-se Walter Jellinek para quem o Estado é sempre o desapropriante no sentido estrito da palavra ("Der Staat ist immer Enteigner im genauen Wortsinn (...)", *Verwaltungsrecht*, Berlin, 1929, § 18, I, n. 3, p. 389). •

Entre nós, dominou a opinião de Walter Jellinek, e presentemente a lei indica taxativamente os sujeitos ativos da desapropriação, no elenco dos quais abrange tão-somente a União, os Estados, Municípios, Distrito Federal e Territórios (Decreto-Lei 3.365, de 21.6.1941, art. 2º). Às entidades autárquicas em geral e aos concessionários de serviços públicos, cabe meramente promover a desapropriação, exercitada pela pessoa administrativa competente (art. 3º, Decreto-Lei 3.365/1941). • Tanto os concessionários de serviços públicos quanto os estabelecimentos de caráter público ou que exerçam funções delegadas de Poder Público somente poderão promover desapropriações "mediante autorização expressa, constante de lei ou contrato" (art. 3º, Decreto-Lei 3.365/1941). Essa disposição legal se vincula à opinião de Walter Jellinek, que afirma que também as empresas, que realizam tarefas municipais, para as quais faltam meios de realizá-las, e que necessitam em primeiro lugar de veículos para transporte de pessoas privadas, ou a construção de piscinas públicas, a canalização de água de uma cidade, são autorizadas como pessoas privadas a assumir a posição de promotoras da desapropriação (*Verwaltungsrecht*, 1929, § 18, I, n. 3, p. 389).

Ao Departamento Nacional de Estradas de Rodagem, entidade autárquica federal, reconhecia-se, entretanto, por disposição especial de lei, competência para exercitar, além de promover, a desapropriação, independentemente da União (art. 24, Lei 302, de 13.7.1948). Extinto o DNER pelo art. 102-A, da Lei 10.233, de 5.6.2001, a competência para "declarar a utilidade pública de bens e propriedades a serem desapropriados para implantação do Sistema Federal de Viação", nos termos do art. 82, inciso IX, da Lei 10.233/2001, passou para uma nova autarquia, o Departamento Nacional de Infra-Estrutura de Transportes – DNIT, pessoa

§ 15. OS DIREITOS DO ESTADO

jurídica de direito público, vinculado ao Ministério dos Transportes (art. 79, Lei 10.233/2001). Dizíamos anteriormente que a inclusão dos Territórios entre os sujeitos ativos da desapropriação quebrava já, de resto, a unidade de critério da enumeração legal. Hodiernamente, entretanto, a situação mudou com o advento da Constituição Federal de 1988, que atribuiu aos Territórios a condição de pessoa administrativa de natureza política e existência necessária, ao disciplinar sua organização administrativa e judiciária, a ser feita por lei (CF, art. 33), ao permitir que os mesmos sejam divididos em Municípios (CF, art. 33, § 1º) e nos Territórios Federais com mais de cem mil habitantes, além de Governador nomeado na forma da Constituição, determinar que "haverá órgãos judiciários de primeira e segunda instância, membros do Ministério Público e defensores públicos federais, bem como a existência de uma Câmara Territorial eleita, com a devida competência deliberativa" (CF, art. 33, § 3º).

Na enunciação feita pela Lei das entidades públicas competentes para exercer a desapropriação, há um sistema legal que é lógico. •

Entre os sujeitos ativos da desapropriação, a lei estabelece uma gradação de poder: a União poderá desapropriar bens dos Estados, dos Municípios, do Distrito Federal e dos Territórios, suposta, sempre, autorização legislativa específica (art. 2º, § 2º, Decreto-Lei 3.365, de 21.6.1941). Os Estados poderão desapropriar, nas mesmas condições, os bens dos Municípios. Não haverá, porém, nessa escala de poder, reversão ascendente: os Estados e o Distrito Federal não poderão desapropriar bens da União, tampouco os Municípios, bens do Estado ou da União. • O nosso Seabra Fagundes, nesse particular, contrariando a opinião equivocada de Viveiros de Castro, já dizia que "Quer em face da legislação anterior, quer da atual, se nos afigura impossível a desapropriação nesta última hipótese, pois repugna à hierarquia política do regime a expropriação compulsória, por parte do Estado, de bem do patrimônio federal, e, por parte do Município, de bem do patrimônio estadual" (*Da Desapropriação no Direito Brasileiro*, Rio de Janeiro, Freitas Bastos, 1949, n. 57, p. 83). • Do mesmo modo resolver-se-á o conflito entre duas ou mais desapropriações concorrentes, com sujeitos ativos diversos: a da União prevalecerá sobre a do Estado ou do Distrito Federal, e a daquele, sobre a do Município.

• Opinam no mesmo sentido: a) Firmino Whitaker, *Desapropriação*, 2ª ed., São Paulo, 1927, tit. I, n. 9, p. 9; b) Viveiros de Castro, ob. cit., Rio de Janeiro, 1914, p. 286; c) Clóvis Bevilaqua, *Código Civil Comentado*, vol. V, t. II, ed. histórica, 1976, p. 734, comentando o art. 1.571 do Código Civil de 1916.

Seabra Fagundes é partidário de uma opinião parcialmente divergente. Comentando o art. 6º do Decreto-Lei 3.365/1941, assim se manifesta: "147 – Havendo concorrência de declaração de utilidade pública entre duas ou mais pessoas de direito público devem observar-se as seguintes normas: A) preferência em favor da entidade que primeiro haja declarado a utilidade; B) sendo os atos da mesma data deve preferir o da União ao do Distrito, Território ou Estado e o deste ao do Município, por motivos de ordem hierárquica" (*Da Desapropriação no Direito Brasileiro*, 1949, n. 147, p. 135).

Pontes de Miranda adota uma terceira solução, no que concerne à desapropriabilidade dos bens dos Estados e da União pelos Municípios. Afirma que "Se não houvesse o art. 2º, § 2º, do Decreto-Lei n. 3.365, que se referiu a domínio, a solução seria a mesma, de acordo com o sistema das instituições brasileiras. Existindo, exclui ele que o Município possa desapropriar bem do domínio do Estado-membro, ou o Estado-membro, bem da União. Obvia-se aos graves inconvenientes disso pedindo o Município ao Estado-membro, que lhe transfira o domínio do imóvel, ou móvel, negocialmente, ou lhe dê a destinação que o Município aponta, ou pedindo o Estado-membro à União, para que negocialmente lho transfira, ou destine o bem ao fim que o Estado-membro aponta. Não se afasta a hipótese de se dirigir o Município ao Poder Legislativo federal explicando a necessidade pública, ou a utilidade pública, ou o interesse social da desapropriação do bem estadual, ou da própria União, se os entendimentos pré-negociais falham" (*Tratado de Direito Privado*, t. XIV, São Paulo, Ed. RT, 1983, § 1.612, n. 7, pp. 177-178). Admite Pontes de Miranda, que possa haver desapropriação pelo Município, ou pelo Estado-membro, de bem da União, desde que Lei Federal autorize a prática desse ato administrativo no caso concreto, abrindo exceção à regra geral do art. 2º, § 2º, do Decreto-Lei 3.365/1941.

9-A. Devemos distinguir, ainda, entre pessoa administrativa competente para legislar sobre desapropriação, pessoas competentes para exercitar a desapropriação e pessoas competentes para promover a desapropriação.

Em nosso direito, a competência privativa para legislar sobre desapropriação pertence à União, com base no art. 22, inciso II, da Constituição Federal de 1988 (Celso Antônio Bandeira de Mello, *Curso de Direito Administrativo*, 20ª ed., São Paulo, Malheiros Editores, 2006, cap. XVI, V, n. 15, p. 822).

Competentes para exercitarem a desapropriação e a promoverem por necessidade ou utilidade pública, ou por interesse social, com exceção da desapropriação por interesse social para a reforma agrária, são a União, os Estados-membros, Municípios, Distrito Federal e Territórios. Além desses casos, igual poder recebeu o DNER, inicialmente pela Lei 302/1948, já referida anteriormente, hodiernamente pelo Decreto-Lei 512 de 21.3.1969. Mas essa entidade teve a sua extinção estabelecida pela Lei 10.233, de 5.6.2001, havendo, dita Lei, transferido o poder de declarar a utilidade pública para fins de desapropriação para o Departamento Nacional de Infra-Estrutura de Transportes – DNIT, em seu art. 82, inciso IX. Parece que, a partir da efetiva extinção do DNER, o DNIT passará a ter a competência plena para exercer e promover a desapropriação por utilidade pública das propriedades necessárias à implantação do Sistema Federal de Viação.

Competentes para promoverem a desapropriação, depois de declarada a utilidade pública pelas entidades com competência para desapropriar, devem ser conumeradas as autarquias, os estabelecimentos públicos em geral ou que exerçam funções delegadas do Poder Público e os concessionários de serviços públicos, quando autorizados por lei ou por contrato, de acordo com o art. 3º do Decreto-Lei 3.365/1941. Nesse sentido, é a opinião de Celso Antônio Bandeira de Mello (ob. cit., cap. XVI, V, n. 17, p. 823). •

10. Que pode ser objeto de desapropriação? "Tudo que constitui objeto de propriedade – escreve Firmino Whitaker – pode ser objeto de desapropriação: coisas móveis, semoventes ou imóveis, corpóreas ou incorpóreas" (*Desapropriação*, 2ª ed., São Paulo, 1927, cap. III, n. 15, p. 13).

Que constitui, porém, objeto de propriedade? Além dos direitos autorais e dos inventos e descobertas industriais, entendem-se compreendidos entre os direitos de propriedade, para o efeito da garantia constitucional, os direitos de crédito? Opina Ruy Barbosa pela afirmativa. "A tradição, uma longa tradição que traz as suas raízes desde o antigo regime – adverte o publicista genial – positivamente nos mostra que, na carta orgânica do país, a garantia da propriedade a encara sob a sua forma mais lata. Não assegura só o senhorio dos objetos materiais, senão ainda todos os direitos, de que se compõe o patrimônio privado" (*Comentários à Constituição Federal Brasileira*, coligidos e ordenados por Homero Pires, t. V, São Paulo, Saraiva, 1934, p. 404). Fiel a essa orientação, a lei declara explicitamente "todos os bens" (art. 2º, Decreto-Lei 3.365/1941) como suscetíveis de desapropriação.

A concorrência possível de duas relações jurídicas sobre o mesmo *objectum juris*, o direito subjetivo e a relação de administração (v. § 6, supra) e a possibilidade conseqüente da existência de bens, de propriedade privada, no domínio público ou no patrimônio administrativo (v. § 9, n. 4, supra), propõem-nos a questão das condições de admissibilidade da desapropriação, nessa hipótese, quanto a bem, *quoad dominium*, de propriedade particular.

A desapropriação, observe-se, desde logo, não importa a incorporação *pleno jure* do bem desapropriado ao domínio público ou ao patrimônio administrativo da pessoa administrativa desapropriante; o bem desapropriado é incorporado meramente ao patrimônio fiscal da pessoa administrativa desapropriante, de acordo com o que dispõe o art. 35 do Decreto-Lei 3.365/1941.

Do mesmo modo, pois, por que o particular poderia alienar o bem de que é dono, sem quebrar-lhe a pertinência ao domínio público ou ao patrimônio administrativo (v. § 6, n. 3, supra; cf. Ruy Cirne Lima, *Sistema de Direito Administrativo Brasileiro*, t. I, 1953, § 3, nota 3, p. 27), pode admitir-se a desapropriação, do mesmo bem, mantida igualmente, aquela pertinência. Devemos reconhecer, portanto, que a desapropriação dos bens privados, incorporados ao domínio público ou ao patrimônio administrativo, é indiscutivelmente possível.

A desapropriação, contudo, como a alienação civil desses bens, não terá efeito algum sobre a destinação a que se acham vinculados? Aqui verdadeiramente é que se nos propõe o conflito. Mas, é evidente que já se aborda não mais a admissibilidade da desapropriação, senão os efeitos dela.

Trata-se, já agora, de determinar em que condições o ato (desapropriação) de uma pessoa administrativa pode prevalecer ao ato preexistente (destinação ao domínio público ou ao patrimônio administrativo) de outra pessoa administrativa.

É questão idêntica à de saber qual desapropriação deverá subsistir dentre diversas desapropriações concorrentemente decretadas sobre o mesmo bem por diferentes sujeitos ativos. A sua solução obedecerá, portanto, aos princípios que, a este último respeito, já ficaram indicados.

• A desapropriação decretada pela União preferirá à do Estado-membro e dos Municípios; a decretada pelo Estado-membro, preferirá sempre à do Município; a da União, por último, preferirá à do Distrito Federal e dos Territórios.

10-A. Observada a ressalva já feita acerca da desapropriação dos bens públicos, em que deverá haver autorização legislativa para a desapropriação desses bens (art. 2º, § 2º, Decreto-Lei 3.365/1941), deve-se ressaltar que se o Município, por exemplo, necessitar de bem do domínio público ou do patrimônio administrativo ou fiscal da União Federal, deverá se dirigir diretamente ao Poder Legislativo federal para que autorize a desapropriação (Pontes de Miranda, *Tratado de Direito Privado*, t. XIV, 1955, § 1.612, n. 7, p. 178). Fora dessa hipótese de autorização legislativa federal é impensável a desapropriação.

10-B. Também deve ser salientado que é vedada a desapropriação pelos Estados, pelo Distrito Federal, Territórios e Municípios de ações, cotas e direitos representativos do capital de instituições e empresas cujo funcionamento dependa da autorização do Governo Federal e se subordine à sua fiscalização, salvo mediante prévia autorização por decreto do Presidente da República (art. 2º, § 3º, Decreto-Lei 3.365/1941). Estão nesse caso os bancos e as instituições financeiras, que se submetem à fiscalização da União Federal, por intermédio do Banco Central (CF, art. 192, I, IV; Lei 4.595/1964, art. 10, inciso VIII). O referido dispositivo legal, segundo Celso Antônio Bandeira de Mello, fortifica a inteligência de que as autarquias da União não podem ser desapropriadas pelos Estados e Municípios e protege, nos limites da lei, concessionários de serviços públicos federais, sociedades de economia mista e empresas públicas da União, bem como quaisquer outras pessoas por ela autorizadas ou sujeitas à sua fiscalização (ob. cit., cap. XVI, VI, n. 20, pp. 824-825). De resto, deve-se salientar que integrando o patrimônio das autarquias federais o domínio nacional da União (v. § 9, supra) e as ações das economias mistas, bem como as ações e quotas das empresas públicas integrando patrimônio fiscal da União, esses bens já estariam preservados pela regra geral que veda a reversão ascendente na escala do poder de desapropriar. •

11. Ainda que competente o desapropriante e regularmente decretada a desapropriação, seria esta de reputar-se ilegal e arbitrária, se a sua execução se fizesse mediante recurso às vias de fato. Aqui, portanto, a terceira pergunta: *como se desapropria?* A desapropriação por necessidade ou utilidade pública, ou por interesse social – prescreve a Constituição Federal de 1988 – far-se-á "mediante justa e prévia indenização em dinheiro (...)" (CF, art. 5º, inciso XXIV).

• A indenização em dinheiro remonta a longes tempos. A primeira referência clara está na emenda V da Constituição Americana, cujo texto diz o seguinte, na parte final: "nem a propriedade privada será arrebatada para uso público, sem uma justa compensação" ("nor shall private property be taken for public use without just compensation"). Comentando esse dispositivo, assim se expressa Edward S. Corwin: "*Justa compensação* deve ser determinada por um órgão especial, não necessariamente uma corte ou um júri; não necessariamente no caso da terra, com vantagem para quem a toma, na medida em que o proprietário tem a garantia e a oportunidade de ser ouvido mais cedo ou mais tarde, acerca da questão do valor. Teoricamente, o que o termo significa é a completa e perfeita equivalência em dinheiro da propriedade real tomada". O último período está assim redigido em inglês: "Theoretically, what the term signifies is the full and perfect equivalent in money of the real property taken" (*The Constitution and what it Means Today*, Princeton University Press, 1978, pp. 401-402).

A indenização – nos diz Walter Jellinek – decorre da proteção devida ao desapropriado. Ela deve ser, de acordo com a desapropriação clássica, paga em dinheiro ("Die Entschädigung liegt dem ob, zu dessen Gunsten enteignet wird. Sie ist bei der klassischen Enteignung in Geld zu zahlen" – *Verwaltungsrecht*, Berlin, 1929, § 18, I, n. 5, p. 391). •

A fim de executar-se a desapropriação e, pois, determinar-se e pagar-se a indenização cabível, dois processos são estabelecidos em direito: a) o processo judicial; b) a convenção amigável.

Processo judicial. • Discorrendo sobre o modo por que se desapropria, Walter Jellinek diz apositamente: "A desapropriação clássica está sujeita a um estrito processo judicial, por meio do qual ela se efetiva" ("Der klassischen Enteignung eigentümlich ist das strenge Verfahren, in dem sie vor sich geht" – *Verwaltungsrecht*, ob. cit., 1929, § 18, I, 6). • Entre nós, discutiu-se já largamente se o processo judicial de desapropriação constituía ação verdadeiramente tal, com toda a amplitude do correspondente processo contencioso. Hoje, a discussão perdeu a razão de ser, diante do texto legal do Decreto-Lei 3.365/1941 e, mais recentemente, do que dispõem os incisos XXIV e LV do art. 5º, da Constituição Federal.

De um lado, advertiu Seabra Fagundes, "(...) tanto formalmente como pelo conteúdo, o procedimento que se desenvolve nesse título (da lei) (do Processo Judicial) reveste o caráter de ação". O debate em torno da questão remonta a Ruy Barbosa, que afirmava: "Verificando que a medida se ajusta a qualquer dos dois requisitos, virá o ato inicial da expedição do decreto expropriador, seguindo-se-lhe a ação judiciária, em cujo processo se discutirá e arbitrará a indenização do bem expropriado" (*Comentários à Constituição Federal Brasileira*, coligidos e ordenados por Homero Pires, t. V, São Paulo, 1934, p. 421).

§ 15. OS DIREITOS DO ESTADO

• Mas Ruy Barbosa não se deteve aí. Diante de uma jurisprudência vacilante e omissa, suas palavras são incisivas: "Causa estranheza, e a nossa estranheza não podemos ocultar, que um Alto Tribunal de Justiça demita de si as mais elevadas atribuições, que lhes são conferidas pela Constituição, e pregue doutrina tão subversiva do direito de propriedade, retrogradando ao tempo que vigorava o contencioso administrativo, que subtraía a Administração Pública do contraste da justiça, inconciliável, hoje, com o nosso regime constitucional, que fez do Poder Judiciário o árbitro das garantias constitucionais e o defensor dos direitos individuais, quando ofendidos por leis inconstitucionais, ou por atos ilegais e prepotentes das autoridades administrativas" (*Comentários à Constituição Federal Brasileira*, ob. cit., t. V, São Paulo, p. 422).

De modo que a questão da apreciação da desapropriação pelos tribunais não foi tão fácil quanto se poderia supor. Nela, aparece novamente o trabalho involdável de Ruy Barbosa, nosso grande publicista, que abriu caminhos na defesa do direito de liberdade e da propriedade dos cidadãos. •

A possibilidade de impugnação, no processo judicial, do ato de desapropriação – motivo último da discussão suscitada – encontra, já agora, acolhida na possibilidade de apreciação do "legítimo interesse" (art. 3º, CPC) do desapropriante, • cuja falta poderá ser invocada pelo desapropriado por ocasião da sua contestação, como matéria preliminar ao mérito, alegando carência de ação (art. 301, X, CPC e art. 295, III, CPC), cuja apreciação dar-se-á por ocasião do saneamento do processo, de acordo com o que dispõe o art. 331 do CPC. • Se a contestação se proíbe que verse sobre questão alheia "a vício do processo judicial ou impugnação do preço" (art. 20, Decreto-Lei 3.365/1941), não se proíbe, sem embargo, que nessa mesma contestação, a ilicitude do interesse do desapropriante seja invocada pelo desapropriado, como vício do processo, a ser examinado e expungido no saneamento do processo. • Seabra Fagundes afirma que: "Adotado o rito ordinário fica ao demandado, na ação expropriatória (tanto quanto em qualquer outra) a faculdade de requerer a absolvição de instância nos casos discriminados no art. 201, ns. I a VI, do Código de Processo Civil. Ora, entre esses casos se encontram dois concernentes à ilegitimidade *ad causam*: o do n. III ('quando da exposição dos fatos e da indicação das provas em que se fundar a pretensão do autor, resultar que o seu interesse é imoral ou ilícito'), que não é compatível com a ação expropriatória, e o de n. VI, combinado com o art. 160, que compreende os casos de ilegitimidade de parte em geral" (*Da Desapropriação no Direito Brasileiro*, Rio de Janeiro, Freitas Bastos, 1949, n. 287, pp. 263-264).

Na atualidade, os casos apresentados por Seabra Fagundes devem ser apreciados no saneamento do processo (art. 331, CPC), constituindo-se em motivos para a extinção do processo, prevista pelo art. 267, inciso VI, do novo Código de Processo Civil. • Certo, são estritos os limites, dentro dos quais o ato de desapropriação pode ser assim impugnado, no curso do processo judicial. Mas, dentro desses limites, cabe a impugnação capital de fundo, que se pode levantar-lhe: a de erro ou de fraude à lei. O erro evidente, a fraude à lei manifesta, quando ocorrem no ato de desapropriação comunicam-se, viciando-o inevitavelmente, ao ato processual de iniciativa do processo judicial. Desapropriação e processo judicial são expressões unilaterais, privativas da mesma vontade, embora os órgãos chamados a manifestá-la, possam ser diversos. • Nesse sentido é a opinião de Seabra Fagundes, quando afirma: "A promoção judicial da desapropriação, no entanto, não é privativa dessas entidades, pessoas jurídicas de direito público principais na organização político-jurídica do país. Os concessionários de serviço público e os estabelecimentos de caráter público ou que exerçam função delegada de Poder Público, também poderão ir a juízo promover o expropriamento, mediante autorização, constante de lei ou contrato" (ob. cit., n. 48, p. 70). •

Assim, seria impugnável pelo desapropriado, no curso do processo judicial, o ato de desapropriação que recaísse sobre imóvel, sito em região diversa da em que se situasse a obra pública, para sede da qual, segundo o mesmo ato, houvesse sido ele desapropriado.

• A opinião adotada neste livro segue o ensinamento do ínclito Miguel Seabra Fagundes, que admitia o pedido de absolvição de instância, formulado pelo desapropriado, correspondente no atual Código de Processo Civil à extinção do processo, sem julgamento de mérito, nos casos em que não concorrer qualquer das condições da ação, como a possibilidade jurídica, a legitimidade das partes e o interesse processual (CPC, art. 267, VI). Seabra Fagundes fala da ilegitimidade *ad causam* e na questão do interesse imoral ou ilícito, que justificavam no Código anterior, como no atual, antes a chamada absolvição de instância, hoje a extinção do processo sem julgamento de mérito (*Da Desapropriação no Direito Brasileiro*, 1949, n. 287, p. 263).

Não se desconhece a opinião sempre judiciosa de Pontes de Miranda, que considera inconstitucionais os arts. 9º e 20 do Decreto-Lei 3.365/1941, o primeiro vedando ao Poder Judiciário declarar se se verificam ou não os casos de utilidade pública e o segundo só admitindo que a contestação verse sobre vício do processo judicial ou impugnação do preço. "Tal regra jurídica de não-cognição é contrária ao arts. 141, § 16,

§ 15. OS DIREITOS DO ESTADO

1ª parte, *in fine*, e 4º da Constituição de 1946. Se o caso não cabe na enumeração legal, ou nas exemplificações da lei, tem o juiz de considerar ilegal a declaração de desapropriação; se é a lei, em que ele cabe, que é contrária a Constituição de 1946, art. 141, § 16, *in fine*, tem o juiz de decretar a inconstitucionalidade da lei e, em seguida, a inconstitucionalidade da declaração de desapropriação. No que se refira à alegação de não ser caso de necessidade pública, utilidade pública, ou interesse social, a 2ª parte do art. 20 do Decreto-Lei 3.365/1941 é contrária a Constituição de 1946, pois se trata – no sistema jurídico brasileiro – de pressuposto à tutela jurídica da desapropriação" (*Tratado de Direito Privado*, t. XIV, São Paulo, Ed. RT, 1983, § 1.614, n. 4, pp. 188-189).

Pontes de Miranda, na defesa de sua tese, está em companhia ilustre. Ninguém menos do que Ruy Barbosa sustentava o mesmo ponto de vista, quando negava a constitucionalidade do art. 10 do Decreto 4.956 de 1903, que impunha ao Poder Judiciário a vedação de apreciar a necessidade ou utilidade pública. Afirmava Ruy que "Força é admitir, igualmente, que, sendo as desapropriações, assim de utilidade como de necessidade públicas, desmembramentos do direito de propriedade, que a Constituição 'garante em toda a sua plenitude', e não tendo as leis, ainda federais, autoridade para tocar nas garantias constitucionais, qualquer ato legislativo, que se atravessar entre um cidadão brasileiro, ou um indivíduo a ele equiparado, e a Constituição Brasileira, restringindo ao primeiro o direito de invocar a segunda, é, inconstitucionalmente, abusivo, constitucionalmente vão, constitucionalmente nulo" (*Comentários à Constituição Federal Brasileira*, coligidos e ordenados por Homero Pires, vol. V, São Paulo, 1934, p. 427).

Embora o Supremo Tribunal Federal, em aresto memorável de 30 de dezembro de 1915, houvesse adotado essa posição, posteriormente voltou atrás e alterou sua decisão altiva, de vigorosa defesa da Constituição. Diante desse fato, parece que a posição conciliatória, defendida por Seabra Fagundes, é a que melhor concilia o interesse do desapropriado com as possibilidades que a lei processual abre para a sua defesa e com a tendência que se firmou na jurisprudência.

Imissão provisória na posse. No processo judicial de desapropriação, admite a Lei (Decreto-Lei 3.365/1941, art. 15 e seus parágrafos) a imissão provisória na posse do imóvel que está sendo desapropriado, se o expropriante alegar urgência e depositar quantia que, na redação original do Decreto-Lei 3.365/1941, ora se refere a 20 vezes o valor do locativo, ora ao valor cadastral do imóvel para fins de lançamento do imposto territorial, ora a quantia arbitrada de conformidade com o art. 685 do antigo

Código de Processo Civil. Com o advento da Constituição Federal de 1988 e do respectivo Estado de Direito, o Superior Tribunal de Justiça iniciou uma reação contra os abusos cometidos pelo Poder Público, que se imitia na posse de imóveis declarados de utilidade pública para fins de desapropriação, mediante o depósito de quantias irrisórias. O STJ passou a entender que o dispositivo do art.15 do Decreto-Lei 3.365/1941 não havia sido recepcionado pela nova Lei Fundamental, considerando que depósitos ínfimos não atendiam à prévia e justa indenização em dinheiro, estipulada como garantia constitucional do direito de propriedade pelo art. 5º, XXIV, da Constituição Federal. Nesse sentido, diversos acórdãos foram prolatados: 1º) "Para fins de imissão antecipada na posse, não atende o mandamento constitucional de justa indenização o depósito de 50% do valor apurado na avaliação, ou do simbólico valor venal. Apenas o *caput* do art. 15 do Decreto-Lei n. 3.365/1941 está em vigor, porquanto recepcionado pela nova Carta, o que não acontece com os demais parágrafos do citado artigo" (*RSTJ* 52/120). 2º) "Não nega vigência ao art. 15 do Decreto-Lei n. 3.365, de 21.6.1941, nem ao art. 3º do Decreto-Lei n. 1.075, de 22.1.1970, o acórdão que condiciona a imissão provisória na posse do imóvel expropriado ao prévio depósito do seu valor fixado em avaliação provisória" (*RSTJ* 51/117). 3º) "Na desapropriação, a imissão provisória na posse há de ser concedida, em face da alegação de urgência, na forma do art. 15, *caput*, da Lei das desapropriações, recepcionado pela nova Constituição Federal, mediante depósito do valor apurado em avaliação prévia" (STJ, 1ª Seção, EDcl ao REsp 38.289-9-SP, rel. para o ac. Min. Hélio Mosimann, j. 19.4.1994, rejeitaram os embargos, maioria, *DJU* 23.5.1994, p. 12.538, 1ª, col., em.). 4º) O *caput* do art. 15 do Decreto-Lei 3.365/1941 está em vigor, estando os seus parágrafos derrogados pelo texto constitucional superveniente. Não nega vigência ao art. 15 do Decreto-Lei 3.365/1941, nem ao art. 3º do Decreto-Lei 1.075/1970, o acórdão que condiciona a imissão provisória na posse do imóvel expropriado ao prévio depósito de seu valor, fixado em avaliação prévia (STJ, 1ª Seção, EDcl no REsp 14-4-SP, rel. Min. Antônio de Pádua Ribeiro, j. 17.5.1994, maioria, *DJU* 27.6.1994, p. 16.867, 1ª, col. em.). 5º) "O art. 1.248 do atual CPC não manteve a vigência do art. 685 do CPC anterior, de sorte que, por mais simples, deve ser aplicado o processo especial previsto no Decreto-Lei 1.075 para imóveis residenciais urbanos (v. adiante neste título) e não o procedimento geral estabelecido pelos arts. 802 e 803 do CPC atual". Orienta-se a jurisprudência do Superior Tribunal de Justiça no sentido de que, na ação de desapropriação de imóvel urbano, a imissão provisória fica condicionada ao depósito integral do valor apurado em avaliação prévia (STJ, 1ª Seção, *RSTJ* 58/86).

§ 15. OS DIREITOS DO ESTADO

De acordo com esse entendimento, a perda da posse significa a supressão de quase todos os poderes inerentes ao domínio e, por isso, a imissão *initio litis* só pode ser autorizada com o depósito apurado em avaliação prévia, ficando derrogados os parágrafos e incisos do art. 15 do Decreto-Lei 3.365/1941, bem como os arts. 3º e 4º do Decreto-Lei 1.075/1970, que trata da imissão provisória na posse de imóveis residenciais urbanos. Essa interpretação correta, em perfeita sintonia com a nova Constituição Federal, tornou-se dominante no Superior Tribunal de Justiça. Mas o Supremo Tribunal Federal nem sempre tem a mesma opinião e não raro sustenta posição oposta à do STJ, mantendo em plenitude os artigos que foram considerados como não recepcionados pela nova Constituição. Trata-se de um *retrocesso absurdo*, porquanto, *sob a Constituição da República*, a *garantia do direito de propriedade é a mais ampla, não se admitindo invasões arbitrárias do Poder Público, sem uma indenização fixada inicialmente por avaliação provisória*. A tendência dominante nos tribunais e nos juízos singulares de primeira instância, sobretudo nas Justiças Estaduais, é a de determinar a avaliação provisória prévia, que fixará o valor provisório da indenização, para depois de complementado o depósito inicial, autorizar a imissão provisória na posse do imóvel desapropriado. A imissão provisória na posse de prédios residenciais urbanos está regulada pelo Decreto-Lei 1.075/1970, em que o particular poderá discordar do valor depositado inicialmente, no prazo de cinco dias (art. 1º). O juiz deverá determinar a avaliação provisória, ficando o expropriante obrigado a complementar o valor do depósito inicial até o montante fixado na avaliação. O expropriado, nas decisões atuais, poderá levantar a totalidade do valor depositado, fixado na avaliação provisória, em se tratando de prédio urbano.

A imissão definitiva na posse somente ocorrerá juntamente com a aquisição simultânea da propriedade, após o pagamento integral da indenização, conforme for fixado na sentença ou decisão final, trânsita em julgado. Desde a imissão provisória na posse, entretanto, cessa para o desapropriado a fruição do bem, não sendo mais, ainda, responsável pelos encargos tributários do imóvel. Em função da imissão provisória na posse, surge para o desapropriante o dever de pagar juros compensatórios ao desapropriado, à razão de 12% ao ano, conforme entendimento pacífico da jurisprudência. Nesse sentido, a questão já está sumulada pelos dois Tribunais Superiores. A Súmula 618 do STF diz o seguinte: "Na desapropriação, direta ou indireta, a taxa de juros compensatórios é de 12% (doze por cento) ao ano". A Súmula 69 do Superior Tribunal de Justiça, diz o seguinte: "Na desapropriação direta, os juros compensatórios são devidos desde a antecipada imissão na posse e, na desapropriação indireta, a partir da efetiva ocupação do imóvel". Apesar disso, o Governo Federal baixou a Medida Provisória 2.183-56, de 24.8.2001, reduzindo a taxa de juros compensatórios para 6% ao ano. Foi proposta, perante o STF, a ADIn 2.332-2, julgada em 5.9.2001, que declarou inconstitucional a referida Medida Provisória. Os juros compensatórios, como já havia sido decidido pelo STF, continuam a ser de 12% ao ano. A inconstitucionalidade é da expressão "de até 6% ao ano".

A alegação de urgência para fins de imissão provisória na posse poderá ser feita no decreto de desapropriação ou posteriormente, mas a imissão deverá obrigatoriamente ser requerida no prazo de 120 dias a partir da alegação, sob pena de decadência (art. 15, § 2º, Decreto-Lei 3.365/1941).

Indenização justa. A indenização justa, prévia e em dinheiro está prevista na Constituição Federal de 1988, em seu art. 5º, inciso XXIV. A Constituição Imperial, de 25.3.1824, falava em indenização prévia pelo valor da propriedade (art. 179, n. 22). A primeira Constituição da República, de 24.2.1891, mencionava "a desapropriação por necessidade ou utilidade pública, mediante indenização prévia" (art. 72, § 17). A Constituição Federal de 16.7.1934 aludia a que "A desapropriação por necessidade ou utilidade pública far-se-á nos termos da lei, mediante prévia e justa indenização" (art. 113, n. 17). A Constituição de 10.11.1937 referia "a desapropriação por necessidade ou utilidade pública mediante indenização prévia" (art. 122, n. 14). Já a Constituição de 18.9.1946 foi a primeira a falar em "prévia e justa indenização em dinheiro" (art. 141, § 16). Desde então, a referência à prévia e justa indenização em dinheiro não foi mais retirada dos textos constitucionais, constando da Constituição Federal de 24.1.1967 (art. 150, § 22), da Emenda Constitucional 1, de 16.10.1969 (art. 153, § 22), subsistindo na atual Constituição de 1988 (art. 5º, XXIV).

A referência à justa indenização ou compensação aparece pela primeira vez, na era moderna, na Constituição Americana, de 4.3.1789, cuja Emenda n. V estabelece, como já dissemos, que "nor shall private property be taken for public use without just compensation". Comentando esse dispositivo, William Bennet Munro afirma que "sempre que a propriedade privada é arrebatada para um fim público ou semipúblico, a exigência constitucional é que a *just compensation* seja paga ao proprietário" (*The Government of United States*, New York, Macmillan, 1956, cap. XXXII, p. 524, "b").

Indenização justa – no dizer de Celso Antônio Bandeira de Mello – é aquela que corresponde real e efetivamente ao valor do bem expropria-

§ 15. OS DIREITOS DO ESTADO

do, ou seja, aquela cuja importância deixe o expropriado absolutamente indenizado, sem prejuízo algum em seu patrimônio (*Curso de Direito Administrativo*, 20ª ed., São Paulo, Malheiros Editores, 2006, cap. XVI, XI, n. 39, p. 832).

É importante salientar que a lei poderá apontar critérios que sirvam de base para a indenização justa, mas não poderá excluir outros, nem outros meios de prova. A lei não pode dizer quanto é justa ou injusta a indenização, com regras rígidas, porque a própria lei poderá ser injusta diante da Constituição, para a qual ser justa é ser plena, ser completa e ser a menos imperfeita possível (Pontes de Miranda, *Tratado de Direito Privado*, t. XIV, São Paulo, Ed. RT, 1983, § 1.617, n. 4, p. 206).

Indenização em dinheiro. A indenização há de ser em dinheiro. Walter Jellinek já afirmava que ela, no caso da desapropriação clássica, deverá ser paga em dinheiro ("Sie ist bei der klassischen Enteignung in Geld zu zahlen" – *Verwaltungsrecht*, Berlin, 1929, § 18, I, n. 5, p. 391). Hans-Uwe Erichsen e Wolfgang Martens também sustentam que o art. 14 da Lei Fundamental de Bonn contém, face ao art. 153 da Constituição de Weimar, uma modificação essencial. Uma desapropriação sem indenização é impossível ("Art. 14 GG enthält gegenüber Art. 153 WRV wesentlich Änderungen: Eine entschädigungslose Enteignung ist ausgeschlossen" – *Allgemeines Verwaltungsrecht*, Berlin, N.York, de Gruyter, 1981, § 52, I, n. 2, p. 457). De acordo com Hans Julius Wolff e Otto Bachof, o Tribunal Constitucional Federal considera que se verifica a proteção da garantia da propriedade, estipulada no art. 14 da Lei Fundamental, somente quando seja outorgada por meio de um pagamento determinado ou de uma indenização própria pelas despesas ou prejuízos, não, porém, quando apenas se recorre a uma autorização estatal de crédito ("BVfG den Schutz der Eigentumsgarantie des Art. 14 GG nur dann, wenn sie durch der eigene Leistung oder eingenen Kapitalaufwand erworben worden sind, nicht aber, wenn sie nur auf staatlicher Gewährung beruhen" – *Verwaltungsrecht*, vol. I, 9ª ed., München, 1974, § 62, III, "a", n. 4, p. 544).

A regra da indenização em dinheiro constou pela primeira vez da Constituição Federal de 1946 (art. 141, § 16), que, segundo Pontes de Miranda, reagiu contra a regra ditatorial que constava do art. 32, 2ª parte, do Decreto-Lei 3.365/1941, que por sua vez, em sua versão original, se tornou, a partir de 18 de setembro de 1946, inconstitucional. Dita regra admitia, sob a égide da Constituição Federal de 1937, o pagamento da indenização em títulos da dívida pública federal. Há exceções, entretanto, na atual Constituição de 1988, à regra fundamental do pagamento da indenização em dinheiro. Entre essas conumeram-se, primeiro, o pagamento do valor da terra nua nas desapropriações de imóveis rurais para fim de reforma agrária (CF/1988, art. 184, *caput*). A segunda exceção é constituída pelo pagamento de indenização ao proprietário do solo urbano não edificado, subutilizado ou não utilizado, em que a desapropriação se dará mediante pagamento de indenização com títulos da dívida pública, de emissão autorizada previamente pelo Senado Federal, com prazo de resgate de até dez anos, em parcelas anuais, iguais e sucessivas, assegurados o valor real da indenização e os juros legais (CF, art. 182, § 4º, II). Por último, a desapropriação sem indenização alguma, que, na realidade é uma pena de confisco chamada impropriamente de desapropriação, das glebas onde forem localizadas culturas ilegais de plantas psicotrópicas (CF, art. 243, *caput*).

Indenização prévia. A previedade da indenização se refere à sua anterioridade em relação à perda da propriedade e à simultânea aquisição da mesma pelo Poder Público. Na desapropriação, como já aludimos, a propriedade passa a reger-se, em um dado momento, exclusivamente pelo Direito Público, constituindo-se em modo de perder e de adquirir a propriedade, segundo o Direito Público, Constitucional e Administrativo. A previedade, por conseguinte, caracteriza a situação peculiar de que, sem o pagamento integral da indenização, não há perda da propriedade, tampouco aquisição pelo Poder Público.

Abrangência da indenização. A indenização justa deverá necessariamente compreender não só o valor do bem desapropriado, à data do efetivo pagamento da indenização, como os lucros cessantes e danos emergentes do proprietário. Todas as benfeitorias do bem desapropriado deverão ser completamente indenizadas. Da mesma forma, as receitas que o imóvel produzia, ou o bem móvel desapropriado, devem fazer parte da indenização a ser paga. A indenização justa – no dizer de Hely Lopes Meirelles – é a que cobre não só o valor real e atual dos bens expropriados, à data do pagamento, como, também, os danos emergentes e os lucros cessantes do proprietário, decorrentes do despojamento do seu patrimônio. A justa indenização inclui, portanto, o valor do bem, suas rendas, danos emergentes, lucros cessantes, além dos juros compensatórios e moratórios, despesas judiciais, honorários de advogado e correção monetária (*Direito Administrativo Brasileiro*, 32ª ed., São Paulo, Malheiros Editores, 2006, cap. IX, p. 615).

Correção monetária. A correção monetária, introduzida em nosso direito sobre qualquer débito resultante de decisão judicial, inclusive sobre custas e honorários de advogado, pela Lei 6.899, de 8.4.1981 (art. 1º), passou a ser devida, também, nas ações de desapropriação. A questão foi

§ 15. OS DIREITOS DO ESTADO   367

sumulada pelo Supremo Tribunal Federal, que na Súmula 561 determina que "Em desapropriação, é devida a correção monetária até o efetivo pagamento da indenização, devendo proceder-se à atualização do cálculo ainda que por mais de uma vez".

Juros compensatórios. Os juros compensatórios são devidos, no processo de desapropriação, desde a antecipada imissão de posse, ordenada pelo juiz por motivo de urgência (Súmula 164 do STF) e a sua taxa é de 12% ao ano (Súmula 618 do STF).

Juros moratórios. Os juros moratórios incluem-se na liquidação, embora omisso o pedido inicial ou a condenação. Tal o dispositivo que consta da Súmula 254 do STF. Esses juros, que se não confundem com os compensatórios, formando parcela autônoma, são devidos desde que haja atraso no pagamento da indenização. O Superior Tribunal de Justiça já decidiu que "Em desapropriação, são cumuláveis juros compensatórios e moratórios" (Súmula 12), que "Os juros moratórios, na desapropriação direta ou indireta, contam-se desde o trânsito em julgado da sentença" (Súmula 70) e que "A incidência dos juros moratórios sobre os juros compensatórios, nas ações expropriatórias, não constitui anatocismo vedado em lei" (Súmula 102). Os juros moratórios, de acordo com o art. 15-B, do Decreto-Lei 3.365/1941, introduzido o referido artigo pela Medida Provisória 2.183-56, de 24.8.2001, de duvidosa constitucionalidade, "serão devidos à razão de até 6% ao ano, a partir de 1º de janeiro do exercício seguinte àquele em que o pagamento deveria ser feito, nos termos do art. 100 da Constituição". Esse dispositivo contraria toda nossa tradição jurisprudencial, segundo a qual os juros moratórios contam-se a partir do trânsito em julgado da sentença final (Súmula 70 do STJ). Outra questão a ser considerada é a de que os juros legais, de acordo com o novo Código Civil, não são mais de 6% ao ano e poderão ser fixados segundo a taxa que estiver em vigor para a mora do pagamento de impostos devidos à Fazenda Nacional (Código Civil, art. 406). O Código Tributário Nacional, em seu art. 161, § 1º, dispõe o seguinte: "Se a lei não dispuser de modo diverso, os juros de mora são calculados à taxa de um por cento ao mês". Parece ser essa a taxa legal de juros no Brasil hodierno, estipulada tanto pelo CTN quanto pelo novo Código Civil. É bem verdade que o Decreto-Lei 3.365/1941 é Lei especial. Mas uma Lei especial que foi vítima de adendos de uma medida provisória inconstitucional. A solução mais justa é a de se considerar que os juros de mora, devidos na desapropriação, são de 1% ao mês, nos termos do art. 406 do Código Civil, combinado com o art. 161, § 1º do Código Tributário Nacional.

Juros e honorários de advogado. Decidiu o Superior Tribunal de Justiça, que "Nas ações de desapropriação incluem-se no cálculo da verba advocatícia as parcelas relativas aos juros compensatórios e moratórios, devidamente corrigidos" (Súmula 131). De modo que, para o cálculo dos honorários de advogado, devidos de acordo com o art. 27 do Decreto-Lei 3.365/1941, devem ser incluídos os juros moratórios e os compensatórios.

Medidas provisórias recentes. Por intermédio de medidas provisórias recentes, o Governo Federal tratou de modificar a jurisprudência já estratificada em matéria de juros moratórios, de juros compensatórios e de honorários de advogado em ações de desapropriação. Não seria necessária disquisição mais profunda para constatar uma verdade elementar: as medidas provisórias hodiernamente se constituem num verdadeiro repositório de insciência jurídica. Algumas delas são revogadas pelo próprio Presidente da República que as assina, dias depois. Não há nenhuma reflexão séria, inexiste um exame acurado, uma indagação jurídica profunda anterior à sua edição. São simplesmente assinadas por quem não entende uma palavra de direito, como é o caso dos últimos quatro presidentes do Brasil, ao sabor das circunstâncias. Se o Governo está desapropriando demais e tem de pagar juros compensatórios e moratórios pelos seus excessos, acrescidos de honorários de advogado, edita-se uma medida provisória para reduzir tudo às conveniências do tesouro nacional. A primeira dessas medidas, de n. 2.047-45, de 23.11.2000, introduziu o art. 15-B no Decreto-Lei 3.365/1941, por força do qual os juros moratórios deverão ser contados "a partir de 1º de janeiro do exercício seguinte àquele em que o pagamento deveria ser feito, nos termos do art. 100 da Constituição". Conforme afirma Celso Antônio Bandeira de Mello, "a disposição em causa é inconstitucional" (*Curso de Direito Administrativo*, 20ª ed., São Paulo, Malheiros Editores, 2006, cap. XV, n. 40, p. 832).

A segunda dessas medidas provisórias diz respeito aos juros compensatórios, que constituem uma compensação que deve ser paga pelo expropriante ao expropriado pela perda antecipada da posse, decorrente da imissão provisória. Esses juros não estão previstos no Decreto-Lei 3.365/1941, mas representam o resultado de uma construção jurisprudencial, que já vem de longa data. A sua contagem deve ser feita desde a perda efetiva da posse, até a data do pagamento da indenização completa, tanto em desapropriação direta quanto indireta, devendo ser calculados à taxa de 12% ao ano, de acordo com a Súmula 612 do STF. Sobreveio, então, uma medida provisória, de n. 1.744-22, de 11.2.1999, hodiernamente de n. 2.186-56, de 24.8.2001, que introduziu o art. 15-A no Decreto-Lei

§ 15. OS DIREITOS DO ESTADO

3.365/1941, segundo o qual na desapropriação por necessidade ou utilidade pública e interesse social, inclusive para fins de reforma agrária, havendo divergência entre o preço ofertado em juízo e o valor fixado na sentença, os juros compensatórios serão de até 6 % ao ano sobre o valor da diferença eventualmente apurada, a contar da imissão na posse, vedado o cálculo de juros compostos. No § 3º do mesmo artigo impõe iguais juros às ações ordinárias de indenização por apossamento administrativo ou desapropriação indireta, bem assim às ações que visem à indenização por restrições decorrentes de atos do Poder Público, em especial aqueles destinados à proteção ambiental, incidindo os juros sobre o valor fixado na sentença. O Supremo Tribunal Federal, contudo, em liminar concedida na ADI 2.332-2, requerida pelo Conselho Federal da Ordem dos Advogados do Brasil, suspendeu, por julgar inconstitucional, a eficácia da expressão "de até 6% ao ano", considerando, ainda, que a interpretação conforme a Constituição obrigará a entender, no concernente à parte final do art. 15-A, que "a base de cálculo dos juros compensatórios, será a diferença eventualmente apurada, entre 80% do preço ofertado em juízo e o valor do bem fixado em sentença" (Medida Liminar na ADI 2.332-2, rel. Min. Moreira Alves, com três votos vencidos, j. 5.9.2001, *DJU* 13.9.2001, p. 1). O Supremo Tribunal Federal suspendeu, por inconstitucionalidade, os §§ 1º e 2º do art. 15-A (notícia de julgamento da ADI 2.332-2, Medida Liminar, rel. Min. Moreira Alves, dois votos vencidos, j. 5.9.2001, *DJU* 13.9.2001, p. 1). O Supremo Tribunal Federal suspendeu, por inconstitucionalidade, a eficácia do § 4º do art. 15-A (ADI 2.332-2, dois votos vencidos).

Voltando ao § 3º, que o Plenário do STF acabou confirmando, o qual também fixa em 6% os juros compensatórios para os casos de "apossamento administrativo ou desapropriação indireta", deve-se ressaltar que o governo federal, por meio de legislação espúria, cria mecanismos que incentivam o apossamento administrativo da propriedade privada e a desapropriação indireta, em flagrante desrespeito à garantia constitucional da propriedade, estabelecida pelo art. 5º, inciso XXIV, da Constituição Federal. Comentando essa verdadeira aberração legislativa, consagrada numa medida provisória, Celso Antônio Bandeira de Mello assim se manifestou: "É desnecessário enfatizar, uma vez mais, que referida medida provisória é *inconstitucional*, não apenas por ter sido expedida fora de seus pressupostos e por sua teratológica reprodução, mas também pelo fato de que afeta a garantia constitucional da justa indenização" (*Curso de Direito Administrativo*, 20ª ed., São Paulo, Malheiros Editores, 2006, cap. XVI, n. XI, n. 40).

No que concerne aos honorários de advogado, também houve uma incursão devastadora da aludida medida provisória (n. 2.183-56, de 24.8.2001), ao estabelecer que "A sentença que fixar o valor da indenização quando este for superior ao preço oferecido condenará o desapropriante a pagar honorários de advogado, que serão fixados entre meio e cinco por cento do valor da diferença, observado o disposto no § 4º do art. 20 do Código de Processo Civil, não podendo os honorários ultrapassar R$ 151.000,00 (cento e cinqüenta e um mil reais). O Supremo Tribunal Federal, em sessão plenária, realizada em 5 de setembro de 2001, *suspendeu*, por maioria de votos, a eficácia da expressão 'não podendo os honorários ultrapassar R$ 151.000,00'" (notícia de julgamento da ADI 2.332-2, rel. Min. Moreira Alves, *DJU* 13.9.2001, p. 1). Comentando a redação do § 1º do art. 27, do Decreto-Lei 3.365/1941, Celso Antônio Bandeira de Mello novamente condena o dispositivo e diz que "Na já referida ADI 2.332-2, o STF deferiu em parte pedido de medida liminar para suspender, no § 1º, a eficácia da expressão 'não podendo os honorários ultrapassar R$ 151.000,00 (cento e cinqüenta e um mil reais)' ainda que as disposições em apreço fossem em seu todo manifestamente inconstitucionais, por não estar em pauta hipótese de cabimento de medida provisória" (*Curso de Direito Administrativo*, 20ª ed., São Paulo, Malheiros Editores, 2006, cap. XVI, n. 43, p. 835). Não se consegue decifrar nem o critério que levou a medida provisória a estabelecer o teto de R$ 151.000,00. Talvez porque a mania de "tetos" tomou conta da República em certo momento. Deliberaram, então, ingressar até na vida dos advogados para estabelecer um teto. Também não se consegue vislumbrar qual o motivo do valor de R$ 151.000,00. Há honorários de R$ 80.000.000,00 (oitenta milhões de reais) que a União Federal não paga há 25 anos e, ao que tudo indica, não vai pagar nunca. Por que, então, um teto de R$ 151.000,00? Não há explicação racional, pois vivemos numa época de irracionalidade, desde a década final do século passado. O Governo Federal parece ser um adepto fiel do irracionalismo. Por isso, não é de estranhar que apareçam, de vez em quando, esses casos teratológicos de legislação. •

Convenção amigável. A convenção entre o desapropriante e o desapropriado pode ocorrer em diferentes momentos e a diferentes respeitos: a) antes do decreto de desapropriação, versando sobre a coisa a adquirir e o valor a pagar; b) depois do decreto de desapropriação e antes do processo judicial, versando meramente sobre a indenização a pagar; c) durante o processo judicial, depois de fixada a indenização, versando pura e exclusivamente sobre a extinção do mesmo processo. Mas, na primeira hipótese, essa convenção encerrará simplesmente um contrato de

§ 15. OS DIREITOS DO ESTADO 371

compra e venda; na terceira, uma transação comum (CPC, art. 269, III); e só na segunda, verdadeiramente, uma convenção de desapropriação. A convenção de desapropriação – único dentre tais acordos de vontade pertencente ao Direito Administrativo –, é, puramente, uma via de execução do ato de desapropriação e reúne, assim, em toda a sua plenitude, todos os efeitos dele.

• Essa convenção amigável já aparece em Otto Mayer, quando faz referência "aos particulares e assim denominados contratos de desapropriação" ("Das sind die eigentliche sogenannten Exprobationsverträge" – *Deutsches Verwaltungsrecht*, vol. 2, Berlin, 1924, reimp. de 1969, § 34, nota 32, p. 33). Inúmeros autores alemães já falavam sobre os contratos de desapropriação, sendo o mais notável nesse assunto O. Fischer, que escreveu um livro sobre o tema, intitulado *Exprobationsverträge*, que está citado por Otto Mayer na referida nota 32. Walter Jellinek também menciona a convenção amigável especificamente como forma de desapropriar. Diz ele que "Além disso, existe a possibilidade de convenções especiais, assim chamadas de contratos de expropriação, em lugar do processo" ("Daneben besteht die Möglichkeit besonderer Vereinbarungen, sog. Enteignungsverträge, während des Verfahrens" – *Verwaltungsrecht*, Berlin, 1929, § 18, I, n. 6, "e", p. 393). A expressão convenção amigável tem a sua origem na expressão empregada por Walter Jellinek: "convenções especiais" ("besonderer Vereinbarungen"). •

Retornando à essência da convenção amigável, "A aquisição – observa F. Whitaker – opera-se com isenção de ônus reais e sem embaraço das ações já intentadas; não há responsabilidades por defeitos da coisa, reivindicações e riscos" (*Desapropriação*, 2ª ed., São Paulo, 1927, Tit. III, cap. I, n. 132, "b", p. 92). Por isso mesmo, no entanto, que é uma via de execução do ato que a decretou, a convenção de desapropriação não poderá fazer-se ao arrepio desse mesmo ato. Assim, decidiu o Supremo Tribunal Federal, é nula a cláusula, inserta em uma convenção amigável, para a transferência de um prédio desapropriado por utilidade pública, que estabelece o respeito a encargos que oneram o mesmo prédio (acórdão de 26.6.1915, na *Revista de Direito* 39/66).

12. Cuide-se de processo judicial ou de convenção amigável, termo da execução do ato de desapropriação é a transcrição no registro imobiliário. Quanto ao processo judicial a lei prescreve explicitamente: "Efetuado o pagamento ou a consignação, expedir-se-á em favor do expropriante, mandado de imissão de posse, valendo a sentença como título hábil para a transcrição no registro de imóveis" (art. 29, Decreto-Lei 3.365/1941).

Modo de adquirir de direito público, e não meramente título (como a lei erradamente insinua), a desapropriação dispensa a transcrição para produzir seus efeitos (arg. extraído do art. 4º, da Lei 2.786, de 21.5.1956). Modo de extinção da propriedade, privada, a desapropriação há de ser necessariamente modo de aquisição, segundo o direito público: de outra forma, em se tratando de desapropriação de imóvel, este haveria de reputar-se *res nullius*, enquanto se lhe não concretizasse a ulterior aquisição.

• Já referimos que, nesse particular, nossa opinião diverge daquela do insigne Pontes de Miranda segundo o qual "O ato de desapropriação é ato jurídico *stricto sensu*, de que se irradiam efeitos jurídicos, dos quais é principal a perda da propriedade pelo demandado (...)" (*Tratado de Direito Privado*, t. XIV, São Paulo, Ed. RT, 1983, § 1.627, n. 1, p. 255). De acordo com Pontes de Miranda "A propriedade adquirida após a desapropriação é adquirida segundo o direito civil: se imobiliária, pela transcrição; se mobiliária, segundo os princípios de direito civil, para o qual o ato de direito público é título. Tal aquisição nada tem com o ato desapropriativo" (ob. cit., t. XIV, § 1.627, n. 3, p. 257). Já demonstramos o porquê de nossa discordância com a opinião do ínclito jurisconsulto. Não há propriedade imóvel, no Brasil, desde o seu descobrimento, considerada como *res nullius*, que é pressuposto não declarado do pensamento de Pontes de Miranda. Por isso, a desapropriação não pode ser considerada apenas como modo de perder, mas como modo de perder e de simultaneamente adquirir a propriedade. Mas a lei sujeita a desapropriação ao registro, de acordo com o que dispõe o art. 167, n. 34 da Lei 6.015, de 31.12.1973 (Lei dos Registros Públicos). Este registro, entretanto, não tem caráter constitutivo, de significar modo de aquisição da propriedade, mas apenas tem o efeito de publicidade, para • indicar a terceiros a mutação operada quanto ao domínio da coisa desapropriada.

• *12-A*. Na ação de desapropriação, há três sentenças possíveis.

A primeira é a do art. 22 do Decreto-lei 3.365/41, que diz o seguinte: "Havendo concordância sobre o preço o juiz o homologará por sentença no despacho saneador". Essa sentença é homologatória do acordo sobre a indenização. No dizer de Pontes de Miranda, "Tal concordância, antes de expirar o prazo para a contestação, homologada no despacho saneador – hodiernamente no saneamento do processo – é pré-excludente do resto do procedimento; porém de modo nenhum a homologação faz as vezes da decisão do art. 29" (*Tratado de Direito Privado*, t. XIV, São Paulo, Ed. RT, 1983, § 1.621, n. 5, p. 239).

§ 15. OS DIREITOS DO ESTADO

Prossegue Pontes de Miranda: "Homologado o acordo do art. 22, entrega o Estado a indenização, ou a deposita; entregue ou depositada, os autos sobem ao juiz, que profere a sentença de desapropriação, em que há a questão prévia da entrega ou depósito da indenização (elemento declaratório da sentença) e a desconstituição da titularidade do demandado, com ou sem atribuição a outrem, seguida do mandado de imissão de posse. Tratando-se de bem cuja perda de propriedade, ou de elemento da proprieadade, depende de registro, a sentença, que então se profere, é que é *titulus*. Não se poderia dispensar a sentença do art. 29, com o argumento de que, após a homologação do acordo, só se trata de execução do ato desapropriatório" (ob. cit., § 1.621, n. 5, pp. 239-240).

A segunda sentença é a do art. 24 do Decreto-lei 3.365/1941, cujos dizeres são os seguintes: "Art. 24. Na audiência de instrução e julgamento proceder-se-á na conformidade do Código de Processo Civil. Encerrado o debate, o juiz proferirá sentença fixando o preço da indenização". No art. 25, está dito o seguinte: "O principal e os acessórios serão computados em parcelas autônomas". Isso está a demonstrar que a indenização não se pode considerar como paga se a entidade desapropriante não depositou o valor principal, o valor das benfeitorias, os juros compensatórios de 12% ao ano, os juros moratórios e os honorários de advogado, fixados na sentença do art. 24, combinado com o art. 27, entre meio e cinco por cento do valor da diferença entre o "preço oferecido" e o "valor da indenização" (art. 27, Decreto-lei 3.365/1941).

Mas essa segunda sentença, prevista nos arts. 24 e 27, não tem o efeito de declarar a perda da propriedade, pois o valor completo da indenização ainda não foi pago.

A terceira sentença, prevista pelo art. 29 do Decreto-lei 3.365/1941 é que é a sentença constitutiva-mandamental; "constitutiva – afirma Pontes de Miranda – porque é ela que decreta a perda da propriedade e serve de título ao registro de imóveis, mandamental, porque manda expedir o mandado de imissão de posse. O elemento declarativo é anterior, funciona como questão prévia de declaração de estarem satisfeitos os pressupostos da desapropriação" (*Tratado de Direito Privado*, t. XIV, § 1.625, n. 1, p. 249).

12-B. Deve ser tida como atentatória à Constituição Federal, no que concerne à garantia do direito de propriedade (CF, art. 5º, XXIV), a decisão de um magistrado de primeira instância, que, de acordo com o CPC, admite o início do processo de execução contra a Fazenda Pública, nos termos dos arts. 730 e 731 do CPC, e, sem que a execução chegue ao seu término, manda arquivar a ação de desapropriação que lhe deu origem e, por um simples despacho, sem que tenha sido depositado o valor integral da indenização, manda transcrever o imóvel desapropriado, em nome do Estado, no Registro de Imóveis competente, imitindo-o, em caráter definitivo, na posse do imóvel desapropriado.

Um procedimento desse tipo caracteriza violação de direitos fundamentais, nulidade processual insanável e crime de responsabilidade, que se caracteriza por "violar patentemente qualquer direito ou garantia individual constante do art. 141 (...)" (art. 7º, n. 9, da Lei federal 1.079, de 10.4.1950).

12-C. Na verdade, uma tal decisão tipifica, mais do que um crime premeditado, aquilo que os jurisconsultos denominam de "Ignorância". Com efeito, Pereira e Souza, no seu *Dicionário Jurídico*, Lisboa, 1827, t. II, assim se expressa: "*Ignorancia* he a falta de noções e conhecimentos. Consiste propriamente a ignorancia na privação da idéia de huma cousa, de que por consequencia não póde fazer juizo seguro" (verbete "Ignorancia"). •

13. Consumada a desapropriação, e estabelecido *ex novo*, por efeito dela, o domínio do desapropriante sobre a coisa desapropriada, incumbe-lhe, àquele, aplicar a coisa, que já agora é sua, à finalidade, para a qual a desapropriou.

Se não o fizer, deverá oferecê-la ao ex-proprietário, que poderá adquiri-la por quantia equivalente • ao preço atual da coisa. O art. 519 do novo Código Civil de 2002 estabelece a respeito: "Se a coisa expropriada para fins de necessidade ou utilidade pública, ou por interesse social, não tiver o destino para que se desapropriou, ou não for utilizada em obras ou serviços públicos, caberá ao expropriado direito de preferência, pelo preço atual da coisa". Trata-se de um direito de preempção ou preferência, estabelecido pelo Código Civil.

Tem o desapropriado ação a fim de reaver a coisa desapropriada? Há os que consideram o direito do desapropriado como direito pessoal. Nesse sentido é a opinião de Clóvis Bevilaqua (*Comentários ao Código Civil Brasileiro*, vol. IV, edição histórica de 1958, n. 2, "d", p. 259), que reconhece ao proprietário anterior, se a União, o Estado ou o Município não cumprir a sua obrigação de oferecer o bem ao ex-proprietário, o direito pessoal de haver perdas e danos. Da mesma opinião é Firmino Whitaker ao afirmar que "O Código Civil dá-lhe a natureza de preempção, isto é, de um direito obrigacional e não real" (*Desapropriação*, 2ª ed., 1927, cap. III, n. 145, p. 103). José Cretella Júnior também considera o direito de preempção como pessoal. Esta é a sua opinião: "Na realidade, o ex-proprietário que, pela desapropriação perdeu o domínio da coisa desapropriada, é detentor de direito pessoal, visto que sua condição de adómino o destitula para uso da ação real. Não pode, pois, reivindicar os bens incorporados à Fazenda Pública" (*Tratado de Direito Administrativo*, vol. IX, Rio de Janeiro, Forense, 1972, n. 956, p. 159).

Aqueles que falam de um direito real, condicionam esse exercício ao fato de haver uma tredestinação do bem desapropriado, aplicado ao patrimônio, por exemplo, de um concessionário de serviço público. Nesse sentido, por exemplo, é a opinião de Diogo de Figueiredo Moreira Neto (*Curso de Direito Administrativo*, 11ª ed., Rio de Janeiro, Forense, 1998, n. 121, p. 289).

Entretanto, há um óbice criado por lei, à reivindicação do bem desapropriação. O art. 35, do Decreto-Lei 3.365/1941, estabelece o seguinte: "Os bens expropriados, uma vez incorporados à Fazenda Pública, não podem ser objeto de reivindicação, ainda que fundada em nulidade do processo de desapropriação. Qualquer ação, julgada procedente, resolver-se-á em perdas e danos". Diante desse dispositivo legal e do art. 519 do novo Código Civil, opinamos pelo caráter pessoal do direito de preempção, que, se não for respeitado, dará lugar ao pagamento de perdas e danos. •

Se, ao invés de consumar-se, a desapropriação nem chega a executar-se, entende-se o ato caduco, ao cabo de cinco anos, de acordo com o art. 10 do Decreto-Lei 3.365/1941. O desapropriante, nesse caso, também será responsável pelo pagamento das perdas e danos intercorrentes. Nesse sentido é a opinião judiciosa de Miguel Seabra Fagundes (*Da Desapropriação no Direito Brasileiro*, Rio de Janeiro, 1949, n. 189, p. 179).

14. A par da desapropriação – porém, distintos dela por múltiplos característicos –, figuram alguns institutos jurídicos, entre cujo efeito está, também, o de fundarem direitos do Estado sobre bens determinados pertencentes ao patrimônio particular. Caracteriza-se esse surgimento de direitos subjetivos públicos do Estado pela concomitância da indenização por este paga ao particular, que se destina, bem é de ver-se, a restabelecer o equilíbrio entre os dois patrimônios em confronto.

15. Contam-se entre os institutos afins da desapropriação:

1º) *A imposição de servidão administrativa.* • O Decreto-Lei 3.365/1941 estabelece nitidamente a distinção entre a servidão administrativa e a desapropriação, em seu art. 40, no qual se diz que "O expropriante poderá constituir servidões, mediante indenização, na forma desta lei. Nesse sentido, antes do Decreto-lei 3.365/1941, já se manifestava Firmino Whitaker, quando afirmava: "A servidão de que se trata é a administrativa. Nem é a real (de prédio a prédio), nem a pessoal (Clóvis, *Com. Civil* 3/238). É uma servidão legal que visa a utilidade pública e está fora do comércio, não podendo, portanto, extinguir-se pela convenção ou pela prescrição. O Código Civil francês a ela refere-se no art. 649. Em nosso direito, as servidões pela lei, constituindo-se limitações da propriedade, devem ser indenizadas (Carlos de Carvalho, *Consolidação*, p. 592, parágrafo único)" (*Desapropriação*, 2ª ed., São Paulo, 1927, n. 20, nota 1, p. 18). • A extensão da serventia, assim apropriada pelo Poder Público, varia segundo as circunstâncias. De um lado, uma floresta, de propriedade privada, pode vir a ser declarada de preservação permanente por ato do Poder Público, de acordo com o que dispõe o art. 3º do Código Florestal (Lei 4.771, de 15.9.1965), e, nesse caso, ficará sujeita a regime especial, passando a considerar-se de conservação perene – indenizado, entretanto, o proprietário das perdas e danos correlatos. Por outro lado, conhece o Direito Administrativo "a servidão de apoio dos fios telefônicos e de quaisquer fios para a condução de corrente elétrica" (Alcides Cruz, ob. cit., p. 217), em que a serventia, apropriada pelo Poder Público, é, por assim dizer, economicamente inapreciável, embora deva ser, também, indenizada. A imposição de servidão administrativa para o transporte e distribuição de energia elétrica está definida pelo art. 151, "c", do Código de Águas (Decreto 24.643, de 16.7.1934). Nesse dispositivo legal, concede-se ao concessionário do serviço público de energia elétrica o direito de "c) estabelecer servidões permanentes ou temporárias exigidas para as obras hidráulicas e para o transporte e distribuição da energia elétrica". Trata-se de uma disciplina normativa especial, análoga à da desapropriação (Decreto 35.851, de 16.7.1954).

2º) *O resgate das concessões de serviço público.* • "Encampação ou resgate – escreve Celso Antônio Bandeira de Mello – que é o encerramento da concessão, por ato do concedente, durante o transcurso do prazo inicialmente fixado, por motivo de conveniência e oportunidade administrativa, sem que o concessionário haja dado causa ao ato extintivo. Isto sucede quando o Poder Público entende, por alguma razão de ordem administrativa ou política, de assumir diretamente o serviço concedido ou de substituí-lo por outro tipo de serviço mais capaz de satisfazer as necessidades públicas" (*Curso de Direito Administrativo*, 20ª ed., São Paulo, Malheiros Editores, 2006, cap. XII, n. 69, p. 705).

§ 15. OS DIREITOS DO ESTADO 377

Ressalva, entretanto, o ilustre administrativista, que "Em face da lei, a encampação depende de lei autorizativa e só se fará após o pagamento de prévia indenização (art. 37)" (ob. cit., cap. XII, n. 70, p. 706). A Lei Federal a que faz referência Celso Antônio é a Lei 8.987, de 13.2.1995, cuja "Dispõe sobre o regime de concessão e permissão da prestação de serviços públicos, previstos no art. 175 da Constituição Federal, e dá outras providências".

A nossa doutrina evoluiu nesse particular, como demonstra a posição firmada por Celso Antônio Bandeira de Mello.

Anteriormente, Themistocles Brandão Cavalcanti adotava posição diametralmente oposta. • Escrevia ele: "Ocorre muitas vezes que, no curso do contrato, antes de sua terminação, o Estado, por qualquer motivo se queira apoderar do serviço concedido" (*Tratado de Direito Administrativo*, t. II, Rio de Janeiro, 1956, p. 433). Daí o resgate ou encampação, que – acrescenta – "é uma forma de expropriação, peculiar a tais serviços, visto sempre o Estado reservar-se nos contratos, essa faculdade, o que tira ao ato o caráter de desapropriação, no sentido jurídico da palavra" (ob. cit., t. II, p. 434). Entende, porém, o mesmo escritor que o resgate ou encampação – "é sempre um direito da Administração, mesmo sem estipulação contratual, não podendo ela sequer renunciar a esse direito, porque constitui um meio de assegurar o bom funcionamento dos serviços públicos" (ob. cit., t. II, p. 433). Sobre o nosso modo de ver neste livro, assim se expressa o aludido tratadista: "O prof. Cirne Lima coloca-se em ponto de vista inteiramente oposto, fundando-se na autoridade de Whitaker, segundo o qual 'a propriedade particular somente se transfere ao Estado por este meio quando, nas concessões de serviço público, previamente tal cláusula é estabelecida pelos interessados'". Continua Brandão Cavalcanti: "Não nos parece que possa prevalecer o direito do concessionário contra o serviço público e contra o próprio público, e não seria lícito à Administração tolerar o mau funcionamento do serviço somente para atender a interesses muito precários dos concessionários faltosos" (ob. cit., t. II, p. 434). Sempre dissemos que, de modo contrário, opina Whitaker, para quem – "a propriedade particular só se transfere ao Estado por este meio, quando nas concessões de serviço público, previamente tal cláusula é estabelecida pelos interessados" (*Desapropriação*, São Paulo, 1927, tit. I, n. 4, p. 4). A nosso ver, a opinião mais aceitável, nesse pormenor, é a de Whitaker. O resgate é a revogação da concessão, unilateralmente exercitada pela Administração e permitida somente, em se tratando de contrato, quando consentida pelo concessionário, mediante inserção no contrato de concessão, *ex lege* ou *ex voluntate*, de cláusula que o autorize. O mau funcionamento do serviço concedido não legitima o resgate. A simples revogação da concessão, neste caso, ainda com o pagamento de uma indenização, importaria renúncia da Administração às perdas e danos, que o concessionário deveria ressarcir-lhe pelo inadimplemento das obrigações contratuais (Código Civil de 2002, art. 475).

• *15-A*. Por trás desse debate, duas escolas jurídicas se defrontam. De um lado a francesa, que considera o resgate, que denominam de *rachat* como um poder inerente ao Estado em toda a concessão de serviço público.

A maioria dos autores franceses é partidária do *rachat* da concessão, ou resgate ou encampação, sem disposição contratual ou legal específica.

1º) Roger Bonnard afirma que como o instituto da decadência dos direitos do concessionário, o resgate da concessão pela Administração põem fim à concessão antes da expiração do prazo de sua duração. Somente que enquanto a decadência intervém como sanção por faltas cometidas pelo concessionário, o resgate (*rachat*) não tem de modo algum o caráter de sanção contra o concessionário e pode ocorrer independentemente de qualquer falta de sua parte. Ele é declarado pela Administração no interesse do serviço público, sempre que apareça oportuno à Administração não aguardar a expiração da concessão para retomar o serviço e colocá-lo sob o sistema de *régie*. O resgate, assim pronunciado pela Administração, é um ato unilateral: não comporta esse ato acordo com o concessionário. Seria um ato discricionário, no sentido de que a Administração pode apreciar discricionariamente o motivo do resgate, devendo, entretanto, o Poder Público respeitar os fins sinalados para a promoção do resgate, sob pena de desvio de poder.

Definindo o resgate da concessão de serviço público, assim o conceitua Roger Bonnard: "C'est l'acte unilatéral et discrétionnaire par lequel l'administration, en dehors de toute déchéance et faute du concessionaire, met fin à la concession avant la date fixée pour son expiration dans l'intérêt du service public et pour l'organiser en régie" ("É o ato unilateral e discricionário pelo qual a Administração, fora do caso de decadência e de falta do concessionário, põe fim à concessão antes da data fixada para sua expiração, no interesse do serviço público e para organizá-lo sob a forma de *régie*" – *Précis de Droit Administratif*, 4ª ed., Paris, 1943, § II, p. 763).

Quanto à natureza jurídica do poder de resgate, Roger Bonnard afirma que a Administração possui o poder de resgate não apenas se ele está previsto no ato de concessão, mas mesmo no caso de silêncio do ato de con-

§ 15. OS DIREITOS DO ESTADO 379

cessão, porque ele representa apenas um caso particular do poder geral da Administração para a organização dos serviços públicos (ob. cit., p. 764).

2º) André de Laubadère nos diz que "Il peut encore être mis fin à la concession avant l'expiration de son délai par le rachat. Le rachat est une mesure impossée unilatéralement par l'autorité concédant. Il se différencie de la déchéance, d'une part en ce qu'il ne constitue pas une sanction motivée par une faute, mais une mesure administrative de réorganisation du service, destinée par exemple à substituer la régie à la concession, d'autre part en ce qu'il comporte pour le concessionaire évincé le droit à une *indemnité de rachat*. Le pouvoir de rachat existe toujours au profit de concédant. Pratiquement, il est toujours prévu par le cahier des charges que fixe ses conditions; mais, em dehors de ce rachat dit 'contractuel', existe toujours entre les mains du concédant un pouvoir non contractuel de rachat; celui-ci constitue en effet l'application à la concession de service public du pouvoir general de résiliation que l'on rencontre dans tous les contrats administratifs" (André de Laubadère, Jean-Claude Venezia e Yves Gaudemet, *Traité de Droit Administratif*, t. 1, 15ª ed., Paris, 1999, n. 1.154, p. 898). Traduzindo: "Pode ainda ser posto fim à concessão, antes da expiração de seu prazo de duração pelo resgate (*rachat*). O resgate é uma medida imposta unilateralmente pela autoridade concedente. Ele se diferencia da decadência, de uma parte em que não constitui uma sanção motivada por uma falta, mas uma medida administrativa de reorganização do serviço, destinada, por exemplo, a substituir a concessão por uma *régie*, de outra parte em que comporta para o concessionário afastado o direito a uma indenização de resgate. O poder de resgate existe sempre em proveito do concedente. Praticamente, ele está sempre previsto no caderno de encargos que fixa suas condições; mas, fora desse resgate, chamado de 'contratual', existe sempre nas mãos do concedente um poder não contratual de resgate; esse poder constitui, com efeito, a aplicação à concessão de serviço público, do poder geral de resilição que se encontra em todos os contratos administrativos".

3º) Jean Rivero afirma "Le concédant, en application de la théorie générale des contrats administratifs, peut toujours, s'il estime que l'intérêt general l'exige, et sans faute du concessionaire, mettre fin à la concession, soit pour supprimer le service, soit pour le gérer selon une autre méthode. C'est le rachat de la concession. Dans ce cas, le concessionaire a droit à l'indemnisation du dommage qu'il subit de ce fait" (*Droit Administratif*, 6ª ed., Paris, Dalloz, 1973, § 6, n. 483, 3º, p. 438).

Em todas essas manifestações dos administrativistas franceses, o resgate aparece como uma faculdade ínsita em todos os contratos de concessão de serviço público. Diferentemente de uma doutrina brasileira, que proliferou por largo tempo, o resgate para os franceses, não é imposto como pena ao concessionário, tampouco tem lugar quando o serviço funciona mal. Para esse último caso, os franceses sempre tiveram a cláusula de *déchéance* (decadência), pela qual o concessionário faltoso perde seus direitos, sem receber indenização alguma. No Brasil, entretanto, durante longo tempo, ao invés da decadência, que hodiernamente está colocada na nossa lei sobre concessões de serviços públicos, sob a denominação de "caducidade" (art. 35, III, Lei 8.987/1995), aplicou-se o resgate ou encampação para retomar serviços que funcionavam mal, propiciando, por essa forma equivocada, um prêmio ao concessionário faltoso.

A escola alemã, à qual nos filiamos, vê o assunto sob ângulo diverso, exigindo, sempre, a estipulação do resgate ou em cláusula contratual, ou mediante previsão legal.

1º) *Otto Mayer*, ao falar sobre a cessação da relação jurídica de concessão de serviço público, menciona, em primeiro lugar, a renúncia do concessionário; em segundo lugar, a decadência, que nós denominamos atualmente de caducidade da concessão; em terceiro lugar, a expiração do prazo previsto para a concessão; em quarto lugar, afirma que é possível que se tenha reservado ao concedente o direito de resgate (*droit de rachat*), isto é, o direito de revogar a concessão no momento em que lhe aprouver, a todo o momento ou somente a partir de uma certa época, e de se apossar das obras e meios de exploração a fim de continuar a empresa, mediante uma indenização ao concessionário.

Ao contrário dos autores franceses, ele afirma que o direito de resgate somente existe se o concessionário consentiu quando da concessão, ou após certo lapso de tempo, ou que esse direito tenha sua base em uma regra de direito. "Le droit de rachat – afirma Otto Mayer – n'existe que lorsque l'entrepreneur y a consenti lors de la concession ou aprés coup, ou que ce droit a sa base dans une règle de droit" (*Le Droit Administratif Allemand*, t. IV, Paris, pelo próprio autor, 1906, § 50, p. 182).

2º) *Paul Laband*, grande publicista alemão do século XIX, em um parecer, citado por Otto Mayer, também, é de opinião que, "face ao direito adquirido do concessionário sobre a empresa, não existe um direito geral e subentendido, permitindo ao Estado de se apropriar dessa empresa" (Otto Mayer, *Le Droit Administratif Allemand*, t. IV, p. 182, nota 16).

3º) *Fritz Fleiner* nos diz que o interesse público reforçado se exprime, de outra parte, na faculdade do concedente de retomar as empresas de transporte concedidas, *faculdade que se funda no direito público*.

§ 15. OS DIREITOS DO ESTADO 381

Citamos o direito de resgate do Estado, que permite ao Estado adquirir por um ato de soberania unilateral, os caminhos de ferro privados, que servem às comunicações públicas e os canais de navegação privados, e ainda o direito fundado na lei das comunidades de obter do empresário a cessão da rua concedida ("Es sei hingewiesen auf das sogennante staatliche *Rückkaufsrecht*, demzufolge der Staat Privatbahnen, die dem öffentlichen Verkehr dienen, und private Schiffahrtskanale durch einseitigen Hoheitsakt erwerben kann, und ferner auf den gesetzliche Anspruch der Gemeinden, von dem Unternehmer die Abtretung der Unternehmerstrasse verlangen zu dürfen" – *Institutionen des Deutschen Verwaltungsrechts*, 8ª tir., Tübingen, 1928, reeditada em 1963, § 20, I, n. 1, p. 348).

15-B. Rachat na palavra francesa, ou *Rückkauf* na alemã constituem expressão dessa operação jurídica de revogação da concessão de serviço público, como ato unilateral praticado pelo Poder Público, a nosso ver, sempre na dependência de autorização legal ou contratual, segundo a orientação da escola alemã. O resgate, como era praticado no Brasil, ao tempo em que não tínhamos uma lei que regulasse as concessões de serviço público, era o resultado de um equívoco doutrinário, pois, por meio dele, se premiava o concessionário faltoso. Com o advento da lei sobre as concessões, já aludida, a situação mudou consideravelmente. Se o concessionário faltar com os seus compromissos, o Poder Público concedente poderá declarar a caducidade da concessão, sem direito a indenização alguma. O resgate ou encampação, de acordo com o art. 35, II, da Lei 8.987/1995, somente deverá ocorrer "por motivo de interesse público, mediante lei autorizativa específica e após prévio pagamento da indenização (...)" (art. 37). •

PARTE ESPECIAL
A ORGANIZAÇÃO ADMINISTRATIVA

§ 16. A COMPETÊNCIA

Além da capacidade, de direito e de fato, possuem as pessoas administrativas poderes – poderes de direito público – a que a atividade administrativa dá expressão. Não se confundem capacidade de direito público e poder de direito público, como não se confundem capacidade de direito privado e poder de direito privado. A este último respeito escreve Pontes de Miranda: "No primeiro caso, a capacidade é pessoal: o sujeito é capaz; no segundo é impessoal: o agente *tem poder*. Assim, o louco não pode casar-se porque é pessoalmente incapaz, nem a mulher casada pode vender imóveis; o mandatário em procuração geral *não tem* o poder de transigir" (*Tratado de Direito de Família*, t. III, Rio de Janeiro, 1947, § 237, p. 135).

Ora, o traço característico da atividade administrativa, em que tais poderes encontram realização, é estar vinculada – não a uma vontade ou personalidade – mas a um fim impessoal (v. § 2, n. 2, supra). Coincidem, pois, sob esse aspecto, continente e conteúdo.

O estudo dos poderes de direito público conferido às pessoas administrativas forma a doutrina da competência no Direito Administrativo.

1. Competência *lato sensu* se denomina, em direito público, a medida do poder que a ordem jurídica assina a uma pessoa determinada.

Dificilmente, salvo no instituto da representação e na organização interna da família e das corporações, depara o direito privado ao investigador a noção de competência. No direito privado dimanam, em regra, os poderes, reconhecidos às pessoas, dos direitos subjetivos, de que estas são titulares. A tais poderes não é mister fixar limites, porque a medida deles é precisamente o direito de que resultam.

Inversamente, no direito público, dentre os poderes atribuídos às pessoas administrativas, nem todos constituem manifestação de um direito subjetivo ou de uma relação de administração: são de direito objetivo. Daí que, a esses, seja necessário fixar-lhes, também, por via objetiva, a exata medida. Daí, portanto, a noção de competência.

2. Desse caráter objetivo da competência decorrem conseqüências importantes:

a) *Não possui a pessoa administrativa direito subjetivo à competência.* • Ernst Forsthoff discorrendo sobre o tema, diz apositamente: "A atribuição de uma competência não significa de nenhum modo a outorga de um direito subjetivo público. O conceito de competência pertence à esfera institucional: nela não são conhecidos direitos subjetivos, pois esses existem apenas entre pessoas. As Instituições como tais não podem ser titulares de direitos subjetivos, mas apenas em certos momentos, quando pelo reconhecimento de uma capacidade jurídica são também pessoas jurídicas. A competência outorga consigo à autoridade pública o direito (e naturalmente a obrigação) para os que estão a ela vinculados de fazerem uso dela. Mas *a autoridade pública não tem qualquer direito à competência*" ("Die Zuweisung einer Kompetenz bedeutet in keiner Weise die Verleihung eines subjektiven öffentlichen Rechts. Die Kompetenz ist ein Begriff der institutionellen Sphäre: ihr sind subjektive Rechte unbekannt, denn diese gibt es nur zwischen Personen. Institutionen als solcher können nicht Träger subjektiver Rechte sein, sondern nur dann, wenn sie durch Zuerkennung der Rechtsfähigkeit auch juristische Personen sind. Die Kompetenz gibt der mit ihr beliehenen Behörde das Recht (und natürlich auch die Pflicht), von den in der Kompetenz liegenden Befugnissen Gebrauch zu machen. Aber die Behörde hat kein Recht auf die Kompetenz" – *Lehrbuch des Verwaltungsrecht*, vol. 1: Parte Geral, 10ª tir., München, 1973, § 23, p. 452). •

Os conflitos em que se traduzem as vindicações de competência, suscitáveis pelas principais pessoas administrativas (União, Estados, Distrito Federal), perante o Supremo Tribunal Federal (CF/1988, art. 102, I, "f"), não se fundam em direitos subjetivos: "Basta – escreve Pontes de Miranda – que haja dúvida, controvérsia, ainda teórica, ainda não caracterizada em violações de direito, sobre competência da União e dos Estados-membros, ou dos Estados-membros entre si, para que se possa aforar o feito" (*Comentários à Constituição de 1946*, t. II, Rio de Janeiro, s.d., p. 200).

Tanto por igual, poderá dizer-se dos agentes das pessoas administrativas, • conforme já foi explicitado acima pela palavra de Ernst Forsthoff.

• Existirá, porém, um direito subjetivo dos administrados à competência

§ 16. A COMPETÊNCIA

das pessoas administrativas ou seus agentes? Há quem lhe admita a existência. Nas edições anteriores deste livro, sustentava-se que esse suposto direito subjetivo não seria mais do que um aspecto de fato da eficácia reflexa das regras de competência. Haveria certamente vantagem para os administrados, na exata preservação da competência, índice de ordem e harmonia na Administração; mais nada, • dizíamos. Entretanto, já naquele tempo um ilustre administrativista francês, Roger Bonnard, sustentava tese oposta, admitindo expressamente o direito subjetivo público dos administrados à legalidade dos atos administrativos. Dizia Roger Bonnard: "O direito subjetivo à legalidade dos atos administrativos analisa-se, inicialmente, como um poder de exigir a existência da legalidade; e, em seguida, como um poder de exigir a ausência de ilegalidade e, em seguida, a supressão da ilegalidade se ela veio a se produzir" ("Le droit subjectif à la légalité des actes administratifs s'analyse d'abord en un pouvoir d'exiger l'existence de la légalité; et ensuite en un pouvoir d'exiger l'absence de illégalité et par suite la suppression de l'illégalité si elle s'est produite" – *Précis de Droit Administratif*, 4ª ed., Paris, 1943, pp. 91-92). Dentre os direitos dos administrados à legalidade, enumerados por Roger Bonnard, está o direito à competência do agente que pratica o ato administrativo. Assim se expressava Bonnard: "O direito à competência, que é o direito a que o ato seja realizado pelo agente ao qual a competência foi atribuída pela lei ou pelo regulamento" ("Le droit à la compétence qui est le droit à ce que l'acte soit accompli par l'agente auquel la compétence a été attribué par la loi ou le règlement" – ob. cit., p. 97).

Indúbio era, por conseguinte, que o direito à competência do agente da Administração Pública, para Bonnard, traduzia um direito subjetivo público do administrado. Roger Bonnard afirmava em seu livro, ao examinar a legalidade dos atos administrativos: "b) Pode haver no caso, assim, as seguintes categorias de direitos subjetivos: 1º) o *direito à competência* que é o direito a que o ato seja realizado pelo agente administrativo ao qual a competência foi atribuída pela lei ou pelo regulamento; 2º) o *direito às formas*, que é o direito a que as formalidades e procedimentos prescritos sejam seguidos; 3º) o *direito ao motivo*, que é o direito a que um ato tenha um motivo com existência a um só tempo material e legal; 4º) o *direito ao objeto*, que é o direito a que o ato tenha um certo conteúdo, ao menos quando existe competência vinculada, pois esse direito não existe mais quando a competência é discricionária; 5º) o *direito à finalidade*, que é o direito a que o ato persiga o fim que lhe foi imposto. c) Se as condições da legalidade prescritas não forem observadas, há a ilegalidade. Assim, a cada ordem de condição de legalidade corresponde uma categoria de ilegalidade. Destarte, consideram-se ilegalidades: 1º) as *ilegalidades* orgânicas por *incompetência*; 2º) as *ilegalidades* formais por *vício de forma*; 3º) as *ilegalidades* materiais por *inexistência dos motivos*; 4º) as *ilegalidades* materiais por *desconhecimento do objeto prescrito*; 5º) as *ilegalidades* materiais por *desvio de poder*. Cada uma dessas ilegalidades constitui para os administrados uma violação do seu direito subjetivo e implica um direito subjetivo à sua supressão pela anulação do ato ilegal" ("b) Il peut y avoir ainsi les catégories suivantes de droits subjectifs: 1º) le *droit à la compétence* qui est le droit à ce que l'acte soit accompli par l'agent auquel la compétence a été attribuée par la loi ou le règlement; 2º) le *droit aux formes* qui est le droit à ce que les formes et procédures prescrites soient suivies; 3º) Le *droit au motif* qui est le droit à ce qu'un acte ait un motif ayant une existence à la fois matérielle et légale; 4º) le *droit à l'objet* qui est le droit à ce que l'acte ait un certain contenu pour autant tout au moins qu'il y a compétence liée, car ce droit n'existe pas lorsque la compétence est discrétionnaire; 5º) le *droit au but* qui est le droit à ce que l'acte poursuive le but qui lui est imposée. c) Si les conditions de légalité prescrites ne sont pas observées, il y a illégalité. Ainsi, à chaque ordre de condition de légalité correspond une catégorie d'illégalités. C'est ainsi qu'on trouve comme illégalités: 1º) les *illégalités* organique pour *l'incompétence*; 2º) les *illégalités* formelles pour *vice de forme*; 3º) les *illégalités* matérielles pour *inexistence de motifs*; 4º) les *illégalités* matérielles pour *méconnaissance de l'objet prescrit*; 5º) les *illégalités* matérielles pour *détournement de pouvoir*. Chacune de ces illégalités constitue pour les administrés une violation de leur droit subjectif et implique un droit subjectif à leur supression par l'annulation de l'acte illégal" (ob. cit., pp. 97-98).

Indúbio é, por conseguinte, que o direito à competência do agente, para Bonnard, traduz, na verdade, um direito subjetivo público. A lei que regulou, entre nós, a ação popular, acolheu integralmente as teses defendidas pelo ilustre administrativista francês. Hodiernamente, ao admitir a Constituição Federal de 1988, em favor do cidadão, o Direito Constitucional de ação popular (CF/1988, art. 5º, LXXIII) e ao conferir-lhe, por lei, a legitimidade, para pleitear a anulação dos atos administrativos nulos por incompetência do agente (Lei 4.717, de 29.6.1965, arts. 1º e 2º, "a" e parágrafo único, "a"), a ordem jurídica atribuiu ao cidadão um direito subjetivo público à exata observância das regras que definem a competência. Por isso, todos os cidadãos têm, inequivocamente, um direito subjetivo público ao exercício regular da competência e à sua exata observância.

§ 16. A COMPETÊNCIA

Se compararmos os fundamentos, estabelecidos pelo art. 2º da Lei 4.717/1965 ("São nulos os atos lesivos ao patrimônio das entidades mencionadas no artigo anterior, nos caso de: a) incompetência; b) vício de forma; c) ilegalidade do objeto; d) inexistência dos motivos; e) desvio de finalidade"), com os dizeres do livro de Roger Bonnard, verificaremos, que a nossa Lei praticamente copiou a exposição desse autor. •

b) *Não é lícito às pessoas administrativas ou a seus agentes sujeitar o exercício da competência a termo ou condição*. Apenas da *condicio juris* e do termo legal é suscetível o exercício da competência. A tal propósito, a questão que mais freqüentemente se apresenta é a da assim chamada competência ratione temporis. Propõe-se a questão geralmente nos termos do exemplo seguinte: alguém é nomeado para cargo público, no momento preenchido; a nomeação é feita na expectativa da vacância futura; em tal hipótese, pergunta-se: é válida a nomeação? A tal prática chamava-se, no nosso direito antigo, "*expectativas ad officia vacatura concedere*". Já então se duvidava desses atos respeitantes a cargo, ainda por vagar. O insigne Jorge de Cabedo e, juntamente, Domingos Antunes Portugal admitem-nos como conformes ao direito quando emanados do soberano; reputam-nos inválidos quando provenientes dos demais detentores de Poder Público. Era, porém, o soberano, na época, a "lei animada sobre a terra" no dizer das Ordenações Filipinas (Liv. III, tít. 60, § 1); o ato que praticasse valia lei. Temos, pois, na opinião daqueles DD., com respeito aos demais agentes do Poder Público, a lição do passado sobre o assunto no que se adapta às condições atuais. Diversa não é a *communis opinio* dos contemporâneos. A nomeação em tais condições se julga inválida por ilicitude do objeto, de acordo com o que dispõe o art. 2º, "c", da Lei 4.717/1965.

c) *Não é facultado às pessoas administrativas ou a seus agentes renunciar à competência*. Renúncia expressa à competência legalmente recebida, pode dizer-se que, praticamente, nunca se verifica no trato dos negócios públicos. Incorrem, entretanto, na censura do direito também os atos que importam renúncia da competência. • A lei é expressa a respeito desse tema. A competência é irrenunciável e se exerce pelos órgãos administrativos a que foi atribuída como própria, salvo os casos de delegação e avocação legalmente admitidos. Tal é a regra constante do art. 11 da Lei 9.784, de 29.1.1999, que regula o processo administrativo da Administração Pública Federal. •

Têm a União, os Estados e os Municípios, por exemplo, com o poder de desapropriar, competência para fixar, em convenção amigável, a quantia da indenização devida pela desapropriação.

Seria nula, porém, a convenção em que qualquer dessas pessoas administrativas se obrigasse a aceitar a estimação do proprietário do bem desapropriado como critério para fixação daquela quantia, porque essa obrigação importaria, não o exercício, mas a renúncia daquela competência. Decorreria a nulidade da ilicitude do objeto da convenção (art. 2º, "c", Lei 4.717/1965).

3. Tomada em sentido lato, entretanto, a expressão "medida de poder" traduz conceito equivalente ao de legalidade. Sob esse aspecto, pode a noção de competência confundir-se com a de legalidade do ato jurídico, especialmente no que concerne à licitude do objeto deste e à perfeição da forma.

Tem, porém, a noção de competência o seu sentido estrito. Distingue-se, com efeito, a incompetência, da ilicitude do objeto, por um traço nítido: tratar-se-á de incompetência sempre que a pessoa administrativa ou o agente desta praticar ato incumbente, nos termos da lei, a outra pessoa administrativa ou a outro agente da mesma pessoa; tratar-se-á, ao contrário, de ilicitude do objeto do ato, se disser respeito este, por exemplo, a atividade proibida indistintamente a todas as pessoas administrativas e seus agentes. Sinala, pois, a incompetência, dentro do conceito mais amplo de legalidade, o fato peculiar da invasão de atribuições alheias.

A mesma distinção deverá fazer-se entre a noção de competência e a de regularidade formal do ato jurídico. Em princípio, a validade do ato administrativo depende de forma especial, fixada, as mais das vezes juntamente com regras básicas sobre a competência do agente (Lei 4.417/1965, art. 2º, "a" e "b"). Assim, alguns dos atos administrativos do Presidente da República devem revestir a forma de decretos. Em regra, ao nomear um funcionário, o Presidente expede um decreto. Tem os Ministros de Estado competência para nomear funcionários determinados; não a tem, para expedir decretos, que são atos da competência privativa do Presidente da República (CF, art. 84, IV). A forma do ato se mostra, neste caso, como um aspecto da competência. Não se confunde com ela, porém. O mesmo critério distintivo a que recorremos já permite extremar tecnicamente os dois conceitos. A forma se considerará um aspecto da competência, sempre que o vício de forma importar uma invasão de atribuições alheias.

4. São vários os momentos e critérios de partição da competência no Direito Administrativo. Devemos, entre eles, apontar: 1º) a divisão das funções políticas (legislativa, administrativa e judiciária), momento

§ 16. A COMPETÊNCIA 391

comum à União, aos Estados e ao Distrito Federal; ou legislativa e administrativa, momento comum à União, aos Estados, ao Distrito Federal e aos Municípios na respectiva organização; 2º) a autonomia constitucional dos poderes da União (CF/1988, arts. 21 e 22); 3º) a autonomia constitucional dos Estados-membros (CF, art. 25, § 1º); 4º) a autonomia dos Municípios (CF, art. 29); 5º) a autonomia do Distrito Federal (CF, art. 32); 6º) a organização administrativa e judiciária dos Territórios (CF, art. 33); 7º) a organização dos Ministérios da União, das Secretarias dos Estados e do Distrito Federal e das Diretorias dos Municípios; 8º) a divisão dos agentes das pessoas administrativas, segundo o lugar e a matéria.

A competência, assim partilhada, recebe-a o Estado do Direito das Gentes. Não é a soberania, como se costuma chamar-lhe, senão o que o Direito das Gentes deixa à competência exclusiva de cada Estado.

• Carl Schmitt fala de uma *Kompetenz-Kompetenz*, a competência da competência, que seria a competência estatal definida por uma outra competência superior, originária do Direito das Gentes. Segundo Carl Schmitt, essa competência não poderia ser algo ilimitado, sob pena de dissolver-se o conceito (*Verfassungslehre*, München und Leipzig, 1928, § 11, n. 2, p. 102). Mas reconhece que a concepção da competência foi muito utilizada e confundida na literatura jurídica do pré-guerra e que a competência da competência também significa uma faculdade ilimitada para realizar atos de soberania de toda a espécie (ob. cit., § 30, n. 4, "c"). Nesse particular, reconhece-se a supremacia do Direito Internacional sobre o Direito Nacional. Hans Kelsen, dentro de sua concepção normativista, elaborada dentro de estritos padrões lógicos, afirma a primazia absoluta do Direito Internacional, afirmando que a ordem legal internacional, por meio do princípio de efetividade, determina não apenas a esfera de validade, mas a razão de validade das ordens legais nacionais (*General Theory of Law and State*, Harvard University Press, 1945, p. 367). É bem verdade que Hans Kelsen reconhece que sua doutrina não é aceita universalmente e admite a existência de duas variantes na posição antagônica, que faz o Direito das Gentes depender dos Direitos Nacionais. A primeira, do direito anglo-saxão, que admite a aplicação do Direito Internacional se a legislação do Estado contém provisão especial, adotando suas normas, ou se é aplicado pelas cortes de justiça nos termos do significado original de suas disposições. Assim, a Emenda n. VI, § 2, da Constituição dos Estados Unidos, admite a aplicação do Direito das Gentes, que é adotado pelo direito nacional (Hans Kelsen, *Principles of International Law*, 2ª ed., 1967, p. 578). A segunda, do direito alemão, cuja lei fundamental estabelece que "As normas gerais do Direito Internacional Público constituem parte integrante do direito federal. Sobrepõem-se às leis e constituem fonte direta de direitos e obrigações para os habitantes do território federal" (art. 25). No primeiro caso, o Direito das Gentes é adotado pelo direito interno; no segundo, é reconhecida, pelo direito interno, a sua supremacia.

O Brasil se filia à corrente que adota as regras do Direito das Gentes, na medida em que a Constituição atribui ao Supremo Tribunal Federal competência para julgar originariamente os litígios entre Estado estrangeiro ou organismo internacional e a União, o Estado, o Distrito Federal ou o Território (CF/1988, art. 102, I, "e") e, ainda, a competência para julgar, em recurso extraordinário, a inconstitucionalidade de tratado internacional (CF, art. 102, III, "b"). A concepção brasileira está vinculada, por conseguinte, à doutrina anglo-saxã, que admite o Direito das Gentes, desde que adotado expressamente pelo direito interno, não admitindo que as normas do Direito das Gentes constituam parte integrante do direito interno federal. "O Estado – adverte Pontes de Miranda – recebe a competência que originariamente lhe dá a comunidade internacional e exerce-a segundo os seus interesses globais: aqui em cortes verticais, poderes executivo, legislativo e judiciário; ali em cortes horizontais, organização geral ou nacional, organizações locais" (*Os Fundamentos Atuais do Direito Constitucional*, 1932, p. 149). •

Nos cortes verticais, o critério discriminativo é a matéria. "Três funções – observa, ainda, Pontes de Miranda – chegaram a ponto assaz considerável de diferenciação: a edição do direito (expressão mais larga do que legislação, atividade legislativa do poder legislativo, e nisto convém prestar-se toda a atenção); a jurisdição (mais do que poder judiciário, porque as leis admitem solução de controvérsias fora do corpo judiciário) e a administração no sentido estrito" (*Comentários à Constituição de 1946*, t. I, 2ª ed., Rio de Janeiro, 1953, pp. 162 e 183).

Nos cortes horizontais, atende-se conjuntamente à matéria e ao lugar. Temos, destarte, poderes federais e território federal; poderes estaduais e território estadual; poderes municipais e território municipal. Em relação aos Estados e aos Municípios, pode dizer-se que se repete *mutatis mutandis*, na órbita do Direito Interno, o fato do Direito das Gentes. A Constituição Federal, com maiores ou menores restrições de forma e de fundo, deixa aos Estados e aos Municípios uma esfera própria de competência a organizar. A competência estadual e municipal é, por este traço, semelhante à federal. Usando de velha terminologia, a competência dos Estados e Municípios é, como a da União, *originária*.

Não confundamos, porém: outras pessoas administrativas, como as Seções com personalidade jurídica da Ordem dos Advogados do Brasil, possuem competência restrita a circunscrições territoriais.

Àquela primeira forma de competência, chama-se *competência territorial*; a esta última, *competência local*.

Na organização geral dos serviços públicos dos ápices às bases atende-se, ao contrário, quase exclusivamente, ao critério da divisão em razão da matéria. Por essa forma se explica a divisão atual dos Ministérios da República, das Secretarias de Estado das unidades federadas, das Diretorias de Serviços dos Municípios.

Mas, a seu turno, na especificação da competência dos agentes encarregados da execução de serviços públicos, não raro se combinam, novamente, os dois critérios de matéria e lugar. Assim se justificam, por exemplo, as zonas de competência dos oficiais de registro civil e do registro de imóveis.

5. Cumpre que consideremos, agora, as conseqüências da inobservância das regras de competência na realização dos atos administrativos. Tal inobservância pode apresentar-se sob duas formas: a incompetência absoluta e a incompetência relativa. Incompetência absoluta é a que resulta da transgressão das divisões e subdivisões globais da competência. Na divisão das funções constitucionais da União, dos Estados e dos Municípios; no discrime das atribuições federais, estaduais e municipais, na formação de entidades autárquicas; nas grandes divisões (Ministérios, Secretarias dos Estados e do Distrito Federal e Diretorias dos Municípios) dos serviços públicos da União, dos Estados e dos Municípios – em todas essas hipóteses a competência é partilhada em blocos, globalmente. As regras jurídicas que presidem a essa partilha são as chaves do sistema da competência estatal. A infração delas gera, por conseguinte, incompetência absoluta.

O mesmo deverá dizer-se das regras de competência concernentes aos serviços públicos não hierarquizados, especialmente aos ofícios de justiça. Esses ofícios são, hodiernamente, exercidos em caráter privado, por delegação do Poder Público (CF, art. 236, *caput*). Aqui, também a partilha da competência se faz de modo global relativamente a cada espécie de ofício, que da ordem jurídica recebe toda a competência relativa à sua forma de atividade.

Incompetência absoluta é, pois, a do oficial do registro especial de títulos e documentos para lavrar, em seu cartório, um termo de nascimento, a do notário para registrar em suas notas uma hipoteca; a do oficial do registro civil das pessoas físicas para lavrar em seus assentamentos uma escritura de compra e venda.

Não nos esqueça, demais, que a ordem jurídica pode, em casos determinados, equiparar as conseqüências da incompetência relativa às da incompetência absoluta, prescrevendo a nulidade do ato em que aquele defeito se manifeste. Em tal hipótese, desaparece o interesse prático da nossa distinção. • Nesse sentido, a Lei 4.717/1965, em seu art. 2º, parágrafo único, "a", não distingue entre incompetência absoluta e relativa para declarar a nulidade dos atos administrativos viciados de incompetência. •

Incompetência relativa, à sua vez, é a que se verifica quando o agente hierarquizado de uma pessoa administrativa, procedendo embora dentro do quadro geral do serviço a que pertence, se arroga atribuições incumbentes a outro agente da mesma pessoa administrativa dentro do mesmo quadro geral de serviço. Em tais casos, pode o defeito de competência não ter reflexo nenhum sobre o conteúdo do ato, que se mostrará, talvez, em tudo o mais, conforme ao direito e aos interesses da Administração. A infração das regras de competência, em tal caso, não determina, pois, a nulidade do ato; torna-o anulável e, como é óbvio, suscetível de ratificação, quando cabível esta. • O nosso direito prevê expressamente a sanatória no art. 55 da Lei 9.784/1999, no qual está dito que "Em decisão na qual se evidencie não acarretarem lesão ao interesse público nem prejuízo a terceiros os atos que apresentarem defeitos sanáveis poderão ser convalidados pela própria Administração". •

Se contrastarmos esses conceitos com a classificação indicada no n. 4, supra, verificaremos que a infração das normas de partilha de competência ali apontadas de 1º ao 7º produz incompetência absoluta; torna nulo, de pleno direito, o ato administrativo praticado. Diversamente, a infração das demais normas de partição da competência, de natureza menos relevante, torna o ato anulável e sujeito à sanatória, de acordo com o art. 55, da Lei 9.784/1999, já mencionado. Fazem exceção a esta última regra os serviços públicos não hierarquizados, cujas normas de partilha de competência, quando infringidas, dão lugar à incompetência absoluta e à nulidade do ato assim praticado.

§ 17. A DESCENTRALIZAÇÃO

Descentralizar é pluralizar a autoridade. Onde não preexiste, ou não se pode pressupor autoridade una, não se pode, também, falar em descentralização.

Trata-se, porém, no que tange a tal pressuposto, de um antecedente histórico indispensável, ou meramente de um *prius* lógico? Há soluções nos dois sentidos. Os que enxergam no requisito da autoridade una, apenas, um *prius* lógico da descentralização dilatam o conceito desta para além das fronteiras do Estado, no espaço e no tempo: no espaço, por isso que todo Estado, aceita essa solução, representaria, relativamente à comunidade internacional, um fenômeno de descentralização. • Nesse sentido, por exemplo, é a opinião de Hans Kelsen, para quem o Estado está legalmente submetido ao Direito Internacional, como uma ordem legal superior à ordem nacional. Mas o Estado, como pessoa jurídica, está submetido somente à ordem internacional e a nenhuma ordem nacional, que não a sua própria. Na realidade, a comunidade legal internacional, com sua ordem jurídica, é o suporte, a garantidora e a fonte primordial do direito nacional. A ordem jurídica internacional é um *prius* lógico face à ordem nacional (*Principles of International Law*, New York, 1967, pp. 189-191). • No tempo, porque envolvendo a mesma solução, na esfera do direito interno, a inclusão dos Estados-membros, relativamente ao Estado federal, entre as formas de descentralização, teria esta, em tal hipótese, surgido – no caso brasileiro, por exemplo –, senão antes, pelo menos simultaneamente com o Estado mesmo. Diversamente, os que vêem no requisito da autoridade una um antecedente histórico de descentralização, situam-na a esta, fora da esfera supranacional e pré-constitucional, no campo da política interna dos Estados, sejam estes Estados-membros ou União Federal, ou Estados unitários • (J. J. Gomes Canotilho, *Direito*

Constitucional e Teoria da Constituição, 3ª ed., Coimbra, Almedina, 1999, Tít. 5, B, n. 2, p. 653). •
Com os propugnadores desta última solução, está a tradição doutrinal.

1. Para que se torne tal solução aceitável, cumpre, porém, distinguir, da descentralização política, a descentralização governamental ou administrativa, a esta restringindo o alcance daquele conceito.

Há descentralização política, para usar das expressivas palavras do Visconde do Uruguai, quando "o Governo do Estado em lugar de entregar uma parte de sua ação a seus agentes, restitui-a à sociedade. Em lugar de tratar dos negócios do povo, convida-o a tratar por si mesmo deles" (*Ensaio sobre o Direito Administrativo*, t. II, Rio de Janeiro, 1862, p. 170). A descentralização política, ou *self-government* é, essencialmente, uma manifestação de individualismo.

• Não é outra a concepção atual. Na afirmação de Hans Julius Wolff e Otto Bachof "da descentralização política fala-se quando as tarefas de Administração Pública são desenvolvidas por pessoas provenientes do povo, sem nenhuma remuneração, em oposição à defesa do interesse público promovida por meio da atividade profissional dos funcionários públicos profissionais" (*Verwaltungsrecht*, II, 5ª tir., München, 1987, § 84, IV, n. 33, p. 19). A descentralização política se revela um modo muito efetivo de estimular o convívio entre o poder e a liberdade, fortalecendo, por essa forma, a democracia. Georges Burdeau, em palavras apósitas, salienta esse aspecto da descentralização política, ao afirmar: "Politicamente, a descentralização pode se recomendar ao mesmo tempo pelo apoio que traz ao Poder e do proveito que dela retira a liberdade. O fato que se possam reunir esses méritos aparentemente contraditórios prova que o Poder e a liberdade não são antinômicos e a descentralização é precisamente um meio de conciliá-los" (*Traité de Science Politique*, t. II: L'État, 2ª ed., Paris, 1967, n. 270, pp. 375-376). •

A centralização política, definem-na seus adversários como "o sistema político que antepõe ao indivíduo o governo, a um ente real um ente imaginário". • A expressão teria uma ressonância desumana. No dizer de Nietzsche, ela parece bem caracterizar o mais frio dos monstros frios (G. Burdeau, ob. cit., t. II, n. 257, p. 351). •

Não é, assim, a descentralização política, o *self-government*, como poderia supor-se, concomitância da democracia, senão concomitância, apenas, do individualismo que, posto freqüentemente associado à democracia, com esta, entretanto, não se confunde.

§ 17. A DESCENTRALIZAÇÃO

A descentralização governamental, ou administrativa, é, a seu turno, fundamentalmente, uma forma de divisão do trabalho. Informa-a um princípio econômico. Dão-lhe substância circunstâncias de fato, variáveis por definição. A primeira e a principal dessas circunstâncias de fato é, geralmente, o próprio *território* do Estado. Em relação ao território é que se propõe, originariamente, a questão da descentralização administrativa. Além do território, contudo, outras circunstâncias de fato podem conduzir à descentralização administrativa, como solução a problemas de governo. No setor do que se costuma chamar a "função social" do Estado, a descentralização administrativa tem desempenhado papel importantíssimo, a que, no entanto, as mais das vezes, ficam alheias as condições territoriais.

2. A descentralização administrativa sói apresentar-se sob duas formas distintas:

a) sob a forma de multiplicação dos órgãos de manifestação da vontade estatal;

b) sob a forma de distribuição de funções estatais a pessoas jurídicas *ad hoc* criadas pelo Estado, porém distintas deste. • A Administração pode, assim, ser definida como autônoma, livre de limitações, deixada à sua livre deliberação, exercitando os negócios públicos por meio de pessoas administrativas situadas abaixo do Estado (Norbert Achterberg, *Allgemeines Verwaltungsrecht. Ein Lehrbuch*, Heidelberg, 1982, § 11, I, n. 3, p. 146). •

"Descentralizar no primeiro sentido – observa o Visconde do Uruguai –, consiste em renunciar a que a ação do centro esteja toda concentrada em um ponto, na Capital, por exemplo; é disseminá-la pelas Províncias e Municípios, entregando-a aos Presidentes e outros agentes do Governo que o representem. Nesse caso, por mais geral que seja a descentralização, há sempre uma única vontade, embora essa vontade se apresente em muitos lugares" (ob. cit., t. II, pp. 169 e 170).

Na segunda acepção, descentralizar é personificar: assim, personificar coletividades de pessoas, sob o critério da região, da disciplina profissional, da assistência social etc.; personificar coletividade de bens, sob a inspiração da finalidade pública a que são destinados; personificar coletividades de bens e pessoas, organizadas em serviços públicos. Àquela primeira forma de descentralização costuma chamar-se desconcentração administrativa, reservando-se à segunda a denominação de descentralização administrativa propriamente tal.

• *2-A.* A personificação ocorre sob três formas distintas. A primeira é a da corporação de direito público, cuja organização repousa sobre a participação e a condição de membros da entidade. A segunda é a do estabelecimento público, representado por um conjunto de meios pessoais e materiais, destinado a servir permanentemente a um fim de Administração Pública. A terceira é a da fundação pública, que a ciência jurídica tem manifestado certa dificuldade de entender em nosso meio, mas que é uma pessoa jurídica de direito público dotada de um patrimônio pelo Estado (Norbert Achterberg, ob. cit., § 11, ns. 4, 5 e 6, "a", "b" e "c"). •

3. Essas indicações, tiradas do que comumente acontece, não possuem, é visto, caráter absoluto.

A descentralização administrativa, para ser completa, supõe necessariamente: I – que os atos do agente, órgãos ou pessoa jurídica, oriundos da descentralização, não sejam revogáveis pelo Estado, ou Administração central; II – que o conteúdo desses atos não seja fixado pelo Estado, ou Administração central, mas pelo próprio agente, órgão ou pessoa jurídica, oriunda da descentralização.

• *3-A.* No que concerne à primeira decorrência da descentralização administrativa, é oportuno recordar as palavras apósitas de Otto Mayer, ao afirmar que "Com o reconhecimento da personalidade moral de direito público, atribui-se a esta pessoa o direito de exercer livremente a atividade vital que lhe foi incumbida, isto é, a porção de Administração Pública que lhe foi assinada" (*Le Droit Administratif Allemand*, t. IV, Paris, 1906, § 59, n. I, p. 308).

3-B. Quanto à segunda, vale recordar as palavras sempre precisas de Walter Jellinek quando afirma que, no direito alemão, as comunidades (*die Gemeinde*), que são os nossos municípios, porém não dotados de natureza política, "podem também promulgar atos administrativos no sentido de atos de autoridade" ("Die Gemeinde kann weiter Verwaltungsakte in dem Sinne von hoheitlichen Akten erlassen" – *Verwaltungsrecht*, Berlin, 1929, § 8, n. 1, p. 165). Esses atos de autoridade reconhecidos em favor das comunidades, como pessoas administrativas, nada mais são do que atos praticados livremente, nos termos da lei, cujo conteúdo é fixado diretamente pela pessoa administrativa oriunda da descentralização. •

3-C. Ora, nem tanto quanto às pessoas jurídicas, nascidas da descentralização, esses dois requisitos sempre se verificam. • A tutela administrativa do Estado é uma forma de influir nas entidades autárquicas por ele

§ 17. A DESCENTRALIZAÇÃO 399

criadas. Mas a tutela administrativa nem sempre se verifica. Há, em nosso direito, um caso de descentralização perfeita, em que a tutela administrativa está absolutamente afastada.

Trata-se da Ordem dos Advogados do Brasil, criada pelo Decreto 22.478, de 20.2.1933, hodiernamente regida pela Lei 8.906, de 4.7.1994, que é um "serviço público, dotada de personalidade jurídica e forma federativa" (art. 44), cujo Conselho Federal é "dotado de personalidade jurídica própria" (art. 45, § 1º) e que, na condição de pessoa jurídica de direito público e de serviço público "goza de imunidade tributária total em relação a seus bens, rendas e serviços" (art. 45, § 5º). A questão mais importante a ser salientada, no que concerne à descentralização administrativa integral e completa de que é expressão a OAB é a de que "A OAB não mantém com órgãos da Administração Pública qualquer vínculo funcional ou hierárquico" (art. 44, § 1º).

3-D. Nenhuma dúvida pode pairar acerca da natureza publicística da OAB, ainda recentemente reafirmada pelo art. 58, § 9º, da Lei 9.649, de 27.5.1998, que no referido artigo privatizou todos os estabelecimentos públicos federais encarregados de fiscalizar as profissões regulamentadas, à exceção, apenas, da Ordem dos Advogados do Brasil, para depois ser declarado inconstitucional em seu *caput* e demais parágrafos pelo STF.

3-E. O caso da OAB é especial, pois configura aquilo que o ínclito Hans Kelsen denomina de *perfect decentralization*, afirmando que se fala de descentralização perfeita, "quando a criação de normas locais é final e independente" (*General Theory of Law and State*, Harvard University Press, 1945, V, "d", p. 313). Dentro desse conceito kelseniano de descentralização perfeita, insere-se a Ordem dos Advogados do Brasil, que não está sujeita a nenhuma forma de tutela administrativa e menos ainda a qualquer subordinação hierárquica. Como se observa, quando se pensa em inovar, como é vezo constante em nosso país, na realidade, volta-se ao passado e à idéia de algum jurista defunto, que já pensou melhor e de forma mais abrangente o instituto jurídico que se pretende transformar. Como dizia o *Ecclesiastes*, nessa matéria, como em tudo o mais: "Nihil sub sole novum" (1,9). •

4. De outra parte, nem todo órgão de manifestação da vontade estatal é suscetível de abranger-se sob a rubrica da descentralização administrativa. Descentralização é essencialmente pluralização de *autoridade*. Onde se não tratar de autoridade estatal, é descabido falar-se em descentralização. Escapam, pois, aos limites conceituais da descentralização os

Bancos que o Estado, *como qualquer particular*, houver incorporado; as empresas industriais que, *como qualquer indivíduo*, o Estado houver organizado. Em tais entidades, poderá haver órgãos de manifestação da vontade do Estado, mas à vontade do Estado, nesse caso, falta o característico do *imperium*, ou autoridade estatal.

• *4-A.* Dentro desse critério, deve-se considerar como equivocada a norma do art. 10, "c", do Decreto-lei 200/67, que estabeleceu diretrizes para a Reforma Administrativa, ao falar de descentralização "da Administração Federal para a órbita privada, mediante contratos ou concessões" (art. 10, "c"). As concessões de serviços públicos e de obras públicas, assim como as permissões de serviços públicos são regidas presentemente pela Lei 8.987, de 13.2.1995, representando delegação de poder inerente à Administração Pública, ao particular (sujeitas sempre à fiscalização do poder concedente, responsável pela delegação, cf. a Lei 8.987/1995, art. 3º). Não se confunde, por conseguinte, de acordo com a Lei que estabelece o regime das concessões e permissões da prestação de serviços públicos, descentralização administrativa com delegação de poder, inerente a todas as concessões. No conflito entre as duas disposições legais, deve-se dizer que prima a última, não apenas por ser *lex posterior*, mas porque, como dizia Gaio, "semper in dubiis benigniora praeferenda sunt" (*Digesto*, L. 50, Tit. XVII, n. 56). •

5. Expostos, assim, os princípios fundamentais da teoria, estamos habilitados a analisar, em confronto já com o direito positivo, os diferentes momentos, ou critérios da desconcentração ou da descentralização administrativa, para os quais acenamos no n. 1, supra. Dão substância à descentralização circunstâncias de fato, variáveis por definição – ali dissemos. Dentre elas, merecem especial menção:

O território. É tema controversial a relação existente entre o território e as assim chamadas pessoas jurídicas territoriais (Estado, Províncias, Estados-membros, Distrito Federal e Municípios).

• José Antônio Pimenta Bueno, com sua notável acuidade, definiu com precisão o território nacional: "O território nacional compreende e compõe-se de todas as possessões que a monarquia portuguesa tinha na América Meridional ao tempo da emancipação do Brasil. Os portugueses possuíam todos estes territórios conjuntamente com os brasileiros, assim como estes possuíam juntamente com eles os territórios de além-mar. Separando-se, e constituindo-se os brasileiros em nacionalidade independente, separaram-se e constituíram-se com todas as possessões que a coroa comum tinha no Brasil. Essa foi a condição territorial inerente à sua emancipação, esse o fato e direito confirmado pelo reconhecimento de sua independência, assim pelas nações em geral, como particularmente pela nação portuguesa" (*Direito Público Brasileiro e Análise da Constituição do Império*, Brasília, 1978, seção 2, n. 5, p. 20). Como sinala Georg Jellinek, a necessidade de um território determinado, para que um Estado possa existir, foi reconhecida pela primeira vez nos tempos modernos. A antiga doutrina do Estado concebia a este como uma comunidade de cidadãos, cuja identidade não estava unida necessariamente à sua residência em um território (*Teoría General del Estado*, Argentina, 1970, cap. 13, I, p. 296). Essa concepção remonta a longes tempos e já em Cícero, na definição clássica que dá de Estado, não menciona o território. Na sua afirmação perene o Estado é "populus autem non omnis hominum coetus, quoquo modo congregatus, sed coetus multitudinis juris consensu et utilitatis communione sociatus" (Cicero, *De Republica*, L. I, n. 24). O Estado, para Cícero, não seria qualquer reunião de homens, de qualquer forma agregada, mas tão-somente uma multidão de homens debaixo do império da lei, associada tendo em vista a utilidade comum. Mas a evolução do Direito Internacional Público levou a que se considerasse o território como um dos elementos fundamentais para definir a existência do Estado. Segundo Georg Jellinek, o ser do Estado mesmo e não a simples possessão de algo que lhe pertença é o que engendra a exigência de respeito ao território. Por isso, o território é o pressuposto necessário ao exercício do poder do Estado sobre os cidadãos. Esse poder do Estado é o *imperium*, que significa poder de mando sobre homens livres. O território é, dessarte, um fundamento espacial para que o Estado possa exercer a sua autoridade sobre os homens que vivem nele (Georg Jellinek, ob. cit., pp. 298-299). •

Acima da controvérsia, paira, porém, a noção da essencialidade do território em relação à pessoa do Estado, como um dos elementos integrantes dessa entidade. • Nesse sentido é a opinião uniforme da doutrina (Darcy Azambuja, *Teoria Geral do Estado*, Globo, 1996, cap. IV, p. 36; Carré de Malberg, *Contribution à la Théorie Générale de l'État*, t. I, Paris, 1920, n. 2, p. 3; Reinhold Zipelius, *Teoria Geral do Estado*, 3ª ed., Lisboa, trad. portuguesa, § 12, n. I, p. 108).

Além desse aspecto essencial do território em relação à pessoa jurídica Estado, os juristas se dividem ao explicar a verdadeira natureza jurídica da relação que se estabelece entre o Estado e o território, que lhe é dado essencial.

Para alguns, a essencialidade do território como elemento de integração do Estado decorreria do fato de o território estatal ser *objeto real* do senhorio do Estado. Essa concepção foi defendida com extraordinário empenho pelo grande publicista alemão C. F. von Gerber. Para que o poder estatal se consolide sobre um território determinado, necessário se faz que nele se localize, que lance mão de todos os seus recursos naturais e que empregue o seu poder para o desenvolvimento do território. Para o povo do Estado, o território é, ao mesmo tempo, a casa e a pátria comum. Na concepção de C. F. von Gerber, a vinculação do território ao Estado como sujeito ativo de poder representa o conteúdo de um direito real público (*Diritto Pubblico*, trad. italiana, Milano, Giuffrè, 1971, § 22, pp. 142-143).

Em segundo lugar, há os que vêem no território um elemento de integração do Estado. Georg Jellinek afirma que para o pensamento jurídico o Estado se apresenta como uma unidade e a base dessa unidade é, antes de tudo, física. O Estado ocupa no espaço uma parte limitada da superfície terrestre. Sobre este território limitado vivem homens, que perseguem fins comuns, permanentes, unitários, entrelaçados uns com outros, os quais somente poderão ser atingidos por meio da estabilidade das instituições. O Estado possui, por isso, uma capacidade própria, uma personalidade que lhe confere o poder de ser titular de direitos, em uma palavra, capacidade jurídica. Na concepção de Georg Jellinek, dois aspectos são fundamentais: 1º) o Estado é uma pessoa jurídica que tem base territorial; 2º) o Estado possui uma personalidade própria (*System der subjektiven öffentlichen Rechte*, 1919, III, pp. 12-28).

No sentir de Georg Jellinek, o território é um dos elementos de integração do Estado, submetido ao seu poder de *imperium* (*Teoría General del Estado*, 1970, trad. espanhola, Buenos Aires, p. 299).

Em terceiro lugar, há os que visualizam no território o critério de discriminação dos indivíduos nele incorporados. Expoente máximo dessa concepção é, sem dúvida, o inglês Thomas Hobbes, para quem cada pessoa que punha o pé num território de domínio está sujeito ao respectivo direito ("For whatsoever is so tied, or environed, as it cannot move but within a certain space, which space is determined by the opposition of some external body, we say it hath not liberty to go further" – *Leviathan*, *Great Books of The Western World*, Britannica, vol. 21, 1990, cap. XXI, p. 112).

Em quarto lugar, há a concepção que fala do limite espacial da competência do poder estatal, posta em relevo pelo grande publicista alemão do século XIX, Paul Laband. Em sua famosa obra, elaborada ao tempo em que foi professor em Strassburg, Laband afirmava que "O território do Estado constitui o círculo material de poder no qual o Estado

§ 17. A DESCENTRALIZAÇÃO   403

exerce os direitos de soberania que lhe dizem respeito" (*Le Droit Public de l'Empire Allemand*, t. I, Paris, 1900, § 21, pp. 287-288). Para Laband a soberania territorial é o próprio poder do Estado, até mesmo quando extravasa os limites de seu território. Ressalvada essa exceção (ob. cit., p. 288), o poder do Estado normalmente se exerce dentro dos limites espaciais de competência, traçados pelo seu território.

Em quinto lugar, deve ser mencionada a concepção que vê no território meramente um pressuposto lógico-jurídico da personificação. A personalidade do Estado, a partir do século XIX, não foi vista tão-somente como o poder sobre um território, ou o poder exercido tão-somente sobre pessoas. O Estado foi elevado à condição de pessoa jurídica e o seu território foi considerado como um dos pressupostos lógico-jurídicos de sua personificação. A Constituição lhe atribuiu competências e estabeleceu o elenco dos poderes estatais, da soberania territorial e do poder de império sobre os súditos, como demonstração do senhorio estatal sobre as pessoas e as coisas sob o seu poder (Peter Badura, *Staatsrecht*, München, 1986, A2, p. 3). Como conseqüência, o território é, hodiernamente, pressuposto lógico-jurídico da personificação do Estado.

No nosso sistema político-jurídico, são pessoas jurídicas territoriais a União, os Estados, o Distrito Federal e os Municípios. Com respeito aos Estados, é descabido — já o vimos — segundo a doutrina tradicional, falar-se em descentralização administrativa. Com respeito aos Municípios, diversamente, uma corrente da opinião jurídica brasileira se inclinava a considerá-los como forma de manifestação de uma descentralização administrativa, fundada sobre o território. "No Brasil — escrevia Castro Nunes, sob a Constituição de 1891 —, a administração dos Estados tem de ser descentralizada e descentralizada por via do Município autônomo" (*Do Estado Federado e sua Organização Municipal*, Rio de Janeiro, 1920, n. 60, p. 124).

Não parece, entretanto, que essa opinião se conforme com a evolução ulterior do Direito Constitucional brasileiro. Já sobre a Constituição Federal de 1946, Pontes de Miranda advertiu excelentemente: "O caráter político da função municipal somou mais argumentos às suas provas anteriores e seria absurdo transplantarmos ao Brasil a concepção de só ser administrativa a função municipal" (*Comentários à Constituição de 1946*, t. I, Rio de Janeiro, s.d., p. 465; t. II, 2ª ed., Rio de Janeiro, 1953, p. 106). •

São numerosas, entre nós, ao contrário, as entidades autárquicas, de natureza local. As mais interessantes, sob esse aspecto, são, sem dúvida, os diferentes Conselhos Seccionais da Ordem dos Advogados do Brasil, "dotados de personalidade jurídica própria, (...) jurisdição sobre os respectivos territórios dos Estados-membros, do Distrito Federal e dos Territórios" (Lei 8.906, de 4.7.1994, art. 45, § 2º).

Não se confunde, porém, no nosso sistema político-jurídico, a pessoa jurídica, de natureza local, com a assim chamada pessoa jurídica territorial. É conhecida a distinção entre *competência local* e *competência territorial*. A competência local é *devolvida*: uma regra superior a determina, e a competência local é, em realidade, o conteúdo dessa regra superior. Inversamente, a competência territorial é meramente *distribuída*: consiste exatamente no que não foi regulado pela regra superior; no que esta distribuiu, deixou ao arbítrio da entidade territorial (Pontes de Miranda, *Os Fundamentos Atuais do Direito Constitucional*, Rio de Janeiro, 1932, p. 41). Usando de outra terminologia, a competência territorial é *originária*, ao passo que a competência local é *derivada*. Igual diferença separa a pessoa jurídica, de natureza local, da pessoa jurídica territorial. Nesta, o território é dado originário; naquela, o resultado da competência atribuída à pessoa.

Desvinculado da noção de personalidade jurídica, o território é, de outra parte, a base e o critério para a desconcentração administrativa, assim da União, dos Estados, do Distrito Federal e dos Municípios, como de algumas entidades dos critérios da repartição da competência, de que já tratamos no lugar devido (v. § 16, n. 4, supra). Apenas, a relação entre os agentes locais e a Administração central poderá interessar à questão da descentralização (v. n. 3, supra).

Os serviços públicos. O crescimento da rede de serviços públicos, em proporções surpreendentes, nas últimas décadas, criou um problema, ao mesmo tempo político e administrativo: político, no que tange às restrições assim estabelecidas à liberdade individual; administrativo, no que respeita à execução satisfatória dos serviços mesmos. Foi-lhe apontada a solução da descentralização. • Hodiernamente, com o renascimento do liberalismo econômico no final do século passado, atribuiu-se relevo especial às concessões e permissões de serviços públicos, pois a simples descentralização não satisfaz o ideário neoliberal. •

Situemos, porém, precisamente o problema, para podermos perceber-lhe o alcance da solução. A multiplicação dos serviços públicos tem-se verificado no terreno do que se convencionou chamar a "função social" do Estado. Na esfera da legislação e da justiça não se operou modificação sensível, • embora se deva salientar que a justiça vive, nos dias atuais, assoberbada com incontável número de processos, provocados não raro pelo próprio Poder Público, que se transformou no maior litigante da

§ 17. A DESCENTRALIZAÇÃO 405

atualidade, cuja atuação nem sempre se caracteriza pela lisura do procedimento e pela boa-fé. • Mas, nos limites do Poder Executivo, além do incremento extraordinário das matérias respeitantes à defesa e à segurança do Estado, devem ser considerados os serviços públicos que consubstanciam a sua função social. Assim, no terreno da instrução, da saúde pública, das comunicações, da estruturação econômica, da energia, que ainda no começo do século XX se havia como naturalmente reservada à livre iniciativa privada, vemos, atualmente, organizados sob a forma de gestão direta ou de concessão, em pleno funcionamento, serviços públicos, cuja invasora extensão é, apenas, igualada pela sua complexidade.

Nesse terreno, entretanto, pode falar-se em preservação da liberdade individual, unicamente com respeito aos abusos possíveis, ocorrentes na execução de tais serviços. As restrições à liberdade, resultantes da existência mesma desses serviços, são, na realidade, elementos de integração do particular conceito de liberdade adotado.

• O poder estatal, nessa matéria, foi restringido consideravelmente pela atual Constituição Federal de 1988, que em seu art. 170, inciso V, estabeleceu que a ordem econômica tem por fim assegurar a todos existência digna, conforme os ditames da justiça social, com observância dos princípios inerentes à defesa do consumidor. Após o advento da Constituição, foi promulgada a Lei 8.078, de 11.9.1990, que dispõe sobre a proteção do consumidor, a qual considera como consumidor toda pessoa física ou jurídica que adquire ou utiliza produto ou serviço como destinatário final (art. 2º) e como fornecedor inclusive a pessoa jurídica pública ou privada que desenvolva atividade de prestações de serviços (art. 3º). Com o assim chamado Código de Defesa do Consumidor, o Poder Público passou a sofrer limitações claras no tocante à execução correta de todos os serviços públicos, não lhe sendo mais permitido usar de qualquer violência, coação ou imposição ao consumidor, cujos direitos são intangíveis no que concerne à prestação dos serviços públicos por parte do Estado. •

A descentralização, de outra parte, também constitui instrumento eficaz para evitar os abusos a que a concentração da autoridade poderia conduzir. Dada a complexidade dos serviços públicos, a descentralização permite, evidentemente, uma melhor gestão deles. Daí o que se denomina a descentralização por serviço.

À descentralização por serviço devemos, de um lado, os estabelecimentos públicos, que são serviços públicos personalizados, de que constituem exemplos o IBAMA, o INSS, o Banco Central e outras autarquias, e, de outro, os serviços autônomos, que dotados de autofuncionamento, são, no entanto, destituídos de personalidade jurídica, como é o caso do Conselho Florestal Federal a que alude o art. 48 da Lei 4.771, de 15.9.1965 (Código Florestal).

Como critério de desconcentração administrativa, o serviço público soma, apenas, mais um dado à aplicação do princípio da divisão do trabalho.

O grupo profissional. A influência cada vez mais extensa e mais profunda das classes sociais e dos fatores econômicos na vida do Estado e, de outra parte, a conseqüente necessidade da intervenção deste em tal setor conduziu à formação de corporações de direito público, entre profissionais confiando-se-lhes o desempenho das funções sobrevindas ao Estado nesse particular. Neste caso, os instrumentos de ação do Estado são os próprios interessados na intervenção deste. É o que singulariza essa forma de descentralização.

• Manifestações dessa forma de descentralização são as corporações de disciplina profissional. Inúmeras são essas entidades autárquicas, que cuidam da disciplina profissional de setores importantes, sobretudo daquelas profissões que exigem formação universitária, como as de médico, odontólogo, engenheiro, arquiteto, economista, auditor e outras. Recentemente, entretanto, dentro da onda filoneísta que tomou conta de nosso país, "Os serviços de fiscalização de profissões regulamentadas" passaram a ser "exercidos em caráter privado, por delegação do Poder Público, mediante autorização legislativa" (art. 58, Lei 9.649, de 27.5.1998). A partir dessa data, os conselhos de fiscalização de profissões regulamentadas passaram a ser considerados como "dotados de personalidade jurídica de direito privado" e não mantêm "com os órgãos da Administração Pública qualquer vínculo funcional ou hierárquico" (art. 58, § 2º). Dessa privatização generalizada das corporações de disciplina profissional foi excluída apenas a Ordem dos Advogados do Brasil, o seu Conselho Federal e os seus Conselhos Seccionais, todos dotados de personalidade jurídica de direito público (art. 58, § 9º, Lei 9.649/1998). Entretanto, indúbio é que todas as corporações que disciplinam as profissões organizadas são pessoas jurídicas de direito público, de natureza autárquica. A Lei 9.649/1998 tentou implantar uma providência impossível de privatização de todas essas entidades, passando-as para o direito privado, à exceção da OAB, eis que a profissão de advogado, como indispensável à distribuição da Justiça, de acordo com o art. 133 da Constituição Federal, impedia que a Ordem fosse também privatizada. O malfadado art. 58, da Lei 9.649/1998, teve vida efêmera. O Supremo Tribunal Federal, julgando uma Ação Direta de Inconstitucionalidade, que tomou o n. 1.717-6, tendo

§ 17. A DESCENTRALIZAÇÃO 407

como relator o ilustre Ministro Sidney Sanches, julgou inconstitucionais o *caput* do art. 58 e os seus parágrafos 1º, 2º, 4º, 5º, 6º, 7º e 8º, por decisão unânime, conforme já foi mencionado no § 8º, n. 11, supra. Permanecem, por conseguinte, as corporações de disciplina profissional como pessoas jurídicas de direito público, espécies do gênero autarquia. O grupo profissional continua representando um dos momentos da descentralização administrativa propriamente dita, com personificação de entidades que representam os diferentes grupos existentes.

A respeito do tema, já dizíamos em edições anteriores deste livro que a enumeração que deixamos feita, nada tem de limitativa. Ela reflete, apenas, o estado atual em nosso país da questão da descentralização administrativa, em suas aplicações práticas. A evolução do sistema político-jurídico e o curso do tempo dirão sempre – já o dizíamos – a última palavra. •

§ 18. INDIVIDUALISMO, SINDICALISMO E UNIPARTIDISMO

Deixamos já assinalado que a descentralização política é uma expressão de individualismo (v. § 17, supra). Por ela, valhamo-nos novamente das palavras do Visconde do Uruguai, "o Governo do Estado, em lugar de entregar uma parte de sua ação a seus agentes, restitui-a à sociedade. Em lugar de tratar dos negócios do povo, convida-o a tratar por si mesmo deles" (*Ensaio sôbre o Direito Administrativo*, t. II, Rio de Janeiro, 1862, p. 170).

Tal concepção "descansa sobre a idéia (...) de que cada um é o melhor apreciador do que lhe diz respeito e está mais em estado de prover as suas necessidades particulares" (Visconde do Uruguai, ob. cit., p. 226).

• Do ponto de vista jurídico, a concepção do individualismo ganha corpo no momento em que desaparece o regime feudal, em que a proteção dos vassalos se esvai e se faz sentir a necessidade de um regime de garantias públicas, que venha a substituir às antigas instituições. Quem chama a atenção para essa questão é Alexis de Tocqueville, no seu livro *Democracy in America*, quando menciona que o individualismo jurídico não seria outra coisa senão o sistema jurídico que organiza e sanciona eficazmente a garantia das liberdades necessárias aos indivíduos, que ficaram desamparados com o desaparecimento do feudalismo (*Great Books of the Western World*, vol. 44, 1990, p. 302).

O crítico mais acerbo do individualismo jurídico foi, sem dúvida, Léon Duguit, para quem todos os estudos antropológicos e sociológicos demonstram que o ser humano, por sua estrutura orgânica, por sua constituição fisiológica e psicológica, não pode viver em solidão, jamais viveu só e somente pode viver em sociedade, nunca tendo vivido fora da sociedade (*Traité de Droit Constitutionnel*, t. I, Paris, 1927, § 19, p. 209).

§ 18. INDIVIDUALISMO, SINDICALISMO E UNIPARTIDISMO

A concepção do ilustre Duguit poderia ser simplesmente tachada de positivista, não fosse ter em seu apoio as opiniões de Aristóteles e de Santo Tomás.

Para o primeiro, a cidade está no número das realidades que existem naturalmente e que o homem é, por natureza, um animal político. Aquele que não tivesse vínculo político algum naturalmente, e não por circunstâncias eventuais, ou seria um degradado ou estaria acima da condição humana (*La Politique*, Paris, J. Vrin, 1970, n. 1.253a, p. 28).

De acordo com Santo Tomás, "sendo cada homem parte da comunidade perfeita, necessária e propriamente, há de dizer a lei respeito à ordem para a felicidade comum. E, por isso, o Filósofo, depois de dar a definição do legal, faz menção da felicidade e da comunhão política. Assim, diz: consideramos como justo legal o que faz e conserva a felicidade, com tudo o que ela compreende, em dependência da comunidade civil. Ora, a comunidade perfeita é a cidade, como diz Aristóteles" (*Suma Teológica*, vol. IV, tradução de Alexandre Correa, edição bilíngüe, Porto Alegre, Sulina, 1980, Ia da IIae, questão XC, art. II, p. 1.734).

Essas duas opiniões demonstram que a sociedade antecede o indivíduo e que este não pode viver fora da comunidade. Como os homens não são deuses, tampouco demiurgos, a vida em sociedade é decorrência imperiosa de sua natureza, circunstância que afasta a idéia do individualismo extremado, que pretende dar solução a todos os problemas humanos exclusivamente por meio da ação individual. Outra não era a opinião de Cicero para quem "Eius autem prima causa coëundi est non tam imbecillitas, quam naturalis quaedam hominum congregatio" ("O que leva sobretudo os homens a se reunir, é menos a sua fraqueza que a necessidade imperiosa de se encontrar em sociedade com seus semelhante" – *De Republica*, Liber. I, 25, 39).

A aproximação do pensamento de Léon Duguit, neste tema, com a concepção tomista, demonstra, por outro lado, que Duguit não estava tão afastado das concepções jusnaturalistas como poderia parecer num exame perfunctório de suas palavras.

Como Duguit era um polêmico, muitos atribuíram às suas idéias um sentido que realmente não tinham. Basta apenas fazer menção ao fundamento que Duguit atribui à norma jurídica para verificar que ele não poderia, jamais, ser incluído entre os positivistas puros. Quando fala acerca do fulcro da obrigatoriedade da norma jurídica, Duguit afirma que dois elementos concorrem para formar nos espíritos, em um momento dado, a certeza de sua obrigatoriedade: o sentimento da socialidade e o sentimento da justiça. Um positivista jamais colocaria o sentimento de justiça como fundamento da ordem jurídica.

O individualismo jurídico pode-se afirmar que não prosperou no mundo jurídico, pois tem contra si a opinião das figuras mais importantes do pensamento humano. O individualismo político, entretanto, nem sempre tem trazido a muitos países resultados positivos. •

Não nos ocupamos aqui com a descentralização política, no que tange à estruturação da Nação; interessa-nos somente o reflexo do princípio sobre a estruturação da Administração.

1. À descentralização política, costuma dar-se também, a denominação de "self-government", tirada às instituições locais anglo-saxônicas, de que reflete alguns característicos.

O "self-government", a restituição ao povo do poder que dele emana, parece, à primeira vista, constituir a forma ideal da organização da Administração democrática.

Essa restituição do poder pressupõe, porém, a ausência do profissionalismo nas funções públicas; a seu turno, a ausência do profissionalismo conduz à dispensa de qualquer requisito de capacidade técnica para a investidura dos funcionários; enfim, a falta de competência técnica dos funcionários, nas grandes administrações, arrasta-as à confusão e à anarquia.

De outra parte, reflexo da concepção individualista, o "self-government" funciona mal fora daquele quadro ideológico. Não se associam facilmente, por exemplo, a idéia de responsabilidade do Estado pelo fato de seus agentes e a idéia de cega restituição do poder estatal aos indivíduos, indiscriminadamente.

Fora dos países anglo-saxônicos, em que a congruência das linhas do sistema é razoável, o "self-government" pertence, salvo como justificativa de algumas funções honorárias, quase exclusivamente ao domínio da teoria.

• *1-A.* Não se deve alimentar ilusões sobre o funcionamento da descentralização política e administrativa em países mesmo como a Inglaterra, que é apresentado, equivocadamente, como um padrão de respeito à lei. Sir Carleton Kemp Allen nos diz, por exemplo, que se alguém for atropelado por um carro do Post-Office, essa pessoa terá ação contra o motorista da van, se ela for suficientemente temerária para intentar o processo. Mas nenhuma ação poderá ser proposta contra o departamen-

§ 18. INDIVIDUALISMO, SINDICALISMO E UNIPARTIDISMO 411

to público que emprega o serviçal negligente. Esse resultado feliz – na expressão irônica de Sir Carleton – decorre do princípio segundo o qual "The king can do no wrong" – uma máxima que veio parar no direito inglês não por uma necessidade jurisprudencial, mas por uma doutrina que decorre de um acidente histórico (*Bureaucracy Triumphant*, Oxford, 1977, p. 4). De outra parte, uma das conseqüências obnóxias da descentralização política foi o enorme crescimento dos governos locais, em que autoridades puramente administrativas assumem funções legislativas e jurisdicionais, editando disposições autonômicas e regimentos em oposição à "Common Law".

Essas autoridades menores violam o direito e se arrogam poderes *ultra vires*, criando enormes problemas para as cortes de justiça (Sir Carleton Kemp Allen, ob. cit., pp. 5-6). Essas observações, feitas por um notável jurisconsulto, demonstram e comprovam, mais uma vez, que o *self-government* não é a solução maravilhosa e extraodinária que muitos apontam. •

2. Sugestão diversa, mas puramente teórica, é a do sindicalismo. O movimento sindicalista propugna a formação dentro do Estado, de grupos solidamente constituídos, fundados sobre a comunhão de interesses profissionais, comerciais, industriais, artísticos ou, até, de assistência social. Com respeito à organização da Administração "consistiria em organizarem-se os funcionários em sindicatos, aos quais se conferiria a faculdade de, eles mesmos, preencherem as vagas abertas no pessoal administrativo, regularem as condições de acesso com os respectivos quadros de promoção, exercerem a ação disciplinar e resolverem, enfim, todas as questões referentes aos interesses da classe" (Moniz Sodré, *Estatuto dos Funcionários Públicos*, Rio de Janeiro, 1913, p. 29).

• A nova Constituição Federal de 1988 garantiu aos servidores civis públicos o direito à livre associação sindical (art. 37, VI), evidentemente sem endossar os exageros da doutrina sindicalista.

O direito à sindicalização, entretanto, não trouxe aos servidores públicos maiores proveitos, sobretudo com o advento de uma política econômica neoliberal, de inspiração alienígena, hostil ao serviço público e ao conjunto dos servidores públicos, que desfrutaram de uma efêmera expectativa de melhoria de sua situação funcional com o advento da Constituição Federal de 1988, logo desfeita pela Emenda Constitucional n. 19, de 4.6.1998, que o ilustre Celso Antônio Bandeira de Mello, não sem ironia, denomina de "Emendão" (*Curso de Direito Administrativo*, cit., cap. V, n. 33, p. 251). •

3. Ao individualismo e ao sindicalismo, brigados entre si e ambos hostis ao Estado, opõem-se as correntes unipartidistas de origem diversa.

Nos Estados unipartidários, todos os membros do Partido são mais ou menos funcionários. Neles se realiza o oposto, precisamente, do individualismo: aqui, desapareciam os funcionários, os particulares desempenhavam as funções públicas; ali, desaparecem os particulares que, todos, ao menos em suposição, membros do Partido, em grau maior ou menor, desempenham funções públicas.

• O unipartidismo tem inspiração totalitária e se apresenta como adversário da individualidade humana no que ela tem de mais sagrado, que são os direitos inalienáveis e invioláveis de todo o ser humano.

O filosofo que dissolveu a individualidade humana, no que ela tem de mais expressivo, no coletivismo representado pelo poder estatal, foi G. F. Hegel. Dizia Hegel que se confundirmos o Estado com a sociedade civil e se o destinamos à segurança e à proteção da propriedade e da liberdade pessoais, o interesse dos indivíduos seria o fim supremo em função do qual as pessoas se reúnem no Estado. Segundo a sua concepção, nesse caso, a participação na cidadania seria facultativa. No seu sentir, entretanto, a relação do Estado com o indivíduo é outra. Se o Estado é o espírito objetivo, então o indivíduo não tem objetividade, na verdade e na moralidade, a não ser como membro da comunidade estatal. A associação, em si mesma é o verdadeiro conteúdo e o verdadeiro fim, constituindo a destinação dos indivíduos a de levar uma vida coletiva (*Principes de La Philosophie du Droit*, Paris, Gallimard, 1940, 3ª sec., n. 258, p. 190).

Na visão hegeliana, o indivíduo transforma-se num simples instrumento, que só tem existência para o Estado, dentro do qual residem a liberdade e o direito de forma absoluta. Possuindo todos os atributos do espírito, tendo chegado à plena consciência de si mesmo, o Estado é um fim em si, o Deus real possuindo uma autoridade e uma majestade infinitas.

3-A. Essa concepção, que a princípio não tinha pretensões pragmáticas, terminou desembocando na *Weltanschauung* nazista da primeira metade do século XX. É evidente que a concepção foi transformada. O nazismo, ao contrário de Hegel, não considerava o Estado como a caminhada de Deus neste mundo. Na sua visão, ele foi relegado à condição de um simples instrumento de ação. Ao lado dessa concepção, surge a do povo (*Volk*), no sentido de uma raça superior. O "Volk" é sempre superior aos indivíduos que o compõem. O Estado se transforma no "Reich" e a

§ 18. INDIVIDUALISMO, SINDICALISMO E UNIPARTIDISMO   413

sua personalidade jurídica chega a ser negada. O importante é a união do "Volk" com o "Reich", governados por um "Führer". Na visão totalitária, expressada no *Mein Kampf*, "Se o indivíduo é absorvido totalmente pelo 'Volk', ele não tem e não pode haver valor superior para ele que o interesse da nação" (7ª ed., p. 686).

Hans Frank, que era um dos juristas mais conspícuos do regime, resumia o pensamento do nazismo alemão, numa frase: "Recht ist, was dem deutsche Volk nützt, Unrecht ist was ihm schadet" ("O direito é o que é útil ao povo alemão, a injustiça o que o prejudica").

Na sua obra imortal, o *Fausto*, Johann Wolfgang von Goethe foi quem expressou, de forma sintética e elegante, o princípio fundamental que dominava o direito nos Estados totalitários, precipuamente no caso do nacional-socialismo:

"Man hat Gewalt, so hat man Recht.
Man fragt ums Was und nicht ums Wie!

Faust, II, 5. Akt, Palast, Mephisto,
Vers 11184/85 (A5 S. 496)

("Tem-se poder, logo tem-se Direito.
Pergunta-se-nos o que e nunca como!")

Ao Estado totalitário germânico vieram somar-se outros Estados, como o fascista italiano, o franquista na Espanha, o salazarista de Portugal e o Estado militarista totalitário do Japão.

O resultado, como a história demonstrou, foi o mais desastroso que se possa imaginar. Todos esses Estados unipartidários, à exceção do franquismo na Espanha, terminaram de forma mais ou menos grave, em ruínas.

Além dessas experiências, merece recordação a do Estado comunista, introduzido na Rússia a partir de 1917, que teve seu apogeu no período que se seguiu ao final da 2ª Guerra Mundial, em 8 de maio de 1945, com o estabelecimento daquilo que Winston Churchill denominou com muita propriedade de uma "cortina de ferro", circundando todos os Estados da Europa oriental, e que acabou desabando em 1989, com a queda do muro de Berlim.

3-B. Não é despiciendo, por derradeiro, lembrar-se que, de fontes mais remotas, tal o positivismo de Comte, provém o ideal do Estado só de funcionários, em que os direitos individuais se dissolvam nos deveres do indivíduo para com o Estado (Ruy Cirne Lima, *Sistema de Direito Administrativo Brasileiro*, t. I, Porto Alegre, 1953, p. 212). •

4. Acima de tais lucubrações políticas, existe, entretanto, tem existido e continuará a existir, em todos os Estados civilizados, uma Administração organizada, que eficientemente realiza a tarefa estatal e que nenhuma doutrina política, ainda quando realizável, ou realizada, poderá pretender ferir ou destruir, atento o seu caráter de necessidade. Essa Administração organizada compõe-se de profissionais, de técnicos. Repousa sobre a hierarquia e a disciplina. Denominam-na Administração burocrática.

§ 19. A HIERARQUIA

Sobre o vocábulo hierarquia, escreve Pereira e Souza: "Este nome é formado de duas palavras gregas, que significam principado santo" (*Dicionário Jurídico*, t. II, Lisboa, 1827, verb. "Jerarquia"). Ainda na acepção moderna da palavra parecem remanescer vestígios de seu antigo sentido religioso.

Hierarquia supõe subordinação de uma ou mais vontades a uma vontade superior. O que há de transcendente nessa relação! É a subordinação ao desconhecido, impossível como é, ao que deve obedecer, penetrar o íntimo do que pode mandar. Ainda que o mandamento deva adstringir-se a limites objetivos determinados, legais ou técnicos, nem por isso deixa de haver nessa relação, entre duas vontades, ou melhor, entre dois homens, algo que constituiria uma verdadeira violência à personalidade humana, se não fora a certeza de que a vontade daquele que manda deva, a seu turno, por mais alto que esteja, obedecer também. • É por isso que o Presidente da República, que ocupa o mais alto grau da hierarquia administrativa da União, está sujeito a crime de responsabilidade por atos que atentem contra a Constituição Federal e especialmente contra o cumprimento das leis e das decisões judiciais (CF, art. 85, VII).

Por outro lado, a obediência hierárquica, no que concerne aos servidores subalternos, não é, salvo situações excepcionais, obediência cega. A imunidade penal do que executa ordem ilegal somente existe quando a ordem não é manifestamente ilegal (CP, art. 22).

A tendência de responsabilizar os funcionários públicos pelo cumprimento de ordens manifestamente ilegais é dominante no Direito Administrativo da atualidade. Todos reconhecem o dever, ou obrigação, do funcionário de obedecer às ordens dos superiores, em decorrência da organização da função pública e da subordinação hierárquica. Indaga-se, porém, se o dever de obediência do funcionário é ilimitado. Na França, a questão dos limites é posta na hipótese de uma ordem ilegal. O novo Estatuto Geral dos Funcionários dispõe que o funcionário deve se conformar às instruções de seu superior hierárquico, salvo no caso em que a ordem for manifestamente ilegal e de natureza a comprometer gravemente o interesse público. Não apenas a ilegalidade da ordem é considerada, como ainda, e acertadamente, o comprometimento grave do interesse público. Nesse sentido é a opinião de André de Laubadère e Yves Gaudemet (*Traité de Droit Administratif*, t. 5, 11ª ed., 1998, ns. 235 e 236, pp. 179-180). Na Inglaterra, a situação não é diferente. Todos os que participam de um ato ilegal estão conjunta e igualmente sujeitos às penas da lei e não há a possibilidade de invocar como defesa a ordem do superior hierárquico (H. W. R. Wade, *Administrative Law*, 3ª ed., Oxford, Clarendon Press, 1971, cap. 3, pp. 48-49). •

1. A hierarquia é essencial à organização administrativa. Quando se considera a vastidão da tarefa do Estado e, ainda que em proporções menores, a das demais pessoas administrativas, percebe-se, desde logo, a impossibilidade de alguns indivíduos, apenas, a desempenharem.

Qual o país que poderia governar-se só com um Presidente e alguns Ministros?

A hierarquia logra comensurar às forças do indivíduo a tarefa estatal. O laço de obediência unifica em torno de alguns indivíduos portadores da vontade do Estado, miríades de agentes, capazes de executar-lhes as decisões, em toda a extensão necessária.

Há, entretanto, quem propugne a abolição de toda a hierarquia e a subordinação de todos os funcionários imediatamente a Lei. Seria isso – diz-se – substituir um governo de homens por um governo de leis. Governar com leis, porém, é próprio do *absolutismo*; o rei, na velha monarquia portuguesa, era a "lei animada sobre a terra".

• Da mesma forma, no Direito Romano Clássico, no período do Principado, o notável Ulpiano afirmava que "Princeps legibus solutus est" (*Digesto*, L. I, tit. III, fr. 31). O príncipe estava liberto da limitação das leis, assim como mais de mil anos depois, o monarca português se autoproclamava "a lei animada sobre a terra". O governo de leis não coincide, pois, necessariamente, com um governo democrático, tampouco com o Estado de Direito. Nessa questão vale recordar a lição memorável que nos foi legada por Seneca, para dizer que a utilidade pública, que está consubstanciada na lei, sempre é invocada pelos tiranos, mesmo para matar. "Quid ergo! Non reges quoque occidere solent? Sed quoties id fieri utilitas publica persuadet" (*De Clementia*, Liv. I, cap. XII). •

§ 19. A HIERARQUIA

2. A estrutura hierárquica, além de essencial à organização administrativa, no que concerne a *executar*, ainda lhe é, também, indispensável, no que tange a *deliberar*.

É, com efeito, por intermédio de seus agentes inumeráveis que a Administração adquire conhecimento direto das necessidades públicas. Sob este aspecto, aparece-nos a hierarquia como o processo, por excelência, de cognição administrativa. De outro lado, algumas deliberações reclamam a colaboração técnica e o conhecimento de circunstâncias especiais ou locais, encontradiças tão-somente em funcionários inferiores.

Sob esta última feição, participa a hierarquia do próprio modo de formação de alguns dentre os atos administrativos. Fundados na hierarquia são os mais numerosos dentre os ditos atos complexos, resultantes dos procedimentos administrativos, de que já tivemos ocasião de ocupar-nos (v. § 11, n. 3, supra). Ainda, finalmente, na estrutura hierárquica, encontram lugar os órgãos de manifestação da vontade estatal, multiplicados ao influxo da desconcentração administrativa (v. § 17, n. 2, supra). Nesta hipótese, a subordinação hierárquica, as mais das vezes, antes se estabelece entre os atos, do que entre os indivíduos: o inferior delibera validamente; o superior, porém, poderá cassar-lhe a deliberação. • A lei estabelece, no que concerne às decisões administrativas, recurso em face de razões de legalidade e de mérito (Lei 9.784/1999, art. 56). O recurso será dirigido à autoridade que proferiu a decisão, que poderá reconsiderar no prazo de cinco dias, ou encaminhá-lo à autoridade superior (Lei n. 9.784/1999, art. 56, § 1º). Como é incontroverso, a autoridade superior poderá anular ou revogar a deliberação tomada pela autoridade subalterna. •

3. As funções públicas hierarquizadas podem ser de duas espécies: coletivas ou individuais. Costuma, geralmente, supor-se que as funções coletivas devem hierarquicamente sobrepor-se às individuais, atento o preconceito corrente de que a deliberação é suscetível de entregar-se a muitos, e não a ação. Nem sempre, entretanto, isso se verifica. Função coletiva é a desempenhada pelos corpos do Exército, em campanha, e, não obstante, subordinada à função individual dos comandos militares.

No nosso país, em maioria, as funções supremas da hierarquia administrativa estão confiadas a indivíduos, e não a coletividades. O Poder Judiciário, ao contrário, tem os mais elevados degraus da hierarquia ocupados por colégios de magistrados. No plano federal, o Supremo Tribunal Federal representa o ápice da hierarquia do Poder Judiciário (CF, art. 92, I), tendo-lhe sido confiada a mais importante de todas as missões constitucionais, qual seja a da guarda da Constituição (CF, art. 102). O

Poder Legislativo, a seu turno é, por definição, a organização coletiva da representação popular.

4. São os ápices da hierarquia administrativa, na esfera federal, entre nós:

a) *O Presidente da República*. "Pela natureza de sua missão – escreveu João Barbalho –, pela grandeza, importância e alcance de suas atribuições, pelos recursos e meios de ação que ficam a seu dispor, o Presidente da República, chefe político, civil e militar da Nação, é o maior quinhoeiro do poder público e, de fato, a maior autoridade nacional" (*Comentários à Constituição Federal Brasileira*, Rio de Janeiro, 1902, p. 58). Discutiu-se sobre se o Presidente da República é, ou não, funcionário público. Pela negativa se pronunciou acertadamente o Supremo Tribunal Federal (Ac. de 23.7.1937, na *Revista de Jurisprudência da Corte Suprema*, vol. I, fasc. IV, pp. 265 e ss.). O Presidente da República não é realmente um funcionário público; é um condutor político – o supremo condutor político da Nação (v. § 20, n. 2, infra). Barbalho observara já que, de regra, no desempenho de suas atribuições, o Presidente da República "obra (...) como superior, por discreção própria, e não como agente do executivo" (ob. cit., p. 158). • O nosso sistema de governo é presidencialista. Pontes de Miranda, no último *Comentário à Constituição de 1967, com a Emenda n. 1 de 1969*, escreveu estas palavras: "*Guia político*. Trata-se de guia político? No sistema norte-americano e no brasileiro, o Presidente da República é o guia político, o que é um mal, porque obriga o país a suportar por tempo de cinco anos (...) o erro de uma eleição, ou as conseqüências da decadência ou transvio de um homem" (t. III, São Paulo, 1973, pp. 275-276). Nosso sistema não se confunde, por exemplo, com o francês, em que foi estabelecido um regime semipresidencial. Nesse sentido, verifica-se que houve uma partição do poder entre o Presidente da República e o Primeiro Ministro, no que concerne às competências administrativas do executivo (André de Laubadère, Jean-Claude Venezia e Yves Gaudemet, *Traité de Droit Administratif*, t. I, 15ª ed., Paris, 1999, n. 58, p. 71). Persiste, entretanto, em nosso Direito Constitucional, o presidencialismo, com os vícios já apontados, que descende em linha direta do sistema presidencial norte-americano, em que o chefe do poder executivo exerce, na realidade, dois tipos de funções: políticas e administrativas (Bernard Schwartz, *American Constitutional Law*, Cambridge at the University Press, 1955, p. 109).

b) *Os Ministros de Estado*. Vamos repetir o elenco dos Ministérios existentes por ocasião da edição de 1964 desta obra, para depois enume-

§ 19. A HIERARQUIA   419

rarmos os atuais. Com essa orientação, pode-se ter uma idéia do espírito de mudança que agita nossos dirigentes políticos, produzindo alterações constantes na estrutura da Administração Pública, geralmente anódinas, raras vezes verdadeiramente profícuas.

Naquela ocasião quinze Ministros auxiliavam, no Brasil, o Presidente da República; são os agentes de sua confiança, que lhe subscrevem os atos (CF/1946, art. 90). •

Os ministérios brasileiros eram os seguintes: da Justiça e Negócios Interiores, da Fazenda, da Guerra, da Marinha, das Relações Exteriores, da Viação e Obras Públicas, criados pela Lei 32, de 30.10.1892; da Agricultura, criado pelo Decreto Legislativo 1.606, de 29.12.1906; dos Negócios da Educação, criado pelo Decreto 19.398, de 11.11.1930; do Trabalho, criado pelo Decreto 19.433, de 26.11.1930; da Aeronáutica, criado pelo Decreto-Lei 2.961, de 20.1.1941; da Saúde, criado pela Lei 1.920, de 25.7.1953; da Indústria e Comércio e de Minas e Energia, ambos criados pela Lei 3.782, de 22.7.1960. Dois Ministros sem pasta foram criados pela Lei Delegada 1, de 20.12.1962.

• Por ocasião da Reforma Administrativa levada a efeito pelo Decreto-lei 200, de 25.2.1967, os ministérios foram enumerados pelo seu art. 35, pouco tempo depois modificado pela Lei 6.036, de 1º.5.1974, que passou a definir 16 ministérios seguintes: Justiça, das Relações Exteriores, da Fazenda, dos Transportes, da Agricultura, da Indústria e Comércio, das Minas e Energia, do Interior, da Educação e Cultura, do Trabalho, da Previdência e Assistência Social, da Saúde, das Comunicações, da Marinha, do Exército e da Aeronáutica. Além desses, havia até quatro cargos de ministro extraordinário para o desempenho de encargos temporários de natureza relevante (art. 37).

Depois disso, as alterações foram constantes, culminando com a Lei 9.649, de 27.5.1998, que dispôs sobre a organização da Presidência da República e dos Ministérios, que já sofreu alterações por Medidas Provisórias, permanecendo em vigor, no que concerne aos Ministérios, a Medida Provisória 2.143-31, de 2.1.2001.

Com as mudanças introduzidas, os ministérios passaram a ser vinte. O art. 13 da Lei 9.649/1998, assim os enumera: I – da Agricultura e do Abastecimento; II – da Ciência e Tecnologia; III – das Comunicações; IV – da Cultura; V – da Defesa; VI – do Desenvolvimento, Indústria e Comércio Exterior; VII – da Educação; VIII – do Esporte e Turismo; IX – da Fazenda; X – da Integração Nacional; XI – da Justiça; XII – do Meio Ambiente; XIII – de Minas e Energia; XIV – do Planejamento, Orçamento e Gestão; XV – do Desenvolvimento Agrário; XVI – da Previdência e Assistência Social; XVII – das Relações Exteriores; XVIII – da Saúde; XIX – do Trabalho e Emprego; XX – dos Transportes.

No elenco desses ministérios deve-se pôr em relevo o desaparecimento dos ministérios militares, inclusive o mais antigo, que era o Ministério da Marinha, substituídos pelo Ministério da Defesa e pelos Comandos do Exército, da Marinha e da Aeronáutica, e foram criados outros ministérios de utilidade duvidosa, destinados precipuamente a saciar determinadas ambições políticas.

Deve-se salientar, ainda, a existência de cargos de Ministro que não correspondem a Ministérios. Entre esses, devemos mencionar os cargos de Ministro de Estado Chefe do Gabinete de Segurança Institucional da Presidência da República, Ministro de Estado Chefe da Secretaria de Comunicações da Presidência da República (Lei 9.649/1998, art. 24-A; Medida Provisória 2.14-31/2001). Finalmente, deve ser mencionado o cargo de Ministro de Estado de Advogado-Geral da União, a que se refere a Medida Provisória supra. O Gabinete de Segurança Institucional corresponde à antiga Casa Militar da Presidência. A Secretaria-Geral da Presidência à antiga Casa Civil da Presidência da República. A Casa Militar da Presidência da República foi transformada em Gabinete de Segurança Institucional pela Medida Provisória 2.143-31/2001. Já o Ministério da Marinha, o Ministério do Exército e o Ministério da Aeronáutica foram transformados respectivamente em Comando da Marinha, Comando do Exército e Comando da Aeronáutica pela mesma Medida Provisória (art. 17, incisos VIII, IX, X e XI, Lei 9.649/1998, que aprovou a Medida Provisória).

O que se pode afirmar é que, nessas transformações nada acontece de substancial. São devidas, todas elas, a um filoneísmo que tomou conta da Administração Pública, após o advento da Constituição Federal de 1988.

Em 1º.1.2003 tomou posse o quarto Presidente da Nova República. Uma das primeiras providências do novo governo foi enviar ao Congresso uma nova Medida Provisória, que se transformou na Lei 10.683, de 28.5.2003, "Dispondo sobre a organização da Presidência da República e dos Ministérios". Em primeiro lugar, é preciso dizer que há mais Ministros do que Ministérios, como já era tradição, só que os Ministros sem pasta aumentaram de número. A denominação dos Ministérios passou a ser a seguinte: I – da Agricultura, Pecuária e Abastecimento; II – da Assistência Social; III – das Cidades; IV – da Ciência e Tecnologia; V – das Comunicações; VI – da Cultura; VII – da Defesa; VIII – do Desenvolvi-

§ 19. A HIERARQUIA

mento Agrário; IX – do Desenvolvimento, Indústria e Comércio Exterior; X – da Educação; XI – do Esporte; XII – da Fazenda; XIII – da Integração Nacional; XIV – da Justiça; XV – do Meio Ambiente; XVI – de Minas e Energia; XVII – do Planejamento, Orçamento e Gestão; XVIII – da Previdência Social; XIX – das Relações Exteriores; XX – da Saúde; XXI – do Trabalho e Emprego; XXII – dos Transportes; XXIII – do Turismo. Essa enumeração está feita pelo art. 25 da referida Lei 10.683/2003.

Além desses Ministérios, há a Controladoria Geral da União, que tem como titular um Ministro de Estado de Controle da Transparência (art. 17, § 1º, Lei 10.683/2003).

Devem ser mencionados, ainda, os Ministros de Estado Chefes da Casa Civil, da Secretaria de Comunicações do Governo e Gestão Estratégica, da Secretaria Geral da Presidência da República e do Gabinete de Segurança Institucional. Só esses quatro ministros, somados ao Ministro de Estado do Controle e da Transparência, atingem a cifra de cinco Ministros, além daqueles 23 ministérios já enumerados.

Mas há, ainda, o Advogado-Geral da União, que também tem *status* de Ministro de Estado (art. 12, Lei 10.683/2003).

A Presidência da República é constituída, essencialmente, pela Casa Civil, pela Secretaria-Geral, pela Secretaria de Comunicação de Governo e Gestão Estratégica, pelo Gabinete Pessoal e pelo Gabinete de Segurança Institucional (art. 1º, Lei 10.683/2003).

Integram a Presidência da República, como órgãos de assessoramento imediato ao Presidente da República: I – o Conselho de Governo; II – o Conselho de Desenvolvimento Econômico e Social; III – o Conselho Nacional de Segurança Alimentar e Nutricional; IV – o Conselho de Política Energética; V – o Conselho Nacional de Integração de Políticas de Transporte; VI – o Advogado-Geral da União; VII – a Assessoria Especial do Presidente da República; VIII – a Secretaria de Imprensa e Divulgação da Presidência da República; IX – o Porta-voz da Presidência da República (art. 1º, § 1º, Lei 10.683/2003).

Junto à Presidência da República funcionarão, como órgãos de consulta do Presidente da República: I – o Conselho da República; II – o Conselho de Defesa Nacional.

O Conselho da República, como órgão superior de consulta do Presidente da República, está definido em sua composição pelo art. 89 da Constituição Federal, e, em sua competência, pelo art. 90 da mesma Constituição.

O Conselho de Defesa Nacional é órgão de consulta do Presidente da República nos assuntos relacionados à soberania nacional e à defesa do Estado democrático, de acordo com o art. 91, seus incisos e parágrafos da Constituição Federal.

Integram, ainda, a Presidência da República: I – a Controladoria-Geral da União; II – a Secretaria Especial do Conselho de Desenvolvimento Econômico e Social; III – a Secretaria Especial de Políticas para as Mulheres; IV – a Secretaria Especial de Aqüicultura e Pesca; V – a Secretaria Especial dos Direitos Humanos. (art. 1º, § 3º, Lei 10.683/2003).

Só de Ministérios devidamente enumerados há 23, além dos cargos de Ministro e das Secretarias Especiais e dezenas de órgãos. Tudo isso está a indicar que a burocracia domina o Brasil e que a Nova República, ao invés de remediar esse mal, agravou-o de modo considerável.

A Lei 10.683/2003 não permaneceu por muito tempo inalterada. Fez-se indispensável, na visão governamental, criar mais cargos de ministro. O parágrafo único do art. 25 da referida lei foi alterado pela Lei 11.204/2005, estabelecendo o seguinte: "São Ministros de Estado os titulares dos Ministérios, o Chefe da Casa Civil, o Chefe do Gabinete de Segurança Institucional, o Chefe da Secretaria-Geral da Presidência da República, o Chefe da Secretaria de Relações Institucionais da Presidência da República, o Advogado-Geral da União, o Ministro de Estado do Controle e da Transparência e o Presidente do Banco Central do Brasil".

A Secretaria de Comunicação, Governo e Gestão Estratégica foi alterada para Secretaria de Relações Institucionais da Presidência da República e o Presidente do Banco Central do Brasil foi transformado em Ministro de Estado. Com isso, além dos Ministros que são titulares de Ministérios, em número de 23, há mais 7 Ministros, com o que o número passou para 30.

Apreciando essa tendência absurda do crescimento desordenado da Administração Pública, Jean-Marie Auby e Robert Ducos-Ader assim se manifestavam, há 30 anos: "Par ailleurs, l'administration manifeste une tendance incoercible à se complaire dans le formalisme, à se constituer en corps fermé sur elle-même. Hegel a dénoncé en des pages célèbres, les dangers de la bureaucratie et Marx, analysant le même phénomène a pu écrire: 'Toute chose a deux significations: l'une réelle, l'autre bureaucratique. La meilleure illustration de cette formule peut être trouvée dans le roman de Kafka, *Le Château*, dans lequel l'administration est présentée sous la forme d'une mystérieuse citadelle dont les occupants obéissent à des lois et des méthodes intelligibles d'eux seuls'" (*Droit Administratif*, 2ª ed., Dalloz, 1970, cap. 1, n. 5, 4º, p. 18). •

§ 19. A HIERARQUIA

4-A. Se a discussão, com respeito ao Presidente da República, se trava acerca de lhe competir, ou não, a condição de funcionário público, relativamente aos Ministros de Estado se estabelece, acerca de lhes caber, ou não, a representação do Poder Executivo • (Ruy Barbosa, *Comentários à Constituição Federal Brasileira*, t. III, São Paulo, 1933, p. 398). À semelhança do sistema norte-americano, deve-se dizer, como Ruy dizia, que "eles não têm existência constitucional fora da ação do Presidente, a cuja autoridade são subalternos" (ob. cit., p. 398). •

Do ponto de vista da hierarquia administrativa, no que tange às relações entre Ministros e os funcionários que lhes são inferiores, nenhuma dúvida existe, porém, de que representam aqueles verdadeiramente o Poder Executivo. "Os Ministros – escreve Alcides Cruz – são chefes dos departamentos ministeriais, e, portanto, exercem um grande número de funções administrativas, que podem ser desempenhadas, independentemente de toda e qualquer interferência do Presidente" (*Direito Administrativo Brasileiro*, Rio de Janeiro, 1914, p. 60).

• No que concerne às relações do Governo com a coletividade e com outras nações, os ministros não têm existência constitucional fora da ação do Presidente. Porém, do ponto de vista da hierarquia administrativa, de suas relações com seus subordinados, agem independentemente do Presidente.

Não são, também, os Ministros de Estado, embora subordinados ao Presidente da República, funcionários públicos e, sim, *condutores políticos* (v. § 20, n. 2, infra). A Constituição Federal lhes atribui competência para exercitar a orientação, coordenação e supervisão dos órgãos e entidades da Administração Federal na área de sua competência e referendar os atos e decretos assinados pelo Presidente da República (art. 87, parágrafo único, I). Além disso, como já foi referido anteriormente, são competentes para "expedir instruções para a execução das leis, decretos e regulamentos" (CF, art. 87, parágrafo único, II).

Papel idêntico desempenham, nos Estados e no Distrito Federal, os Governadores e os Secretários de Estado e, nos Municípios, os Prefeitos. •

5. Na descensão gradual dos postos supremos para os ínfimos denota a nossa organização hierárquica três modalidades distintas em seu desdobramento. Essas três modalidades do desdobramento hierárquico refletem três aspectos fundamentais das funções públicas, a saber: a) a função ativa; b) a função consultiva; c) a função de controle.

Esta distinção, entre os três aspectos básicos das funções públicas, encontra raízes em nossa tradição jurídica. Já a adotava, em parte, ao menos, o Conselheiro Ribas (*Direito Administrativo Brasileiro*, Rio de Janeiro, 1866, p. 98).

A função ativa abrange a maior porção da tarefa estatal. Compreende, a par e par, a deliberação e a execução, unidas ou separadas. O qualificativo, que lhe é aposto, vai referido à mais ampla concepção de ação. • Na afirmação de Otto Mayer, o pensamento fundamental é o de que cada autoridade pública se relaciona com a outra, que lhe está próxima, numa relação de superioridade e dependência correspectiva, ambas como portadoras da vontade estatal, que manifestam nas suas relações exteriores, de acordo com um princípio hierárquico. A vontade estatal percorre os degraus da hierarquia de cima para baixo ("der staatliche Wille steigt auf den Stufen der Hierarchie von oben herab") (Otto Mayer, *Theorie des Französischen Verwaltungsrechts*, Strassburg, 1886, p. 42). •

Nas funções consultivas, vêem alguns manifestação da inclinação democrática pelos técnicos. • Isso acontece porque, em matéria administrativa, o fenômeno capital da nossa época é o da interpenetração entre o domínio da Administração e o domínio econômico. Desde a segunda metade do século passado, uma transformação considerável ocorreu no que concerne às intervenções administrativas em matéria econômica. Todo o problema econômico se torna, de modo constante, um problema administrativo. Como conseqüência dessa realidade, o nascimento de uma tecnocracia constitui característica do direito administrativo atual (Francis-Paul Bénoit, *Le Droit Administratif Français*, Dalloz, 1968, n. 8, p. 9). O fenômeno do desenvolvimento da tecnocracia e da afirmação de uma Administração Pública poderosa não afasta a existência de um regime de liberdade real, que, em verdade, encontra seu fundamento na democracia (Francis-Paul Bénoit, ob. cit., n. 8, p. 10). Tecnocracia e democracia, no mundo moderno, tendem a se interpenetrar.

Do ponto de vista histórico, entretanto, o verdadeiro prestígio da função consultiva parece, contudo, que lhe vem da monarquia. "Vencer sem conselho – advertia Sebastião César de Menezes a d. Teodósio de Portugal – he mercê do sucesso que não está em poder dos homens" (*Summa Politica*, 1650, p. 47). Naquele tempo, obviava-se por intermédio da função consultiva, aos excessos e desmandos possíveis da autoridade unipessoal e absoluta. Hodiernamente, por meio da fiscalização dos Parlamentos, procura-se conter os excessos praticados pela tecnocracia. •

As funções de controle, à sua vez, reúnem: a) o controle hierárquico; b) as jurisdições administrativas.

§ 19. A HIERARQUIA

O controle hierárquico realiza-se, dentro da hierarquia, pela devolução do ato praticado pelo subalterno, ao conhecimento do superior. • Nesse particular, afirmava Otto Mayer apositamente: "Na relação hierárquica se revela a vontade mais forte da autoridade superior na direção e na supervisão da execução dos comandos levada a efeito pelos subordinados" (*Theorie des Französischen Verwaltungsrechts*, Strassburg, 1886, § 7, p. 42). •

As jurisdições administrativas (v. § 25, infra) funcionam, ao inverso, fora do âmbito da escala hierárquica.

6. Traduz-se o funcionamento da organização hierárquica em alguns princípios de ação que relativamente àquela podem ter-se como fundamentais. Entre estes, merecem menção os seguintes:

a) *ao superior hierárquico compete orientar e dirigir a atividade dos subalternos, por intermédio de atos regulamentários*. Tais atos regulamentários são as circulares, as portarias, as ordens de serviço etc. Compreendem-se, também, nesse número, as instruções ministeriais, havidas em nosso direito positivo como fontes do direito objetivo (CF, art. 87, parágrafo único, II).

Nas instruções e circulares se encontra a fórmula, por excelência, desse poder de direção e orientação. Nas portarias e ordens, há, geralmente, antes, a determinação da observância ou execução de diretriz, ou norma, anteriormente estabelecida.

b) *ao superior hierárquico incumbe suspender ou revogar os atos administrativos, praticados pelo subalterno, quando contrários ao direito, inconvenientes ou inoportunos*. • Essa incumbência está prevista expressamente em lei, quando trata do recurso administrativo e da revisão, na qual é permitido que o órgão competente venha a "modificar, anular ou revogar, total ou parcialmente" os atos administrativos submetidos a recurso (art. 64, Lei 9.784/1999). • Essa atribuição, além do caso de recurso, é suscetível de exercer-se *ex-officio*. A devolução ao superior hierárquico do conhecimento do ato administrativo, praticado pelo subalterno, opera-se por intermédio do recurso hierárquico, ou da avocação. Ao inverso do recurso hierárquico, que é iniciativa da parte ou do funcionário subalterno, a avocação é iniciativa do superior. À noção de recurso hierárquico corresponde o princípio de responsabilidade do subalterno, perante o superior hierárquico, pelo ato praticado. • Com efeito, é dever do subordinado "levar ao conhecimento da autoridade superior as irregularidades de que tiver ciência em razão do cargo" (Lei 8.112, de 11.12.1990, art. 116, VI). À noção de avocação, ao revés, corresponde o princípio de responsabilidade do superior hierárquico perante o Estado, pelos atos do subordinado. Em regra, a competência suspensiva ou revocatória do superior hierárquico se exerce unicamente com respeito aos atos administrativos unilaterais. Recorde-se, a propósito, a posição que defendemos neste livro, de que os atos administrativos podem ser unilaterais ou bilaterais, o que não coincide com a opinião de alguns administrativistas, mas tem sua origem na concepção do ato administrativo bilateral (*zweiseitiger Verwaltungsakt*), defendida pelo notável Walter Jellinek (*Verwaltungsrecht*, Berlin, 1929, § 11, n. 2, p. 240). •

c) *o superior hierárquico exercita sobre os funcionários subalternos, ação disciplinar*. "Quem diz transgressão disciplinar – escreve, a propósito, Pontes de Miranda –, refere-se necessariamente a: a) *hierarquia*, através da qual flui o dever de obediência e de conformidade com instruções, regulamentos internos e recebimentos de ordens; b) *poder disciplinar*, que supõe a atribuição do direito de punir, disciplinarmente, cujo caráter subjetivo o localiza em todos, ou em alguns, ou somente em alguns dos superiores hierárquicos; c) *ato ligado à função*; d) *pena*, suscetível de ser aplicada disciplinarmente, portanto sem ser pela Justiça como Justiça. Ora, desde que há uma hierarquia, há poder disciplinar, há ato e há pena disciplinar, qualquer ingerência da Justiça na economia moral do encadeamento administrativo seria perturbadora da finalidade mesma das regras que estabelecem o dever de obediência e o direito de mandar" (*Comentários à Constituição de 1946*, t. III, Rio de Janeiro, s.d., pp. 324 e 325; t. IV, 2ª ed., Rio de Janeiro, 1953, pp. 349 e 350). A enumeração das penas disciplinares aplicáveis aos funcionários compreende a advertência, a suspensão, a demissão, a cassação de aposentadoria ou disponibilidade, a destituição de cargo em comissão e a destituição de função comissionada (Lei 8.112/1990, art. 127, I a VI).

AS FORÇAS DA AÇÃO ADMINISTRATIVA

§ 20. O TRABALHO PÚBLICO

I

Chama-se trabalho à soma de energia necessária à manifestação de qualquer atividade. Em tal sentido, o trabalho é uma concomitância da matéria: toda a matéria trabalha.

Tratando-se, porém, do homem transcende-se a este conceito puramente físico. Ao trabalho humano se comunica a própria dignidade espiritual do homem. Como objeto do comércio jurídico, a energia humana não se pode confundir com os demais bens. • "Em verdade – dizia Leão XIII – todos facilmente entendem que a causa principal de empregar seu trabalho todos quantos se ocupam de alguma atividade lucrativa e a finalidade a que proximamente o operário procura, consiste no seguinte: buscar uma retribuição, possuí-la como própria, como um direito próprio e pessoal. Porque se o trabalhador aluga a outros sua força de trabalho e sua indústria, as aluga com a finalidade de alcançar o necessário para viver e sustentar-se, e por isso, com o seu trabalho, adquire um direito verdadeiro e perfeito, não só para exigir o seu salário, mas para fazer dele o uso que melhor lhe aprouver" (*Rerum Novarum*, I, 4). •

Na esfera das relações entre particulares, rege as relações, oriundas do trabalho, uma disciplina jurídica autônoma: o Direito Social ou Direito do Trabalho. No círculo do Direito Social, contudo, não se pode compreender o trabalho público – essa peculiar modalidade do trabalho humano, não reclamada pela generalidade das empresas privadas, de que, não obstante, as pessoas administrativas imperiosamente necessitam para a realização de seus fins.

Característicos diversos singularizam a noção de trabalho público. Avulta, dentre todos porém, a sua unilateralidade econômica. Nos sistemas econômicos contemporâneos, fundados sobre a idéia de troca, o trabalho público ocupa lugar à parte. Não há uma correspectividade perfeita entre o trabalho prestado ao Estado e a compensação patrimonial, acaso atribuída, em concomitância, àquele que o presta. • Em época anterior à promulgação da Constituição Federal de 1988 não se admitia a suspensão ou cessação do trabalho público, tendo como causa a suspensão da remuneração devida por sua prestação. Hodiernamente, a situação se alterou e os servidores públicos têm direito ao recurso da greve para fazer valer seu direito ao pagamento da retribuição que lhes é devida pelo trabalho prestado (CF, art. 37, VII). •

Costuma definir-se o Estado como pessoa jurídica de existência necessária. Como recusar-se, pois, o mesmo caráter de necessidade à prestação das energias humanas que ao Estado e às demais pessoas administrativas suprem os meios de ação?

Atenua-se, porém, o rigor do princípio com o contraste, sempre presente ao legislador, entre a disciplina de necessidade do trabalho público e as garantias de liberdade do trabalho privado, estas, em certos casos, podendo ser havidas como limitações inderrogáveis daquela. • Assim, os direitos sociais dos trabalhadores urbanos e rurais foram estendidos, em parte, pela Constituição Federal de 5.10.1988, aos servidores públicos. Dispõe, com efeito, o art. 39, § 3º, com a redação que lhe foi dada pela Emenda Constitucional 19/1998, que "Aplica-se aos servidores ocupantes de cargo público o disposto no art. 7º, IV, VII, VIII, IX, XII, XIII, XV, XVI, XVII, XVIII, XIX, XX, XXII e XXX, podendo a lei estabelecer requisitos diferenciados de admissão quando a natureza do cargo o exigir". Deve-se ressaltar que no texto dessa Emenda, no que concerne ao parágrafo transcrito, há uma inconstitucionalidade, pois foi suprimido o inciso VI, que fala da "irredutibilidade do salário (...)". É bem verdade que foi mantida a irredutibilidade dos vencimentos e do subsídio dos ocupantes de cargos e empregos públicos (CF, art. 37, XV), mas estando a irredutibilidade vinculada aos direitos e garantias individuais no texto original da Constituição, não poderia ter sido suprimida em parte, mesmo redundante (CF, art. 60, § 4º, IV).

Ao examinar a função pública e o conceito de servidor público, expresso na Constituição Federal, é preciso verificar a natureza do vínculo jurídico que se estabelece entre o funcionário e o Estado. O assunto se presta a discussões por vezes quase bizantinas, como sustenta Diogo de Figueiredo Moreira Neto (*Curso de Direito Administrativo*, Rio de Janei-

§ 20. O TRABALHO PÚBLICO 429

ro, Forense, 1998, cap. XII, n. 81, p. 203). As doutrinas, como reconhece o aludido administrativista, formam dois grandes grupos: o das teorias bilaterais e os das unilaterais (ob. cit., p. 203). Para Paul Laband, o elemento característico essencial da relação entre o servidor e o Estado é a relação de serviço regida pelo Direito Público (*Le Droit Public de l'Empire Allemand*, t. II, Paris, 1901, p. 114). Mas essa relação, segundo Laband, tem necessidade de ser juridicamente definida de modo mais preciso. Ela não repousa nem sobre um compromisso obrigatório (*obligatorische Verpflichtung*), tampouco sobre uma situação de submissão obrigatória (*Untertänigkeit*). Outrora, segundo Laband, falava-se de uma relação de trabalho regida pelo Direito Privado. Recorreu-se ao precário, à locação de serviços, ao mandato e ao contrato inominado, para se chegar finalmente ao contrato de serviço do Estado (*Staatsdienstvertrag*) (ob. cit., p. 115). Após examinar essas diferentes concepções, para rejeitá-las, Paul Laband se fixa na idéia segundo a qual "A relação de serviço entre o funcionário e o Estado repousa sobre um contrato pelo qual o funcionário se devota ao Estado, contrata um dever particular de serviço e de fidelidade, se vincula a uma obediência particular, pelo qual o Estado aceita essa promessa, assim como a relação de poder particular que lhe é oferecida e assegura, como retribuição, ao funcionário, proteção e retribuição pelo trabalho" (ob. cit., pp. 119-120).

Paul Laband foi o grande defensor da teoria contratualista do vínculo entre servidor público e Estado. Mas essa teoria, como bem salienta *Diogo de Figueiredo Moreira Neto*, parte de um princípio falso, inaplicável à função pública, qual seja o da autonomia da vontade. "Como, à sua luz, seriam explicáveis as alterações unilaterais relativamente à remuneração, às condições de serviço, às atribuições e, principalmente, à extinção do vínculo?" (*Curso de Direito Administrativo*, 11ª ed., 1998, p. 204).

Em oposição às teorias contratualistas, surgiram as concepções que passaram a ver na relação entre o funcionário e o Estado não um contrato de trabalho, mas uma situação legal ou regulamentar.

Otto Mayer é o primeiro a se afastar da teoria contratualista defendida por Paul Laband para afirmar que, no Direito Público, a relação que existe entre a obrigação de servir e a função pública não é a mesma que caracteriza a locação de serviços e o mandato de Direito Civil. A função pública, para Otto Mayer, está ligada a uma obrigação de servir fundada no Direito Público. Na sua definição, "A função é um círculo de atividades do Estado, que devem ser geridas por uma pessoa ligada por uma obrigação de Direito Público de servir ao Estado. Todo poder de gerir negócios semelhantes, que fosse constituído de outra maneira, não corresponderia a essa noção" (*Le Droit Administratif Allemand*, t. IV, Paris, 1906, § 42, p. 8). A obrigação de servir, segundo Mayer, não é criada diretamente pela lei, mas por um ato administrativo, aplicando e executando a lei (ob. cit., p. 12). A esse ato administrativo Otto Mayer denomina de ato administrativo por submissão. Nas suas palavras precisas "O mais importante exemplo de ato administrativo por submissão é oferecido pela admissão ao serviço público" ("Das wichtigste Beispiel solcher 'Verwaltungsakte auf Unterwerfung' bietet die Anstellung im öffentlichen Dienst" – *Deutsches Verwaltungsrecht*, vol. 1, Berlin, 1924, § 9, p. 98). Para Otto Mayer estava claro que a nomeação de um funcionário público era o caso típico de um ato administrativo unilateral, que necessitava da submissão do destinatário para produzir plenamente os seus efeitos.

Se Otto Mayer foi o primeiro a rejeitar a teoria contratualista, deve-se dizer que foram sobretudo os jurisconsultos franceses que construíram a doutrina jurídica acerca da verdadeira situação que se estabelece entre o servidor público e o Estado. Léon Duguit afirma que os funcionários públicos são regidos por um Estatuto. "A palavra estatuto designa a situação especial que se constitui para os funcionários pela aplicação das disposições legais ou regulamentares, destinadas a protegê-los contra todos os atos arbitrários da parte dos governantes e de seus agentes diretos. Esta definição do estatuto basta para demonstrar que ele constitui essencialmente uma situação de direito objetivo, resultando diretamente da aplicação do direito objetivo, formulado pelas leis e pelos regulamentos do serviço público considerado" (*Traité de Droit Constitutionnel*, t. III, Paris, 1930, § 65, p. 159). Do mesmo sentir de Duguit era Gaston Jèze, que afirmava o seguinte: "Na França, os agentes do serviço público propriamente ditos estão numa situação jurídica legal e regulamentar. Isso significa que o procedimento do contrato não intervém em nenhum momento. Não é o contrato que determina o ingresso no serviço público. Não é o contrato que regula os direitos e obrigações dos indivíduos no serviço público. Não é o contrato que fixa a duração das funções e as condições de exoneração no serviço público. A sanção dos direitos e obrigações dos agentes do serviço público não é aquela dos direitos e obrigações resultantes de um contrato" (*Les Principes Généraux du Droit Administratif*, t. II, Paris, 1930, pp. 244-245).

No Brasil, o insigne Pontes de Miranda, após examinar exaustivamente todas as teorias existentes, afirma: "Trata-se de relação jurídica, portanto bilateral, mas *institucional*, o que repele a noção de pura contra-

§ 20. O TRABALHO PÚBLICO

tualidade" (*Comentários à Constituição de 1946*, t. VI, Rio de Janeiro, 1960, p. 279).

Do exame sucinto dessas diferentes concepções, verifica-se que a situação do servidor público é legal, ou estatutária do ponto de vista jurídico e que sua admissão ao serviço público deverá ser feita por meio de ato administrativo, denominado de "Verwaltungsakt auf Unterwerfung" por Otto Mayer, "zweiseitiger Verwaltungsakt" por Walter Jellinek e "mitwirkungsbedürftiger Verwaltungsakt" por Ernst Forsthoff (Ernst Forsthoff, *Traité de Droit Administratif Allemand*, Bruxelles, 1969, pp. 334-335).

A Constituição Federal de 1988, em seu art. 39, *caput*, havia disposto acertadamente que "A União, os Estados, o Distrito Federal e os Municípios instituirão, no âmbito de sua competência, regime jurídico único e planos de carreira para os servidores da Administração Pública direta, das autarquias e das fundações públicas". Dando cumprimento a esse dispositivo, a União Federal editou a Lei 8.112, de 11.12.1990, que "Dispõe sobre o regime jurídico dos Servidores Públicos Civis da União, das autarquias e das fundações públicas federais". Sobreveio a Reforma Administrativa, mal redigida e mal concebida e substituiu o art. 39 e o seu conteúdo sério por disposição anódina, que poderia constar de uma instrução ministerial. Subsiste o regime jurídico único por força da inércia, não mais fundado na Constituição Federal, mas nas leis que o instituíram na União, nos Estados e nos Municípios.

A alteração do art. 39, *caput*, da Constituição Federal, que teve o seu conteúdo original totalmente modificado, suprimiu a obrigatoriedade do regime jurídico único para todos os servidores públicos (Hely Lopes Meirelles, *Direito Administrativo Brasileiro*, 32ª ed., São Paulo, Malheiros Editores, 2006, p. 414). Subsiste, entretanto, o regime estatutário, como já referimos, para uma parcela ponderável dos servidores públicos, tendo sido reintroduzido o emprego público, disciplinado pela CLT, para inúmeras atividades. A idéia de reintroduzir o regime de emprego público, mediante contrato de trabalho de acordo com a legislação trabalhista, já foi posta em prática em relação às chamadas agências reguladoras, que se destinam a supervisionar as concessões de serviço público, introduzidas como forma normal de administrar a coisa pública. A Lei 9.986, de 18.7.2000, estabeleceu que as Agências Reguladoras terão suas relações de trabalho regidas pela Consolidação das Leis do Trabalho (art. 1º). Celso Antônio Bandeira de Mello critica as providências que vêm sendo tomadas com base no "Emendão", em termos candentes.

Afirma, Celso Antônio, apositamente: "Note-se, de passagem, que o fato de o chamado 'Emendão' (Emenda Constitucional 19, de 4.6.1998), haver suprimido a referência, dantes existente, à obrigatoriedade de 'regime jurídico único' para o pessoal da Administração direta, autarquias e fundações públicas de modo algum significa, como adiante se esclarecerá (ns. 19-22), que conferiu ampla liberdade para que possam adotar livremente regime trabalhista para seus servidores.

"Não se ignora que foram [*vêm sendo e serão*] admitidas levas de servidores sob regime de emprego para funções diversas das indicadas e que não comportariam dito regime. Cite-se, a guisa de exemplo, a Lei 9.986, de 18.7.2000, que inconstitucionalmente estabeleceu o regime de emprego público para o pessoal das 'agências reguladoras', entidades nas quais justamente seria indispensável que seus servidores desfrutassem das garantias próprias do regime de cargo, estatutário. Foi este mesmo o entendimento do eminente Min. Marco Aurélio ao suspender liminarmente, em despacho lapidar proferido na ADI 2.310-1-DF, em 19.12.2000, o art. 1º da citada lei (entre outros), precisamente por entender que, em razão da natureza das atividades que lhe são afetas, dito regime só poderia ser o estatutário" (*Curso de Direito Administrativo*, São Paulo, Malheiros Editores, 20ª ed., 2006, cap. V, n. 8).

A conclusão inelutável é a de que a supressão da obrigatoriedade do regime jurídico único não impede que ele seja adotado por lei e que o Poder Público não é livre para escolher o regime da CLT, quando, como no caso das agências reguladoras, o interesse público de independência na fiscalização está em causa.

A Constituição Federal de 1988, ao dispor no Capítulo VII sobre a Administração Pública, estabeleceu em seus arts. 37 e 38 das Disposições Gerais e nos artigos 39, 40 e 41 disposições específicas sobre os servidores públicos civis.

A primeira Constituição a tratar dos assim chamados funcionários públicos foi a Constituição Federal de 16.7.1934, que nos arts. 168 a 173 estabeleceu pela primeira vez, em nosso Direito Público Constitucional, normas acerca do funcionalismo – imitava, à época, a Constituição alemã de Weimar, de 11.8.1919, que em seus arts. 129, 130 e 131 dispunha acerca dos funcionários públicos.

O conceito de servidor público, utilizado pela Constituição Federal, designa, de modo abrangente todos quantos, em caráter profissional, mediante retribuição pecuniária, têm vínculo de trabalho permanente com a União, os Estados-membros, o Distrito Federal, os Municípios, as respectivas autarquias e as fundações de Direito Público.

Segundo Celso Antônio Bandeira de Mello, os servidores públicos compreendem as seguintes espécies:

§ 20. O TRABALHO PÚBLICO

a) *Servidores titulares de cargos públicos* no Estado (anteriormente denominados funcionários públicos), nas autarquias e fundações de Direito Público da União, dos Estados, do Distrito Federal e dos Municípios, assim como no Poder Judiciário e na esfera administrativa do Legislativo.

b) Servidores empregados das pessoas supra-referidas. Aí se incluem servidores que se encontrem sob vínculo empregatício por uma dentre as seguintes razões:

b1) haverem sido admitidos sob vínculo de emprego para funções materialmente subalternas (quais as de artífice, servente, motorista, jardineiro, mecanógrafo etc.), o que, como adiante demonstrar-se-á, é constitucionalmente possível, embora não desejável;

b2) contratados, nos termos do art. 37, IX, da Constituição, sob vínculo trabalhista, para atender a necessidade temporária de excepcional interesse público;

b3) remanescentes do regime anterior, no qual se admitia (ainda que muitas vezes inconstitucionalmente) amplamente o regime de emprego (*Curso de Direito Administrativo*, 20ª ed., São Paulo, Malheiros Editores, 2006, cap. V, n. 8, pp. 231-232).

A Constituição Federal refere-se tanto a cargos quanto a empregos. Em diversos momentos, a referência é feita a cargo ou emprego público. Assim, vamos encontrar essa dicotomia, que às vezes é uma tricotomia, pois também há referência a funções públicas, nos seguintes dispositivos constitucionais:

1º) "os cargos, empregos e funções públicas são acessíveis aos brasileiros que preencham os requisitos estabelecidos em lei, assim como aos estrangeiros, na forma da lei" (CF, art. 39, I);

2º) "a investidura em cargo ou emprego público depende de aprovação prévia em concurso público de provas ou de provas e títulos, de acordo com a natureza e a complexidade do cargo ou emprego, na forma prevista em lei, ressalvadas as nomeações para cargo em comissão declarado em lei de livre nomeação e exoneração" (CF, art. 39, II);

3º) "durante o prazo improrrogável previsto no edital de convocação, aquele aprovado em concurso público de provas ou de provas e títulos será convocado com prioridade sobre novos concursados para assumir cargo ou emprego na carreira" (CF, art. 39, IV);

4º) "a lei reservará percentual dos cargos e empregos públicos para as pessoas portadoras de deficiência e definirá os critérios de sua admissão" (CF, art. 39, VIII);

5º) "a remuneração e o subsídio dos ocupantes de cargos, funções e empregos públicos da Administração direta, autárquica e fundacional, dos membros de qualquer dos poderes da União, dos Estados, do Distrito Federal e dos Municípios, dos detentores de mandato eletivo e dos demais agentes políticos e os proventos, pensões ou outra espécie remuneratória, percebidos cumulativamente ou não, incluídas as vantagens pessoais ou de qualquer outra natureza, não poderão exceder o subsídio mensal, em espécie, dos Ministros do Supremo Tribunal Federal" (CF, art. 39, XI);

6º) "o subsídio e os vencimentos dos ocupantes de cargos e empregos públicos são irredutíveis, ressalvado o disposto nos incisos XI e XIV deste artigo e nos arts. 39, § 4º, 150, II, 153, III e 153, § 2º, I" (CF, art. 39, XV);

7º) "a proibição de acumular estende-se a empregos e funções e abrange as autarquias, fundações, empresas públicas, sociedades de economia mista, suas subsidiárias, e sociedades controladas, direta ou indiretamente, pelo Poder Público" (CF, art. 39, XVII);

8º) "é vedada a percepção simultânea de proventos de aposentadoria decorrentes do art. 40 ou dos arts. 42 e 142 com a remuneração de cargo, emprego ou função pública, ressalvados os cargos acumuláveis na forma desta Constituição, os cargos eletivos e os cargos em comissão declarados em lei de livre nomeação e exoneração" (CF, art. 39, § 10);

9º) "aplica-se o limite fixado no art. 37, XI, à soma total dos proventos de inatividade, inclusive quando decorrentes da acumulação de cargos ou empregos públicos, bem como de outras atividades sujeitas a contribuição para o regime geral de previdência social, e ao montante resultante da adição de proventos de inatividade com remuneração de cargo acumulável na forma desta Constituição, cargo em comissão declarado em lei de livre nomeação e exoneração e de cargo eletivo" (CF, art. 40, § 11).

Em todos esses dispositivos fala-se de cargos e de empregos públicos, às vezes de função pública.

Os servidores que ocupam cargos públicos submetem-se ao regime publicístico de sua regulação, que é o estatutário, também chamado pela lei de regime jurídico único, de acordo com a terminologia empregada pela redação original do art. 39 da Constituição Federal, em seu *caput*.

Os servidores que são considerados como empregados públicos são agentes contratados pelo Estado, sob o regime da legislação trabalhista. É o Direito do Trabalho que deverá moldar essa relação, muito embora se deva salientar que o contrato de trabalho, no caso, é mero pressuposto

§ 20. O TRABALHO PÚBLICO

para a aplicação de uma disciplina legal publicística que regerá o emprego público.

As funções públicas, a que a Constituição alude, constituem conjuntos de atribuições, criados por lei, destinadas ao exercício de encargos de direção, chefia ou assessoramento, que deverão ser preenchidas por funcionários titulares de cargos de provimento efetivo, da confiança da autoridade que as preenche. São, as funções públicas, análogas aos cargos em comissão, mas a Constituição as diferenciou para evitar que fossem ocupadas por pessoas estranhas ao serviço público, enquanto que os cargos em comissão, ressalvados os percentuais mínimos previstos em lei, poderão ser exercidos por pessoas que não integram o serviço público (CF, art. 37, V).

Distinção entre servidores públicos e empregados públicos. A separação que a Constituição nitidamente estabelece entre servidores ou funcionários públicos estatutários e empregados públicos não é nova. Walter Jellinek já mencionava que "Estado e Municípios têm liberdade de executar trabalhos escritos por intermédio de funcionários ou de empregados públicos" ("Staat und Gemeinde haben freie Hand, ob sie Schreibarbeiten durch Beamte oder durch Angestellte ausführen lassen wollen" – ob. cit., p. 343). Dizia ainda, Walter Jellinek que os empregados (...) permaneciam submetidos ao Código Civil ("Auch der Angestellte (...) bleibt dem BGB unterworfen" – ob. cit., § 16, p. 343). Complementava seu pensamento afirmando que as prescrições da Constituição do Reich sobre os funcionários públicos não se aplicavam a eles ("die Vorschriften der Reichsverfassung über Beamtenrecht beziehen sich nicht auf ihn" – ob. cit., § 16, p. 343, n. 1). Abreviando a exposição e realizando um salto de cinqüenta anos no tempo, iremos encontrar opinião idêntica, defendida por um grande administrativista da década de 1980, Norbert Achterberg. No seu sentir, a relação de emprego dos empregados públicos e dos trabalhadores do serviço público se estabelece, como regra geral, por meio da conclusão de um contrato de trabalho realizado segundo o Direito Privado (*Allgemeines Verwaltungsrecht. Ein Lehrbuch*, Heidelberg, 1982, § 13, n. 81, p. 194).

Já o funcionário público, segundo o Direito Constitucional, é aquele que se vincula ao serviço público e a ele permanece vinculado de acordo com uma relação jurídica de lealdade e de prestação de serviço, segundo o Direito Público ("Beamter ist nach dem Verfassungsrecht, wer als Angehöriger des öffentliche Dienstes in einem öffentlichen-rechtlichen Dienst- und Treuesverhältnis steht" – Norbert Achterberg, ob. cit., § 13, II, 7, p. 177).

O problema da dualidade entre funcionário público e empregado público, reconhecida por nossa Constituição e já referido em relação ao Direito Administrativo alemão, também existe na França.

Na opinião de André de Laubadère e de Yves Gaudemet, o princípio geral é o de que, hodiernamente, o funcionário se encontra numa situação legal e regulamentar de Direito Público (*Traité de Droit Administratif*, t. V, 11ª ed., Paris, n. 31, p. 36). Como conseqüências do caráter legal e regulamentar da situação do funcionário público, decorrem, no caso francês, as seguintes situações: 1º) O conteúdo da situação do funcionário é fixado anteriormente, pela via geral e impessoal das leis e dos regulamentos. 2º) O conteúdo da situação do funcionário, seus direitos e obrigações, podem ser modificados unilateralmente pelo Estado, ou pela pessoa administrativa empregadora, a qualquer momento, sem que o funcionário possa invocar pretensos direitos adquiridos. 3º) O funcionário pode agir pela via do recurso de *excès de pouvoir* contra as decisões administrativas, que violem as leis e regulamentos que organizam a profissão. 4º) A situação do funcionário sendo uma situação de direito público, os litígios que opõem os servidores à Administração devem ser julgados pelos tribunais administrativos (André de Laubadère e Yves Gaudemet, ob. cit., t. V, n. 33, pp. 36-37).

Diverge a situação dos funcionários na França e no Brasil, nisto que os funcionários públicos brasileiros desfrutam de direitos e garantias constitucionais, que embora tenham sido duramente atingidos pela Emenda Constitucional 19/1998, ainda subsistem na medida em que os direitos individuais não podem ser objeto de reforma constitucional.

Mas a França se assemelha ao Brasil no que concerne aos empregados públicos, que são denominados naquele país de "agents publics contractuels", que se vinculam ao serviço público por um contrato de trabalho, à semelhança dos "Angestellte" na Alemanha (André de Laubadère e Yves Gaudemet, ob. cit., t. V, n. 39, p. 42).

A questão da duplicidade de servidores públicos, uns estatutários, outros contratados, é comum, por conseguinte, ao Brasil e ao direito continental europeu, variando, tão-somente no aspecto constitucional, já que alguns não outorgam direitos constitucionais aos servidores públicos.

A Constituição fala tanto em cargos quanto em empregos públicos. O Poder Público poderia, face aos dispositivos constitucionais, adotar livremente o regime estatutário ou o do emprego público, sem considerar a questão da natureza das atividades a serem desenvolvidas? A resposta mais correta é aquela dada por Celso Antônio Bandeira de Mello, quando afirma: "Logo, o que se há de concluir é que, embora o regime de cargo tenha que ser o normal, o dominante, na Administração direta, autarquias e fundações de direito público, há casos em que o regime trabalhista (nunca puro, mas afetado, tal como se averbou inicialmente, pela interferência de determinados preceitos de Direito Público) é admissível para o desempenho de algumas atividades; aquelas cujo desempenho sob o regime laboral não compromete os objetivos que impõem a adoção do regime estatutário como o normal, o dominante" (*Curso de Direito Administrativo*, 20ª ed., São Paulo, Malheiros Editores, 2006, cap. V, n. 22, p. 242).

Como é incontroverso, não se incluem entre os empregados públicos, os servidores das empresas públicas, das sociedades de economia mista e de suas subsidiárias, na forma do que dispõe o art. 173, § 1º, II, da Constituição Federal. •

1. Nas anteriores edições deste livro já dizíamos que a regulamentação do trabalho público constitui importantíssima divisão do Direito Administrativo.

Várias, afirmávamos, são as formas por que o trabalho público pode apresentar-se.

• Essas formas eram subdivididas em seis espécies diferentes: •

a) *A prestação de serviços públicos honorários*. A expressão é corrente na doutrina estrangeira; não é, de resto, ignorada da doutrina brasileira (J. X. Carvalho de Mendonça, *Tratado de Direito Comercial Brasileiro*, t. II, Rio de Janeiro, 1933, n. 465, p. 454). Designa a prestação ocasional, remunerada ou não, de um serviço determinado, solicitada aos indivíduos pelo Estado ou outra pessoa administrativa, solicitação essa a que se atribui a feição de distinção honorífica. Há, algumas vezes, na solicitação do Estado, o traço da compulsão: assim, a prestação de serviço de jurado, serviço público honorário com caráter obrigatório. Mas, ainda nesse caso, a feição honorífica da incumbência prima nitidamente sobre a compulsão empregada. Em regra, porém, a prestação do serviço público honorário é facultativa. Recordem-se os serviços prestados pelos agentes judiciários nomeados *ad hoc*, pelos escrivães, promotores de justiça, curadores especialmente designados para cumprir determinados encargos pelo juiz competente etc.

b) *A prestação de serviços públicos obrigatórios*. Na vida civil, constituem exceção, em nossa época, os serviços públicos de prestação obrigatória, para o particular. A requisição de serviços (v. § 15, n. 3, supra) é um desses casos excepcionais. Inversamente, a prestação obrigatória de serviços públicos é a regra, na esfera militar. • Prescreve a Constituição

Federal que "O serviço militar é obrigatório nos termos da lei" (art. 143, *caput*). Por sua vez, o art. 2º da Lei 4.375, de 17.8.1964 dispõe que "Todos os brasileiros são obrigados ao serviço militar, na forma da presente Lei e sua regulamentação". Ficam, entretanto, isentas do Serviço Militar, em tempo de paz, as mulheres (art. 2º, § 2º, Lei 4.375/1964). De outra parte, deve-se salientar que a nova Constituição Federal de 1988 acolheu a concepção da objeção de consciência, criando a figura do serviço alternativo aos que, em tempo de paz, após alistados, alegarem imperativo de consciência, entendendo-se como tal o decorrente de crença religiosa e de convicção filosófica ou política, para se eximirem de atividades de caráter essencialmente militar (CF, art. 143, § 1º). Os soldados não devem ser considerados como funcionários públicos. Eles são as unidades humanas de energia de que se compõem as Forças Armadas. Já os militares da ativa são "membros das Forças Armadas" (CF, art. 142, § 3º) e os oficiais gozam de patentes, com prerrogativas, direitos e deveres a elas inerentes, conferidas pelo Presidente da República, sendo asseguradas em plenitude aos oficiais da ativa, da reserva ou reformados (CF, art. 142, I). Os oficiais das forças armadas são, por conseguinte, servidores públicos militares, submetidos a regime jurídico especial, diverso daquele que é estabelecido para os servidores públicos civis. Mas não são, normalmente, prestadores de serviços públicos obrigatórios, na medida em que escolheram a carreira militar, à exceção daqueles oficiais, da reserva não remunerada, quando convocados para o serviço militar em tempo de guerra ou de perturbação da ordem pública.

As Forças Armadas, constituídas pela Marinha, pelo Exército e pela Aeronáutica, destinam-se à defesa da pátria, à garantia dos poderes constitucionais e, por iniciativa de qualquer destes, da lei e da ordem (CF, art. 142). As praças de pré, que servem às Forças Armadas, devem, por conseguinte, conumerar-se entre os prestadores de serviços públicos obrigatórios. •

c) *A função pública honorária.* Função pública se denomina toda porção circunscrita, da execução continuada e permanente, da tarefa incumbida, pela natureza dos próprios fins, ao Estado e incompatível, entretanto, com outro meio qualquer de execução que não o trabalho público.

A noção de função pública honorária sugere, normalmente, a idéia de gratuidade completa, resumindo-se na honra da investidura todo o seu atrativo exterior. Tal concepção da função honorária conduziria, porém, facilmente à formação de oligarquias de ricos e abastados, nas organizações estatais. Diversamente da simples prestação de serviços, honorários ou obrigatórios, a função pública honorária é já uma divisão, comensurada ao indivíduo, da tarefa permanente do Estado. O seu desempenho não absorverá, decerto, toda a atividade do indivíduo, a ela aposto. Exigir-lhe-á, porém, uma parte dessa atividade, não em tractos isolados, de maior ou menor extensão, senão regularmente, periodicamente, como convém à execução de uma tarefa permanente. Ora, nestas condições, a ausência de qualquer compensação econômica faria, de tais funções, um privilégio de ricos e abastados, únicos capazes de reservar-lhes uma parte de suas atividades, sem prejuízo de seus meios de subsistência. Rara é, pois, modernamente a função honorária a que não esteja ligada, como concomitância, uma compensação econômica, proporcional à atividade por ela reclamada.

Em regra, a atividade, reclamada pelo desempenho de uma função honorária, não envolve a aplicação de conhecimentos técnicos ou científicos. Algumas funções honorárias, embora não exijam a aplicação de conhecimentos técnicos ou científicos, supõem, entretanto, em que as desempenha a posse deles. • Contam-se, nesse número, dentre as mais, as funções dos membros do Conselho Florestal Federal, mantido pelo art. 48, da Lei 4.777/1965. Os integrantes do Conselho Nacional de Recursos Hídricos também são considerados como exercendo função pública honorária (art. 34, Lei 9.433, de 8.1.1997). Os membros do Conselho Monetário Nacional, em número de sete, nomeados pelo Presidente da República, após aprovação do Senado Federal (art. 6º, IV, Lei 4.595, de 31.12.1964) também são considerados como pessoas que exercem função pública honorária.

Contam-se, ainda, nesse número, dentre as mais, as funções dos seis cidadãos brasileiros natos, com mais de trinta e cinco anos de idade, sendo dois nomeados pelo Presidente da República, dois eleitos pelo Senado Federal e dois eleitos pela Câmara dos Deputados, todos com mandato de três anos, vedada a recondução, como integrantes do Conselho da República, de acordo com o que dispõe o art. 89, inciso VII da Constituição Federal.

Conumeram-se, também, entre os que exercem função pública honorária, os "noventa cidadãos brasileiros e respectivos suplentes, maiores de idade, de ilibada conduta e reconhecida liderança e representatividade, todos designados pelo Presidente da República para mandatos de dois anos, facultada a recondução" para integrarem o Conselho de Desenvolvimento Econômico e Social, assim como dispõe o art. 8º, § 1º, inciso IV, da Lei Federal 10.683, de 28.5.2003, que "Dispõe sobre a organização da Presidência da República e dos Ministérios e dá outras providências". •

Como acontece, também, com a simples prestação de serviços públicos honorários, o desempenho da função pública honorária pode, algumas vezes, ser assegurado por medidas colaterais de compulsão. A natureza acessória de tais medidas não desfigura o aspecto honorífico essencial da função.

d) *A função pública profissional.* • A Constituição Federal de 1988 passou a denominar os funcionários públicos profissionais de servidores públicos (cap. VII, seção II, arts. 39, 40 e 41). Os servidores públicos, a que alude a Constituição, nada mais são do que funcionários públicos profissionais, que constituem o mais importante grupo dos prestadores de trabalho público. Conforme já ficou dito, a relação jurídica que vincula os funcionários públicos profissionais ao Estado não é de natureza contratual, mas estatutária. Essa é a doutrina dominante e já trouxemos à colação a opinião de notáveis jurisconsultos, como Léon Duguit, Gaston Jèze, André de Laubadère, Walter Jellinek e Norbert Achterberg, os quais demonstram que o vínculo que se estabelece entre o funcionário profissional e o Estado é de natureza institucional, estando submetidos a um regime legal ou regulamentar. O Poder Público, tendo em vista o regime legal que estrutura a função pública, poderá exercer o poder de alterar legislativamente o regime jurídico de seus servidores públicos, inexistindo garantia de que continuarão sendo sempre regidos pelas mesmas normas que vigoravam quando do seu ingresso no serviço público. Em nosso direito, entretanto, como sinala apositamente Celso Antônio Bandeira de Mello, nas mutações que porventura ocorram, deverão ser "ressalvadas as pertinentes disposições constitucionais impeditivas" (*Curso de Direito Administrativo*, 20ª ed., São Paulo, Malheiros Editores, 2006, cap. V, IV, n. 16, p. 235). A Constituição Federal estabeleceu inúmeros direitos em relação aos funcionários públicos, no seu texto original, alguns deles truncados pela Emenda Constitucional 19/1998, cujo texto, em alguns de seus dispositivos, é de duvidosa constitucionalidade. •

• Conforme ficou dito, em edições anteriores, • quatro característicos, independentes entre si, sinalam o funcionário público profissional: a) a natureza técnica ou prática do serviço prestado; b) a retribuição, de cunho profissional; c) a vinculação jurídica à União, aos Estados, ao Distrito Federal, aos Municípios, às autarquias e às fundações públicas federais (Lei 8.112, de 11.12.1990, art. 1º); d) o caráter permanente dessa vinculação, segundo uma disciplina legal específica.

• Mencionava, o Autor, em edições anteriores, que o conceito de funcionário público não abrangia os servidores das entidades autárquicas. Essa opinião não mais prevalece diante da disposição do art. 1º, da Lei

§ 20. O TRABALHO PÚBLICO

8.112/1990, cujo texto diz o seguinte: "Art. 1º. Esta lei institui o regime jurídico dos servidores públicos civis da União, das autarquias, inclusive as em regime especial, e das fundações públicas federais". Logo, os servidores civis das autarquias e das fundações públicas federais são, hodiernamente, considerados funcionários públicos profissionais.

Não são funcionários públicos profissionais, entretanto, todos quantos são considerados como pessoal temporário, vinculado ao Poder Público por um contrato de trabalho, a que falta o caráter permanente da vinculação, aludido no item "d". •

e) *Os servidores das entidades autárquicas*. São os servidores das entidades autárquicas, fora de dúvida, prestadores de trabalho público. • A disciplina da função pública se lhes aplica hoje em dia integralmente. Além das entidades autárquicas propriamente ditas, constituídas pelas corporações públicas e estabelecimentos públicos, há as fundações públicas, cujos servidores são prestadores de trabalho público, de acordo com uma disciplina estatutária. Além da lei, regem-lhes os direitos e deveres os estatutos e regimentos dessas entidades, que são disposições autonômicas, fontes derivadas do Direito Administrativo.

f) *Os empregados públicos*. A Constituição Federal de 1988 fala inúmeras vezes na figura dos empregados públicos. Os empregados públicos ocupam empregos públicos, que "são núcleos de encargos de trabalho permanente a serem preenchidos por agentes contratados para desempenhá-los, sob relação trabalhista" (Celso Antônio Bandeira de Mello, ob. cit., cap. V, n. 14, pp. 234-235). Os ocupantes de empregos públicos são, não obstante, trabalhadores públicos, já que submetidos, por igual, a normação publicística específica da qual o contrato de trabalho, segundo o direito comum, é meramente pressuposto de aplicação. O pessoal admitido para emprego público na Administração Federal direta, autárquica e fundacional terá sua relação de trabalho regida pela CLT e legislação trabalhista correlata, naquilo que a lei não dispuser em contrário. Tal é a disposição do art. 1º da Lei 9.962, de 22.2.2000, que disciplina o regime de emprego público do pessoal das entidades já mencionadas. •

2. Não se consideram prestadores de trabalho público os *condutores políticos* das pessoas jurídicas de existência necessária. A Constituição Federal os denomina de *agentes políticos* (art. 37, XI), seguindo a denominação que lhes dá Celso Antônio Bandeira de Mello (ob. cit., cap. V, II, "a", n. 5, p. 229). Contam-se nesse número: na esfera federal, o Presidente da República, os Ministros de Estado, os membros do Congresso Nacional, senadores e deputados; na esfera estadual, o Governador, os

Secretários de Estado, os membros das Assembléias Legislativas; na esfera distrital, o Governador, os Secretários Distritais e os membros da Assembléia Legislativa; na esfera municipal, os Prefeitos e os Vereadores.

Condutores políticos são essencialmente todos quantos, isoladamente ou em grupo, exercem o poder de orientar e dirigir as atividades do Estado, dividir a tarefa estatal, determinar funções, ordenar serviços, fixar competências. O Congresso faz as leis do país (CF, art. 44); o Presidente da República, com a referenda dos Ministros de Estado, baixa regulamentos (CF, art. 84, IV); os Ministros de Estado auxiliam o Presidente da República, no desempenho de suas funções (CF, art. 87, parágrafo único, incisos I, II, III e IV).

Os homens, aos quais incumbem as funções de condutores políticos, não são meramente prestadores de energias; são, antes de tudo, portadores de idéias. Como a pintura em relação à tela, prima, neste caso, a idéia sobre a energia física, que lhe condiciona a expressão objetiva.

3. Toda função pública, já o vimos, representa uma porção determinada de execução continuada e permanente da tarefa, incumbente ao Estado, para realização de seus fins.

A execução dessa parcela da tarefa estatal supõe, portanto, necessariamente, uma relação entre o funcionário, que a executa, e o Estado, a quem ela incumbe.

De outra parte, como é sabido, os funcionários, enquanto tais, adquirem direitos, até de conteúdo patrimonial, embora os honorários os adquiram em extensão consideravelmente menor à em que os adquirem os profissionais. Assistem-lhes também, a uns e outros, deveres de natureza vária. Relações jurídicas diversas intercedem, pois, na realidade, entre os funcionários e as pessoas administrativas, quer as de natureza política e existência necessária, quer as de natureza meramente administrativa e existência contingente, a que aqueles prestam o seu trabalho.

Tais as bases do que costuma chamar-se o problema das relações entre o funcionário público profissional e o Estado ou suas autarquias e fundações.

4. Muito se ouve falar de uma relação jurídica entre o funcionário e o Estado, como se a soma dos direitos e o conjunto dos deveres dos funcionários públicos formassem, em correspectividade, as duas metades de uma só relação de direito.

Nada mais falso, contudo. Não existe correspectividade – dissemos já – entre os deveres do trabalho público e os direitos, acaso atribuídos

§ 20. O TRABALHO PÚBLICO 443

àquele que os cumprir. Assim, aos funcionários públicos, é-lhes vedado o recurso ao abandono do cargo público (CP, art. 323) ou à prevaricação (CP, art. 319), para o efeito de sobrestarem, no cumprimento de seus deveres, até que o Estado lhes dê satisfação a seus direitos. A exceção a esse princípio geral está consubstanciada no direito de greve, reconhecido pela Constituição Federal (art. 37, VII). Mas os direitos e os deveres dos funcionários públicos formam duas ordens distintas de relações jurídicas. Entre elas existe, unicamente, uma relação de concomitância, ou paralelismo. O cumprimento, pelo funcionário, de seus deveres funcionais não é condição *per quam*, senão meramente condição *sine qua* da aquisição ou exercício dos direitos que possam competir-lhe.

5. Entre o funcionário e o Estado, o cargo público cria uma relação de administração (v. § 6, supra), que, finalisticamente, àquele, lhe vincula a atividade à função, inerente ao cargo. A função é o fim, a que a atividade do funcionário obrigatoriamente se endereça.

Cria-se-lhe, porém, o *status* de funcionário público pela investidura, graças a qual se incorpora ele ao funcionalismo público, profissão organizada com estatuto jurídico próprio. Assim é que a atividade de um indivíduo pode encontrar-se vinculada a uma função pública, no exercício do cargo correspondente, sem que tenha aquele, entretanto, por defeito de investidura, o *status* de funcionário público. É o caso do funcionário de fato. • Os funcionários de fato são aqueles que, por defeito de investidura, não alcançam a condição de funcionário público. Segundo Francisco Campos "A doutrina é universal e pacífica quanto à validade dos atos praticados por funcionários irregulares ou de fato" (*Direito Administrativo*, Rio de Janeiro, 1943, p. 35). O que se exige é que não se trate de um mero usurpador de funções, "único caso – no dizer do dr. Francisco Campos – em que os seus atos se considerarão nenhuns, embora a boa-fé dos terceiros que perante eles comparecem" (ob. cit., p. 35). •

À relação de administração, referem-se os deveres funcionais; ao *status* do funcionário, os deveres profissionais e os direitos subjetivos. A disciplina legal da função pública independe assim da disciplina legal da profissão de funcionário, embora a execução das disposições daquela, como dissemos, condicione a aplicação das disposições desta. A relação de administração, no Direito Administrativo, domina e paralisa a relação de direito subjetivo (v. § 6, supra).

Mas, entre as duas disciplinas, uma analogia fundamental existe: Ambas são informadas pelo princípio da justiça distributiva. A disciplina da função pública supõe uma distribuição justa dos cargos públicos. A esta exigência do princípio de justiça, responde o preceito constitucional: "os cargos, empregos e funções públicas são acessíveis aos brasileiros que preencham os requisitos estabelecidos em lei, assim como aos estrangeiros, na forma da lei" (CF, art. 37, I). À sua vez, reclama o mesmo princípio de justiça que, dentro da profissão organizada, todos sejam tratados com igualdade, respeitadas as condições de cada qual. A justiça distributiva pede isonomia, igualdade na regra jurídica, e não da regra jurídica. Atende-lhe ao reclamo, a Constituição, ao prescrever, de modo geral a igualdade perante a lei (CF, art. 5º).

São assim os deveres funcionais concebidos coletivamente, antes de distribuídos singularmente, e assim também os deveres profissionais e os direitos subjetivos do funcionário público. Num e noutro caso, a consideração da coletividade prima necessariamente sobre a atribuição individualizadora. Somente com referência à coletividade, pode aferir-se, distributivamente, da justiça da atribuição individual.

A unidade do princípio, segundo o qual se estruturam a disciplina da função pública e a disciplina da profissão de funcionário público, explica-nos a resistência solidária de ambas às numerosas tentativas de subversão, com que doutores, governos e tribunais as têm agredido. A disciplina da função pública, posto que independente pelo conteúdo, é inseparável, quanto à aplicação da disciplina da profissão de funcionário público. Separá-las importa, e historicamente importou, fazer cair a disciplina da função pública no regime da coação legal ao exercício das funções, defendida por J. Rodrigues Valle, que afirmava: "Nesta fase parece-nos inteiramente razoável a teoria denominada da coação legal" (*Curso de Direito Administrativo*, Rio de Janeiro, 1941, p. 330); ou introduzir o regime da venalidade dos cargos públicos, a que referia Domingos Antunes Portugal, ao aludir que: "(...) communis et constans est DD. Traditio Principem officia publica vendere posse" (*De Donationibus, Jurium et Bonorum Regiae Coronae*, Lugduni, 1726, t. I, Lib. II, XIV, n. 2, p. 208); ou reduzir a disciplina da profissão de funcionário público ao plano da vassalagem, como sustentava Viveiros de Castro: "A relação do serviço que une o funcionário ao Estado é da mesma natureza (...) (da relação entre o vassalo e o suserano)" (*Tratado de Ciência de Administração e Direito Administrativo*, Rio de Janeiro, 1914, p. 569); ou então considerar os cargos públicos em termos de propriedade ou de usufruto, como refere Pereira e Souza, verbete "serventuário": "O que serve um ofício em lugar do Proprietário" (*Dicionário Jurídico*, t. II, 1827).

De outro lado, desprendê-las, a ambas de seu princípio informativo comum e baixá-las ao terreno da justiça comutativa, será ignorar que,

§ 20. O TRABALHO PÚBLICO 445

nessa ordem de relações, o Estado tem diante de si a totalidade de seus nacionais (CF, art. 37, I), considerada como coletividade e não indivíduo por indivíduo, singularmente. Será, portanto, forçar o Estado ao contrato, quando deveria usar da lei, não para obrigar, mas para regular. • Apesar dessas considerações, continua subsistindo em nosso direito a teoria dos que sustentam a existência de um contrato de direito público para explicar o vínculo que une o funcionário público ao Estado (José Cretella Júnior, *Tratado de Direito Administrativo*, vol. IV, Forense, 1967, cap. IV, n. 75, p. 173). Entretanto, é o mesmo jurisconsulto que reconhece que "A doutrina estatutária vem obtendo, em nossos dias, acentuada preferência entre os membros do nosso Supremo Tribunal Federal, sendo raríssimas as opiniões discordantes" (ob. cit., n. 77, p. 178). Para concluir, o mesmo autor afirma peremptoriamente: "A observação imparcial dos julgados dos Tribunais brasileiros a respeito da natureza jurídica da função pública impõe uma conclusão: há manifesta inclinação de nossos juízes para a doutrina estatutária da função pública" (ob. cit., n. 79, p. 178). Apesar de tudo, o ilustre administrativista prefere se incluir entre as "raríssimas opiniões discordantes", adepto que é da doutrina do contrato de direito público. •

A disciplina legal da função pública, dispersa por diplomas legislativos separados, com o caráter de leis especiais, a que alude Themístocles Brandão Cavalcanti (*Tratado de Direito Administrativo*, t. IV, 1956, p. 46) forma o assim chamado Direito dos Serviços Públicos. • A disciplina legal da profissão do funcionário público constitui o assim chamado Regime Jurídico dos Servidores Públicos Civis da União, das autarquias e das fundações públicas federais, disciplinado pela Lei 8.112, de 11.12.1990. •

6. A investidura do funcionário não subjetiva, de um golpe, todos os direitos que o direito objetivo lhe enuncia, incorporando-os, desde logo, ao conteúdo da relação jurídica, que se estabelece entre ele e o Estado. Pela investidura, o indivíduo adquire, antes de tudo, o *status* de funcionário, mero requisito para que se lhe tornem aplicáveis aquelas disposições do direito objetivo, à proporção que se verificarem os demais pressupostos de sua aplicação.

Dois corolários desse princípio fundamental imediatamente se oferecem ao espírito. O *primeiro* é que, tratando-se como se trata de duas secções do direito objetivo, de natureza absoluta, ou cogente, nenhuma convenção terá o efeito de dilatar-lhes o alcance das disposições ou de estender estas a fatos ou pessoas, não contemplados em seus preceitos.

Daí, a peculiar situação do pessoal temporário, que a Constituição Federal chama de ocupantes de empregos públicos (art. 37, I), nos quadros das administrações públicas: os trabalhadores ou especialistas temporários não são funcionários ou servidores públicos civis na nova terminologia constitucional, embora possam desempenhar funções públicas, já que o contrato não possui o efeito de estender-lhes a aplicação das disposições legais, concernentes aos funcionários públicos ou servidores públicos civis.

Consiste o *segundo* em que assim a Lei do Regime Jurídico Único dos Servidores Públicos Civis da União, das Autarquias e das Fundações Públicas Federais como o Direito dos Serviços Públicos (essencialmente finalístico) são suscetíveis de alterações, por via legislativa, ainda quanto às situações vigentes, respeitados, contudo, os direitos adquiridos (CF, art. 5º, XXXVI). A lei poderá modificar qualquer carreira administrativa, prescrever deveres novos ou impor encargos antes dispensados, ressalvados, sempre, os Direitos Constitucionais reconhecidos em favor de todos os servidores públicos civis (CF, arts. 37, 38, 40 e 41). A alteração, acaso introduzida, terá aplicação imediata, respeitados todos os direitos já incorporados ao patrimônio individual do servidor público civil. Os servidores, que o forem, ao tempo da lei nova, ficar-lhe-ão sujeitos às disposições • naquilo em que não contrariarem as situações já definitivamente constituídas. Assim o quer a Constituição Federal, que estabelece a garantia da proteção do direito adquirido, do ato jurídico perfeito e da coisa julgada (CF, art. 5º, XXXVI); assim o quer o Estado de Direito por intermédio do princípio da *segurança jurídica*, a que alude o nosso Almiro do Couto e Silva, em notável estudo publicado na *Revista de Direito Público de São Paulo*, n. 84, p. 56, intitulado "Princípios da Legalidade da Administração Pública e da Segurança Jurídica no Estado de Direito Contemporâneo".

A Constituição e as leis concebem explicitamente • direitos adquiridos, relativamente aos funcionários públicos. Pelo exercício do cargo, por exemplo, o funcionário adquire direito aos respectivos vencimentos, subsídios, ou honorários; pelo exercício do cargo, por três anos, o servidor público civil, nomeado em virtude de concurso público, adquire o direito ao que se denomina a estabilidade no cargo (CF, art. 41, *caput*). Em ambos esses casos, porém, o fato de que o direito se origina é o fato do exercício da função; não o fato, simplesmente, de ser funcionário. A condição de funcionário ou servidor público civil é meramente a qualificação necessária, para que possa o indivíduo adquirir os direitos, reservados, pela ordem jurídica, aos funcionários ou servidores públicos como classe ou grupo.

7. Como se alcança, pois, a condição de funcionário público?

Alcança-se a condição de funcionário ou servidor público civil pela investidura regular em um cargo público. A investidura supõe, à sua vez, como expressão inicial, um ato do Estado, pelo qual, ao indivíduo, se confere o direito de ingressar nos quadros permanentes do serviço público. Direito? Direito adminicular e instrumental, por isso que restrito ao complemento da investidura, mas, indubiamente, direito: direito, em face de todos os demais indivíduos, em condições idênticas, suscetíveis de igual aspiração; direito, face aos funcionários ou servidores já constituídos, que eles só, até então, detinham título à faculdade de executar a tarefa estatal; direito, finalmente exercitável contra o próprio Estado que engloba, sob um aspecto, a comunidade dos indivíduos e, sob outro, a comunidade dos funcionários, à semelhança do crédito do co-herdeiro contra a sucessão de que é ele um dos compartes. O ato do Estado, pelo qual se confere tal direito, é, na maioria dos casos, uma nomeação. • Dizia Otto Mayer que no ato jurídico de colocação ao serviço do Estado, o que produz efeito é a vontade do Estado manifestada no ato administrativo contendo a nomeação ("ce doit être la volonté de l'État, l'acte administratif contenant la nomination" – *Le Droit Administratif Allemand*, t. IV, Paris, 1906, § 44, p. 45). A opinião era dominante entre os jurisconsultos alemães. Georg Jellinek afirmava, a propósito dessa questão, que "Do ponto de vista jurídico os servidores públicos se distinguem segundo o fundamento jurídico sobre o qual repousa seu ato de nomeação" (*Sistema dei Diritti Pubblici Subbiettivi*, trad. italiana da 2ª ed. alemã, Milano, 1912, X, n. 8, p. 194).

Nada impediria, entretanto, que tomasse a figura da eleição ou, até mesmo, do sorteio. Gaston Jèze, quando trata da enumeração dos processos para a designação dos servidores públicos, refere que, no momento atual, "os três principais processos empregados em todos os Estados civilizados são: 1º) a nomeação; 2º) a eleição; 3º) o sorteio. A nomeação é a designação feita por um só indivíduo. A eleição é a designação feita por diversos indivíduos. O sorteio é a designação feita com base na sorte, ao arrepio da vontade humana" (*Les Principes Généraux du Droit Administratif*, t. II, Paris, 1930, § 2, pp. 412-413). •

Os nossos escritores, desde o Conselheiro Ribas (*Direito Administrativo Brasileiro*, Rio de Janeiro, 1866, p. 217) até os mais recentes, entre os quais se inclui J. M. de Vasconcellos (*Direito Administrativo*, t. II, Rio de Janeiro, 1937, p. 388), soem chamar aos atos de nomeação de funcionários "atos de instituição". Tradicionalmente, portanto, é a nomeação, em nosso direito positivo, incluída no número dos atos administrativos constitutivos, isto é, daqueles que criam faculdades novas, incorporam ao patrimônio individual direitos originariamente só concebíveis como pertences à Administração Pública (v. § 11, n. 2, supra). Quem negará que só à Administração compita a faculdade de executar a tarefa estatal?

8. O direito de ingressar nos quadros permanentes do serviço público, criado pela nomeação, era, entre nós, até a Reforma Constitucional de 1926, assegurado pelo remédio judicial do *habeas corpus* (Pontes de Miranda, *História e Prática do "Habeas-Corpus"*, Rio de Janeiro, 1916, § 57, pp. 188 e 189). Resguarda-o, atualmente, com não menor eficácia, o remédio equivalente do mandado de segurança (Pontes de Miranda, *Comentários à Constituição de 1946*, t. V, Rio de Janeiro, 1960, art. 141, § 24, n. 34, p. 184). Esse direito, meramente adminicular ou instrumental é, por isso mesmo, condicionado à permanência da vaga, para a qual a nomeação haja sido feita. Nomeado e empossado, regularmente, outro, no mesmo cargo, o direito, criado pela nomeação, extingue-se pela inaptidão, que assim lhe sobrevém, com respeito ao fim, a cuja consecução se antepunha como adminículo ou instrumento. Ao originariamente nomeado, e não empossado, tocarão, se cabíveis segundo as circunstâncias, perdas e danos.

9. É a nomeação um ato unilateral. Ela cria, para o indivíduo, um direito – o direito de ingressar nos quadros permanentes do serviço público. Cria-o, porém, exclusivamente (v. § 11, n. 3, supra).

Ao indivíduo, entretanto, fica, em regra a escolher: de um lado, o exercício; de outro, a renúncia desse direito. Ele poderá tomar posse e entrar no exercício do cargo, para que foi nomeado; ou, ao contrário, tácita ou expressamente, renunciar a tal direito. • Trata-se de um ato administrativo unilateral que, para produzir plenamente seus efeitos, exige o consentimento do destinatário. É por esse motivo que Otto Mayer é o primeiro a chamar a atenção para o mais importante exemplo de ato administrativo por submissão, que é oferecido pela nomeação para o serviço público ("Das wichtigste Beispiel solcher 'Verwaltungsakte auf Unterwerfung' bietet die Anstellung im öffentlichen Dienst" – *Deutsches Verwaltungsrecht*, t. I, Berlin, 1924, § 9, II, p. 98). Seguindo o pensamento de Mayer, Walter Jellinek também explica o ato de nomeação do indivíduo para a função pública como um ato bilateral. Sustenta que a natureza jurídica da nomeação não é nem a de um contrato tampouco a de um ato administrativo unilateral, mas de um ato administrativo bilateral ("Die rechtliche Natur der Anstellung ist uns aus dem Allgemeinen Teile Bekannt. Sie ist weder Vertrag, noch einseitiger Verwaltungsakt, sondern Zweiseitiger

Verwaltungsakt (...)" – *Verwaltungsrecht*, Berlin, 1929, § 16, IV, n. 2, p. 352). Na última edição de seu livro, em 1973, Ernst Forsthoff denomina esses atos de "mitwirkungsbedürftiger Verwaltungsakte" (*Lehrbuch des Verwaltungsrechts*, vol. I: Parte Geral, 10ª tir., München, 1973, § 11, p. 212). Ou seja, atos administrativos com a colaboração dos destinatários.

O ato administrativo de nomeação, praticado pelo Poder Público, para que produza plenamente seus efeitos, deverá obter a concordância do destinatário. Se ela existir de modo favorável, o ato produzirá plenamente os seus efeitos e o indivíduo poderá prosseguir na execução das formalidades que completarão sua investidura. •

Conquanto seja, pois, a nomeação um ato unilateral, nem por isso importa, em princípio, em compulsão dirigida contra o indivíduo. Este, pelo ato da nomeação, se investe de um direito graciosamente adquirido e, em regra, livremente renunciável, que se traduz, de modo imediato, na posse e entrada em exercício da função pública.

Antes da posse e da entrada em exercício – dependentes, em geral, da só vontade do nomeado –, não existe, ainda, verdadeiramente o funcionário ou servidor público.

10. A posse do cargo é um ato simbólico, inspirado pela concepção civilística da transmissão da quase-posse das coisas incorpóreas.

No direito atual, realiza-se pela prestação, perante a autoridade competente, do juramento ou compromisso de desempenhar os deveres do cargo. Caduca, porém, a posse do cargo, se o empossado não assume, dentro do prazo legal, o exercício da função.

• De acordo com a lei, "A posse dar-se-á pela assinatura do respectivo termo, no qual deverão constar as atribuições, os deveres e as responsabilidades e os direitos inerentes ao cargo ocupado, que não poderão ser alterados unilateralmente, por qualquer das partes, ressalvados os atos de ofício previstos em lei. § 1º. A posse ocorrerá no prazo de 30 (trinta) dias contados da publicação do ato de provimento" (Lei 8.112/1990, art. 15 e § 1º, com a redação dada pela Lei 9.527, de 10.12.1997). •

No direito antigo, ao inverso, o que importava era a transmissão das insígnias ou instrumentos do cargo (*Las Siete Partidas*, par. II, tit. IX, 1, XXVI). O juramento era tido como dever de cidadania, puro e simples – mera condição de fato para a transmissão da quase-posse.

11. A entrada em exercício não reveste forma especial. • Dispõe o art. 15, da Lei 8.112/1990, com a redação que lhe foi dada pela Lei

9.527/1997, que "Exercício é o efetivo desempenho das atribuições do cargo público ou da função de confiança". Executando qualquer dos deveres inerentes ao cargo, ou à função, o servidor público ingressará em exercício. •

II

12. Regularmente nomeado, após a posse e entrada no exercício da função, o indivíduo tem adquirido a condição de funcionário ou servidor público civil da União, de suas Autarquias ou Fundações Públicas. Passa, costuma dizer-se, a ter direitos e deveres como servidor público – fórmula corrente com o que se quer significar que as regras das duas secções do direito objetivo, concernentes aos servidores públicos, passam a ser-lhe aplicáveis.

Separadamente consideremos os assim chamados direitos dos funcionários públicos, isto é, as disposições do direito objetivo, contidas na Constituição Federal e na Lei do Regime do Cargo Público Estatutário, aptas a se subjetivarem no patrimônio jurídico individual de cada um deles. • O mesmo acontece com os servidores dos Estados-membros e do Distrito Federal, dos Municípios e de suas respectivas Autarquias e Fundações Públicas. •

13. Entre tais direitos contam-se:

1º) *O direito às vantagens ligadas ao desempenho do cargo.* A ordem jurídica costuma estabelecer vantagens patrimoniais determinadas, a serem conferidas ao funcionário público – desde que ocorra o fato legalmente prefixado como condição do conferimento da vantagem, ou vantagens. Esse fato é, em regra, o desempenho pelo funcionário dos misteres da função, o exercício do cargo.

A atribuição de tais vantagens não é concessão graciosa do legislador. Seria impossível conseguir funcionários por apresentação espontânea, se as funções públicas devessem, todas, ser exercidas gratuitamente. Tal motivo justifica a existência de funções profissionais, isto é, exercidas como profissão lucrativa.

Ilusão, porém, será supor-se que as vantagens patrimoniais legalmente estabelecidas formem a contraparte, meramente, da prestação de trabalho público, incumbente ao funcionário, constituindo-lhe a remuneração proporcional e exata. Um funcionário houve que, tendo-lhe sido aumentado, de modo permanente, o serviço, pediu ao Poder Judiciário mandar fixar-lhe, por arbitramento, proporcional aumento de vantagens.

§ 20. O TRABALHO PÚBLICO

Responderam-lhe os juízes do Supremo Tribunal Federal que tal providência competia ao legislador, não aos tribunais (Acórdão do STF, de 7.10.1931, no *Arquivo Judiciário* 20/132).

São diversas as vantagens patrimoniais, legalmente atribuídas ao exercício de cargos públicos. Vem, em primeiro lugar, o vencimento do cargo (Lei 8.112/1990, art. 40).

• "Vencimento é a retribuição pecuniária pelo exercício do cargo público, com valor fixado em lei" (art. 40, Lei 8.112/1990).

"Vencimentos, a soma do vencimento básico com as vantagens permanentes relativas ao cargo, emprego, posto ou graduação" (Lei 8.852/1994, art. 1º, II).

"Como remuneração, a soma dos vencimentos com os adicionais de caráter individual e demais vantagens, nestas compreendidas as relativas à natureza ou ao local de trabalho e a prevista no art. 62 da Lei 8.112/1990, ou outra paga sob o mesmo fundamento (...)" (Lei 8.852/1994, art. 1º, III). A norma do art. 62 foi modificada pela Lei 9.527/1997 e diz o seguinte: "Ao servidor ocupante de cargo efetivo investido em função de direção, chefia ou assessoramento, cargo de Provimento em Comissão ou de Natureza Especial é devida retribuição pelo seu exercício".

As vantagens, por sua vez, se subdividem em: I – indenizações; II – gratificações; III – adicionais (art. 49, Lei 8.112/1990).

As indenizações compreendem: I – ajuda de custo; II – diárias; III – transporte (art. 51, Lei 8.112/1990).

As gratificações e adicionais são os seguintes: I – retribuição pelo exercício de função de direção, chefia ou assessoramento; II – gratificação natalina; III – adicional por tempo de serviço (revogado pela Medida Provisória 2.225-45, de 4.9.2001); IV – adicional pelo exercício de atividades insalubres, perigosas ou penosas; V – adicional pela prestação de serviço extraordinário; VI – adicional noturno; VII – adicional de férias; VIII – outros, relativos ao local ou à natureza do trabalho.

Foi criada pela Emenda Constitucional 19/1998 uma nova forma de retribuição para todos os condutores políticos e para os membros do Poder Judiciário, que já havia para os condutores políticos do Poder Executivo, que é o subsídio, fixado em parcela única, vedado o acréscimo de qualquer gratificação, adicional, abono, prêmio, verba de representação ou qualquer outra espécie remuneratória (EC 19/1998, art. 5º, § 4º e art. 13, que modifica o inciso V do art. 93, o inciso III do art. 95 e a alínea "b" do inciso II do art. 96 da Constituição Federal).

Não se contempla na Lei 8.112/1990 a retribuição consistente em emolumentos, taxas ou custas, pois "Os serviços notariais e de registro são exercidos em caráter privado, por delegação do Poder Público" (CF, art. 236). •

Em regra, os proventos do cargo público se reputam adquiridos, dia por dia. A regra é antiga; foi introduzida em nosso direito, em derrogação ao fr. 38, D., L. XIX, Tit. II, interpretado, de acordo com a Glosa, de sorte a autorizar, em caso de morte do funcionário, o pagamento total do trimestre ou mês começado, segundo o padrão de periodicidade do pagamento dos vencimentos (Reynoso, *Observationes*, Conimbricae, 1734, ob. XXVII, *additio*, p. 171). O fragmento 38 do *Digesto*, Liv. XIX, Tit. II, está assim redigido: "Qui operas suas locavit, totius temporis mercedem accipere debet, si per eum non stetit, quominus operas praestaret" ("Aquele que locou seus serviços deverá receber o salário durante todo o tempo, quando não depende dele que lhe fossem fornecidos").

A retribuição do servidor público é insuscetível de arresto, seqüestro ou penhora, exceto nos casos de prestação de alimentos resultante de decisão judicial. Tal é a regra contida no art. 48 da Lei 8.112/1990, que desdobra a retribuição do servidor público civil em vencimento, remuneração e provento. No antigo direito vedava-se o arresto (Alcides Cruz, *Direito Administrativo Brasileiro*, Rio de Janeiro, 1914, p. 101). Mas permitia-se o seqüestro da retribuição, conforme afirmava o insigne Jorge de Cabedo (*Decisiones*, Antuerpiae, 1739, p. 1, dec. VIII, n. 32, p. 16: "(...) dicitur arrestum fieri quando judex arrestavit debitum mihi, in manibus mei debitoris ad petitionem alterius, cui ego debeba"). • A impenhorabilidade da retribuição lhe advém da *natureza alimentar*. Walter Jellinek afirma que a pretensão de natureza patrimonial mais importante do funcionário público é a que corresponde ao vencimento. Alude, também, a que há uma viva controvérsia que confronta a remuneração do funcionário como valor equivalente ao serviço prestado, ou como retribuição de natureza alimentar, concebida por muitos ("Der wichtigste vermögensrechtliche Anspruch des Beamten ist aber der auf Besoldung. Es besteht ein lebhafter Streit darüber, ob die Besoldung den Gegenwert für geleistete Dienste darstelle oder ob sie als Unterhaltsrente aufzufassen sei" – *Verwaltungsrecht*, ed. Berlin, 1929, § 16, n. 6, "c", p. 366).

A impenhorabilidade da retribuição, no nosso direito, advém da natureza alimentar: "O estipêndio, observou Alcides Cruz, – é considerado um direito alimentário, e os alimentos ordinariamente são isentos de penhora" (*Direito Administrativo Brasileiro*, Rio de Janeiro, 1914, p. 101). A despeito, porém, de sua natureza alimentar (art. 373, II, Código Civil

§ 20. O TRABALHO PÚBLICO 453

de 2002), o crédito, oriundo da retribuição, compensa-se com o débito do funcionário à Fazenda Pública, pelas reposições ou indenizações que àquela lhe caiba prestar. A natureza da retribuição influi, entretanto, sobre o modo pelo qual a compensação se opera. O débito será descontado à retribuição do servidor, a pedido do interessado, em parcelas correspondentes a 10% da remuneração, provento ou pensão (Lei 8.112/1990, art. 46, § 1º, com a redação dada pela Medida Provisória 2.225-45, de 4.9.2001). Entretanto, se o servidor em débito para com o erário, for demitido, exonerado ou tiver a sua aposentadoria ou disponibilidade cassada, terá o prazo de 60 dias para quitar o débito (art. 47 da Lei 8.112/1990, com a redação dada pela Medida Provisória 2.225-45/2001). A não quitação do débito no prazo previsto implicará sua inscrição em dívida ativa (parágrafo único do art. 47).

Finalmente, resta mencionar a figura do subsídio, nova modalidade de remuneração, anteriormente aplicada apenas aos condutores políticos, que o "Emendão" estabeleceu para alguns servidores públicos de categoria elevada, como magistrados e procuradores. O subsídio é a espécie de retribuição pela qual o pagamento da remuneração mensal devida ao servidor se efetua em parcela única e indivisa, insuscetível de acréscimos de qualquer espécie. Os servidores visados foram sobretudo os Ministros do Supremo Tribunal Federal e dos demais tribunais, bem como os procuradores em geral. Essa nova forma de retribuição pecuniária foi implantada pela Emenda Constitucional 19/1998, no art. 48, inciso XV, da Constituição Federal. O seu objetivo fundamental foi o de retirar as gratificações adicionais e quaisquer outras vantagens, sobretudo dos Ministros do Supremo. A inspiração da pseudo-reforma foi tão vil e mesquinha, que o § 11 do art. 39 da Constituição Federal, em sua nova redação, mandou incluir no teto do subsídio máximo, inclusive a "remuneração de cargo acumulável na forma desta Constituição", o que constitui, como é incontroverso, uma forma grosseira, atrabiliária e imoral de formular uma suposta reforma moralizadora. Pela leitura literal desse dispositivo, os Ministros do Supremo que fossem professores de Faculdade de Direito oficial, que há alguns, não poderiam receber os minguados vencimentos de professor universitário em nome dessa falsa moralidade pública, que dominou o Brasil nesta década de atraso cultural, moral e econômico. Mas há mais. O dispositivo se destina a suprimir as gratificações adicionais e vantagens dos Ministros do Supremo em atividade. Como é incontroverso, trata-se de mais um dislate, de que têm sido pródigos nossos governantes, pois já há opiniões sustentando que, no que concerne aos atuais Ministros, que recebam adicionais e vantagens, a regra do subsídio puro não se aplica, devendo somar-se a ele todas as gratificações que constituem direito adquirido de seus titulares. •

2º) *Direito à estabilidade.* • A estabilidade é um direito constitucional, outorgado pela Constituição Federal de 1988 aos servidores nomeados para cargos de provimento efetivo, em virtude de concurso público, após três anos de exercício.

Os principais jurisconsultos do país consideram a estabilidade como um direito do servidor público civil, nomeado por concurso, que cumpriu o estágio probatório.

Neste sentido, pode-se enumerar a opinião de diversos autores:

i) Celso Antônio Bandeira de Mello afirma que "(...) a estabilidade representa um direito individual do servidor que já a obtivera nos termos anteriormente previstos na Constituição e representa, demais disto, um direito adquirido; ambos protegidos por cláusula pétrea" (*Curso de Direito Administrativo*, 13ª ed., São Paulo, Malheiros Editores, 2001, cap. VII, n. 150, p. 306);

ii) Odete Medauar alude, em subtítulo de sua obra, a um "Direito à permanência no cargo; estabilidade e vitaliciedade" e afirma: "O direito à permanência no cargo é aferido pelo modo com que se perde o cargo. No caso de servidores que ocupam cargos, funções e empregos em comissão, inexiste direito à permanência, porque são demissíveis ou dispensáveis *ad nutum*; tais postos são de livre exoneração ou dispensa, pela autoridade competente" (*Direito Administrativo Moderno, de acordo com a EC 19/1998*, São Paulo, Ed. RT, 1999, cap. 13, n. 13.7.2, p. 309).

iii) Diógenes Gasparini sustenta que a estabilidade "Pode ser definida como a garantia constitucional de permanência no serviço público, do servidor estatutário nomeado, em razão de concurso público, para titularizar cargo de provimento efetivo, após o transcurso do estágio probatório" (*Direito Administrativo*, 5ª ed., Saraiva, São Paulo, 2000, n. 5.6.4.2, p. 180).

iv) Maria Sylvia Zanella Di Pietro assevera que "Tradicionalmente, a estabilidade, no direito brasileiro, tem sido entendida como a garantia de permanência no serviço público assegurada, após dois anos de exercício, ao servidor nomeado por concurso, que somente pode perder o cargo em virtude de sentença judicial transitada em julgado ou mediante processo administrativo em que lhe seja assegurada ampla defesa" (*Direito Administrativo*, 10ª ed., São Paulo, 1998, cap. 12, n. 12.4.8 Estabilidade, p. 385).

v) Hely Lopes Meirelles diz que a "*Estabilidade* é a garantia constitucional de permanência no serviço público outorgada ao servidor que, nomeado para cargo de provimento efetivo, em virtude de concurso público, tenha transposto o estágio probatório de três anos, após ser submetido a avaliação especial de desempenho por comissão constituída com essa finalidade (CF, art. 41)" (*Direito Administrativo Brasileiro*, 32ª ed., São Paulo, Malheiros Editores, cap. VII, p. 443). Completa seu pensamento afirmando que "A estabilidade é um atributo pessoal do servidor (...)" (ob. cit., p. 447).

vi) Pontes de Miranda, nosso jurisconsulto maior, manifestava sobre a estabilidade a seguinte opinião: "Funcionário público estável é funcionário público a que o Estado deve e é obrigado a não afastar do cargo senão conforme a Constituição, nem a retirar-lhe as vantagens sem as quais teria ele de preferir demitir-se: quem não pode demitir não pode forçar, pelas circunstâncias, à demissão" (*Comentários à Constituição de 1946*, t. VI, Rio de Janeiro, Borsoi, 1960, p. 299).

Apesar de tantas e de tão inequívocas opiniões sobre a estabilidade dos funcionários públicos como direito constitucional, houve, por ocasião da votação da Emenda Constitucional 19/1998, de duvidosa constitucionalidade e de redação de encomenda, a manifestação de certo Ministro de Estado, que teve a filáucia de afirmar que somente os juristas menores é que sustentavam constituir a estabilidade um direito do servidor público civil. Ao que tudo indica, o único jurisconsulto maior que o Brasil conheceu no século passado foi esse Ministro, cuja jactância não encontra competidor em nenhum verdadeiro jurista. Ao contrário dessa opinião disparatada e interesseira, o direito à estabilidade é direito de todos os servidores concursados que cumpriram estágio probatório ou que foram estabilizados por disposições transitórias de nossas inúmeras Constituições. É um direito que está inscrito na Constituição, mas que poderia perfeitamente constar, tão-somente da lei ordinária. No nosso Brasil, mesmo inscrevendo no texto constitucional, com letra de forma, e bradando aos quatro ventos o direito, ainda há Ministros que duvidam...! Por esse motivo é que o legislador constituinte tem preferido colocar no texto constitucional o direito subjetivo público dos servidores civis à estabilidade.

Na redação original da Constituição Federal de 1988 dizia-se que "São estáveis, após dois anos de efetivo exercício, os servidores nomeados em virtude de concurso público" (CF, art. 41). Depois disso, ao influxo das idéias neoliberais que tomaram conta do nosso país, sobreveio o chamado "Emendão", que é um remendo, cheio de inconstitucionalidades, que viola em diversos dispositivos as chamadas cláusulas pétreas, ou o núcleo imodificável da Constituição, votado para satisfazer interesses duvidosos e exigências provenientes de outros setores, que costumam esconder-se e não revelam nunca sua verdadeira face.

No "Emendão" foi alterado o art. 41, que passou a ter a seguinte redação: "Art. 41. São estáveis após três anos de efetivo exercício os servidores nomeados para cargo de provimento efetivo em virtude de concurso público". Na aparência, a mudança não era significativa, pois passava de dois para três anos o período de aquisição do direito à estabilidade. Mas havia a inclusão de uma cláusula perversa no item III do § 1º, que estipula o seguinte: "§ 1º. O servidor público estável só perderá o cargo: (...) III – mediante procedimento de avaliação periódica de desempenho, na forma de lei complementar, assegurada ampla defesa".

Com esse dispositivo, que ainda depende de lei complementar, abriram-se as portas para a demissão injustificada, para a perseguição política e para todas aquelas práticas malsinadas que levaram à criação do instituto jurídico da estabilidade.

Mas não ficou aí o famigerado "Emendão". Em seu art. 169, § 4º, no intuito de impedir que a despesa com pessoal ativo e inativo da União, Estados, Distrito Federal e Municípios exceda os limites estabelecidos em lei complementar, permite a perda do cargo por parte do servidor estável, dispositivo considerado como inconstitucional por Celso Antônio Bandeira de Mello, por ferir os direitos e garantias individuais, que o art. 60, 4º, inciso IV da Constituição não permite sejam sequer objeto de deliberação (*Curso de Direito Administrativo*, 20ª ed., São Paulo, Malheiros Editores, 2006, cap. VI, n. 146, p. 306). Com efeito, como admitir que um funcionário público que teve o seu direito à estabilidade assegurado como direito individual, garantido pelo art. 5º, inciso XXXVI da Constituição Federal, possa ter essa estabilidade desconstituída simplesmente para acertar as malfadadas contas públicas, para as quais cada administrador tem uma versão diferente?

A estabilidade é uma garantia da permanência dos profissionais, experimentados duradouramente na execução do serviço público. Estável, não deverá ser demitido nenhum funcionário, senão mediante processo administrativo no qual se lhe tenha assegurado ampla defesa (art. 41, § 1º, II), ou em virtude de sentença judicial transitada em julgado (art. 41, § 1º, I). A avaliação periódica de desempenho já é manobra de natureza política, destinada a diminuir o alcance do instituto jurídico da estabilidade.

§ 20. O TRABALHO PÚBLICO

A permanência, de que se trata, não é entretanto a deste ou daquele funcionário, senão da coletividade dos que preenchem os requisitos constitucionais.

O que se quer é evitar a "derrubada", ao ímpeto de um triunfo político-partidário, e não a demissão irregular deste ou daquele funcionário, singularmente considerado. Mas, para realizar eficazmente esse propósito, o meio escolhido foi o de constituir o funcionário, individualmente considerado, em defensor da coletividade dos funcionários, que à Administração interessava fosse estável. E, para tanto, ao funcionário, atribui-se *direito à estabilidade*. A fim de tolher a "derrubada", criou-se título jurídico à resistência individual contra toda e qualquer demissão irregular. O direito à estabilidade vai mais longe, conseqüentemente, quanto aos resultados, do que a estabilidade mesma, quanto aos seus propósitos.

A "derrubada" de que falamos aqui corresponde a um sistema que existiu durante quase todo o século XIX num país democrático, que pretende ser líder da liberdade, da democracia e dos direitos individuais. A característica mais importante da história da Administração Pública de pessoal na América foi a do nascimento, persistência e declínio gradual do *spoils system*, o sistema dos despojos, que vigorou por algum tempo (Leonard White, *Introduction to the Study of Public Administration*, 4ª ed., New York, Macmillan, 1954, cap. 21, n. 1, p. 307). Antes que os partidos fossem organizados, nos Estados Unidos, em escala nacional, o país viveu sob uma administração baseada no mérito, criação de George Washington. Mas o sistema partidário logo começou a influir no sentido contrário. John Adams, que era federalista, era partidário dessa intromissão do partido na Administração Pública. Mas o problema foi pela primeira vez resolvido de uma forma satisfatória com o advento de Thomas Jefferson, em 1801. Jefferson era republicano, e os republicanos se opunham aos federalistas. Nessa ocasião, Jefferson concebeu a doutrina da *due participation*, da devida participação de cada partido na nomeação para os cargos do serviço público, uma doutrina que ele concebeu originalmente em termos de igualdade substancial, mas que, com o declínio dos federalistas, foi reduzida praticamente em termos de poder proporcional de voto. Mas lá por 1803 havia um considerável equilíbrio no serviço público e as demissões só ocorriam com fundamento em uma justa causa. A longa sucessão de presidentes Democratas, de 1801 a 1829, e o desaparecimento final dos Federalistas, arquivou o problema nacional do patrocínio político dos partidos por uma geração, antes que ele retornasse. Mas o advento de Andrew Jackson, no ano de 1829, mudou significativamente o problema, sobretudo no serviço público federal. A extensa remoção dos servidores de Adams e a nomeação dos amigos de Jackson não foi meramente um episódio de represália política. Jackson estava inquestionavelmente preocupado com o aparente crescimento de uma burocracia não-americana, que, em sua opinião, desafiava a base igualitária da democracia americana. Sem dúvida, ele interpretava as opiniões e atitudes da maioria dos cidadãos na justificação formal da teoria da *rotatividade dos cargos*, que apresentou ao Congresso na sua primeira mensagem anual em dezembro de 1829. Em sua mensagem ele dizia: "Bem raros são os homens que podem, durante um longo período de tempo, exercer uma função e um poder, sem estar expostos em maior ou menor grau à influência de sentimentos desfavoráveis à realização de seus deveres públicos. A função passa a ser considerada como uma espécie de propriedade e o governo como um meio de promover interesses pessoais do que como um instrumento criado unicamente para o serviço do povo". Mais adiante, dizia Jackson: "Eu não posso deixar de pensar que a manutenção de indivíduos durante um longo tempo numa função pública traga mais inconvenientes do que os resultados benéficos de sua experiência". Afirmava, ainda, que "Num país em que os cargos são criados unicamente no interesse do povo, ninguém tem mais do que o outro, direito de ocupar uma função". "As funções não foram criadas para o benefício de determinados indivíduos, às expensas do público. Por conseguinte, uma revogação não faz mal a ninguém, porquanto nenhuma pessoa tem o direito de ser nomeada ou de permanecer no cargo público. O titular torna-se funcionário tendo em vista o bem público; quando o interesse público exige a demissão, esse interesse público não deverá ser sacrificado aos interesses privados. É o povo e só o povo que tem o direito de lamentar se um mau funcionário é substituído por um bom. Aquele que é demitido terá os mesmos meios de ganhar a vida que milhões de indivíduos que jamais ocuparam uma função pública. A limitação proposta (*tenure of office*), destrói a idéia de propriedade que é hodiernamente tão ligada à permanência na função".

Em termos claros, Jackson preconizava o princípio: a cada um a sua vez. Era o sistema de rotação de cargos ou funções, ou ainda o sistema dos despojos.

Comentando o famoso discurso de Andrew Jackson, que tem alguma ressonância inclusive nos dias atuais, em que se procura denegrir a função pública, em que se fala muito de corporativismo e em que se procura atribuir os erros dos condutores políticos à responsabilidade dos funcionários públicos profissionais, Gaston Jèze tece comentários ásperos e severos contra a posição do presidente americano. Afirma Jèze, de forma dura:

§ 20. O TRABALHO PÚBLICO

"Trata-se da exposição de um demagogo cínico ou bem o programa de um homem público inexperiente? O que é certo, é que os resultados do sistema dos despojos foram deploráveis. Em alguns anos, os hábitos da concussão, da imoralidade se introduziram na Administração americana. Os abusos foram tais que levaram a uma reação em 1883, que operou uma mudança radical no recrutamento da função pública, introduzindo o sistema do concurso" (*Les Principes Généraux du Droit Administratif*, t. II, Paris, 1930, cap. III, sec. I, V, pp. 404-405).

Leonard White, comentando as providências tomadas por Jackson, não chega a conclusões diferentes: "Os resultados imediatos das diversas remoções e nomeações que Jackson fez foram os que poderiam ser esperados. A eficiência da Administração rapidamente declinou. Os *standards* de integridade, que no geral tinham sido mantidos até 1829, começaram a declinar. Casos notáveis de peculato ocorreram durante a administração Jackson. Desses, o mais notável talvez foi o caso de Samuel Swartwout, o coletor de impostos nomeado por Jackson para o porto de New York, que fugiu para a Espanha em 1837 com uma quantia equivalente a US$ 1.250.000, uma fortuna incalculável para a época" (*Introduction to the Study of Public Administration*, 1954, p. 309).

O sistema dos despojos se constituiu numa calamidade sem precedentes, com os partidos usando de influência política baixa para dominar as diferentes administrações e com o surgimento de diversas formas de concussão, peculato, apropriação indébita e corrupção na Administração Pública americana.

A situação teve um ponto final com o assassinato do Presidente Garfield, ocorrido em 1881, por uma pessoa desapontada pela não obtenção de um cargo público. Um sentimento público de repúdio se formou e o Congresso terminou votando o Pendleton Act de 1883, que constitui a base da regulação do serviço civil até nossos dias. Essa legislação iniciou a doutrina da neutralidade partidária, em contraposição à doutrina de Jackson do monopólio partidário.

Esses fatos, profundamente lamentáveis, demonstram que por detrás de certas correntes de pensamento, aparentemente renovadoras e libertárias, se esconde as formas mais torpes de corrupção, de desmandos e de oportunismo político. Os fatos do tempo presente demonstram a verdade da palavra do *Ecclesiastes*: "Quid necesse est homini maiora se quaerere, Cum ignoret quid conducat sibi in vita sua" (7, 1).

Feita essa digressão, que julgamos necessária diante dos fatos diários que a vida administrativa e política nos oferece à reflexão, voltemos à estabilidade propriamente dita. •

Não fundamentam direito à estabilidade os cargos de confiança e os que a lei declara de livre nomeação e demissão (CF, art. 41, *caput*). Mas o tempo de serviço, neles prestado, computa-se para reconhecer estabilidade ao funcionário, que os tenha exercido, quando investido ulteriormente em cargo, não excetuado daquela garantia. São os cargos de confiança (CF, art. 39, § 13) remanescentes da época, em que a Administração Pública se modelava sobre a administração doméstica da casa dos príncipes, e o vínculo, anexo à função pública, era de natureza quase familiar. Daí a disciplina excepcional desses cargos, ainda no direito vigente.

Ao revés, nos demais cargos, embora sem haver ainda adquirido direito à estabilidade, pode o funcionário impugnar *a posteriori* a demissão sem justa causa, perante o Poder Judiciário.

• O Supremo Tribunal Federal tem posição firmada a respeito do tema: "Funcionário em estágio probatório não pode ser exonerado nem demitido sem inquérito ou sem as formalidades legais de apuração de sua capacidade" (Súmula 21). A demissão arbitrária, em se não tratando de cargos de confiança ou de livre exoneração, é nula por ilicitude do objeto (v. § 11, supra). •

Não se suponha, porém, que, de tal sorte, a diferença entre a condição de funcionário estável e a do que, podendo adquirir direito à estabilidade, não o adquiriu ainda, seja somente a do momento (*a priori* ou *a posteriori*) ou do procedimento (processo administrativo ou processo judicial) de apuração da justa causa de demissão. • "Extinto o cargo ou declarada a sua desnecessidade, o servidor estável ficará em disponibilidade, com remuneração proporcional ao tempo de serviço, até seu adequado aproveitamento em outro cargo" (CF, art. 41, § 3º). O "Emendão" criou a proporcionalidade dos proventos, que não constava do texto constitucional original, cujo § 3º não continha essa restrição. Na vigência do texto original o Supremo Tribunal Federal decidiu que os proventos seriam integrais, o que nos parece a solução mais certa e adequada à proteção da estabilidade. A nova redação do § 3º não se aplica, e manifestamente, àqueles que já eram funcionários por ocasião do advento da Constituição Federal de 1988, porque se trata de direito individual não suscetível de mutação em relação às situações já constituídas. A declaração de desnecessidade do cargo apareceu pela primeira vez na Emenda Constitucional 1 de 1969, art. 100, parágrafo único. Trata-se de "um instituto obscuro e rebarbativo" no dizer de Celso Antônio Bandeira de Mello (ob. cit., p. 267), estranhamente reintroduzido numa Constituição democrática por aqueles mesmos que tanto se empenhavam, na aparência, em supostamente combater o regime militar antecedente.

§ 20. O TRABALHO PÚBLICO

Diversamente, se o funcionário, podendo adquiri-lo, ainda não houver adquirido direito à estabilidade, se o cargo for extinto, ou for declarada a sua desnecessidade, não será mais funcionário. A perda do cargo é, de regra, em nosso direito positivo, fato extintivo do *status* de funcionário público ou servidor público civil.

A garantia da permanência do servidor público no cargo público, definida como estabilidade pela nossa Constituição Federal, não é desconhecida de outros países. A Lei Fundamental de Bonn, por exemplo, dispõe que "O estatuto legal do serviço público será estabelecido de acordo com os princípios tradicionais do funcionalismo de carreira" (art. 33, n. 5). Essa disposição sucinta da Lei Fundamental alemã, paradoxalmente, protege mais os funcionários do que o elenco considerável de direitos que a nossa Constituição explicitamente enumerou. Os funcionários públicos, na Alemanha, também gozam do direito à estabilidade. Norbert Achterberg menciona que a relação da função pública termina, além disso, legalmente por um afastamento do serviço, tendo como fundamento, nos termos da lei, a decisão de um processo administrativo disciplinar (*Allgemeines Verwaltungsrecht. Ein Lehrbuch*, Heidelberg, 1982, § 13, n. 36, "e", p. 184). A esse processo de demissão o direito alemão denomina de "Entfernung aus dem Dienst".

Na Inglaterra, ao contrário, os *civil servants* não desfrutam de nenhuma garantia, nem constitucional, porque a Inglaterra na verdade não tem Constituição. No dizer de Wade, "O poder legal de controle sobre o serviço civil é apenas o poder de empregar e de demitir servidores" (H. W. R. Wade, *Administrative Law*, Oxford, 1974, p. 24). Como fundamento desse poder há uma prerrogativa real: a Coroa pode demitir seus servidores à vontade. Servidores civis não gozam de nenhuma segurança legal quanto à permanência no cargo. De acordo com a opinião de Wade, "O serviço da Coroa é um dos mais curiosos departamentos do Direito Administrativo inglês. Na maioria dos países democráticos a posição e os direitos dos empregados do Estado formam um importante ramo do Direito Público, e a permanência nos cargos no serviço civil dá lugar a muitas questões que são levadas aos tribunais, quer tribunais ordinários, quer tribunais administrativos. Na Inglaterra, a posição é justamente a oposta" (H. W. R. Wade, *Administrative Law*, p. 298). Os servidores públicos e os militares também não têm direito à percepção de seus salários e nenhuma proteção legal contra a demissão injustificada. Mas há um paradoxo em tudo isso, porquanto a situação, na prática, é exatamente a oposta do que as leis sugerem. O *Crown service*, embora legalmente seja considerado o mais precário de todos os empregos, é na realidade o mais seguro, na opinião de Wade.

No caso brasileiro, embora haja uma longa enunciação de direitos, verifica-se que, em verdade, esses direitos estão em constante ataque por parte dos governos. O funcionário público depende do bom humor de quem governa, sempre disposto a propor mudanças constitucionais e legais que suprimam algum direito da maioria dos servidores e conceder vantagens duvidosas aos amigos. Será preciso um longo esforço de adaptação para que o Brasil chegue, talvez algum dia, a compreender o que é um Estado de Direito e o governo a respeitar a Constituição e as leis. Na inumerável lista de absurdos que põem em permanente risco sobretudo a ordem constitucional, se inclui a competência, reconhecida em favor do Presidente da República, de propor emendas à Constituição. O regime presidencial não se coaduna com esse poder, que a Constituição outorgou ao Presidente (CF, art. 60, II). Basta ler a Constituição americana, para verificar que o Presidente dos Estados Unidos nem em sonhos pretende para si essa competência.

3º) *O direito à vitaliciedade*. A vitaliciedade ingressou, em nosso direito, como proteção dos magistrados. "Os juízes de direito serão perpétuos" – dizia já o art. 153 da Constituição do Império de 25.3.1824. Depois, a primeira Constituição da República, de 24.2.1891, em seu art. 57, dispunha: "Os juízes federais são vitalícios, e perderão o cargo unicamente por sentença judicial". A reforma constitucional de 1926 manteve o dispositivo. Sobreveio a revolução de 1930 e foi convocada Assembléia Constituinte, que promulgou a Constituição de 16.7.1934. Nela, se dispunha da seguinte forma: "Art. 64. Salvas as restrições expressas na Constituição, os juízes gozarão das garantias seguintes: a) vitaliciedade, não podendo perder o cargo senão em virtude de sentença judiciária, exoneração a pedido, ou aposentadoria, a qual será compulsória aos 75 anos de idade, ou por motivo de invalidez comprovada, e facultativa em razão de serviços públicos prestados por mais de trinta anos, e definidos em lei". Foi criada, também, a vitaliciedade para os professores nomeados por concurso para os institutos oficiais (CF/1934, art. 158, § 2º).

A Constituição Federal de 10.11.1937 manteve a vitaliciedade apenas para os juízes, eliminando a dos professores das faculdades oficiais (art. 91, letra "a").

A Constituição de 1946 foi a mais generosa, pois concedeu a vitaliciedade aos magistrados, aos Ministros do Tribunal de Contas, aos titulares de ofício de justiça e aos professores catedráticos (art. 187).

§ 20. O TRABALHO PÚBLICO

A Constituição de 15.3.1967 estabeleceu, em favor dos juízes em geral, a garantia da vitaliciedade (art. 108, I).

O art. 177 dessa Constituição assegurou a vitaliciedade dos professores catedráticos e titulares de ofício de justiça nomeados até a sua vigência, já que a vitaliciedade desses foi eliminada.

A Emenda Constitucional 1, de 17.10.1969, outorgou apenas aos juízes a garantia constitucional da vitaliciedade (art. 113, I).

A nova Constituição Federal, de 5.10.1988, em seu art. 95, inciso I, atribuiu aos juízes como garantia constitucional: "I – vitaliciedade, que, no primeiro grau, só será adquirida após dois anos de exercício, dependendo a perda do cargo, nesse período, de deliberação do tribunal a que o juiz estiver vinculado e, nos demais casos, de sentença judicial transitada em julgado".

A Constituição de 1988 inovou, ao estabelecer a vitaliciedade, no primeiro grau, somente após dois anos de exercício. A vitaliciedade se entendia adquirida no ato de posse do cargo, a fim de que o magistrado, ao praticar seu primeiro ato de exercício, já estivesse protegido pela garantia constitucional. Esse era o conceito original da vitaliciedade, que foi alterado pela Constituição de 1988. "Vitalício – dizia o nosso Pontes de Miranda –, ou, pelo menos, de longa duração, precisa ser o membro do Poder Judiciário, para que se lhe assegure a independência e se lhe aproveitem as experiências na *arte de julgar*" (*Comentários à Constituição de 1967, com a Emenda n. 1 de 1969*, t. III, São Paulo, Ed. RT, 1973, p. 568, n. 3). •

A vitaliciedade é análoga, pelos propósitos, à estabilidade. Também é, a vitaliciedade, garantia da permanência de profissionais determinados a serviço da Administração. Mas os profissionais de que aqui se cogita, diversamente dos protegidos pela garantia da estabilidade, hão de ser assegurados, não somente, contra o arbítrio do Poder Executivo, senão igualmente, contra os excessos mesmos do Poder Legislativo. A estabilidade poderia ser instituída pela lei embora esteja na Constituição desde o artigo 169 da Constituição Federal de 1934. A vitaliciedade é necessariamente garantia constitucional. À Constituição reserva-se a enumeração dos cargos vitalícios. • Hodiernamente, somente os juízes e os membros do Ministério Público desfrutam da garantia constitucional da vitaliciedade (CF, arts. 95 e 128, § 5º, I, "a"). Tantos outros, outrora vitalícios, como os professores catedráticos, os titulares de ofícios de justiça perderam a regalia constitucional. Os Ministros do Tribunal de Contas escaparam da vocação filoneísta, pela inclusão do § 3º no art. 73 da Constituição Fede-

ral, que lhes dá as mesmas garantias, prerrogativas, impedimentos, vencimentos e vantagens dos Ministros do Superior Tribunal de Justiça. •
De outro lado, se a estabilidade tem como reflexo a preservação da independência moral do funcionário, a vitaliciedade visa diretamente a garantir essa independência. Mas, ao contrário do passado, ambas são adquiridas atualmente a prazo. • A estabilidade, após três anos de estágio probatório, e a vitaliciedade, tão-somente no primeiro grau, após dois anos de exercício. •

Como a estabilidade, porém, a vitaliciedade se subjetiva em um direito à vitaliciedade. Efeito da vitaliciedade, no em que se refere ao Poder Executivo, é o de tornar o funcionário insuscetível de demissão, a não ser processo criminal, no qual a mesma demissão lhe seja decretada como pena principal ou acessória. No em que toca ao Poder Legislativo, o efeito da vitaliciedade é de tolher à extinção legislativa do cargo público qualquer repercussão sobre o funcionário. Quanto a este, o cargo extinto há de considerar-se existente, embora esvaziado da função pública correspondente. O funcionário vitalício, extinto o cargo, não será colocado em disponibilidade. Exemplo dessa situação peculiar é a que está referida no art. 177 da Constituição Federal de 15.3.1967, que embora eliminando os cargos de professor catedrático, assegurou-lhes, em caráter pessoal, a vitaliciedade. O funcionário não perde, assim, o cargo vitalício, que se torna avulso na estrutura da Administração.

Essa, a compreensão da garantia da vitaliciedade. Esse, igualmente, o conteúdo do direito à vitaliciedade.

• A garantia da vitaliciedade é instituto comum nos países civilizados. Mesmo na Inglaterra, que, como já vimos, a Coroa tem o poder de demitir os servidores públicos ao seu alvedrio, o mesmo não acontece com os juízes da High Court e das Court of Appeal, cujo princípio cardeal que informa o exercício dos seus cargos é o da segurança quanto à permanência no exercício (*Security of tenure*) (H. W. R. Wade, *Administrative Law*, Oxford, 1874, p. 304). Da mesma forma, a Lei Fundamental de Bonn conhece a figura dos "Lebenzeit angestellte Richter" (juízes nomeados com caráter vitalício), estabelecida pelo art. 97, n. 2, da Lei Fundamental de Bonn. Nos Estados Unidos a situação não é diferente, pois o art. III, seção I, da Constituição de 1787, estabelece que "Os juízes, tanto da Suprema quanto das cortes inferiores, continuarão nos seus cargos durante o tempo em que se comportarem decorosamente". Isso significa que os juízes americanos, sobretudo da Suprema Corte, permanecem vitaliciamente nos cargos que exercem, considerando que a vitaliciedade, nem no Brasil, nem em país algum se coaduna com a falta de decoro do magistrado. •

4º) O *direito à inamovibilidade*. Decorre da inamovibilidade, para o funcionário, o direito a não ser removido, salvo exceções definidas, da circunscrição em que, no momento de sua nomeação ou designação, devia ser exercida a respectiva função.

Com respeito aos juízes, as exceções abertas ao princípio da inamovibilidade são as seguintes: a) promoção aceita; b) pedido do juiz; c) ato de remoção, por interesse público, fundado na decisão por voto de dois terços do respectivo tribunal, assegurada ampla defesa (CF, art. 95, inciso II e art. 93, inciso VIII).

Algumas correntes doutrinárias identificam a vitaliciedade com a inamovibilidade. "Na linguagem do Direito, a segunda abrange a primeira", escreve Carlos Maximiliano (*Comentários à Constituição Brasileira*, Rio de Janeiro, 1923, n. 374, p. 558). A Constituição Federal, porém, distingue as duas espécies (CF, art. 95, I e II) e o seu art. 98, inciso II, estabelece a justiça de paz, composta por cidadãos eleitos pelo voto direto, universal e secreto, com mandato de quatro anos, com o que lhes tira a vitaliciedade, mas lhes conserva, durante o mandato que exercerem, a inamovibilidade.

5º) *O direito à irredutibilidade de vencimentos*. • Pontes de Miranda sempre sustentou a irredutibilidade de vencimentos dos funcionários públicos. Dizia ele: "(a) Tem-se discutido se, no direito brasileiro, os vencimentos dos funcionários públicos podem ser diminuídos, sem que haja regras jurídicas que possam ser invocadas por eles contra a incursão do Poder Legislativo e Executivo, por lei, na esfera econômica dos funcionários públicos. Devemos afastar, no tratamento dos problemas ligados aos funcionários públicos, segundo o direito brasileiro, toda assimilação do direito ou da doutrina daqueles Estados, que não tem, ou não tinham, a constitucionalização da disciplina jurídica dos funcionários públicos. Os arts. 168-173 da Constituição de 1934 e os arts. 97-111 da Constituição de 1967, foram inspirados no pensamento de integrar o funcionário público no direito constitucional, tal como se esboçara na Constituição alemã, social-democrática, de 1919. Devemos, por isso, evitar a trasladação de frases, teorias e princípios que correspondem a concepções já superadas" (*Comentários à Constituição de 1967, com a Emenda n. 1 de 1969*, t. III, São Paulo, Ed. RT, 1973, n. 5, pp. 449-450).

As concepções superadas, a que se referia Pontes de Miranda são sobretudo aquelas da doutrina francesa, em que os servidores públicos não desfrutam da garantia da irredutibilidade de vencimentos. Modernamente, André de Laubadère e Yves Gaudemet assim se expressam sobre a questão da irredutibilidade de vencimentos, que na França são denominados de *traitement* ou *rémunération*: "175. 1º. No que concerne à sua natureza jurídica, a remuneração constitui um elemento da situação legal e regulamentar em que se encontra o funcionário. Dessa situação decorre que a remuneração, em todos os seus elementos, é determinada pelas leis e regulamentos, não dando lugar a nenhuma controvérsia com os funcionários, sendo a mesma para todos os agentes da mesma categoria e podendo ser modificada a qualquer momento por novas medidas regulamentares, sem que o funcionário já recrutado possa fazer valer pretensos direitos adquiridos" (*Traité de Droit Administratif*, t. V, 11ª ed., Paris, 1998, § 2, n. 175, pp. 138-139). André de Laubadère e Yves Gaudemet repetem, no final do século XX, o mesmo ensinamento de Gaston Jèze, em 1930, quando afirmava: "A lei e o regulamento podem legitimamente reduzir, para o futuro, os vencimentos para todos os titulares de uma certa função pública ou para o conjunto das funções públicas" (*Les Principes Généraux du Droit Administratif*, t. II, Paris, 1930, p. 788, n. II). Gaston Jèze, por sua vez, repetia a lição de Léon Duguit, que sustentava que se a lei nova modifica para menos a situação do funcionário e o estatuto diminui seus vencimentos ou a pensão, restringindo as garantias funcionais, os servidores que são atingidos não poderiam invocar o princípio da não-retroatividade para afastar sua aplicação aos que foram anteriormente nomeados (*Traité de Droit Constitutionnel*, t. III, Paris, 1923, § 61, p. 105).

De modo que são essas as concepções a que aludia Pontes de Miranda, em seus *Comentários*, levando em consideração, para fazer crítica ao fato de que a França não possui disciplina constitucional para a função pública. O termo de contraste, para Pontes de Miranda, desde 1934, foi sempre o de países com disciplina constitucional e países destituídos de disciplina constitucional para regular a função pública.

Pontes de Miranda, quando assim se expressava, tinha em mente as concepções dominantes na Alemanha, sob a Constituição de Weimar. Walter Jellinek, ao dissertar sobre essa questão, defendia com firmeza a irredutibilidade dos vencimentos dos funcionários públicos, com fundamento no direito adquirido.

Antes de tudo – dizia Jellinek – se alinha a proteção dos direitos adquiridos dos funcionários públicos (art. 129), contra os quais o legislador não é livre para reduzir os seus estipêndios, quando se tratar de estabelecer uma nova lei para regular os vencimentos dos cargos dos funcionários destinada a entrar em vigor ("Vor allem richtet sich der Schutz der wohlerworbenen Beamtenrechte (Art. 129) auch gegen den Gesetzgeber, dem es nicht freisteht, die Besoldung zuungunsten der Beamten so zu regeln, als ob die neue Besoldungsordnung vor Anstellung der Beamten in Kraft getreten wäre" – *Verwaltungsrecht*, Berlin, 1929, parágrafo 7, VI, p. 134).

Na concepção de Pontes de Miranda, "Os vencimentos dos funcionários públicos vitalícios são irredutíveis: a) Por *exigência constitucional explícita*, inspirada na necessidade de se assegurar, objetivamente, a independência dos juízes (CF/1967, art. 113, III). A vitaliciedade, sem a irredutibilidade de vencimentos, seria garantia falha. Aqui se tiraria parte do que aí se assegurou: a independência econômica, elemento de relevo, que muitos reputam o maior, da independência funcional" (ob. cit., t. III, pp. 452-453).

No que concerne à irredutibilidade dos funcionários vitalícios, a justificativa constava da própria Constituição, que lhes atribuiu explicitamente a irredutibilidade.

O problema, entretanto, surgia em relação aos demais funcionários, para os quais a Constituição não explicitara a garantia. Foi então que o notável jurista recorreu ao conceito de "exigência constitucional implícita", para assegurar a irredutibilidade de vencimentos e vantagens dos profissionais das forças armadas e para os vencimentos em geral de todos os funcionários públicos estáveis. E justificava brilhantemente sua posição: "Os vencimentos dos funcionários públicos estáveis, que são os de que cogita o art. 100, não podem ser diminuídos, porque seria ilusória a estabilidade. As únicas diferenças entre os vitalícios e eles estão em que não cabe contra aqueles processo administrativo para perda do cargo, nem se pode suprimir o cargo" (*Comentários à Constituição de 1967, com a Emenda n. 1 de 1969*, t. III, p. 453, n. 2).

Pontes de Miranda, em seus *Comentários*, fazia a apologia do sistema jurídico brasileiro, no tocante a classes e direitos dos funcionários públicos, criação brasileira, em parte constitucional, em parte legal.

Concluía afirmando: "Não há, portanto, no sistema jurídico brasileiro, o princípio da redutibilidade de vencimentos dos funcionários públicos. Tal princípio, examinado à luz da investigação científica, decorreu, nos outros sistemas jurídicos, de reminiscências despótico-regalianas e, no século passado, de pouca informação sobre o direito intertemporal do direito público. É pena que tão retardado pensamento se haja refletido em acórdãos e em opiniões de juristas brasileiros, que mais têm os olhos nos livros franceses, italianos e argentinos, que lêem, do que no texto da Constituição brasileira e das leis brasileiras" (ob. cit., t. III, pp. 456-457).

Ainda nos *Comentários à Constituição de 1967*, Pontes de Miranda apresentava argumento definitivo em favor da irredutibilidade de vencimentos dos funcionários públicos estáveis, quando dizia: "Por outro lado, extinguindo-se o cargo do funcionário público estável, fica esse em disponibilidade remunerada, com vencimentos integrais, o que, se os vencimentos fossem redutíveis, estaria iludido e elidido. Toda Constituição tem de ser interpretada como sistema lógico, em que não há contradições" (ob. cit., t. III, p. 455).

Com a promulgação da Constituição Federal de 1988, a discussão aparentemente desapareceu por algum tempo. Na sua redação original, o art. 39, § 2º, fazia menção ao inciso VI do art. 7º, que trata da irredutibilidade do salário como direito fundamental. Também o art. 37, inciso XV, estabelecia que "os vencimentos dos servidores públicos, civis e militares são irredutíveis (...)". Sobreveio o "Emendão" que, de forma solerte e inconstitucional, suprimiu a referência ao inciso VI do art. 7º, que constava da redação original do art. 39, § 2º, tendo o referido parágrafo passado para § 3º. Foi alterada, também, a redação clara do art. 37, inciso XV. Tudo isso foi feito com o propósito imoral de atingir direitos individuais que não poderiam sequer ser objeto de deliberação. A Emenda Constitucional 19/1998 foi, entretanto, promulgada, tendo Celso Antônio lhe dado o apodo de "Emendão", pois se trata de um borrão, elaborado por leguleios, que só serviu para deslustrar a Constituição e criar conflitos insolúveis.

Atualmente, estamos diante dessa situação: a redação original da Constituição afirmou a doutrina de Pontes de Miranda, no sentido da irredutibilidade de vencimentos dos servidores públicos. O "Emendão" manteve a irredutibilidade, mas repleta de ressalvas, com o objetivo de destruí-la. O que o "Emendão" fez foi criar problemas para o Supremo Tribunal Federal, no sentido de ter de reafirmar, nos casos concretos, o direito à irredutibilidade de vencimentos e dos proventos de aposentadoria.

6º) *O direito de greve.*

O direito de greve sempre se constituiu num tema que causava a mais viva repulsa, sobretudo dos políticos conservadores e das classes mais abastadas da sociedade. Pode-se afirmar que era um tema proibido, cuja discussão era evitada com o maior cuidado. De repente, a Assembléia Nacional Constituinte deliberou quebrar o tabu e outorgou aos servidores públicos civis, na redação original "o direito de greve", o qual "será exercido nos termos e nos limites definidos em lei complementar" (CF, art. 37, VIII). Depois disso, o "Emendão" mudou o texto para dizer que "o direito de greve será exercido nos termos e nos limites definidos em lei especial". Trocou-se a lei complementar pela lei especial, mas sempre lei, para definir o exercício do direito de greve.

A outorga do direito de greve foi uma mudança ousada do legislador constituinte, pois a repulsa a esse direito, como já dito, sempre foi notória. Exemplo do juízo severo sobre a greve no serviço público é constituído pelas palavras do notável Gaston Jèze, que dizia o seguinte sobre o tema: "A greve dos agentes do serviço público propriamente ditos constitui sempre, quaisquer que sejam as circunstâncias, uma falta grave. Greve e serviço público são noções antinômicas. A greve é o fato que subordina o funcionamento de um serviço público, isto é, a satisfação de uma necessidade geral, aos interesses particulares dos funcionários. Por mais respeitáveis que sejam esses interesses particulares, não poderão jamais prevalecer sobre o interesse geral representado pelo serviço público. E o regime do serviço público repousa sobre a supremacia do interesse geral. A greve é, por conseguinte, da parte dos agentes públicos, um fato ilícito, uma falta disciplinar" (*Les Principes Généraux du Droit Administratif*, t. II, Paris, 1930, p. 246). Devemos considerar que os autores do famigerado "Emendão", em relação ao professor Gaston Jèze, podem ser considerados progressistas, embora em relação à evolução histórica tenham se manifestado retrógrados e desconhecedores das mais comezinhas garantias constitucionais, como a do direito adquirido.

7º) *Direitos equivalentes aos dos trabalhadores privados*.

Os servidores públicos, titulares de cargos públicos, desfrutam de alguns direitos dos trabalhadores privados, definidos pelo art. 39, § 3º da Constituição Federal. Esses direitos são os seguintes: 1º) salário mínimo (CF, art. 7º, IV); 2º) remuneração nunca inferior ao salário mínimo para quem receba remuneração variável (CF, art. 7º, VII); 3º) 13º salário anual (CF, art. 7º, VIII); 4º) remuneração de trabalho noturno superior à do diurno (CF, art. 7º, IX); 5º) salário-família para os dependentes (CF, art. 7º, XII); 6º) duração do trabalho diário normal não superior a 8 horas e 44 semanais (CF, art. 7º, XIII); 7º) repouso semanal remunerado (CF, art. 7º, XV); 8º) remuneração do serviço extraordinário superior, no mínimo, em 50% à do normal (CF, art. 7º, XVI); 9º) férias anuais remuneradas com, pelo menos, 1/3 a mais do que a remuneração normal (CF, art. 7º, XVII); 10º) licença à gestante com duração de 120 dias (CF, art. 7º, XVIII); 11º) licença-paternidade, nos termos previstos em lei (CF, art. 7º, XIX); 12º) proteção do mercado de trabalho da mulher, mediante incentivos específicos previstos em lei (CF, art. 7º, XX); 13º) redução dos riscos inerentes ao trabalho, por meio de normas de saúde, higiene e segurança (CF, art. 7º, XXII); 14º) proibição de diferença de remuneração, de exercício de funções e de critérios de admissão por motivo de sexo, idade, cor ou estado civil, com ressalva da adoção de requisitos diferenciados de admissão quando a natureza do cargo o exigir (CF, art. 7º, XXX).

8º) *Direito à aposentadoria.*

O direito à aposentadoria sofreu modificações profundas com o advento da Emenda Constitucional 20, de 15.12.1998. Essa Emenda à Constituição foi mais cautelosa que o "Emendão" e assegurou os direitos adquiridos de todos os servidores públicos civis e militares, em termos bem claros. Essas disposições, asseguratórias de direitos constitucionalmente já estabelecidos pela Constituição de 1988, constam do art. 3º da Emenda e de seus parágrafos 2º e 3º. O art. 3º, em seu *caput*, assegura a concessão de aposentadoria e pensão, a qualquer tempo, aos servidores públicos e aos segurados do regime geral de previdência social, bem como aos seus dependentes, que, até a data da publicação desta Emenda, tenham cumprido os requisitos para a obtenção destes benefícios, com base nos critérios da legislação então vigente. Dessa forma, até a data da promulgação da Emenda, todos os direitos anteriores ficaram claramente respeitados. O § 2º se refere à forma de cálculo do benefício e o § 3º é bem claro ao definir os direitos já adquiridos: "§ 3º. São mantidos todos os direitos e garantias asseguradas nas disposições constitucionais vigentes à data de publicação desta Emenda aos servidores e militares, inativos e pensionistas, aos anistiados e aos ex-combatentes, assim como àqueles que já cumpriram, até aquela data, os requisitos para usufruírem tais direitos, observado o disposto no art. 37, XI, da Constituição Federal". No caso, a única disposição inconstitucional é a última, que manda aplicar o art. 37, XI, da Constituição Federal, aos servidores públicos que já tinham aposentadorias superiores ao novo teto, estabelecido pelo "Emendão". Esse novo teto, como é incontroverso, não poderá ser aplicado nesse caso, pois continuarão a ser devidos todos os direitos pessoais que excederem ao teto remuneratório geral, "na linha do que tem decidido, em irretocável e pacífica interpretação, o Supremo Tribunal Federal, a respeito da exclusão das vantagens pessoais do teto remuneratório" (Diogo de Figueiredo Moreira Neto, *Apontamentos sobre a Reforma Administrativa*, Renovar, 1999, pp. 48-49).

Ressalvadas, por inteiro, pela Emenda e pela interpretação correta do STF as antigas aposentadorias, passamos às novas, que se regem pelo art.

40 da Constituição Federal, com a nova redação que lhe deu a Emenda Constitucional 20/1998.

Os servidores titulares de cargos efetivos da União, dos Estados, do Distrito Federal e dos Municípios, incluídas suas autarquias e fundações, têm direito ao regime de previdência de caráter contributivo, observados os critérios que preservem o equilíbrio financeiro e atuarial e o disposto no art. 40 da Constituição Federal.

Houve, no caso, mudança fundamental. A aposentadoria era um direito do servidor público civil e também dos militares, sem que houvesse um regime de contribuição específica para a obtenção dessa vantagem. Com a Emenda 20/1998, a situação mudou e os servidores públicos passaram a ter de contribuir para fazer jus à sua aposentadoria.

Os proventos da aposentadoria foram limitados à remuneração do respectivo cargo efetivo em que se deu a aposentadoria (CF, art. 40, § 2º) e esses proventos, por ocasião de sua concessão, serão calculados com base na remuneração do servidor no cargo efetivo em que se der a aposentadoria, e, na forma da lei, corresponderão à totalidade da remuneração (CF, art. 40, § 3º). A aposentadoria, de acordo com a redação constitucional, não se limita ao vencimento, mas é outorgada tendo como base de cálculo a remuneração, que é o vencimento do cargo efetivo, acrescido das vantagens pecuniárias permanentes estabelecidas em lei (art. 41, Lei 8.112/1990).

Não sendo mais a aposentadoria concessão graciosa do Poder Público, estabeleceu a Constituição um regime de previdência, de caráter contributivo, que dá suporte a esse direito de todos os servidores públicos (CF, art. 40, § 1º).

As modalidades de aposentadoria, criadas pelo novo sistema, são as seguintes:

i) Aposentadoria com proventos integrais – A aposentadoria com proventos integrais terá lugar em duas hipóteses: a) se resultar de invalidez permanente decorrente de acidente em serviço, moléstia profissional ou de doença grave, contagiosa ou incurável, especificadas em lei (CF, art. 40, I); b) quando se tratar de aposentadoria voluntária de servidor que, contando, no mínimo, 10 anos de efetivo exercício no serviço público e 5 no cargo efetivo em que se dará a aposentadoria, haja completado 35 anos de contribuição e 60 anos de idade, se homem, ou 30 de contribuição e 55 anos, se mulher (art. 40, III, letra "a" e § 3º).

ii) Aposentadoria com proventos proporcionais ao tempo de contribuição – Os casos de aposentadoria com proventos proporcionais são os seguintes: a) invalidez permanente não decorrente de acidente em serviço, tampouco de moléstia profissional, doença grave ou incurável, especificadas em lei, pois, nesses casos, a aposentadoria se dará com proventos integrais; b) aposentadoria voluntária, aos 65 anos de idade, se homem, e 60, se mulher (art. 40, III, "b"), no caso de não haverem preenchido os requisitos de 35 anos de serviço no caso dos homens e de 30 anos no das mulheres, assim como os 5 anos no cargo efetivo em que se dará a aposentadoria; c) aposentadoria compulsória, aos 70 anos de idade, no caso de o servidor não haver completado os requisitos exigidos para aposentadoria voluntária com proventos integrais.

Foi introduzida, com a reforma administrativa, a idéia de forçar o servidor público a contribuir por um tempo muito maior do que o tempo de serviço que lhe é exigido para fazer jus à aposentadoria. O modelo concebido penaliza sobretudo os que começaram a trabalhar mais cedo, como sinala agudamente Celso Antônio Bandeira de Mello (ob. cit., pp. 268-269).

Contribuição previdenciária. Foi prevista contribuição previdenciária específica para a aposentadoria pela Lei 9.783, de 28.1.1999, publicada depois da Emenda Constitucional 20, de 15.12.1998. A referida Emenda 20, modificou a redação do art. 40 da Constituição Federal, que passou a vigorar com os seguintes dizeres: "Art. 40. Aos servidores titulares de cargos efetivos da União, dos Estados, do Distrito Federal e dos Municípios, incluídas suas autarquias e fundações, é assegurado regime de previdência de caráter contributivo, observados os critérios que preservem o equilíbrio financeiro e atuarial e o disposto neste artigo".

No intuito de regular a contribuição a que alude o art. 40, foi editada a Lei 9.783/1999, segundo a qual os servidores públicos, ativos, inativos e pensionistas dos três poderes da União devem contribuir com um percentual fixo de 11%. Quanto aos inativos e pensionistas, o dispositivo legal é manifestamente inconstitucional, como sinala apositamente Celso Antônio Bandeira de Mello (ob. cit., n. 65, p. 270). Essa inconstitucionalidade decorre de duas disposições constitucionais distintas. Em primeiro lugar, o art. 40 da Constituição, com a nova redação que lhe deu a Emenda n. 20/1998, fala de "servidores titulares de cargos efetivos da União, dos Estados, do Distrito Federal e dos Municípios, incluídas suas autarquias e fundações". Como é incontroverso, os aposentados e pensionistas não são titulares de cargos efetivos. Logo, não estão sujeitos à contribuição. Em segundo lugar, os atuais aposentados e pensionistas estão protegidos pelo princípio da segurança jurídica (*Vertrauensschutz*) (Hartmut Maurer, *Droit Administratif Allemand*, Paris, 1994, cap. 11, n. 22, p. 291) e pelas

§ 20. O TRABALHO PÚBLICO

garantias constitucionais imutáveis do direito adquirido e do ato jurídico perfeito (CF, art. 5º, XXXVI). Essa situação não poderia ser alterada nem por reforma constitucional que pretenda atingir os direitos adquiridos e os atos jurídicos perfeitos, não podendo ser sequer objeto de deliberação, pois esses dispositivos fazem parte do núcleo fundamental imodificável da Constituição de 1988. De resto, o art. 60, § 4º, inciso IV, veda expressamente sua alteração pela via da emenda.

Com relação à contribuição previdenciária dos que já estavam inativos por ocasião da Emenda Constitucional 41, de 31.12.2003, Celso Antônio Bandeira de Mello, com justa razão, proclama a sua inconstitucionalidade, ao afirmar que "a Emenda 41 (art. 4º), incorrendo em grosseira inconstitucionalidade, pretendeu alcançar também os que, à data se sua publicação (31.12.2003), já estavam aposentados ou no gozo de pensões, embora reduzindo para eles a base de cálculo de contribuição. Registre-se que essa espantosa ofensa a ato jurídico perfeito e direitos adquiridos foi amparada pelo Supremo Tribunal Federal, que em teratológica decisão, no mês de agosto de 2004, fez submergir no País o princípio da segurança jurídica. Ressalvam-se os votos dos Mins. Ellen Gracie, Carlos Britto, Marco Aurélio e Celso de Mello, cujos pronunciamentos magníficos interditam que o meio jurídico brasileiro entre em estado de completa desesperança e desencanto" (*Curso de Direito Administrativo*, ob cit., cap. V, n. 68, pp. 274-275).

Ao argumento de Celso Antônio, irrefutável, deve-se acrescentar outro, constante do art. 150, inciso III, letra "a" da Constituição Federal, que veda à União, aos Estados, ao Distrito Federal e aos Municípios: "III – cobrar tributos: a) em relação a fatos geradores ocorridos antes da vigência da lei que os houver instituído ou aumentado".

Como é inequívoco, a contribuição previdenciária é espécie do gênero tributo (CF, art. 149), o mesmo ocorrendo com as contribuições previdenciárias instituídas pelos Estados, Distrito Federal e Municípios, na forma do art. 40 da Constituição (CF, art. 149, § 1º).

Os servidores já aposentados por ocasião da Emenda Constitucional tinham direito adquirido, constituído pelo ato jurídico de aposentadoria, de não ter que pagar nenhuma contribuição para a sua aposentadoria, eis que o fato gerador ocorrera antes da vigência da Emenda Constitucional 41. Nem adianta alegar que se trata de Emenda Constitucional, porque o Congresso, ao emendar a Constituição, não pode ferir o seu núcleo fundamental imodificável, de que fazem parte os direitos e garantias individuais (CF, art. 60, § 4º, IV).

A contribuição, para todos, será de 11% sobre o que exceder ao atual limite máximo de contribuição para previdência social no seu regime geral, que atualmente está em R$ 2.668,15 mensais.

Entretanto, se a aposentadoria for de portador de doença incapacitante, como a neoplasia maligna, a cardiopatia grave, o mal de Parkinson e outras definidas nas leis que definem o regime jurídico único da função pública, a contribuição somente incidirá sobre as parcelas que excederem o dobro do valor de R$ 2.668,15, de acordo com o que preceitua o § 21 do art. 40 da Constituição Federal, introduzido pela Emenda Constitucional 47, de 5.7.2005.

No que concerne aos direitos adquiridos e ao ato jurídico perfeito, Celso Antônio Bandeira de Mello repele, com energia e argumentos sólidos, certa interpretação que alguns juristas áulicos tentam difundir, segundo a qual, a vedação constitucional impede apenas a genérica abolição de tais garantias pela via da emenda, permitindo, porém, a supressão de direitos adquiridos e atos jurídicos perfeitos específicos. Celso Antônio, com a eloqüência que lhe é peculiar, afirma: "O absurdo de tal interpretação bem se visualiza no fato de que, se pudesse prosperar, as garantias em causa seriam o mesmo que nada. Deveras, bastaria produzir emendas eliminando sempre todos e quaisquer direitos adquiridos e atos jurídicos perfeitos, contanto que se mantivesse na Constituição o texto que lhes prevê a genérica salvaguarda. Menos ainda seria de admitir o irrisório argumento de que a expressão residente no art. 5º, XXXVI, é a de que a *lei* não os pode afetar, sendo que a emenda não é a lei" (ob. cit., cap. V, n. 71, p. 276).

Os proventos da aposentadoria são irredutíveis, nos termos da Constituição Federal (art. 40, § 8º). As pensões também são irredutíveis. Deverão, proventos e pensões, serem revistos, na mesma proporção e na mesma data, sempre que se modificar a remuneração dos servidores em atividade. Na prática, ressalvados os inativos militares e suas pensionistas, a regra não tem sido observada em relação aos servidores civis, destinatários da predileção especial do governo. Quanto aos servidores civis, têm sido criadas gratificações especiais para os servidores ativos mais chegados ao governo, que não são pagas aos inativos, em flagrante desrespeito à Constituição Federal. De resto, parece que será necessário percorrer um longo caminho a fim de que, com o tempo, talvez algum dia, a Constituição venha a ser respeitada pelo Presidente da República e por alguns de seus Ministros, que se preocupam com as leis menores, enquanto agridem constantemente a Constituição da República.

Apesar da norma constitucional da irredutibilidade dos proventos e das pensões, procura-se, a todo o momento, propor emendas à Constituição, com o intuito subalterno de reduzi-los. É triste afirmar, mas essas iniciativas provêm, sobretudo, de Governadores de diversos Estados-membros da Federação, que deveriam respeitar as normas fundamentais da Constituição Federal, entre as quais se conumera a da preservação do direito adquirido, do ato jurídico perfeito e da coisa julgada (CF, art. 5º, XXXVI), mas que tentam, por todos os meios a seu dispor, destruir os direitos que a Constituição assegura. Deveriam, na verdade, nomear menos, contratar menos e gastar menos, ao invés de se preocupar com os servidores aposentados e com as pensionistas, que já estão, em sua maior parte, no ocaso de suas existências.

Discorrendo sobre esse tema, é irrespondível a opinião de Diogo de Figueiredo Moreira Neto, quando afirma que a "4ª fase: dos direitos adquiridos, na qual o direito adquirido, completando um ciclo de desenvolvimento institucional no sentido plenamente realizador do princípio da segurança jurídica, deixou de ser apenas imutável pela lei ordinária para se tornar 'imune a qualquer alteração constitucional formal', uma vez que os direitos e garantias individuais, entre os quais se encontra o direito adquirido, tornaram-se um dos limites materiais opostos ao poder de emenda (art. 5º, XXXVI, combinado com o art. 60, § 4º, IV, da Constituição de 1988)" (*Apontamentos sobre a Reforma Administrativa*, Rio de Janeiro, Renovar, 1999, p. 54).

É certo que sempre aparecerá um jurista áulico para dizer que as tentativas desses políticos de duvidoso conhecimento e de artimanhas sempre renovadas são perfeitamente constitucionais. A verdade, porém, é que o poder costuma obnubilar as mentes e criar certa vertigem na cabeça dos homens, que os levam a se considerar como demiurgos. Para eles, a única resposta possível é a que Jacques Maritain nos sugere em seu último livro, *Le Paysan de la Garonne*: "Personne pourtant n'a besoin de chercher bien loin pour admirer les ressources de la sottise humaine..." (9ª ed., Paris, Desclée de Brouwer, 1966, p. 10). Não é preciso dizer mais.

Aposentadoria e proventos. Novas regras. Novo sistema. Com o advento de um novo Governo, como era de se esperar, a Emenda Constitucional 20/1998 não foi considerada suficiente para regular as aposentadorias no setor público. A idéia era a de unificar os sistemas, público e privado, dentro daquela concepção que já remonta a longes tempos, da unificação da Previdência Social, que se fez sempre não pelo melhor, mas pelo pior. A Emenda Constitucional 41, de 19.12.2003, modificou novamente a Constituição e a própria Emenda Constitucional 20/1998. Desenhava-se um quadro trágico para as aposentadorias do Poder Público, que levariam o Estado brasileiro à falência. Assim, estabeleceu-se, para as aposentadorias do serviço público um regime de caráter contributivo, de acordo com a nova redação do art. 40, *caput*, da Constituição Federal. Foi reafirmado o regime do subsídio para os membros de qualquer dos poderes da União, dos Estados, do Distrito Federal e dos Municípios, estabeleceu-se uma limitação ao subsídio dos Desembargadores dos Tribunais de Justiça, limitado a noventa e dois inteiros e vinte e cinco centésimos por cento do subsídio mensal, em espécie, dos Ministros do Supremo Tribunal Federal, aplicou-se o mesmo sistema aos membros do Ministério Público, aos Procuradores e Defensores Públicos (CF, art. 37, XI). Estabeleceu-se, de modo inconstitucional, a contribuição sobre os proventos de aposentadorias e pensões.

A Constituição dispõe que ao servidor público titular de cargo efetivo (art. 40, *caput*, com a redação da EC 41/2003) é assegurado o regime de previdência de caráter contributivo. As disposições do mesmo artigo aplicam-se ainda aos titulares de cargos vitalícios, como os magistrados em geral, os membros do Ministério Público e os ministros e conselheiros dos Tribunais de Contas (CF, art. 73, § 3º).

Os ocupantes exclusivamente de cargos em comissão, cargo temporário (o art. 231 da Lei 8.112/1990 foi revogado pela Lei 9.783/1999), ou emprego público, estão subordinados ao "regime geral de previdência social" (CF, art. 40, § 13).

A aposentadoria, de acordo com o disposto no art. 40, incisos I, II e III, poderá ocorrer: a) por invalidez permanente; b) compulsoriamente, aos 70 anos de idade; c) voluntariamente, desde que cumprido tempo mínimo de dez anos de efetivo exercício no serviço público e cinco anos no cargo efetivo em que se dará a aposentadoria, observadas as seguintes condições: i) sessenta anos de idade e trinta e cinco de contribuição, se homem, e cinqüenta e cinco anos de idade e trinta de contribuição, se mulher; ii) sessenta e cinco anos de idade se homem, e sessenta anos de idade, se mulher, com proventos proporcionais ao tempo de contribuição.

A aposentadoria por invalidez dar-se-á com proventos proporcionais ao tempo de contribuição, exceto se decorrente de acidente em serviço, moléstia profissional ou doença grave, contagiosa ou incurável, na forma da lei.

A Lei 8.112/1990, que "Dispõe sobre o regime único dos Servidores da União", estabelece quais são os casos de doenças graves, contagiosas ou incuráveis.

No seu art. 186, § 1º, dispõe o seguinte: "Consideram-se doenças graves, contagiosas ou incuráveis, a que se refere o inciso I deste artigo, tuberculose ativa, alienação mental, esclerose múltipla, neoplasia maligna, cegueira posterior ao ingresso no serviço público, hanseníase, cardiopatia grave, doença de Parkinson, paralisia irreversível e incapacitante, espondiloartrose anquilosante, nefropatia grave, estados avançados do mal de Paget (osteíte deformante), Síndrome de Imunodeficiência Adquirida – AIDS, e outras que a lei indicar, com base na medicina especializada".

Nesses casos, acima referidos pela Lei 8.112/1990, art. 186, § 1º, *a aposentadoria deverá ser com proventos integrais, se o doente conseguir vencer a burocracia oficial.*

No § 3º do art. 40 está a indicação de como se fará o cálculo dos proventos de aposentadoria, "por ocasião da sua concessão", ocasião em que "serão consideradas as remunerações utilizadas como base para as contribuições do servidor aos regimes de previdência de que tratam este artigo e o art. 201, na forma da lei".

Dispõe, ainda, a Constituição, em seu art. 40, § 17, que "Todos os valores de remuneração considerados para o cálculo do benefício previsto no § 3º serão devidamente atualizados, na forma da lei".

Ao tratar das pensões, no art. 40, § 7º, incisos I e II, com a redação dada pela Emenda Constitucional 41/2002, a Constituição estabelece que a Lei disporá sobre a concessão do benefício por morte, que será igual: I – ao valor da totalidade dos proventos do servidor falecido, até o limite máximo estabelecido para os benefícios do regime geral de previdência social de que trata o art. 201, acrescido de setenta por cento da parcela excedente a este limite, caso aposentado à data do óbito; ou II – ao valor da totalidade da remuneração do servidor no cargo efetivo em que se deu o falecimento, até o limite máximo estabelecido para os benefícios do regime geral de previdência social de que trata o art. 201, acrescido de setenta por cento da parcela excedente a este limite, caso em atividade na data do óbito.

A Constituição, de acordo com a Emenda 41/2003, trata, nesses incisos, de dois casos. Um, o do servidor já falecido; outro, o do servidor que vem a falecer.

O limite máximo a que se refere a Constituição é o de R$ 2.400,00 (dois mil e quatrocentos reais), que deverá ser reajustado, a partir de 19 de dezembro de 2003, "de forma a preservar, em caráter permanente, seu valor real, atualizado pelos mesmos índices aplicados aos benefícios do regime geral de previdência social" (Emenda Constitucional 41/2003, art. 5º).

Se o servidor percebia a quantia de R$ 20.000,00 por mês, deverá ser descontada a parte fixa de R$ 2.400,00, o que resultará em R$ 17.600,00 por mês. Deverá ser aplicada a essa parcela o índice de 70%, que representará a quantia de R$ 12.320,00, que somada à parcela limite da previdência geral, no valor de R$ 2.400,00, alcançará o valor mensal de R$ 14.720,00.

Os proventos da aposentadoria e as pensões respectivas deverão ser reajustados, "para preservar-lhes, em caráter permanente, o valor real, conforme critérios estabelecidos em lei" (CF, art. 40, § 8º, com a redação da EC 41/2003).

Reajustamento de proventos e pensões. Desde a promulgação da Constituição Federal de 1988, foi estabelecido em seu art. 40, § 8º, o seguinte: "Art. 40. (...) § 8º. Observado o disposto no art. 37, XI, os proventos de aposentadoria e as pensões serão revistos na mesma proporção e na mesma data, sempre que se modificar a remuneração dos servidores em atividade, sendo também estendido aos aposentados e pensionistas quaisquer benefícios ou vantagens posteriormente concedidos aos servidores em atividade, inclusive quando decorrentes da transformação ou reclassificação do cargo ou função em que se deu a aposentadoria ou que serviu de referência para a concessão da pensão, na forma da lei".

Comentando esse dispositivo constitucional, assim se manifestava Alexandre de Moraes: "A norma constitucional consagra uma verdadeira garantia aos servidores públicos aposentados, ao determinar que serão revistos, na mesma proporção e na mesma data, os proventos de aposentadoria e as pensões, sempre que se modificar a remuneração dos servidores em atividade, sendo também estendidos aos aposentados e aos pensionistas quaisquer benefícios ou vantagens posteriormente concedidos aos servidores em atividade. Trata-se de norma impeditiva de artifícios governamentais, não raramente utilizados, destinados a desequiparar os aposentados e pensionistas dos servidores da ativa, garantindo-se, assim, a tranqüilidade do servidor público em sua velhice".

"O teto salarial do funcionalismo público, previsto pela EC 19/1998 e correspondente ao subsídio mensal, em espécie, dos Ministros do STF (CF, art. 37, XI), aplica-se integralmente aos proventos de aposentadoria e às pensões e em suas sucessivas revisões" (*Constituição do Brasil Interpretada e Legislação Constitucional*, São Paulo, Atlas, 2002, n. 40.8, p. 947).

§ 20. O TRABALHO PÚBLICO

O aludido § 8º está com a redação estipulada pela Emenda Constitucional 20/1998. Na redação original da Constituição de 1988, constava do art. 40, § 4º.

Mas a Emenda Constitucional 41/2003 foi ainda mais explícita do que a redação original da Constituição e do que a Emenda Constitucional 20/1998.

No art. 7º da aludida Emenda 41, dispõe-se o seguinte: "Observado o disposto no art. 37, XI, da Constituição Federal, os proventos de aposentadoria dos servidores públicos titulares de cargo efetivo e as pensões dos seus dependentes pagos pela União, Estados, Distrito Federal e Municípios, incluídas suas autarquias e fundações, em fruição na data de publicação desta Emenda, bem como os proventos de aposentadoria dos servidores e as pensões dos dependentes abrangidos pelo art. 3º desta Emenda, serão revistos na mesma proporção e na mesma data, sempre que se modificar a remuneração dos servidores em atividade, sendo também estendidos aos aposentados e pensionistas quaisquer benefícios ou vantagens posteriormente concedidos aos servidores em atividade, inclusive quando decorrentes da transformação do cargo ou função em que se deu a aposentadoria ou que serviu de referência para a concessão da pensão, na forma da lei".

Seria impossível expressar pensamento mais claro e inequívoco do que esse que está consubstanciado no art. 7º da Emenda Constitucional 41/2003.

i) em primeiro lugar, a Emenda Constitucional distingue nitidamente o aumento de vencimentos e vantagens, da revisão das aposentadorias;

ii) em segundo lugar, o aumento dos vencimentos, bem como "quaisquer benefícios ou vantagens posteriormente concedidos aos servidores em atividade, inclusive quando decorrentes da transformação do cargo ou função em que se deu a aposentadoria ou que serviu de referência para a concessão da pensão", decorrerá sempre da lei;

iii) em terceiro lugar, a revisão de proventos não é decorrência direta da lei, mas da norma constitucional, que incide imediatamente sobre a situação dos inativos e pensionistas, nos mesmos termos da lei;

iv) em quarto lugar, não é necessário que a lei mande aplicar o aumento ou a modificação decorrente da transformação do cargo ou função, inclusive com mudança de índices de vinculação do cargo, aos aposentados e pensionistas, pois é a própria Emenda Constitucional que o determina, com aplicação imediata, assim como dispõe o art. 5º, § 1º, da Constituição Federal de 1988;

v) em quinto lugar, a norma se aplica aos aposentados e pensionistas da União, dos Estados, do Distrito Federal, dos Municípios, "incluídas suas autarquias e fundações";

vi) em sexto lugar, não há que estabelecer distinções entre cargos idênticos, com denominação idêntica, só pelo fato de uns estarem na Administração direta do Estado, enquanto que outros fazem parte da Administração autárquica. Para cargos idênticos, que sempre tiveram a mesma denominação e o mesmo conteúdo ocupacional, sempre que houver mudança de índices ou concessão de novas vantagens, essas se aplicam imediatamente aos servidores aposentados e aos seus pensionistas;

vii) em sétimo lugar, há que saber distinguir entre aumento de vencimentos e revisão de proventos. Aumento de vencimentos é concedido apenas aos funcionários em atividade, inclusive com novos benefícios e vantagens, devendo sempre decorrer da lei. Revisão de proventos é coisa distinta, que se aplica apenas aos aposentados, não decorrendo diretamente da lei, mas da norma constitucional, que manda aplicar todos os acréscimos concedidos aos servidores ativos aos inativos, de forma imediata, sem que se faça necessária autorização da lei. Caso contrário, estaríamos diante de uma contradição, em que, para aplicar a norma constitucional que assegura a revisão imediata de proventos aos inativos, de incidência instantânea, far-se-ia necessária disposição legal que autorizasse a providência.

Essas considerações, de evidência solar, são necessárias porque, sobretudo em nosso Estado, há jurisconsultos do Poder Público que não sabem distinguir aumento de vencimentos de servidores ativos da revisão de proventos dos aposentados; há, ainda, os que afirmam que é necessária disposição expressa de lei, estendendo aos inativos os aumentos de vencimentos e as modificações do seu cálculo, decorrentes de lei, quando a Constituição Federal manda efetivar imediatamente a revisão dos proventos e das pensões, mencionando, inclusive, no caso das pensões, o cargo ou função que serviu de referência para a sua concessão. Entretanto, entre nós, há jurisconsultos que pensam de modo diferente e consideram que cargos com a mesma denominação, inclusive pertencentes à mesma classe funcional, não estão abrangidos pela norma constitucional, somente porque a aposentadoria, realizada no mesmo cargo da Administração direta, se deu em uma autarquia. Ora, é o próprio art. 7º da Emenda Constitucional 41/2003, que fala, em "Estados (...), incluídas suas autarquias e fundações".

Por mais que se legisle, sempre haverá leguleios que aplicarão sua falta de discernimento para encontrar alguma explicação estulta para o não cumprimento de uma norma constitucional. Nesse caso, como em outros, a razão mais uma vez está com o *Ecclesiastes*, que afirmava: "Perversi difficile corriguntur, et stultorum infinitus est numerus" (1, 15). •

III

14. Dentre os deveres dos funcionários públicos, dissemo-lo já, alguns, funcionais, lhes são impostos pelo Direito dos Serviços Públicos e outros, profissionais, lhes são prescritos pela lei penal ou pelo Estatuto dos Funcionários Públicos, ou pela legislação esparsa equivalente. Os primeiros são comumente deveres técnicos, especiais a cada serviço público, ou a cada gênero de atividade dentro do mesmo serviço. Os últimos convêm, de modo geral, a todos ou grande parte dos funcionários públicos. Entre tais deveres profissionais, contemplados pela lei do Regime Jurídico Único, ou pela legislação penal, contam-se como principais, os seguintes:

a) *O respeito à lei.* • O princípio da legalidade da administração obriga imperativamente a Administração Pública a respeitar as leis editadas pelo legislador e a se submeter à jurisdição dos tribunais (Hartmut Maurer, *Droit Administratif Allemand*, Paris, 1994, cap. 6, n. 1, p. 107). Esse princípio exprime a submissão da Administração às leis existentes e significa que a Administração não pode tomar nenhuma medida que esteja em contradição com a lei. O princípio de legalidade está intimamente vinculado com o princípio democrático (CF, art. 1º, *caput*), com o princípio do Estado de Direito (CF, art. 1º, *caput*) e com a existência dos direitos fundamentais, enunciados no art. 5º e seguintes da Constituição. Como a própria Constituição indica, a obra administrativa do Estado realiza-se dentro da lei. De acordo com o art. 37 da Constituição, toda a Administração Pública, direta ou indireta, deve necessariamente obedecer ao princípio de legalidade. É por isso que a Constituição Federal estabelece que "As pessoas jurídicas de direito público e as de direito privado prestadoras de serviço público responderão pelos danos que seus agentes, nessa qualidade, causarem a terceiros, assegurado o direito de regresso contra o responsável nos casos de dolo ou culpa" (art. 37, § 6º). • São criminalmente punidos, por conseguinte, os funcionários que expedem ordens ilegais (art. 22, Código Penal); os que excedem os limites das funções próprias do cargo (art. 316, § 1º, Código Penal, que configura o delito de excesso de exação); os que cometem qualquer violência no exercício das funções do cargo, ou a pretexto de exercê-las (art. 322, Código Penal, delito de violência arbitrária). •

b) *O respeito à moral.* O Estado não é uma entidade amoral, nem utiliza para seu governo uma moral distinta da dos indivíduos. • Esse é, pelo menos, o princípio geral que deveria nortear todos os governos e os seus governantes. Segundo Hegel, "O Estado é a realidade da idéia moral objetiva – o espírito moral como vontade substancialmente revelada, claro a si mesmo, que se conhece e se pensa e realiza aquilo que sabe e porque sabe" (G. F. Hegel, *Principes de la Philosophie du Droit*, trad. francesa, Paris, Gallimard, 1940, n. 257, p. 190). Mesmo não admitindo o exagero na definição do Estado, o certo é que o filósofo teve a inegável intuição de ver no Estado um dos seus caracteres mais importantes, qual seja o de sua realidade moral. Sendo o Estado uma entidade moral, ao funcionário, enquanto agente do Estado, incumbe realizar, nos limites da sua função, os fins morais daquele. De outra parte, o próprio funcionário está pessoalmente adstrito a deveres jurídicos, que lhe supõem uma consciência moral esclarecida. •

Constitui crime apropriar-se o funcionário público de dinheiro ou qualquer utilidade que, no exercício do cargo, tenha recebido por erro de outrem (art. 313, Código Penal). Crime, também, é solicitar ou receber o funcionário, para si ou para outrem, ainda que fora da função, ou, antes de assumi-la, mas em razão dela, vantagem indevida (art. 317, Código Penal). A mesma conduta externa do funcionário público não é indiferente ao Estado. Sujeita-o à demissão a incontinência pública e a conduta escandalosa, • na repartição, bem como a corrupção (art. 132, incisos V e XII, Lei 8.112/1990). •

c) *Obediência ao superior legítimo*. Decorre, para o funcionário, o dever de obediência da hierarquia administrativa (v. § 19, n. 6, supra). Essa obediência – a cuja observância são cominadas sanções legais (art. 132, VI, Lei 8.112/1990) –, é, entretanto, somente devida ao superior legítimo; a incompetência deste é suficiente para desligar o funcionário daquele dever (art. 22, Código Penal). Em todos os seus aspectos, de resto, o dever de obediência é limitado pelo dever de respeito à lei. • Walter Jellinek menciona que de todas as denominadas obrigações do funcionário deve-se ressaltar o dever de obediência ("die Pflicht zum Gehorsam"), pelo qual os funcionários estão obrigados a cumprir as leis e as normas especiais, as ordens de serviço gerais, bem como as instruções de serviço e as ordens estabelecidas para o caso concreto (*Verwaltungsrecht*, Berlin, 1929, § 16, pp. 358-359). Segundo Walter Jellinek, a ordem de serviço é um ato administrativo que, na verdade, como regra, deve ser válido ("Denn auch der Dienstbefehl ist ein Verwaltungsakt, der zwar in der Regel, gültig sein wird (...)", ob. cit., § 16, p. 359). •

d) *O segredo funcional*. O dever de guardar segredo sobre matérias pertinentes à função, se definido em lei, resolve-se no dever de respeito à lei. Entretanto, quando não exista tal prescrição legal, ainda ao Estado, como a qualquer indivíduo, assiste o direito de estabelecer, livremente, quais e quantas de suas determinações devam ser manifestadas publicamente. O simples ditame, acerca do que é, ou não, segredo, do superior hierárquico, pode, portanto, para o funcionário, criar o dever de guardar segredo sobre qualquer assunto pertencente à função. Uma disposição legal de antemão lhe assegura a observância. Essa disposição consta do art. 325 do Código Penal, • que tipifica o delito de violação de sigilo funcional e consta do capítulo dos crimes praticados por funcionário público contra a Administração em geral. A obrigação do segredo funcional não consta apenas de nosso Direito Administrativo e Penal. Na França, por exemplo, o funcionário está ligado pela obrigação de discrição profissional em tudo quanto concerne aos fatos e informações de que tem conhecimento por ocasião do exercício de suas funções. Essa obrigação, que a doutrina francesa denomina de "obrigação de discrição profissional", é sancionada tanto por sanções disciplinares quanto por sanções penais, no caso de violação do segredo profissional. Nesse sentido é a opinião de André de Laubadère e Yves Gaudemet (*Traité de Droit Administratif*, t. V, Paris, 1998, n. 234, p. 179). •

15. Os deveres profissionais do funcionário público são expressões da disciplina de profissão organizada. São a salvaguarda do seu decoro como coletividade, inorgânica, mas grupalmente constituída dentro do Estado. A rigor, o funcionalismo público é uma corporação, quanto à essência, embora não o seja, quanto à existência. A disciplina profissional dessa corporação ideal, formula-a e enuncia-a o próprio Estado em seu direito positivo. A disciplina do grupo torna-se, não raro, em lei do Estado (Ruy Cirne Lima, *Sistema de Direito Administrativo Brasileiro*, t. I, Porto Alegre, 1953, § 8, n. 2, pp. 58 e 59). • No mesmo sentido, veja-se a opinião de Walter Jellinek quando afirma que a definição legal dos deveres dos funcionários públicos começa com o seu Estatuto, com a regra segundo a qual cada funcionário do *Reich* tem a obrigação de transmitir, no exercício de sua função, a escrupulosa observância da Constituição e das leis, e por seu comportamento dentro e fora do serviço demonstrar o respeito que a sua profissão exige, revelando-se sempre digno dela (RBG, § 10) (*Verwaltungsrecht*, Berlin, 1929, § 16, IV, n. 3, p. 357). •

IV

A condição de funcionário público – suporte dos assim chamados direitos e deveres daquele –, é suscetível de diferenciações em modalidades várias e, bem assim, de correspondentes modificações, através do tempo.

A própria noção de pessoa é suscetível de ser diferenciada, pelo critério da capacidade, segundo a idade (arts. 3º, I, II e III e 4º, I do Código Civil), segundo a profissão (art. 5º, III e V do Código Civil). De acordo com o mesmo critério, a noção de pessoa apresentará modificações (art. 5º, Código Civil), segundo o estado civil (art. 5º, II, Código Civil), através da existência, passando de absolutamente incapaz a relativamente incapaz e a plenamente capaz, em correspondência com o curso dos anos ou a mutação das circunstâncias.

• Francesco Ferrara salienta essas características da personalidade humana, afirmando que a inteligência e a vontade se desenvolvem no indivíduo gradualmente. Só quando a pessoa atingiu certa maturidade física, ela se torna possuidora de suas plenas forças espirituais. Por isso, o direito segue de perto a evolução da pessoa humana, observando seu desenvolvimento natural, ora negando o exercício de direitos para depois ir concedendo-os progressivamente até o momento em que a pessoa atinge a plenitude da capacidade de agir (*Trattato di Diritto Civile Italiano*, vol. I, Dottrine Generale, Roma, 1921, p. 489).

A modificação constante que o ser humano sofre durante sua existência nos leva à comparação com a situação do funcionário público, que, sendo pessoa humana, inevitavelmente está sujeito às conseqüências das mutações de sua vida no plano de sua relação profissional com o Estado. É por isso que administrativistas como Norbert Achterberg falam de modificações nas relações do funcionário ("Veränderung im Beamtenverhältnis") que sucedem no curso de sua vida funcional (*Allgemeines Verwaltungsrecht. Ein Lehrbuch*, Heidelberg, 1982, § 13, n. 14, "c", p. 181). •

São as modalidades distintas de que é suscetível a condição de funcionário público. Tais modalidades distintas recebem da ordem jurídica tratamento especial, adequado a cada uma. A modificação *in concreto* da condição do funcionário importa, para este, uma mudança do tratamento legal.

16. Admite, entre nós, a condição de funcionário público as modalidades seguintes:

a) *A efetividade*. A efetividade é a condição do funcionário público, no pleno gozo das prerrogativas da função. É a modalidade normal da condição de funcionário, de que as demais representam variantes, mais ou menos excepcionais. Ao funcionário efetivo, de modo particular, se aplica tudo quanto ficou aduzido, com respeito aos assim chamados direitos e deveres dos funcionários públicos ou servidores públicos civis.

b) *A interinidade*. Durante largos anos, prevaleceu entre governantes brasileiros a opinião de que a interinidade do funcionário constitui a melhor garantia do bom desempenho da função. Carlos Maximiliano, ex-Ministro da Justiça, escreveu a propósito: "Quem passou pela alta Administração do país adquiriu a certeza de que, em regra, o melhor funcionário, mais zeloso, disciplinado e expedito é o interino" (*Comentários à Constituição Brasileira*, Rio de Janeiro, 1923, n. 346, nota 16, p. 499). Daí, talvez, a enorme quantidade de funcionários interinos, que durante largo tempo povoaram as administrações brasileiras.

• A Reforma Administrativa baixada com o Decreto-Lei 200, de 25.2.1967, logo após a promulgação da Constituição de 24.1.1967, pretendeu extinguir a interinidade, em seu art. 102, cujos dizeres são os seguintes: "É proibida a nomeação em caráter interino por ser incompatível com a exigência de prévia habilitação em concurso para provimento de cargos públicos, revogadas todas as disposições em contrário".

Aparentemente a interinidade na função pública foi extinta com a publicação do referido Decreto-Lei. Mas o passar do tempo revelou formas novas e sutis de revivescência dessa figura jurídica anômala, sobretudo por intermédio do contrato de trabalho nos diferentes órgãos da Administração indireta do Estado. A Constituição Federal de 1988, na redação original do seu art. 39, *caput*, procurou eliminar a figura, mas esse artigo foi modificado por uma norma estulta e sem sentido, posta em substituição ao art. 39 original da Constituição pelo famigerado "Emendão", que Celso Antônio Bandeira de Mello critica veementemente, com justa razão. A própria Constituição Federal abriu ádito aos "casos de contratação por tempo determinado para atender necessidade temporária de excepcional interesse público" (art. 37, IX). A matéria foi regulada pela Lei Federal 8.745, de 9.12.1993, com as alterações introduzidas por sucessivas medidas provisórias, finalmente convertidas na Lei 9.849, de 26.10.1999. De acordo com as alterações dessa Lei, que introduziu modificações no art. 2º da anteriormente mencionada, os contratos para as atividades dos projetos SIVAM e SIPAM podem ser prorrogados até completarem um período total de oito anos. Além disso, o art. 76 da Lei que criou a Agência Nacional do Petróleo admite a contratação de especialistas para a execução de trabalhos nas áreas técnica, econômica e jurídica, com dispensa de licitação. Já o parágrafo único do art. 76 autoriza a contratação temporária de pessoal técnico por prazo não excedente a trinta e seis meses. Sabe-se, de antemão que, quando chegar esse prazo ao seu final, uma medida provisória cuidará para que seja prorrogado devidamente. De sua parte, a Lei 9.427, de 26.12.1996, que instituiu a Agência Nacional de Energia Elétrica – ANEEL, permite, em seu art. 34, § 2º que a referida agência efetue a contratação temporária, por prazo não excedente a 36 meses, nos termos do inciso IX, do art. 37 da Constituição Federal, do pessoal técnico imprescindível à continuidade de suas atividades. O processo de prorrogação do prazo, para a ANEEL, é o mesmo. De modo que Carlos Maximiliano parece que tinha toda a razão: "o interino é, em regra, o melhor funcionário, o mais zeloso, disciplinado e expedito". •

A interinidade, que hoje não tem mais essa denominação, coloca o servidor à mercê da Administração. Encobre, não raro, a contratação, que é a nova forma assumida pela interinidade, o propósito de evadir-se a Administração *pro tempore*, de restrições legais e constitucionais, postas ao preenchimento do cargo que assim é provido.

c) *A Comissão*. Depara-nos a comissão, no direito positivo brasileiro, duas noções distintas. De um lado, cuida-se do cargo de provimento em comissão, do qual o ocupante pode ser exonerado livremente (Lei 8.112/1990, art. 9º, II; CF, art. 37, II). De outro lado, entende-se, como comissão, também, a tarefa estatal, de natureza excepcional e duração limitada, não ligada, por isso mesmo, a cargo público, de sua natureza, permanente e com atribuições ordinárias. Vem-nos o termo com esta significação, de nosso direito antigo. "Também significa a palavra comissão – escreveu Pereira e Souza –, a jurisdição conferida, extraordinária, a alguém sobre certos objetos" (*Dicionário Jurídico*, t. I, Lisboa, 1825, verb. "Comissão"). De caráter excepcional e transitório, a comissão importa, nesta acepção também, inteira liberdade de exoneração. • A Constituição Federal distingue entre as funções de confiança, exercidas exclusivamente por servidores ocupantes de cargos efetivos e os cargos em comissão, a serem preenchidos pelos servidores de carreira nos casos, condições e percentuais mínimos previstos em lei (CF, art. 37, V). •

d) *A licença*. A licença é a quiescência dos deveres funcionais do servidor público civil, consentida • pela Administração nos termos do art. 81 e seus incisos da Lei 8.112/1990.

Constituem motivos para licença: I – a doença em pessoa da família (Lei 8.112, de 11.12.1990, art. 81, I); II – o afastamento do cônjuge ou companheiro para outra localidade (art. 81, II); III – a prestação do serviço militar obrigatório (art. 81, III); IV – para atividade política (art. 81, V); V – para capacitação, na forma do que dispõe o art. 81, V, com a redação que lhe foi dada pela Lei 9.527, de 10.12.1997; VI – para tratar de interesses particulares (art. 81, VI); VII – para desempenho de mandato classista (art. 81, VII, sempre da Lei n. 8.112/1990).

A licença, prevista no inciso I, supra, será precedida de exame por médico ou junta médica oficial (art. 81, § 1º).

É vedada a atividade remunerada durante o período da licença para doença em pessoa da família (art. 81, § 3º).

A licença concedida dentro de 60 dias do término de outra da mesma espécie será considerada como prorrogação. •

e) *A aposentadoria*. A aposentadoria, • de que já tratamos no item 8º, dos Direitos dos Servidores Públicos, • é a continuação de todos os proventos do cargo público, ou de parte deles, depois que o funcionário cessar de exercê-lo, • por *invalidez permanente*, de modo que os proventos são proporcionais ao tempo de contribuição, exceto se decorrente de acidente em serviço, moléstia profissional ou doença grave, contagiosa ou incurável, na forma da lei, *compulsoriamente*, aos setenta anos de idade, com proventos proporcionais ao tempo de contribuição, *voluntariamente*, desde que cumprido o tempo mínimo de dez anos de efetivo exercício no serviço público e cinco anos no cargo efetivo em que se dará a aposentadoria, observadas as condições definidas nas letras "a" e "b" do art. 40, III, da Constituição Federal, com a redação que lhe foi dada pela Emenda Constitucional 41, de 19.12.2003.

Na letra "a" dispõe que, para que a aposentadoria seja concedida com proventos integrais, torna-se necessário que o funcionário deverá ter 60 anos de idade e 35 de contribuição, se homem, e 55 anos de idade e 30 de contribuição, se mulher. Na letra "b", estabelece a Emenda Constitucional que o funcionário deverá ter 65 anos de idade, se homem, e 60 anos, se mulher, com proventos proporcionais ao tempo de contribuição.

A invalidez, resultante de acidente ocorrido no serviço ou moléstia profissional ou, ainda, doença grave, contagiosa ou incurável, especificada em lei (art. 186, I e § 1º, da Lei 8.112/1990), dá lugar também à aposentadoria com vencimento ou remuneração integral. Não depende do tempo de exercício no cargo público, mas simplesmente da ocorrência da moléstia grave, definida em lei, ou do acidente ocorrido em serviço.

Fora desse caso, a única forma de aposentadoria com proventos integrais é a prevista no art. 40, inciso III, "a", da Constituição Federal, com a redação que lhe foi dada pela Emenda Constitucional 41, de 19.12.2003.

Foi ressalvado pela Emenda Constitucional 41/2003, a aposentadoria com proventos proporcionais ao tempo de contribuição, nos casos de 65 anos de idade para o homem e de 60 anos para a mulher, bem como no caso excepcional de aposentadoria compulsória, aos 70 anos, com proventos proporcionais ao tempo de contribuição (art. 40, II, CF, com a redação que lhe foi dada pela Emenda Constitucional 41/2003).

Todas as aposentadorias anteriormente concedidas, no regime que não era o da contribuição, mas o de um direito que o Estado concedia ao funcionário, sem contribuição específica do servidor e sem referência à circunstância do equilíbrio financeiro e atuarial, foram integralmente preservadas, de acordo com a lei vigente à data de sua concessão, respeitado o ato jurídico perfeito, o direito adquirido e a coisa julgada, de acordo com o disposto no art. 7º da Emenda Constitucional 41 e em sintonia com o art. 5º, XXXVI da Constituição Federal.

A aposentadoria, no direito antigo, tanto significava a hospedagem compulsória no domicílio privado de acordo com as Ordenações Filipinas, livro I, tit. I, § 47: "E quando por algum caso mandarmos que a Casa da Suplicação se mude da cidade de Lisboa para alguma outra parte, mandará aposentar os oficiais da Casa por um escrivão, que irá adiante fazer o aposento", como a quantia em dinheiro que lhe correspondesse (Jorge de Cabedo – *Decisiones*, Antuerpiae, 1734, pars I, dec. VIII, n. 33, p. 16: "Non tamen de bonis conciliorum, praesidibus et judicibus oppidorum, seu civitatum solvantur *aposentadoriae*"). Nesta última acepção, o termo passou à significação atual, com todas as transformações que sofreu recentemente, destinadas a aliviar a carga do Poder Público com o pagamento das tradicionais aposentadorias, que, de repente, se transformaram na principal causa da ruína financeira da República.

f) *A disponibilidade*. A disponibilidade é a situação jurídica, resultante da impossibilidade temporária de prestação da atividade profissional, criada ao funcionário, já com estabilidade, pela extinção do cargo ou pela declaração de sua desnecessidade. A extinção do cargo, operada por lei, sempre foi tradicional em nosso direito. A Constituição Federal de 18 de setembro de 1946, dispunha, acertadamente, que "Extinguindo-se o cargo, o funcionário estável ficará em disponibilidade remunerada até o seu obrigatório aproveitamento em outro cargo de natureza e vencimentos compatíveis com o que ocupava" (art. 189, parágrafo único). A declaração de sua desnecessidade não constava da redação original da Constituição de 1988, elaborada sob a inspiração aparente dos mais elevados propósitos democráticos e do respeito absoluto dos direitos individuais. A declaração de desnecessidade do cargo ocupado por funcionário estável tinha sido introduzida, entre nós, pelo parágrafo único, do art. 100, da Emenda Constitucional 1, de 17.10.1969, que vigorou até o advento da Constituição Federal de 1988, promulgada em 5 de outubro daquele ano. Foi providência reprovada pelos que hodiernamente ocupam o poder, que a retiraram da Constituição Federal de 1988, em sua versão original. Depois, quando passaram a exercer o poder, repristinaram o que outrora condenavam. "Extinto o cargo ou declarada sua desnecessidade, o servidor estável ficará em disponibilidade, com remuneração proporcional ao tempo de serviço, até seu adequado aproveitamento em outro cargo" (CF/1988, art. 41, § 3º, com a redação determinada pela Emenda Constitucional 19, de 4.6.1998). A redação original do art. 40, § 3º, não falava em "remuneração proporcional ao tempo de serviço". Foi necessária a Emenda Constitucional para retirar esse direito dos servidores públicos, que é o de receberem remuneração integral, considerando, para tanto, que os seus vencimentos e proventos são irredutíveis. Mas a fúria transformadora, que toma conta de alguns Presidentes da República, sem nenhum preparo jurídico, levou a mais essa mudança absurda. A disponibilidade remunerada também foi utilizada, entre nós, durante a República, como sanção de natureza política, pela Constituição Federal de 10 de novembro de 1937, que estabeleceu o Estado Novo, por meio de uma Carta outorgada pelo Presidente da República.

Nessa Constituição, o art. 157 dispunha que "Poderá ser posto em disponibilidade, com vencimentos proporcionais ao tempo de serviço, desde que não caiba no caso a pena de exoneração, o funcionário civil que estiver no gozo das garantias da estabilidade, se, a juízo de uma comissão disciplinar nomeada pelo ministro ou chefe de serviço, o seu afastamento do exercício for considerado de conveniência ou de interesse público". Não se podendo vislumbrar qualquer interesse público relevante no afastamento de um funcionário que cumpriu todos os requisitos legais para adquirir a estabilidade, como um direito seu, somente resta o argumento da "conveniência" dos que estão no poder e que não apreciam nenhuma manifestação de independência no exercício da função pública. A disponibilidade remunerada foi reintroduzida e utilizada, em nosso direito, como sanção de natureza política, à semelhança do que dispunha o art. 157 da Constituição Federal de 10.11.1937, por ocasião da revolução de 1964, em que adversários políticos e funcionários dissidentes foram postos em disponibilidade remunerada como punição, pelos Atos Institucionais. •

g) *A avulsão*. Por avulsão entende-se o estado de sobrevivência jurídica quanto ao funcionário, do cargo vitalício, extinto por ato legislativo. • A idéia era a de manter o funcionário no cargo extinto por lei, como expressão inequívoca da vitaliciedade, que é garantia necessariamente constitucional e que, em sua definição original protegia o funcionário até mesmo contra o Poder Legislativo e a extinção do respectivo cargo. A vitaliciedade, entretanto, mudou e vem mudando, ao influxo de idéias novas, nem sempre valiosas, que brotam, de tempos em tempos de forma milagrosa, nas cabeças de alguns políticos. Como já ficou dito, entende-se que a vitaliciedade é necessariamente uma garantia constitucional, diferentemente da estabilidade que poderia estar na legislação ordinária, mas foi inscrita na Constituição. Entretanto, a vitaliciedade, na sua tradição, era adquirida com a posse no cargo vitalício, completando-se a investidura com o primeiro ato de exercício, que então seria praticado sob a égide da garantia constitucional.

Modificações que o tempo, em seu decurso inexorável, vem introduzindo no instituto da vitaliciedade, porém, fizeram com que, no primeiro grau, só "será adquirida após dois anos de exercício" (CF, art. 95, I), disposição que torna o magistrado desprovido dessa garantia fundamental, quando iniciar sua carreira jurídica. Quem pensa que tal dispositivo melhorou a qualidade dos juízes de primeira instância, certamente está equivocado. O que sucedeu foi precisamente o contrário. No que concerne aos magistrados do segundo grau, o mesmo fato não se repete, pois um Ministro do Supremo Tribunal Federal, nomeado pelo Presidente da República, adquire a vitaliciedade com a posse, de tal sorte, que o seu primeiro ato como Ministro estará protegido pela garantia da vitaliciedade. A extinção do cargo de juiz não tem mais como conseqüência a avulsão, mas a disponibilidade remunerada, que hodiernamente abrange a todos os servidores públicos. •

V

17. Além de sujeito à ação disciplinar do superior hierárquico (Lei 8.112/1990, art. 116, IV) e à responsabilidade penal (art. 327, Código Penal), o funcionário é responsável por quaisquer prejuízos decorrentes de culpa ou dolo no exercício do cargo • (CF, art. 37, § 6º). No caso do Presidente da República, que é condutor político, constitui crime de responsabilidade o ato que atente contra a Constituição e a probidade da Administração em especial (CF, art. 85, V). Na prática, essa disposição é anódina, assim como a responsabilidade do Governador do Estado, entre nós definida pelo art. 83 da Constituição do Estado do Rio Grande do Sul, de 3.10.1989. As ordens verbais, as ordens dissimuladas, absolutamente ilegais, dadas a subordinados temerosos e submissos, constituem-se em saída conveniente para as ilegalidades cometidas por esses condutores políticos, que habilmente manejam os instrumentos adequados para se eximirem de qualquer responsabilidade por atos danosos que praticam contra o erário público. •

Os servidores públicos, responsáveis por dinheiro ou bens públicos, estão sujeitos, por essa mesma condição, à jurisdição do Tribunal de Contas (CF/1988, art. 71, VIII).

VI

18. Nem todas as atividades das pessoas administrativas reclamam, certamente, o trabalho público para a sua execução. Pode ter, este, sem desnaturar-se (v. n. 1, supra) uma relação privada de trabalho como pressuposto. A algumas atividades administrativas, adaptar-se-á, porém, e quiçá, melhor, o regime puro e simples, do trabalho privado.

Possível é à Administração recorrer, em tais casos, ao trabalho privado, simplesmente tal, suposta, entretanto, lei permissiva. O trabalho público é o regime normal da execução dos serviços públicos. Quando as atividades das pessoas administrativas não reclamam, para serem executadas, o trabalho público, a lei deverá abrir exceção explícita ou implícita, mas inequívoca, a esse regime, que é o normal.

A disciplina jurídica do trabalho privado, salvo como norma de ordem pública, entende-se, entretanto, subordinada à disciplina jurídica do trabalho público (art. 7º, "c" e "d", da Consolidação das Leis do Trabalho, com as modificações do Decreto-Lei 8.079, de 11.10.1945 e do Decreto-Lei 8.249, de 29.11.1945; Lei 1.880, de 13.6.1953).

• Tanto é verdade que a disciplina do trabalho público é sempre preponderante, que a Lei 8.112/1990, que "Dispõe sobre o regime jurídico dos servidores públicos civis da União, das autarquias e das fundações públicas federais", determinou, em seu art. 243, que "Ficam submetidos ao regime jurídico instituído por essa Lei, na qualidade de servidores públicos, os servidores dos Poderes da União, dos ex-Territórios, das autarquias, inclusive as em regime especial, e das fundações públicas, regidos pela Lei 1.711 de 28 de outubro de 1952 – Estatuto dos Funcionários Públicos Civis da União, ou pela Consolidação das Leis do Trabalho, aprovada pelo Decreto-Lei n. 5.452, de 1º de maio de 1943, exceto os contratados por prazo determinado, cujos contratos não poderão ser prorrogados após o vencimento do prazo de prorrogação". No seu § 1º, o art. 243 da Lei 8.112/1990, estabeleceu claramente: "Os empregos ocupados pelos servidores incluídos no regime instituído por esta Lei ficam transformados em cargos, na data de sua publicação".

Procurava-se estabelecer o regime jurídico único, preconizado pela redação original da Constituição Federal de 1988, para todos os trabalhadores públicos.

Passados dez anos, um novo governo repristinou a figura jurídica do emprego público pela Lei 9.962, de 22.2.2000. O art. 1º da referida lei, dispõe: "O pessoal admitido para emprego público na Administração federal direta, autárquica e fundacional terá sua relação de trabalho regida pela Consolidação das Leis do Trabalho, aprovada pelo Decreto-Lei 5.452, de 1º de maio de 1943 e legislação trabalhista correlata, naquilo que a lei não dispuser em contrário".

O § 1º do mesmo art. 1º, assim dispõe: "Leis específicas disporão sobre a criação dos empregos de que trata esta Lei no âmbito da Administração direta, autárquica e fundacional do Poder Executivo, bem como sobre a transformação dos atuais cargos em empregos".

Essa nova Lei, que, na verdade, nada tem de nova, restabelece o regime do emprego público, que tinha sido extinto pela Constituição Federal, em sua redação original e pela Lei 8.112/1990, que, em caráter excepcional, admitia a contratação temporária em casos de excepcional interesse público, em seus arts. 232 a 235. Esses artigos foram revogados pela Lei 8.745, de 9.12.1993, que ampliou os casos de contratação temporária, preparando o caminho para o advento da Lei 9.962, de 22.2.2000, que restabeleceu, entre nós, o regime do emprego público.

A idéia que preside essas transformações é sempre a de se livrar do servidor público estável, independente, apolítico, colocando, em seu lugar, um empregado público cheio de temores e subserviente aos desígnios dos poderosos.

O emprego público, entretanto, com a respectiva contratação, feita por meio de um contrato de trabalho regulado pela CLT, é mero pressuposto para a aplicação, no que concerne aos deveres e a todas as obrigações do empregado, do regime jurídico próprio da função pública e do respectivo cargo público. Trata-se de um servidor público que não ocupa cargo, não desfruta das garantias da função pública, mas está submetido aos respectivos deveres.

Deve-se salientar que somente à lei federal, incumbe determinar em que extensão a Legislação do Trabalho há de se aplicar, já como regulação de pressupostos, já como disposição de ordem pública, ou lei limite, ao trabalho público.

18-A. Na verdade, não há novidade alguma na figura do emprego público.

Walter Jellinek, no direito alemão, já nos dizia que, em verdade, quando não se trata de exercer atividade soberana, tanto funcionários quanto empregados contratados podem exercer o trabalho. O Estado e os Municípios têm mãos livres para desenvolver trabalhos escritos (burocráticos) por meio de funcionários públicos ou por intermédio de empregados, segundo a sua vontade. Mesmo os empregados públicos, os quais somente por motivos importantes podem ter seu contrato resilido, constituem os assim chamados empregados permanentes, submetidos ao Código Civil Alemão, pois as prescrições da Constituição do Reich sobre os funcionários públicos não se aplicam a eles ("Zwar kann, wer nicht hoheitliche Tätigkeiten ausübt, sowohl Beamter als auch Arbeiter oder Angestellter sein. Staat und Gemeinde haben freie Hand, ob sie Schreibarbeiten durch Beamte oder durch Angestellte ausführen lassen wollen. Auch der Angestellte dem nur aus wichtigen Gründen gekündigt werden kann, der sog. Dauerangestellte, bleibt dem BGB unterworfen, die Vorschriften der Reichsverfassung über Beamtenrecht beziehen sich nicht auf ihn" – *Verwaltungsrecht*, Berlin, 1929, § 16, I, 1, p. 343).

Mais recentemente, Hans Julius Wolff – Otto Bachof, ao dissertarem sobre o tema, assim se expressam: "Das relações especiais de direito entre empregados e trabalhadores de pessoas de direito privado, distingue-se também a relação jurídica com o empregador público, de acordo com a disposição proibitiva do art. 33 da Lei Fundamental, em razão da qual, na proteção do interesse público, cujas relações de serviço e de fidelidade assentam nas máximas do Direito da Função pública" (*Verwaltungsrecht*, II, § 118, I, "c", p. 563, München, 1976).

Mas, os autores acrescentam que há uma típica separação entre funcionário público e empregado público, pois o funcionário em regra é admitido por toda a vida, enquanto que o empregado público em regra pode ser despedido ("Dagegen ist nur ein typischer Unterschied, das der Beamte i.d.R. auf Lebenszeit eingestellt wird, während dem Dienstnehmer i.d.R. gekündigt werden kann" – ob. cit., t. II, § 118, I, "d", n. 6).

No mesmo sentido é a opinião de Norbert Achterberg quando afirma que "a distinção do empregado público em relação ao funcionário ou servidor público estatutário consiste especialmente nisso em que os empregados e trabalhadores públicos, como regra, não são admitidos em caráter vitalício" ("Unterschiede zu den Beamten ergeben sich insbesondere daraus, dass die Angestellten und Arbeiter in der Regel nicht auf Lebenszeit eingestellt sind" – *Allgemeines Verwaltungsrecht. Ein Lehrbuch*, Heidelberg, 1982, § 13, 80, p. 94). Completando seu pensamento, afirma

Achterberg: "sondern kündbar sind" ("mas são suscetíveis de despedida" – ob. cit., p. 94).

Na França, a opinião é a mesma, embora não se tenha institucionalizado a noção de emprego público. Há uma referência a *agents intérinaires* e a *agents temporaires non titulaires*, mas o que se observa é que, ao contrário do Brasil, cujos constituintes põem uma disposição na Constituição em favor do regime único da função pública, para que ela seja progressivamente abolida pelos governantes que se seguem, há uma rejeição da idéia dos *agents temporaires et intérinaires*. André de Laubadère, no seu tratado atualizado por Yves Gaudemet, dizia que "La permanence est la première condition de la qualité de fonctionnaire. Elle concerne non seulement l'emploi occupé mais aussi l'occupation de cet emploi. En d'autres termes, pour qu'un agent soit fonctionnaire il faut qu'il occupe à titre permanent un emploi lui-même permanent" (*Traité de Droit Administratif*, t. V, Paris, 1998, n. 21, 1º, p. 30).

Mais adiante, André de Laubadère e Yves Gaudemet se referem à "Gestion et Situation des Agents non Titulaires", afirmando que "Interrogado pelo Ministro da Função Pública, o Conselho de Estado emitiu, em 30 de janeiro de 1997, um aviso importante acerca da gestão dos agentes não titulares do Estado e dos seus estabelecimentos públicos". O aviso indica inicialmente que não existe nenhum princípio geral de direito impondo qualquer benefício em favor dos agentes não titulares, bem como das regras equivalentes, aplicáveis aos funcionários públicos; o governo dispõe, portanto, a esse respeito, de uma grande liberdade de apreciação para determinar, levando em conta as necessidades do serviço, as regras aplicáveis aos agentes contratuais; permanece, entretanto, o governo, ligado, contudo, aos princípios gerais de direito, aplicáveis mesmo sem texto legal expresso, aos agentes públicos.

De acordo com esse aviso, "resulta das disposições das leis de 13 de julho de 1983 e de 11 de janeiro de 1984 que o legislador erigiu como princípio que os empregos civis permanentes do Estado e de seus estabelecimentos públicos administrativos devem ser ocupados por funcionários titularizados em um grau e agrupados em corpo e que ele não considera ter autorizado o recrutamento de agentes contratuais senão a título excepcional e nos casos particulares enumerados" (*Traité de Droit Administratif*, t. V, n. 26, p. 33).

Como se verifica, não existe na França a tendência que se instalou, entre nós, de desfazer o regime único da função pública civil, constituindo-se, os agentes contratuais, em absoluta exceção. •

19. Dentre as manifestações da atividade privada, a serviço da Administração, costuma conumerar-se a dos funcionários de fato. O funcionário de fato é, porém, um prestador de trabalho público, apenas irregularmente investido na função. Os atos que pratica são válidos, já que "a irregularidade da investidura não afeta a competência do agente" (Francisco Campos, *Pareceres*, Rio de Janeiro, 1934, p. 116). A nulidade da investidura, ou a sua anulabilidade, não se contagia, de regra, aos atos de ofício do funcionário público. Nesse sentido é a opinião de Pontes de Miranda (*Tratado de Direito Privado*, t. IV, São Paulo, Ed. RT, 1983, § 368, n. 2, p. 52). O princípio da não-contagiação se aplica, especialmente, quanto aos destinatários ou terceiros, de boa-fé. A má-fé do destinatário, ou do terceiro, a quem o ato aproveitasse, essa sim, implicaria fraude às normas legais da competência, exercitada pelo funcionário de fato.

§ 21. AS EMPRESAS E OBRAS PÚBLICAS

Recorre a Administração, algumas vezes, para realização de seus fins, ao método de execução por empresa. • Essa tendência vem sofrendo, nos últimos anos, o ataque das concepções econômicas neoliberais, que vêem no Estado uma entidade que deve restringir sua ação à polícia. Numa fase inicial, fala-se, ainda, em ensino, saúde e justiça. Mas se trata de um engodo, pois os verdadeiros liberais não desejam a justiça como um poder da República e preferem que a situação evolua para a arbitragem, afastando os litígios cada vez mais da órbita do Judiciário. Também o ensino e a saúde deverão ser, no seu modo de ver, privatizados, de modo exclusivo, acabando com mais duas atividades importantes do Estado. O Estado deverá ser reduzido a proporções mínimas, vendendo seu patrimônio, diminuindo o número dos servidores públicos e não participando mais da direção estratégica da economia nacional, mas ficando como simples expectador da evolução econômica e social da nação. Quem dirigirá essa evolução são os que detêm o capital financeiro, não importa que origem tenha, sem nenhuma consideração específica pelos interesses mais elevados da nacionalidade. Esse é o futuro que o neoliberalismo reserva ao Brasil e aos países emergentes.

Mas, enquanto esse projeto não se realiza em plenitude, a Administração Pública brasileira ainda recorre, hoje em medida mais restrita, ao método da empresa para a execução de atividades econômicas e de serviços públicos. •

1. A empresa é uma forma de organização da produção inerente à estrutura econômica tradicional das sociedades civilizadas. Conjugam-se na empresa a natureza, o trabalho e o capital; uma produção determinada é o seu escopo. Tal conjugação de natureza, trabalho e capital, por conta e risco do empreendedor, importa uma verdadeira mediação, que aquele realiza, pondo a organização das energias produtoras a serviço dos consumidores dos produtos.

• O conceito de empresa é econômico. A empresa, segundo François Perroux, "é uma forma de produção pela qual, no seio de um mesmo patrimônio, combinam-se os preços dos diversos fatores de produção, aportados por agentes distintos do proprietário da empresa, com o objetivo de vender no mercado um bem ou serviços, a fim de obter uma renda monetária resultante da diferença de duas séries de preços" (Raymond Barre, *Économie Politique*, t. I, Paris, PUF, 1975, p. 410).

O Estado se apropriou desse conceito econômico e passou a gerir empresas industriais e comerciais, que, no dizer de Jean Rivero, escapam da apropriação exclusiva pelo capital privado e passam a depender, em ultima análise, da autoridade do Estado (Jean Rivero e Jean Waline, *Droit Administratif*, 17ª ed., Paris, Dalloz, 1998, n. 495, pp. 472-473). •

A Administração, não raro, se utiliza desse mecanismo econômico sob formas diversas:

a) ou organizando, sob gestão direta, empresas comerciais ou industriais das mais variadas;

b) ou constituindo sociedades, denominadas de empresas públicas, dentro dos lindes do direito privado, das quais uma pessoa administrativa torna-se, permanentemente, por determinação legal, o único sócio ou acionista: • o Decreto-Lei 200, de 25.2.1967, em seu art. 5º, II, define esse tipo de empresa como "Empresa Pública – a entidade dotada de personalidade jurídica de direito privado, com patrimônio próprio e capital exclusivo da União, criada por lei para a exploração de atividade econômica que o Governo seja levado a exercer por força de contingência ou de conveniência administrativa, podendo revestir-se de qualquer uma das formas admitidas em direito"; essa figura jurídica não constitui criação do nosso direito, mas foi buscar suas origens no Direito Administrativo alemão, em que se faz referência às "Privatrechtliche Unternehmen der öffentlichen Hand", que se constituem em sociedades controladas, com exclusividade pelo Poder Público, tanto pelo Estado federal quanto pelos Municípios da federação alemã (Ernst Rudolf Huber, *Wirtschafts- und Verwaltungsrecht*, vol. 1, 2ª tir., Tübingen, 1953, § 45, p. 518); •

c) ou criando, em forma societária, no âmbito do direito privado, empresas de economia mista, • definidas pelo Decreto-Lei 200/1967, como entidades dotadas de personalidade jurídica de direito privado, criadas por lei para a exploração de atividade econômica, sob a forma de sociedade anônima, cujas ações com direito a voto pertençam em sua maioria à União ou a entidade da Administração Indireta (art. 5º, III); •

d) ou dando em concessão, a fim de serem executados pelo método de empresas, serviços públicos diversos, • de acordo com o que dispõe a Lei 8.987, de 13.2.1995, que "Dispõe sobre o regime de concessão e permissão da prestação de serviços públicos previstos no art. 175 da Constituição Federal (...)". •

De modo genérico, essas quatro modalidades de realização dos fins da Administração Pública podem conglobar-se sob a denominação de empresas públicas. Em sentido estrito, dizem-se, porém, empresas públicas, as organizações indicadas sob as letras "a" e "b", supra. São, em tal acepção, empresas públicas (a) os estabelecimentos comerciais e industriais de propriedade das pessoas administrativas (art. 1º, Lei 1.890, de 13 de junho de 1953) e bem assim aquelas empresas econômicas, a que a lei venha a conferir a estrutura e a forma publicística da entidade autárquica. • No número dessas empresas estão incluídos os assim chamados "Órgãos Autônomos", previstos pelo art. 172, § 1º, do Decreto-Lei 200/1967, dotados de quase-personalidade jurídica, em que a autonomia administrativa e financeira atribuída aos serviços não chega a elevá-los à condição de pessoa administrativa ou de pessoa jurídica de direito privado, mas, sem dúvida, lhe concede a quase-personalidade, à semelhança do caso da massa falida e da herança no direito privado. •

Das empresas (b), cometidas a sociedades segundo o direito privado, • há inúmeros exemplos em nosso Direito Administrativo, podendo ser conumeradas a Caixa Econômica Federal, o Banco Nacional de Desenvolvimento Econômico e Social, a Casa da Moeda, a INFRAERO, o SERPRO, a EMBRAPA, a RADIOBRÁS, a CONAB, a Companhia de Desenvolvimento do Vale do São Francisco, a Empresa de Processamento de Dados da Previdência Social, o Hospital de Clínicas de Porto Alegre a ECT, Empresa Brasileira de Correios e Telégrafos e a Eletronuclear. •

São numerosas, à sua vez, as empresas de economia mista, • todas elas na veste de sociedades anônimas, sendo a mais importante a PETROBRÁS e, depois, o Banco do Brasil S.A., e tantas outras entidades pertencentes tanto à União Federal, quanto aos Estados-membros e aos Municípios, constituídas sob a forma de sociedades anônimas. Diferentemente das empresas públicas em sentido estrito, em que o capital pertence exclusivamente a uma pessoa administrativa, as sociedades de economia mista representam a conjunção de capitais públicos com privados para a realização de um determinado empreendimento econômico. As sociedades de economia mista, como as empresas públicas somente podem ser constituídas mediante autorização legal (CF, art. 37, XIX). Representam intervenção do Poder Público na atividade econômica, em regime de

§ 21. AS EMPRESAS E OBRAS PÚBLICAS   499

concorrência ou de monopólio, podendo, ainda, realizar a prestação de serviços públicos, apesar de o Decreto-Lei 200/1967 somente ter falado, de forma omissa, em atividade econômica. Com efeito, inúmeros serviços públicos são prestados por essas entidades, tanto pelas empresas públicas quanto pelas sociedades de economia mista, de tal sorte que a omissão da lei, ao defini-las, não teve o efeito de retirá-las da prestação dos serviços públicos, na qual sobressaem. A Caixa Econômica Federal, por exemplo, presta um serviço público, o serviço de assistência à pequena economia privada, apesar de ser uma empresa pública. A ELETROBRÁS S.A., embora seja empresa pública, presta o serviço público de geração e distribuição de eletricidade, tradicionalmente havido entre nós como serviço público de competência privativa da União Federal (CF, art. 21, XII, "b"). Das sociedades de economia mista como das empresas públicas pode-se dizer que as primeiras desenvolvem tanto atividade econômica quanto a prestação de serviços públicos; já as empresas públicas se destinam antes à prestação de serviços públicos, embora possam desenvolver atividade econômica, de que constituem exemplo conspícuo a Casa da Moeda e o Serviço Federal de Processamento de Dados, o SERPRO.

Antigamente, conumeravam-se entre as empresas geridas por pessoas administrativas, e insertas por monopólio, ou como forma de superação publicística da iniciativa privada, nos quadros da Administração Pública: •

i) *As empresas de transporte*. Entre essas, cabia especial relevo aos Correios da República, tornados empresa pública, ainda ao tempo da Colônia, em 1797 (J. X. Carvalho de Mendonça, *Tratado de Direito Comercial Brasileiro*, t. I, Rio de Janeiro, 1930, n. 201, nota 1, p. 34). O serviço postal é da competência privativa da União Federal (CF, art. 21, X). Não é despiciendo observar-se que o sigilo da correspondência, cuja inviolabilidade hodiernamente está assegurada pelo art. 5º, inciso XII, da Constituição Federal, foi originariamente assegurado pela propriedade da carta missiva, reputando-se, a administração postal, proprietária da que lhe fosse confiada, para transporte. O contrato de transporte postal envolvia, dessarte, primitivamente, a transferência, à administração postal, *ad tempus*, ao menos da propriedade da coisa a transportar, misturando-se, pois, e singularmente, com o contrato de câmbio trajectício.

ii) *As empresas de comunicações*. A instalação no Brasil do Telégrafo elétrico data de 1852, ano em que foi estabelecida e inaugurada a linha telegráfica entre a Quinta da Boa Vista e o Quartel General do Exército. Antes de 1934, podiam os Estados, dentro dos respectivos territórios, organizar e explorar o serviço de telégrafos. O Rio Grande do Sul o teve, durante algum tempo (Carlos Maximiliano, *Comentários à Constituição Brasileira*, Rio de Janeiro, 1923, n. 172, p. 205). A Constituição Federal de 1934 atribuiu, porém, privativamente à União a exploração do serviço telegráfico (art. 5º, VI), que é feita em conjugação com a do serviço de Correios, por intermédio da empresa pública denominada Empresa Brasileira de Correios e Telégrafos – ECT. Somente à União compete, também, explorar ou conceder o serviço de radiodifusão sonora de sons e imagens, de acordo com a Constituição Federal (art. 21, XII, "a").

iii) *As empresas de fábricas*. Dentre essas deve ser indicada como típica a Casa da Moeda, • que primeiramente passou à condição de autarquia, tendo sido transformada, por autorização da Lei 5.895, de 19.6.1973, em empresa pública, denominada Empresa Pública Casa da Moeda do Brasil – CMB, vinculada ao Ministério da Fazenda em seu ato de constituição (art. 1º, Decreto 72.813, 20.9.1973). As antigas fábricas militares também foram transformadas em empresa pública, a IMBEL – Indústria de Material Bélico do Brasil, vinculada ao Comando do Exército, que, por sua vez, está ligado ao Ministério da Defesa (Decreto 3.280, de 8.12.1999, anexo). No que concerne à Marinha de Guerra, a EMGEPRON – Empresa Gerencial de Projetos Navais está vinculada ao Comando da Marinha. Na área da Aeronáutica a INFRAERO – Empresa Brasileira de Infra-Estrutura Aeroportuária está vinculada ao Comando da Aeronáutica. Por essa forma, os antigos arsenais de Guerra e de Marinha foram transformados, constituindo-se hodiernamente em empresas públicas. •

Acerca da cunhagem da moeda, escreveu Ruy Barbosa: "Sempre se entendeu que o exercício dessa alta prerrogativa da soberania se devia efetuar em território nacional, em oficinas especiais do governo" (*Comentários à Constituição Federal Brasileira*, coligidos e ordenados por Homero Pires, t. II, São Paulo, 1933, p. 233).

Deve ser mencionada, ainda, a Imprensa Nacional. Tanto ela quanto as fábricas militares, a seu turno, correspondem a necessidades da Administração e da defesa nacional, evidentes por si mesmas. Sobre os arsenais e fábricas de material de guerra, disse Pandiá Calógeras: "Como não se pode de modo absoluto, dispensar arsenais e fábricas oficiais, para depender exclusivamente do esforço privado e da iniciativa individual, o rumo a seguir está em aproximar a administração do governo de sua congênere particular, isto é, dar-lhe autonomia, feição prática e comercial, fugindo cuidadosamente de tudo quanto aproxime o operário do tipo do funcionário público" (*Problemas de Administração*, São Paulo, 1933, p. 104).

§ 21. AS EMPRESAS E OBRAS PÚBLICAS 501

2. Mais numerosas, porém, que as empresas públicas são as empresas privadas, encarregadas, por concessão, da execução de serviços públicos. Geralmente a concessão de serviços públicos se associa à construção de obras públicas. A exploração retribuída do serviço, a que a obra pública se destina, é entregue ao particular, durante prazo determinado, como forma de pagamento, com lucro, do custo da construção que lhe cabe previamente realizar. A esta inspiração obedece a primeira lei brasileira sobre obras públicas (Lei de 29.8.1828).

• *2-A.* Os serviços públicos, já o dissemos anteriormente, são todos os serviços considerados, em um momento dado, como existenciais em relação à sociedade e que, por isso mesmo, deverão ser prestados direta ou indiretamente pelo Poder Público.

No que concerne aos serviços públicos, a Constituição Federal de 1988 distingue entre os que devem ser explorados diretamente pelo Estado e os que podem ser explorados pelo Poder Público ou concedidos, autorizados ou permitidos a particulares. Não são suscetíveis de concessão determinados serviços essenciais que indicam a própria existência do Estado. A defesa nacional (CF, art. 21, III), o serviço postal e o correio aéreo nacional (CF, art. 21, X), os serviços oficiais de estatística, geografia, geologia e cartografia de âmbito nacional (CF, art. 21, XV), os serviços de polícia marítima, aeroportuária e de fronteiras (CF, art. 21, XXII), a exploração dos serviços e instalações nucleares de qualquer natureza (CF, art. 21, XXIII) constituem exemplos de serviços públicos insuscetíveis de concessão a particulares.

Em contraposição, há os serviços suscetíveis de serem concedidos, autorizados ou permitidos e a Constituição Federal os enumera expressamente:

a) os serviços de telecomunicações (art. 21, XI);

b) os serviços de radiodifusão sonora de sons e imagens (art. 21, XII, "a");

c) os serviços e instalações de energia elétrica e o aproveitamento energético dos cursos de água, em articulação com os Estados onde se situam os potenciais hidroenergéticos (art. 21, XII, "b");

d) a navegação aérea, aeroespacial e a infra-estrutura aeroportuária (art. 21, XII, "c");

e) os serviços de transporte ferroviário e aquaviário entre portos brasileiros e fronteiras nacionais, ou que transponham os limites de Estado ou Território (art. 21, XII, "d");

f) os serviços de transporte rodoviário interestadual e internacional de passageiros (art. 21, XII, "e");

g) os portos marítimos, fluviais e lacustres (art. 21, XII, "f").

Todos esses serviços, acima enumerados, são considerados serviços públicos de acordo com o que dispõe o art. 175 da Constituição Federal, que atribui ao Poder Público a incumbência de prestar direta ou indiretamente os serviços públicos.

2-B. A Constituição Federal, em seu art. 175, parágrafo único, determinou que caberia à lei dispor sobre o regime das empresas concessionárias de serviços públicos, o caráter especial de seu contrato e de sua prorrogação, bem como as condições de caducidade, fiscalização e rescisão da concessão ou permissão (inciso I). Além disso, estipulou que a lei definisse os direitos dos usuários (inciso II), uma política tarifária (inciso III) e a obrigação de manter serviço adequado (inciso IV).

Obedecendo ao preceito constitucional, o Congresso Nacional decretou a Lei 8.987, de 13.2.1995, que dispõe sobre o regime de concessão e permissão de prestação dos serviços públicos. Nessa lei são definidas a concessão de serviço público (art. 2º, II), a concessão de serviço público precedida da execução de obra pública (art. 2º, III), e a permissão de serviço público (art. 2º, IV). Em seu capítulo II dispõe sobre o conceito de serviço adequado, no capítulo III define os direitos e obrigações dos usuários, no capítulo IV a política tarifária e no capítulo V a exigência de prévia licitação. Fala, ainda, no capítulo VI, longamente sobre o contrato de concessão, prevê os encargos do poder concedente e da concessionária, dispõe sobre a extinção da concessão pelo advento do termo contratual, pela encampação, pela caducidade, pela rescisão, pela anulação ou, finalmente, pela falência ou extinção da empresa concessionária (art. 35, incisos I, II, III, IV, V, VI, Lei 8.987/1995).

A referida Lei faz menção, ainda, às permissões, que serão formalizadas por contrato de adesão, com precariedade do contrato e revogação pelo poder concedente (art. 40, Lei 8.987/1995).

2-C. Depois disso, com o advento da Lei 9.472, de 16.7.1997, que dispõe sobre a organização dos serviços de telecomunicações e a criação da ANATEL – Agência Nacional de Telecomunicações, autarquia especial vinculada ao Ministério das Comunicações, foi introduzida alteração importante no regime jurídico de prestação dos serviços de telecomunicações. Em primeiro lugar, fez-se distinção quanto à abrangência dos interesses a que atendem os serviços de telecomunicações, classificando esses serviços em duas espécies: serviços de interesse coletivo e serviços de interesse restrito (art. 62, *caput*). Operada a desclassificação do serviço público, retirando-lhe a condição de existencial relativamente à sociedade e passando uma parte do mesmo para "de interesse restrito", nada mais fácil do que, logo a seguir, desdobrar o regime jurídico de sua prestação, entre serviços públicos e serviços privados (art. 63). Mais adiante, no art. 126, foi incluída nessa Lei a seguinte disposição: "A exploração de serviço de telecomunicações no regime privado será baseada nos princípios constitucionais da atividade econômica. Com tal providência, o legislador, por lei ordinária, à revelia do texto constitucional, passou a sustentar que uma parte dos serviços de telecomunicações não constitui serviço público". O objetivo dessa alteração está claro no texto da própria lei, pois no art. 129, logo a seguir, está dito que "O preço dos serviços será livre (...)". Com essa providência, os serviços de telecomunicações passaram a ser subdivididos em públicos e privados, situação que não está prevista pela Constituição Federal em seu art. 21, inciso XI, que só fala em "Os serviços de telecomunicações", sem fazer a distinção entre serviço público e serviço privado. A criação da figura do serviço privado descaracteriza o serviço público e mostra a verdadeira inspiração da providência quando um determinado dispositivo legal dispõe que o preço dos serviços será livre.

2-D. A disposição constante da Lei 9.472/1997 é contraditória. Ou se trata de serviço público e o interesse a ser atendido é coletivo, não comportando exploração como serviço privado, ou é simples atividade econômica, na qual não cabe ao Poder Público interferir. Mas a verdade é que o Governo e sua maioria no Congresso impuseram essa novidade em nosso sistema jurídico. O certo é que, com essa lei, criou-se a figura do serviço de interesse coletivo, no regime público ou privado (art. 145), fato que se constitui numa aberração jurídica e que atenta contra a própria disposição constitucional que regula a matéria. O serviço público só pode ser executado no regime de direito público, aberta a exceção da concessão de serviço público, em que o concessionário, como empresa privada, submetida à fiscalização rigorosa do poder concedente, presta um serviço público. A concepção de um serviço público, executado pelo Poder Público em regime privatístico, é contraditória e termina por liquidar o próprio conceito de serviço público.

2-E. Não se deve confundir o serviço público com a exploração da atividade econômica que o Estado venha a desenvolver quando necessária aos imperativos da segurança nacional ou a relevante interesse coletivo, conforme definidos em lei (CF, art. 173, *caput*). A intervenção do Estado na esfera econômica tem caráter excepcional (Celso Antônio Bandeira de Mello, *Curso de Direito Administrativo*, 20ª ed., São Paulo, Malheiros Editores, 2006, cap. XII, n. 48, p. 692). Os serviços que correspondem à atividade econômica são privados e não se confundem com os autênticos serviços públicos, que devem ser prestados direta ou indiretamente pelo Estado. Há, entretanto, atividades que se constituem em serviço público, como a educação e a saúde, que também são prestadas por particulares, suplementando as tarefas estatais. Sempre que essas atividades forem desenvolvidas pelo Estado serão consideradas como serviço público.

2-F. Além da atividade econômica, há os monopólios que o Estado tem o privilégio de exercer. A atividade econômica monopolística não se confunde com o serviço público. "A eliminação de direito (pelo monopólio), ou de fato (pela competição invencível), das atividades econômicas num setor econômico determinado, importa a transformação da atividade pública que lhes tomou o lugar, em indispensável – não, relativamente à existência da sociedade, mas relativamente à existência dessa atividade mesma, enquanto parte da vida social. Se há de preservar-se, pois, a integridade da vida social, essa atividade terá de passar a reputar-se como existencial em si mesma e, de modo indireto, como existencial, relativamente à sociedade toda que, sem ela, teria desfalcada a sua integridade" (Ruy Cirne Lima, *Pareceres, Direito Público*, Porto Alegre, 1963, p. 120, n. 3).

No Brasil, constituem monopólio da União: I – a pesquisa e a lavra das jazidas de petróleo e gás natural e outros hidrocarbonetos fluidos; II – a refinação do petróleo nacional ou estrangeiro; III – a importação e exportação dos produtos derivados básicos resultantes das atividades previstas nos incisos anteriores; IV – o transporte marítimo do petróleo bruto de origem nacional ou de derivados básicos de petróleo produzido no País, bem assim o transporte, por meio de conduto, de petróleo bruto, seus derivados e gás natural de qualquer origem; V – a pesquisa, a lavra, o enriquecimento, o reprocessamento, a industrialização e o comércio de minérios e minerais nucleares e seus derivados (CF, art. 177).

Tudo quanto concerne ao petróleo e à energia nuclear constitui monopólio da União, feita apenas a ressalva do § 1º, que permite à União contratar com empresas estatais ou privadas as atividades do setor do petróleo.

No que concerne ao monopólio do petróleo, vale recordar, aqui, as palavras de Alberto Pasqualini, proferidas em brilhante parecer, elabora-

§ 21. AS EMPRESAS E OBRAS PÚBLICAS 505

do na Comissão de Finanças do Senado Federal, como relator do Projeto de lei que viria a se converter na Lei 2.004, de outubro de 1953.

Dizia Alberto Pasqualini: "O projeto começa por excluir, de modo absoluto, a atividade privada da exploração do petróleo, tornando-a *monopólio da União*. As razões de ordem política, econômica e social, que recomendam essa solução, têm sido amplamente expostas e debatidas no Parlamento e fora dele, e seria por demais fastidioso procurar, nesta altura, reeditá-las. Poderiam ser resumidas nestas proposições: a) o petróleo, por ser uma das principais fontes de energia, constitui uma das riquezas básicas do país, um dos fatores de que dependem essencialmente o seu desenvolvimento e o seu progresso. Deve, portanto, ficar sob o controle do Estado, não apenas no seu aspecto regulatório, mas também no seu aspecto patrimonial e de exploração; b) sendo as jazidas petrolíferas de propriedade da União, isto é, constituindo patrimônio nacional, devem ser exploradas com o objetivo exclusivo de assegurar o abastecimento de combustíveis líquidos, de beneficiar com essa exploração toda a coletividade, e não com o fim de proporcionar lucros a grupos econômicos ou de capital privado, que tem outros amplos setores de aplicação. Esse postulado exclui, necessariamente, o regime de concessão a empresas privadas e impõe à União o dever de assumir a exploração da indústria petrolífera" (*Parecer* 21/5).

Depois de quase quarenta anos de exploração em regime de monopólio absoluto, garantido pela lei, do petróleo nacional, essa regra foi transposta para Constituição Federal de 1988. Foi o que bastou para que um governo de duvidosa identificação com os interesses nacionais propusesse ao Congresso Nacional um Projeto de Emenda Constitucional, que foi aprovado, com a denominação de Emenda Constitucional 9, de 9.11.1995, relativizando o monopólio estatal do petróleo, que sempre havia sido exercido pela PETROBRÁS S.A., com sucesso crescente. Enquanto a PETROBRÁS S.A. recebia prêmios de excelência na Inglaterra por sua liderança na prospecção de petróleo em águas profundas, aqui entre nós, algumas figuras procuraram retirar de suas mãos o exercício do monopólio estatal do petróleo. Mas não foram felizes em seus desígnios, pois a PETROBRÁS só tem melhorado a qualidade de sua exploração, estando o Brasil praticamente autosuficiente em matéria de prospecção e de extração do petróleo, apesar dos opositores sistemáticos ao monopólio estatal, que se identificam mais com os interesses alienígenas do que com os verdadeiros interesses nacionais. As palavras de Alberto Pasqualini, proferidas em seu parecer, há mais de cinqüenta anos, permanecem sábias e válidas, representando uma verdade perene.

De resto, a solução adotada para essa questão se enquadra, à perfeição, com a doutrina social da Igreja, formulada numa notável encíclica, a *Quadragesimo Anno*, por um dos mais ínclitos papas do século XX, Sua Santidade Pio XI. Discorrendo sobre esse tema de grande relevância para o Estado e a sociedade como um todo, assim se manifestava Pio XI, com inequívoca firmeza de convicção: "Porque, com razão se fala de que certa categoria de bens há de reservar-se ao Estado, pois estes trazem consigo um poder econômico tal, que não é possível permiti-los aos particulares sem dano para o Estado" (Q.A., III, 2, "b", 2, n. 114) (Oswald von Nell-Breuning, *La Reorganización de la Economía Social*, Buenos Aires, Poblet, 1946, p. 470).

2-G. Concessão de Serviço Público. "Concessão de serviço público – segundo Celso Antônio Bandeira de Mello – é o instituto através do qual o Estado atribui o exercício de um serviço público a alguém que aceita prestá-lo em nome próprio, por sua conta e risco, nas condições fixadas e alteráveis unilateralmente pelo Poder Público, mas sob garantia contratual de um equilíbrio econômico-financeiro, remunerando-se pela própria exploração do serviço, em geral e basicamente mediante tarifas cobradas diretamente dos usuários do serviço" (ob. cit., cap. XII, n. 1, p. 664). •

3. São característicos da concessão de serviço público, ensina Mário Masagão, os elementos seguintes:

a) "(...) Fica o concessionário obrigado a gerir o serviço por período que quase sempre é longo, já em razão da estabilidade, que, com vantagens gerais, deve ser imprimida ao mesmo serviço, já porque este exige, em regra, empate de vultosos capitais, dificilmente movíveis para uma aplicação efêmera. É, porém, imprescindível que o tempo da concessão tenha termo final."

b) "Deverá o concessionário executar previamente obras, se tal coisa se estipulou. A hipótese é freqüentíssima, porque a feitura de obra é a consideração que mais fortemente costuma influir na outorga de concessão de serviço público."

c) "Gerindo o serviço, o concessionário não age em nome da Administração, como acontece com o funcionário público. Age, pelo contrário, em seu próprio nome."

d) "A incumbência do serviço público, o qual conserva sempre esse caráter, acarreta a delegação ao concessionário dos poderes necessários ao competente exercício (...)."

e) "Os riscos do serviço correm por conta do concessionário. A existência desse princípio não é prejudicada pelo fato de, em algumas concessões, fornecer a Administração uma parte dos capitais que se deve empregar."

f) "Como remuneração dos seus encargos, percebe o concessionário, durante o prazo da concessão, no todo ou em parte, tributos determinados em tarifas e pagos pelas pessoas que se utilizam do serviço público concedido" (*Natureza Jurídica da Concessão de Serviço Público*, São Paulo, 1933, ns. 29 a 34, pp. 25 e 26).

4. Assim caracterizada, em seu conteúdo, observa, ainda, Mário Masagão, " a natureza jurídica da concessão de serviço público é a de um contrato de direito público, oneroso, sinalagmático, comutativo e realizado *intuitu personae* (ob. cit., n. 168, p. 101).

• Hodiernamente, com a evolução do tema da concessão, considera-se que "A concessão é uma relação jurídica complexa, composta de um ato regulamentar do Estado que fixa unilateralmente condições de funcionamento, organização e modo de prestação do serviço, isto é, as condições em que será oferecido aos usuários; de um ato-condição, por meio do qual o concessionário voluntariamente se insere debaixo da situação jurídica objetiva estabelecida pelo Poder Público, e de contrato, por cuja via se garante a equação econômico-financeira, resguardando os legítimos objetivos de lucro do concessionário" (Celso Antônio Bandeira de Mello, ob. cit., cap. XII, n. 13, p. 674).

A doutrina francesa adota essa posição, defendida, entre nós, por Celso Antônio. Jean Rivero e Jean Waline, ao discorrerem sobre o ato de concessão, falando de sua natureza jurídica, mencionam que, no século XIX, era considerada como inteiramente contratual. Mas, à medida que se desenvolvia a teoria do serviço público, a jurisprudência e a doutrina revisaram essa posição. Atualmente, segundo esses juristas, elas consagram o princípio da dupla natureza do ato de concessão, e, portanto, da situação jurídica decorrente. Segundo essa concepção, há, no ato de concessão, em primeiro lugar, um conjunto de cláusulas de natureza regulamentar; em segundo lugar, ao lado destas cláusulas regulamentares, há o contrato propriamente dito, com as disposições financeiras, que garantem ao concessionário sua remuneração, dominadas pelo princípio fundamental do equilíbrio financeiro do contrato (*Droit Administratif*, 17ª ed., Paris, Dalloz, 1998, p. 455, n. 477).

Apesar de adotar a doutrina francesa sobre a natureza jurídica do contrato de concessão de serviço público, Celso Antônio Bandeira de

Mello reconhece que "no Direito Brasileiro a concessão de serviço público tanto como a de obra pública são pura e simplesmente nominadas de contratos administrativos" (ob. cit., n. 13, p. 674). Permanece válida, por conseguinte, em nosso direito, a posição defendida por Mário Masagão, em sua tese de concurso para a cátedra, publicada no ano de 1933.

Certo, não é da essência da concessão de serviço público a estrutura do contrato. Assim, a antiga concessão de docência-livre (*venia legendi*), por oposição à função pública (*officium legendi*) dos professores das Faculdades oficiais, era substancialmente uma concessão de serviço público. Em regra, porém, tratando-se da execução de serviços públicos, em que se faz necessária a aplicação de capitais, além do esforço do concessionário, a concessão deve vazar-se obrigatoriamente na forma do contrato (Lei 8.987/1995, arts. 1º e 23). •

"Àquela definição taxinômica", objetou Odilon Andrade, em um trabalho brilhante, que – "o Estado, mesmo depois de contratar a concessão, mantém a superioridade anterior do Príncipe e portanto pode impor ao concessionário as modificações reclamadas pelo interesse público; vai-se o contrato, mas fica a coerência" (*Serviços Públicos e de Utilidade Pública*, São Paulo, 1937, p. 97). • Essa opinião foi acolhida pela lei, que permite ao poder concedente "intervir na prestação do serviço", "aplicar as penalidades regulamentares e contratuais" e "extinguir a concessão" (Lei 8.987/1995, art. 29, incisos II, III e IV). •

Ao Estado – atenda-se, entretanto –, não se pode recusar competência para regular, segundo as sugestões do interesse público, a execução dos seus serviços. Essa competência lhe é originária. De outra parte, o Estado, na espécie, tem contratado com um particular a execução do serviço público em questão, sobre bases convencionalmente prefixadas, limitando, assim, o exercício de sua competência.

É fora de dúvida, porém, que, se essa limitação desaparecer, a competência estatal, para regular o serviço público, se restabelecerá em toda a sua plenitude. O só obstáculo a esse restabelecimento da plenitude do exercício da competência estatal seria a vinculatividade do prazo da concessão. Basta, pois, que nessa parte, o contrato seja, convencional ou legalmente, suscetível de resilição, a fim de que, à Administração se restitua a plenitude do exercício daquela competência, sempre que o interesse público lhe reclamar. Ora, nada impede que se convencione, a favor do Estado, ou que a lei lhe atribua, a faculdade de resilir do contrato, ou de qualquer de suas cláusulas, não obstante o prazo, ou termo, a bem do interesse público (Fr. 2, princ., tit. II, "de in diem addictione", *Digesto*, Liv. XVIII); nem essa faculdade pode entender-se que frustre a obrigatoriedade do contrato mesmo (Fr. 7, princ., tit. I, "de contrahenda emptione", *Dig.*, Liv. XVIII). • A Lei 8.987/1995 prevê, entre nós, a encampação e a declaração de caducidade da concessão, como formas de revogação e de resilição da concessão, com o retorno do serviço ao Estado, em seu art. 35, incisos II e III. •

5. Entre nós, as matérias, com respeito às quais a lei poderá prescrever a resilição por ato do Estado, no interesse público, das cláusulas da concessão, se encontram delimitadas pelo art. 175, parágrafo único, da Constituição Federal de 1988. A Constituição determina expressamente que "A lei disporá sobre: I – o regime das empresas concessionárias e permissionárias de serviços públicos, o caráter especial de seu contrato e de sua prorrogação, bem como as condições de caducidade, fiscalização e rescisão da concessão ou permissão" (CF, art. 175, parágrafo único). • Desta sorte que, de acordo com a Lei 8.987/1995, foram estabelecidas as regras de intervenção do poder concedente (art. 32), de fiscalização do serviço concedido (art. 29, inciso I) e de revisão das tarifas (art. 29, inciso V), bem como de cumprir e fazer cumprir as disposições regulamentares do serviço e as cláusulas contratuais da concessão (art. 29, inciso VI). •

Além das hipóteses previstas na lei, poderão convencionalmente estabelecer-se outras, com relação às quais o interesse público, manifestado por ato do Estado, opere como cláusula resilitiva.

6. Nem todos os serviços públicos são concessíveis (v. § 10, n. 4, supra).

De outra parte, todo serviço público supõe a competência do Estado, ou de outra pessoa administrativa, para a sua execução. Essa competência há de ser, por força, exclusiva, já que, se não o fosse, não pertenceria ao Estado como Estado, ou à pessoa administrativa como tal. Em conseqüência, todo serviço público supõe competência estatal exclusiva para a sua execução. Nem sempre, porém, a Administração impõe à concessão de serviços públicos o característico da exclusividade, obstando, de tal modo, à execução em concorrência, por gestão direta ou por outro concessionário, do mesmo serviço. Daí poder distinguir-se entre as concessões de serviço público sem privilégio e as concessões acompanhadas de privilégio exclusivo. Nunca se presume a existência do privilégio exclusivo, pois este deve resultar inequivocamente das cláusulas de concessão. Tal é a tradição que recebemos da América do Norte.
• Ruy Barbosa, discorrendo sobre o tema, assim se expressava: "Todos esses textos, de jurisprudência, ou doutrina, ao mesmo passo que exigem, para a existência do privilégio exclusivo, a sua outorga manifesta no

ato da concessão, verificada a outorga, reconhecem como *jus receptum*, como verdade jurídica absolutamente inconcussa, a natureza contratual e a inviolabilidade constitucional do privilégio exclusivo" (*Os Privilégios Exclusivos na Jurisprudência Constitucional dos Estados Unidos*, Rio de Janeiro, 1911, p. 52). •

7. Segundo vimos, a concessão de serviço público "acarreta a delegação ao concessionário dos poderes necessários ao competente exercício" do serviço concedido (v. n. 3, supra).

A delegação de tais poderes, compreendido o de executar o serviço público, é que autoriza a inclusão da concessão entre os atos administrativos constitutivos, isto é, entre aqueles que incorporam ao patrimônio particular direitos originariamente só concebíveis como pertencentes à Administração Pública (v. § 11, n. 2, supra).

• Exemplos desses direitos constam do art. 31, inciso VI, da Lei 8.987, de 13.2.1995, em que é atribuída à concessionária a incumbência de promover as desapropriações e constituir as servidões em nome do poder concedente. •

Além disso – adverte Pontes de Miranda –, "o ato administrativo de concessão tem certa função qualificadora. Tudo que, nas declarações de vontade dos que requereram a concessão, ou que às declarações unilaterais de vontade do Estado, ou às suas propostas acudiram, é considerado pelo Estado como de direito público", passa a ser conteúdo de relação de direito público (*Comentários à Constituição de 1946*, t. I, Rio de Janeiro, s.d., p. 223; 2ª ed., Rio de Janeiro, 1953, p. 253). Não obstante, os atos jurídicos praticados pelo concessionário não se incluem entre os atos administrativos (v. § 11, supra).

8. Ficou, também, sinalado que a concessão de serviço público deve, necessariamente, adscrever-se a um prazo. • Nesse sentido é a disposição constante da lei que dispõe sobre o regime de concessão e permissão da prestação de serviços públicos (art. 18, I, Lei 8.987/1995). Tivemos já ocasião de mostrar que, ainda antes da expiração desse prazo, por via de encampação, quando contratualmente estabelecida, de caducidade ou de rescisão, a concessão poderá ter fim. A lei que disciplina o regime de concessão e permissão da prestação de serviços públicos, em seu art. 35, II, III, IV, regula a encampação, a caducidade e a rescisão, enquanto que o art. 39 estabelece, agora já em favor da concessionária, a ação judicial para rescindir a concessão, no caso de descumprimento das normas contratuais pelo poder concedente. •

Modo normal, entretanto, de extinção da concessão é a expiração do prazo que lhe foi prefixado. O termo da concessão é geralmente acompanhado de reversão à Administração concedente de toda a organização e material de exploração do serviço concedido. Francisco Campos assim destaca os principais característicos dessa reversão: I) "a reversão resulta do caráter temporário da concessão, é uma conseqüência do fato de estar a concessão sujeita a limites no tempo"; II) "a reversão se dá exatamente porque, expirado o prazo da concessão, não assiste mais ao concessionário nenhum direito de uso e gozo dos atributos e direitos, de que ela se compunha"; III) "a reversão pode ser com ou sem indenização" (*Direito Administrativo*, t. I, 2ª ed., Rio de Janeiro, 1953, p. 285).

• Hodiernamente, a lei das concessões estabelece que "a reversão no advento do termo contratual far-se-á com a indenização das parcelas dos investimentos vinculados a bens reversíveis, ainda não amortizados ou depreciados (...)" (Lei 8.987/1995, art. 36).

A disposição sobre a reversão dos bens de propriedade da empresa concessionária, aplicados à execução do serviço público, constitui, na atualidade, cláusula essencial do contrato de concessão, que fará menção expressa aos "bens reversíveis" (art. 23, X, Lei 8.987/1995). •

9. As observações sobre a reversão demonstram claramente que o escopo da concessão de serviço público não é, de modo essencial, a construção de obras que revertam ao Estado; se o fosse, a reversão independeria de cláusula acessória, mas essencial e se entenderia ínsita na substância do ato.

Não é sem razão, portanto, que Mário Masagão considera, na concessão de serviço público, as estipulações concernentes à construção de obras públicas – "simples cláusulas acidentais" (ob. cit., n. 24, p. 19).

10. *Contrato de obra pública*. Especificamente destinado a obter a construção de obra pública é o assim chamado contrato de obra pública.

O contrato de obra pública é, em nosso direito, havido tradicionalmente como contrato administrativo. O art. 10, § 8º, do Ato Adicional (Lei de 2.8.1834) atribuiu competência às Províncias, sob o Império, para "legislar sobre Obras Públicas", que não pertencessem à Administração geral. Mantida pela República a competência nacional para o direito substantivo, ainda os Estados continuaram, a exemplo das antigas Províncias, a legislar sobre obras públicas – matéria que ainda era considerada como de Direito Administrativo. O conceito tradicional responde à qualificação jurídica exata. O contrato de obra pública, tal como o de concessão de serviço público, é inequivocamente um contrato administrativo.

• A Lei 8.666/1993 dispõe que "Os contratos administrativos (...) regulamentam-se pelas suas cláusulas e pelos preceitos de direito público, aplicando-lhes supletivamente, os princípios da teoria geral dos contratos e as disposições de direito privado" (art. 54). Trata-se, no caso, segundo a concepção dominante, de contratos regidos pelo Direito Administrativo em decorrência de determinação da lei (André de Laubadère, Jean-Claude Venezia e Yves Gaudemet, *Traité de Droit Administratif*, t. I, 15ª ed., Paris, 1999, n. 1.002, p. 793). Pelo contrato de obra pública conformemente à construção romana com que o nosso direito positivo o aceita, o particular, na verdade, recebe da Administração Pública coisa do domínio público ou do patrimônio administrativo, a fim de afeiçoá-la segundo a arte, no exercício, pois, de poderes quanto a esses bens, que somente a Administração possui, e, ela somente, poderia delegar-lhe. Segundo Theodore Mommsen, os contratos pelos quais o censor romano assumia débitos em nome do povo eram aqueles resultantes da adjudicação de um trabalho, *locatio operis*, precedido já naquela época de uma concorrência (*Le Droit Public Romain*, t. IV, Paris, 1894, p. 135). Essas convenções, segundo Mommsen, eram sinalagmáticas, concluídas pelo censor em nome do povo romano e submetidas à regra geral segundo a qual os contratos relativos a uma prestação, cuja extensão no tempo é fixada desde o princípio, são absolutamente válidos (ob. cit., t. IV, p. 147).

As obras e serviços poderão ser executados em regimes diferentes, cabendo sinalar quatro tipos contratuais distintos: a) empreitada por preço global; b) empreitada por preço unitário; c) tarefa; d) empreitada integral (Lei 8.666/1993, art. 10, II, "a", "b", "d" e "e").

Pelo contrato de empreitada, a Administração comete ao particular a execução da obra por sua conta e risco, mediante remuneração previamente ajustada, assim como ocorre na empreitada regida pelo Direito Civil.

O art. 6º, inciso VIII, da Lei 8.666/1993, define os diferentes tipos de empreitada, admitidos em nosso direito administrativo.

A empreitada por preço global ocorre "quando se contrata a execução da obra ou do serviço por preço certo e total" (art. 6º, VIII, "a").

A empreitada por preço unitário se verifica "quando se contrata a execução da obra ou do serviço por preço certo de unidades determinadas" (art. 6º, VIII, "b").

§ 21. AS EMPRESAS E OBRAS PÚBLICAS

A tarefa tem lugar "quando se ajusta mão-de-obra para pequenos trabalhos por preço certo, com ou sem fornecimento de materiais" (art. 6º, VIII, "d").

A empreitada integral se verifica "Quando se contrata um empreendimento, em sua integralidade, compreendendo todas as etapas das obras, serviços e instalações necessárias, sob inteira responsabilidade da contratada até a sua entrega ao contratante em condições de entrada em operação, atendidos os requisitos técnicos e legais para sua utilização em condições de segurança estrutural e operacional e com as características adequadas às finalidades para que foi contratada" (art. 6º, VIII, "e"). •

A empreitada, embora reproduza as linhas gerais da estrutura jurídica da figura jurídica do direito civil assim denominada, com ela não se confunde. Aqui se trata da empreitada pública, diversificada da empreitada privada pela delegação implícita de poderes da Administração Pública sobre parcela determinada de seu domínio público ou de seu patrimônio administrativo (Ruy Cirne Lima, "Os Contratos do Estado e o Direito Administrativo", *Justiça*, t. XXII/10; "Atos de Comércio e Contratos Administrativos", *Revista da Faculdade de Direito de S. Paulo*, Homenagem a Waldemar Ferreira).

OS BENS
NA ECONOMIA ADMINISTRATIVA

§ 22. O USO PÚBLICO

Sinal distintivo – dissemos – dos bens do domínio público e do patrimônio administrativo é o fato de participarem da atividade administrativa da União, dos Estados, do Distrito Federal, dos Municípios ou das entidades autárquicas (v. § 9, n. 3, supra). É, por conseguinte, o papel que desempenham na economia administrativa que os singulariza como espécie jurídica.

Certo, que os bens do domínio público e do patrimônio administrativo explicam função ou funções diversas, no conjunto das funções do Estado e das demais pessoas administrativas. Incumbe-nos, pois, determinar-lhes a natureza e as modalidades.

1. A vida da sociedade repousa sobre a possibilidade de intercomunicações. O indivíduo poderá aspirar ao isolamento, mais ou menos completo. Pode conceber-se que todos os indivíduos de uma sociedade dada alimentem aspiração idêntica. Não obstante, nem assim se tenderia, nessa sociedade, à destruição dos meios técnicos, acaso empregados para facilitar as comunicações de seus componentes entre si. "Grave erro – observa Pontes de Miranda – é interpretar o mundo social como tecido de relações entre os indivíduos que vivem no interior do grupo; seria o mesmo que explicar a permanência de forma do sarcode, somente pelas ações exercidas entre as moléculas, isto é, esquecidas as que se exercem na superfície do sarcode. Ora, nos próprios pluricelulares não há somente a interação das células, pois a unidade funcional pressupõe fatos que são causas e efeitos dela" (*Das Obrigações por Atos Ilícitos, Manual do Có-*

digo Civil Brasileiro, de Paulo de Lacerda, t. I, v. XVI, parte III, Rio de Janeiro, n. 6, pp. 23 e 24).

O que se diz dos meios de comunicação poderá dizer-se dos meios de manter a ordem, de assegurar a defesa externa, de dirimir as controvérsias individuais, de preservar a saúde, de promover a higiene, de incrementar a instrução – poderá dizer-se, enfim, de todas as condições que, por se reputarem existenciais relativamente à sociedade são criadas ou favorecidas pelo Estado ou outra pessoa administrativa e estão na base de todos os serviços públicos (v. § 10, n. 3, supra).

2. Os meios de ação essenciais à vida da sociedade, podem ser: a) postos à disposição de todos os indivíduos; b) postos à disposição de algum ou alguns dos indivíduos, quando, de sua utilização por este pode advir, ou se presuma advir proveito geral; c) recusados aos indivíduos, isoladamente ou em coletividade, para serem somente utilizados pela sociedade mesma, por intermédio do Estado, ou de outra pessoa administrativa.

À utilidade geral que, desse modo, se realiza como fim, estão vinculados, pela relação de administração, os bens do domínio público e do patrimônio administrativo (v. § 8, supra).

Em consonância com esse critério, os bens do domínio público e do patrimônio administrativo, entre si se distinguem pela sujeição: a) a uso comum; b) a uso privativo; c) a uso especial.

3. *O uso comum.* Observamos já que são os bens de uso comum o serviço mesmo prestado ao público pela Administração. Assim, as estradas, ruas e praças (v. § 9, n. 5, supra).

• Na afirmação de Forsthoff, o uso comum (*Gemeingebrauch*) constitui uma espécie particular de utilização que tem o efeito de colocar numa situação à parte as coisas públicas que dele constituem objeto. Essa expressão, no seu entender, vem sendo empregada há muito tempo pelo legislador, assim como consta do § 7º da Lei federal sobre as estradas de grande circulação (*Bundesfernstrassengesetz*), na qual consta que "Quanto à sua afetação e às regras editadas pelas autoridades responsáveis, as estradas federais de grande circulação estão abertas à utilização de todos (uso comum)" (*Traité de Droit Administratif Allemand*, trad. de Michel de Fromont, Bruxelles, 1969, p. 561). Da utilização das estradas e ruas como uso comum, dessume-se a regra intuitivamente aceita – ainda quando se tinha a prescrição imemorial por extensível ao domínio público –, de que as estradas públicas não prescrevem nunca, posto que o povo não passe por elas cem anos (Macedo Soares, *Da Medição e Demarcação das Terras*, Rio de Janeiro, 1882, n. 285, "a", p. 115). Não é suscetível, com efeito, de prescrição o serviço prestado pelo Estado ao público, que, na estrada pública, se consubstancia em parte principal. •

O uso comum dos bens do domínio público é franqueado a nacionais e estrangeiros, coestaduanos, munícipes ou não; nenhuma qualificação subjetiva o condiciona. Menos ainda reclama título especial a quem o pretende; o ádvena sem fixação, é equiparado, sob este aspecto, ao contribuinte do erário público, residente na localidade. Não é, porém, de outra parte, uma simples manifestação da liberdade natural; "O uso comum dos bens públicos pode ser (...) retribuído" (art. 103, Código Civil), sinal evidente de que a sua gratuidade depende unicamente da destinação que a Administração lhes tiver imprimido.

• Ernst Forsthoff manifesta opinião idêntica ao afirmar que a percepção de uma remuneração pelo uso não está em contradição com o uso comum (ob. cit., trad. francesa, 1969, p. 562). Na sua concepção, por uso comum se entende a utilização de uma coisa pública que é acessível a todos, ou pelo menos a um conjunto não individualizável de pessoas, sem autorização prévia (ob. cit., p. 563).

Debate intenso se travou, sobretudo no Direito Administrativo alemão, acerca da natureza jurídica do uso comum dos bens públicos. Para Georg Jellinek não se poderia falar de um direito público subjetivo sobre uma coisa. Em tais casos, haveria tão-somente um efeito reflexo do direito objetivo ("In solchen Fällen wird man von einer Reflexwirkung des objektiven Rechtes reden können" – *System der Subjektiven Öffentlichen Rechte*, 2ª tir., Tübingen, 1919, p. 70). A maioria dos pandectistas admitia que o direito ao uso comum era um direito privado (Otto Mayer, *Le Droit Administratif Allemand*, t. III, § 37, p. 184). Na opinião de Otto Mayer "A faculdade de se servir, em certa medida, das coisas públicas existentes outra coisa não representa que uma parte integrante da liberdade individual e econômica que, em nossa sociedade, é considerada como apanágio natural do homem, da *liberdade social*". "A determinação do que está compreendido nesta liberdade social não é definida originariamente pela lei positiva; é a opinião comum, a convicção geral que lhe outorga seu fundamento e seu conteúdo" (*Le Droit Administratif Allemand*, t. III, Paris, 1905, § 37, p. 195). Fritz Fleiner considerava que "a pretensão a ser admitido a utilizar o uso comum, na Alemanha não tem geralmente a natureza de um direito subjetivo (*Institutionen des Deutschen Verwaltungsrechts*, 2ª reimp. da 8ª tir., Tübingen, 1928, § 23, II, I, p. 374). A melhor solução para a questão suscitada, que tantos debates envolveu, foi a sugerida por Ernst Forsthoff, que afirma peremptoriamente: "A participação dos indivíduos ao uso comum é suficientemente protegida pelo direito para se constituir num direito subjetivo" (ob. cit., pp. 565-566). Essa solução tem sido admitida pela jurisprudência daquele país, embora ainda haja autores que vejam no uso público uma simples tolerância do Poder Público, insuscetível de gerar direito subjetivo público. Essa é, por exemplo, a opinião de Hans Julius Wolff, que afirma: "Berechtigung zum Gemeingebrauch als intransitive Verstattung" (*Verwaltungsrecht*, t. I, 1965, p. 352). •

É característico do uso comum que nenhum utente possa excluir outro, dada a paridade de situação entre todos. • A opinião é antiga. Provém das observações de Otto Mayer, que assim se expressava: "O mesmo direito existe, em idêntica medida, diante de todos. Eu posso exigir de todos que não me impeçam de utilizar a coisa pública, de circular sobre o caminho público, de dirigir um automóvel, etc. Se tudo fosse diferente, meus direitos seriam atingidos e eu estaria autorizado a repelir a intromissão pelo uso da força, contra a qual posso invocar a proteção do poder de polícia, ou me dirigir à justiça civil para obter a interdição da perturbação, com as respectivas perdas e danos" (*Le Droit Administratif Allemand*, t. III, § 37, pp. 191-192). •

Aplicado a rigor o princípio da vedação de exclusão, o uso comum do domínio público seria fonte inestancável de conflitos entre os indivíduos, já que o uso de qualquer deles constituiria, sempre, num local e num momento dados, obstáculo material ao uso dos demais. A fim de assegurar a normal distribuição, no tempo e no espaço, dos utentes, serve-se a Administração da intervenção reguladora da polícia (v. § 14, supra). O princípio comporta ao demais, uma limitação básica: a de que o uso da Administração exclui o dos indivíduos, ainda que utentes virtuais segundo a destinação do bem.

O uso privativo. Diversamente do uso comum, o uso privativo traz, consigo, em aparência, a faculdade de excluir. Em aparência, porque, em verdade, não se trata de faculdade, senão: a) de uma exceção aberta, por um ato administrativo, a uma proibição geral de polícia, ou de uma delegação de poder; b) de uma prestação de serviço público, destinada, por natureza ou determinação legal, ao indivíduo como tal.

Debaixo da letra "a" supra, podem conumerar-se, como formas principais de uso privativo, as decorrentes de autorizações e permissões sobre o domínio público, dadas, sempre, em função de um serviço público, variáveis indefinidamente quanto ao conteúdo (v. § 11, n. 4, supra). Assim, depende de autorização ou permissão a derivação de águas públicas para uso privado, • na forma do que dispõe o art. 43 do Código de Águas (Dec. 24.643, de 10.7.1934). A concessão para o aproveitamento de águas que se destinem a um serviço público será feita mediante concorrência pública, salvo os casos em que as leis ou regulamentos a dispensem (art. 44, Código de Águas). Em relação à pesca, tanto no mar quanto nas águas interiores (Decreto-Lei 221, de 28.2.1967, art. 4º), deverá ser concedida autorização para o exercício da pesca a amadores, nacionais ou estrangeiros, mediante licença anual (art. 29), considerando que os rios, lagos e quaisquer correntes de água de seu domínio e o mar territorial constituem bens do domínio público da União (CF, art. 20, incisos III e IV). • O estacionamento prolongado de um veículo numa via pública • também representa forma de uso privativo, sujeita inclusive ao pagamento de retribuição pecuniária na forma do que dispõe o art. 103 do Código Civil de 10 de janeiro de 2002. •

As concessões de serviços públicos, de outra parte, podem ser acompanhadas de concessões sobre o domínio público, para utilização deste – assentamento de linhas férreas, redes elétricas aéreas e subterrâneas, redes telefônicas, redes de fibra ótica, redes de água e esgoto, que constituem, de regra, uma delegação do uso especial da Administração Pública, por essa mesma delegação, convertido em uso privativo a favor de particular. Enfim, ainda é preciso não esquecer as concessões restritamente sobre o domínio público, que tanto dizem respeito ao uso (aproveitamento de águas, • na forma dos arts. 43 e 62 do Código de Águas), como excepcionalmente à propriedade (Ruy Cirne Lima, *Pequena História Territorial do Brasil*, Porto Alegre, 1954, p. 88). •

Sob a letra "b" supra, incluem-se, de modo geral, as admissões aos estabelecimentos públicos, como hospitais, bibliotecas, universidades oficiais, museus etc. (v. § 11, n. 4, supra). Nenhum indivíduo poderá pretender acolhida em um hospital, que se ache, no momento, com a sua lotação preenchida. Não é o hospital franqueado ao uso comum, mas ao uso privativo de cada indivíduo, assegurado, é certo, a *qualquer* indivíduo – não, porém, a *todos* os indivíduos. • Situação análoga se nos depara nas universidades oficiais, em que somente aqueles regularmente admitidos e matriculados em seus cursos têm direito à utilização plena de suas instalações e serviços. •

O uso especial. O uso especial consiste na utilização do bem exclusivamente pelo Estado ou outra pessoa administrativa. Bens de uso especial são os estabelecimentos militares, • os quartéis do Exército, os aeroportos da Força Aérea, as bases da Marinha, as fortalezas, os edifícios dos Ministérios, os palácios do Governo, os prédios do Congresso Nacional e dos Tribunais Superiores, como o do Supremo Tribunal Federal. Distinguindo o uso comum do uso especial, sobretudo dos bens públicos de que são titulares os estabelecimentos públicos, Ernst Forsthoff afirma que enquanto o uso comum é fundamentalmente aberto a todos, os serviços de um estabelecimento público podem, certamente, ser utilizados por todos, mas podem também ser reservados a um círculo estreito de pessoas, definido segundo critérios gerais (*Traité de Droit Administratif Allemand*, Bruxelles, 1969, p. 594). •

4. O uso comum, o uso privativo, o uso especial, modalidades das funções que os bens desempenham na execução dos serviços públicos, fazem ressair, conjuntamente considerados, a superior finalidade impessoal, a que tais funções vinculam o domínio público e o patrimônio administrativo, partícipes que são da atividade administrativa, de que aquela é o traço essencial (v. § 2, n. 2, supra).

Bem se compreende, pois, que aos bens, integrados na economia administrativa, se tenha pretendido recusar, sob esse aspecto, a feição da propriedade (v. § 9, n. 3, supra). Direta ou indiretamente eles servem o público. • É novamente a lição de Forsthoff, quando afirma que os bens que se encontram nas mãos do Estado ou de outras pessoas administrativas servem, direta ou indiretamente, à atividade de Administração, que tem como destinatário o público (ob. cit., trad. francesa, cap. XIX, p. 544). •

§ 23. *AS SERVIDÕES ADMINISTRATIVAS*[1]

Não se compõem, segundo vimos, o domínio público e o patrimônio administrativo, exclusivamente de bens públicos, quer dizer, de bens pertencentes em propriedade às pessoas administrativas. Deste princípio se encontram aplicações, de resto, e numerosas, já no mesmo direito romano (Ruy Cirne Lima, *Sistema de Direito Administrativo Brasileiro*, t. I, Porto Alegre, 1953, § 15, p. 151).

Assim, está no domínio público o leito do rio público, embora se saiba que, de lado a lado, "os prédios marginais se estendem até o meio do álveo" (art. 1.252, Código Civil). Entram, do mesmo modo, para o patrimônio administrativo, posto que, transitoriamente, as propriedades particulares que forem usadas pelas autoridades competentes, até onde o bem público o exigir, em caso de guerra ou comoção intestina.

Nessas duas hipóteses, supõe-se a integração completa do bem privado na economia da Administração Pública. Situação semelhante é a das servidões administrativas que, entretanto, não abrangem a totalidade das utilidades da coisa, mas unicamente parte delas (v. § 9, n. 4, supra).

1. Em edições anteriores o Autor dizia que os bens do domínio público e do patrimônio administrativo não toleram o gravame das servidões. Assim, acerca dos balcões que avançam, das fachadas das casas, sobre as vias públicas, dizia a Ordenação do Liv. I, tit. 68, § 32: "posto que o tal balcão (...) esteja nas paredes, sempre assim o debaixo do balcão como o ar de cima fica do Conselho. E portanto cada vez que o Conselho (sobrevindo causa para isso) quiser, o poderá fazer demolir, porque por

---

1. *Aliter*, Pontes de Miranda, *Tratado de Direito Privado*, 1957, § 2.219, pp. 340 e ss.; cf. Ruy Cirne Lima, "Das Servidões Administrativas", *Revista Jurídica* 27/5 e ss., Porto Alegre.

§ 23. AS SERVIDÕES ADMINISTRATIVAS

tempo algum nunca poderá adquirir posse em dito balcão o senhorio da casa ou balcão".

Dizia, ainda que, quando se fala, portanto, de servidões administrativas, entendem-se como tais às constituídas, em proveito da Administração Pública, sobre *bens privados*.

• Essa opinião, entretanto, não pode ser mantida, considerando, para tanto, que há servidões administrativas que se estabelecem sobre bens públicos. Exemplo claro dessa peculiar situação exsurge no caso de "tombamento dos bens pertencentes à União, aos Estados e aos Municípios", que "se fará de ofício, por ordem do diretor do Serviço do Patrimônio Histórico e Artístico Nacional", que "deverá ser notificado à entidade a quem pertencer, ou sob cuja guarda estiver a coisa tombada, a fim de produzir os necessários efeitos" (art. 5º, Decreto-Lei 25, de 30.11.1937). Hodiernamente o Serviço do Patrimônio Histórico e Artístico Nacional passou a se denominar de Instituto de Patrimônio Histórico e Artístico Nacional – IPHAN, autarquia vinculada ao Ministério da Cultura (Decreto 3.280, de 8.12.1999 – Anexo único). O tombamento é, fora de dúvida, um ato administrativo constitutivo, que estabelece uma servidão administrativa, não raro sobre bens imóveis e até mesmo móveis, como esculturas, pinturas e obras de arte, pertencentes em propriedade à União, aos Estados, ao Distrito Federal ou aos Municípios. Do ato de tombamento decorre para o proprietário a obrigação de conservar a coisa tombada e de obedecer aos ditames do Instituto de Patrimônio Histórico e Artístico Nacional, a fim de que o bem tombado se mantenha íntegro. No Rio Grande do Sul, exemplo de bem tombado, que pertence em propriedade ao Estado e está sob a administração da Assembléia Legislativa, é o Solar dos Câmara que foi construído pelo Visconde de S. Leopoldo lá pelo ano de 1816. Considerado como de valor histórico, artístico e cultural, dito solar foi tombado antes que o Estado viesse a adquiri-lo, e submeteu-se às diretrizes do respectivo serviço público federal no que concerne à sua manutenção e conservação.

Há, por conseguinte, servidões administrativas constituídas em proveito da Administração Pública, sobre bens públicos e não apenas sobre bens privados.

1-A. Otto Mayer já fazia menção à existência de servidões administrativas sobre bens públicos. Afirmava que "Para distingui-las das outras servidões públicas, nos será permitido chamá-la de servidão entre coisas públicas. Nós já citamos como exemplo principal o caso em que se entrecruzam as linhas de ferrovias e das estradas comuns. Isso pode ocorrer de diferentes maneiras: uma passagem de nível ou um viaduto, a estrada atravessando a ferrovia sobre uma ponte ou inversamente. As estradas poderão se cruzar entre elas, da mesma forma que as ferrovias. Haverá ainda relações semelhantes no caso em que a estrada ou a ferrovia passa sobre um rio ou canal de navegação" ("Pour la distinguer des autres servitudes publiques, il nous sera permis de l'apeller servitude entre choses publiques. Nous avons déjà cité comme exemple principal le cas où s'entrecroisent des lignes de chemin de fer et des routes ordinaires. Cela peut se faire de différentes manières: passage à niveau ou viaduc, la route traversant le chemin de fer sur un pont ou inversement. Les routes pourront aussi se croiser entre elles, ainsi que les chemins de fer. Il y aura encore des rapports semblables dans le cas où la route ou le chemin de fer passe sur un fleuve ou canal de navigation" – *Le Droit Administratif Allemand*, t. III, Paris, 1905, § 40, p. 293).

Otto Mayer não menciona o serviço público, mas faz menção, anteriormente a "l'entreprise publique déterminée (...) qui prend la place du *praedium dominans*" (ob. cit., p. 292). A servidão administrativa se formava, sempre, tendo como favorecida, ou beneficiária uma empresa pública.

A fim de que se verifique a existência de uma servidão administrativa, incidindo sobre bem do domínio público ou do patrimônio administrativo, é necessário que o serviço público, havido como res *dominans* e a coisa tida como *res serviens* pertençam a pessoas de direito público distintas. Nesse sentido é a opinião de Otto Mayer (*Le Droit Administratif Allemand*, t. III, Paris, 1905, § 40, p. 293). •

2. Discute-se largamente sobre a natureza das servidões administrativas, sobretudo no que tange a considerá-las, ou não, como direitos reais.

• Otto Mayer já dizia que a servidão de direito público é algo completamente diferente da servidão do direito civil (*Le Droit Administratif Allemand*, t. III, 1905, § 40, p. 273). E Otto Mayer justificava a sua posição ao afirmar o seguinte: "em proveito de quem o imóvel é assim gravado? A essa questão, o direito civil nos oferece duas respostas: ou bem a submissão existe em proveito de um imóvel determinado (servidão predial ou real), ou bem ela existe em função de uma pessoa determinada (servidão pessoal). Nenhuma dessas respostas – afirma Mayer – se aplica à nossa servidão de direito público" (ob. cit., p. 273). Para Otto Mayer não se tratava de estabelecer um prédio como coisa dominante, mas de vincular um imóvel a uma empresa pública determinada. Definia, então, a "servidão de direito público como um poder jurídico parcial constituído sobre um imóvel em proveito de uma empresa ou estabelecimento público" (ob. cit., p. 274). Otto Mayer fala sempre de estabelecimento público ou de empresa pública, porque na Alemanha não se empregava, como na França, o conceito de serviço público. Entre nós, adotamos a posição francesa de admitir a concepção de serviço público e de considerar, na servidão administrativa, como coisa dominante, sempre um serviço público. •

A servidão administrativa importa a incidência da relação de administração sobre uma parte somente das utilidades, de que uma coisa determinada é suscetível. Não se poderá dizer que constitua ela direito real, por isso que a relação de administração, na qual consiste, pode indiferentemente ter, em princípio, como objeto uma coisa corpórea ou um fato (v. § 6, supra). Mas a sua estrutura jurídica é *análoga à dos direitos reais* (v. § 9, n. 5, supra).

Entre as restrições de polícia (Otto Mayer, ob. cit., vol. III, § 40, p. 273) à propriedade privada e as servidões administrativas, fáceis, não raro de confundir, a distinção, portanto, há de fazer-se segundo as peculiaridades estruturais, características das servidões administrativas reais de direito privado, a saber: a) a inseparabilidade; b) a limitação de conteúdo; c) a ilimitação no tempo.

Embora admitida por uma corrente da doutrina (T. B. Cavalcanti, *Instituições de Direito Administrativo Brasileiro*, Rio de Janeiro, t. II, 1938, p. 521; Aliter – *Tratado de Direito Administrativo*, 4ª ed., Rio de Janeiro, p. 521), não nos parece fundada a acolhida no nosso direito público da figura da servidão pessoal. A servidão pessoal, além de essencialmente temporária, no que segue a condição da pessoa, não se pode estender à substância da coisa. Ora, o uso temporário pelo Poder Público dos bens particulares (v. § 9, n. 4, e § 15, n. 5, supra) não é suscetível desse limite.

3. Diferença-se a servidão administrativa da servidão real do direito privado em que, diversamente desta, se estabelece – não entre duas coisas –, senão entre uma coisa e um serviço público, em tal hipótese havido como *res dominans* (v. § 10, n. 1, supra). Certo, o serviço público pode funcionar em prédio vizinho ao prédio privado, que lhe é serviente; se não é, porém, apenas a vizinhança do prédio o pressuposto da servidão, a deslocação do serviço para lugar diverso e afastado não afetará a servidão.

De outra parte, a servidão administrativa ao contrário da servidão real de direito privado (art. 1.378, Código Civil), pode incidir sobre móveis ou imóveis. Pode incidir sobre móveis a servidão instituída sobre as coisas do patrimônio histórico e artístico nacional, que lhes impede a restauração, livremente feita, posto que desejada pelo próprio dono (art. 17, Decreto-Lei 25, de 30.11.1937).

• Entretanto, há quem manifeste opinião diversa, considerando a servidão administrativa como um direito real de gozo (Maria Sylvia Zanella Di Pietro, *Direito Administrativo*, 14ª ed., São Paulo, 2002, n. 6.9.4, p. 145). A servidão administrativa, segundo essa concepção seria "direito real de gozo" e "o titular do direito real é o Poder Público". Não podemos concordar com essa conceituação, porquanto já ficou dito acima que a servidão administrativa é, tão-somente, análoga à servidão real de direito privado, não estando submetida aos ditames do Código Civil para sua constituição, nem obedecendo às mesmas características da servidão real. Não constitui, destarte, a servidão administrativa direito real, embora muitos façam essa confusão. Nem sempre a imposição da servidão administrativa requer ato jurídico, especificamente endereçado a esse objeto. A construção de uma fortaleza, de um aeroporto ou de uma via férrea é, já de si, *ação humana apta a efeitos jurídicos*. Segundo o dito de Contardo Ferrini "Talora l'uomo opera sulla natura esteriore e crea uno stato di cose a cui il diritto annete determinate conseguenze" (*Manuale di Pandette*, 4ª ed., Milano, 1953, n. 108, p. 114). O mesmo efeito jurídico pode manifestar-se como repercussão de *ato jurídico*: a declaração de uma floresta como de preservação permanente por ato do Poder Público (art. 3º, Lei 4.771, de 15.9.1965), o tombamento compulsório de bem imóvel ou móvel, feito pelo Instituto de Patrimônio Histórico e Artístico Nacional (arts. 8º e 9º, Decreto-Lei 25, de 30.11.1937). Outras vezes, como no caso da servidão de apoio de fios condutores de eletricidade, o ato jurídico de constituição da servidão é *bilateral*, sendo considerado indispensável, salvo no caso de desapropriação prévia (Decreto-Lei 3.365, de 21.6.1941, art. 40). *Disposição legal* poderá estabelecer, por sua vez, servidões, como no caso das servidões urbanas de aqueduto, canais, fontes, esgotos sanitários e pluviais, estabelecidos para serviços público e privado das populações (Código de Águas, art. 138). Saliente-se, de outra parte, que não se pode mais falar de águas particulares, revogado o art. 8º do Código de Águas pela Lei 9.433/1997, que em seu art. 1º, I, define a água como um bem de domínio público. Outras vezes, ainda, a servidão, embora instituída em lei, reclama *ato administrativo*, que lhe fixe o conteúdo como no caso da instituição de servidões administrativas em torno dos fortes e praças de guerra, que remonta ao século XVII, estabelecida pelo Alvará de 29.9.1681. Para a constituição de servidão administrativa não é necessário o registro no albo imobiliário, somente exigido para as servidões reais de direito privado.

§ 23. AS SERVIDÕES ADMINISTRATIVAS

3-A. A servidão administrativa pode ser instituída de duas maneiras: ou por uma regra de direito que a estabelece diretamente sobre um imóvel ou um conjunto de imóveis, ou por meio de um ato administrativo, autorizado por lei. Otto Mayer, ao discorrer sobre a instituição das servidões, assim se expressava: "Un acte administratif pourra ici survenir pour déclarer expressément, dans le cas individuel, que la servitude existe; cet acte aura le caractère d'une décision" ("Um ato administrativo poderá aqui ocorrer para declarar expressamente, no caso individual, que a servidão existe; esse ato terá o caráter de uma decisão" – *Le Droit Administratif Allemand*, t. III, Paris, 1905, § 40, n. II, p. 281).

A lei poderá, ainda, deixar ao ato administrativo, a faculdade de fazer nascer a servidão no caso individual, de acordo com a apreciação que o Poder Público fizer acerca do interesse público a respeito dessa questão (Otto Mayer, ob. cit., p. 282).

Poderá, enfim "uma regra de direito atingir diretamente o imóvel" ("une règle de droit frappant directement l'immeuble" – Otto Mayer, *Le Droit Administratif Allemand*, t. III, p. 283).

Exemplo de servidão constituída diretamente sobre vários imóveis, por lei, está na regra contida no art. 43 do Código Brasileiro de Aeronáutica. O referido artigo dispõe da seguinte forma: "Art. 43. As propriedades vizinhas dos aeródromos e das instalações de auxílio à navegação aérea estão sujeitas a restrições especiais. Parágrafo único. As restrições a que se refere este artigo são relativas ao uso das propriedades quanto a edificações, instalações, culturas agrícolas e objetos de natureza permanente ou temporária e tudo mais que possa embaraçar as operações de aeronaves ou causar interferência nos sinais dos auxílios à radionavegação ou dificultar a visibilidade de auxílios visuais".

Trata-se, no caso, de servidão administrativa, que decorre diretamente da lei e não está sujeita a registro imobiliário. Uma grande quantidade de prédios, à margem dos aeroportos é atingida por essa servidão, sem que haja necessidade de qualquer registro.

As florestas de preservação permanente, assim declaradas por ato do Poder Público, estão sujeitas a uma servidão administrativa, autorizada por lei e exercitada por meio de ato administrativo, de acordo com o que dispõe o art. 3º, da Lei 4.771/1965 (Código Florestal). Constituem, as florestas de preservação permanente, exemplo daquela servidão, a que Otto Mayer se refere ao afirmar que a lei poderá deixar ao ato administrativo a faculdade de fazer nascer a servidão no caso individual (Otto Mayer, *Le Droit Administratif Allemand*, t. III, § 40, p. 282).

Em nenhum desses casos, a servidão é constituída mediante registro no Registro de Imóveis. Basta a lei, ou o ato administrativo na forma da lei, para sua constituição.

3-B. A ausência de ato jurídico específico, na instituição da servidão administrativa, não a torna, só por isso, insuscetível de indenização. Fora da legislação acerca da desapropriação, o nosso direito positivo prescreve a indenização em todos os casos de imposição de servidão administrativa. É o que se dessumia, inequivocamente, do art. 1.558, II, do Código Civil de 1916, em que se dizia que "Conservam seus respectivos direitos os credores, hipotecários ou privilegiados: II – Sobre o valor da indenização se a coisa obrigada à hipoteca ou privilégio for desapropriada, ou submetida a servidão legal". O fundamento para a indenização é o mesmo da desapropriação por necessidade ou utilidade pública, ou por interesse social, prevista na Constituição Federal somente com prévia e justa indenização em dinheiro, ressalvado o caso das desapropriações por interesse social para fins de reforma agrária (CF, art. 5º, XXII e XXIV). •

4. • As servidões administrativas são, entretanto, análogas, às servidões reais de direito privado. Guardam, com as últimas, semelhanças, mas delas se distinguem profundamente de outra parte. • Como as servidões reais de direito privado, as servidões administrativas são inseparáveis da coisa serviente do serviço público dominante. Saliente-se, todavia, que dominante é sempre o serviço público e não uma coisa. São limitadas quanto ao seu conteúdo e ilimitadas quanto ao seu tempo de duração. Assim, porque inseparável do serviço público, a servidão administrativa de passagem de fios telefônicos ficará extinta se o serviço público de telefones for substituído em sua forma original e passar a utilizar-se da rádio-comunicação. Os fios existentes não poderão ser mantidos e utilizados para serviço diverso. Do mesmo modo, a servidão administrativa, porque tem conteúdo limitado, deve restringir-se às necessidades do serviço público, em favor do qual é constituída. Não se pode conceber que o proprietário de um imóvel, próximo a um aeroporto ou a um aeródromo, seja impedido de cultivar, em sua propriedade, trigo ou arroz, em virtude da servidão administrativa que lhe grava o prédio quanto "as edificações, instalações, culturas agrícolas" (Lei 7.565, de 19.12.1986, art. 43, parágrafo único). As necessidades do serviço público, neste caso, restringem-se a que as plantações e culturas não embaracem a partida ou a chegada de aviões (art. 43, parágrafo único). Enfim, as servidões administrativas são ilimitadas no tempo, porque, a exemplo das servidões reais privadas – destinando-se a sua imposição sobre o bem serviente a suprir uma deficiência do serviço público, que lhe é a *res dominans* –, "não poderia (...) ser suprida aquela deficiência que, no dominante, é perpétua, se perpétua, também, não fosse a capacidade do serviente em supri-la" (Lacerda de Almeida, *Direito das Coisas*, t. II, Rio de Janeiro, 1910, § 99, p. 21).

• *4-A.* A lei é que deve autorizar a constituição de uma servidão administrativa. Fritz Fleiner diz que a vida moderna nos mostra uma grande variedade de fenômenos semelhantes: a autoridade pública coloca número nas casas particulares; ou, ainda, as placas indicando o nome das ruas, ou os suportes de fios telegráficos ou telefônicos, impõe às terras situadas à margem das fortificações determinados limites quanto ao raio de construção (*Rayonservituten*). Em todos esses casos, diz Fleiner, *não se constitui uma servidão real de direito civil*. O que sucede é que a propriedade privada ingressa até certo ponto na esfera de poder dos serviços públicos. Para Fleiner, isso deverá ocorrer dentro dos princípios do Estado de Direito e cada restrição, imposta pelo Estado, deverá ter uma base legal. A compensação pela restrição à propriedade privada deverá se operar segundo os princípios relativos à indenização de direito público (*Les Principes Généraux du Droit Administratif Allemand*, trad. francesa, Paris, 1933, § 19, II, pp. 205-206). A opinião de Fritz Fleiner, sempre bem formulada e apropriada, serve para demonstrar como estão equivocados aqueles doutrinadores modernos que identificam a servidão administrativa com a servidão real de direito privado, chegando a afirmar que a servidão administrativa seria um "direito real de gozo". Nada mais equivocado. A servidão administrativa não é direito real, tampouco se confunde com a servidão real de direito privado. Trata-se, tão-somente, de uma conceituação analógica, tirada dos caracteres comuns dos dois institutos jurídicos, que possuem, entretanto, uma diferença fundamental, que os separa definitivamente: enquanto que o serviço público é dominante na servidão administrativa, uma coisa corpórea faz o papel de *res dominans* na servidão real de direito privado. •

5. Não é possível formar-se uma enumeração completa das servidões administrativas, contempladas em nosso direito positivo.

Entre elas, podem conumerar-se:

a) *As constituídas sobre imóveis*

• 1º) Dentre as servidões administrativas, a mais antiga, porque rastreável, segundo a origem, até o Direito Romano, é a servidão à margem dos rios públicos, definida, entre nós, pela Lei 1.507, de 26.9.1867, em seu art. 39. Por força desse dispositivo, ficou reservada, para servidão pública, na margem dos rios navegáveis e dos que se fazem navegáveis, fora do alcance das marés, (...) a zona de sete braças, contadas do ponto médio das enchentes ordinárias para o interior (art. 39). Trata-se de servidão a benefício do público, e não somente da navegação, constituída, porém, em favor de um serviço público. O rio, ainda que acidente natural, é, enquanto adaptado, ou conservado apto pela Administração Pública, aos usos de que é suscetível, representa a prestação de um serviço público, feita diretamente à coletividade. Nesse sentido, a opinião de Léon Duguit, que afirmava que as praias de mar, os rios navegáveis e flutuáveis, os canais "sont objets de service public" (*Traité de Droit Constitutionnel*, t. III, Paris, 1930, § 75, p. 356). O Código de Águas não revogou o art. 39 da Lei 1.507/1867, ao declarar que os terrenos, reservados para servidão pública, em se tratando de rios públicos, hão de reputar-se "públicos dominicais", se não estiverem destinados ao uso comum, ou, por algum título legítimo, não pertencerem ao domínio particular (art. 11). Públicos dominicais, reputava-os já a Lei 1.507, em termos análogos, ao permitir, no mesmo art. 39, a concessão deles, pelo Governo, "em lotes razoáveis", "na forma das disposições sobre terrenos de marinha". Situação semelhante conheceu, a respeito, o Direito Romano. À parte a diversidade possível de domínio, quanto aos terrenos reservados (Código de Águas, art. 31), e a diversidade das competências, acerca dos serviços públicos de águas (Código de Águas, art. 68), cabe não esquecer que, já no Direito Romano, a máxima "nemini res sua servit" não obstava a que a servidão pudesse incidir, ainda que não de regra, sobre coisa, própria do senhor da coisa dominante. Nesse sentido é a opinião de Herbert Felix Jolowicz, quando afirma que o Direito Romano clássico visualizava todas as servidões como *res incorporales* e desenvolveu a máxima de que "nulli res sua servit" (ninguém pode ser titular de uma servidão sobre a sua propriedade). Entretanto, no dizer de Jolowicz, traços de concepções antigas permaneceram; assim, parece que uma servidão poderia sobreviver mesmo no caso do abandono da propriedade do prédio serviente (*Historical Introduction to the Study of Roman Law*, Cambridge, 1952, p. 427).

Inovação do Código de Águas foi meramente a servidão de trânsito, nomeadamente tal, que criou, sobre as margens das correntes que, não sendo navegáveis nem flutuáveis, concorrem para formar outras simplesmente flutuáveis, e não navegáveis (art. 12 e art. 11, § 2º). Essa servidão, de trânsito, restrita à passagem de agentes da Administração Pública, quando em execução de serviço público (art. 12), incide sobre as margens de correntes, que não são necessariamente públicas, de vez que somente poderão considerar-se públicas, com aqueles característicos, se influírem na flutuabilidade das correntes flutuáveis que concorrem para formar (Código de Águas, art. 2º, "f").

O Supremo Tribunal Federal estabeleceu decisão sumulada somente no que concerne aos rios navegáveis, dizendo que "As margens dos rios navegáveis são de domínio público, insuscetíveis de desapropriação e, por isso mesmo, excluídas de indenização" (Súmula 479). Não se refere a súmula, e manifestamente, ao caso das correntes que não são navegáveis, nem flutuáveis, sobre as quais incide a servidão de trânsito aqui referida.

2º) Obediente ao módulo da antiga "servitus altius non tollendi" é a servidão, instituída pelo Código Brasileiro de Aeronáutica (Lei 7.565, de 19.12.1986) sobre "as propriedades vizinhas dos aeródromos e das instalações de auxilio à navegação aérea" (art. 43, *caput*), consistente em "restrições (...) relativas ao uso das propriedades quanto a edificações, instalações, culturas agrícolas e objetos de natureza permanente ou temporária, e tudo mais que possa embaraçar as operações de aeronaves ou causar interferência nos sinais dos auxílios à radionavegação ou dificultar a visibilidade de auxílios visuais" (art. 43, parágrafo único). O texto legal qualifica expressamente a figura jurídica que descreve, como "restrições", às propriedades vizinhas dos aeródromos, indicando, do mesmo passo, a União Federal como entidade titular do serviço monopolizado (art. 36, § 2º), que exercerá seu direito por intermédio da chamada "autoridade aeronáutica" (art. 36, § 1º), vinculada hodiernamente ao Comando da Aeronáutica, órgão do Ministério da Defesa, ou à ANAC – Agência Nacional de Aviação Civil. •

3º) As servidões militares em torno das praças de guerra, • como já ficou dito anteriormente, remontam ao século XVII (Alvará de 29.9.1681). A instituição de servidões administrativas em torno delas, são desdobradas em duas zonas com intensidades diferentes: na primeira zona, com quinze braças, concedidos aforamentos de terrenos a particulares, nem serão permitidas construções, civis ou públicas; na segunda zona, com seiscentas braças, nenhuma construção será tolerada fora dos padrões determinados pelo antigo Ministério da Guerra, hoje Comando do Exército (Decreto-Lei 3.437, de 17.7.1941, arts. 1º e 2º). Servidão administrativa *non aedificandi*, enquanto à primeira zona, desde que se excluem dela as mesmas construções públicas; *ne armis officiatur*, ou *ne prospectui officiatur*, quanto à segunda zona.

4º) Análoga à precedente, salva a destinação, é a servidão ao longo das vias férreas, pela qual "nos terrenos contíguos à estrada, ninguém poderá plantar árvores que, pelo seu grande crescimento possam vir, caindo sobre a linha a prejudicar a sua conservação ou ameaçar a segurança do tráfego" (Decreto-Lei 15.763, de 7.9.1922, art. 153). •

5º) Análoga, também, à servidão *ne conspectui officiatur* é a que estabelece sobre os prédios vizinhos de obra ou imóvel, incorporado ao Instituto de Patrimônio Histórico e Artístico Nacional – IPHAN (Decreto-Lei 25, de 30.11.1937, art. 18).

• 6º) Servidão administrativa "para certo fim" (art. 1.378, novo Código Civil) recai sobre as florestas protetoras, de propriedade privada, as quais, além de não poderem ser alienadas sem a restrição da servidão administrativa, estão sujeitas, no que respeita à sua condição específica, não mais ao arbítrio do proprietário, mas às determinações das autoridades competentes, a benefício do serviço público florestal (Lei 4.771, de 15.9.1965, arts. 1º, 3º, 6º e 9º – Código Florestal).

7º) Semelhante, enfim, à servidão de aqueduto, é a servidão administrativa de apoio de fios condutores de eletricidade. Chamam-lhes os italianos de *elettrodotto*, e, quando permanente, tem o serviço público de geração e distribuição de energia elétrica como *res dominans*. O Código de Águas é claro ao determinar que o concessionário, para explorar a concessão, terá direito de "estabelecer as servidões permanentes ou temporárias exigidas para as obras hidráulicas e para o transporte e distribuição da energia elétrica" (art. 151, "c"). Por sua vez, o Decreto 35.851, de 16.7.1954, que regulamenta o art. 151, "c", do Código de Águas, dispõe que "As concessões para o aproveitamento industrial das quedas d'água, ou, de modo geral, para produção, transmissão e distribuição de energia elétrica, conferem aos seus titulares o direito de constituir as servidões administrativas permanentes ou temporárias, exigidas para o estabelecimento das respectivas linhas de transmissão e distribuição" (art. 1º). "Como é incontroverso, a 'constituição da servidão' depende da expedição, pelo Poder Executivo, de decreto em que, para esse efeito, se reconheça a conveniência de estabelecê-la e se declarem de utilidade pública as áreas destinadas à passagem da linha" (art. 2º, Decreto 35.851/1954). A servidão administrativa é precedida de ato administrativo formal, praticado pelo Presidente da República. •

b) *As constituídas sobre móveis*

Diversa, inteiramente, é a servidão estabelecida sobre as telas, obras de estatutária e outros objetos de valor histórico e artístico, tombados pelo Instituto de Patrimônio Histórico e Artístico Nacional • (Decreto-Lei 25, de 30.11.1937, art. 17, art. 19, § 3, e art. 20), criando aos respectivos proprietários, no tocante à reparação desses bens, o *pati*, característico das servidões, com relação à atividade correspondente daquele serviço público. •

6. Sobre a imposição da servidão administrativa, dissemos já no lugar competente (§ 15, n. 14, "a", supra). Nem sempre, porém, a legislação obedece ao princípio da indenização, na imposição da servidão administrativa. A ausência de dano às coisas obscurece, não raro, a diminuição patrimonial, decorrente da limitação do direito.

• **6-A.** Não se tratando de direito real, estabelecido entre uma *res dominans* e uma *res serviens*, a servidão administrativa não está sujeita, para a sua constituição, a registro no Registro de Imóveis. A regra constante do art. 167, inciso I, n. 6, da Lei 6.015, de 31.12.1973, diz respeito, exclusivamente, às servidões reais de direito privado, não abrangendo as servidões administrativas, embora haja entendimentos em sentido contrário, afirmando que "O título das servidões deve ser registrado, consoante postula a Lei dos Registros Públicos (Lei 6.015/1973) em seu art. 167, I, n. 6" (Lúcia Valle Figueiredo, *Curso de Direito Administrativo*, 7ª ed., São Paulo, Malheiros Editores, 2004, cap. XI, n. 7, p. 308). Permanecemos, entretanto, com nosso entendimento no sentido de que não cabe o registro imobiliário das servidões administrativas, que se não confundem com as servidões de direito privado, que são as únicas a que a lei alude.

Mesmo que haja o costume de, algumas vezes, efetuar o registro, não terá ele o efeito constitutivo que lhe é atribuído. Esse efeito decorre da lei ou do ato administrativo que instituirá a servidão, de modo exclusivo. •

§ 24. A RESPONSABILIDADE DA ADMINISTRAÇÃO

• "Um dos pilares do moderno Direito Constitucional – escreve Celso Antônio Bandeira de Mello – é, exatamente, a sujeição de todas as pessoas, públicas ou privadas, ao quadro da ordem jurídica, de tal sorte que a lesão aos bens jurídicos de terceiros engendra para o autor do dano a obrigação de repará-lo" (*Curso de Direito Administrativo*, 20ª ed., São Paulo, Malheiros Editores, 2006, cap. XX, III, n. 13, p. 940).

Essa afirmação, evidente nos dia que correm, tem uma história recente, pois até o século XIX, em sua primeira metade, a regra que dominava era a da irresponsabilidade do Estado. A irresponsabilidade era um corolário da soberania do Estado. Entretanto, essa situação se alterou, na medida em que o direito passou a contrapor aos atos de soberania os atos de gestão.

A responsabilidade do Estado passou a ser admitida, embora timidamente, no célebre "arrêt Blanco", datado de 1º.2.1873, decisão do "Tribunal des Conflits" da França. Nessa decisão, aquele tribunal afirmava o seguinte: "La responsabilité qui peut incomber à l'État pour les dommages causés aux particuliers par le fait des personnes qu'il emploie dans le service public (...) n'est ni générale, ni absolue; elle a ses règles spéciales (...)". Embora possa parecer restritiva a afirmação, comenta Jean Rivero, ela na verdade consagra a existência de uma responsabilidade do Poder Público, independente dos textos legais (*Droit Administratif*, 17ª ed., Dalloz, 1998, em colaboração com Jean Waline, n. 273, p. 259).

A idéia da irresponsabilidade do Estado remonta ao direito inglês. Segundo Wade o Direito inglês sempre esteve ligado à concepção de que o rei está sujeito à lei, mas pode violar a lei. A concepção é antiga e vai encontrar suas raízes na obra de Henry Bracton, o grande jurisconsulto que floresceu no século XIII, no reino de Henrique III. Afirmava Bracton que "Separare autem debet rex cum sit dei vicarius in terra ius ab iniuria, aequam ab iníquo, ut omnes sibi subiecti honeste vivant e quod nullus alium laedat, et quod unicuique quod suum fuerit recta contributione reddatur. Potentia vero omnes sibi subditos debet praecellere. Parem autem habere non debet nec multo fortius superiorem maxime in iustitia exhibenda, ut dicatur vere de eo, magnus dominus noster, et magna virtus eius etcetera" (tradução: "O rei, desde que ele é o vigário de Deus na Terra, deve distinguir o direito da injustiça, a equidade da iniqüidade, de modo que todos os seus súditos possam viver corretamente, nenhum injuriando o outro, e por uma justa recompensa cada um seja retribuído com o que é seu. Ele deve superar em poder todos quantos são seus súditos. Ele não terá ninguém igual, tampouco um superior, especialmente quando distribui a justiça, podendo-se dele dizer: Grande é o nosso soberano e grande a sua virtude etc." – *De Legibus et Consuetudinibus Angliae*, vol. II, F. 114, p. 305, Harvard University Press).

O fundamento do poder incontroverso do soberano está nas afirmações de Bracton, mas é preciso se diga que aquele ilustre jurisconsulto não atribuiu ao rei o poder de cometer toda a sorte de injustiças, pois era sua a assertiva de que o rei era o vigário do Rei Eterno enquanto fazia justiça, mas se transformava em ministro do demônio quando se desviava para a injustiça ("Igitur dum facit iustitiam vicarius est Regis aeterni, minister autem diaboli dum declinet ad iniuriam" – ob. cit., vol. II, f. 114, p. 305).

Como na prática os direitos dependem dos remédios jurídicos adequados para assegurá-los e não havia instrumento humano para garantir a lei diante do rei, a nenhum súdito era dado perseguir o rei na justiça. O rei poderia comparecer na condição de autor de um processo, nunca na de réu (*defendant*). Assim, a máxima segundo a qual "the king can do no wrong" se relaciona com a imunidade processual da coroa. Sua posição legal – a do rei – é a de que não desfruta de poder para fazer o mal. Sua situação legal, seus poderes e suas prerrogativas, que, segundo Bracton, o distinguem dos súditos, lhe são outorgadas pela lei, que não lhes concede autoridade para transgredi-la. No dizer de H. R. Wade, isso está implícito nas afirmações de Bracton, provendo a justificação para a regra segundo a qual a Coroa não poderia ser processada por nenhum ato contrário ao direito (*Administrative Law*, Oxford, Clarendon Press, 1974, cap. 8, p. 277).

Essa situação perdurou até o ano de 1948, a partir do qual a responsabilidade da Coroa começou a ser admitida. No que concerne à situação pregressa são sarcásticas as observações do grande sir Carleton Kemp

Allen, num livro inteligente e sutil, como, de resto, costumavam ser todas as suas obras (*Bureaucracy Triumphant*, London, 1931, p. 4).

Deve-se recordar, entretanto, que o princípio da irresponsabilidade do Estado sempre foi temperado pela admissão da responsabilidade do funcionário, quando o ato lesivo pudesse ser diretamente relacionado a um comportamento pessoal do servidor (Celso Antônio Bandeira de Mello, ob. cit., cap. XX, V, n. 26, p. 945).

Não era apenas a Inglaterra a adotar o princípio do "The king can do no wrong". Sob a Monarquia e até o início do século XIX, na França a regra de direito era a da irresponsabilidade do Estado, vinculada à concepção, segundo a qual o rei, e depois dele o Estado, revolucionário ou imperial, não pode fazer o mal (Francis-Paul Bénoit, *Le Droit Administratif Français*, Dalloz, 1968, n. 1.210, p. 671).

No início do século XIX, por conseguinte, as regras jurídicas em matéria de responsabilidade pública, eram inexistentes na França. Grandes dificuldades foram vencidas até que se chegasse ao princípio da responsabilidade do Estado. Foi um caminho árduo percorrido pelo direito administrativo francês para construir uma teoria da responsabilidade do Estado, até chegar a um ponto bem mais avançado do que aquele a que chegaram, no século XX, países evoluídos, como a Inglaterra e os Estados Unidos.

Na Alemanha, a questão não foi diferente. A adoção da responsabilidade dos funcionários e do Estado, ou dos dois conjuntamente pelos danos causados no exercício de suas funções ou no exercício do Poder Público só encontrou nos tempos modernos solução legal satisfatória.

A responsabilidade dos funcionários foi regulamentada de modo uniforme e definitivo para a Alemanha pelo art. 839 do Código Civil (BGB), que data de 1900. A responsabilidade direta do Estado pelas faltas ou atos ilícitos cometidos pelos funcionários, no âmbito do Império alemão, foi introduzida pela Lei de 22.5.1910. Essa regulamentação foi retomada pela Constituição de Weimar que, em seu art. 131, dispunha que "Se um funcionário cometeu uma falta diante de terceiro, no cumprimento das obrigações que lhe competem no exercício do Poder Público que lhe é confiado, a responsabilidade incumbe ao Estado ou à pessoa jurídica de direito público que emprega o funcionário. A ação contra o funcionário subsiste. A competência dos tribunais ordinários não pode ser excluída. As condições de sua aplicação serão definidas pela lei". Esse artigo foi substituído na Lei Fundamental de Bonn, em seu art. 34, que dispõe da seguinte forma: "Se uma pessoa falta com suas obrigações de ofício para com um terceiro, no exercício da função pública que lhe foi confiada, a responsabilidade incumbe ao Estado ou à pessoa de direito público ao serviço da qual ela se encontra. No caso de falta intencional ou de falta grave, a ação recursória subsiste. Para a ação de perdas e danos e para a ação recursória, a competência dos tribunais ordinários não poderá ser excluída".

Ernst Forsthoff afirma que o art. 34 da Lei Fundamental de Bonn difere, por sua redação, do art. 131 da Constituição de Weimar de um modo característico. A palavra "funcionário" é evitada, o exercício do Poder Público é substituído pelo exercício de uma função pública e a ação recursória contra o funcionário está limitada aos casos de falta intencional e de falta grave. Na sua concepção, "A substituição da responsabilidade do Estado em lugar da dos agentes públicos teve por fim o de colocar diante do credor um devedor solvável em quaisquer circunstâncias" (*Le Droit Administratif Allemand*, trad. francesa, Bruxelles, 1969, cap. XVI, sec. I, p. 466).

Desde que a responsabilidade apareceu no direito, ela se desenvolveu constantemente, graças a uma interpretação extensiva. Não são, segundo Forsthoff, somente os motivos ideológicos, notadamente a aspiração a um Estado de Direito, que explicam a extensão da responsabilidade do Estado. É, na sua concepção, sobretudo na afirmação de que o Estado constantemente ganhou poder e que o indivíduo depende dele em um número crescente de atividades que levou à assertiva da responsabilidade do Estado, como postulado fundamental de um Estado de Direito constitucional (ob. cit., p. 467).

O Brasil seguiu, nesse tema, a mesma evolução da Alemanha. Primeiramente, foi definida a responsabilidade exclusiva dos funcionários públicos. A Constituição Federal de 1891 dispunha, em seu art. 82 que "Os funcionários públicos são estritamente responsáveis pelos abusos e omissões em que incorrerem no exercício de seus cargos, assim como pela indulgência ou negligência em não responsabilizarem efetivamente os seus subalternos".

Mas, com o advento do Código Civil, em 1º.1.1916, a situação se alterou e as pessoas de direito público passaram a ser consideradas civilmente responsáveis por atos de seus representantes que, nessa qualidade, causassem danos a terceiros, procedendo de modo contrário ao direito, ou faltando a um dever prescrito por lei (art. 15). Iniciava-se então, formalmente, pela definição do Código Civil, a regulamentação da responsabilidade do Estado e das pessoas jurídicas de direito público. Depois do Código Civil, a Constituição Federal de 1934 novamente falava da responsabilidade dos funcionários públicos, mas com a ressalva de que eram responsáveis "solidariamente com a Fazenda Nacional, Estadual ou Municipal, por quaisquer prejuízos decorrentes de negligência, omissão ou abuso no exercício de seus cargos" (art. 171). Tendo o Código Civil definido a responsabilidade civil das pessoas jurídicas de Direito Público, não poderia a nova Constituição Federal dar um passo atrás e desconhecer norma tão salutar. Apenas empregou forma indireta na enunciação da regra, por intermédio da figura jurídica da solidariedade entre o funcionário e o Estado.

A Constituição Federal de 10.11.1937 praticamente reproduziu o art. 171 da de 1934. Sobreveio, anos depois, a reconstitucionalização democrática do país e a Constituição Federal de 1946 estabeleceu claramente o dispositivo da responsabilidade da Administração em termos inequívocos: "As pessoas jurídicas de direito público interno são civilmente responsáveis pelos danos que os seus funcionários, nessa qualidade, causem a terceiros. Parágrafo único. Caber-lhes-á ação regressiva contra os funcionários causadores do dano, quando tiver havido culpa destes" (CF, art. 194, parágrafo único). A redação é semelhante, em certo sentido, à da Constituição de Weimar, pois fala em "funcionários", diferentemente da Lei Fundamental de Bonn, que menciona "uma pessoa (...) no exercício de uma função pública" (art. 34).

A Constituição Federal de 24.1.1967 repetiu o dispositivo constante do art. 194 da Constituição de 1946, dispondo, em seu art. 105 que "As pessoas jurídicas de direito público respondem pelos danos que os seus funcionários, nessa qualidade, causem a terceiros". No dizer de Pontes de Miranda "A Constituição de 1967, como a de 1946, em vez de adotar o princípio da solidariedade, que vinha em 1934, adotou o princípio da responsabilidade em ação regressiva. Os interesses do Estado passaram a segundo plano: não há litisconsórcio necessário, nem solidariedade, nem extensão subjetiva da eficácia executiva da sentença contra a Fazenda nacional, estadual ou municipal, ou contra a pessoa jurídica de direito público interno ou estrangeiro. Há, apenas, o direito de regresso" (*Comentários à Constituição Federal de 1967*, t. III, S. Paulo, Ed. RT, 1967, p. 521, n. 4). Mas, à diferença da Constituição de 1946 "Na Constituição de 1967, art. 105, não mais se fala de responsabilidade das pessoas de direito público interno, de modo que atinge as entidades de direito público de outros Estados (se não tem exterritorialidade)" (ob. cit., p. 521, n. 3).

A Emenda Constitucional 1/1969 repetiu o princípio, mudando, tãosomente a redação: "As pessoas jurídicas de direito público responderão pelos danos que seus funcionários, nessa qualidade, causarem a terceiros.

Parágrafo único. Caberá ação regressiva contra o funcionário responsável, nos casos de culpa ou dolo". A nova Constituição Federal, de 5.10.1988, dispõe, em seu art. 37, § 6º, o seguinte: "§ 6º. As pessoas jurídicas de direito público e as de direito privado prestadoras de serviços públicos responderão pelos danos que seus agentes, nessa qualidade, causarem a terceiros, assegurado o direito de regresso contra o responsável nos casos de dolo ou culpa". A atual Constituição incluiu no dispositivo da responsabilidade, as empresas concessionárias ou permissionárias de serviços públicos, em sentido amplo, não falando mais em funcionário público, mas em agentes, considerando que, no caso das concessionárias, seus empregados não são funcionários públicos, mas trabalhadores regidos pelo direito do trabalho. A palavra agente, no texto constitucional, está empregada em sentido amplo, envolvendo tanto funcionários públicos quanto empregados privados de empresas concessionárias de serviço público.

No que concerne à responsabilidade do Estado propriamente dita, algumas condições devem ser exigidas.

A primeira é a de que o comportamento do servidor público seja contrário ao direito. O funcionário deve praticar um ato que não tenha amparo legal e que cause lesão ou dano ao particular.

A segunda é a de que o conceito de servidor público é extensivo. São considerados como agentes públicos não apenas os funcionários públicos profissionais, mas os servidores contratados, os funcionários detentores exclusivamente de cargo em comissão e inclusive os condutores políticos, na órbita do Poder Executivo, que procederem de modo contrário ao direito, causando lesão ou dano ao direito de terceiros.

A terceira é a de que para que haja responsabilidade do Estado, ocorra o exercício de uma função pública, confiada a um agente público.

A quarta é a de que o ato delituoso deverá ter sido realizado no exercício de uma função pública. Deverá existir, por conseguinte, correlação intrínseca entre o ato e a função pública.

A quinta é a de que haverá responsabilidade sempre que, pela falta do agente público, ocorrer dano causado a terceiro. Em termos práticos, o indivíduo tem direito a que os agentes públicos exerçam suas funções de modo correto, sem produzir ilicitude ou dano às pessoas que se defrontam com a Administração, via de regra ocasionalmente. •

I

A culpa e o risco formam as bases essenciais da responsabilidade da Administração Pública pelo dano decorrente do fato de seus agentes, ou do fato das coisas a seu serviço. A culpa abrange, porém, a maior extensão desse setor das relações jurídicas da Administração. O risco constitui fundamento que vem em segundo lugar na definição da responsabilidade da Administração.

Na verdade, a culpa supõe que o agente tenha ou deva ter conhecimento pleno de todos os fatores e circunstâncias, capazes de determinar os efeitos e resultados do ato. A questão da apreciação dos resultados do ato torna-se, então, uma questão exclusivamente moral. Houve-se o agente com culpa, ou não? Falhou ao que deveria ter feito? Deixou de considerar o que deveria ter considerado?

O risco, pelo contrário, supõe que o agente não possa ter o conhecimento pleno de todos os fatores e circunstâncias, suscetíveis de determinar os efeitos e resultados do ato, criando-se, portanto, com a prática do ato, um risco, quer dizer, a possibilidade de efeitos ou resultados imprevistos. A questão que, dessa forma, se propõe, é inteiramente vazia de conteúdo moral. Do que se cuida meramente é de estabelecer quem deverá suportar o risco que se cria. À lei incumbirá dizê-lo, se não houver o dano de ser suportado por quem a verificação do risco feriu.

Trata-se, pois, de duas noções de responsabilidade que se completam. A da culpa prende-se a leis morais; a do risco, a leis físicas. O risco traduz a necessidade social de progresso do homem, na dominação e aproveitamento da natureza, ainda que correndo perigos defluentes do conhecimento nunca perfeito, embora sempre perfectível, de todas as leis físicas. A culpa revela-nos os lindes de cogência das leis morais sobre a conduta humana, no curso desse progresso. Vencida a natureza, o homem há de ser plenamente responsável pelo uso que fizer das forças e dos bens naturais.

Ambas as noções, a da culpa e a do risco dilatam-se, entretanto, com a elevação crescente dos padrões de consciência jurídica. A culpa amplia-se até a culpa levíssima (cf. Elpídio Ferreira Paes, *Dos Atos Ilícitos no Direito Romano*, Porto Alegre, 1939, ns. 77 e ss., pp. 68 e ss.); o risco, a algumas figuras, antes somente cabíveis dentro no conceito do caso fortuito ou da força maior.

• Nos tempos atuais, ampliou-se consideravelmente a doutrina do risco. André de Laubadère nos informa que o direito administrativo francês abriu atualmente um largo espaço à responsabilidade pelo risco. Esse é um dos pontos em que ela difere do direito civil. Mas ela se restringe a determinados domínios; a responsabilidade da Administração comporta assim a coexistência de dois sistemas, o da culpa ou falta administrativa, que é o principal, e o do risco administrativo, que é complementar (André de Laubadère e Yves Gaudemet, *Traité de Droit Administratif*, t. 1, 15ª ed., Paris, 1999, n. 1.272, p. 979).

A questão do fundamento da responsabilidade civil na culpa ou no risco foi largamente debatida, sobretudo no direito administrativo francês. Léon Duguit, que negava a personalidade jurídica do Estado, mas o reconhecia como um fato social indiscutível, pela diferenciação entre governantes e governados, sustentava que enquanto a responsabilidade do Estado é sempre uma responsabilidade pelo risco, a responsabilidade dos funcionários diante dos particulares é sempre uma responsabilidade por culpa, que só poderá ocorrer se houver uma violação consciente da parte do funcionário de uma regra de direito (*Traité de Droit Constitutionnel*, t. III, Paris, 1923, § 72, p. 270).

André de Laubadère se opunha à idéia de considerar o risco como fundamento da responsabilidade do Estado. Na sua opinião, na idéia do risco existe apenas uma correlação, uma relação de causa e efeito, uma condição do ilícito, nunca seu fundamento. Para Laubadère, o fundamento da responsabilidade do Estado deve ser procurado em outra concepção: os serviços públicos funcionam no interesse geral da coletividade. Se a coletividade aproveita as vantagens de um serviço público, quando ele, pelo seu funcionamento, causa um prejuízo especial a um indivíduo, é justo que a coletividade suporte o encargo da reparação. Na idéia de igualdade dos indivíduos diante dos encargos públicos, diretamente oposta à idéia primitiva que fundamentava a irresponsabilidade do Estado, é que deveríamos buscar o fundamento do dever de indenizar (ob. cit., t. I, n. 1.273, p. 980).

Se a concepção de responsabilidade pelo risco não adquiriu uma extensão geral no direito administrativo foi sobretudo por razões práticas, de ordem financeira. O temor de ver os patrimônios públicos afetados a pesados encargos restringiu a aplicação da teoria do risco a determinados domínios estritos. A exigência da culpa como condição para a responsabilidade veio a permitir uma limitação dos encargos financeiros da Administração Pública (André de Laubadère, Jean-Claude Venezia e Yves Gaudemet, ob. cit., t. 1, n. 1.273, p. 981). •

II

1. Diversas são as figuras que a culpa possa assumir, enquanto geradora da responsabilidade pelas pessoas administrativas.

O agente *lato sensu* da pessoa administrativa tanto é o prestador de trabalho público (v. § 20, n. 1, supra) que, em nome daquela executa o serviço público, como o particular que, por concessão (CF/1988, art. 37, § 6º) ou por delegação (v. § 5, n. 6, supra) executa, em nome próprio, o mesmo serviço público. Neste último caso, a responsabilidade da Administração é regulada pelos princípios gerais a que dão expressão os arts. 932, III, e 933 do novo Código Civil. A concorrência da culpa do agente e da culpa da Administração será, portanto, indispensável para firmar a responsabilidade desta. Assim decidiu o Supremo Tribunal Federal, absolvendo a União da obrigação de ressarcir os danos resultantes do fato de uma empresa, concessionária de serviço público portuário: "na espécie, a União (...) procedeu de forma que não se lhe pode argüir imprevidência ou descaso" (Ac. do STF, de 18.7.1934, *Revista do Direito* 116/256).

Permanece, entretanto, nos termos da Constituição Federal de 1988, a responsabilidade direta da empresa concessionária (art. 37, § 6º). • Na primeira hipótese mencionada, de ato praticado por agente da Administração Pública, diversamente, a responsabilidade é regulada pelos arts. 43 do novo Código Civil e 37, § 6º, da CF, cabendo ao Poder Público integral responsabilidade, assegurado, entretanto, o seu direito de regresso contra o agente faltoso. •

2. O art. 43 do Código Civil dispõe acerca da culpa, consistente em ilegalidade. "As pessoas jurídicas de direito público interno são civilmente responsáveis por atos de seus agentes que, nessa qualidade, causem danos a terceiros, ressalvado o direito regressivo contra os causadores do dano, se houver por parte destes, culpa ou dolo" (art. 43, Código Civil). Essa disposição estabelece a regra de que todo dano, resultante de uma ilegalidade, é indenizável pala Administração. Dispensa-se qualquer demonstração de culpa subjetiva do agente. Tem-se, de outra parte, na ilegalidade mesma, a prova da concorrente culpa *in eligendo* ou *in vigilando* da pessoa administrativa. Enfim, é evidente que a regra só abrange os representantes – os que agem em nome da pessoa administrativa, ou, de alguma forma, com esta identificados. • O direito regressivo é ressalvado, em favor da pessoa de direito público, se houver culpa ou dolo do agente. •

3. Hipóteses há, entretanto, em que a culpa pelo dano acontecido não consiste em ilegalidade, acaso praticada pelos funcionários, mas reside no próprio conjunto de disposições regulamentares e técnicas, praxes, usos e estilos, que lhes regem a atividade funcional; reside, antes, na organização defeituosa ou no irregular funcionamento do serviço público.

§ 24. A RESPONSABILIDADE DA ADMINISTRAÇÃO 541

Nem por isso deixa de existir responsabilidade da Administração, prevalecendo, então, a enunciação mais ampla, expressa pelo art. 37, § 6º, da Constituição Federal, que assim dispõe: "As pessoas jurídicas de direito público (...) responderão pelos danos que seus agentes, nessa qualidade, causarem a terceiros (...)". A culpa nesse caso, atribui-se à pessoa administrativa como tal, e não singularmente a esse ou aquele dos agentes que empregue. Nessa acepção, o art. 37, § 6º, da Constituição Federal transpõe meramente, para o campo do direito público, o princípio geral acolhido pelo art. 186 do Código Civil: • "Aquele que, por ação ou omissão voluntária, negligência ou imprudência, violar direito e causar dano a outrem, ainda que exclusivamente moral, comete ato ilícito". Diversamente, Fritz Fleiner considera que o Estado somente é responsável diante do particular lesado, na medida em que o funcionário é responsável, ou então segundo a noção de culpa prevista pelo Código Civil (*Les Principes Généraux du Droit Administratif Allemand*, trad. francesa, Paris, 1933, § 17, I, p. 176). Considera, entretanto, que a omissão de um ato funcional pode obrigar à reparação do dano e acarretar por conseqüência a responsabilidade do Estado (ob. cit., p. 176). Na concepção de Fleiner, sempre é necessário que haja uma ação ou omissão culposa de um servidor público.

Como já referimos acima, nem sempre a responsabilidade do Estado está vinculada diretamente à culpa do funcionário, podendo ser a culpa diretamente atribuída à pessoa administrativa. •

Assim, o serviço público de abastecimento urbano de água deve estar organizado e funcionar de tal forma que as suas instalações se encontrem, a todo tempo, aptas à normal realização das finalidades do serviço. Em conseqüência – decidiu o Supremo Tribunal Federal –, cabe à União a responsabilidade pelos estragos em bens particulares, produzidos por um jorro de água, proveniente da ruptura de um cano pertencente ao serviço de abastecimento de água da Capital Federal (Ac. do STF, de 20.5.1915, *Revista de Direito* 38/338).

• Hodiernamente, essa responsabilidade pertenceria ao Distrito Federal, que é pessoa administrativa de natureza política e existência necessária, que se rege por uma lei orgânica, com poderes executivo, legislativo e judiciário (CF, art. 32 e seus parágrafos). •

A responsabilidade da pessoa administrativa funda-se, nesse caso, em uma falta – não atribuível a um agente determinado –, mas à organização e funcionamento do serviço. É o que se denomina a falta do serviço.

A noção de falta do serviço implica certa imputabilidade do serviço público, que não é, sem dúvida, considerado pessoa distinta da Administração, mas que, sob esse aspecto, é havido como se fora pessoa (v. § 10, n. 2, supra). Bem é de ver-se, realmente, que a responsabilidade não decorre de um fato do serviço (como se este fora uma coisa), mas de uma falta do serviço (como se este fora uma pessoa). No caso do dano produzido pelo jorro de água, saído de um cano de abastecimento rompido, o fato da coisa poderia, talvez, atribuir-se a caso fortuito. A falta do serviço determinou, porém, a responsabilidade da Administração. • Nesse sentido, afirma Francis-Paul Bénoit que é conveniente evitar o erro, muitas vezes disseminado, que consiste em pensar que a falta administrativa constituiria uma noção idêntica à falta que conhece o direito privado. Ao contrário, trata-se de uma noção própria do direito público, que se refere às condições específicas da responsabilidade administrativa. Sem dúvida, encontra-se na falta do direito público como na do direito privado, a idéia de uma deficiência, de uma falta de cuidado. Mas enquanto que a falta do direito civil será sempre a falta de um homem, mesmo que se trate de um grupamento, como no caso de uma sociedade ou de uma associação dirigidas por homens, esse aspecto humano, moral, desempenha uma função secundária em direito público e, não raro, nenhuma. A falta administrativa é constituída por um funcionamento defeituoso do serviço público. O termo "falta do serviço" deve ser compreendido num sentido que podemos qualificar de legal e regulamentar. Na opinião de Francis-Paul Bénoit, as definições de caráter antropomórfico da falta administrativa se constituem numa caricatura equivocada da realidade. A noção de falta do serviço não significa, na realidade, outra coisa que o funcionamento defeituoso do serviço público (*Le Droit Administratif Français*, Paris, Dalloz, 1968, n. 1.290, p. 709). •

Mas é preciso que se diga, que exige, com efeito, a conceituação de falta do serviço, que se veja, no serviço público, essa imanência da personalidade, tão sensível nas próprias filiais e sucursais das corporações privadas, que a sua organização especializada, de alguma forma, limita e circunscreve, dando-lhe quase expressão objetiva.

• A responsabilidade da Administração não tem origem, entretanto em decorrência de uma responsabilidade que teria inicialmente nascido na pessoa de um servidor público, ou agente da Administração Pública. Como assevera Bénoit, "C'est le service qui a mal fonctionné, et c'est le service qui est directement responsable" (ob. cit., n. 1.292, p. 710). •

4. Nem sempre, porém, a falta do serviço exclui a responsabilidade pessoal do agente da Administração. Algumas vezes, as duas responsabilidades coexistem, mas, em todos os casos, inconfundíveis entre si (CF, art. 37, § 6º). • Mas a técnica do direito público é mais simples, no que concerne à falta do serviço, que a do direito privado. Enquanto que no direito privado põe-se em relevo a figura do indivíduo culpado, essa noção é inútil para a responsabilidade pela falta do serviço em direito público, que remonta diretamente à pessoa administrativa.

Entretanto, é preciso distinguir entre faltas cometidas simplesmente pelos agentes da Administração e a falta do serviço. •

"Há, evidentemente – observa Francisco Campos –, faltas cometidas pelos agentes da Administração que, embora ocorrendo por ocasião do funcionamento do serviço público, não constituem uma falta do serviço. Seria o caso, por exemplo, de um agente postal, defrontando com um seu desafeto, no *guichet* do correio, desfechar-lhe um tiro. O ato não poderia ser atribuído ao mau funcionamento do serviço e, muito menos, ao seu funcionamento normal. Seria um fato inteiramente pessoal, inimputável ao serviço, com o qual teria tão-somente uma ligação remota e ocasional" (*Pareceres*, Rio de Janeiro, 1934, p. 231).

"Entretanto – acrescenta Francisco Campos –, o Supremo Tribunal, por acórdão, de 28 de setembro de 1918, atribuiu à União a responsabilidade por danos resultantes do bombardeio de Manaus, o qual era, evidentemente, um fato pessoal dos agentes militares, conquanto revelando uma falta da Administração superior, falta que consistia, exatamente, em lacunas e omissões no serviço militar, que se mostrava defeituoso ou funcionando de modo irregular, com o nele não serem observadas as suas condições necessárias e fundamentais" (*Revista do Supremo Tribunal*, v. XIX, p. 331). A mesma doutrina foi consagrada pelo Supremo Tribunal, a propósito do bombardeio de Salvador (*Revista do Direito* 87/51).

• *4-A.* Mesmo no primeiro caso, narrado por Francisco Campos, é indúbia a responsabilidade do Poder Público, não baseada na falta do serviço, mas na existência de dano causado a terceiro (CF, art. 37, § 6º). O exemplo empregado por Francisco Campos serve apenas para distinguir a falta do serviço da responsabilidade do Poder Público, de caráter objetivo, que decorre do fato dos seus agentes. •

5. Aberrante dos princípios hodiernamente dominantes em matéria de responsabilidade da Administração era a disposição que constava do art. 1º do Decreto 24.216, de 9.5.1934, assim redigido: "A União Federal, o Estado e o Município não respondem, civilmente, pelos atos criminosos

dos seus representantes, funcionários ou prepostos, ainda quando praticados no exercício do cargo, função ou desempenho de seus serviços, salvo se neles forem mantidos após a sua verificação".

• O Decreto 24.216/1934, que se constituía em verdadeira aberração jurídica, foi felizmente revogado pelo art. 171 da Constituição Federal de 1934. Todas as Constituições que se lhe seguiram passaram a admitir expressamente a responsabilidade do Estado por atos dos seus funcionários, representantes ou prepostos, ao contrário do que afirmava aquele dispositivo legal esdrúxulo.

5-A. O Estado responde, também, pelos atos dos funcionários de fato, isto é, aqueles funcionários que não foram investidos na função pública ou que foram investidos irregularmente no cargo público. Não se confundem os funcionários de fato com os usurpadores de função, porque esses últimos cometem crime contra a Administração Pública (Código Penal, art. 328). Mas os funcionários de fato agem de boa-fé e a Administração responde por seus atos, na medida em que causarem danos a terceiros. Nesse sentido, entre nós, é a opinião de Aguiar Dias (*Da Responsabilidade Civil*, t. II, Rio de Janeiro, 1944, p. 239). •

6. Não responde, sim, o Estado pelos atos de todos os seus funcionários. Em princípio, os atos do Poder Judiciário, ainda que de natureza graciosa ou administrativa não determinam a responsabilidade do Estado pelos danos, acaso deles decorrentes. Mas as exceções a esse princípio foram surgindo. A primeira delas, legalmente estabelecida, é a do art. 630 do Código de Processo Penal, em favor do reabilitado pela revisão criminal, quanto aos prejuízos sofridos com a condenação. • Dispõe o art. 630 que "O Tribunal, se o interessado o requerer, poderá reconhecer o direito a uma justa indenização pelos prejuízos sofridos". "A União, o Distrito Federal ou os Estados-membros responderão por essa indenização, que será liquidada no juízo cível, conforme a condenação tenha sido proferida pela justiça de cada uma dessas pessoas administrativas" (art. 630, § 1º, Código de Processo Penal). Mais recentemente, a nova Constituição Federal de 1988 dispôs que "O Estado indenizará o condenado por erro judiciário, assim como o que ficar preso além do tempo fixado na sentença" (art. 5º, LXXV). Como salienta Almiro do Couto e Silva "Muito embora a regra sobre a responsabilidade patrimonial do Estado por ato de seus agentes esteja inserida no capítulo pertinente à Administração Pública, como parágrafo do artigo que enumera os princípios gerais a que esta deverá submeter-se, quer seja 'direta, indireta ou fundacional, de qualquer dos Poderes da União, dos Estados, do Distrito Federal e dos

§ 24. A RESPONSABILIDADE DA ADMINISTRAÇÃO 545

Municípios' sempre se interpretou, todavia, que expressa princípio abrangente de todas as funções do Estado, não se referindo, apenas, à função administrativa e aos atos que a exprimem. O Estado é responsável pelos danos que causa não apenas quando administra, mas também quando legisla e julga" ("A Responsabilidade Extracontratual do Estado no Direito Brasileiro", *Revista de Direito Administrativo*, Rio de Janeiro, out.- dez. 1995, n. 202, p. 34).

Em edições anteriores o Autor já havia mencionado que, no passado, já se manifestava a tendência da • jurisprudência a estabelecer a responsabilidade do Estado pelos atos de natureza graciosa ou administrativa do Poder Judiciário, como os concernentes às contas de tutelas e curatelas, arrecadações de espólios etc. Nesse particular – refere L. de Morais Correa –, "um caso de apropriação indébita, praticada por um juiz substituto federal, merece ser aqui relatado, visto ter acarretado à União o ônus da respectiva indenização. O súdito italiano Luiz Sassi, falecido no Amazonas, havia feito um seguro de vinte contos. Foi aberta a sucessão no juízo federal, daquele Estado. Ocorreu, porém, que o juiz substituto federal em exercício levantou a importância do seguro, desaparecendo em seguida. Depois de assim relatar o fato, concluiu o então Ministro da Justiça, Dr. J. J. Seabra, a exposição de motivos, que acompanhou a mensagem do Presidente Rodrigues Alves, solicitando ao Congresso a respectiva abertura de crédito: "Contra esse funcionário, deu o Procurador-Geral da República denúncia perante o Supremo Tribunal Federal e, correndo o processo seus trâmites legais, foi o referido substituto condenado no art. 214 do Código Penal. Mas essa condenação, não desobriga o Governo de indenizar os herdeiros, embora tendo, contra o funcionário delinqüente, ação regressiva para haver a importância, de que o mesmo criminosamente se apoderou" (L. de Morais Correa, *O Estado e a Obrigação de Indenizar*, Fortaleza, 1930, pp. 69-70; Alcino de Paula Salazar, ob. cit., n. 37, p. 72).

• Como adverte acertadamente Almiro do Couto e Silva "No que concerne, entretanto, aos atos jurisdicionais há uma particularidade que os distingue dos atos de exercício das demais funções do Estado. É a estabilidade que se lhes predica e que lhes é indispensável. Os atos jurisdicionais que sejam terminativos das causas, que sejam verdadeiramente sentenças, fazem coisa julgada formal ou material. Na primeira hipótese, haverá, ainda, a possibilidade do reexame da decisão proferida pela porta dos canais especiais abertos pela legislação processual, penal ou civil, e que são, no Brasil, a revisão criminal e a ação rescisória. Ocorrendo, porém, a coisa julgada material, a sentença, certa ou errada, é imodificável em quaisquer circunstâncias. Como diziam os antigos, ela faz do redondo quadrado e do branco preto. Nessas circunstâncias, não há que discutir mais, como pretendem alguns, o acerto ou desacerto da decisão para fins de responsabilizar o Estado". "Mas é irrecusável que existe uma extensa gama de situações em que a conduta dos juízes pode dar origem à responsabilidade do Estado. A excessiva e injustificada lentidão dos processos, quando manifestamente imputável ao juiz, pode dar origem a danos materiais e imateriais às partes, pelos quais o Poder Público deve responder. Da mesma maneira quando, sem fundamento razoável, o juiz nega medida cautelar ou medida liminar em mandado de segurança, causando, com esse ato, perda irreparável para o postulante ou até mesmo o perecimento do seu direito" (ob. cit., pp. 34-35).

Como se observa, à medida que os anos vão passando, vai se configurando a tendência de responsabilizar o Estado pelos atos praticados pelo Poder Judiciário, que causem prejuízos às partes, embora não seja pacífica a tendência nesse sentido, pois o Supremo Tribunal Federal revela resistência em aceitar a responsabilidade do Estado por atos de juízes, em que se manifesta o exercício ou a omissão de atos jurisdicionais.

6-A. A responsabilidade por atos legislativos é mais restrita ainda. Os prejuízos que as leis e outros atos normativos podem causar às pessoas só poderão ser objeto de indenização se o dano for anormal e houver, ainda, a especialidade. Como salienta Amaro Cavalcanti "Decreto, declarada uma lei inválida ou inconstitucional por decisão judiciária, um dos efeitos da decisão deve ser logicamente o de obrigar a União, Estado ou Município, a reparar o dano causado ao indivíduo, cujo direito fora lesado, quer restituindo-se-lhe aquilo que indevidamente foi exigido (...), quer satisfazendo-se os prejuízos, provavelmente sofridos pelo indivíduo com a execução da lei suposta" (*Responsabilidade Civil do Estado*, vol. 1, Rio de Janeiro, Borsoi, 1956, n. 54, p. 313). Amaro Cavalcanti estava referindo-se aos danos causados por leis inconstitucionais, em que não se exige, como nos casos comuns, a anormalidade e a especialidade. A doutrina brasileira, desde o início da República, admite a responsabilidade do Estado, em razão de danos causados por leis inconstitucionais. •

7. A responsabilidade da Administração, de outro lado, não se limita ao fato de seus agentes; estende-se, também, ao fato das coisas ao seu serviço. Aplicam-se-lhe nesse pormenor, as disposições do art. 936 (com respeito, por exemplo, a jardins zoológicos, mantidos pela Administração) e do art. 937 do Código Civil.

III

O risco, como base da responsabilidade da Administração, circunscreve-se a algumas matérias, apenas, em nosso direito positivo. Assim, no que concerne:

Ao risco profissional. A União, os Estados, o Distrito Federal, os Municípios e as empresas concessionárias de serviços públicos respondem, quanto aos seus operários, pelo risco profissional, nos termos da Lei de Acidentes de Trabalho.

À mesma idéia do risco profissional, obedece a concessão de aposentadoria com proventos integrais, qualquer que seja o tempo de serviço, ao funcionário invalidado em conseqüência de acidente ocorrido no serviço, • moléstia profissional ou doença grave, contagiosa ou incurável, especificadas em lei (CF/1988, art. 40, § 1º, I). •

Ao risco industrial. A União, os Estados, o Distrito Federal e os Municípios, na gestão direta de estradas de ferro, "responderão por todos os danos que a exploração de suas linhas causar aos proprietários marginais. Cessará, porém, a responsabilidade se o fato danoso for conseqüência direta de infração, por parte do proprietário, de alguma disposição legal ou regulamentar, relativa a edificações, plantações, escavações, depósito de materiais ou guarda de gado à beira da estrada" (art. 26, Lei 2.681, de 7.10.1912).

• Os concessionários de serviços aéreos públicos (art. 175, § 1º, Lei 7.565, de 19.12.1986) respondem pelos danos causados a terceiros na superfície, diretamente, por aeronave em vôo, ou manobra, assim como por pessoa ou coisa dela caída ou projetada (art. 268, Lei 7.565/1986, Código Brasileiro de Aeronáutica). •

Ao risco social. A União assumiu no Rio Grande do Sul a responsabilidade pelos prejuízos à propriedade particular decorrentes da Revolução Rio-grandense de 1923, nos termos seguintes, a saber: "As requisições feitas e as contribuições de guerra impostas pelos revolucionários serão satisfeitas, bem como indenizados os danos causados aos particulares de qualquer facção; o Governo Federal se responsabilizará por esses pagamentos (...)" (*A Pacificação do Rio Grande do Sul*, documentos mandados publicar pelo General Setembrino de Carvalho, Porto Alegre, 1923, pp. 31-32).

• O Estado do Rio Grande do Sul foi condenado, em diversas ações, a indenizar os danos ocorridos, na cidade de Porto Alegre, em 24 de agosto de 1954, por ocasião dos distúrbios ocorridos na capital em virtude do suicídio do Presidente Getúlio Vargas. Proprietários de imóveis incendiados, destruídos ou danificados, bem como comerciantes que tiveram suas lojas saqueadas e depredadas foram indenizados pelo Estado do Rio Grande do Sul, em função do risco social e da falta do serviço de polícia, que não funcionou a contento no episódio. •

IV

Temo-nos referido, em todo esse capítulo, a pessoas administrativas, denominação que abrange as entidades autárquicas (v. § 2, n. 6, supra). Devemos, agora, sinalar que pessoa administrativa, à qual a entidade autárquica deve a sua constituição, responderá por falta do serviço, se, tendo-a criado e organizado, dotando-a de patrimônio separado, de tal sorte o fez, contudo, que as forças deste patrimônio se mostram insuficientes para solver as responsabilidades, em que a entidade autárquica veio a incorrer. Daí, a que se denomina responsabilidade subsidiária da pessoa administrativa matriz pelos fatos da entidade autárquica.

§ 25. *A JUSTIÇA ADMINISTRATIVA*

Duas são as vias de realização do direito na ordem social: o juiz e o processo. Medem-se as probabilidades de justiça pelas garantias dadas ao juiz, em benefício dos litigantes, e pelas garantias inerentes ao processo, instituído para segurança dos direitos em litígio. A independência dos juízes é "uma garantia para os litigantes", proclama Carlos Maximiliano (*Comentários à Constituição Brasileira*, 1923, n. 372, p. 554).

• Idêntica era a preocupação de Ruy Barbosa, quando afirmava: "unificar a magistratura em todo o país, ou, quando menos, resguardar as magistraturas estaduais com a égide protetora da União, estendendo, declaradamente, a elas a vitaliciedade, a inamovibilidade, a insuspendibilidade administrativa e a irredutibilidade de vencimentos de que, tradicionalmente, goza a magistratura federal" constituem seguranças da magistratura que se colocam entre "as aspirações generalizadas no país" (*Comentários à Constituição Federal Brasileira*, t. IV, 1933, p. 60). •

Sem as formas do processo – afirma João Monteiro, à sua vez –, "não pode haver garantias de direitos" (*Curso de Processo Civil*, Rio de Janeiro, 1925, § 67, p. 251).

Pois que consiste a justiça na realização do direito – por extensão tropológica, é o vocábulo, desta sorte, chamado a designar, de um lado, os órgãos judicantes que distribuem a justiça e, de outro, as formas processuais por que a sua distribuição se faz. Daí que a doutrina da justiça administrativa compreenda, de uma parte, os assuntos relativos à constituição e funcionamento dos tribunais e jurisdições administrativas e, de outra parte, os concernentes aos procedimentos da Administração Pública ou contra ela.

1. O Império conheceu e manteve, durante o segundo reinado, uma justiça administrativa propriamente dita. Era órgão supremo dessa justiça, a que os jurisconsultos negavam feição excepcional (Ribas, *Direito Administrativo Brasileiro*, Rio de Janeiro, 1866, p. 139), o Conselho de Estado, que a Constituição Imperial criara, o Ato Adicional suprimira e a Lei de 23 de novembro de 1841 restabelecera.

Foram, porém, a instituição e o restabelecimento do Conselho de Estado antes orientados pela necessidade (como ao tempo se dizia) de cobrir a Coroa no exercício do Poder Moderador do que pelo intuito de fundar um tribunal administrativo. Escrevia, a esse propósito, o Visconde do Uruguai: "O Poder Moderador não pode ser resguardado pela responsabilidade dos Ministros do Executivo. A Constituição deu-lhe um antemural próprio, o Conselho de Estado que criou, do qual excluiu os Ministros e o qual, como que arredando a responsabilidade destes, solenemente declarou responsável" (*Ensaio sobre o Direito Administrativo*, t. I, Rio de Janeiro, 1862, p. 237).

Sempre pacificamente se entendeu, porém, que "a especificação feita nos §§ do art. 7º da Lei do Conselho de Estado tinha por fim criar ou determinar competência administrativa em certas matérias" (Visconde do Uruguai, ob. cit., t. I, p. 300). Entre essas matérias, figuravam notadamente a decisão dos conflitos de jurisdição entre as autoridades administrativas, ou entre estas e as judiciárias (art. 7º, § 4º) e o julgamento das questões acerca de indenizações devidas pela Fazenda Pública (art. 7º, § 3º). Não se imaginaria, entretanto, que a Administração pudesse deliberar a respeito de tais matérias, prescindindo do parecer do Conselho de Estado. "Pois é o que acontece entre nós – declara o Visconde do Uruguai – e o que é ainda mais notável é o que nos recursos que as partes interpõem do Ministro pode este deixar de ouvir o Conselho do Estado" (ob. cit., t. I, p. 289).

Copiosa legislação ulterior instituiu, é certo, sobre matérias várias, recursos administrativos, que o governo só poderia resolver, depois de ouvido o Conselho de Estado (Visconde do Uruguai, ob. cit., t. I, pp. 303 e ss.). Tornou-se então o Conselho de Estado, é fora de dúvida, verdadeira instância administrativa. Faltava-lhe, contudo, ainda assim, unidade de critério, na determinação da competência, atenta à forma casuística por que esta viera a constituir-se.

Não teve, a seu turno, a jurisprudência do Conselho de Estado o prestígio que seria de esperar. Sobravam saber e virtudes aos varões ilustres que nele deliberavam. Mas, ao Conselho mesmo, faltava-lhe unidade de deliberação.

"A secção do Contencioso na França – dizia, então o Visconde do Uruguai – não anda ligada a Ministério algum. Abrange os negócios contenciosos de todos. É o contrário entre nós. Cada secção consulta sobre o contencioso do respectivo Ministério. Daí a desarmonia e a impossibilidade de fundar uma jurisprudência administrativa. Daí falta de garantia para o direito das partes" (ob. cit., t. I, p. 319).

2. No nosso regime republicano, nunca houve espaço para tribunais administrativos propriamente tais, existentes sobre si. Nem poderia ser diversamente. Observa a esse respeito Francisco Campos: "Confiando ao Poder Judiciário o processo e julgamento de todas as causas propostas contra a União ou a sua Fazenda, fundadas em disposições da Constituição, lei e regulamentos do Poder Executivo, ou em contratos celebrados com o mesmo governo, evidente é que, sendo tais causas justamente aquelas que, por sua natureza, deveriam caber à justiça administrativa, se tal justiça fosse entre nós organizada, conferindo a competência de decidi-las à justiça ordinária, à de exceção não restava matéria sobre que exercer a sua competência. Se, portanto, a matéria administrativa, na sua totalidade, incidia na competência do Poder Judiciário, não podia à evidência subsistir forma judicial administrativa, por lhe falecer conteúdo, objeto, matéria ou substância" (Francisco Campos, *Pareceres*, Rio de Janeiro, 1934, p. 264). De feito – ainda acrescenta o mesmo escritor –, "a competência do Poder Judiciário em regimes como o nosso acompanha, em toda a sua extensão, a competência do Legislativo e do Executivo, no campo reservado à ação de um e de outro, podendo surgir, desde que se configure um caso, questão, controvérsia ou litígio, a oportunidade para o Judiciário se pronunciar sobre os fatos contestados ou sobre o direito, a propósito de cuja aplicação controvertem os indivíduos entre si, ou os indivíduos com a Administração" (Francisco Campos, ob. cit., p. 262).

Assim é que os tribunais administrativos, existentes entre nós, ou funcionam sob censura do Poder Judiciário e, neste caso, embora decidam, realmente não julgam (Pontes de Miranda, *Comentários à Constituição de 1946*, t. II, Rio de Janeiro, s.d., p. 155; 2ª ed., t. II, Rio de Janeiro, 1953, p. 444); ou tiram, então, a sua competência de fontes diversas daquelas de que promana, para o Estado, o poder de julgar e, nesta hipótese, não podem considerar-se tribunais ou órgãos judicantes propriamente tais, ad instar dos juízos arbitrais (Ruy Barbosa, *Comentários à Constituição Federal Brasileira*, coligidos e ordenados por Homero Pires, t. IV, São Paulo, 1933, pp. 53-54).

Debaixo da Constituição de 1891, não conhecemos verdadeiramente tribunais administrativos que funcionassem sob a censura do Poder Judiciário. Pelo contrário, o Supremo Tribunal Federal recusava-se a admitir sequer recurso extraordinário das decisões dos tribunais administrativos (Acórdão de 6.4.1918, na *Revista do STF*, t. XV, p. 493). A Constituição Federal de 1934 previu, entretanto, a constituição de tribunais dessa natureza (CF, art. 79, parágrafo único, n. 1); e já, anteriormente, o Governo Provisório tomara a iniciativa da criação, com tais característicos, do Tribunal Marítimo Administrativo, instituído pelo Dec. 20.829, de 31.12.1931, reorganizado pela Lei 2.180, de 5.2.1954, e, depois, qualificado como "órgão autônomo, auxiliar do Poder Judiciário" (art. 1º, Lei 3.543, de 11.2.1959). Mas, suprimindo, e anteriormente à Constituição de 1946, o recurso para o Poder Judiciário de suas decisões, o Tribunal Marítimo, como passou a denominar-se, tem a sua competência limitada meramente a "findings of fact" (art. 18, Lei 2.180/1954).

Dentre os tribunais administrativos que não recebem a sua competência do poder judicial do Estado, porém de fontes diversas, contam-se:

a) O Tribunal de Contas da União.

• É encarregado do controle externo das contas públicas, órgão que auxilia o Congresso Nacional na fiscalização contábil, financeira, operacional e patrimonial da União e das entidades da Administração direta e indireta, no que concerne à legalidade, legitimidade, economicidade e aplicação de subvenções e renúncia de receitas (CF/1988, arts. 70 e 71). •

Quando julga as contas dos responsáveis por dinheiros públicos, ou bens públicos, o Tribunal exerce as atribuições de um tribunal administrativo. Foi largamente discutida, face à Constituição de 1891, a legitimidade dessa atribuição, então conferida pela lei ordinária ao Tribunal de Contas. A nosso ver, todavia, nem sequer podia propor-se a questão. Essa atribuição do Tribunal de Contas, na verdade, não possui caráter judicial. Julgar significa, no caso, estabelecer em forma jurisdicional, ainda que por via administrativa, as contas dos responsáveis por dinheiros e bens públicos. Como, porém, a competência do Tribunal de Contas, acerca do julgamento das contas dos responsáveis por dinheiros e bens públicos, somente lhe é atribuída em função do ato político do Congresso Nacional, que julga as contas do Presidente da República (CF, art. 49, IX), as decisões do Tribunal, nessa matéria, não poderiam, por isso mesmo, ficar sujeitas a reexame judiciário. O julgamento político exclui o pronunciamento judiciário ulterior, nos mesmos termos em que o julgado criminal exclui a ação civil: "(...) não se poderá (...) questionar mais sobre a existência do fato, ou quem seja o seu autor (...)" (art. 935, Código Civil). Disceptando sobre o tema, Pontes de Miranda afirma enfaticamente: "Absolvidos o Presidente da República e, no crime conexo, o Ministro de Estado, não podem ser processados pelo mesmo fato, noutra jurisdição"

§ 25. A JUSTIÇA ADMINISTRATIVA 553

(*Comentários à Constituição de 1946*, t. III, 3ª ed., Rio de Janeiro, 1960, p. 149). De outro lado, o julgamento político tem precedência necessária sobre o pronunciamento judiciário. Nesse particular, o Aviso n. 222, de 22.4.1879, já dizia: "(...) por ser excepcional a jurisdição da Assembléia Provincial convertida em Tribunal de Justiça, não podia ficar preventa pelo acórdão da Relação, acrescendo (...) na hipótese, que nem ao menos se verifica algum requisito para estabelecer a prevenção conforme o direito, quando esta já se achava excluída em princípio pela natureza da jurisdição" (Aurelino Leal, *Teoria e Prática da Constituição Federal Brasileira*, t. I, Rio de Janeiro, 1925, p. 492). Em conseqüência, nem antes nem depois das decisões do Tribunal de Contas, quanto às contas dos responsáveis por dinheiros e bens públicos, toca ao Poder Judiciário pronunciar-se sobre o fato sujeito, ou quem lhe seja o autor. Revestem-se, assim, as decisões do Tribunal de Contas, nessa matéria, da aparência de uma eficácia exclusiva e terminativa, que as aproxima, pelos efeitos, da sentença como ato jurisdicional, permanecendo, embora, no plano da fiscalização meramente administrativa.

As dúvidas quanto à constitucionalidade dessa atribuição desapareceram diante do art. 99 da Constituição Federal de 1934, do art. 114 da Constituição de 1937, do art. 77 da Constituição de 1946 e do art. 71, inciso II, da Constituição Federal de 1988. Não mudou, a nosso ver, porém, sua natureza.

De natureza, também, puramente administrativa é a atribuição, conferida ao Tribunal de Contas, de representar ao Poder competente sobre irregularidades ou abusos apurados em contratos administrativos (CF/1988, art. 71, XI, § 1º). Inteligência diversa, ou disposição diferente do texto constitucional conduziria a admitir-se a transformação do Tribunal de Contas em juízo de anulação, privativo para os contratos do Estado.

• Ao Tribunal de Contas compete apreciar e emitir parecer prévio sobre as contas anuais do Presidente da República, mediante parecer prévio que deverá ser elaborado em sessenta dias a contar de seu recebimento (CF, art. 71, I). A rejeição das contas do Presidente não é ato do Tribunal de Contas, mas da competência privativa do Congresso Nacional (CF/1988, art. 49, IX). A conseqüência da rejeição, pelo Congresso, das contas do Chefe do Poder Executivo é a da inelegibilidade deste para as eleições que se realizarem nos cinco anos seguintes à decisão (Lei Complementar 64, de 18.5.1990, art. 1º, "g").

Compete, entretanto, ao Tribunal de Contas, julgar as contas dos administradores e demais responsáveis por dinheiros, bens e valores públicos da Administração direta e indireta, incluídas as fundações e sociedades instituídas e mantidas pelo Poder Público federal, e as contas daqueles que derem causa a perda, extravio ou outra irregularidade de que resulte prejuízo ao erário público (CF/1988, art. 71, II). Nesse caso, há um julgamento administrativo das contas dessas pessoas, ressalvado o seu direito de recorrer ao Poder Judiciário se, no caso concreto, se julgarem prejudicadas (CF, art. 5º, XXXV).

Compete, ainda, ao Tribunal de Contas, "apreciar, para fins de registro, a legalidade dos atos de admissão de pessoal, a qualquer título, na Administração direta e indireta, incluídas as fundações instituídas e mantidas pelo Poder Público, excetuadas as nomeações para cargos de provimento em comissão, bem como a das concessões de aposentadoria, reformas e pensões, ressalvadas as melhorias posteriores que não alterem o fundamento do ato concessório" (CF, art. 71, III). No caso da admissão, não há um julgamento, mas um juízo de legalidade. Da mesma forma, no caso das aposentadorias, em que o Tribunal emite um juízo sobre a legalidade do ato, que não é definitivo, pois sempre estará sujeito à apreciação do Poder Judiciário. •

b) Os Conselhos de Contribuintes.

Funda-se a autoridade das decisões do Conselho de Contribuintes na auto-subordinação legal da Administração Pública e na voluntária aceitação do julgado pelos particulares. Suas decisões unânimes são irrecorríveis para a Fazenda Pública (Decreto 75.445, de 6.3.1975, art. 2º). O Conselho de Contribuintes é, assim – comenta Pontes de Miranda –, "um tribunal administrativo sem poder de sentenciar a favor da União, porque não pode ter efeito de sentença o seu contencioso, e com o poder de resolver contra a União" (*Comentários à Constituição da República dos Estados Unidos do Brasil*, t. I, Rio de Janeiro, 1936, p. 697).

3. Em edições anteriores deste livro dizia o Autor que o nosso processo administrativo ainda não se constituiu; ao menos, em consonância com os progressos alcançados pelo país depois de sua independência.

• Como afirma Celso Antônio Bandeira de Mello, "até bem pouco, não havia uma lei geral sobre processo ou procedimento administrativo, nem na órbita da União, nem da dos Estados ou Municípios. Existiam apenas normas esparsas concernentes a um ou outro procedimento, o que, por certo, explica, ao menos em parte, esta discrição sobre o tema" (*Curso de Direito Administrativo*, 20ª ed., São Paulo, Malheiros Editores, 2006, cap. VIII, n. 1, pp. 454-455).

Com o advento da Constituição de 1988, que instituiu um Estado Democrático de Direito, passou-se a pensar seriamente na elaboração de uma lei que regulasse o processo administrativo no âmbito da Administração Federal. Essa lei foi publicada no ano de 1999, em 29 de janeiro, havendo tomado o n. 9.784, e regula presentemente o processo administrativo entre nós.

Falando sobre o procedimento administrativo, nos diz Adolf Merkl que administrar é uma tarefa humana, consciente. Em todo o obrar se distingue um fieri e um factum, ou teleologicamente, um caminho e uma finalidade. Todas as funções estatais e, em particular, todos os atos administrativos, são metas que só podem ser alcançadas por determinados caminhos. No fundo, toda a Administração é procedimento administrativo e os atos administrativos se nos apresentam como produtos do procedimento administrativo. Mas, em sentido mais rigoroso e técnico se fala de procedimento jurídico somente quando o caminho que conduz a um ato estatal não se encontra no campo da livre eleição do órgão competente para a prática do ato, mas está previsto juridicamente. O caminho que se percorre para chegar ao ato constitui a aplicação de uma norma jurídica, que determina, em maior ou menor grau, não apenas a finalidade, mas o itinerário mesmo a ser percorrido, regulado por uma norma processual. Não se confunde, entretanto, o procedimento administrativo com o direito processual. O procedimento administrativo nada mais é do que um caso particular do procedimento jurídico em geral (*Teoría General del Derecho Administrativo*, Madrid, 1935, § 15, pp. 278-279).

4. Os princípios a serem obedecidos na prática dos atos administrativos, dentre outros, não excluídos pela lei, são os seguintes: 1º) Princípio de legalidade; 2º) Princípio de finalidade; 3º) Princípio da motivação; 4º) Princípio da razoabilidade; 5º) Princípio da proporcionalidade; 6º) Princípio da moralidade; 7º) Princípio da ampla defesa; 8º) Princípio do contraditório; 9º) Princípio da segurança jurídica; 10º) Princípio do interesse público; 11º) Princípio da eficiência.

4-A. Todos esses princípios encontram-se enumerados no art. 2º, caput, da Lei 9.784, de 29.1.1999.

Esses princípios constituem uma decorrência do Estado de Direito e estão enumerados exaustivamente pelos doutrinadores, tanto pelos administrativistas quanto pelos constitucionalistas, pois fazem parte da atuação da Administração Pública na época em que vivemos. Não raro, os administradores, no seu agir, não têm diante de si a consciência clara desses princípios, mas o recurso ao Poder Judiciário, que está sempre aberto a todos quantos são prejudicados por atos impensados e ilegais do Poder Executivo, certamente oferece ao indivíduo a restauração do seu direito conculcado.

1º) *Princípio de Legalidade*. Discorrendo sobre o princípio de legalidade, assim se expressava Walter Jellinek: "Antes de tudo, conforma-se o Poder diante da liberdade das pessoas. De acordo com o art. 114 da Constituição do Reich, qualquer invasão ou privação da liberdade individual pelo Poder Público somente é admissível se tiver como fundamento uma lei" ("Vor allem richtet sich die Gewalt gegen die Freiheit der Person. Nach RV Art. 114 ist eine Beeinträchtigung oder Entziehung die persönliche Freiheit durch die öffentliche Gewalt nur auf Grund von Gesetzen zulässig" – *Verwaltungsrecht*, Berlin, 1929, § 15, n. 4, "a", p. 326). Somente a lei é que tem poder, no Estado de Direito, para autorizar qualquer intromissão na liberdade pessoal. Outra não é a concepção de Fritz Fleiner, quando afirma que "O Estado constitucional introduziu o princípio da 'administração legal', isto é, da obrigação para a Administração de respeitar a lei. Esse princípio provém da idéia de que a lei edita prescrições gerais, regras de direito válidas para todos, que excluem o arbítrio da autoridade executiva na regulamentação das suas particularidades. Ela conta, além disso, com um dado essencial do direito público, segundo o qual a lei é elaborada pela representação do povo, ou com a sua colaboração, razão pela qual o governo não pode baixar regulamentos que criem direitos, a não ser por delegação legislativa. O princípio da administração legal tem uma origem política. Está, ele, dirigido contra a onipotência do Poder Executivo". Mais adiante, afirma: "Todo ato administrativo deve ter uma base legal". "Em particular, toda invasão da Administração sobre a liberdade e a propriedade dos cidadãos não é lícita a não ser em virtude de uma lei, ou em virtude de um regulamento ou disposição autonômica, habilitados pela lei". Conclui, de forma lapidar: "No Estado de Direito, a presunção é pela liberdade dos cidadãos contra a coação estatal" (*Les Principes Généraux du Droit Administratif Allemand*, trad. francesa, Paris, 1933, cap. III, § 9, pp. 87-89).

Hans-Julius Wolff e Otto Bachof manifestam idêntico ponto de vista ao afirmarem que, num Estado, cuja finalidade consiste na criação e na manutenção de relações materiais justas, de acordo com um estatuto legal, deve em cada exercício legal de poder, segundo a lei, conformar-se ao princípio de Justiça. Essa pretensão de uma legalidade material vale para a Administração, assim como para a Justiça, para o Governo assim como para o Legislativo (*Verwaltungsrecht*, I, 9ª tir., München, 1974, § 30, I, "a", p. 175). Mais adiante, afirmam: "A Administração deve ser conforme à Constituição, também especialmente, salvaguardar a igualdade jurídica e respeitar a liberdade e a propriedade" ("Die Verwaltung muss verfassungsmässig sein, also insbes. die rechtliche Gleichheit wahren, Freiheit und Eigentum respektieren" – ob. cit., t. I, § 30, p. 176).

A constitucionalidade e a legalidade da administração têm inicialmente um significado negativo, na medida em que a legalidade de seus atos revela as seguintes deficiências: 1) normas jurídicas abstratas, provenientes da Administração, que são inválidas sempre que violem regras jurídicas de hierarquia mais elevada; 2) atos administrativos concretos, que são nulos ou anuláveis na medida em que violam regra jurídica válida, mesmo quando são praticados pela Administração, mas contradizem o direito (ob. cit., t. I, § 30, p. 177).

O princípio da legalidade não significa que a Administração não desfrute de autonomia alguma. Segundo Ernst Forsthoff, a autonomia da Administração aumenta na medida em que sua atividade está menos determinada pelas regras de direito. Mas a submissão à lei é necessária sempre que a Administração invadir a esfera dos direitos individuais, isto é, a liberdade e a propriedade (*Traité de Droit Administratif Allemand*, trad. francesa, Bruxelles, 1969, cap. I, sec. II, p. 54).

2º) *Princípio de finalidade*. Rudolf von Ihering, que escreveu um livro para demonstrar que o fim cria o Direito, ao tratar do problema da Administração Pública, afirmava que a procura de um fim também se verifica na vida social, criando-se uma diferença entre os que governam e os que são governados. Manifestava, contudo, temor diante do perigo de que os dirigentes da sociedade, já estruturada em Estado, empregassem os meios postos à disposição da coletividade em sentido oposto ao dos interesses da sociedade, em seu próprio favor. Segundo von Ihering trata-se de um perigo a ser temido tanto na sociedade política quanto no âmbito privado (*Law as a Means to an End*, New York, 1968, p. 223). A finalidade de que se cogita, no caso, é a pública. Público é aquilo que é aberto, que está à disposição de todos. Von Ihering dizia que os romanos derivaram a designação do conceito de público da palavra *populus, populicum, publicum*, no sentido daquilo que é compreendido como de todos, que existe para o povo, isto é, aberto para todos (ob. cit., p. 223). Tudo que é público deve servir a uma finalidade pública. Na ação desenvolvida pelo Estado, por intermédio de sua Administração, a finalidade que está sempre presente é a finalidade pública. Tudo quanto o Estado realiza se volta para a utilidade pública, que poderíamos dizer que é a expressão prática do bem comum, quanto aos meios e processos, capazes de realizá-lo.

O princípio de finalidade está voltado para a utilidade pública e, portanto, para o bem comum. Por isso, a sua extrema importância dentro do Direito Administrativo e o significado que adquire na prática dos atos administrativos.

A finalidade, que a lei atribui aos atos administrativos, revela que o desenvolvimento da atividade administrativa do Poder Executivo não é presidido pelo arbítrio, que se funda na força, mas pela necessidade pública, que impõe a racional persecução de um fim. Como acontece ao administrador privado, que não tem a disposição da coisa administrada, não possui, também, o Poder Executivo, acerca dos negócios públicos, atribuições irrestritas, porém, essencialmente atribuições de Administração. Os negócios públicos estão vinculados não ao arbítrio do Executivo, mas à finalidade impessoal, essencialmente pública, que este deve procurar realizar. Esse é o sentido e o conteúdo do princípio de finalidade a que Administração Pública deve obrigatoriamente obedecer.

3º) *Princípio da motivação*. Os motivos de um ato administrativo são as justificações das disposições internas do ato, as justificações do objeto e do conteúdo da decisão. As justificações são de duas espécies. Há os motivos de fato e os motivos de direito.

Os motivos de fato são aqueles que decorrem de acontecimentos que justificam a prática do ato. Assim, a falta disciplinar efetivamente cometida pelo funcionário público, a perturbação da ordem pública, a necessidade de tomar medidas profiláticas em razão de uma epidemia são motivos que justificam a prática de atos administrativos. De outra parte, no que concerne aos atos bilaterais, a necessidade de conceder um serviço público de energia elétrica, de telefonia ou de radiodifusão de sons e imagens constitui motivos fáticos para a celebração de contratos administrativos.

Mas, ao lado dos motivos de fato, há os motivos de direito. Um motivo de fato, que é a prática de uma falta disciplinar do servidor público, gera um motivo de direito, que é a sua efetiva punição, que pode ir da repreensão à demissão do serviço público.

Os motivos de fato são em geral definidos com menos precisão do que os motivos de direito. As autoridades administrativas têm um poder de apreciação das circunstâncias de fato, mais largo do que no caso dos motivos de direito, que são taxativos e não podem ser alterados pelo alvedrio do Executivo. Por isso, se fala, no direito alemão, de noção jurídica indeterminada. Segundo Hartmut Maurer, "os elementos que caracterizam a situação objetiva que dá lugar à aplicação da lei, são, no seu conteúdo, de uma precisão mais ou menos grande. Há, nas diversas noções utilizadas pela lei, toda uma gama de graus de precisão de seu conteúdo, por ordem crescente ou decrescente. Certas condições legais têm um sentido bem claro, como, por exemplo, os dados geográficos e cronológicos (...)" (*Droit Administratif Allemand*, Paris, 1994, p. 136, n. 27). Outras condições legais não são determinadas, mas são suscetíveis de ser no caso concreto, como o "cair da noite" ("Einbruch der Dämmerung"), ou "o espaço fechado" ("geschlossene Ortslage") (ob. cit., p. 137). Por isso, fala-se da existência de conceitos jurídicos indeterminados, que a Administração emprega com uma certa margem de discrição, como interesse público, bem da coletividade, motivo grave, exigências da circulação, caráter apropriado, necessidade pública, deterioração, ato prejudicial praticado contra a paisagem etc. (Hartmut Maurer, ob. cit., p. 137).

Em todos esses casos, verifica-se que há motivos de fato variáveis, reconhecidos pela ordem jurídica, de intensidade crescente ou decrescente, os quais são invocados para a prática de atos administrativos. Os conceitos jurídicos indeterminados formam, hodiernamente, importante e relevante questão no que concerne à motivação dos atos jurídicos.

4º) *Princípio da razoabilidade*. O princípio da razoabilidade indica que a Administração deve procurar os meios mais adequados para atingir os fins propostos. Deve evitar as soluções exageradas, que se aproximam da ilegalidade e realizar os seus atos dentro de critérios racionais, evitando toda a sorte de abusos e de arbitrariedades. Por outro lado, deve a Administração procurar realizar o procedimento administrativo sempre da forma mais equilibrada e mais justa, de tal sorte que os administrados, pessoas racionais, possam identificar com facilidade a motivação racional de todos os seus atos. A razoabilidade afasta os exageros, as providências extremadas, as decisões tomadas ao influxo das emoções fortes. Busca sempre, encontrar objetivos razoáveis, que podem ser atingidos por meio de decisões moderadas, totalmente isentas de facciosismo.

5º) *Princípio da proporcionalidade*. Os administrativistas alemães denominam este princípio do Estado de Direito, como "Verhältnismässigkeit des Verwaltungshandelns" (Norbert Achterberg, *Allgemeines Verwaltungsrecht. Ein Lehrbuch*, Heidelberg, 1982, § 5, n. 11, p. 76). É a proporcionalidade da ação administrativa desenvolvida pelo Estado. As medidas tomadas pela Administração não devem ter como conseqüência resultados indesejáveis, desproporcionais. Sempre que o Poder Público pode escolher entre diversas condutas, deve eleger aquela que menos prejuízo traga ao cidadão e/ou à coletividade. Esse princípio é uma decorrência direta do Estado de Direito, em que os direitos individuais primam sobre o poder estatal.

O princípio da proporcionalidade tem a sua afirmação inicial, com relação à limitação do Poder Executivo. Foi introduzido, no Direito Administrativo, no século XIX, como princípio geral limitador do direito de polícia. Daí, passou nos países europeus à dignidade de princípio constitucional.

Esse princípio pode ser subdividido em três subprincípios:

i) Princípio da conformidade ou adequação dos meios. O princípio da conformidade ou adequação impõe que a medida adotada para a realização do interesse público seja apropriada à execução dos fins. Deve haver uma relação de adequação entre o ato praticado e o fim a que se propõe.

ii) Princípio da exigibilidade ou da necessidade (*Erforderlichkeit*). Esse princípio, também denominado da menor ingerência possível, obedece à concepção de que o cidadão tem direito à menor desvantagem possível.

iii) Princípio da proporcionalidade em sentido estrito (*Verhältnissmässigkeit*). Esse princípio é o da justa medida entre o ato praticado pela Administração e a restrição sofrida pelo cidadão. Meios e fins são colocados em equação e é feito um juízo de ponderação, com a finalidade de verificar se o meio utilizado não será acaso desproporcionado ao fim proposto.

6º) *Princípio da moralidade*. O Direito não emprega conceitos morais diferentes daqueles que são vigentes na sociedade. A Administração Pública deve respeitar a moral no seu agir. Nesse sentido, tinha razão Hegel quando afirmava que "O Estado é a realidade em ato – da Idéia moral objetiva – o espírito moral como vontade substancialmente revelada, clara a si mesma, que se conhece e se pensa e realiza tudo quanto sabe e porque ela sabe" (*Principes de la Philosophie du Droit*, ed. francesa, Paris, Gallimard, 1940, 3ª sec., n. 257, p. 190).

Santo Tomás de Aquino dizia que "A lei, própria, primária e principalmente, diz respeito à ordem para o bem comum. Ora, ordenar para o bem comum é próprio de todo o povo ou de quem governa em lugar dele" ("Dicendum quod lex, proprie, primo et principaliter respicit ordinem ad bonum commune. Ordinare autem aliquid in bonum commune est vel totius multitudinis, vel alicuius gerentis vicem totius multitudinis" – *Suma Teológica*, vol. IV, 1980, questão XC, art. III, p. 1.735). Falando sobre a virtude que a obediência à lei pode ter como efeito, tornando os homens bons, dizia o mesmo Santo Tomás: "Por onde é manifesto, que é próprio da lei levar os súditos a serem virtuosos" ("Unde manifestum est quod sit proprium legis, inducere subiectos ad propriam ipsorum virtutem" – *Suma Teológica*, vol. IV, questão XCII, art. I, p. 1.746).

Se a lei, segundo Santo Tomás, nada mais é, em sua essência, do que "uma ordenação da razão para o bem comum, promulgada pelo chefe da comunidade" ("quaedam rationis ordinatio ad bonum commune, ab eo qui curam comunitatis habet promulgata" – *Suma Teológica*, questão XC, art. IV, p. 1.736) e se o Estado é a realidade da Idéia moral, toda a ação estatal está permeada pela moralidade. Quando se diz que a lei é uma ordenação da razão para o bem comum, na verdade se está dizendo que tudo quanto é realizado pelo Estado, no seu agir, está subordinado à moral. Por esse motivo, o princípio de moralidade está presente em toda a ação estatal.

7º) *Princípio da ampla defesa*. Segundo a opinião de H. W. R. Wade "Rights depend upon remedies" (*Administrative Law*, Oxford, 1974, cap. 4, p. 107). Os direitos dependem dos recursos que são postos à disposição dos cidadãos. Wade cita como grande exemplo o habeas corpus, que é um recurso que serviu desde o século XVI como a pedra fundamental da liberdade pessoal. E os recursos, por sua vez, dependem do princípio da ampla defesa, assegurado pelo art. 5º, inciso LV, da Constituição Federal de 1988, nos seguintes termos: "LV – aos litigantes, em processo judicial ou administrativo, e aos acusados em geral são assegurados o contraditório e a ampla defesa, com os meios e recursos a ela inerentes".

A Constituição exige, na afirmação da ampla defesa, o contraditório com os meios e recursos a ela inerentes.

O princípio do contraditório nos vem do processo civil e criminal. Não se admite que ninguém seja condenado à revelia, sem defesa e sem ser ouvido. Por esse motivo, são tomadas, pelas leis processuais, todas as cautelas a fim de que o réu tenha ciência do litígio em que está envolvido, ou, pelo menos, citado por edital, venha a ter um defensor dativo. Além da defesa no processo penal e da resposta no processo civil, que poderá consistir em contestação, exceções e reconvenção (CPC, art. 297), o réu terá à sua disposição todos os meios de prova que o direito permite, além dos recursos admitidos na defesa do seu direito.

O mesmo acontece com o processo administrativo, que embora não tenha o alcance dos procedimentos criminais e cíveis, também coloca à disposição do acusado os meios necessários à sua ampla defesa (art. 143, Lei 8.112, 11.12.1990).

8º) *Princípio do contraditório*. Ao discorrermos sobre a ampla defesa já tivemos a oportunidade de falar sobre o contraditório. O contraditório se caracteriza pela tomada de conhecimento dos atos e termos processuais por ambas as partes e a possibilidade de contestá-los e contrariá-los. Há, no princípio do contraditório, em primeiro lugar, a bilateralidade do conhecimento; em segundo lugar, a possibilidade aberta à reação, até o momento em que a decisão se torne definitiva pelo advento da coisa julgada. O princípio constitucional do contraditório deverá obrigatoriamente ser respeitado no procedimento administrativo, garantindo a todos tratamento isonômico. Com a afirmação do contraditório e do "devido processo legal" (art. 5º, LIV), a Constituição Federal de 1988 confirma o princípio de igualdade, definido no início da Declaração dos Direitos e Garantias Fundamentais (art. 5º, *caput* e inciso I).

9º) *Princípio da segurança jurídica*. Almiro do Couto e Silva, em notável trabalho jurídico nos informa que "Faz-se, modernamente, também a correção de algumas distorções do princípio da legalidade da Administração Pública, resultantes do esquecimento de que sua origem radica na proteção dos indivíduos contra o Estado, dentro do círculo das conquistas liberais obtidas no final do século XVIII e início do século XIX, e decorrentes, igualmente, da ênfase excessiva no interesse do Estado em manter íntegro e sem lesões o seu ordenamento jurídico".

A noção doutrinariamente reconhecida e jurisprudencialmente assente de que a Administração pode desfazer seus próprios atos, quando nulos, acentua esse último aspecto, em desfavor das razões que levaram ao surgimento do princípio de legalidade, voltadas todas para a defesa do indivíduo perante o Estado. Serve à concepção de que o Estado tem sempre o poder de anular seus atos ilegais a verdade indiscutida no Direito Privado, desde o Direito Romano, de que o nulo jamais produz efeitos, convalida, convalesce ou sana, sendo ainda insuscetível de ratificação. Se assim efetivamente é, então caberá sempre à Administração Pública revisar seus próprios atos, desconstituindo-os de ofício, quando eivados de nulidade, do mesmo modo como sempre será possível, quando válidos, revogá-los, desde que inexista óbice legal e não tenham gerado direitos subjetivos.

Aos poucos, porém, foi-se insinuando a idéia da proteção à boa-fé ou da proteção à confiança, a mesma idéia, em suma, de segurança jurídica cristalizada no princípio da irretroatividade das leis ou no de que são válidos os atos praticados por funcionários de fato, apesar da manifesta incompetência das pessoas de que eles emanaram.

É interessante seguir os passos dessa evolução. O ponto inicial da trajetória está na opinião amplamente divulgada na literatura jurídica de expressão alemã do início do século de que, embora inexistente, na

§ 25. A JUSTIÇA ADMINISTRATIVA

órbita da Administração, o princípio da res judicata, a faculdade que tem o Poder Público de anular seus próprios atos tem limite não apenas nos Direitos Subjetivos regularmente gerados, mas também no interesse de proteger a boa-fé e a confiança (*Treue und Glaube*) dos administrados. É o que admite expressamente Fritz Fleiner, nas suas Instituições de Direito Administrativo Alemão (cuja primeira edição é de 1911), muito embora sem deixar claro se a afirmação feita no texto, de que o administrador não deveria, "por alteração do seu ponto de vista jurídico, sem necessidade cogente, declarar inválidos estados de posse dos cidadãos, que havia deixado subsistir sem contestação durante muitos anos", seria um imperativo ou uma simples recomendação.

Mais incisivo é Walter Jellinek. Dizia ele: "O agente público pode expressamente ratificar um ato defeituoso e renunciar, assim, à faculdade de revogá-lo. Pode, também, tacitamente, ratificá-lo, pois agiria contra a boa-fé se quisesse valer-se da irregularidade longamente tolerada" ("Princípios da Legalidade da Administração Pública e da Segurança Jurídica no Estado de Direito Contemporâneo", *Revista de Direito Público*, São Paulo, 1987, n. 84, p. 55).

Walter Jellinek, como salienta Couto e Silva, é realmente incisivo quando trata desse tema, pois afirma: "Die Behörde kann einen erschlichenen Akt ausdrücklich bestätigen und begibt sich dadurch der Widerrufsbefugnis. Sie kann ihn aber auch stillschweigend bestätigen, so dass es gegen Treu und Glauben verstossen würde, wenn sie auf die längst verziehene Fehlerhaftigkeit zurückgreifen wollte" (*Verwaltungsrecht*, Berlin, 1929, § 11, IV, n. 3, p. 277).

Da mesma forma, na doutrina francesa, a opinião mais incisiva que se conhece sobre a segurança jurídica é a do ilustre administrativista Jean Rivero, que afirmava: "La jurisprudence estime la sécurité juridique plus importante que la légalité elle-même" ("A jurisprudência considera a segurança jurídica mais importante que a própria legalidade" – *Droit Administratif*, Paris, Dalloz, 1973, n. 103, p. 103).

Não seria preciso dizer mais sobre a segurança jurídica e a sua relevância para o Direito Administrativo, diante de palavras tão eloqüentes de ilustres administrativistas.

10º) *Princípio do interesse público.* O fundamento do Direito Administrativo é a noção de utilidade pública. Diz-se que o Direito Administrativo distingue-se do Direito Privado "en ce que l'utilité publique est toujours engagée et prédomine dans les matières qu'il embrasse" (a frase é do Barão de Gérando – *Institutes du Droit Administratif Français*, t. I,

Paris, 1842, n. 3, p. 2). Se a noção de utilidade pública constitui a base de todo o Direito Administrativo, é lógico que o seu corolário, que é o interesse público, se constitui em princípio fundamental do procedimento administrativo. No que concerne ao interesse, Rudolf von Ihering sinalou o dado fundamental da questão: "*inter esse, interest mea* são palavras que significam: uma parte de mim está contida numa coisa estranha; trata-se aí, quanto a mim, de uma parte de mim mesmo" (*Du Rôle de la Volonté dans la Possession*, Paris, 1891, nota 6, p. 21). Em todo o procedimento administrativo, uma parte da própria Administração nele está contida. Daí, a noção de prevalência do princípio do interesse público.

11º) *Princípio da eficiência*. Segundo Norbert Achterberg, a exigência de uma finalidade, presente nas ações administrativas, corresponde à máxima do Princípio de Eficiência. Na Administração, fala-se de eficiência de ação (*Handlungseffizienz*), sobretudo no campo da administração fornecedora de prestações (*Leistungsverwaltung*). Dos procedimentos administrativos espera-se essa mesma eficiência que a Administração, enquanto prestadora de serviços e de utilidades, deve manifestar. Em todos os procedimentos administrativos "Effizienz und Richtigkeit" (eficiência e exatidão) são esperados (Norbert Achterberg, *Allgemeines Verwaltungsrecht. Ein Lehrbuch*, Heidelberg, 1982, § 18, n. 19, p. 282).

4-B. No parágrafo único do art. 2º da Lei 9.784/1999 são estabelecidos alguns critérios, que repetem os princípios enumerados e as disposições constitucionais que regem a matéria. Assim, a atuação conforme à lei e ao Direito (inciso I); o atendimento a fins de interesse geral (inciso II); o atendimento objetivo do interesse público (inciso III); a atuação segundo os padrões éticos de probidade, decoro e boa-fé (inciso IV); a divulgação oficial dos atos administrativos (inciso V); a adequação entre meios e fins (inciso VI); a indicação dos pressupostos de fato e de direito que determinarem a decisão (inciso VII); a observância das formalidades essenciais à garantia dos administrados (inciso VIII); a adoção de formas simples (inciso IX); a garantia dos direitos à comunicação, à apresentação de alegações finais, à produção de provas, e à interposição de recursos, nos processos de que possam resultar sanções e nas situações de litígio (inciso X); proibição de cobrança de despesas processuais, ressalvadas as previstas em lei (inciso XI); impulsão de ofício, do processo administrativo, sem prejuízo da atuação dos interessados (inciso XII); interpretação da norma administrativa da forma que melhor garanta o atendimento do fim público a que se dirige, vedada a aplicação retroativa de nova interpretação (inciso XIII).

4-C. A Lei 9.784/1999 prevê, em seu art. 3º, os direitos dos administrados, de serem tratados com respeito pelas autoridades e servidores, de terem ciência da tramitação dos processos administrativos, de formularem alegações e apresentarem documentos antes da decisão, de fazerem-se assistir, facultativamente, por advogado, salvo quando obrigatória a representação, por força de lei.

4-D. Os deveres do administrado também estão previstos em lei: expor os fatos conforme a verdade; proceder com lealdade, urbanidade e boa-fé; não agir de modo temerário; prestar as informações que lhe forem solicitadas e colaborar para o esclarecimento dos fatos (art. 4º, I, II, III e IV, Lei 9.784/1999).

4-E. O início do processo pode ser de ofício ou a pedido do interessado (art. 5º, Lei 9.784/1999).

No caso de pedido do interessado, o requerimento inicial, salvo os casos em que for admitida a solicitação oral, deve ser formulado por escrito, contendo especificamente os dados exigidos em lei (art. 6º, I, II, III, IV e V, Lei 9.784/1999).

4-F. São legitimados como interessados no processo administrativo as pessoas físicas ou jurídicas que o iniciem, aqueles cujo interesse possa ser afetado pela decisão a ser adotada, as organizações e associações representativas, no tocante a direitos e interesses coletivos e as pessoas ou associações legalmente constituídas quanto a direitos ou interesses difusos (art. 9º, I, II, III e IV, Lei 9.784/1999).

4-G. A capacidade, para fins de processo administrativo, em princípio, é conferida aos maiores de 18 anos (art. 10, Lei 9.784/1999).

4-H. A competência, como já dissemos alhures, no capítulo próprio, é irrenunciável e se exerce pelos órgãos administrativos a que foi atribuída como própria, salvo os casos de delegação e avocação legalmente admitidos (art. 11, Lei 9.784/1999).

4-I. A lei define, também, os impedimentos e a suspeição. Está impedido de atuar em processo administrativo o servidor ou autoridade que tenha interesse indireto na matéria, que tenha participado ou venha a participar como perito, testemunha ou representante, ou se tais situações ocorrem quanto ao cônjuge, companheiro ou parente e afins até o terceiro grau, caso esteja litigando judicial ou administrativamente com o interessado ou respectivo cônjuge ou companheiro (art. 18, incisos I, II e III, Lei 9.784/1999).

4-J. Quanto à forma, "Os atos do processo devem ser produzidos por escrito, em vernáculo, com a data e o local de sua realização e a assinatura da autoridade responsável" (art. 22, § 1º, Lei 9.784/1999).

4-K. Quanto ao tempo, "Os atos do processo devem realizar-se em dias úteis, no horário normal de funcionamento da repartição na qual tramitar o processo" (art. 23, Lei 9.784/1999).

4-L. Quanto ao lugar, "Os atos do processo devem realizar-se preferencialmente na sede do órgão, cientificando-se o interessado se outro for o local da realização" (art. 25, Lei 9.784/1999).

4-M. Da comunicação dos atos. "O órgão competente perante o qual tramita o processo administrativo determinará a intimação do interessado para ciência de decisão ou a efetivação de diligências" (art. 26, Lei 9.784/1999). As disposições seguintes enunciam minuciosamente todas as cautelas a serem tomadas em relação à intimação do interessado.

4-N. Da instrução. Dispõe a lei que "As atividades de instrução destinadas a averiguar e comprovar os dados necessários à tomada de decisão realizam-se de ofício ou mediante impulsão do órgão responsável pelo processo, sem prejuízo do direito dos interessados de propor atuações probatórias" (art. 29, Lei 9.784/1999). Os artigos seguintes, do 30 ao 47, tratam minuciosamente da fase instrutória do processo.

4-O. Do dever de decidir. O art. 48 estabelece expressamente que a Administração tem o dever de decidir sobre solicitações ou reclamações, em matéria de sua competência (art. 48, Lei 9.784/1999). Também estabeleceu a lei que "Concluída a instrução de processo administrativo, a Administração tem o prazo de até trinta dias para decidir, salvo prorrogação por igual período expressamente motivada" (art. 49, Lei 9.784/1999).

4-P. Da motivação. "Os atos administrativos deverão ser motivados, com indicação dos fatos e dos fundamentos jurídicos (...)" (art. 50, Lei 9.784/1999).

4-Q. Da anulação, revogação e convalidação.

§ 25. A JUSTIÇA ADMINISTRATIVA   567

1º) "A Administração deve anular seus próprios atos, quando eivados de vício de legalidade, e pode revogá-los por motivo de conveniência ou de oportunidade, respeitados os direitos adquiridos" (art. 53, Lei 9.784/1999);

2º) "O direito da Administração de anular os atos administrativos de que decorram efeitos favoráveis para os destinatários decai em cinco anos, contados da data em que foram praticados, salvo comprovada má-fé" (art. 54, *caput*);

3º) "Em decisão na qual se evidencie não acarretarem lesão ao interesse público nem prejuízo a terceiro, os atos que apresentarem defeitos sanáveis poderão ser convalidados pela própria Administração" (art. 55, Lei 9.784/1999).

4-R. Do recurso. "Das decisões administrativas cabe recurso, em face de razões de legalidade e de mérito" (art. 56, Lei 9.784/1999).

4-S. Da revisão. "Os processos administrativos de que resultam sanções poderão ser revistos, a qualquer tempo, a pedido ou de ofício, quando surgirem fatos novos ou circunstâncias relevantes suscetíveis de justificar a inadequação da sanção aplicada" (art. 65, Lei 9.784/1999). Dispõe o parágrafo único, que da revisão do processo não poderá resultar agravamento da sanção.

4-T. Dos prazos. "Os prazos começam a correr a partir da data da cientificação oficial, excluindo-se da contagem o dia do começo e incluindo-se o do vencimento" (art. 66, *caput*, Lei 9.784/1999). A lei também estabelece que "Salvo motivo de força maior devidamente comprovado, os prazos processuais não se suspendem" (art. 67).

4-U. Das sanções. "As sanções, a serem aplicadas por autoridade competente, terão natureza pecuniária ou consistirão em obrigação de fazer ou de não fazer, assegurado sempre o direito de defesa" (art. 68, Lei 9.784/1999).

4-V. Nas disposições finais, foi estabelecido que os processos administrativos específicos continuarão a reger-se por lei própria, aplicando-se apenas subsidiariamente os preceitos dessa lei (art. 69, Lei 9.784/1999). Dentre os processos administrativos específicos deve ser conumerado o Processo Administrativo Disciplinar, previsto pela Lei 8.112/1990, em seus arts. 143 a 182, atinente aos servidores públicos civis. •

4-X. Na edição anterior deste livro, tinha-se dito: "Urge a reforma completa do Direito Administrativo Brasileiro nessa parte. Houve reformas já nalgumas matérias; é necessário que se generalizem, a fim de constituir-se definitivamente, à altura do processo jurídico do país, o nosso processo administrativo".

• Deve-se reconhecer, agora, após a publicação da Lei 9.784/1999, que essas palavras severas não têm mais razão de ser. A lei que regula o Processo Administrativo no âmbito da Administração Federal representa o que de melhor se realizou, em matéria legislativa, pelo Congresso Nacional, no último decênio. É bem verdade que se trata da aprovação de um anteprojeto elaborado por administrativistas e juristas de escol. Mas é forçoso reconhecer que neste país, em que tantas deficiências e mazelas são cotidianamente apontadas, ainda existem pensadores ilustres, que sabem conceber e escrever um texto legal tão bem escrito e tão apropriado. •

5. Entre as formas de processo estabelecidas em favor da Administração Pública, incluem-se: a) o processo judicial de desapropriação; • b) a execução judicial para cobrança da dívida ativa da União, dos Estados, do Distrito Federal, dos Municípios e respectivas autarquias, regulada pela Lei 6.830, de 22.9.1980. •

Sobre o processo judicial de desapropriação, dissemos já no lugar competente.

A execução judicial para a cobrança de dívida ativa da União, dos Estados, do Distrito Federal, dos Municípios e respectivas autarquias, filia-se, originariamente, ao Regimento e Ordenação da Fazenda, de 17 de outubro de 1516 (Lobão, *Tratado Prático do Processo Executivo Sumário*, Lisboa, 1817, § 87, p. 81). Foi esse venerável diploma somente modificado pela legislação ulterior. Porém, as linhas estruturais do procedimento introduzido subsistiram e, pode dizer-se, ainda se mantêm no presente. Eram entre nós geralmente reputados odiosos os privilégios concedidos ao Fisco nesta forma de processo. Dizia a esse respeito Ruy Barbosa: "Já sob a monarquia o Partido Liberal pugnava pela abolição dos privilégios fiscais em matéria judicial. Com a República, esses privilégios em vez de se cercearem cresceram. Tais privilégios consagram a injustiça debaixo de uma de suas piores formas. A justiça não é senão a igualdade perante o direito comum e as suas garantias processuais" (*Comentários à Constituição Federal Brasileira*, coligidos e ordenados por Homero Pires, São Paulo, 1933, vol. IV, p. 490). O próprio Supremo Tribunal Federal chegou a proclamar que "O executivo fiscal é um processo

excepcional e odioso" (Acórdão de 27.6.1930, na *Rev. do Direito*, t. 99, p. 311; Acórdão de 26 de abril de 1933, no *Arquivo Judiciário* 30/303).
• É forçoso reconhecer, entretanto, que a Lei 6.830, de 22.9.1980, atenuou os rigores do Decreto-lei 960, de 17.11.1938, concedendo ao devedor uma série de prazos e garantias de que não desfrutava anteriormente. •

Seabra Fagundes observa, a esse respeito: "(...) já hoje, no campo do direito fiscal, se conhece a execução forçada da obrigação pública por via administrativa. É o que sucede a propósito do imposto sobre a renda, quando o obrigado seja funcionário público. Por via administrativa é ele compelido diretamente à prestação mediante desconto, feito em folha de pagamento. Essa evolução dos privilégios fiscais dá agora um novo sentido à ação executiva. Ela tende a deixar de ser um privilégio do erário, para se converter em processo de amparo do indivíduo, contra os excessos e erros tributários da autoridade administrativa" (*O Controle dos Atos Administrativos pelo Poder Judiciário*, 2ª ed., Rio de Janeiro, s.d., n. 104, p. 376).

6. Entre os remédios específicos contra os atos da Administração Pública, Luís Roberto Barroso enumera as assim chamadas "Ações Constitucionais", todas elas enunciadas pela Constituição Federal. Essas ações são as seguintes: 1) *habeas corpus*; 2) mandado de segurança; • 3) mandado de segurança coletivo; 4) ação popular; 5) ação civil pública; 6) *habeas data*; 7) mandado de injunção (*O Direito Constitucional e a Efetividade de suas Normas*, Renovar, 2002, cap. VII, p. 179).

6-A. Nas seis disposições constitucionais, nas quais se fundam, respectivamente, o *habeas corpus* (art. 5º, LXVIII), o mandado de segurança (art. 5º, LXIX), o mandado de segurança coletivo (art. 5º, LXX), o mandado de injunção (art. 5º, LXXI), o *habeas data* (art. 5º, LXXII) e a ação popular (art. 5º, LXXIII), salta aos olhos, desde logo, a natureza vinculativa das promessas que nelas se contêm:

i) "Conceder-se-á 'habeas corpus' (...)" (CF, art. 5º, LXVIII);

ii) "Conceder-se-á 'mandado de segurança' (...)" (CF, art. 5º, LXIX);

iii) "O mandado de segurança coletivo pode ser impetrado (...)" (CF, art. 5º, LXX);

iv) "Conceder-se-á mandado de injunção (...)" (CF, art. 5º, LXXI);

v) "Conceder-se-á *habeas data* (...)" (CF, art. 5º, LXXII);

vi) "Qualquer cidadão é parte legítima para propor ação popular (...)" (art. 5º, LXIII). •

Basta realmente que se prove o implemento das condições indicadas nesses seis dispositivos constitucionais (a violência ou coação à liberdade de locomoção, ou ameaça dela; a violação ou ameaça a direito líquido e certo, • não amparado por *habeas corpus*; a violação ou ameaça a direito líquido e certo de partido político com representação nacional ou a organização sindical, entidade de classe ou associação legalmente constituída (...) em defesa do interesse de seus membros; a falta de norma regulamentadora que torne inviável o exercício dos direitos e liberdades constitucionais; a falta de conhecimento de informações relativas à pessoa do impetrante ou a retificação de dados), • para que a promessa neles feita a pessoa indeterminada se complete e aperfeiçoe em obrigação definida do Estado face a tal ou qual indivíduo designadamente. Assim, no processo do *habeas corpus* ou do mandado de segurança, não se examina senão o implemento do fato-condição; verificado este, dá-se execução à obrigação do Estado. A *causa petendi*, nesses processos não é a liberdade do indivíduo, nem o direito certo e incontestável deste: é a disposição constitucional que os autoriza. Duas espécies conhecemos, realmente, de disposições legais ou constitucionais. "A lei de tal comunidade – escreve Pontes de Miranda – expressa-lhe a vontade; mas, essa manifestação volitiva pode ser: a) normativa, se apenas vai dispor sobre como se obrigam e desobrigam entre si os indivíduos; b) vinculativa, se emite a regra de direito, faz depender de obrigatoriedade efetiva a aplicação e grava a situação jurídica, que ela mesma cria, de uma simples condição; *condicio juris*" (*Manual do Código Civil Brasileiro*, de Paulo Lacerda, vol. XVI, parte I, t. I, p. 31). Pertencem à segunda espécie as disposições sobre o *habeas corpus*, o mandado de segurança, • o mandado de segurança coletivo, a ação popular, o habeas data e o mandado de injunção. •

A esse estádio chegamos, todavia, depois de prolongada evolução. "O que se deu no Brasil – observa ainda o mesmo Pontes de Miranda – quanto ao 'habeas corpus' foi a reprodução do fato histórico europeu, que transforma a liberdade pessoal em direito público. Apenas – coerentes com o que lá se pensava acerca da gravidade e importância social, não do exercício, mas das violações a esse direito –, os constituintes de 1891, dando um passo além, tornaram direito público não já a liberdade pessoal, que em povos livres independe de pactos, mas a irrecusabilidade do 'habeas corpus'" (*História e Prática do "Habeas Corpus"*, Rio de Janeiro, 1951, § 52, p. 171). Transformou-se, desta sorte, o *habeas corpus* em "direito público, evolvendo de simples forma processual, 'remedial mandatory writ', à natureza de garantia exigível *per se ipsa* como direito constitucional" (*História e Prática do "Habeas Corpus"*, 1951, § 52, p. 173).

Colheu, também, os frutos dessa evolução o instituto do mandado de segurança, pelo paralelismo em que se encontra com o do *habeas corpus*.

O processo de *habeas corpus* é regulado pelos arts. 647 e seguintes do Código de Processo Penal. Regula, à sua vez, o processo do mandado de segurança a Lei 1.533, de 31.12.1951.

• **6-B.** O mandado de segurança é uma criação tipicamente brasileira (Luis Roberto Barroso, *O Direito Constitucional e a Efetividade de suas Normas*, 2002, p. 188). As origens do mandado de segurança estão no memorável esforço de adaptação, realizado pela jurisprudência, sob a égide do Supremo Tribunal Federal, em torno do habeas corpus, ao tempo da Constituição Federal de 1891, "para não deixar sem remédio certas situações jurídicas que não encontravam no quadro das nossas ações a proteção adequada" (Castro Nunes, *Do Mandado de Segurança*, 5ª ed., Rio de Janeiro, Forense, 1956, cap. I, n. I, p. 19). Garantia individual não expressada constitucionalmente, o nosso *habeas corpus* ao tempo do Império tinha aplicação limitada. Com o advento da Constituição Federal de 1891, o *habeas corpus* passou à condição de garantia constitucional, definido nos seguintes termos: "§ 22) Dar-se-á o 'habeas corpus' sempre que alguém sofrer ou se achar em iminente perigo de sofrer violência por meio de prisão ou constrangimento legal em sua liberdade de locomoção". A ampliação do 'habeas corpus' teve, na Primeira República, dois defensores ilustrados. De um lado, o Ministro do Supremo Tribunal Federal, Pedro Lessa. Dizia o ilustre Ministro o seguinte: "A doutrina que acerca do 'habeas corpus' invariavelmente tenho sustentado, aplicando-a sempre como juiz, é clara, simples e assenta em expressas disposições do direito pátrio. Dela nunca me afastei uma só vez. Importa recordá-la, posto que resumidamente. Freqüentemente, todos os dias, se requerem ordens de 'habeas corpus', alegando os pacientes que estão presos, ou ameaçados de prisão, e pedindo que lhes seja restituída ou garantida a liberdade individual. Nessas condições, não declaram, nem precisam declarar, quais os direitos cujo exercício lhes foi tolhido, ou está ameaçado; porquanto a prisão obsta ao exercício de quase todos os direitos do indivíduo. A liberdade individual é um direito fundamental, condição de exercício de um sem-número de direitos; para trabalhar, para cuidar de seus negócios, para tratar de sua saúde, para praticar os atos de seu culto religioso, para cultivar o seu espírito, aprendendo qualquer ciência, para se distrair, para desenvolver seu sentimento, para tudo em suma, precisa o homem de liberdade de locomoção, do direito de ir e vir. Além de inútil, fôra difícil senão impossível, enumerar todos os direitos que o indivíduo fica impossibilitado de exercer pela privação da liberdade individual; pela prisão, pela detenção, ou pelo exílio. A impetração do 'habeas corpus' para fazer cessar a prisão, ou para preveni-la é o que se vê diariamente. Mas – ponderava, de outra parte, o ínclito Ministro – algumas vezes, a ilegalidade de que se queixa o paciente, não importa a completa privação da liberdade individual. Limita-se a coação ilegal a ser vedada unicamente a liberdade individual, quando esta tem por fim próximo o exercício de um determinado direito. Não está o paciente preso, nem detido, nem exilado, nem ameaçado de imediatamente o ser. Apenas o impedem de ir, por exemplo, a uma praça pública, onde se deve realizar uma reunião com intuitos políticos; a uma casa comercial ou a uma fábrica, na qual é empregado; a uma repartição pública onde tem de desempenhar uma função, ou promover um interesse; à casa onde reside, ou seu domicílio" (*Revista de Direito Civil, Comercial e Criminal*, de Bento de Faria, vol. XX, fasc. I, 1911, pp. 72 e ss.).

O segundo defensor destemido e intimorato do habeas corpus e da sua extensão a casos aparentemente não compreendidos dentro da regra constitucional foi o grande e genial publicista Ruy Barbosa.

Dizia Ruy Barbosa, a propósito do tema: "Não é de hoje que os homens de força, dos que se exageraram na autoridade, que os espíritos revessos às garantias liberais reagem contra o 'habeas corpus', buscando pôr inteiramente fora do seu alcance os abusos do poder". E continuava, mais adiante: "Agora temos a reação contra o 'habeas corpus' firmada em outro terreno, depois que essa instituição passou pela transformação ampliativa, que recebeu com o novo regime. Agora uma escola da índole restritiva o pretende circunscrever a uma esfera limitada como a sua antiga esfera, reduzindo-o às condições de um recurso utilizado unicamente nos casos em que se trate de acudir à liberdade de locomoção, de manter o que se chama de liberdade corporal, de assegurar ao indivíduo a sua faculdade ordinária e legal de se mover, de ir e vir, de entrar e sair. Eis ao que se reduzira o 'habeas corpus', amesquinhado pela interpretação constitucional com que alguns espíritos o interpretam no texto da Carta Republicana" (*Comentários à Constituição Federal Brasileira*, coligidos e ordenados por Homero Pires, vol. V, São Paulo, 1934, pp. 501-503).

Ruy Barbosa fora, sem dúvida, como jurisconsulto e advogado, quem abrira os horizontes do *habeas corpus*, em suas famosas petições perante o Supremo Tribunal Federal.

Mas a Reforma Constitucional de 7.9.1926 amesquinhou o trabalho de gigante realizado por Ruy Barbosa e acolhido por Ministros como Pedro Lessa. O § 22, do art. 72, reduziu o *habeas corpus* à questão da liberdade de locomoção.

Houve esforços legislativos, depois da reforma de 1926, no sentido de criar uma garantia constitucional que protegesse o cidadão contra os abusos do poder e para proteger o direito líquido e certo não amparado mais pelo *habeas corpus*.

Com o advento da nova Assembléia Constituinte, "Coube a João Mangabeira propor o nome depois definitivamente consagrado, de sorte que a primeira referência oficial ao 'mandado de segurança' se fez no Diário Oficial da União de 4 de fevereiro de 1933, p. 2.246, alusiva à sessão de 27 de janeiro precedente, da Comissão do Anteprojeto constitucional, conhecida por Comissão Itamarati".

A fórmula de João Mangabeira era esta: "Toda pessoa que tiver um direito incontestável, ameaçado ou violado por um ato manifestamente ilegal, do Poder Executivo, poderá requerer ao Poder Judiciário que o ampare com um mandado de segurança. O juiz, recebendo o pedido, resolverá dentro de setenta e duas horas, depois de ouvida a autoridade coatora. E se considerar o remédio legal, expedirá o mandado, ou proibindo esta de praticar o ato, ou ordenando-lhe restabelecer integralmente a situação anterior, até que a respeito resolva definitivamente o Poder Judiciário" (J. M. Othon Sidou, *Do Mandado de Segurança*, Ed. RT, 1969, p. 69).

Promulgada a nova Constituição Federal, de 16.7.1934, o art. 113, inciso 33, dizia o seguinte: "Dar-se-á mandado de segurança para defesa de direito certo e incontestável, ameaçado ou violado por ato manifestamente inconstitucional ou ilegal de qualquer autoridade. O processo será o mesmo do 'habeas corpus', devendo ser sempre ouvida a pessoa de direito público interessada. O mandado de segurança não prejudica as ações petitórias competentes".

João Mangabeira, discípulo de Ruy Barbosa, vencera e colocara em nossa Constituição uma nova garantia constitucional que, com a única exceção da Carta de 1937, permaneceria nas demais Constituições Republicanas, inclusive naquelas que foram acusadas, posteriormente, de autoritárias.

A designação de mandado de segurança nos vem do direito inglês. Nesse sentido, a opinião de H. W. R. Wade, quando afirma: "Mandamus. The prerogative remedy of mandamus has for long been the normal weapon for compelling performance of public duties, at least where the plaintiff does not wish do run the hazard of an action for damages" (*Administrative Law*, 3ª ed., Oxford, Clarendon Press, 1974, p. 158).

O mandado de segurança é uma ação civil de rito sumário, destinada a proteger direito líquido e certo não amparado por *habeas corpus* ou *habeas data* (Luis Roberto Barroso, ob. cit., p. 189).

O sentido da expressão "direito líquido e certo", apesar de algumas oscilações, está bem caracterizado pela doutrina. Nesse sentido, assim se expressa o grande Seabra Fagundes: "Assim, ter-se-á como líquido e certo o direito cujos aspectos de fato se possam provar, documentalmente, fora de toda dúvida, o direito cujos pressupostos materiais se possam constatar pelo exame da prova oferecida com o pedido, ou de palavras ou omissões da informação da autoridade impetrada. Não importa que se levantem dúvidas, quanto ao texto de Direito Positivo, que deva reger a situação contenciosa. Ele será sempre certo, no sentido de que existe como preceito regedor de determinadas situações de fato e que se lhes aplica certamente, uma vez provada a existência delas" (*O Controle dos Atos Administrativos pelo Poder Judiciário*, 5ª ed., Rio de Janeiro, Forense, 1979, p. 272).

Visa o mandado de segurança atacar quaisquer atos de autoridade pública, ou agente de pessoa jurídica no exercício de atribuições de Poder Público, como é o caso das empresas concessionárias de serviço público. A conduta poderá ser positiva ou omissiva. Mas, desde que viole o direito líquido e certo do indivíduo, enseja a correção pela via do mandado de segurança (Luis Roberto Barroso, ob. cit., p. 191).

No dizer de Seabra Fagundes, "Três caracteres principais distinguem o mandado de segurança como remédio extraordinário: a) a natureza das situações jurídicas a cujo amparo se destina; b) a maneira por que atua, no sentido de realizar essa proteção; e c) a rapidez do rito processual, que o rege" (ob. cit., pp. 288-289).

6-C. Mandado de segurança coletivo. A Constituição Federal de 1988 dedicou atenção aos direitos coletivos e difusos, ampliando a legitimação ativa para a propositura do mandado de segurança. A Constituição ampliou o elenco das pessoas jurídicas, legitimadas a propor mandado de segurança, passando-o a denominar de mandado de segurança coletivo. Essas pessoas são as seguintes: a) partido político com representação no Congresso Nacional; b) organizações sindicais; c) entidade de classe legalmente constituída; d) associação legalmente constituída.

A entidade de classe ou associação legalmente constituída, a que se refere o art. 5º, LXX, "b", da Constituição Federal, deverá estar em funcionamento há pelo menos um ano, em defesa dos seus membros ou associados.

Como salienta José Joaquim Calmon de Passos, ao invés de se exigir que cada sujeito, isoladamente ou em litisconsórcio, atue na defesa de direitos próprios, concebeu-se a solução inteligente e prática de permitir que a entidade que os reúne, mediante um só writ, obtenha a tutela do direito de todos (*Mandado de Segurança Coletivo, Mandado de Injunção, "Habeas Data" – Constituição e Processo*, Forense, 1989, p. 22).

O mandado de segurança coletivo é uma variação do mandado de segurança individual. Os mesmos elementos que justificam a propositura do mandado de segurança individual devem estar presentes, isto é: a) a proteção do direito líquido e certo, não amparado por *habeas corpus* ou *habeas data*; b) ilegalidade ou abuso de poder; c) ato ou omissão de agente de pessoa administrativa ou de pessoa jurídica no exercício de atribuições de Poder Público, como é o caso dos concessionários de serviço público.

Trata-se do instituto jurídico que se situa no plano coletivo. Assim, os direitos e interesses protegidos não pertencem a um único indivíduo, mas a uma pluralidade deles, que em lugar de agirem isoladamente, são substituídos no plano processual pela entidade respectiva.

O objeto do mandado de segurança coletivo será um direito dos associados, independentemente de guardar vínculo com os fins próprios da entidade impetrante. Tal direito deve estar compreendido na titularidade dos membros da entidade, existindo em razão da atividade por eles exercida, mas não que seja um direito peculiar, próprio da classe. Nesse sentido é a opinião do Ministro Carlos Velloso, que afirmou em julgamento no Supremo Tribunal Federal: "Não se pode aceitar como óbice à legitimação ativa da associação o fato de, também, estar defendendo direitos individuais dos seus associados, e, dentre os interessados estarem pessoas estranhas aos seus quadros, pois, pelo alcance da norma contida no art. 5º, LXX, 'b', da CF/88, a hipótese não é de representação, mas de defesa dos interesses de seus filiados e, também, da categoria" (STF, *DJU* 3.5.1999, p. 155).

Na opinião do mesmo Ministro "Não se exige, tratando-se de segurança coletiva, a autorização expressa aludida no inciso XXI do art. 5º da Constituição, que contempla a hipótese de representação" (STF, *RTJ* 166/166, MS 22.132-RJ, rel. Min. Carlos Velloso).

Assim como no mandado de segurança individual, figuram na relação processual do mandado de segurança coletivo o impetrante, a autoridade apontada como coatora e a pessoa jurídica por ela representada, além da obrigatória participação do Ministério Público. Os legitimados ativos são apenas os que estão definidos pelo art. 5º, inciso LXX, da Constituição Federal. A enumeração constitucional é exaustiva, não cabendo a mais ninguém se intitular com o direito de impetrar mandado de segurança coletivo. Os legitimados ativos, como já tivemos oportunidade de mencionar, são: a) os partidos políticos com representação no Congresso Nacional; b) organização sindical, entidade de classe ou associação legalmente constituída e em funcionamento há pelo menos um ano, em defesa dos interesses de seus membros ou associados.

A representação do partido político no Congresso Nacional não exige bancada numerosa. Basta que o partido tenha um representante na Câmara dos Deputados ou no Senado Federal para que a exigência seja considerada como satisfeita. Controvérsias existem sobre a questão dos direitos e interesses tuteláveis pelo mandado de segurança coletivo quando requerido por partido político. O texto constitucional não faz referência "à defesa de seus membros ou associados", quando falou dos partidos políticos. Alguns consideram que sua legitimação seria ampla para propor a ação de mandado de segurança coletivo, podendo ser medida que se destinaria a tutelar qualquer direito relativo à autenticidade do sistema representativo, ao regime democrático ou aos direitos fundamentais. Outros defendem ponto de vista mais restrito, limitando o mandado de segurança coletivo à proteção de direitos de natureza política e em favor de filiados seus. Esse último é o entendimento prevalente na jurisprudência (STJ, *RSTJ* 12/215, MS 197-DF, rel. Min. Garcia Vieira).

Também têm legitimidade para impetrar o mandado de segurança coletivo as organizações sindicais e as entidades de classe. Da mesma forma, as associações legalmente constituídas e em funcionamento pelo menos há um ano. Essas entidades deverão postular a defesa dos interesses de seus membros ou associados.

No que concerne aos sindicatos, além de serem titulares do direito de impetrar mandado de segurança coletivo, a Constituição prevê uma outra hipótese de sua atuação judicial, de acordo com o art. 8º, inciso III, onde está disposto: "ao sindicato cabe a defesa dos direitos e interesses coletivos ou individuais da categoria, inclusive em questões judiciais ou administrativas". A hipótese é de substituição processual, pois o sindicato age em nome próprio, em defesa dos direitos de seus associados. A legitimidade das organizações sindicais não se limita à Justiça do Trabalho, podendo ser exercida diante de qualquer órgão judicial.

A decisão proferida em mandado de segurança coletivo abrange todos os substituídos pela entidade impetrante. Esta distinção é o traço característico que distingue a decisão daquela proferida no mandado de segurança individual.

Além do ajuizamento do mandado de segurança coletivo, poderão os membros ou associados da entidade impetrante deliberar, agir de maneira independente, requerendo a segurança individual. No caso, não há litispendência entre as duas ações, pois as partes são diversas. No mandado de segurança coletivo deverá ser aplicado analogicamente o tratamento dado pelo Código de Defesa do Consumidor à questão da coisa julgada (arts. 103, § 3º, e 104, Lei 8.078/1990).

6-D. Ação popular. A ação popular foi criada pelo art. 113, n. 38, da Constituição Federal de 1934, e foi restabelecida após o intervalo do Estado Novo pelo art. 141, § 38, da Constituição Federal de 1946. Hodiernamente, ela está prevista pelo art. 5º, inciso LXXIII, da Constituição Federal de 1988, nos seguintes termos: "LXXIII – qualquer cidadão é parte legítima para propor ação popular que vise anular ato lesivo ao patrimônio público ou de entidade de que o Estado participe, à moralidade administrativa, ao meio ambiente e ao patrimônio histórico e cultural, ficando o autor, salvo comprovada má-fé, isento de custas judiciais e do ônus da sucumbência". •

A ação popular é remédio judiciário específico contra os atos da Administração Pública, enquanto permite promova o cidadão, independentemente da Administração e, conseqüentemente, a despeito desta ou contra esta (Seabra Fagundes, *O Controle dos Atos Administrativos pelo Poder Judiciário*, 2ª ed., Rio de Janeiro, p. 202, n. 69, nota 2), a declaração de nulidade ou a anulação de ato administrativo, lesivo à Fazenda Pública.

Tem a ação popular como pressuposto, além da nulidade ou anulabilidade do negócio jurídico de que se cuidar, a lesão à Fazenda Pública, compreendidos latamente nesse conceito, além do patrimônio fiscal da União, dos Estados, do Distrito Federal e dos Municípios, o das entidades autárquicas, das empresas públicas, das sociedades de economia mista, • das fundações públicas, de serviços sociais autônomos e de quaisquer pessoas jurídicas ou entidades subvencionadas pelos cofres públicos. Além disso, a partir da Constituição Federal de 1988, a ação popular se destina, também, a anular ato lesivo à moralidade administrativa, ao meio ambiente e ao patrimônio histórico e cultural. • A *causa petendi* da ação popular há de ser procurada, como em relação ao *habeas corpus* e ao mandado de segurança, na própria Constituição Federal. Seabra Fagundes considera de modo diferente a questão e afirma que "Na expressão ilegalidade se compreende também a inconstitucionalidade, o que vale dizer, se abrangem, tanto a violação da lei ordinária, como a infração da lei constitucional" (*O Controle dos Atos Administrativos pelo Poder Judiciário*, 5ª ed., 1979, p. 267, nota 3).

No texto constitucional brasileiro, criou-se a ação popular corretiva, e não supletiva. Destina-se ela, a corrigir exorbitâncias da Administração, relativamente à ordem jurídica (anulabilidade ou nulidade de atos jurídicos), quando importe, aquelas, concomitantemente, lesão ao patrimônio fiscal de pessoa administrativa, de empresa pública, de sociedade de economia mista ou de fundação pública. Nem mesmo em se cogitando de anulabilidade, pode pensar-se em suprimento, pela iniciativa popular, de omissão ou inércia da Administração Pública: a) a incapacidade relativa do co-contratante, ou o vício da vontade deste, ainda que não invocáveis pela Administração Pública (art. 184, Código Civil), como fundamento da ação anulatória, serão invocáveis por qualquer cidadão, como fundamento da ação popular, suposto que se conjuguem com lesão ao patrimônio fiscal de pessoas administrativas, empresas públicas ou sociedades de economia mista; e b) quando se cuide de incompetência relativa do agente administrativo, ou vício da vontade, imputável à Administração Pública, esta, sem embargo, nunca poderá elidir a superveniência da ação popular reservada constitucionalmente à generalidade dos cidadãos, sempre que, à exorbitância jurídica, se somar a lesividade do ato, com respeito ao patrimônio fiscal de pessoa administrativa, empresa pública, sociedade de economia mista ou fundação pública. Somente a prova da inexistência de lesão, suprimindo um dos pressupostos da ação popular, poderá excluí-la, a esta, in hypothesi, e restituir aos órgãos do Poder Público, a liberdade de arbítrio, que se deva reconhecer-lhes, acerca da impugnação ou ratificação do ato anulável. Donde, a irratificabilidade fiscal da União, dos Estados, do Distrito Federal e dos Municípios, das entidades autárquicas, das empresas públicas, das sociedades de economia mista e das fundações públicas (v. § 11, n. 7, supra).

• A ação popular se encontra regulada, entre nós, pela Lei 4.717, de 29.6.1965, posteriormente alterada pela Lei 6.014, de 27.12.1973, que a adaptou ao novo Código de Processo Civil e pela Lei 6.515, de 20.12.1977, que alterou o art. 1º da Lei 4.717 para o fim de, em seu § 1º, acrescentar o seguinte dispositivo: "§ 1º. Consideram-se patrimônio público, para os fins referidos neste artigo, os bens e direitos de valor econômico, artístico, estético, histórico ou turístico".

A ação popular é o meio adequado para declarar a nulidade ou a anulabilidade de atos lesivos ao patrimônio das entidades mencionadas no art. 1º da Lei 4.717/1965, que são a União, os Estados, o Distrito Federal e os Municípios, as entidades autárquicas, as sociedades de economia mista, as sociedades mútuas de seguro nas quais a União represente os segurados ausentes, as empresas públicas, os serviços sociais autônomos, as fundações ou instituições para cuja criação e custeio o tesouro público haja concorrido ou concorra com mais de cinqüenta por cento do patrimônio ou da receita ânua, as empresas incorporadas ao patrimônio da União, dos Estados, do Distrito Federal e dos Municípios, bem como quaisquer pessoas jurídicas ou entidades subvencionadas pelos cofres públicos.

Os casos de nulidade dos atos administrativos, atacáveis por ação popular, se fundamentam na incompetência, no vício de forma, na ilegabilidade do objeto, na inexistência dos motivos e no desvio de finalidade (Lei 4.717/1965, art. 2º, "a", "b", "c", "d" e "e").

Já a anulabilidade dos atos administrativos tem como fundamento a lesão ao patrimônio das pessoas já mencionadas, cujos vícios não se compreendam nas especificações do art. 2º.

Além desses casos já mencionados, há os casos específicos de nulidade, definidos pelo art. 4º, incisos I, II, III, IV, V, VI, VII, VIII e IX da referida lei.

6-E. Ação civil pública. A ação civil pública foi criada pela Lei 7.347, de 27.7.1985, disciplinando a responsabilidade por danos causados ao meio ambiente, ao consumidor e a bens e direitos de valor artístico, estético, histórico, turístico e paisagístico. Com a promulgação da Constituição Federal de 1988, houve verdadeira recepção da ação civil pública. O art. 129, III, da Constituição passou a considerar o Ministério Público competente para "promover o inquérito civil e a ação civil pública, para a proteção do patrimônio público e social, do meio ambiente e de outros interesses difusos e coletivos". Ainda de acordo com a Constituição "A legitimação do Ministério Público para as ações civis públicas previstas neste artigo não impede a de terceiros, nas mesmas hipóteses, segundo o disposto nesta Constituição e na lei" (CF, art. 129, § 1º).

6-F. *Habeas data.* A nova Constituição da República criou uma figura nova de ação, representada pelo *habeas data*. A regulamentação infraconstitucional do instituto recém-criado veio com a Lei 9.507, de 12.11.1997. Na previsão constitucional, o *habeas data* tem dois objetivos fundamentais: 1º) assegurar o conhecimento de informações relativas à pessoa do impetrante, constantes de registros ou bancos de dados de entidades governamentais ou de caráter público; 2º) a retificação de dados, quando não se prefira fazê-lo por processo sigiloso, judicial ou administrativo (CF, art. 5º, LXXII, "a" e "b"). A Lei 9.507/1997, que regulamentou o *habeas data*, instituiu um procedimento prévio, extrajudicial perante a entidade ou órgão depositário das informações. A Lei prevê a apresentação de um requerimento (art. 2º), o deferimento do pedido com a prestação das informações (art. 3º), e a sua retificação, constatada a inexatidão de qualquer dado a respeito do interessado (art. 4º). Não havendo concordância entre o interessado e o Poder Público, poderá o indivíduo impetrar o *habeas data* na forma do art. 7º, incisos I, II e III da Lei 9.507/1997. No inciso III do art. 7º foi incluída a complementação dos registros relativos ao impetrante, que não constava da Constituição Federal. Mas a jurisprudência já admitia esta hipótese, consagrada pela lei. A fase preliminar de pedido amigável, prevista pela lei, traduzida no procedimento prévio, é considerada pelo Superior Tribunal de Justiça como indispensável, tendo sido a questão sumulada, nos seguintes termos: "Não cabe o *habeas data* (CF 5º, LXXII, 'a'), se não houve recusa de informações por parte da autoridade administrativa" (Súmula 2 do STJ: "Não cabimento").

6-G. Mandado de injunção. A expressão "mandado de injunção" foi retirada do direito inglês. H. W. R. Wade afirma que "É possível também para a Corte de Justiça conceder um mandado de injunção, isto é, uma ordem positiva para praticar algum ato, ao invés de uma ordem negativa de abster-se. Mandados de injunção são raros, e em particular desempenham pequena parte no direito público, porque há um processo especial para garantir a realização efetiva de um dever público no remédio prerrogativo do *mandamus*, de que trataremos adiante" ("It is also possible for the court to Grant a mandatory injunction, i.e. a positive order to do some act rather than a negative order do refrain. Mandatory injunctions are rare, and in particular they play little part in public law because there is a special procedure for enforcing the performance of a public duty in the prerogative remedy of mandamus dealt with below" – *Administrative Law*, Oxford, Clarendon Press, 1974, cap. 4, p. 111).

Ao contrário do que sustenta Luis Roberto Barroso, o mandado de injunção não se trata "em verdade, de flor nativa, sem similar preciso no direito comparado" (*O Direito Constitucional e a Efetividade de suas Normas*, 2002, p. 248). A própria expressão foi cunhada no direito inglês. De lá, foi transportada para o Brasil, embora, como a própria citação de Wade demonstre, não são remédios jurídicos idênticos. Mas não é possível falar de "flor nativa", quando se trata de tradução de uma expressão inglesa. Quanto ao seu conteúdo, a extensão de sua definição legal, a questão é outra. Aqui o instituto segue outros rumos, pois se trata de suprir a inexistência de norma regulamentadora que torne inviável o exercício dos direitos e liberdades constitucionais e das prerrogativas inerentes à nacionalidade, à soberania e à cidadania (CF, art. 5º, LXXI). Na Inglaterra, de certa forma, a situação é inversa. Sir Carleton Kemp Allen nos diz que "Mesmo quando os atos ou regulações de um órgão com competência legislativa estão submetidos à aprovação do Parlamento, a Corte Suprema pode, mesmo antes que o Parlamento se pronuncie sobre tais atos ou regulações, conceder um *writ* de proibição, para restringir o exercício desse poder, sempre que considerar haver um excesso de autoridade legislativa subordinada. A *injunction* é um desses *writs*" (*Law in the Making*, Oxford, Clarendon Press, 1956, p. 549).

A denominação é a mesma, mas no Brasil ela sofre uma transformação e se constitui em remédio jurídico processual para pedir ao Poder Judiciário que conceda o mandado de injunção, sempre que a falta de norma regulamentadora torne inviável o exercício dos direitos e liberdades constitucionais e as prerrogativas inerentes à nacionalidade, à soberania e à cidadania.

O objeto do mandado de injunção é o de obter do Judiciário uma manifestação que, no caso concreto, decida sobre o direito postulado, suprindo uma lacuna legal.

A questão foi bem colocada e resolvida pelo Ministro do Supremo, Carlos Mário da Silva Velloso, no que tange ao objeto do mandado de injunção. Diz o ilustre Ministro: "A diferença entre mandado de injunção e ação de inconstitucionalidade por omissão está justamente nisto: na ação de inconstitucionalidade por omissão, que se inscreve no contencioso jurisdicional abstrato, de competência exclusiva do STF, a matéria é versada apenas em abstrato e, declarada a inconstitucionalidade por omissão, será dada ciência ao Poder competente para adoção das providências necessárias e, em se tratando de órgão administrativo, para fazê-lo no prazo de 30 dias (CF, art. 103, § 2º). No mandado de injunção, reconhecendo o juiz ou tribunal que o direito que a Constituição concede é ineficaz ou inviável em razão da ausência de norma infraconstitucional, fará ele, juiz ou tribunal, por força do próprio mandado de injunção, a integração do direito à ordem jurídica, assim tornando-o eficaz e exercitável" ("As novas garantias constitucionais", *RT* 644/7, pp. 13 e 14).

Destarte, o objetivo do mandado de injunção não é o de pedir que o juiz ou o tribunal determine à autoridade competente que expeça norma regulamentadora do dispositivo constitucional, mas o de julgar o caso concreto, decidindo sobre o direito postulado e suprindo diretamente a lacuna legal. O mandado de injunção não é o remédio para fazer cumprir lei já existente, tampouco para se contrapor à recusa do Poder Público de aplicar uma norma auto-aplicável. O STF já se manifestou a respeito e, de forma correta, coloca o mandado de injunção dentro de seus limites precisos, isto é, tem cabimento apenas no caso de ausência de norma infraconstitucional, que torne inviável o exercício dos direitos e liberdades constitucionais. •

§ 26. AS SANÇÕES ADMINISTRATIVAS

"Conquanto a aplicação do Direito Penal Comum seja da exclusiva competência do Poder Judicial – adverte Ribas – não se deve privar a Administração Pública da atribuição de reprimir e prevenir pela punição aqueles atos que, embora a consciência da nação, algumas vezes, os não qualifique como criminosos, opõem tropeços ao desenvolvimento regular da ação administrativa e prejudicam a causa pública" (*Direito Administrativo Brasileiro*, Rio de Janeiro, 1866, p. 156).

Assim é que, ao lado do Direito Penal comum, encontra lugar o Direito Administrativo Penal, secção ou província do Direito Administrativo, destinada precisamente àquele fim (Galdino Siqueira, *Direito Penal Brasileiro*, Parte Geral, Rio de Janeiro, 1932, n. 74, p. 137). No nosso país, a distinção entre o Direito Penal e o Direito Administrativo Penal é sublinhada, além disso, pela partição de competências entre a União e os Estados nas mesmas matérias: a União legisla privativamente sobre o direito penal (CF/1988, art. 22, I); sobre o Direito Administrativo Penal, a União, os Estados e o Distrito Federal legislam concorrentemente, cada qual na esfera de sua competência administrativa, que não raro é comum (CF/1988, art. 24, VI).

1. Qual a compreensão, porém, dessa secção penal do Direito Administrativo? Fogem aos seus limites, desde logo, as penas disciplinares. Certo, o poder disciplinar exercitado pela Administração Pública não é de natureza privatística: é de direito público. Mas, assim é, tãosomente porque o poder disciplinar participa da natureza das atividades a que se opõe. Como forma específica de ação, contudo, não se circunscreve nem ao direito público, nem ao direito privado; não se restringe às pessoas jurídicas, nem às pessoas físicas. Ele é menos um instituto jurídico, adaptado às categorias do direito, do que uma concomitância necessária de toda formação social. "Quem diz sociedade diz dominação" – proclama Pontes de Miranda (*Os Fundamentos Atuais do Direito Constitucional*, Rio de Janeiro, 1932, p. 14). Ora, não é o poder disciplinar senão uma modalidade dessa dominação, inerente a todo grupo de convívio humano. Assim, na família, vemos reconhecido ao pai ou à mãe o poder de castigar moderadamente os filhos, estando sujeitos à perda do poder familiar os que castigarem "imoderadamente o filho" (Código Civil de 2002, art. 1.638, inciso I). Nas associações, a história nos revela o poder de punir estendido até a pena de morte (Lacerda de Almeida, "Propedêutica Jurídica", na *Revista da Faculdade Livre de Direito do Rio de Janeiro*, t. VII, p. 49). Assim, também, o Estado exercita poder disciplinar sobre os seus funcionários, nos recintos de suas repartições etc. Por não se tratar, exatamente, do exercício de um poder que o Estado exercite como Estado é que, por outro lado, contra as penas disciplinares, não se admite o *habeas corpus* (CF, art. 142, § 2º), nem mandado de segurança, salvo para apreciar-lhes a legalidade, sem apreciar-lhes o mérito (art. 5º, III, Lei 1.533, de 31.12.1951). Daí, também, que já no nosso antigo Direito Judiciário não se tivesse dado recurso contra a aplicação de penas disciplinares (art. 52, Decreto 834, de 2.10.1851), ao passo que sempre se permitiu agravo da aplicação de penas administrativas (*Ordenações Filipinas*, Liv. III, Tit. 20, § 45; Reg. n. 737, de 25.11.1850, art. 669, § 10).

Restringe-se, pois, a matéria penal do Direito Administrativo às penas administrativas propriamente ditas. Dizem-se penas administrativas as sanções de que se socorre a Administração Pública, em suas leis e regulamentos, para assegurar a observância das prescrições ou provimentos de ordem geral.

2. Tem, desta sorte, o Direito Administrativo Penal finalidade semelhante à do Direito Penal. Entre ambos, todavia, como entre qualquer ramo do direito e todo direito especial, as diversidades são flagrantes. Vale enumerar as principais.

a) São incomunicáveis as penas criminais, restritas à pessoa do delinquente. Entretanto, a pena administrativa pode ser reclamada, quando sob a forma de multa, não somente do infrator, senão também dos herdeiros deste ou, ainda, de quem lhe tiver adquirido o negócio, se ao negócio a infração se referir (Acórdão do STF, de 21.7.1929, *Revista de Direito*, t. 96, p. 94).

b) Nenhuma pena criminal será aplicada, sem que, em ação penal, o autor produza, acima de toda dúvida, prova do fato delituoso e da responsabilidade do réu. Costuma dizer-se, como corolário deste princípio, *in dubio pro reo*. Diversamente, porém, se passam as cousas, quando se trata de pena administrativa. Assim, "o importador que não prova ter entregue ao despachante a importância para o pagamento integral dos direitos a que estejam sujeitas as mercadorias que despacha, não pode alegar ignorância das fraudes praticadas por esse preposto, em prejuízo do fisco" (Acórdão do STF, de 26.7.1920, em Kelly, *Manual de Jurisprudência Federal*, 4º suplemento, Rio de Janeiro, n. 1.168, pp. 230-231).

c) A revisão das sentenças criminais somente é permitida em benefício do réu. Inversamente, a decisão das autoridades administrativas, que a alguém absolve de uma infração punível com penalidade administrativa, pode, embora definitiva, ser reformada pela própria Administração. Ressalva-se, entretanto, a decadência ou a prescrição especial em contrário. Assim, a decisão que deixa de impor uma pena administrativa, de caráter pecuniário, é uma decisão contra a Fazenda Pública, sujeita como tal a reconsideração e reforma *ex-officio*, ressalvada a prescrição de cinco anos, prevista pelo Código Tributário Nacional, para qualquer ação referente ao crédito tributário (art. 174), bem como o prazo de decadência, também de cinco anos, para a constituição do crédito tributário. Não é possível, por conseguinte, qualquer reconsideração ou reforma de decisão *ex-officio* depois desse prazo.

d) Diversamente do que acontece à pena criminal, cumulam-se, de regra, na pena administrativa, punição e reparação, exceto quanto à responsabilidade, pelo dano, exorbita dos lindes da responsabilidade fora do contrato. São as sanções administrativas, por esse traço, assemelháveis às penas, que no Direito Canônico, vêm cominadas pelas "leges mere poenales", das quais um dos sinais distintivos é a quantia da pena com a qual a reparação se cumula à punição propriamente dita (Lucio Rodrigo, *Prælectiones Theologico-morales Comillenses*, t. II, Santander, 1944, n. 249, p. 184).

Não subsistem, no Direito Administrativo Penal, portanto, os princípios mais característicos do Direito Penal. Subsistem, certo, as noções fundamentais de violação da regra jurídica e da necessidade de reparação do mal assim causado. Mas os princípios de realização dessa restauração da ordem jurídica variam profundamente. Sob a inspiração própria do Direito Administrativo, é que se enunciam as bases práticas do Direito Administrativo Penal. Essa secção do Direito Administrativo não se identifica, desta sorte, com o Direito Penal, nem se reputa ramo deste último; acusa, sem dúvida, algumas feições dele, que lhe foi origem, mas encontra-se, por outro lado, indissoluvelmente integrada na economia de um outro sistema jurídico, a cuja organização definitivamente pertence e a cujo ritmo evolutivo para sempre obedece.

3. De vária espécie podem ser as penas administrativas; mas, notadamente: a) penas privativas de direitos; • b) penas disciplinares temporárias; c) penas disciplinares definitivas; d) penas de suspensão temporária; e) sanções pela inexecução de contrato com a Administração Pública (Lei 8.666/1993, art. 87 e seus incisos); • f) penas pecuniárias.

a) *Penas privativas de direitos.* • Devemos enumerar, entre essas penas, aquelas que são aplicadas aos servidores públicos e que importam na extinção da relação de trabalho entre o Estado e o servidor público. Dentre essas penas, podemos conumerar a *demissão* do servidor. Imposta como pena nos casos previstos no art. 132, incisos I a XIII, da Lei 8.112, de 11.12.1990. A destituição do cargo em comissão também constitui pena aplicável àquele que não exerce a função pública em caráter permanente, mas transitório, e está prevista pelos arts. 135, 136 e 137 da Lei 8.112/1990. A destituição de função comissionada está prevista pelo art. 127, inciso VI, da Lei 8.112/1990. A cassação da aposentadoria ou da disponibilidade ocorrerá sempre que o servidor inativo "houver praticado, na atividade, falta punível com a demissão" (art. 134, Lei 8.112/1990). Em todos esses casos há privação de direitos, pois os atos que lhes correspondem são atos administrativos extintivos de direitos, conforme já foi mencionado anteriormente. A ação disciplinar está sujeita a prescrição, em cinco anos, quanto às infrações puníveis com demissão, cassação de aposentadoria ou disponibilidade e destituição de cargo em comissão (art. 142, I, Lei 8.112/1990).

A declaração de inidoneidade para licitar ou contratar com a Administração Pública representa, hodiernamente, perda temporária do respectivo direito, considerando que a lei das licitações permite a reabilitação perante a própria autoridade que aplicou a penalidade, somente perdurando enquanto perdurarem os motivos determinantes da punição (Lei 8.666/1993, art. 87, inciso IV).

b) *Penas disciplinares temporárias.*

Constituem penas disciplinares temporárias aquelas que a autoridade pública aplica, tão-somente, *pro tempore,* decorrido o qual, o destinatário da pena recobra seus direitos.

São penas disciplinares temporárias a advertência e a suspensão do servidor público (arts. 129 e 130, Lei 8.112/1990). A própria Lei

§ 26. AS SANÇÕES ADMINISTRATIVAS

8.112/1990 determina, em seu art. 131 que "As penalidades de advertência e de suspensão terão seus registros cancelados, após o decurso de três e cinco anos de efetivo exercício, respectivamente, se o servidor não houver, nesse período, praticado nova infração disciplinar".

c) *Penas disciplinares definitivas.*

As penas disciplinares definitivas são as que eliminam, em caráter permanente, toda e qualquer vinculação entre o destinatário da pena e a Administração Pública. A demissão do servidor público, a cassação da aposentadoria e da disponibilidade, já mencionadas como penas privativas de direitos, representam exemplos significativos de penas disciplinares definitivas.

No campo das concessões de serviço público, constitui pena definitiva a sanção decorrente do fato de "Desenvolver clandestinamente atividades de telecomunicações" (arts. 183 e 184 da Lei 9.472/1997, que criou a ANATEL). No caso, trata-se de sanção administrativa vinculada a um processo penal, que está previsto no art. 183, sujeitando o infrator à pena de detenção de dois a quatro anos e multa de R$ 10.000,00 (dez mil reais), de acordo com a estipulação da pena no art. 183. Mas, além disso, há as penas acessórias de obrigar o criminoso ao pagamento de uma indenização e a perda, em favor da Agência, dos bens empregados na atividade clandestina (art. 184, I e II).

d) *Penas de suspensão temporária.*

A suspensão temporária de contratar com a Administração Pública está prevista pelo art. 87, inciso III, da Lei 8.666/1993.

A suspensão está conumerada, também, entre as sanções administrativas que duas Agências Reguladoras, a ANTT e a ANTAQ podem aplicar (art. 78-A, inciso III, Lei 10.233/2001).

A suspensão temporária está conumerada, ainda, entre as penalidades que podem ser impostas pela ANATEL aos concessionários dos serviços de telecomunicações (art. 173, III, Lei 9.472/1997).

e) *Sanções pela inexecução de contrato com a Administração Pública.*

Essas sanções estão previstas precipuamente pela Lei 8.666, de 21.6.1993. Em seu art. 87, a aludida Lei fala em advertência (inciso I), em suspensão temporária de participação em licitação e impedimento de contratar com a Administração, por prazo não superior a dois anos (inciso III), em declaração de inidoneidade para licitar ou contratar com a Administração Pública, enquanto perdurarem os motivos determinantes da punição (inciso IV), além da multa, de que falaremos adiante, prevista no instrumento convocatório ou no contrato (inciso II).

Sanções análogas podem ser aplicadas pelas Agências Reguladoras de serviços públicos concedidos, de que constituem exemplos:

1º) A ANATEL, que pode aplicar as seguintes penalidades: I – advertência; II – multa; III – suspensão temporária; IV – caducidade; V – declaração de inidoneidade (art. 173, Lei 9.473/1997).

2º) A ANTT e a ANTAQ, que detêm o poder de aplicar as penalidades a seguir enumeradas: I – advertência; II – multa; III – suspensão; IV – cassação; V – declaração de inidoneidade (Lei 10.233, de 5.6.2001, art. 78-A, incisos I a V).

Por fim, exemplo de aplicação de sanções pela inexecução de contrato com a Administração Pública aparece na Lei 8.987, de 13.2.1995, que "Dispõe sobre o regime de concessão e permissão da prestação de serviços públicos, previsto no art. 175 da Constituição Federal", em seu art. 38, cujo texto diz o seguinte: "A inexecução total ou parcial do contrato acarretará, a critério do poder concedente, a declaração de caducidade da concessão ou a aplicação de sanções contratuais, respeitadas as disposições deste artigo, do art. 27, e as normas convencionadas entre as partes". O § 5º do art. 38 prevê expressamente a aplicação das multas contratuais. •

f) *Penas pecuniárias.*

Às penas pecuniárias chamam-se multas. A multa é a pena administrativa por excelência. Certo, a pena pecuniária também nos aparece, anexa a crimes, a contravenções e, até, a transgressões disciplinares. Mas, a multa, pena administrativa, singulariza-se nitidamente, dentre todas as figuras afins, pela sua feição indenizatória. Pela multa, a Administração, com impô-la, previne-se e, com arrecadá-la, indeniza-se do dano que a infração da norma jurídica, de aplicação geral, lhe ocasiona, e a toda a coletividade. Borges Carneiro mencionava já dentre as atribuições das Câmaras Municipais, a de "prevenir os danos pela imposição de coimas" (*Direito Civil de Portugal*, Lisboa, t. III, 1867, § 319, p. 271), que não são senão as mesmas multas de hoje. Nesse sentido, veja-se a definição de Pereira e Souza: "Coima é a pena pecuniária (...)" (*Dicionário Jurídico*, t. I, Lisboa, 1825, verb. "coima").

Da feição indenizatória e, simultaneamente, penal da multa, enquanto pena administrativa, evidencia-se, para logo, a conjunção que, de regra, nas sanções administrativas, se opera da sanção restitutiva, própria do direito privado, com a sanção substitutiva, própria do Direito Criminal.

§ 26. AS SANÇÕES ADMINISTRATIVAS

Revela-nos, essa conjunção, ao demais, a linha mais nítida de discrime entre o Direito Administrativo Penal e o Direito Penal. Naquele, diversamente deste, a sanção administrativa depara-nos, conjugadas em expressão unitária, pena e reparação.

GRÁFICA PAYM
Tel. (011) 4392-3344
paym@terra.com.br